रवीन्द्रनाथ त्यागी रचनावली

खण्ड : छह

खण्ड : एक

व्यंग्य-संसार : खण्ड एक से छह

• खुली धूप में नाव पर (1963) • भित्ति-चित्र (1966) • मल्लीनाथ की परम्परा (1968) • कृष्णवाहन की कथा (1971) • देवदार के पेड़ (1973) • शोक-सभा (1974)

खण्ड : दो

• अतिथि-कक्ष (1977) • फूलों वाला कैक्टस (1978) • सुन्दरकली (1978) • ऋतु-वर्णन (1979) • भद्र पुरुष (1980) • इस देश के लोग (1982) • पद-यात्रा (1985)

खण्ड : तीन

• आत्मलेख (1988) • पराजित पीढ़ी के नाम (1988) • प्रसंगवश (1988)

खण्ड : चार

• विषकन्या (1990) • गणतन्त्र दिवस की शोभायात्रा (1991) • चम्पाकली (1992)

खण्ड : पाँच

• इतिहास का शव (1993) • देश-विदेश की कथा (1994) • भाद्रपद की साँझ (1996) • लाल-पीले फूल (1997)

खण्ड : छह

• बादलों का गाँव (1999) • शेष-अवशेष (2011)

खण्ड : सात

काव्य-संसार

• सूखे और हरे पत्ते (1962) • कल्पवृक्ष (1965) • आदिम राग(1967) • आखिरकार (1978) • सलीब से नाव तक (1983) • अन्तिम बसन्त (1988) • कृष्णपक्ष की पूर्णिमा (1996)

खण्ड : आठ

विविध

• उपन्यास : अपूर्ण कथा (1980) • कहानी (1980) • पत्र (2008) • बाल-साहित्य

रवीन्द्रनाथ त्यागी रचनावली

खण्ड : छह

सम्पादक

कमल किशोर गोयनका

वाणी प्रकाशन

वाणी प्रकाशन
4695, 21-ए, दरियागंज, नयी दिल्ली 110 002

शाखा

अशोक राजपथ, पटना 800 004

फ़ोन : +91 11 23273167 फ़ैक्स : +91 11 23275710

www.vaniprakashan.in
vaniprakashan@gmail.com
sales@vaniprakashan.in

RAVINDRANATH TYAGI RACHNAWALI-6
Edited by Kamal Kishore Goyanka

ISBN : 978-93-5229-519-7
Rachnawali

प्रथम संस्करण 2016

प्रत्येक खण्ड का मूल्य : ₹ 1000
(आठ खण्ड सेट) सेट मूल्य : ₹ 8000

हर्ष प्रिंटर्स, दिल्ली-110 093 में मुद्रित

वाणी प्रकाशन का लोगो मक़बूल फ़िदा हुसेन की कूची से

अनुक्रम

व्यंग्य-संसार

बादलों का गाँव (1999)

शेष अवशेष (2011)

खण्ड एक : व्यंग्य

परिशिष्ट

बादलों का गाँव
(1999)

पुस्तक का पाँचवाँ खण्ड आम पाठकों के लिए है। 'दिल्ली-सल्तनत' के नोट्स फ़रिश्ता, बदायूँनी व पुरुषोत्तम नागेश ओक की पुस्तकों व मुंशी जी तथा डॉ. बनारसी प्रसाद सक्सेना की टिप्पणियों पर आधारित हैं। 'ग़दर' के नोट्स सुरेन्द्रनाथ सेन की सरकारी किताब 'अठारह सौ सत्तावन' पर आधारित हैं हालाँकि सेना-मुख्यालय के विशाल पुस्तकालय से उपलब्ध सामग्री को मैं नज़र-अन्दाज़ नहीं कर सका।

मुझे इस आशंका की 'आशा कम, विश्वास अधिक है' कि यह अजीबो-ग़रीब किताब आपको अच्छी लगेगी क्योंकि मेरे जो पाठक व प्रशंसक हैं वे प्रायः मन्दबुद्धि ही रहे हैं। कुछ प्रबुद्ध लोग तो मेरा लिखा साहित्य पढ़ने के कारण ही मन्दबुद्धि हुए हैं—यह भी मैं जानता हूँ।

देहरादून

रवीन्द्रनाथ त्यागी

गुरुदेव की प्रतिमा

गुरुदेव रवीन्द्रनाथ ठाकुर विश्व के श्रेष्ठतम कवियों में से एक हैं। मैं तो कालिदास के बाद, उन्हें विश्व का सर्वश्रेष्ठ कवि स्वीकार करता हूँ। इतना महान् कवि होने के साथ-साथ वे एक कुशल चित्रकार, एक मार्मिक कहानी-लेखक व एक अद्‌भुत संगीतज्ञ भी थे। विश्वभारती के स्थापित करने में उन्होंने अपनी प्रिय पत्नी के आभूषण तक बेच दिये थे।

यह ठीक ही रहा कि गुरुदेव की एक कांस्य-प्रतिमा विश्व के महानतम नाटककार विलियम शेक्सपियर के जन्मस्थान के प्रांगण में स्थापित कर दी गयी है। इस स्थान को प्रत्येक वर्ष दस लाख से ज़्यादा यात्री देखने आते हैं। उनकी मूर्ति लगते ही भ्रान्तियाँ शुरू हो गयीं। कुछ जापानी व अमेरिकन दर्शकों ने गुरुदेव को ही शेक्सपियर समझ लिया हालाँकि दोनों विभूतियों की दाढ़ी की लम्बाई में काफ़ी अन्तर था। शेक्सपियर यदि ज़िन्दा होता तो इस 'कॉमेडी ऑफ़ एरर्स' पर ख़ूब हँसता।

गुरुदेव एक अत्यन्त विनोदी व्यक्ति थे। एक बार उन्होंने अपनी कुछ विशिष्ट क़िस्म की कविताएँ एक बँगला-पत्रिका में कवि भानुसिंह के नाम से छपवायीं। भानुसिंह नामक इस काल्पनिक कवि को काफ़ी पुराना बताया गया। कविताएँ छपते ही भानुसिंह पर खोज शुरू हो गयी और एक शोध-कर्त्ता ने तो भानुसिंह पर डॉक्टरेट भी प्राप्त कर ली। इतना सब कुछ हो जाने के बाद, गुरुदेव ने अपना सारा प्रपंच सबके सामने खोला। उनकी सच्ची विनोदप्रियता में रुचि रखने वाले पाठक, मैत्रेयी देवी द्वारा लिखित 'टैगोर बाई फ़ायरसाइड' नामक पोथी पढ़ें। शरत् बाबू के साथ भी गुरुदेव की विनोदी नोक-झोंक बराबर चलती रहती थी।

खुशवन्तसिंह ने पिछले दिनों गुरुदेव को एक 'सामान्य लेखक' बताया जिसका कि काफ़ी खुलकर विरोध किया गया। अपने वक्तव्य में खुशवन्तसिंह ने कोई प्रमाण नहीं दिया और कोई कारण नहीं बताया जिसके आधार पर उन्होंने अपना फ़तवा दिया। यह बात ठीक है कि गुरुदेव के उपन्यास श्रेष्ठ नहीं हैं पर इस तरह तो शेक्सपियर भी अपने सुखान्त नाटकों में शुरू से आख़िर तक सामान्य ही रहता है, इससे ज़्यादा कुछ नहीं। खुशवन्तसिंह खुद कैसे साहित्यकार हैं, यह हम सभी जानते

ही हैं। जो न जानते हों वे उनका 26 वर्षों में लिखा उपन्यास 'दिल्ली' पढ़ लें।

मेरा विचार है कि खुशवन्तसिंह की सारी नाराज़गी इस कारण है कि दाढ़ी होते हुए भी उनकी प्रतिमा शेक्सपियर के घर के परिसर में क्यों नहीं लगायी गयी। अब अगर दाढ़ी के ही आधार पर प्रतिमाएँ लगायी जाएँ तो चार्ल्स डिकिन्स से लेकर दास्तोएवस्की तक और तालस्ताय से लेकर निराला तक, न जाने कितने ऐसे महान् साहित्यकार निकल आएँगे जिनके प्रशंसक अपने प्रिय लेखकों की मूर्तियाँ वहाँ लगवाना चाहेंगे और लन्दन से एवान तक लगभग सौ मील की दूरी इन प्रतिमाओं से ही घिर जाएगी। कहीं 'ग़ालिब' होंगे तो कहीं 'मीर', कहीं 'ह्विटमैन' होंगे तो कहीं 'तुर्गनेव'। और यह कितना बड़ा अन्याय होगा कि ओ. हेनरी, शरत्चन्द्र, मैक्सिम गोर्की, सुमित्रानन्दन पन्त और मुंशी प्रेमचन्द जैसे कालजयी साहित्यकार इस सम्मान से मात्र इस कारण वंचित रह जाएँगे कि वे दाढ़ी नहीं रखते थे। टी.एस. ईलियट व जेम्स जायस की आत्माएँ क्या कहेंगी? शैली, कीट्स, बायरन, रॉबर्ट फ्रास्ट व वुडहाउस पीछे रह जाएँगे और बर्नार्ड शॉ और मोपासाँ आगे निकल जाएँगे। मैं दाढ़ी की इज़्ज़त करता हूँ मगर यह मैं हर्गिज़ नहीं चाहूँगा कि मात्र दाढ़ी के ही कारण हरिशंकर परसाई, शरद जोशी, श्रीलाल शुक्ल व रवीन्द्रनाथ त्यागी तो पीछे रह जाएँ और काका हाथरसी उनसे आगे निकल जाएँ। मेरे विचार में उचित यही होगा कि दाढ़ी को साहित्य का मापदण्ड न बनाया जाए।

अग्नि की राजनीति

सृष्टि के मूल में जो पाँच तत्त्व हैं, अग्नि उनमें से प्रथम है। वेदों के न जाने कितने मन्त्रों में अग्नि की उपासना की गयी। जन्म, विवाह और मृत्यु—इन तीनों हादसों को हमारे पूर्वजों ने अग्नि के माध्यम से ही झेला और प्रेमी व प्रेयसियों के हृदय में जो विरह की आग जलती रही, उसका तो कहना ही क्या। इक आग का दरिया है और डूब के जाना है (जिगर) इश्क़ पर ज़ोर नहीं यह वो आतिश 'ग़ालिब' कि लगाये न लगे और बुझाये न बने (ग़ालिब)।

ठीक वही आग जो कभी दिलों में ही लगा करती थी, वह अब शेष विभिन्न स्थानों पर भी लगने लगी है। हमारे एक राज्य के उस 'सुरक्षित' प्रेस में कल आग लग गयी जिसमें हाल ही में हुए चुनाव के मतपत्र छपे थे। हिमालय के विशाल अंचल में ऐसी भयंकर आग लगी कि करोड़ों रुपयों की विदेशी सहायता से लगे वे सारे वृक्ष जल गये जो एक पत्र के अनुसार कभी लगाये ही नहीं गये थे। दिल्ली के दिल में बसी एक ऐसी बस्ती में आग लग गयी जो प्लास्टिक का सामान बनाती थी। करोड़ों रुपयों की हानि हो गयी। और दिल्ली की झुग्गी-झोंपड़ीवाली एक बस्ती में तो ऐसी आग लगी जो अगले चुनाव तक उस क्षेत्र की राजनीति को गरम रखेगी। दिल्ली की झोंपड़पट्टियों में लगभग बीस लाख मतदाता निवास करते हैं। यदि वहाँ आग न लगे तो उन ग़रीब लोगों पर दया दिखाने का अवसर हमें कैसे मिले? यदि आग न लगे तो उस ज़मीन पर अमीर लोग अपनी कोठियाँ व कोठे कैसे बनाएँ? जो काम बुलडोजर नहीं कर पाते, उसे आग करती है और इतनी जल्दी से करती है कि कोई सबूत नहीं बचता। आग की राजनीति, राजनीति की आग से ज़्यादा गर्म होती है, इसमें सन्देह नहीं। अग्नि से बड़ा देवता और कौन है?

अमीरी की आग भी अब इतनी ज़्यादा गर्म हो गयी है कि उस तबके की सारी युवतियाँ अब दिन में भी नंगी या अधनंगी ही रहती हैं। ईर्ष्या और महत्त्वाकांक्षा की अग्नि ने काँग्रेस-पार्टी के फिर दो और टुकड़े कर दिये। भ्रष्टाचार की अग्नि में हम सब खुले आम जल रहे हैं। पुलिस के दरोग़ा का डण्डा अब इतना गर्म हो गया है कि मुलायमसिंह जैसे साहित्य-प्रेमी मुख्यमन्त्री तक की सारी मुलायिमत उसमें

पिघलकर खाक हो गयी। बाज़ार में ऐसी आग लगी है कि सैकड़ों रुपये तो सब्ज़ी ख़रीदने में ही जल जाते हैं। पैसे की और रिश्वत की अग्नि इतनी तेज़ हो गयी है कि बहू को जलाने वाले सास-ससुर अदालत से साफ़ छूटते हैं और अपने बरखुरदार का नया स्वयंवर रचाते हैं। सारा मुल्क जल रहा है और हम सब देख रहे हैं। इससे ज़्यादा हम कर ही क्या सकते हैं?

सब तरफ़ से निराश होकर मैं सिगरेट में आग लगाता हूँ और सोचता हूँ कि पारसी लोग जो अग्नि को ही अपना देवता मानते हैं, वह ठीक ही करते हैं। आर्य लोग शायद पारसी ही होते थे। यदि ऐसा न होता तो वे यह मन्त्र कभी नहीं रचते—यां मेधां देवगणाः पितरश्चोपासते, तया मामद्यमेधया अग्ने मेधाविनं कुरु। मिल्टन ने अपने नरक-वर्णन में जो अग्नि का वर्णन किया है, उससे ज़ाहिर होता है कि उसे हमारे देश की आँच का पता था।

विरह की अग्नि को अब बुझाया जा सकता है पर बाक़ी अग्नियों को नहीं। विरह की अग्नि अब मात्र बेवकूफ़ों की चीज़ रह गयी है। कुछ उदार व समझदार शायरों का कलाम आपकी खिदमत में पेश करता हूँ :

ख़ुदाया कैसी कैसी सूरतें तूने बनायी हैं
कि हर सूरत कलेजे से लगा लेने के क़ाबिल है

(अकबर)

बीसियों चाहने वालों की ज़रूरत क्या है
नाज़ उठवाओगी तुम उनसे कि छप्पर कोई?

(बेढब)

हुजूमे माशिकाँ देखा जो दरवाज़े पै, वे बोले
हमें यह टीम आल इण्डिया मालूम पड़ती है।

(जरीफ़)

राग-विराग

मैं यह सोचा करता था कि सूखा पड़ने, बाढ़ आने और भूचाल आदि अन्य विपत्तियों के आ जाने से केवल राजनेता व समाज-सेवक ही प्रसन्न होते हैं क्योंकि सरकारी अनुदान व चन्दे की रक़म खाने का और यश प्राप्त करने का चिर-प्रतीक्षित अवसर उनको ही प्राप्त होता है। मुझे अच्छी तरह याद है कि एक स्वर्गीय प्रधानमन्त्री जब सेना के विमान से बाढ़-पीड़ित क्षेत्र का हवाई दौरा करने गये थे तो उन्होंने सरकारी फ़ोटोग्राफ़र से स्पष्ट शब्दों में कहा था कि फ़ोटो ऐसा लेना जिसमें वे व जलग्रस्त क्षेत्र एक साथ देखे जा सकें। उन्हें बाढ़-पीड़ित जनता की अपेक्षा अपने फ़ोटो की अधिक चिन्ता थी। मगर आज मुझे एहसास हुआ कि मैं ग़लत था। विपत्ति-ग्रस्त लोगों में जितनी दिलचस्पी अख़बारों के संवाददाताओं, फ़ोटोग्राफ़रों, मंच पर कविता-पाठ करने वाले कवियों, चित्रकारों, कार्टून बनाने वालों, सिनेमा के निर्देशकों व व्यंग्यकारों को है, उतनी दिलचस्पी तो राजनेताओं व समाज-सेवकों को भी हर्गिज़ नहीं है। करुण रस को बीभत्सता देने की जितनी चेष्टा इस देश के कलाकारों को करनी पड़ती है, उतनी चेष्टा और कोई नहीं करता।

विपत्ति में ग्रस्त स्त्रियों की नग्न देह फ़ोटोग्राफ़रों और चित्रकारों के लिए एक वरदान है। वे उनके नंगे उरोजों और नंगी टाँगों का ऐसा चित्र खींचते हैं कि जो सामान्य स्थिति में मात्र अश्लील ही समझा जा सकता था। वे झुग्गी-झोंपड़ियों के निवासियों को इस तरह प्रस्तुत करते हैं जो कि भयानक विपत्ति के अभाव में किया ही नहीं जा सकता था। विभिन्न कोणों से लिये गये यौवन के चित्र, कलाकारों की छिपी प्रतिभा को ऐसा असीम आयाम देंगे—इसका पता मुझे क्या, उन कलाकारों तक को नहीं था। सिनेमावालों ने तो जलती हुई झुग्गी-झोंपड़ियों की पूरी फ़िल्म ही उतार ली जो उनके अगले चलचित्र में काम आएगी। शबाना आज़मी और ओम पुरी इस फ़िल्म से लाखों कमाएँगे और प्रोड्यूसर तो करोड़ों पर हाथ साफ़ करेगा। हम सब ऊँचे तबके के बुद्धिजीवी लोग वातानुकूलित सिनेमाघरों में फ़िल्म का मज़ा लेंगे और विपत्ति के असली शिकार, रोटी और पानी के लिए लाइनों में खड़े रहेंगे और झगड़ते रहेंगे। भगवान् की इच्छा में कौन दख़ल दे सकता है?

रवीन्द्रनाथ त्यागी और शरद जोशी, 1976
नयी दिल्ली

रवीन्द्रनाथ त्यागी (एकदम दायें)
नरेन्द्र कोहली, शरद जोशी और प्रेम जनमेजय के साथ, 1976
प्रेम जनमेजय के निवास पर

मेरे कई मित्र अख़बारों के संवाददाता हैं। वे बहुत शक्तिशाली लोग हैं जिनसे पुलिस का दरोग़ा तक डरता है। जिस दिन मेरे इन मित्रों को किसी दुर्घटना, दंगा-फ़साद, लाठीचार्ज, बलात्कार, हत्या व डकैती का समाचार हाथ नहीं लगता, उस दिन ये लोग इतने ग़मगीन व हताश हो जाते हैं जैसे कि इनके घर में इनका कोई आत्मीय ही मर गया हो। यदि कोई बड़ा आदमी किसी दिन अपनी मूर्खता के कारण कोई मूर्खता का काम नहीं करता, उस दिन कार्टून बनानेवाले के घर चूल्हा नहीं जलता।

और फिर व्यंग्यकार का तो कहना ही क्या! यदि सब कुछ ठीक ही चलता रहे तो वह बेचारा और क्या धन्धा कर सकता है? यदि कुण्ठा, सन्त्रास, भ्रष्टाचार व विसंगतियाँ ही न रहें तो उसका पूरा परिवार भूखा ही रहेगा। उसकी यही नियति है। बाढ़ या सूखे पर लिखी कविता को मधुर स्वर में मंच पर पढ़ने वाला कवि आज दारू के बिना ही सोएगा। आज वह फ़िल्टर्ड सिगरेट की जगह बीड़ी ही पिएगा और निराश होकर अपनी निजी पत्नी से ही प्यार करेगा। विपत्तियों का कला की उन्नति में जो महान् योगदान सदा से रहा है, उसे कितने लोग जानते हैं?

एक पुराने धन्धे का नया रूप

शरीर का क्रय-विक्रय संसार का सबसे पुराना धन्धा माना जाता है। हमारे देश में अब पूरे शरीर के क्रय-विक्रय के स्थान पर मात्र गुर्दे की तिजारत ही की जाती है। इस धन्धे में करोड़ों का नफ़ा है क्योंकि एक गुर्दे की क़ीमत तीन लाख से बारह लाख रुपयों तक आँकी जाती है। ज़्यादातर लोग ग़रीबी के कारण, दलाल की मार्फ़त अपनी मर्ज़ी से अपना गुर्दा बेचते हैं पर गाहे-बगाहे गुर्दे की चोरी भी सम्पन्न की जाती है। स्थिति यह है कि जिन अस्पतालों में अब तक हसीन नर्सें व युवा डॉक्टरनियाँ पहले मात्र दिल और बाद में आँखें ही चुराया करती थीं वहाँ अब सर्जन लोग चोरी-चोरी गुर्दे चुराते हैं। बंगलौर व बम्बई ने इस धन्धे में विशेष प्रतिष्ठा अर्जित की है। गुर्दे के ख़रीदार ज़्यादातर तुर्की, अरब, ग्रीस, यमन व जर्मनी के निवासी होते हैं जिन्हें भारत की कन्याएँ व भारत के गुर्दे एकदम फ़िट बैठते हैं। दिल्ली में एक शरीफ़ डॉक्टर बिना किसी कसूर के गुर्दे चुराने के झूठे जुर्म में फँस गया और अट्ठाईस दिन जेल में रहा। यह धन्धा अब शायद ज़्यादा दिनों नहीं चलेगा। 'ह्यूमन ऑर्गन ट्रांसपोर्टेशन एक्ट' तथा यह नयी खोज कि मुर्दों के गुर्दे भी काम में लाये जा सकते हैं—इस धन्धे को चौपट कर देंगे।

मैं समझता था कि मेरी आर्थिक स्थिति ज़्यादा सुदृढ़ नहीं है पर अब मैं इस हीन भावना से निकल आया। मुझे भगवान् ने दो गुर्दे दिये हैं जिनमें से एक गुर्दा तो मैं लाखों रुपयों में जब चाहूँ तब खुले-आम बेच सकता हूँ। 'अभिनन्दन-ग्रन्थ' भी छप जाएगा और 'रचनावली' भी छप जाएगी। गुर्दा मेरा बिकेगा और रॉयल्टी प्रकाशक खाएगा। और यह भी सम्भव है कि प्रकाशक भी मैं स्वयं ही बन जाऊँ और नये लेखकों का शोषण शुरू कर दूँ। जो कवि अपना गुर्दा बेचने को तैयार होगा, उसका काव्यग्रन्थ सबसे पहले छापूँगा। बाद में प्रकाशन का भार अपनी सगी पत्नी पर छोड़ दूँगा और ख़ुद गुर्दों की दलाली करूँगा। सब को इतना हर्ष बाँटूँगा कि आप मुझे सच्चे अर्थों में 'हर्षद मेहता' कहकर पुकार सकेंगे। गुर्दे को थीम बनाकर नाटक लिखूँगा, 'गुर्दा-दरबारी' नाम का उपन्यास लिखूँगा और बाद में 'गुर्दाचरित' नाम का महाकाव्य रचूँगा। बिना महाकाव्य लिखे आप 'महाप्राण' तो

बन सकते हैं, पर 'महाकवि' नहीं। पन्तजी तक को इसी कारण 'लोकायतन' जैसा घटिया महाकाव्य रचना पड़ा।

अब समय आ गया है कि देश की आम जनता अपने गुर्दे की सुरक्षा की ओर ध्यान दे। बीमा-कम्पनियाँ गुर्दे की बीमा की योजना शुरू करें। प्रत्येक स्त्री और पुरुष गुर्दे की हिफ़ाज़त के लिए मेरे-जैसे सतर्क व्यक्ति को अपना चौकीदार बनाकर रखे। प्रत्येक व्यक्ति हर आधा घण्टे बाद यह चेक करे कि उसका गुर्दा सही-सलामत है या नहीं। शादी के पहले इस बात की जाँच करवायी जाए कि वर और वधू—दोनों के गुर्दे स्वस्थ हैं या नहीं। दहेज में मोटर और गहनों के स्थान पर गुर्दों की माँग की जाए और तलाक़ के समय पत्नी को पति का कम-से-कम एक गुर्दा तो अवश्य ही दिया जाए। गुर्दे का छायाचित्र या प्रतिमा पूजागृह में प्रतिष्ठित की जाए। चुनाव में केवल वही व्यक्ति खड़ा हो और बड़ी सरकारी सेवाओं में मात्र वही व्यक्ति चुना जाए जिसके कि गुर्दे पूरे हों और सही हालत में हों। सब सार्वजनिक स्थानों पर 'गुर्दामेव जयते' लिखा जाए। मुद्रक लोग पूरा-पूरा ध्यान रखें कि 'गुर्दा' शब्द ठीक तरह ही छपे। ऊपर वाला आधा 'र' छूटना एक कानूनी जुर्म होगा।

'जिगर' मुरादाबादी आज़ादी के बाद एक बार पाकिस्तान गये। उनके सम्मान में लाहौर के एक प्रख्यात भवन के लॉन पर उनका स्वागत और सम्मान किया गया। सारे बड़े-छोटे अदीब उनसे मिले। सदा के बेबाक और मुँहफट सआदत हसन मण्टो ने अपना परिचय स्वयं देते हुए फ़रमाया कि "बन्दापरवर, अगर आप मुरादाबाद के जिगर हैं तो यह ख़ाकसार 'लाहौर का गुर्दा है'।" उनकी वाणी श्रवण करने पर सदा के हँसमुख 'जिगर' साहब ने मण्टो को अपने गले से लगा लिया। आप इस एकदम सच्ची घटना पर ज़रूर हँसें, पर कभी भी किसी के गुर्दे को गले से हर्गिज़ न लगाएँ?

चने के खेत में घोड़ी

खड़ी बोली को हिन्दी-गद्य की भाषा बनाने से पहले, भारतेन्दु बाबू हरिश्चन्द्र पश्चिमी उत्तर-प्रदेश के दौरे पर स्वयं आये थे। वे तो शायद खड़ी बोली को हिन्दी-कविता की भाषा भी बनाना चाहते थे पर दुर्भाग्य से उन्होंने रियासत कुचेसर की रानी के महल में इधर के कुछ लोकगीत सुन लिये और अपने विचार बदल दिये। इस क्षेत्र के लोकगीत सचमुच इतने कर्ण-कटु हैं कि ब्रजभाषा, अवधी और भोजपुरी के लोकगीतों के सामने वे टिक ही नहीं सकते।

रुहेलखण्ड के पूरे क्षेत्र में जो गीत सदियों से गाया जा रहा है, वह है—झुमका गिरा रे बरेली के बज़ार में। इस महान् लोकगीत का फ़िल्मीकरण भी सम्पन्न हो चुका है और क्या कोठी और क्या कोठा—दोनों स्थानों पर इसका नियमित पाठ सम्पन्न किया जाता है। एक दूसरा ग्रामगीत है जो और भी मार्मिक है। इस गीत में पत्नी या प्रेयसी अपने पति का प्रेमी से अलिखित निवेदन करती है और कहती है कि 'शहर बनारस जइयो, बढ़िया-सी साड़ी लइयो; पहिनैयो अपने हाथ, नाड़ा झब्बेदार लइयो।' साड़ी के सन्दर्भ में नाड़ा कैसे याद आ गया, यह मेरी समझ में कभी नहीं आया। नाड़े में ज़्यादा रुचि रखने वाले तामसिक प्रवृत्तियों वाले नीच पाठक कालिदास के 'मेघदूत' का दूसरा खण्ड व 'रघुवंश' में वर्णित इन्दुमती का स्वयंवर वाला प्रसंग पढ़ें। मैं तो सदा से सात्त्विक विचारों वाला पवित्र व्यक्ति रहा और इसी कारण 'नीवीमोक्षरेव मोक्षः' के अतिरिक्त और कुछ नहीं जानता। जो आदमी मात्र मोक्ष की ही इच्छा रखता है वह भला कहीं नाड़े पर ध्यान देगा? साधना के क्षेत्र में 'नाड़ी' की गति पर ध्यान रखा जाता है, 'नाड़े' की दुर्गति पर नहीं।

मेरे बिजनौर ज़िले में लड़के की शादी में गाने, बजाने और नाचने का एक उत्सव होता है जिसे 'खोड़िया' कहा जाता है। बहुत दिनों पहले-जब मेरे विचार दिन में भी दूषित हो जाया करते थे—मैं पर्दे की आड़ में से, उत्सव में आयी सारी रूपवती रमणियों को ध्यान से देखा करता था और उनकी रूप-सुधा का भरपेट पान किया करता था। एक-दो बार पकड़ा भी गया और चन्द जूतियाँ भी खाने को मिलीं पर उससे सिन्दबाद जहाज़ी पर कोई असर कभी नहीं पड़ा। मैं ग्राम की गोरी के

'अँगना' जाता रहा और उसका 'कँगना' निहारता रहा। बहुत बार 'पैयाँ' पड़ने पर भी किसी बाला ने मुझे 'सैयाँ' बनाने का उपक्रम नहीं किया। देश उन दिनों सचमुच पिछड़ा हुआ था। इन उत्सवों में दो लोकगीत और भी लोकप्रिय थे। एक गीत था– 'सरौता कहाँ भूल आये, प्यारे ननदोइया' और दूसरा लोकगीत था– 'समधिन, तेरी घोड़ी चने के खेत में।' समय कम होने के कारण, मैं आज इस अन्तिम गीत की ही चर्चा करूँगा।

इस गीत में दो समधिन, एक चने का खेत और एक घोड़ी–इन चार मुद्दों पर चारपाई खड़ी करने की कोशिश की गयी है। एक समधिन दूसरी समधिन को यह पवित्र सूचना देती है कि 'ओ हरामज़ादी, तेरी यह गधी जैसी घोड़ी चने के उस विशिष्ट खेत में खड़ी है जो कि तेरे बाप का नहीं वरन् मेरे ख़सम का है। अगर तूने इस घोड़ी को खेत से तुरन्त नहीं निर्वासित किया तो पहले तो मैं तेरी टाँग तोडूँगी और उसके बाद तेरी घोड़ी की टाँगों पर समुचित ध्यान दूँगी।" यह भी सम्भव है कि एक समधिन दूसरी समधिन से यह कह रही हो कि "ओ मेरी प्राणों से भी प्यारी बहिन, तू अपनी उस काबुली घोड़ी 'के लिए परेशान मत हो, वह तो मेरे पड़ोसी के खेत में खड़ी है और चने खा रही है। खेत का सफ़ाया हो जाने दे और फिर हम दोनों घोड़ी पर साथ-साथ बैठेंगे ताकि वह निर्वाण प्राप्त कर सके।" ग्रामगीत के और भी मतलब हो सकते हैं। जाकी रही भावना जैसी, प्रभु-मूरति देखी तिन तैसी। आप अर्थ निकालते रहिए और उधर समधिन की घोड़ी को चने खाते रहने दीजिए। चना खाने के कारण ही तो विष्णुगुप्त 'चाणक्य' कहलाता था जिसने मौर्य वंश के महान् साम्राज्य की स्थापना की। चने खाकर यह घोड़ी क्या करेगी–यह बात समधिन के अलावा और कोई नहीं जानता। अब मैं समधिन को छोड़ता हूँ और चने व घोड़े की ओर ध्यान देता हूँ। वैसे मैंने ऐसी सशक्त समधिनें भी देखी हैं कि घोड़ा आपको व आप चने को छोड़ सकते हैं पर ये (श्रीमती किशनचन्द्र पहलवान टाइप) समधिनें आपको नहीं छोड़तीं, कहीं का भी नहीं छोड़तीं।

अलिफ, बे, पे, ते, मजारा
चने के खेत में मुल्ला पछाड़ा

ऊपर लिखा स्तोत्र मैंने दर्जा तीन में सीखा था जब कि मैं एक ऐसे मदरसे में पढ़ता था जिसमें दर्जा तीन को एक मौलवी साहब सँभालते थे। वे हमें सँभालते थे, उन्हें उनकी कुर्सी सँभालती थी और उनकी तीन टाँग वाली कुर्सी को मदरसे की टूटी हुई दीवार सँभालती थी। मुल्ला और चने का खेत–इन दोनों का अनैतिक सम्बन्ध मैंने पहली बार इसी स्तोत्र में सीखा था। मुल्ला को चने के खेत में इसीलिए पछाड़ा गया था क्योंकि वे चोरी-चोरी चने खा रहे होंगे–ठीक उसी तरह जैसे कि आजकल की समधिन व उसकी घोड़ी करते हैं। क्या इतिहास और क्या भूगोल-दोनों ही अपने को सदा से दुहराते आये।

चने को लेकर काफ़ी कहावतें रची गयीं– 'नाकों चने चबा देना', 'अकेला चना क्या भाड़ फोड़ेगा', 'चना चबीना जिसके होय, उसके घर में कुछ ना होय' तथा 'चने और गुलाम को कभी मुँह नहीं लगाना चाहिए' –ये कहावतें अभी भी सच्ची हैं। चने के उपयोग व प्रयोग अनन्त हैं और आदत पड़ जाने पर उसका वियोग सहना हठयोग से भी ज़्यादा कठिन योग है। चने से बेसन बनता है और बेसन से उबटन व वे पकौड़ियाँ बनती हैं जिनके लिए महाप्राण 'निराला' ने 'बह्मन की कचौड़ी' छोड़ी थी। चने से छोले की सब्ज़ी बनती है, उसे भूनकर खाया जाता है और उसकी दाल भी बनती है जो कभी-कभी जूतों में बँटती है। मैं क्योंकि चना नहीं हूँ, मैं उसके सारे उपयोग नहीं जानता। कहते हैं कि चना एक बार ख़ुदा के पास गया और कहने लगा कि "ओ परमपिता परमात्मा, मुझे इंसान से बचा, वह मुझे हर प्रकार से खाता है।" ख़ुदा ने उसे देखा और सलाह दी कि "तेरी खैरियत इसी में है कि तू फ़ौरन मेरी आँखों से ओझल हो जा वरना मैं भी तुझे खा जाऊँगा।" ईश्वर के और चने के बारे में संसार के महानतम कवि 'चिरकीन' ने भी कुछ कहा है जो श्रौत-दर्शन के अद्वैत-मार्ग को खलास करता है। कवि कहता है :

चिरकीं चने के खेत में चिरको अलग-अलग
सूरत अलग-अलग, सीरत अलग-अलग।

समधिन ने काफ़ी चने खा लिये। मैं अब इन दोनों को छोड़ता हूँ और घोड़े की सवारी करता हूँ। घोड़े का और चने का सम्बन्ध बड़ा घनिष्ठ है और घोड़े के रातिब में चने का दाना सदा शामिल रहता है। घोड़े को संस्कृत में 'बाजि' भी कहा जाता है और उसकी कुछ पवित्र शक्तियों को ध्यान में रखकर 'बाजीकरण' ओषधियाँ बनती हैं। पुराणों की एक कथा के अनुसार राजा सुधन्वा की परम रूपवती रानी ने सन्तान की प्राप्ति के लिए, एक नितान्त समर्थ घोड़े के साथ एक चने के खेत में घनिष्ठ सम्बन्ध स्थापित किये थे और इस हादसे में रानी के प्राण चले गये थे। मैं कथा के इस दुखान्त अंश को स्वीकार नहीं करता; मेरे मत में तुर्गनेव के उपन्यास 'स्प्रिंग टारेण्ट्स' की नायिका के समान वह कामोन्मत्तविलासिनी रानी तो सही-सलामत बच गयी थी और मृत्यु जो सम्पन्न हुई थी, वह उस राजकीय घोड़े की हुई थी। इट वाज़ दी डाग हू डाइड (ओलिवर गोल्डस्मिथ)।

रानियों की सेवा से जो समय बचता था, उसमें घोड़ा जो होता था वह या तो शिकार या युद्ध में काम आता था या अश्वमेध यज्ञ सम्पन्न करता था। (इस सम्बन्ध में बनारस के प्रसिद्ध दशाश्वमेध घाट की कथा आप कभी अवश्य पढ़िए) इन दो पवित्र कामों से जो समय बचता था, उसे वह अस्तबल में उस घोड़ी के साथ बिताता था जो कि संयोग से उस समय चने के खेत में नहीं होती थी। घोड़े पर चढ़कर आना, घोड़ा बेचकर सोना, हाकिम के अगाड़ी और घोड़े के पिछाड़ी न चलना व घोड़े का घास से यारी न करना–हम जानते ही हैं। प्रिय भाई शरद

जोशी के अनुसार यदि हाकिम घोड़े पर चढ़ा हो तो क्या करना चाहिए—यह किसी ने नहीं बताया हालाँकि समस्या यह सच्ची है क्योंकि हाकिम के अगाड़ी और घोड़े के पिछाड़ी चलना अब भी उतना ही ख़तरनाक है जितना कि वह अँग्रेज़ी राज़ में होता था। मेरी तुच्छ बुद्धि के अनुसार, ऐसी स्थिति में घोड़े के नीचे रहना ही ज़्यादा श्रेयस्कर होना चाहिए। गधे के नीचे रहना कठिन है, यह मेरा व्यक्तिगत अनुभव है जो मैंने चौंतीस वर्षों की—सरकारी नौकरी में सीखा है। वैसे भी, न वेश्या सती और न गदहा जती। गधे के नीचे रहना घोड़े के ऊपर रहने से कहीं ज़्यादा कठिन है, इसमें सन्देह नहीं। घोड़े के ऊपर चढ़ने के बाद सिवा उससे नीचे गिरने के अलावा और कोई ख़तरा नहीं होता और जहाँ तक इस छोटे से ख़तरे का सवाल है, उसके बारे में तो शायर ने पहले ही कह दिया है:

गिरते हैं शह सवार ही मैदान-ए जंग में
वे तिफ़्त क्या गिरें जो घुटनों के बल चलें।

मैंने रचना समाप्त कर ली थी पर एक गौरवर्णा ने एक आधुनिक ग्रामगीत और सुना दिया। इस ग्रामगीत (या क़स्बा-गीत), की प्रथम पंक्ति है—बिजली का पंखा चाल रया बन्ने के कमरे में; मुझे यह ग्रामगीत सुनकर हँसी आ गयी क्योंकि बन्ने के कमरे में अगर पंखा नहीं चलेगा तो क्या जूता चलेगा? पंखा चलेगा, तबीयत के साथ चलेगा और तब तक चलता रहेगा जब तक या तो बिजली या दुल्हिन (या दोनों) किसी कारण भाग न जाएँ। और अगर आज की रात जूता भी चल गया तो क्या? शायर कहता है:

अब यह भी नहीं ठीक कि हर दर्द मिटा लें
कुछ दर्द कलेजे से लगाने के लिए हैं?

कुत्ते

राष्ट्रपिता महात्मा गाँधी बकरी पालते थे। महामना मालवीय जी गाय पालते थे। राष्ट्र के ताऊ चौधरी देवीलाल भैंस पालते हैं जो वातानुकूलित कक्ष में निवास करती है। भैंस के बाद चौधरी देवीलाल को यदि किसी प्राणी से प्रेम है तो वह श्री शेषन हैं। इस प्रेम का एक कारण शायद यह भी है कि श्री शेषन का डीलडौल व चेहरा-मोहरा भैंस से काफ़ी मिलता-जुलता है और देश के धूर्त नेता उन्हें साक्षात् यमराज का भैंसा ही समझते हैं। ऐसी स्थिति में इस देश की कुछ रूपवती रमणियाँ यदि कुत्ते पालती हैं तो क्या गुनाह करती हैं? पति को यदि परमेश्वर का दर्जा दिया जा सकता है तो कुत्ते को पति का दर्जा क्यों नहीं दिया जा सकता? उसे चूमने में या उसके साथ सोने में पति के अलावा किसी और को कोई एतराज़ होता है तो क्यों होता है?

पाण्डव लोग जब महाप्रयाण पर निकले थे तो उनके साथ एक कुत्ता भी था। धर्मराज युधिष्ठिर ने बिना उस कुत्ते के स्वर्ग में जाने को मना कर दिया था। धोबी का कुत्ता न घर पर मिलता है न घाट पर, वह वहाँ मिलता है जहाँ कुतिया होती है। मियाँ बीवी राज़ी, तो क्या करेगा काज़ी? एक बार एक वज्रमूर्ख ने एक कुत्ते की दुम को बारह वर्ष तक बाँस में रखा था पर इसके बावजूद वह विशिष्ट दुम सीधी नहीं हुई थी। हाँ, अलबत्ता वह बाँस ज़रूर टेढ़ा हो गया था। कुत्ते की दुम दूरदर्शन के एरियल की भाँति सदा ऊपर को ही उठी रहती है जब कि भेड़िये की दुम हमेशा नीचे की ओर ही गिरी रहती है और मात्र इसी कारण एक भेड़िये में नौ कुत्तों का बल रहता है। मुझे एक बार एक ऐसे भेड़िये के साथ घनिष्ठ सम्बन्ध स्थापित करने का अवसर मिला जिसमें मात्र एक कुत्ते का ही बल निकला। बाद में पता चला कि वह भेड़िया नहीं था, वह एक कुत्ता ही था। मुझे जो ग़लतफ़हमी हुई थी उसका कारण यह था कि उसकी दुम किसी हादसे में कभी कट चुकी थी। उसका प्राचीन इतिहास न जानने के कारण उसके वर्तमान भूगोल ने मुझे आतंकित कर दिया।

कुत्ता बहुत वफ़ादार व बुद्धिमान जीव होता है। कुछ कुत्ते जासूसी का धन्धा भी करते हैं और पुलिस-विभाग की ज़रूरत से ज़्यादा मदद करते हैं। पुलिसवाले ऐसे कुत्तों से बहुत बचते हैं क्योंकि उन्हें डर रहता है कि कहीं वे असली अपराधी

तक न पहुँच जाएँ। कुत्ते की पत्नी प्रायः एक साथ चार होनहार बच्चों को जन्म देती है और फिर भी तरोताज़ा रहती है। कुत्ते आदमी से ज़्यादा समझदार होते हैं और इसी कारण वे एक विशेष ऋतु आने पर ही प्रणय करते हैं। आदमी की तरह वे सारा वक़्त प्यार करने में बर्बाद नहीं करते और इसी कारण वे न तो कवि बनते हैं और न वे राजनीति में ही प्रवेश करते हैं। जो कुत्ता भौंकता है वह काटता नहीं है और जो कुत्ता काटता है वह भौंकता नहीं है। वह धर्म या जाति के नाम पर दंगा भी नहीं कराता।

चीन की सरकार ने कुत्तों के पंजीकरण का कानून बनाया है और पंजीकरण का शुल्क 703 डालर के बराबर रखा है। अब पेइचिंग की सड़कों पर दिन के वक़्त कुत्ते आम सड़कों पर नहीं घूम सकते। कुत्तों को लिफ़्ट की सुविधा से भी महरूम कर दिया गया है। नये कानून के अनुसार अब वहाँ के कुत्ते सार्वजनिक वाहनों, पार्कों, दुकानों व किसी और ऐसे स्थलों पर नहीं पाये जाएँगे। अमेरिका का कहना है कि चीन की सरकार ठीक ऐसा ही कानून अपने नागरिकों की पत्नियों पर भी लगाने वाली है। इतिहास गवाह है कि साम्यवादी हुकूमतों ने आदमी और कुत्ते में कभी कोई फ़र्क़ नहीं माना।

कुत्ते को लेकर रचे गये साहित्य में गोल्डस्मिथ की 'एक पागल कुत्ते की मौत पर' शीर्षक कविता कदाचित सर्वश्रेष्ठ है। जब एक पागल कुत्ता एक निहायत शरीफ़ आदमी को काट लेता है तो शहर के सारे लोग दुख में डूब जाते हैं पर महरूम की बात यह होती है कि मरता जो है वह कुत्ता है। इट वाज़ दी डॉग हू डाइड। कुत्तों पर जितने भी लतीफ़े पाये जाते हैं उनमें सर्वश्रेष्ठ लतीफ़ा मार्क ट्वेन का है जो वैसे भी एकदम सच्चा है। मार्क ट्वेन एक कुत्ता ख़रीदने व कुत्तों को बेचने वाली दुकान पर गये। सबसे बड़े बुलडाग का दाम पूछा तो वह सौ डालर बताया गया। जब उसने छोटे कुत्ते का दाम पूछा तो वह पाँच सौ डालर बताया गया। मार्क ट्वेन ने पाया कि कुत्ता जितना भी छोटा होता था, उसका दाम उतना ही बढ़ता जाता था। वे घबरा गये और उन्होंने बड़ा साहस बटोर कर काउण्टर-गर्ल से यह पूछ ही डाला कि "मदाम, यदि मैं कोई भी कुत्ता न ख़रीदूँ तो मुझे कितना देना पड़ेगा?"

आदत का गुलाम

इस असार संसार में जितने भी मनुष्य हैं वे सब किसी-न-किसी अच्छी या बुरी आदत के गुलाम होते हैं। पंजाब की पुलिस ने भिक्षा-वृत्ति समाप्त करने के लिए बड़े मनोयोग से रचनात्मक क़दम उठाये पर भिखारी हैं कि भिक्षा माँगना नहीं छोड़ते। एक भिखारी को दुकान खुलवायी पर उसने वह नहीं चलायी। वह कहता है कि दुकान से उसे मात्र डेढ़ हज़ार रुपया प्रतिमाह की आय होती है जबकि भीख माँगने में वह चार हज़ार रुपया प्रतिमाह कमाता था। एक भिखारी को रिक्शा दिया गया पर उसे भी वह काम पसन्द नहीं आया क्योंकि अब उसे खाना ख़ुद बनाना पड़ता है जब कि भिक्षा माँगने में उसे पका-पकाया खाना मिलता था। एक ज़माना था कि एकलव्य ने गुरु-दक्षिणा में अपना अँगूठा काटकर गुरु द्रोणाचार्य को दिया था और एक आज का ज़माना है कि एक शिष्य अपने गुरुदेव की चालीस हज़ार मुद्राएँ व उनकी इकलौती कन्या को ही लेकर अन्तर्धान हो गया। कहते हैं कि कन्या उस नवयुवक से प्रेम करती थी और उसके साथ विवाह करना चाहती थी। यदि स्थिति यही थी तो उस कन्या के प्रेम को पवित्र या निःस्वार्थ नहीं माना जा सकता। ब्याह करन के हेत जो तरुनि दिखावे प्रीति, सो आदर लायक़ नहीं यही प्रेम की रीति। इसी प्रकार एक विवाह में एक चपरासी वर ने ठीक विवाह के समय दहेज की माँग अचानक इस प्रकार प्रस्तुत की कि वधूरूपी जो वीर कन्या थी वह मण्डप से उठ खड़ी हुई और उसने उस लालची नवयुवक के साथ विवाह करने को साफ़ मना कर दिया। कन्या-पक्ष के लोगों ने वर को बन्धक बना लिया और उस सारे धन की वापसी की माँग की जो वे अब तक सगाई व तिलक वग़ैरह पर ख़र्च कर चुके थे। वर महोदय की स्थिति यह हो गयी कि 'गये थे हरि भजन को, ओटन लगे कपास'। मैं उस वीर कन्या को हृदय से प्रणाम करता हूँ। अगर देश की सारी कन्याएँ इतनी ही वीर हो जाएँ तो दहेज की प्रथा अपने आप ही समाप्त हो जाए।

दो डॉक्टरों को रिश्वत लेने की इतनी प्रबल आदत थी कि वे जेल के भीतर भी रिश्वत लेते पकड़े गये। ईश्वर ने चाहा तो अब वे कई और वर्ष शायद उस जेल में ही रहेंगे। एक विदेशी महारानी थीं जिन्हें चोरी करने की आदत थी। एक जज थे जो

पैरों में बाँस बाँधकर सरकस के किसी अदाकार की तरह अदालत जाया करते थे। महारानी क्लियोपेट्रा को अपने प्रेमी बदलने की आदत थी और वह अपने क्षणभंगुर जीवन में मात्र दस हज़ार प्रेमियों की ही हम-बिस्तर रही थी जिनमें से एक सम्राट जूलियस सीज़र भी था। लगभग यही स्थिति रूस की सम्राज्ञी कैथरीन के साथ थी। माण्डू का सुल्तान नसरुद्दीन ग्यारह हज़ार रूपसियों का छोटा-सा हरम रखता था और उसकी अन्तिम इच्छा मात्र एक हज़ार सुन्दरियाँ और बटोरने की थी जो ख़ुदा ने मंज़ूर नहीं की। रूस का सम्राट ईवान (चतुर्थ) लोगों की दाढ़ियों में आग लगवाने का आदी था और यही स्थिति वहाँ के सम्राट पीटर द्वितीय के साथ थी। हमारे इतिहास में कम-से-कम दो सुल्तान और एक नवाब ऐसे हुए हैं जो साड़ी पहनकर दरबार लगाते थे। इनमें से एक हज़रत तो इतने होनहार थे जो कभी-कभी दरबार में ही नंगे होकर नाच भी लिया करते थे। यूनान के प्रसिद्ध दार्शनिक डायोजिनीस को टब में रहने और दिन में भी लालटेन जलाकर घूमने का शौक़ था।

मेरी तरह मार्क ट्वेन को भी धूम्रपान करने की आदत थी और उसके अनुसार धूम्रपान की आदत छोड़ना कतई कोई कठिन काम नहीं था क्योंकि इस गन्दी आदत को हज़ारों दफ़ा तो यह स्वयं ही छोड़ चुका था। बाल्ज़क को शानदार ढंग से रहने की आदत थी और मात्र इसी कारण वह हमेशा बड़े-बड़े कर्ज़ों से दबा रहता था जिनकी अदायगी की उसे कभी कोई चिन्ता नहीं रहती थी। वह खुले-आम यह कहा करता था कि "यदि मुझे क़र्ज़ देने वाले चैन की नींद सो सकते हैं तो मैं वैसा क्यों नहीं कर सकता?"

मेरे गिने-चुने मित्रों में एक हज़रत ऐसे हैं जिन्हें दूसरों के झगड़ों में बीच-बचाव करने की आदत है। अपनी इसी आदत के कारण वे अनेक बार पिट भी चुके हैं पर आदत है कि "छुटती नहीं है काफ़िर मुँह से लगी हुई।" दूसरों के झगड़े सुलझाने की पवित्र प्रक्रिया में, जाने-अनजाने उनके मुख से कुछ ऐसा सुभाषित निकल जाता है कि झगड़ा करने वाले अपना झगड़ा भूलकर उनसे झगड़ा करने लगते हैं। मैंने उन्हें इस करुण स्थिति में जब भी देखा, तभी मुझे रहीम का यह दोहा बराबर याद आया :

'रहिमन' जिह्वा बावरी, कहिगै सरग पताल
आपु तो कहि भीतर रही, जूती सहत कपाल।

नैपोलियन के बारे में

सर वाल्टर स्कॉट जब बचपन में बीमार पड़े तब स्थिति यह हो गयी कि लोगों ने उन्हें मृत मान लिया। दफ़न करने के वक़्त लोगों ने उन्हें जीवित पाया और उन्हें क़ब्र से निकाल लिया। इस हादसे में, दफ़न करने वालों ने उनके एक पैर को कुदाली से तोड़ दिया था जिसके परिणामस्वरूप वे उम्र भर के लिए लँगड़े हो गये। उन्होंने अपना साहित्यिक जीवन एक कवि के रूप में शुरू किया और जब उनका सर्वप्रथम उपन्यास प्रकाशित हुआ तो उन्होंने उस पर अपना असली नाम नहीं दिया क्योंकि वे एक कवि को एक उपन्यासकार से श्रेष्ठ समझते थे। मेरा अपना भी विचार यही है पर लँगड़ा होने के डर से मैं उसे व्यक्त नहीं करता। स्कॉट एक महान् उपन्यासकार बने। इंग्लैण्ड के सम्राट् जॉर्ज (चतुर्थ) उनके व्यक्तिगत मित्र थे। स्कॉट ने एक व्यापार में अपना सब कुछ लगा दिया पर वह धन्धा फ़ेल हो गया और उन पर डेढ़ लाख पाउण्ड का कर्ज़ा हो गया। उस मुसीबत में उन्होंने बहुत फुटकर किताबें लिखीं जिनमें 'नैपोलियन का जीवन-चरित' सर्वश्रेष्ठ माना जाता है। सर स्कॉट की मृत्यु परेशानियों में ही हुई और इस दृष्टि से आप उन्हें मुंशी प्रेमचन्द व महाप्राण निराला के समकक्ष बिठा सकते हैं। मुझे पूरी आशा है कि भावी पीढ़ियाँ मुझे भी यही आदर प्रदान करेंगी। मैं उतना बढ़िया न लिख सकूँ—यह एक अलग बात है पर आर्थिक परेशानियों में पड़ने की मुझमें पूरी प्रतिभा है और इस दिशा में मैं अपने पाठकों को कभी निराश नहीं होने दूँगा।

सम्राट् अशोक, पीटर दी ग्रेट, सिकन्दर, शहंशाह अकबर व नैपोलियन बोनापार्ट को इतिहास में 'महान्' माना जाता है। हालाँकि स्कॉट के अनुसार नैपोलियन की बराबरी कोई दूसरा नहीं कर सकता था। वह एक वीर पुरुष था जो सुविधा के अनुसार यथासमय और यथास्थान विलासी भी बन जाता था। वह एक युद्ध की क्षति को पूरा करने के लिए दूसरा युद्ध छेड़ता रहता था और रूस के युद्ध ने उसे निराश कर दिया था। मगर उसकी सच्ची महानता कुछ और सुधारों के कारण है। उसने दशमलव प्रणाली की शुरुआत की, वर्तमान कैलेण्डर को प्रचलित किया, सिविल-सर्विस की प्रतियोगिता-परीक्षा की शुरुआत की और फ्रांस के कानून को पहली बार लिपिबद्ध

करवाया। उसने विज्ञान, कला, साहित्य तथा संगीत के क्षेत्रों में योगदान आँकने के लिए संस्थाएँ बनायीं और पदों व उपाधियों को मात्र खुशामद पर ही निर्भर नहीं रखा जैसा कि 'सारे जहाँ से अच्छे हमारे इस हिन्दोस्ताँ' में अब तक किया जाता है। वाटरलू के युद्ध में अचानक हार जाने पर अँग्रेज़ों ने उसे दक्षिणी अन्ध महासागर में स्थित एक ऐसे द्वीप में रखा जिसका गवर्नर एक अशिष्ट व हीनभावना से ग्रस्त व्यक्ति था। उसकी बच्ची नैपोलियन की मित्र थी और नैपोलियन उसे अपनी वीरता के झूठे-सच्चे क़िस्से सुनाया करता था। नैपोलियन की मृत्यु सेण्ट हेलेना नामक इसी द्वीप में सन् 1820 में सम्पन्न हुई। बाद में उसका शव फ्रांस लाया गया और पूरी शान-शौक़त के साथ फ्रांस के शाही क़ब्रिस्तान में दफ़नाया गया। इस महान् व्यक्ति के बारे में आप स्कॉट की लिखी पुस्तक अवश्य पढ़ें।

मैं जो नैपोलियन का प्रेमी हूँ उसका कारण उसकी भयंकर विनोदप्रियता है। वह प्रत्येक स्थिति में मज़ाक़ कर सकता था और छोटे-से-छोटे आदमी की मज़ाक़ पर दिल खोलकर हँस सकता था। उसकी दो मज़ाक़ आपको सुनाता हूँ।

एक बार फ्रांस ने एक देश पर युद्ध करने का निश्चय किया और स्पेन ने उसका साथ देने का वचन दिया। भूमध्यसागर में एक जहाज़ के डेक पर नैपोलियन व स्पेन के राजदूत के बीच बातचीत चली। सब तय हो जाने पर स्पेन के राजदूत ने सम्राट् नैपोलियन से पूछा कि वह इस युद्ध को क्यों लड़ना चाहता है? नैपोलियन ने बताया कि वह उस देश की भूमि व सम्पत्ति चाहता है। उसका उत्तर सुनकर स्पेन के दूत ने कहा कि 'स्पेन के लोग तो मात्र आत्मसम्मान के लिए ही युद्ध लड़ते हैं, भूमि या सम्पत्ति के लिए नहीं।' नैपोलियन ने शान्त स्वर में उस मूर्ख राजदूत से कहा कि "आप ठीक कहते हैं। प्रत्येक देश मात्र उसी चीज़ के लिए युद्ध करता है जो उसके पास नहीं होती।" उसका जवाब सुनकर उस राजदूत की बोलती बन्द हो गयी।

इसी प्रकार एक शाम नैपोलियन फ्रांस के एक क़स्बे में अचानक जा पहुँचा। कई बड़े सेनापति व सामन्त उसके साथ थे। शहर का मेयर बुलाया गया जो एक वृद्ध पर बुद्धिमान व्यक्ति था। सम्राट् ने सबके सामने उसे ख़ूब डाँटते हुए पूछा कि "हमारे स्वागत में तोप क्यों नहीं दाग़ी गयी?" कारण बताते हुए मेयर ने सम्राट् से कहा कि "इस दुखद स्थिति के कई कारण हैं। पहला कारण तो यह है कि नगर के अधिकारियों को सम्राट् के पधारने की पूर्व-सूचना नहीं दी गयी थी। दूसरा कारण यह है कि दुर्भाग्यवश पिछले दिनों जो भारी वर्षा हुई उसमें सारा बारूद भीग गया। तीसरा कारण यह है कि दुर्भाग्य से इस बस्ती में ऐसा कोई व्यक्ति नहीं है जो तोप चलाना जानता हो। और हुज़ूर, तोप न दाग़ने का अन्तिम कारण यह है कि इस क़स्बे में कोई तोप है ही नहीं।"

नैपोलियन उसके उत्तर को सुनकर खिलखिलाकर हँस पड़ा और उसने उस विनोदी मेयर को रात्रि-भोज के लिए रोक लिया।

आदिगुरु शंकराचार्य की अलौकिक कथा

जैन धर्म व बौद्ध धर्म देश-विदेशों में फैलने के बाद धीरे-धीरे बिखरने लगे। जैन धर्म 'दिगम्बर' व 'श्वेताम्बर' नामक दो भागों में बँट गया और बौद्ध धर्म भी 'हीनयान' व 'महायान' नामक दो सम्प्रदायों में विभक्त हो गया। दोनों धर्म उपासना व मूर्तिपूजा में विश्वास करने लगे और विदेशियों के आक्रमण, भिक्षुओं के पारस्परिक वैमनस्य, विहारों के भ्रष्ट जीवन व राजाओं की उदासीनता ने दोनों धर्मों को समाप्त-सा ही कर दिया और इस कारण हिन्दुओं के 'वैदिक धर्म' ने 'ब्राह्मण धर्म' के रूप में फिर अपना सिर उठाया। इस आन्दोलन के सर्वप्रथम नेता थे शंकराचार्य। वे अद्वैतवादी थे और 'ब्रह्म' व 'आत्मा' में कोई भेद नहीं मानते थे। उनका जन्म सन् 788 ई. में हुआ था। उनका जीवनचरित विद्यारण्य स्वामी द्वारा रचित 'शंकर-दिग्विजय' नामक ग्रन्थ के अतिरिक्त और कहीं नहीं मिलता। जैन धर्म व बौद्ध धर्म के कारण स्थिति यह हो गयी थी कि जब प्रसिद्ध चीनी यात्री इत्सिंग भारत आया तो उसने देखा कि "लोग भूखे मर रहे थे पर वे अपने खेतों में हल नहीं चलाते थे क्योंकि वैसा करने से कीड़ों और मकोड़ों के मर जाने की आशंका थी।" अहिंसा के पवित्र मन्त्र ने एक अन्धविश्वास का रूप ले लिया था। शंकराचार्य ने इस जीवन-पद्धति को बदलने की जब कोशिश की तो देश की अपार जनता ने उनका भरपूर साथ दिया और उनके आन्दोलन को आशातीत सफलता मिली। 'शंकर-दिग्विजय' में शंकराचार्य का जो जीवन-चरित लिखा गया, उसका अत्यन्त संक्षिप्त परिचय मैं नीचे देता हूँ। जैसा कि आप देखेंगे, शंकराचार्य एक अलौकिक व्यक्ति थे और उनका जीवन काफ़ी दिलचस्प रहा था। यह जीवन-चरित यह भी प्रकट करता है कि वैदिक धर्म का पुनरुत्थान करने वाले इस महान् व्यक्ति की जीवनगाथा भी पुरातनपन्थियों द्वारा कितनी तोड़ी-मरोड़ी गयी।

केरल प्रदेश में पूर्णा नदी के तट पर स्थित ब्राह्मणों के कालड़ी नामक गाँव में शंकर का जन्म हुआ। उनके पिता का नाम शिवगुरु था जो वेदवेदांग-पारंगत अग्निहोत्री ब्राह्मण थे। शंकर जो थे वे शिवपुराण के अनुसार साक्षात् शिव के ही अवतार थे। वे दो वर्ष की आयु में देवनागरी वर्णमाला बोलना और लिखना भली-भाँति सीख

गये थे। वे इतनी अद्‌भुत प्रतिभा से सम्पन्न थे कि इसी उम्र से वे जो भी काव्य, पुराण और इतिहास वग़ैरह सुनते थे, वह उन्हें कण्ठस्थ हो जाता था। जब वे तीन वर्ष के थे तभी उनके पिता की मृत्यु हो गयी थी। यज्ञोपवीत होने से पहले ही उन्हें चारों वेद व तैत्तिरीय-संहिता के अध्याय के बाद अध्याय भली-भाँति कण्ठस्थ हो गये थे। सात वर्ष की अल्पायु में ही उन्होंने सारी शिक्षा समाप्त कर ली थी। बड़े-बड़े लोग उन्हें प्रणाम करते थे और उन्हें देखकर अपना आसन छोड़ देते थे। एक दिन नदी जाते हुए उनकी माता तेज़ धूप के कारण मूर्च्छित हो गयीं। शंकर ने नदी की स्तुति गायी और अगले ही दिन से वह नदी एकदम उनके घर के पास ही बहने लगी। केरल देश के राजा ने शंकर की प्रशंसा सुनकर उनके दर्शनों की आज्ञा प्राप्त की और भेंट के समय उसने शंकर को दस हज़ार स्वर्णमुद्राएँ व अपनी लिखी तीन पुस्तकें भेंट कीं और शंकर ने उन्हें 'महाकवि' की उपाधि प्रदान की। आठ वर्ष की आयु में ही उन्होंने अपनी माता से संन्यासी होने की इच्छा प्रकट की जिसे माता ने मना कर दिया। एक दिन नदी में नहाते हुए शंकर की एक टाँग एक घड़ियाल ने पकड़ ली और उसने वह टाँग तभी छोड़ी जब माता ने उन्हें संन्यास ग्रहण करने की आज्ञा दे दी। शंकर ने अपनी माता को वचन दिया कि "तुम्हारा अन्तिम संस्कार मैं स्वयं ही सम्पन्न करूँगा" और इसके बाद वे केवल दण्ड और कमण्डल लेकर घर से निकल पड़े।

पश्चिम दिशा में चलते-चलते वे गोविन्दनाथ के आश्रम में पहुँचे। उन्होंने आश्रम की तीन परिक्रमाएँ कीं और उस महान् व्यक्ति की स्तुति की जिससे वे प्रसन्न हुए। गोविन्दनाथ अपने पिछले जन्मों में पतंजलि थे जिन्होंने व्यासपुत्र शुकदेव के शिष्य गौड़पाद से ब्रह्मविद्या सीखी थी और तभी अपना नाम गोविन्दनाथ रखा था। उन्होंने शंकर से वेदान्त का रहस्य पूछा और सही उत्तर पाकर शंकर को काशी जाने की सलाह दी। शंकर जो थे वे काशी पहुँच गये। एक दिन एक चाण्डाल ने उनका मार्ग रोक लिया। उसके साथ चार शिकारी कुत्ते भी थे। उसने शंकर से कहा कि "तुम कैसे वेदान्ती हो जो ब्राह्मण और चाण्डाल में अन्तर समझते हो?" थोड़े वाद-विवाद के बाद शंकर ने उसकी वन्दना की और उसे अपना गुरु स्वीकार किया। डोम ने साक्षात् शिवरूप होकर उन्हें आशीर्वाद दिया। इसके उपरान्त यात्रा करते-करते शंकर बद्रिकाश्रम पधारे और वहाँ उन्होंने कई महाकठिन पुस्तकों का भाष्य किया। इस समय उनकी आयु लगभग बारह वर्ष थी। यहीं उन्होंने अपने पाँच शिष्य बनाये जिनमें पद्‌मपाद प्रधान थे। उन्होंने शिष्यों को 'शारीरिक भाष्य' नामक ग्रन्थ पढ़ाया और फिर काशी के प्रमुख पण्डितों को शास्त्रार्थ में पराजित किया। 'शारीरिक सूत्रों का भाष्य' सारे उपनिषदों का सार था। एक वृद्ध विद्वान् से उनका शास्त्रार्थ एक सप्ताह चला। अन्त में उस वृद्ध ने शंकर से कहा कि "तुम सोलह वर्ष के हो। तुम सोलह वर्ष और जीवित रहोगे और मैं आशीर्वाद देता हूँ कि तुम्हारे द्वारा किया गया

भाष्य, जब तक सूर्य और चन्द्रमा हैं, तब तक प्रतिष्ठा पाता रहेगा।"

इसके बाद शंकर ने दिग्विजय के इरादे से कुमारिल भट्ट से मिलने के लिए दक्षिण दिशा में प्रयाण किया। रास्ते में प्रयाग पड़ा जहाँ उन्होंने संगम में स्नान किया। कुमारिल भट्ट ने शास्त्रार्थ में अपने गुरु को परास्त कर दिया था और इस पाप का प्रायश्चित्त करने के लिए वे जीते-जी जलने के लिए चिता में बैठ गये थे। वे जल रहे थे और शिष्य लोग रो रहे थे। कुमारिल का मुख अभी नहीं जला था। उन्होंने शंकर के दर्शन करने पर बहुत हर्ष प्रकट किया, उनका भाष्य सुना और काशी के महापण्डित मण्डन मिश्र के पास जाने की सलाह दी। शंकर ने उन्हें मन्त्र-शक्ति से फिर से जीवित करने की आज्ञा माँगी जिसे कुमारिल भट्ट ने मना कर दिया। शंकर ने काशी का मार्ग फिर पकड़ा।

मण्डन मिश्र के घर की पहचान यह थी कि उसके द्वार पर पिंजड़ों में रहने वाले तोता और मैना वेदों के अर्थों पर वादविवाद किया करते थे। शंकर जब उस घर पर पहुँचे तो घर के द्वार बन्द थे। शंकर योगबल से उड़कर भीतर आँगन में पहुँच गये जिसके कारण मण्डन मिश्र को क्रोध आ गया। उन्होंने शंकर से पूछा कि "तू भीतर आया तो कैसे आया? चोर की तरह भीतर आना क्या कोई उचित काम है?" शंकर ने उत्तर दिया कि "सब लोग संसार में कैसे आते हैं, यह तुम अपनी माता से पूछो और अगर तू भिक्षुकों से छिपकर चोरों की भाँति घर के भीतर श्राद्ध का भोजन कर सकता है तो मैं तेरे उद्धार के लिए बिना बुलाये आकाश मार्ग से भीतर क्यों नहीं आ सकता?" यह शिष्ट और मधुर वार्तालाप काफ़ी देर चला और अन्त में वे शास्त्रार्थ के लिए तैयार हो गये। शंकर ने उनकी परम विदुषी पत्नी को विवाद का निर्णायक बनाया। शास्त्रार्थ कई दिन चला और मण्डन मिश्र ने हार मान ली। तब उनकी चतुर पत्नी ने शंकर से कहा कि "मैं अपने पति की अर्धांगिनी हूँ, मेरे पति को पराजित करने के लिए मुझे भी पराजित करना पड़ेगा।" याज्ञावल्क्य ने गार्गी से और राजर्षि जनक ने सुलभा के साथ शास्त्रार्थ किया था और उन्हें याद करके शंकर भी मण्डन मिश्र की पत्नी सरस्वती से शास्त्रार्थ करने को तैयार हो गये। सरस्वती जानती थी कि शंकर बाल-ब्रह्मचारी हैं और इसी कारण उसने उनसे काम-शास्त्र पर चर्चा छेड़ी और उसके प्रश्नों का उत्तर देने के लिए शंकर ने एक महीने की अवधि माँगी जो उन्हें दे दी गयी।

शंकर शिष्यों के साथ योगबल से आकाश में उड़ गये और वहाँ पहुँचे जहाँ काश्मीर के राजा अमरुक की मृत्यु तभी-तभी हुई थी। शंकर ने अपना शरीर अपने शिष्यों को सौंपा और वे राजा अमरुक के शरीर में प्रविष्ट हो गये। अमरुक एक विलासी राजा थे और उनकी परम रूपवती मात्र सौ रानियाँ थीं। सादा जीवन, उच्च्व विचार। शंकर ने एक-एक करके रानियों को भोगना प्रारम्भ किया और एक माह की अवधि बीतने को आ गयी। इसी काल में शंकर ने 'अमरुशतक' नामक विलासी गीतिकाव्य

की रचना भी की। शिष्यों के बार-बार याद दिलाने पर शंकर ने बड़ी अनिच्छा से राजा अमरुक की देह छोड़ी और अपनी पुरानी देह में प्रवेश किया। वे काशी गये और उन्होंने मण्डन मिश्र की पत्नी के सारे प्रश्नों के सही-सही उत्तर दिये। तभी से वे शंकराचार्य कहलाने लगे और उन्होंने 'अमरुशतक' की आध्यात्मिक व्याख्या भी की। मण्डन मिश्र ने अपना सिर मुँडवा लिया और वे 'मुण्डन मिश्र' कहलाने लगे।

इसके बाद शंकराचार्य ने सारे देश की यात्रा की। जोशीमठ, द्वारिका, शृंगेरी व पुरी में चार पीठों की स्थापना की और अब वे सारे देश में सबसे बड़े ज्ञानी माने जाने लगे। एक गूँगे, बहरे और अकर्मण्य बच्चे को ठीक किया और उसे 'हस्तामलक' नाम देकर अपना परमप्रिय शिष्य बनाया। इसी प्रकार उनकी कृपा से तोटक नामक एक मेधावी छात्र तोटकाचार्य बना। एक दिन उन्होंने आभास पाया कि उनकी माता मरने वाली हैं। वे आकाश-मार्ग से तुरन्त वहाँ पहुँचे हालाँकि शिव के दूत वहाँ पहुँच चुके थे। उनसे मिलने के बाद ही उनकी माँ का स्वर्गवास हुआ। सारा क्रिया-कर्म करने के बाद वे अपने मामा के यहाँ गये और अपनी सारी पुस्तकें उनके पास छोड़ दीं। मामा द्वैतवादी था, उसने वे सारी पुस्तकें जला दीं। शंकराचार्य ने अपनी स्मृति के आधार पर एक महत्त्वपूर्ण ग्रन्थ अपने शिष्य से लिखवाया। उन्हें योगबल से पता लग गया था कि उनके मामा ने मात्र उनका भाष्य ही नष्ट करने के लिए आग लगवाने का उपक्रम किया था। शंकराचार्य ने अपने शिष्य सुरेश्वराचार्य से यह भी कहा कि "अगले जन्म में वाचस्पति बनकर तुम मेरे भाष्य की टीका करोगे।"

सुधन्वा नामक राजा की सुरक्षा में शंकराचार्य अनेक शत्रुओं के बीच में गुज़रते हुए रामेश्वरम् पहुँचे। शंकर की हुंकार से न जाने कितने शत्रु वैसे ही मर गये। भगवान् शिव ने उन्हें दर्शन दिये और कुकच नामक शत्रु का सिर स्वयं अपने त्रिशूल से काटा। इसके बाद अपने धर्म का प्रचार करते हुए वे द्वारिका भी गये। उसके बाद वे उज्जैन गये और वहाँ स्थित 'महाकाल' के दर्शन किये। इसके बाद वे उड़ीसा, बंगाल व गौड़देश गये और वहाँ के पण्डितों को पराजित किया। एक प्रपंची ने तान्त्रिक प्रयोग से उन्हें पीड़ित कर दिया मगर उनके शिष्य पद्मपाद ने प्रणयमन्त्र का जाप किया जिसके कारण शंकराचार्य ठीक हो गये और उनका शत्रु अभिनवगुप्त मृत्यु को प्राप्त हुआ। इसके बाद वे काश्मीर गये। वहाँ उन्होंने शारदा मठ का द्वार खोला। यह काम केवल ऐसा व्यक्ति ही कर सकता था जो सर्वज्ञ होता था। बत्तीस वर्ष की आयु में शंकराचार्य गोलोकवासी हो गये। अपने इतने छोटे जीवन-काल में ही उन्होंने अपने योगबल व ज्ञान से जैन धर्म और बौद्ध धर्म का संहार कर दिया।

शंकराचार्य एक अलौकिक व्यक्ति थे। वे आकाशमार्ग से जा सकते थे और किसी भी पण्डित या महापण्डित को शास्त्रार्थ में पराजित कर सकते थे। संकट के समय भगवान शिव उन्हें दर्शन देते थे। राजा अमरुक भी इतिहास के अनुसार इनके समकालीन थे और जो देशी या विदेशी विद्वान् 'अमरुशतक' वाली कथा को मात्र

गल्प ही मानते हैं वे नास्तिक हैं और हमारी संस्कृति के शत्रु हैं। पवनपुत्र हनुमान भी आकाशचारी थे और राजा रामचन्द्र व सीता भी रावण की समाप्ति के बाद पुष्पक विमान से अयोध्या गये थे। धृतराष्ट्र के सेवक संजय दूरदर्शन की सहायता के बिना ही महाभारत का सारा युद्ध देख सकते थे और कृष्ण ने जो उपदेश अर्जुन को दिया, उसे सुन सकते थे। कोई भी धर्म ऐसा नहीं है जिसके मिथक-ग्रन्थों में अलौकिक शक्तिवाले व्यक्तियों की चर्चा न हो। 'ओल्ड टेस्टामेंट' ऐसा कथाओं से भरा पड़ा है और 'न्यू टेस्टामेण्ट' के अनुसार ईसामसीह के आशीर्वाद मात्र से कोढ़ी ठीक हो जाते थे तथा अन्धे लोग देखने लगते थे। मार्क ट्वेन की आत्मकथा के अनुसार उनकी पत्नी को एक 'ओकल्ट डॉक्टर' ने ही ठीक किया था और बी.एन. लाहिड़ी की 'दी डायरी ऑफ़ ए पुलिसमैन' के अनुसार एक अन्धे फ़क़ीर ने ही रानी के हार का पता लगाया था जबकि सारी पुलिस उसे खोजने में असमर्थ रही थी। हाँ, यह मैं ज़रूर कहूँगा कि हमारे पुराणों में ऐसी अनेक कथाएँ हैं जो साधारण लोगों को एकदम अश्लील व कपोलकल्पित लगेंगी, जिसका एकमात्र कारण यह है कि हमारे विचार पहले ही से दूषित हैं। 'धूर्तोपाख्यानम्' के लेखक और जैन धर्म के प्रसिद्ध व्यंग्यकार हरिभद्र सूरि ऐसे ही व्यक्ति थे। आप चाहें तो पाखण्ड का खण्डन करने वाले आदिगुरु शंकराचार्य के– इस जीवनचरित को झूठा और इस लेख को एक व्यंग्य-रचना समझ सकते हैं। मैंने तो मात्र वह लिखा है जो 'शंकर दिग्विजय' नामक ग्रन्थ में लिखा है। मैं तो भगवान् की स्तुति में कहा गया एक श्लोक लिखता हूँ और रचना को समाप्त करता हूँ :

मूकं करोति वाचालं, पंगुं लंघयते गिरिम्
यत्कृपा तमहं वन्दे, परमानन्द माधवम्।

घासीराम कोतवाल

घासीराम कोतवाल का नाम आपने सुना होगा। यदि न सुना हो तो आज मुझसे सुन लीजिए। जब माधवराव पेशवा (प्रथम) गद्दी पर थे तो अपने समय के चाणक्य नाना फड़नवीस उनके प्रधानमन्त्री थे। राघोबा पर तगड़ी निगाह रखने के लिए नाना फड़नवीस ने घासीराम को पूना का कोतवाल नियुक्त किया जो कि ज़रूरत से ज़्यादा होनहार था। वह बहुत सख़्त हाकिम था। सन् 1791 में पुलिस ने दक्षिण के पैंतीस ब्राह्मणों को गिरफ़्तार किया और घासीराम की आज्ञा से उन्हें रात भर के लिए एक छोटी-सी ऐसी कोठरी में बन्द कर दिया जिसमें कोई खिड़की या रोशनदान तक नहीं था। ब्राह्मण (जिन्हें मात्र ग़लतफ़हमी में पकड़ा गया था) कराहने लगे और सारी जनता को घटना का पता लग गया। इक्कीस ब्राह्मण उस कालकोठरी में दम तोड़ चुके थे। शहर के हज़ारों ब्राह्मणों ने नाना फड़नवीस के महल पर घेरा डाल दिया और वे चिल्ला-चिल्लाकर कहने लगे कि "घासीराम कोतवाल को हमें सौंप दो।" कोतवाल गिरफ़्तार किया गया पर भीड़ चुप नहीं हुई। प्रमुख न्यायाधीश ने पब्लिक को शान्त होने को कहा तो उन पर जूते फेंके गये। अन्त में चलकर पेशवा स्वयं आये और घासीराम को भीड़ के हवाले कर दिया गया। जनता ने पत्थर मार-मारकर कोतवाल को जान से मार दिया।

हम लोग अपनी पुलिस को रोज़ गालियाँ देते रहे हैं पर घासीराम जैसा तो कोई भी दूसरा कोतवाल कभी नहीं हुआ। और इधर कुछ दिनों से तो पुलिस इतनी चुस्त व शरीफ़ हो गयी है कि कुछ कहा ही नहीं जा सकता। हमारे देश के एक वरिष्ठ रिटायर्ड पुलिस अधिकारी जब पंजाब के गवर्नर बने तो उनके मरने पर वहाँ के राजभवन में इतनी दौलत निकली कि कुछ कहा ही नहीं जा सकता। सरकार ने यह पता कभी नहीं लगाया कि वह दौलत कहाँ से आयी थी—हाँ, अलबत्ता इतना अवश्य किया गया कि फ़िलहाल किसी को यह पता नहीं है कि वह दौलत गयी तो कहाँ गयी। एक पुलिस कप्तान की भैंस चोरी हुई तो ज़िला पुलिस ने रात-दिन अपनी ड्यूटी को अञ्जाम दिया और असली भैंस का पता लगा ही लिया। पुलिस चाहती तो किसी भी राजमहिषी को अपने कप्तान की भैंस बता सकती थी पर उसने वैसा हर्गिज़ नहीं किया। एक डकैती की जाँच-पड़ताल करते-करते पुलिस ने एक अपने ही

सहकर्मी को धर पकड़ा जिसके घर में से सारा माल व बाक़ी सबूत उसे मिल गये।

एक नगर है जहाँ से पुलिसकर्मियों की सरकारी साइकिलें लगातार चोरी हो रही हैं और 14 मार्च, 1995 के 'इण्डियन एक्सप्रेस' के अनुसार जब मेरठ के सिटी-कप्तान– पुलिस एक मन्दिर में पूजा करने गये तो किसी जूताचोर ने उनके जूते ही अन्तर्धान कर दिये।

पुलिस के उपर्युक्त हृदय-परिवर्तन का रहस्य मैं जानता हूँ। यह सब कुछ इस कारण हुआ क्योंकि घासीराम कोतवाल का थाना अब तोड़ दिया गया है। अब आप देखेंगे कि वह दिन दूर नहीं है जब कि पराया धन और परायी औरत–इन दो को छोड़कर इस देश की पुलिस कभी किसी और परायी चीज़ पर नज़र डालेगी ही नहीं। शायर कहता है :

महकमे दो ही बनाये लाट साहिब ने
अव्वल तो है पुलिस का, दोयम है बमपुलिस का।

माँगि जात तजि लाज

माँगने की क्रिया बचपन से ही शुरू हो जाती है और इसी कारण मैं इसे मनुष्य मात्र की नैसर्गिक प्रवृत्ति ही मानता हूँ। बच्चा पैदा होते ही माँ का दूध माँगता है और धारोष्ण दूध पीने के बाद माता की गोद में सोने की माँग करता है। बड़ा होने पर वह खिलौने माँगता है, मिठाइयाँ माँगता है और फिर सुन्दर वस्त्रों की माँग करता है। किशोर होने पर वह शिक्षा माँगता है और उसके बाद वह सरकार से रिश्वत वाली नौकरी माँगता है।

युवा होने पर प्रत्येक व्यक्ति किसी रूपवती रमणी का प्रणय माँगता है, उसका चुम्बन, आलिंगन, हाथ और सहवास माँगता है और थोड़े दिनों बाद वह भगवान् से सन्तान माँगता है। वह पत्नी से पतिव्रत, पुत्र से पितृभक्ति व मित्रों से ऋण माँगता है। व्यापारी मुनाफ़ा माँगता है, महाजन सूद माँगता है और नौकर मालिक से वेतन माँगता है, इनाम व बख्शीश माँगता है और कभी-कभी उससे छुट्टी भी माँगता है। मज़दूर अपनी मज़दूरी माँगता है, भिक्षुक भिक्षा माँगता है, अनाथालय व विधवाश्रम का संचालक चन्दा माँगता है और दुकानदार अपने सामान का दाम माँगता है। मूर्ख लोग लात माँगते हैं और पण्डित जी दक्षिणा माँगते हैं। बड़े लोग उपाधियाँ माँगते हैं और अधिकारी-वर्ग एक के बाद दूसरी तरक्की माँगते हैं। गुणी लोग सम्मान माँगते हैं और मुक़दमेबाज़ लोग अदालत से इंसाफ़ माँगते हैं। पितर लोग पिण्डदान माँगते हैं और फ़क़ीर लोग किसी मज़ार पर चिराग़ जलाना माँगते हैं। जन्म से मृत्यु तक हम माँगते ही रहते हैं। हम सभी भिखारी हैं।

साहित्यकार सम्पादक से रचना छापना माँगता है, उसके बाद वह अंक की एक प्रति व पारिश्रमिक का चेक माँगता है जो कभी-कभी उसे मिल भी जाता है। नेता लोग वोट माँगते हैं, चुनाव जीत जाने पर मन्त्री-पद माँगते हैं और उसके बाद दल-बदल की क़ीमत माँगते हैं। लेखक पुस्तक की समीक्षा माँगता है और समीक्षा छपने पर वह भगवान् से समीक्षक की अकालमृत्यु माँगता है। मुख्यमन्त्री व प्रधानमन्त्री जनता से बलिदान माँगते हैं, और माँग और पूर्ति का यह अर्थशास्त्र इसी तरह चलता जाता है। रानी कैकेयी यदि दशरथ से वर नहीं माँगती, शूर्पणखा यदि लक्ष्मण से प्रेम नहीं

माँगती और पाण्डव लोग यदि कौरवों से थोड़ी-सी पृथ्वी न माँगते तो रामायण व महाभारत न लिखे जाते। माँगने में लज्जा नहीं करनी चाहिए—एकां लज्जां परित्यज्य, त्रैलोक्य विजयी भवेत्। माँगना भी एक कला है और जो इसे नहीं जानता वह माँगने जाता है और अन्त में अपना ही कुछ देकर लौटता है। सीधे का मुँह कुत्ता चाटे। रहीम ने ठीक ही कहा है : असमय परे रहीम कहि माँगि जाति तज लाज, ज्यों लछिमन माँगन गये पाराशर के नाज। बुडहाउस की सलाह के अनुसार किसी चीज़ को माँगने आप किसी ऐसे व्यक्ति के ही पास जाइए जिसके पास वह चीज़ हो। यदि ऐसा नहीं करेंगे तो कवि की यह वाणी आप पर लागू होगी :

जब मारैं तब जन्मै मारैं घर घर फिरैं उठल्लू
और कोय तो गाय दुहत हैं बैल दुहत हैं उल्लू

(यह रचना 1885 में लिखी बालकृष्ण भट्ट की एक रचना का संशोधित, परिमार्जित व परिवर्धित स्वरूप है। अज्ञेय जी होते तो यह रहस्य कभी नहीं खोलते। अज्ञेय जी में और मुझमें बस यही एक अन्तर है।)

सरकार का निजीकरण

हमारे देश की सरकार का धीरे-धीरे निजीकरण किया जा रहा है। टेलीफ़ोन के निजीकरण किये जाने का निर्णय लिया जा चुका है और डाक-व्यवस्था का काफ़ी हद तक निजीकरण हो भी चुका है। वायुसेवा व रेलवे-वे दोनों भी अगले पाँच वर्षों में देशी या विदेशी सेठों के हाथों में चली जाएँगी। और तो और, अदालतों का निजीकरण भी शुरू हो गया है और एक प्रदेश की एक जेल से सुप्रीम-कोर्ट के नकली हुक्मनामों के आधार पर कई उम्र-क़ैदी तो मुक्त भी हो चुके हैं। अब जो निजीकरण किया जाना है उसमें करंसी और मिलिटरी सर्वप्रथम स्थान लेंगे। हथियार वग़ैरह बनाने वाले कारख़ाने भी निजीकरण के कारण या तो बन्द हो जाएँगे और या उन्हें भी बेच दिया जाएगा। श्री मुलायमसिंह तो उत्तर प्रदेश की जेलों का भी निजीकरण करना चाहते थे पर काशी की माया के कारण उन बेचारों का ख़ुद ही निजीकरण कर दिया गया।

अख़बार के अनुसार नासिक के प्रेस ने करंसी नोट छापने बन्द कर दिये हैं क्योंकि नोट छापने का काग़ज़, स्याही व बाक़ी सामान का स्टॉक ख़त्म हो गया है। प्रेस में पाँच हज़ार करोड़ नोट बग़ैर छपे पड़े हैं और प्रेस के तीन हज़ार कर्मचारी बेकार बैठे हैं। मुझे यह स्थिति बहुत सुखद लगती है क्योंकि करंसी कम होने से मुद्रास्फीति कम होगी। मगर मैं आपको यक़ीन दिलाता हूँ कि यह स्थिति ज़्यादा दिनों नहीं चलेगी। नकली नोट—जो अब भी बन रहे हैं—अब और ज़्यादा बनेंगे। मेरा निश्चित मत है कि देश में मुद्रास्फीति के दो कारण ऐसे हैं जिन पर सरकार पूरा ध्यान नहीं दे रही। पहला कारण है देश में जाली नोट छपना और दूसरा कारण है पुराने नोटों को बग़ैर नष्ट किये ही उन्हें नष्ट करने का प्रमाण-पत्र दे देना। जाली नोटों का गृह-उद्योग कई राज्यों में फैला है और एक ज़माना था जब हिटलर तक झूठे पाउण्ड छापकर इंग्लैण्ड को तबाह करना चाहता था। दिल्ली के स्टेट-बैंक ने पिछले एक प्रधानमन्त्री को जो नोट भेजे थे वे ऐसे ही नोट थे जिन्हें नष्ट नहीं किया गया था हालाँकि वैसा करने का प्रमाण-पत्र रिज़र्व-बैंक को दे दिया गया था। श्री गाबा की 'नागरवाला केस का रहस्य' नामक पोथी इस सन्दर्भ में पढ़ने लायक़ है।

झूठे नोट पाकिस्तान भी बनाता है। पंजाब में जो भी आतंकवादी पकड़ा जाता था, उसके पास लाखों रुपयों के नये नोट कहाँ से आते थे?

इस सन्दर्भ में मेरे तो बस दो ही निवेदन हैं—पहला निवेदन तो यह है कि कुछ भी हो, पाँच सौ का नोट छपना बन्द न हो क्योंकि यदि वह ख़त्म होगा तो रिश्वत देने का गाँधीवादी तरीका बन्द हो जाएगा। मुख्य चुनाव-आयुक्त श्री शेषन के अनुसार पाँच सौ रुपयों के नोट पर गाँधी जी का चित्र छपा रहता है और इस कारण उन नोटों द्वारा दी गयी रिश्वत को कुछ विशेष मान्यता देनी पड़ेगी। बिना रिश्वत दिये तो मन्त्री तक बनना कठिन है। कवि कहता है कि "जब मारैं तब जन्मैं मारैं घर घर फिरैं उठल्लू और कोय तो गाय दुहत हैं, बैल दुहत हैं उल्लू।" बिना रिश्वत के कोई काम करवाना बैल दुहने के ही बराबर होता है। मेरा दूसरा निवेदन यह है कि फ़र्ज़ी नोट छापने वाले 'ज्वान' ज़रा जल्दी करें। ऐसा मौक़ा रोज़-तेज़ हाथ नहीं आता। कवि कहता है :

सदा न फूले तोरई, सदा न सावन होय
सदा न जीवन थिर रहै, सदा न जीवै कोय।

उदासी, मोटापा और देश का भविष्य

आज सोकर जो उठा तो मैंने अपने को कुछ उदास पाया। मुझे अपने अतिरिक्त विश्व के कुछ और महान् व्यक्तियों की याद भी सताने लगी जो मेरी भाँति प्रायः उदास ही रहा करते थे। रूसो का कहना था कि प्रत्येक मनुष्य जन्म से स्वतन्त्र होता है किन्तु फिर भी वह सर्वत्र बन्धनों में जकड़ा है। डॉ. सेमुएल जॉनसन हमेशा यही कहते थे कि नशे की स्थिति को छोड़कर, मनुष्य कभी भी सुख का अनुभव नहीं करता। गेटे ने अपनी वृद्धावस्था में स्वीकार किया था कि उनके लम्बे जीवन में सुख का एक दिन भी कभी नहीं आया था। ग्रीक मिथकों में 'एकीलस' नामक योद्धा की सगी माता ने उससे कहा था कि सुखी जीवन मात्र वही व्यक्ति जी सकता है जो ज़्यादा लम्बा जीवन नहीं जीना चाहता। प्राचीन नार्वे की 'वाइकिंग' जाति के साहसी लोग दुखी होने पर अपनी नावें लेकर समुद्र में निकल पड़ते थे जहाँ मृत्यु उन्हें अपने आलिंगन में ले लेती थी। मैं देहरादून में रहता हूँ जहाँ पर्वत तो हैं पर अभी तक समुद्र नहीं है और मेरी अपनी स्थिति यह है कि जब तक यहाँ समुद्र का समुचित प्रबन्ध नहीं हो जाता तब तक मैं अपनी मोटर बेच कर डोंगी नहीं ख़रीदना चाहता। यथार्थवादी होने के कारण मैं सदा यूनान के उस देवता को याद रखता हूँ जो तभी तक अपराजेय रहता था जब तक कि उसका एक पाँव धरती पर टिका रहता था। मैंने स्वयं भी जब कभी धरती से अपने दोनों पैर एक साथ ऊपर उठाये, तभी मैं पतित होने की सुखद स्थिति को प्राप्त हो गया। यूनान का ही एक और ख़ुशमिज़ाज देवता था जो वन में जाती रूपवती युवतियों को डराया करता था। इस परोपकारी देवता का नाम 'पैन' था और अँग्रेज़ी का 'पैनिक' शब्द उसी देवता की स्मृति में गढ़ा गया।

मेरा अपना अनुभव है कि दुखी होने के लिए लम्बा जीवन पाना उतना ज़रूरी नहीं है जितना कि दुखी रहने की आदत डालना है। संसार के अनेक लोग भयंकर परिस्थितियों में पैदा हुए और फिर भी वे ख़ुश रहे जबकि महावीर व गौतम राजमहलों में जन्मे, पर फिर भी वे सदा दुखी ही रहे। ईसा मसीह का जन्म एक अस्तबल में हुआ था और फ्रांस की 'जॉन ऑफ़ आर्क' एक ग़रीब गडियारे की टूटी-फूटी झोंपड़ी

में पैदा हुई थी। मुसोलिनी का जन्म एक सराय की अँधेरी कोठरी में सम्पन्न हुआ था जबकि स्तालिन एक ऐसे छोटे-से घर में जन्मा था जिसका कि सीलनभरा फ़र्श कच्चे चमड़े से ढका रहता था क्योंकि उसका बाप-श्री एक मोची था। जिन दिनों सम्राट अकबर का जन्म हुआ उन दिनों उनके पिता-श्री भी भयंकर परिस्थितियों में घिरे थे। पुराणों के अनुसार सोलह हज़ार एक सौ आठ गोपियों के साथ रास रचाने वाले रासबिहारी कृष्ण स्वयं एक कारागार में उत्पन्न हुए थे। डॉ. जगदीश गुप्त एक हृष्ट-पुष्ट व्यक्ति हैं जिन्हें आप मोटे तौर पर मोटा भी कह सकते हैं; मगर उनकी बुद्धि हर्गिज़ मोटी नहीं है, वह बेहद तीव्र है और उनका हृदय सचमुच विशाल है। मैंने अपने जीवन में मथुरा के अनेक चौबे, गुजरात के सेठ, सरकार के नेता व अफ़सर ऐसे देखे जो बहुत मोटे थे पर जो बेहद मेधावी थे। सरदार पटेल, पण्डित पन्त, बाबू श्रीप्रकाश, बाबू जगजीवनराम तथा प्रसिद्ध सांसद पीलू मोदी—ये सारे लोग स्थूलकाय थे पर उनकी प्रशासनिक कुशलता, सूझबूझ व विनोदप्रियता का कौन व्यक्ति क़ायल नहीं होगा? इसी प्रकार सर विंस्टन चर्चिल व सर पी.जी. वुडहाउस जैसे मोटे व्यक्तियों की विनोदवृत्ति की धाक कौन व्यक्ति नहीं मानेगा? मोटे आदमी का विनोदी होना ज़रूरी है क्योंकि दूसरी पार्टी के नाराज़ होने पर वह अब्राहम लिंकन या आचार्य कृपलानी की भाँति मज़ाक़ की फुलझड़ी छोड़कर सीन से भाग नहीं सकता।

हमारे अनेक राजनेता दुखद परिस्थितियों में पैदा हुए पर फिर भी उन्होंने विभिन्न क्षेत्रों में अपना मानदण्ड स्थापित किया। एक मुख्यमन्त्री ने ख़ूब डटकर नाश्ता किया और फिर हैलीकॉप्टर को अपनी सेवा का अवसर दिया। उड़ते-उड़ते उन्हें कुछ 'हल्का' होने की ज़रूरत महसूस हुई, मगर विमान के मूर्ख चालक ने कुछ तकनीकी दिक्कतें प्रस्तुत कीं। जब मुख्यमन्त्री ने चालक को 'गर्म जल' से तुरन्त स्नान कराने की धमकी दी तो विमान को धान के एक खेत में विसर्जित किया गया। एक दूसरे मुख्यमन्त्री से जब किसी बुद्धिजीवी ने यह शिकायत की कि उनके एक माननीय मन्त्री जी ने एक हरिजन-कन्या के साथ बलात्कार सम्पन्न किया है तो मुख्यमन्त्री जी ने बड़े गर्व के साथ यह घोषित किया कि ऐसे पुरुषार्थी मन्त्री ही तो देश की ठोस सेवा कर सकते हैं, बाक़ी नहीं। वीरभोग्या वसुन्धरा। एक और होनहार राजनेता ने राजधानी के एक बेहद पॉश होटल में बटलरों से गृहयुद्ध किया जिसके दौरान उन्होंने क्रॉकरी और सब्ज़ी से भरे डोंगे उठाकर फेंक दिये और उसके कारण अतिथि लोगों के कपड़े गन्दे हो गये। अतिथियों में कुछ सांसद भी थे जिन्होंने वारदात की रिपोर्ट प्रधानमन्त्री तक पहुँचायी। सदा के गुणग्राहक प्रधानमन्त्री ने उस राजनेता को तुरन्त अपने मन्त्रिमण्डल में शामिल कर लिया।

अब आप स्वयं ही सोचिए कि इस देश का भविष्य क्या है? मेरे तुच्छ विचार में इस प्रश्न का उत्तर तो विद्यावारिधि और बुद्धिविधाता गणेशजी भी अपने मोदकप्रिय

मूषकराज से सलाह लिये बिना नहीं दे सकते। हमारी सरकार भी गणेश की ही भक्त है। यदि ऐसा नहीं होता तो फ़ाइलें मोटी करने के लिए इतने सफ़ेद हाथी और उन्हीं फ़ाइलों को पतला करने के लिए इतने काले चूहे पालने की क्या ज़रूरत थी? मुझमें इन दोनों प्राणियों के गुण हैं और इसी कारण मैं चौंतीस वर्ष काफ़ी मोटी तनख़्वाह पर केन्द्रीय सरकार में गुज़ार आया। आपमें से जो मतिमान् पाठक होंगे, वे मेरा मन्तव्य समझ गये होंगे। अक्लमन्दाँ इशारा काफ़ी अस्त। आमीन।

बाबा नागार्जुन : कुछ रोचक प्रसंग

'अज्ञेय' के साथ-साथ या उनके कुछ बाद, हिन्दी में शानदार कवियों की जो एक पूरी पीढ़ी आयी उसका सच्चा मूल्यांकन अभी नहीं हुआ। केदारनाथ अग्रवाल, भवानीप्रसाद मिश्र, गिरिजाकुमार माथुर, रघुवीरसहाय, सर्वेश्वरदयाल सक्सेना, त्रिलोचन व शमशेरबहादुर सिंह इन कवियों में प्रमुख हैं। इसी प्रकार एक ओर 'धूमिल' जैसे 'अकवि' व दूसरी ओर ठाकुरप्रसाद सिंह जैसे 'नवगीतों के प्रवर्तक' का भी सच्चा मूल्यांकन होना अभी बाक़ी है। बहरहाल, बाबा नागार्जुन का काफ़ी मूल्यांकन हो चुका है और उन्हें डॉ. नामवरसिंह जैसे उद्‌भट विद्वानों ने भी 'आधुनिक कबीर' स्वीकार कर लिया है। मेरे विचार में नागार्जुन जो हैं वे कबीर से कुछ हटकर हैं। वैसे तो ये दोनों ही कवि अक्खड़, स्पष्टवक्ता, निर्भीक, गँवई व दलितों और शोषितों के लिए अपने प्राणों की बाज़ी तक लगाने के लिए बराबर तैयार हैं पर नागार्जुन में कबीर की ईश्वर के प्रति भक्ति नहीं है और कबीर में उस सौन्दर्यबोध की कमी है जो पूर्णतः जनकवि होते हुए भी नागार्जुन रखते हैं। नागार्जुन के बारे में किसी ने यह ठीक ही मज़ाक़ कसी है कि उनसे यदि कुछ उत्कृष्ट लिखवाना हो तो उनके पास किसी चन्दनवर्णी षोडशी को बिठा दो।

यह मेरा परम सौभाग्य रहा कि मैं नागार्जुन के सम्पर्क में 1952 में ही आ गया जब कि मैं प्रयाग-विश्वविद्यालय में पढ़ता था। वे जब भी प्रयाग आते तो पहले से सूचित कर देते और प्रायः बिना भेंट किये प्रयाग न छोड़ते। हज़ारों नवयुवकों की भाँति, मुझसे भी उनका पत्र-व्यवहार रहा और मैंने उनका काव्यपाठ भी सुना और देखा। कवि बनने के लिए, नागार्जुन के अनुसार, श्रेष्ठ गद्य-लेखक बनना व साहित्य के अलावा बाक़ी विषयों को भी पढ़ना ज़रूरी है। गद्यं कवीनां निकषं वदन्ति। जब मेरा एक उपन्यास छपा तो नागार्जुन ने मुझे लिखा कि वे उसे उल्टा पढ़ रहे हैं—यानी प्रारम्भ से अन्त तक पढ़ने के बजाय, उसे अन्त से प्रारम्भ तक पढ़ रहे हैं। मुझे यह पत्र पढ़कर बड़ा कुतूहल हुआ पर चार भाषाओं में श्रेष्ठ काव्य लिखने वाले, ये परम विनोदी, फक्कड़, घुमन्तू मस्तमौला और किसी हद तक 'विचित्र' महाकवि जो कुछ भी कर जाएँ, वह कम है। नागार्जुन के व्यक्तित्व को पूरी तरह पकड़ पाना कठिन

है और इसी में उनकी महानता का रहस्य छिपा है। कवि अक्षर कुच केश त्रिया ढके न शोभा देत, उघरें तो सोहें नहीं अध-उधेर छवि देत। 'सापेक्ष' के 'बाबा नागार्जुन विशेषांक' ने उन्हें बहुत पकड़ने की सशक्त कोशिश की है पर फिर भी नागार्जुन उतने ही 'निर्गुण ब्रह्म' हैं, जितने कि वे पहले थे। आप लोगों के विनोद के लिए मैं उनके जीवन के कुछ रोचक प्रसंग नीचे देता हूँ :

(एक) नागार्जुन जैसे शक्तिशाली कवि को बीस वर्ष तक कोई प्रकाशक नहीं मिला। इन बीस वर्षों में नागार्जुन ने अपनी कविता को या तो मौखिक परम्परा में लोककण्ठ पर जीवित रखा या उसके साथ-साथ अपनी कविताएँ उन्होंने स्वयं ही छापीं और चलती रेल के डिब्बों में 'चना ज़ोर गरम' की तर्ज़ पर यात्रियों को बेचीं।

(दो) नागार्जुन एक बार रेल के फ़र्स्ट-क्लास में यात्रा कर रहे थे। पैरों में घटिया चप्पल थीं और ऊपर लम्बा कुर्ता पहन रखा था। बाक़ी यात्रियों ने समझा कि कोई गँवई आदमी ग़लती से इस डिब्बे में चढ़ गया है और इसी कारण उन्होंने उन्हें अगले स्टेशन पर तीसरे दर्जे में चले जाने को कहा। नागार्जुन ने अपना टिकट निकाला और कहा कि "अगर सुझाई दे तो देख लो, किस क्लास का टिकट है।" टिकट देखकर यात्री लोग चुप हो गये। इतने में किसी ने नागार्जुन जी को पहचान लिया और उनका परिचय पाकर यात्रियों ने उनसे क्षमा माँगी।

(तीन) नागार्जुन नहाने से बचते हैं। यदि कवि त्रिलोचन सालों में एक बार नहाते हैं तो नागार्जुन दस वर्ष में एक बार नहाते हैं। नहाने में वे भले ही चोर हों पर खाने के मामले में वे कतई आलसी नहीं हैं। उन्हें थोड़ा-थोड़ा बराबर खाते रहने की आदत है। एक कवि के यहाँ गोष्ठी थी। नागार्जुन कवि की रसोई में गये और कवि की पत्नी से बतियाने लगे। वे बोले कि "जब तक उस कमरे में बुद्धिमान् लोग मूर्खता की बातों में उलझे हैं तब तक हम मूर्ख लोग यहीं चटनी से पकौड़ी खाने की बुद्धिमानी करें।" नागार्जुन को अफ़सोस है कि जीवन में उन्होंने अब तक मात्र छत्तीस प्रकार के पशु-पक्षियों का ही मांस खाया है, ज़्यादा का नहीं। उनके विचार में एक मैथिली-ब्राह्मण होकर मांस खाना पुरानी रूढ़ियों को तोड़ना ही है, और कुछ नहीं।

(चार) एक बार नागार्जुन दिल्ली में श्री मैथिलीशरण गुप्त के पास गये और उन्हें अपनी दो कविताएँ सुनायीं। जनकवि की कविता सुनकर राष्ट्रकवि को गुस्सा आ गया। उन्होंने कहा कि 'नागार्जुन, तुम्हें देखकर लगता है कि विष का मटका डोलता चला आ रहा है।' गुप्तजी के इस व्यवहार से नागार्जुन दुखी हो उठे और गुप्तजी से कह बैठे कि "जो व्यक्ति इस समय भी मेरी कविता नहीं बर्दाश्त कर सकता, उसे मैं 'राष्ट्रकवि' ही नहीं मानता।" वे चले आये। जो कविताएँ उन्होंने गुप्तजी को सुनायी थीं, वे अपेक्षाकृत ज़्यादा 'भयानक' हर्ग़िज़ नहीं थीं।

(पाँच) नागार्जुन ने एक बार अपनी मामी से कहा कि "पाँच साल के लिए मैं स्त्री बनना चाहता हूँ। इस अवधि में मैं मातृत्व का सुख प्राप्त करूँगा और यदि मेरा

पति मुझे छोड़ता है तो मैं एक अवैध बच्चा को पैदा करूँगा ताकि फिर परिवार में लोग समझ सकें कि बच्चा कभी अवैध नहीं होता।"

(छह) अपनी बात को पूरी तरह समझाने के लिए, नागार्जुन को यदि ठेठ गँवारू भाषा का भी प्रयोग करना पड़े तो वे कोई संकोच नहीं करते। एक बार एक कवि के गीतों के बारे में उन्होंने कहा कि "फिर गीत न तो गीत हैं और ग़ज़ल न तो ग़ज़ल। बहुत मरोड़ और ऐंठन है पर इनके गीत ऐसे ही हैं जैसे आधे घण्टे की कोशिश में पेशाब की दो बूँद गिरें।" एक बार स्पन्द शब्द का सटीक अर्थ समझाते हुए वे कहने लगे कि "घड़ी की जो सुई है, वो जो है स्पन्द है। बहुत ही देहाती ढंग से अगर उपमा देकर समझाएँ तो पेशाब करने के बाद घोड़े के गुप्तांग में जो हरकत होती है, वह स्पन्द है।" नये कवियों के बारे में उन्होंने कहा है कि "आज के कवियों की तरफ़ देखिए। छोकरियों के साथ चकर-चकर करेंगे पर ऐसा वर्णन नहीं कर पाएँगे। खाली चूचियों का वर्णन करेंगे, दूध से लबालब भरे स्तनों का वर्णन नहीं कर पाएँगे। हेमकुम्भस्तन्याँ पयसां रसज्ञः।"

(सात) "मैथिलीशरण गुप्तजी के नाम से नागार्जुन खिन्न हो गये और उनके मुख पर क्षोभ व कोप की रेखाएँ बनने-बिगड़ने लगीं। वे कहने लगे कि अगर गुप्तजी अपनी चालें न चलते तो 'प्रसाद' जी दस साल और ज़िन्दा रहते। गुप्तजी रायकृष्णदास के यहाँ पहुँचकर यह सुर्रा छुड़वा देते कि 'प्रसाद' तो बहुत बड़े आदमी हैं। 'कामायनी' तो किसी और की लिखी हुई है जिसे थोड़ा-बहुत हेर-फेर के बाद उन्होंने उसे अपने नाम से छपवा लिया है। भला 'प्रसाद' जी को इतना सब-कुछ लिखने की फुर्सत कहाँ है? गुप्तजी पहले तो द्विवेदी जी की बैसाखी लगाये रहे और फिर गाँधीजी की छतरी लगा ली। बच्चन ने नेहरू परिवार का संरक्षण प्राप्त किया। दिनकर भी यही जोड़-तोड़ करते रहे।"

(आठ) नागार्जुन जब तिब्बत या लंका में थे तो उन्हें एक विचित्र अनुभव हुआ। आधी रात के समय जब उनकी आँख खुली तो उन्होंने पाया कि उनके पास एक महिला सो रही है। वे घबराये। इस बीच वह स्त्री भी जाग गयी थी। उसने बताया कि रात को जब उन्होंने नागार्जुन को ठण्ड से सिकुड़ते देखा तो वह उन्हें गर्मी पहुँचाने के लिए उनकी बग़ल में लेट गयी।

(नौ) एक बार नागार्जुन से किसी ने उनसे 'अज्ञेय' व उनकी संगिनी के बारे में कुछ कुरुचिपूर्ण पंक्तियाँ लिखवा लीं। जब उस रमणी ने नागार्जुन के प्रति अपना क्षोभ व दुख प्रकट किया तो नागार्जुन ने तुरन्त खेद प्रकट किया और कहा कि "मैं वात्स्यायन जी से चार माह छोटा हूँ और इस कारण वह रमणी मेरी भाभी लगती हैं। उन्हें चाहिए कि अपने देवर को माफ़ कर दें।"

(दस) सन् 1957-58 में 'राष्ट्रभाषा परिषद्' का वार्षिक उत्सव था। आचार्य हज़ारीप्रसाद द्विवेदी मुख्य-अतिथि थे। नागार्जुन अपने कुछ मित्रों के साथ वहाँ गये

और उनके साथ नीचे फ़र्श पर ही बैठ गये। लोगों को जब पता लगा तो उन्होंने उनसे मंच पर बैठने का आग्रह किया। मगर नागार्जुन ने कहा कि "भई, यहीं रहने दो खुले में। मंच पर तो बहुत घुटन है।" लोगों ने बहुत कोशिश की पर नागार्जुन नीचे ही बैठे रहे और मौज में कार्यक्रम का आनन्द लेते रहे।

(ग्यारह) अपना काव्यपाठ करने में नागार्जुन एकदम मुक्त हैं, एकदम स्वाभाविक हैं। वे नाचने भी लगते हैं और चुटकियाँ भी बजाते हैं। उनके काव्य-पाठ से श्रोता मन्त्र-मुग्ध हो जाता है। महाकवि रवीन्द्रनाथ ठाकुर भी अपने 'वर्षा-मंगल' को गाते हुए कभी-कभी बाउलों की भाँति नृत्य किया करते थे। नागार्जुन स्वयं कहते हैं कि "कवि-सम्मेलनों में बहुत जमते हैं हम। समझ गये न? बहुत विकट काम है कवि-सम्मेलनों में कविता सुनाना। बड़े-बड़ों को—तुम्हारा क्या कहते हैं—हूट कर दिया जाता है। हम कभी हूट नहीं हुए। हर तरह का माल रहता है हमारे पास। यह नहीं जमेगा तो वह जमेगा। काका-मामा सबकी छुट्टी कर देते हैं हम। समझ गये न? पहले पब्लिक की पसन्द की चीज़ें सुनाते हैं, फिर अपनी पसन्द की।"

यह एक सच है कि नागार्जुन मजमा ज़माने में माहिर हैं। अगर मैंने उनका जादू अपनी आँखों से न देखा होता तो मैंने उनके इस जादू के बारे में कुछ यक़ीन नहीं किया होता। एक बेढंगे कपड़े पहने अजीब-सा आदमी, जो इतनी मस्ती के साथ हज़ारों लोगों की दाद पा रहा है, क्या यह वही महान् कवि नागार्जुन है जिसने इतनी शिल्पपूर्ण सौन्दर्यवादी व शोषितों की स्थिति का चित्रण करने वाली करुण कविताएँ लिखी हैं? क्या यह वही परम ज्ञानी नागार्जुन है जिसे विश्वविद्यालयों में पढ़ाया जाता है और जिस पर न जाने कितने बुद्धिजीवी डॉक्टरेट ले रहे हैं? अपनी मजमाबाज़ी के बारे में भी नागार्जुन उतने ही स्पष्टवादी हैं। वे कहते हैं :

ख़ूब गालियाँ बको तभी तो लोग रखेंगे याद
नागा बाबा, बनो आप ही तुम अपना अपवाद
कड़वी, तीखी बाणी के चटपटे रहेंगे स्वाद
घोर अघोरी अभिव्यक्ति पर जनता देगी दाद।

मूँछ से चलकर पूँछ तक

वाराणसी के राजेन्द्रकुमार तिवारी संसार के अकेले ऐसे व्यक्ति हैं जो विभिन्न प्रकार की राग-रागिनियों के अनुसार अपनी मूँछें नचाते हैं। वर्ल्ड रिकार्ड्स की "गिनीज-बुक" में उनका नाम आ गया है मगर इससे क्या होता है? सारे जीवन को इस अद्भुत कला के लिए समर्पित करने वाले तिवारी जी आजकल बड़ी विपन्नता की स्थिति में हैं। मैंने जब से यह समाचार पढ़ा है, तब से मैं मात्र मूँछों में ही उलझा हूँ।

हमारे अन्तिम हिन्दू सम्राट् पृथ्वीराज चौहान संयोगिता से कहीं ज़्यादा प्रेम अपनी मूँछों से करते थे। कर्नल टाड के 'राजस्थान का इतिहास' तथा चन्द बरदाई की 'पृथ्वीराज रासो' के अनुसार, सम्राट् पृथ्वीराज दो घड़ी का निश्चित समय अपनी पूँछों को प्रतिदिन देते थे। एक दर्जन सुन्दर दासियाँ उनकी मूँछों को प्रतिदिन सलीके के साथ काटती थीं, उन्हें उबटन से धोती थीं और उन पर इत्र लगाती थीं। देश के शेष नरेश भी मूँछें रखते थे और गुजरात में तो मूँछों की इज़्ज़त इतनी की जाती थी कि वीर पुरुष उसे ही स्वीकार किया जाता था जो कि अपनी मूँछों के सहारे तीन नींबू टाँग लेता था। तारी मूँछें त्रण लींबू रे मेवाड़ा। दुनिया में सबसे ज़्यादा लम्बी मूँछें रखने वाला व्यक्ति एक भारतीय ही है, उसकी मूँछों की लम्बाई 259 सेण्टीमीटर है। मुग़लों के अन्तिम समय में कुछ दरबारी—जों बाँके कहलाते थे—अपनी मूँछ का एक बाल गिरवी रखकर बड़ी-से-बड़ी रक़म दिल्ली के सेठों से लिया करते थे और किसी भी बाँके ने कभी भी किसी सेठ के साथ धोखाधड़ी नहीं की थी। विदेशों में भी मूँछें रखने का आम रिवाज़ था और सभी बादशाह व कलाकार मूँछें रखते थे चाहे वे हेनरी अष्टम हों या वे विलियम शेक्सपियर हों। सम्राज्ञी क्लियोपेट्रा, स्कॉटलैण्ड की रानी मेरी, महारानी एलिज़ाबेथ (प्रथम) व रूस की सम्राज्ञी कैथरीन मूँछें नहीं रखती थीं जिसका एकमात्र कारण यह था कि वे सब स्त्री थीं। भगवान् ने उन्हें मूँछें दी ही नहीं थीं। एक सम्राज्ञी ज़रूर ऐसी थीं जो नकली मूँछें लगाकर दरबार लगाती थीं।

ईस्ट इण्डिया कम्पनी के जनरल व गवर्नर-जनरल प्रायः मूँछें रखते थे। लार्ड क़र्ज़न शायद सर्वप्रथम वायसराय था जिसने (अपनी पत्नी के कहने पर) मूँछों को त्यागने का ज़बर्दस्त अभियान शुरू किया। अकबर इलाहाबादी का कहना है :

कर दिया कर्ज़न ने ज़न, मरदों की सूरत देखिए
आबरू चेहरे की सब, फ़ैशन बनाकर पूँछ ली,
सच यही है, इंसान को यूरोप ने हल्का कर दिया
इब्तदा दाढ़ी से की और इन्तहाँ में मूँछ ली।

बीसवीं सदी के महान् शासकों में जोसेफ़ स्तालिन अपनी मूँछों से सचमुच बेहद प्यार करता था। हमारे यहाँ गाँधी जी, सरदार पटेल व मोतीलाल नेहरू मूँछें रखा करते थे। जेल में सरदार पटेल की नाक का आपरेशन करने के वक़्त उनकी मूँछें डॉक्टरों ने कटवा दी थीं और उसके बाद उन्होंने फिर मूँछें नहीं रखीं। सरदार पटेल के इसी आपरेशन पर तो गाँधी जी ने उनसे कहा था, "आख़िर तुम अपनी नाक कटवाकर ही लौटे!" बाल गंगाधर तिलक व लाला लाजपत राय मूँछें रखते थे।

एक जागीरदार गवर्नर से मिलने लखनऊ गये तो उन्होंने मूँछें खड़ी रखने के लिए उन पर मोम लगा लिया। गवर्नर व्यस्त था और मौसम गर्मी का था। धीरे-धीरे एक तरफ़ का मोम पिघल गया। वे जब सर बटलर से मिले तो स्थिति यह थी कि मूँछ एक तरफ़ से तो सीधी खड़ी थी मगर दूसरी तरफ़ से गिरी हुई थी। गवर्नर मुस्कुराया पर इसके अतिरिक्त उन्होंने कुछ नहीं कहा। मैं ख़ुद एक बेहद सीनियर ऐसे आई.सी.एस. अफ़सर से मिला हूँ जिनकी आधी मूँछ प्रकृति ने पैदा ही नहीं की थी। वे अपने धर्म के कारण, आधी ही मूँछ रखते थे। कुछ लोग ऐसे होते हैं कि उनके दाढ़ी व मूँछों के बाल तो पक जाते हैं पर सिर के बाल काले ही रहते हैं हालाँकि सिर के बालों की आयु दाढ़ी और पूँछों की आयु से कहीं ज़्यादा होती है। फ़ादर कामिल बुल्के का कहना था कि सिर के बाल कभी कोई परिश्रम नहीं करते जब कि दाढ़ी और मूँछ बोलने व खाना खाने वग़ैरह में थक जाते हैं और इसी कारण वे जल्दी पक जाते हैं।

हिन्दी के आधुनिक बड़े साहित्यकारों में शायद मैथिलीशरण गुप्त, आचार्य महावीर प्रसाद द्विवेदी, हज़ारीप्रसाद द्विवेदी और मुंशी प्रेमचन्द ही मूँछें रखते थे। प्रेमचन्द की मूँछें कभी बहुत बड़ी होती थीं। मैथिलीशरण गुप्त ने बाद में चलकर पूँछों को तिलाञ्जलि दे दी थी। 'निराला' की दाढ़ी व मूँछें अन्त में चलकर बग़ैर कटी और अस्त-व्यस्त रहती थीं जबकि 'अज्ञेय' जी की दाढ़ी और मूँछ आधुनिकतम फ़ैशन के अनुसार कटी रहती थीं। महाकवि भूषण ने औरंगज़ेब आलमगीर को अपना कवित्त सुनाने से पहले हाथ धोने की सलाह दी थी। शहंशाह ने वैसा किया और एक कवित्त पर सचमुच उसे इतना जोश आया कि उसका हाथ अपनी पूँछों तक चला ही गया। उन्होंने महाकवि भूषण को घोड़े और अशर्फियाँ इनाम में दीं। 'तवारीखे आलमगीरी' में इसका खुलासा ज़िक्र किया गया है।

'माधुरी' के संचालक दुलारेलाल भार्गव ने जब सात सौ दोहे लिख लिये तो उन्होंने 'दुलारे दोहावली' नामक पुस्तक छपायी। उनकी बड़ी इच्छा थी कि कोई

विद्वान् इस पुस्तक की तुलना 'बिहारी-सतसई' से कर दे। छायावाद के प्रवर्तक गयाप्रसाद शुक्ल 'सनेही' इस काम के लिए तैयार हो गये। बाबू दुलारेलाल भार्गव ने बहुत बड़ा आयोजन किया और मिश्रबन्धुओं तक को निमन्त्रित किया। शानदार भोजन हुआ, जौनपुर की इमरतियाँ खायी गयीं और किमाम के पान चले। सब कुछ हो जाने पर परम विनोदी 'सनेही' जी ने टमटम पर बैठकर यह सटीक दोहा पढ़ा :

एक बिहारीलाल थे, एक दुलारेलाल
एक मूँछ के बाल थे, एक पूँछ के बाल।

आप देखेंगे कि जैसे 'बनारस' व 'हाथरस' के अतिरिक्त और कोई वैसे नाम वाला नगर नहीं है और जैसे 'सन्दूक' व 'बन्दूक' का हमवज़न कोई शब्द नहीं है, शायद वैसे ही मूँछ और 'पूँछ' जैसा भी कोई और शब्द नहीं है।

लोग अब भी मूँछ रखते हैं। मूँछ शब्द एकवचन भी चलता है और बहुवचन भी चलता है, ठीक उसी तरह जैसे कि पाजामा ऊपर से एकवचन होता है पर नीचे से बहुवचन होता है। बहरहाल मूँछ (या मूँछों) की अब भी बड़ी धाक है। अगर मुख्यमन्त्री मूँछें रखेंगे तो नायब-तहसीलदार तक थोड़ी-बहुत मूँछ (या मूँछें) ज़रूर रखेगा। माननीय मुलायम सिंह जी के तबादले पर लोग फिर लार्ड कर्ज़न बन जाएँगे। उर्दू के एक शायर ने नौकरशाही की इस प्रवृत्ति को अपने एक कलाम में पकड़ा है और ख़ूब पकड़ा है। कवि कहता है :

जो कमेटी का भी मिम्बर हो गया
वह भी तक़रीबन मिनिस्टर हो गया,
औरतें पर्दे के बाहर आ गयीं
मौलवी लोटे के अन्दर हो गया,
जो मिडिल तक पास कर पाया न था
देखता क्या हूँ एडीटर हो गया,
आप कुछ शर्मा के लीडर बन गये
मैं ज़रा घबरा के नौकर बन गया,
इक ज़रा अफ़सर ने मूँछें छोड़ दीं
महकमा पूरा मुछन्दर हो गया,
जाने-महफ़िल था ख़ुदा बख़्शे 'ज़मीर'
अब तो इक मुद्दत से शौहर हो गया

(सैयद ज़मीर जाफ़री)

अन्धविश्वास

संसार में ऐसे अगणित लोग हैं जो नाना प्रकार के अन्धविश्वासों में विश्वास रखते हैं। हमारे देश में तो शकुन-शास्त्र को फलित ज्योतिष का एक अंग ही स्वीकार किया गया। अभी भी ऐसे लोग हैं जो कुत्ते के रोने, यात्रा के प्रारम्भ में छींक आ जाने, काने आदमी को देखने और बिल्ली के रास्ता काट जाने को अशुभ मानते हैं। पिछले वर्ष संसद के एक सदन में एक बिल्ली आ गयी तो अनेक सांसदों ने भगवान को धन्यवाद दिया क्योंकि वह बिल्ली काली नहीं थी। शरत् बाबू ने एक बार ग़लती से ऐसी बकरी ख़रीदी जो अपना दूध स्वयं पी जाती थी और उस बकरी के आने के बाद वे ज़्यादा दिनों जीवित नहीं रह पाये। काफ़ी लोग अभी भी चेचक के प्रकट होने पर, गदहे को चौराहे पर खड़ा करके उसे चने खिलाते हैं। ग्रहण के अवसर पर व शनिवार के दिन-अभी भी दान दिया जाता है जिसे पाकर ब्राह्मण लोग महाब्राह्मण बनते हैं। हमारी फ़िल्मों के महान् अभिनेता अशोककुमार अपने को मनहूस मानते हैं। तीन सौ से ज़्यादा फ़िल्मों में काम कर लेने के बावजूद, वे अपनी किसी फ़िल्म के मुहूर्त पर स्टूडियो नहीं जाते और न ही निर्माता लोग उस दिन उन्हें वहाँ आने देते हैं। तेरह तारीख़ तो उनके लिए बेहद ख़राब है। इसी तारीख़ को सीढ़ियों से फिसल कर उनकी दादी मरीं, इसी तारीख़ को उनकी पहली सगाई टूटी और इसी तारीख़ को उनके एक प्रिय अध्यापक की मृत्यु सम्पन्न हुई। उनका जन्म तेरह तारीख़ को शुक्रवार के दिन हुआ था जिसे ईसाई लोग अशुभ मानते आये। मुरारजी देसाई शकुनों पर विश्वास करते थे और बच्चन जी की प्रगति में एक नीलम ने बहुत योगदान दिया। पन्तजी भी कुछ ऐसे विश्वास रखते थे जबकि 'निराला' इन सब धन्धों की हँसी उड़ाया करते थे।

रोमन-सम्राट् जूलियस सीज़र अन्धविश्वासी नहीं था पर इंग्लैण्ड का राजा जेम्स (प्रथम) काले जादू पर विश्वास करता था। मार्टिन लूथर एक दबंग व्यक्ति था पर वह भूतों से डरता था। महामति सुकरात तक शकुनों में विश्वास रखते थे। यूरोप के कई देशों में यदि मकान में से रुई धुनने की आवाज़ आती थी तो उसे मनहूस माना जाता था। प्रयाग में एक विशाल कोठी थी जिसमें कोई भी किरायेदार दस या

पन्द्रह दिन से ज़्यादा कभी नहीं रहता था। तंग आकर कोठी के स्वामी सेठजी ने एक अँग्रेज़ किरायेदार पर मुक़दमा चलाया और फ़ैसला देने से पहले डिस्ट्रिक्ट-जज अपनी बन्दूक लेकर एक रात खुद उस कोठी में अकेला सोया और उसने कहा कि "इस मकान के साथ कुछ गड़बड़ ज़रूर है।" उसने जो फ़ैसला दिया वह मकान-मालिक के ख़िलाफ़ था। कोठी जब काफ़ी दिनों खाली पड़ी रही तो पं. मदनमोहन मालवीय ने उसे सेठजी से दान में ले लिया और पुरानी कोठी तुड़वाकर वहाँ हिन्दू-होस्टल बनवाया। भगवतीचरण वर्मा व नरेन्द्र शर्मा इसी होस्टल के निवासी थे।

मैं स्वयं एक अन्धविश्वासी व्यक्ति हूँ और इसी कारण मैं हर अन्धे पर विश्वास कर लेता हूँ। मेरा जन्म नौ तारीख़ को हुआ था और यह गिनती सदा मेरे पक्ष में रही। मेरे सुखी विवाहित जीवन का रहस्य मात्र यह है कि मेरी पत्नी मुझसे उम्र में नौ वर्ष छोटी है। मेरी कार का नम्बर ऐसा है कि उसके सारे अंकों का अन्तिम जोड़ नौ ही आता है। मेरी दसवीं पुस्तक तब छपी जब कि उसके पहले नौ पुस्तकें छप चुकी थीं। वर्षों पहले एक बार चलती रेल में एक रूपवती रमणी के साथ कुछ प्रेमयोग की चर्चा की तो उसने कस कर मेरे सिर पर नौ चप्पल लगाये। मेरे सिर का गंजापन उसी दिन शुरू हुआ। चप्पल टूट गयी तो उसकी दुरुस्ती के नौ रुपये भी मुझे ही देने पड़े। इसके बाद चलती गार्ड से मुझे कूदना भी पड़ा। मेरे सौभाग्य से मेरी हड्डियाँ मात्र नौ ही जगह टूटी थीं, ज़्यादा नहीं। अस्पताल में ध्यान आया कि उस दिन भी नौ ही तारीख़ थी, कम या ज़्यादा नहीं। ट्रेन का नम्बर भी 'नाइन अप' ही था, 'सत्ताईस डाउन' नहीं। आमीन।

जाड़े की ऋतु और देवदासी

शरत् बाबू का 'देवदास' एक अत्यन्त दुखान्त उपन्यास है मगर 'देवदासी' की जो कथा है वह और भी ज़्यादा दुखान्त है। आज मैं थोड़ी-सी चर्चा इन देवदासियों की ही करूँगा।

देवदासियों की प्रथा लगभग आठ सौ वर्ष पुरानी है। कर्नाटक, आन्ध्रप्रदेश व महाराष्ट्र—इन तीन राज्यों में यह प्रथा बहुत प्रचलित रही। सोमनाथ मन्दिर को महमूद गज़नवी मात्र इसी कारण जीत पाया था क्योंकि वहाँ चौलादेवी नामक एक परम रूपवती देवदासी को लेकर मन्दिर के पुजारी दो पक्षों में विभाजित हो गये थे। एक पक्ष के नेता ने महमूद गज़नवी को मन्दिर के भीतर जाने का गुप्त मार्ग बता दिया और मात्र इसी कारण विदेशी सेना मन्दिर के भीतर पहुँच गयी और वह मन्दिर-रूपी क़िला जीत लिया गया। पुरी के पवित्र जगन्नाथ मन्दिर में भी यह प्रथा बहुत शताब्दियों पूर्व आ गयी थी—इस बात के प्रमाण पूरी तरह प्राप्त हैं। कुमारी व रूपवती कन्याएँ—जो प्रायः दरिद्र कुलों की ही होती थीं—भगवान् जगन्नाथ की मूर्ति से विवाह करती थीं और मन्दिर के देवताओं (अर्थात् पुजारियों) द्वारा—जी भरकर भोगी जाती थीं। सोलहवीं शताब्दी के राजा रामचन्द्र देव के दरबारी भी इन देवदासियों की सेवाएँ स्वीकार किया करते थे। यौवन बीत जाने पर इन देवदासियों की बुरी हालत हो जाती थी और भिक्षा माँगने के सिवा जीवनयापन के लिए और कोई चारा उनके लिए नहीं बचता था। सच्ची बात तो यह है कि धर्म के नाम पर जितना यौन-शोषण देवदासियों का किया गया, उतना तो शायद वेश्याओं का भी नहीं किया जाता।

जगन्नाथ मन्दिर में देवदासी का नृत्य 36 'नियोगों' में से एक है और इसी कारण मन्दिर के 'सेवायत' इस प्रथा को फिर से पुराना गौरव देना चाहते हैं। लगभग पाँच लड़कियों ने इस पद के लिए साक्षात्कार दिया पर बड़ी कठिनाई यह है कि बिना आर्थिक सहायता के कोई भी पुरानी देवदासी इन्हें गोद नहीं लेना चाहती जो कि एकदम ज़रूरी है। मन्दिर (जो एक आदिवासी माँझी की भूमि पर बना है) अपने नियम नहीं तोड़ सकता चाहे उसका नतीजा कुछ भी क्यों न हो। पुरी के शंकराचार्य

ने तत्कालीन प्रधानमन्त्री श्रीमती गाँधी को भी मन्दिर में प्रवेश नहीं करने दिया था क्योंकि उनका विवाह एक पारसी सज्जन के साथ सम्पन्न हुआ था। प्रसिद्ध ओडिसी नृत्यांगना संयुक्ता पाणिग्रही भी देवदासी बनने को इच्छुक हैं मगर दिक्कत यह है कि वे विवाहित हैं। भगवान् जगन्नाथ एक ऐसी युवती से विवाह कैसे कर सकते हैं जो कि पहले से ही किसी साधारण मनुष्य से विवाहित हो? भगवान् को तो ताज़ा माल चाहिए—एकदम ताज़ा।

दक्षिण के एक निःसन्तान दम्पती ने कभी यह प्रण किया था कि यदि भगवान उन्हें एक कन्या दे दे तो वे उसे देवदासी ही बनाएँगे। कन्या हुई मगर भगवान् के स्वप्न में दिये आदेश के अनुसार वह देवदासी बनने के स्थान पर संसार के मधुरतम काव्य 'गीतगोविन्द' के कवि जयदेव की सगी पत्नी बनीं। जब वे पति-पत्नी 'गीतगोविन्द' गाया करते थे तो नदी के दूसरे तट पर खड़ी नावें, इधर वाले तट पर स्वयं आ जाया करती थीं। संगीत की शक्ति अनन्त है। कल एक फ़िल्मी गाना ऐसा सुना कि मैं भी तट-परिवर्तन करने की मुद्रा में आ गया। उस अमर संगीत की प्रमुख पंक्तियाँ इस प्रकार थीं :

सरकाय ले खटिया, बड़ा जाड़ा लगै
जाड़े में बलम बड़ा प्यारा लगै..।

राजनेताओं का साहित्य में प्रवेश

न जाने कितने राजनेता ऐसे हुए हैं जो प्रशासन के साथ-साथ साहित्य में भी अपना दख़ल रखते थे। जूलियस सीज़र, जेम्स प्रथम, बाबर, जहाँगीर, शाहआलम (द्वितीय) व बहादुरशाह 'ज़फ़र' जैसे सम्राट्, सर वाल्टर रैले, सर थॉमस मूर, सर फ्रांसिस बेकन और अब्दुर्रहीम ख़ानख़ाना जैसे सामन्त व डिजरायली, चर्चिल, पं. नेहरू, मौलाना आज़ाद, हर हिटलर, महात्मा गाँधी, डॉ. राजेन्द्रप्रसाद, के.एम. मुंशी, द्वारिकाप्रसाद मिश्र व मुरारजी देसाई जैसे राजनेताओं ने साहित्य रचा या कम-से-कम अपनी आत्मकथा तो स्वयं ही लिखी जबकि ख़ुशवन्त सिंह ने तो दूसरे लोगों की आत्मकथाएँ तक लिखीं। सम्राट् बहादुरशाह 'ज़फ़र' अपने उस्ताद महाकवि ज़ौक को चार रुपया प्रतिमाह दिया करते थे। गुरुदेव के अनुसार पं. नेहरू यदि राजनीति में न जाते तो कवि बनते। सरोजिनी नायडू गवर्नर होने से पूर्व 'भारत की कोकिला' कहलाती थीं। चर्चिल को साहित्य का नोबिल-प्राइज़ मिला था और चक्रवर्ती राजगोपालाचारी भारत का अन्तिम गवर्नर-जनरल बनने से पूर्व तामिल के एक प्रतिष्ठित कहानीकार थे। हिटलर की आत्मकथा अपने समय में संसार की सबसे ज़्यादा बिकने वाली किताब थी। सम्राट् अकबर बेपढ़ा होने के बावजूद कविता लिखता था। मीराबाई स्वयं एक महारानी थीं। कागा सब तन खाइयो...

इधर अकेले बिहार में ही न जाने कितने ऐसे राजनेता हैं जो राजनीति से निराश होकर साहित्य की दिशा में मुड़ रहे हैं। भगवत झा आज़ाद एक व्यंग्यात्मक महाकाव्य रच रहे हैं, गुलाम सरवर अपने विचार संकलित कर रहे हैं और सत्येन्द्रनारायण सिन्हा भी एक ग्रन्थ रच रहे हैं। हमारे प्रधानमन्त्री अटलबिहारी वाजपेयी का दूसरा काव्यग्रन्थ निकल चुका है और हमारे राष्ट्रपति डॉ. शंकरदयाल शर्मा कई पुस्तकों को जन्म दे चुके हैं और उनकी कई पुस्तकें काल के गर्भ में छिपी हैं। नौकरशाहों में सर्वश्री आयंगर, वी.पी. मेनन, पी.वी.आर.वी. राव व निनूहा अपने संस्मरण लिख चुके हैं जब कि विनोदचन्द्र पाण्डेय, रवीन्द्रनाथ त्यागी, गोविन्द मिश्र, अशोक वाजपेयी व श्रीलाल शुक्ल अभी भी पूरे ज़ोरो-खरोश से साहित्य की सेवा में जुटे हैं। बालकृष्ण राव व जगदीशचन्द्र माथुर भी कुशल साहित्यकार थे।

हिन्दी में लेखक ज़्यादा हैं और पत्र-पत्रिकाएँ बन्द होती जा रही हैं। हमारा कर्तव्य है कि राजनीति में पराजित नेताओं को साहित्य के क्षेत्र में आने से रोकें। यदि समय रहते कोई ठोस क़दम नहीं उठाया गया तो हिन्दी-साहित्य व हिन्दी के साहित्यकार—इन दोनों की क्षति होगी।

उचित होगा कि ऐसे लोगों के नाम से सस्ती और अश्लील जासूसी किताबें हम ख़ुद लिखें और उनसे बाज़ार को भर दें और जब इन लोगों की असली किताबें छपें तो उनकी कसकर निन्दा करें। मगर इस सारे अभियान के लिए हमारा एक संगठन होना चाहिए जो 'आथर्स गिल्ड' की तरह मेरे जैसे महान् लेखकों का सम्मान करने के स्थान पर इन नवोदित लेखकों का अपमान कर सके। यदि नाई, मोची, वेश्याएँ और हिजड़े अपनी सशक्त यूनियन बना सकते हैं तो कोई कारण नहीं कि हिन्दी के साहित्यकार वैसा न कर सकें। आख़िर अपने बचाव के लिए हमें कुछ तो करना ही पड़ेगा। और वैसे भी हम लोगों में से काफ़ी लेखक तो पहले से ही ऊपर बताये लोगों से भी ज़्यादा गिरे हुए हैं; फिर संकोच कैसा?

अब समय आ गया है कि कलमनवीसों को कलम के साथ-साथ एक हाथ में राजनेताओं से बचने के लिए लाठी भी रखनी पड़ेगी। लाठी राजदण्ड का प्रतीक है। गिरिधर कवि कहते हैं कि लाठी का साथ कभी नहीं छोड़ना चाहिए :

लाठी में गुण बहुत हैं, सदा राखिए संग
गहिरे नदि नारा जहाँ, तहाँ बचावै अंग,
तहाँ बचावै अंग, झपटि कुत्ता को मारे
दुश्मन दावागीर तिनहुँ को मस्तक झारै,
कह गिरिधर कविराय, सुनो हो धूर के बाठी
सब हथियारन छाँड़ि, हाथ में लीजै लाठी।

जो शेष रह गया...

इस वर्षगाँठ पर मैं पैंसठ वर्ष का हो गया। अज्ञेय जी के शब्दों में एक दिन ऐसा आया कि अपने साथ मेरे जीवन का एक पूरा वर्ष ले गया। भगवान् की कितनी कृपा है कि व्यक्ति का जन्मदिन वर्ष में एक बार ही आता है; यदि वह एक से ज़्यादा बार आता तो हम लोग एक ही वर्षगाँठ के अवसर पर कई वर्ष और वृद्ध हो जाते। वह दिन भी दूर नहीं है जब कि वर्षगाँठ आने पर 'आयकर' की तर्ज़ पर 'आयुकर' लगा करेगा।

एक महामति के अनुसार स्त्री तब वृद्धा होती है जब कि वह वैसी दीखने लगती है और पुरुष तब वृद्ध होता है जबकि वह वैसा महसूस करने लगता है। यदि यह बात सच है तो मैं बिलकुल युवा हूँ। दिन-रात काम करता हूँ, प्रत्येक सुन्दर मुखड़े को बड़ी लालसा से देखता हूँ और उस दिन की प्रतीक्षा करता हूँ जबकि मुझे नोबिल-प्राइज़ मिलेगा। नयी-नयी पुस्तकें ख़रीदता हूँ, नयी-नयी रचनाएँ रचता हूँ और यह ध्यान बराबर रखता हूँ कि कहीं मेरी असावधानी से मेरे लेखन का स्तर और ऊँचा न हो जाए। नये मित्र बनाता हूँ, नये काम, क्रोध, लोभ और मोह में फँसता हूँ और पुराने मित्रों से किताबें और क़र्ज़ लेता हूँ और उनका खुलेआम पर्दाफ़ाश करता हूँ हालाँकि मात्र इसी कारण कई बड़े पुरस्कार हाथ से निकल चुके हैं जिसका कि मुझे हार्दिक दुख है। एक पैंसठ वर्ष के व्यक्ति को और क्या चाहिए? शक्ति उतनी ही है जितनी कि पच्चीस वर्ष की आयु में थी क्योंकि बहुत से काम ऐसे हैं जो न मैं तब कर सकता था और न अब कर सकता हूँ।

मैंने भरपूर जीवन जिया। सुख व दुख, सम्मान व तिरस्कार, प्रशंसा व भर्त्सना, रोग व आरोग्य, यश व अपयश तथा हानि व लाभ—सबका बराबर आनन्द लिया। काम मैंने किया और तरक्की दूसरों को मिली, साहित्य मैंने लिखा और नफ़ा प्रकाशकों को मिला और प्रेम मैंने किये और शादियाँ बाक़ी गधों की रची गयीं। सिगरेट मैंने पी और कैंसर दूसरों को हुआ, प्रेम मैंने किया पर सन्तान किसी और की कहलायी और वोट मैंने दिया पर मन्त्री कोई और बना। खाना मैंने खाया और बिल किसी दूसरे को देना पड़ा, होटल में मैं ठहरा और ख़र्चा मातहतों ने उठाया और चोट मेरे लगी

पर जूता सदा किसी और का ही टूटा। मैं पूछता हूँ कि ऐसा सौभाग्य कितनों को मिलता है? नाटक शेक्सपियर ने लिखे और आनन्द मैंने लिया, 'मेघदूत' कालिदास ने रचा और यक्षिणी मुझे मिली और उपन्यास वुडहाउस ने लिखे, सुख मुझे मिला। इससे ज़्यादा और क्या अपेक्षित था? राज कपूर और नरगिस, दिलीपकुमार व निगार, जोश व फ़िराक़, पन्त और निराला, जैनेन्द्र और बच्चन, नागार्जुन और वृन्दावनलाल वर्मा—इन सबको देखा, उनसे घण्टों बातें कीं और उनका कलाम उन्हीं के मुख से सुना। अज्ञेय से धर्मयुद्ध किया, दिनकर को लताड़ा और धर्मवीर भारती की कृपा से साहित्य लिखने का गुनाह किया। हाँ, अलबत्ता यह अफ़सोस ज़रूर रहा कि मैं गाँधी जी, सरदार पटेल, वुडहाउस, स्तालिन, मोतीलाल व मुंशी प्रेमचन्द को नहीं देख पाया। यह और बात है कि तआरुफ़ न हो सका, हम ज़िन्दगी के साथ बहुत दूर तक गये...

ज्योतिषी के अनुसार मेरे जीवन के नौ वर्ष और बाक़ी हैं। यदि यह बात सच नहीं भी निकली तो भी मैं कुछ नहीं कर सकता क्योंकि उस ज्योतिषी विशेष की मृत्यु तो कभी की सम्पन्न हो चुकी है और उसकी कमलनयनी, अज्ञातयौवना और सेवाव्रती पत्नी अब भूतपूर्व वृद्धा हो चुकी है। अभी बहुत काम करना है। युवतियाँ दिन-ब-दिन पति की अमीरी के कारण नंगी होती जा रही हैं, देश के राजनेता चरित्र की ग़रीबी के कारण नंगे होते जा रहे हैं, साहित्यकार 'न लिखने के कारणों पर' मूर्खता से भरी पोथियाँ लिख रहे हैं और मैं हूँ कि तन और मन से युवा होते हुए भी वृद्ध होता जा रहा हूँ। अब जो काम शेष रह गया है, वह ओ मेरे वर्य, मैं तुम्हारे विभिन्न अंगों पर छोड़ता हूँ। इसके अलावा और कोई चारा नज़र नहीं आता। 'चारा' तो क्या, इस महँगाई के दिनों में तो 'भाईचारा' तक नज़र नहीं आता।

पुलिस के पीछे क्यों पड़ते हो?

18 अप्रैल, 1995 के 'इण्डियन-एक्सप्रेस' के अनुसार 'इण्डियन पुलिस सर्विस' के एक अधिकारी ने भोपाल में एक दलित वर्ग की सतरह वर्षीय कन्या को नंगा किया और उसे यातना दी और सुप्रीम-कोर्ट ने पंजाब के एक कप्तान व चार पुलिसकर्मियों को निलम्बित करने व उन पर मुक़दमा चलाने का हुक्म दिया क्योंकि उन्होंने पिछले वर्ष कलकत्ता में एक दम्पती की हत्या की और बंगाल-पुलिस की जानकारी के बिना लाशों को ग़ायब किया। अख़बार पढ़कर मेरी गर्दन इतनी झुक गयी कि दर्द करने लगी। मगर मैंने महसूस किया कि अकेले पुलिस के ही पीछे पड़ना क्या वाक़ई उचित है? पुलिस के अतिरिक्त क्या जो बाक़ी लोग हैं वे सब निरपराध हैं? उन्हें सज़ा क्यों नहीं दी जाती?

श्री शेषन के अनुसार एक विधानसभा में 485 में से 180 विधायक 'हिस्ट्री-शीटर' हैं और एक विधायक तो इतने विशिष्ट हैं कि उनके ख़िलाफ़ मात्र 21 रिपोर्ट तो हत्या व क़त्ल की ही दर्ज़ हैं। प्रत्येक सांसद चुनाव-आयुक्त को चुनाव के ख़र्चे का झूठा हिसाब देता है और जब चुनाव-आयोग ने सरकार को बताया कि चुनावों के ख़र्चे की वर्तमान राशि एकदम नाकाफ़ी है तो सरकार ने कानून में मात्र इतना संशोधन किया कि "पार्टी व मित्रों द्वारा किया गया ख़र्चा चुनाव के ख़र्चे में शामिल नहीं किया जाएगा।" जब चुनाव ही सही नहीं है तो विधायकों को सही कैसे माना जा सकता है? कार्यपालिका की स्थिति यह है कि ग़रीबों को दिये गये प्रत्येक रुपये में से मात्र दो पैसे ही अन्ततः ग़रीब तक पहुँच पाते हैं। न्याय की स्थिति यह है कि 1991 में किसी अरब देश में दो भारतीय स्त्रियों के साथ बलात्कार किया गया था और छह महीने के भीतर अपराधियों को वहाँ की सरकार ने फाँसी दे दी जब कि उसी वर्ष जिन भारतीय युवतियों के साथ भारत में ही बलात्कार सम्पन्न किया गया था उनमें से शायद किसी अपराधी को भी अब तक कोई सज़ा नहीं मिली। जब पूरी सरकार की स्थिति इतनी सुखदायी है तो मात्र पुलिस के ही पीछे पड़ना कहाँ तक उचित है?

सिनेमा के बड़े-बड़े अभिनेता व अभिनेत्री अपने शरीर को ज़्यादा से ज़्यादा नंगा दिखाने के लिए लाखों (या शायद करोड़ों) रुपये लेते हैं मगर सही आयकर देने में वे

संकोच महसूस करते हैं। चित्रकार पुराने चित्रों की नक़ल करते हैं और उन्हें बहुत बड़े दामों पर बेचते हैं। अनेक तथाकथित लेखक हैं जो सारे देश में मात्र अपनी चतुरता के सहारे सरकारी ख़ज़ाना लूटने में लगे हैं और अपने को चिन्तक या मनीषी कहने लगे हैं। न जाने कितने डॉक्टर हैं जो ग़रीबों के गुर्दों की चोरी सम्पन्न कर रहे हैं और सबके सामने लाखों या करोड़ों रुपयों की नियमित आय प्राप्त कर रहे हैं। मैं पूछता हूँ कि इन सारे अपराधियों को खुले साँड़ की भाँति स्वतन्त्र छोड़कर, मात्र पुलिस के ही पीछे पड़ना, क्या न्याय-संगत है? और इन सबसे ऊपर वे सन्त, औलिया व महन्त हैं जो धर्म के नाम पर रूपवती रमणियों के साथ मौज करते हैं, तान्त्रिक भी हैं और विदेशों के सारे बड़े बदनाम व्यापारियों से भी जुड़े हैं और जो, जब चाहो तब कहीं भी किसी भी समय, धर्म के नाम पर दंगा करवा सकते हैं और फिर भी उन्हें कोई कुछ नहीं कहता। कम-से-कम दो तो प्रधानमन्त्री ही ऐसे रहे, जिन्हें भ्रष्टाचार में फँसा हुआ बताकर बाक़ी नेता स्वयं प्रधानमन्त्री बने। मेरा विनम्र निवेदन है कि क्या पुलिस ही मात्र ऐसी संस्था है जो बहती गंगा में अपने हाथ (या अन्य अंग) पवित्र कर रही है?

अमेरिका एक विकासशील देश है और स्थिति यह है कि वहाँ एक विश्वविद्यालय में 'हत्या' को बाक़ायदा पाठ्यक्रम में शामिल किया गया है जो एक बेहद लोकप्रिय विषय साबित हो रहा है। संसार के सारे महान् मिथक व सारा महान् साहित्य हत्या से भरा पड़ा है। वेदव्यास से लेकर शेक्सपियर तक और सोफ़ोक्लीज से लेकर दोस्तोएवस्की तक-संसार के सारे महान् लेखकों की सर्वश्रेष्ठ कृतियों में 'हत्या' को पूरा सम्मान दिया गया। चाणक्य ने तो 'विषकन्या' तक की व्यवस्था की। वह दिन दूर नहीं है जबकि अमेरिका हमारे देश के धुरन्धरों को 'हत्या' की विशेष शिक्षा देने के लिए उन्हें अपने यहाँ बुलाएगा। यदि संसार में प्रेम, युद्ध, अपराध और सस्पेंस न रहे तो फिर साहित्य के लिए बचता ही क्या है?

मेरे देश के ओ पुलिस-कर्मियो, मैं एक सदाचारी व आस्तिक व्यक्ति होते हुए भी तुम्हारी मजबूरियाँ समझता हूँ। मैं जानता हूँ कि इतनी कम तनख़्वाह व इतनी कम सुविधाओं के बावजूद, आप लोग कानून व व्यवस्था बनाये हुए हैं, हथेली पर जान रख कर आतंकवादियों को पकड़ते हैं और न जाने कितनी ग़रीब और निरीह युवतियों को सुख देने की कोशिश करते हैं। मेरी तो बस एक ही प्रार्थना है कि यदि कभी मैं आपकी हिरासत में चला जाऊँ तो मेरे साथ कुछ भी करना, बस बलात्कार मत करना। मैं मात्र एक व्यंग्यकार हूँ जो सब कुछ देखता है, सब कुछ सुनता है और सब कुछ बोलता है पर जो इससे ज़्यादा कुछ भी करने की हिम्मत नहीं रखता। अनातोले फ्रांस के अनुसार "पुलिसमैन के बिना न्यायाधीश पंगु है।" जब न्यायाधीशों की यह स्थिति है तो मुझ ग़रीब की तो हस्ती ही क्या है? तुम मुझे भूल जाओ और सत्य बोलते हुए धर्म को चरते जाओ। सत्यं वद, धर्मं चर—यही तो हमारे शास्त्रों की वाणी है। यह वाणी क्या भला झूठ हो सकती है? हर्ग़िज़ नहीं।

साहित्य में तमाखू का स्थान

यूँ तो साहित्य स्वयं ही एक नशा होता है पर यह भी एक सच्चाई ही है कि संसार के प्रायः सभी महान् साहित्यकार किसी-न-किसी नशे के शिकार रहे हैं। इन नशों में तम्बाकू का नशा कदाचित् सबसे ज़्यादा लोकप्रिय रहा है। इंग्लैण्ड के सम्राट् जेम्स प्रथम ने (जिसे यूरोप का सबसे बुद्धिमान मूर्ख माना जाता था) तम्बाकू के विरोध में एक पुस्तक लिखी थी पर उसका कोई विशेष प्रभाव यूरोप के लेखकों पर कभी नहीं पड़ा और वहाँ के प्रायः सभी महान् लेखक बराबर धूम्रपान करते रहे। हमारे उर्दू और हिन्दी के साहित्यकार तो इस लत में ऐसे पड़े कि कुछ कहा ही नहीं जा सकता। मुंशी प्रेमचन्द बीड़ी पीते थे तो फ़िराक़ व जिगर सिगरेट पीते थे और बेतहाशा पीते थे। मुक्तिबोध, हरिशंकर परसाई, श्रीलाल शुक्ल, रांगेय राघव, विजयदेव नारायण साही और रवीन्द्रनाथ त्यागी इत्यादि सारे कालजयी साहित्यकार धूम्रपान के बिना जलपान नहीं करते थे। यही स्थिति नागार्जुन और अश्क़ के साथ रही। इस सन्दर्भ में गिरिधर कविराय का हुक़्क़ा-प्रसंग बताना एकदम प्रासंगिक होगा :

हुक़्क़ा बाँधो फेंट में, नैंचहि लीन्ही हाथ
चले राह में जात हैं, लिये तमाखू साथ,
लिये तमाखू साथ, गैल को धन्धा भूल्यो
गयी सब चिन्ता भूल, आगि देखत मन फूल्यो,
कह गिरिधर कविराय, जो यम का आयो रुक्का
जिय तो ले गयो काल, हाथ में रहिगो हुक़्क़ा।

रीतिकाल के कवि हुक़्क़ा हाथ में लेकर ही मनपसन्द नायिका की खोज में इधर-उधर घूमा करते थे। जब तक उपयुक्त नायिका नहीं मिलती थी तब तक यही कार्यक्रम चलता रहता था। उपयुक्त नायिका प्राप्त होने पर ये सारे आचार्य हुक़्क़ा एक ओर रख देते थे और नायिका का 'नायिका-भेद' सम्पन्न करना शुरू कर देते थे। यदि नायिका सरल या विरहिणी क़िस्म की होती थी तो धूम्रपान के साथ-साथ अधर-पान वग़ैरह भी चलता था। नायक 'बीड़ी' पीता था और नायिका 'बीड़ा' चबाती थीं।

मो मन कहा न पी लियो, पियत तमाखू लाल?

जो लोग हुक़्क़ा या बीड़ी-सिगरेट नहीं पीते थे वे या तो तम्बाकू सूँघते थे या फिर तम्बाकू खाते थे। जयशंकर 'प्रसाद' सुँघनी साहू के नाम से प्रसिद्ध थे और उनकी दुकान का तम्बाकू उनकी रची रचनाओं की तुलना में कहीं ज़्यादा प्रभाव रखता था। तम्बाकू को चूने के साथ मिला कर खाने को 'खैनी' खाना या सुर्ती खाना कहा जाता है। पण्डित भोलानाथ तिवारी के अनुसार पुर्तगाल के जहाज़ कभी सूरत शहर तक आया करते थे और इसी कारण 'सूरत' से लाया तमाखू 'सुर्ती' कहलाने लगा पर आचार्य शिवपूजन सहाय के अनुसार 'सुर्ती' शब्द 'श्रुति' शब्द से बना है जो 'श्रुति' का अपभ्रंश है। दूसरे शब्दों में सुर्ती जो है उसका चलन वेदों के समय से है। हमारे ऋषि और मुनि लोग सुर्ती खाकर किसी पीपल के वृक्ष के नीचे आसन जमाते थे और आत्मा व परमात्मा के बारे में विचार-विनिमय किया करते थे। कवि कहता है :

कृस्न चले वैकुण्ठ को, राधा पकड़ी बाँहि
यहाँ तमाकू खाइ लेहु, उहाँ तमाकू नाँहि,
चून तमाकू सानि के, बिन माँगे जो देहि
सुरपुर, नरपुर, नागपुर, तीनों वस करि लेहि।

निराला, उग्र व वाचस्पति पाठक खैनी के शौक़ीन थे। तीनों पर बनारसी ज़र्दे का जादू सदा छाया रहता था। सरस्वती-सम्पादक बख़्शी जी भी खैनी का नियमित सेवन करते थे। न लिया साड़ी और जर्दे का मज़ा, तुम्हें मिलेगी बनारसी सज़ा। जिसने न खाया बनारस का ज़र्दा, उस ज़िन्दे से तो अच्छा मुर्दा। बिना ज़र्दे का पान, जैसे मुर्दे बिना मसान। मगर मैं यह बता दूँ कि सुर्ती, खैनी और ज़र्दा—ये सब हुक्के से पीछे ही पड़ते हैं, आगे नहीं। जय हो कलिया कन्त को, हुक़्क़ा पिलाया सन्त को।

जो और भी पहुँचे हुए कलाकार हुए, उनका काम सिर्फ़ तमाखू से नहीं चलता था। वे लोग गाँजा, चरस व अफ़ीम जैसे ज़बर्दस्त नशे भी करते थे। ज़िक्रे-मीर' के अनुसार जब शहंशाह शाहआलम (जो एक श्रेष्ठ कवि भी थे)। गुलाम कादिर द्वारा अन्धा किये जाने के बाद, मराठों की सुरक्षा में तख़्त पर बैठे तो महादजी सिन्धिया ने बादशाह को सौ रुपया रोज़ देना नियत किया, जिसमें अफ़ीम का ख़र्चा शामिल था। अमर कथाकार शरतचन्द्र ने कोई नशा ऐसा नहीं छोड़ा था जो उन्होंने न किया हो। गाँजे के तो वे विशेष प्रशंसक थे। और भी ऐसी अनेक विभूतियाँ हुईं जिन्होंने गाँजे की मुक्त कण्ठ से प्रशंसा कीं। इस सन्दर्भ में एक अज्ञात कवि की काफ़ी पुरानी वाणी आपकी सेवा में प्रस्तुत करता हूँ :

अगड़बम अलख
जगा दो सारा खलक,

खोल दो पलक
दिखा दो दुनिया की झलक,
बम संकर, टन गनेस
नगद माल भेजो हर हमेस,
जो न पीये गाँजे की कली
उस लड़के से लड़की भली।

शोषण की परम्परा

अमेरिका की वर्तमान सरकार ने रूस में काम करने वाले अपने दूतावास के राजनयिकों पर से वह प्रतिबन्ध अब उठा लिया है जिसके तहत वे अब तक रूस की रूपसियों से अन्तरंग सम्बन्ध स्थापित नहीं कर सकते थे। इस प्रतिबन्ध का प्रमुख कारण यह था कि पहले रूसी रमणियाँ प्रेम की आड़ में जासूसी किया करती थीं। अब स्थिति यह है कि रूस के पास अपनी भुखमरी और आन्तरिक कलह के अलावा कुछ भी तो छिपाने के लिए नहीं बचा है और ऐसे में वहाँ की 'कन्या' को 'विष-कन्या' बनने की कोई ज़रूरत नहीं रह गयी है। मुझे आशा है कि अब अमेरिकन राजनयिक रूस की रूपसियों से मात्र प्रेम ही नहीं वरन् विवाह तक करेंगे ताकि एक शताब्दी से चले आये ठण्डे सम्बन्धों में कुछ गर्मी आ सके। स्त्रियों का कुमारी रहना कभी ठीक नहीं माना गया और अब तो किसी संकोच या लज्जा का कारण ही नहीं रहा। एकां लज्जां परित्यज्य, त्रैलोक्यविजयी भवेत्। कुमारी रहना तो सदा से कुछ धर्मों में पाप माना गया। एक देश के एक धर्मात्मा न्यायाधीश ने एक रूसी युवती को प्राणदण्ड की सज़ा सुनाते हुए अपने फ़ैसले में अभी-अभी कहा है कि "यदि यह युवती कुमारी है तो फाँसी देने से पूर्व इसके साथ बलात्कार करना ज़रूरी होगा क्योंकि यदि यह कुमारी ही मर गयी तो इसे स्वर्ग मिलेगा जो यह अदालत हर्गिज़ नहीं चाहेगी।" इस फ़ैसले से, जैसा कि मैं समझता हूँ रूस की रूपसियाँ विवाह के लिए और भी उत्सुक होंगी चाहे वह विवाह किसी अमेरिकन के साथ ही क्यों न करना पड़े।

हमारे देश के कई अंचलों में केले जैसी जंघाएँ रखने वाली लड़कियों की शादी केले के वृक्ष के साथ ही सम्पन्न कर दी जाती है जिससे कन्या भी सुहागिनी हो जाती है और दहेज़ तथा परिवार-नियोजन की परेशानी भी दूर हो जाती है। इसी प्रकार बंगाल के एक पर्वतीय ज़िले में कन्या का परिणय, बेल के फल के साथ पूरी शान-शौक़त से सम्पन्न किया जाता है। कन्या का असली पति बेल का वह फल ही माना जाता है, उसका पुरुष-रूपी पति नहीं। यदि वह बेल का फल कभी फूट जाये या खो जाये तो स्त्री पति के जीवित रहते हुए भी विधवा का रूप धारण कर लेती है जब कि यदि वह बेल-फल सही-सलामत रहे तो सांसारिक पति के

स्वर्गवासी हो जाने पर भी वह स्त्री अपनी माँग भरती है और सुहागिन रहती है। हमारे पूर्वजों ने अपने वृक्षों और उनके फलों की शक्ति को भली-भाँति समझ कर ही 'वनस्पतयः शान्तिः' जैसे मन्त्र लिखे थे और वृक्षों को देवता माना था। बंग्लादेश में हाल ही में एक डेढ़ साल की कन्या का विवाह एक सात वर्ष के बच्चे के साथ कर दिया गया। पुलिस ने बच्चों के माता-पिता के ख़िलाफ़ मुक़दमा दर्ज़ किया है क्योंकि बंग्लादेश में भी बाल-विवाह को ग़ैर-कानूनी माना जाता है। बहरहाल शादी तो हो गयी, मगर गौना और बच्चे जो होंगे, वे तो अपने वक़्त पर ही होंगे। लतायां पूर्वलूनायां कुसुमस्यागमः कुतः?

जैसे विदेशों की काफ़ी विवाहित युवतियाँ विधवा होना चाहती हैं, ठीक वैसे ही सारे संसार की काफ़ी कुमारी कन्याएँ, पता नहीं क्यों, दुल्हिन बनना चाहती हैं। पहली मई को इसी कारण 'मई-दिवस' कहा जाता है। एक यूनानी मिथक के अनुसार पुराने ज़माने में एक सत्रह वर्ष की सुन्दर कन्या पहली मई को गर्मी से व्याकुल होकर अपने सारे कपड़े उतारकर किसी नदी में स्नान करने लगी। जब वह नदी में एक विशिष्ट साबुन से स्नान कर रही थी, तभी एक प्रेमी हंस आकाश से उतरा और उस सुन्दर बालिका के सारे वस्त्र लेकर अन्तर्धान हो गया। सद्यःस्नाता वह रूपवती कन्या लज्जा के मारे सारी रात ठण्डी बालू पर ही तब तक तड़पती रही जब तक कि देवी वर्जिन मेरी स्वयं प्रकट न हुईं और उन्होंने चाँदनी से बने उसके रूपवान शरीर को रंग-बिरंगे फूलों के वस्त्रों से नहीं ढक दिया। वह लड़की पुष्पों के परिधान में जब अपने घर को गयी तो सबने उसे दुल्हिन ही समझा। बस तभी से पहली मई को दुल्हिन बनने की प्रथा चल पड़ी जो धीरे-धीरे सारे संसार में फ़ैल गयी। इटली में तो यह प्रथा एक धार्मिक उत्सव का रूप धारण कर लेती है। हमारे देश में भी पुलिस की कृपा से काफ़ी लड़कियाँ प्रत्येक दिन नंगी की जाती हैं और उन्हें पुलिसकर्मी अपनी दुल्हिन बनाते हैं। हमारी पुलिस सुन्दर युवतियों का कोई भी दुख, वर्ष के किसी भी दिन सहन नहीं कर पाती। वह ऊपर बतायी कथा के हंस, नदी व वर्जिन मेरी—इन तीनों पात्रों का रोल स्वयं ही अदा करती है और इस सब कष्ट के लिए वह कभी कोई अतिरिक्त भत्ता वग़ैरह भी नहीं माँगती। परोपकाराय सतां विभूतयः। पुलिस-फ़ोर्स की ही भाँति तमिलनाडु में श्री गोपालास्वामी नामक जननेता ने एक ही शामियाने में 78 युगलों का स्वयंवर रचा डाला। वह अलबत्ता खेद की बात है कि प्रदेश की मुख्यमन्त्रिणी फिर भी कुमारी ही रह गयीं।

स्त्रियों की भाँति इस नश्वर संसार में कुछ ऐसे पुरुष भी हैं जो शादी-शुदा ही रहना चाहते हैं। इस दिशा में बाहिरा के अड़तीस वर्षीय नाविक खालिद आष्टा कदाचित् सबसे ज़्यादा होनहार हैं जो फ़िलहाल इकसठवीं पत्नी की खोज में लगे हैं। वे प्रत्येक बन्दरगाह पर एक पत्नी रखने के शौक़ीन हैं और उनकी अब तक की तलाक़शुदा साठ पत्नियों में ब्रिटेन की एक डॉक्टर, स्वीडन की एक हसीना और

जार्निया की 'ब्यूटी-क्वीन' शामिल हैं। वे एक नितान्त धार्मिक पुरुष हैं और इसी कारण वे किसी भी समय चार से ज़्यादा बीवियाँ कभी नहीं रखते। अपनी पुरानी पत्नियों से तलाक़ प्राप्त करने की सुखद प्रक्रिया में वे अब तक मात्र तीन लाख डालर ख़र्च कर चुके हैं। फ़िलहाल वह एक ऐसी रमणी की ख़ुशामद में जुटे हैं जो सुन्दर होने के साथ-साथ बेहद धनाढ्य भी है। वह स्त्री उन्हें हर कोण से और हर दृष्टिकोण से और भी ज़्यादा सुन्दर लगती है। क्षणे क्षणे यन्नवतां विधत्ते, तदेव रूपम् रमणीयतायाः। वे उस धनाढ्य रूपसी की सेवा में बुरी तरह लगे हैं और प्रत्येक क्षण यही कह रहे हैं कि 'देवि, शरण मैं तुम्हरी गहऊँ, करन चहौं नहि जेतो कहऊँ।" वह संगदिल हुस्नबानू उनसे कोई सवाल-जवाब नहीं करती। स्त्रियों का थोड़ा कठोर हृदय होना कभी-कभी अच्छा लगता है। कवि के शब्दों में 'क्वचित् दोषो गुणायते।' वैसे भी इस महिला-रत्न के अनेक प्रेमी हैं और उस ग़रीब को इतना समय ही नहीं मिलता कि वह तय कर सके कि विवाह करे तो किस से करे। स्वच्छन्दता दिशा चहौं नारिन, दोषी अधिक नाहिं व्यभिचारिन्। और उस महान् संगीतप्रेमी यूरोपियन का तो कहना ही क्या जिसने अभी-अभी एक चर्च में अपने गिटार से ही विवाह रचाया है क्योंकि कोई कन्या तो उसके साथ शादी करने को तैयार होती ही नहीं थी। शादी एकदम विधिवत् हुई और सारा काम एक सहृदय पादरी की देख-रेख में ही हुआ। मेरे विचार में जो कुछ हुआ, वह ठीक ही हुआ। गिटार तो तभी बजेगा जब उसका पति उसे बजाना चाहेगा जब कि लड़की तो स्वयं भी और कभी भी बज सकती थी। इसके अतिरिक्त गिटार तो वही धुन निकालेगा जो उसका पति सुनना चाहेगा जबकि यह गारण्टी कन्या के बारे में देनी मुश्किल थी।

हमारी कुमारी कन्याओं का सौन्दर्य आजकल अन्तरराष्ट्रीय बाज़ार तक में खुले-आम बिक रहा है। क्या यह महज़ एक संयोग ही है कि सुष्मिता सेन को मिस युनिवर्स का मुकुट तभी पहनाया गया जबकि 'गैट' समझौते पर दस्तख़त किये जा रहे थे? क्या कारण है कि पिछले तीन-चार वर्षों में भारतीय सुन्दरियाँ अचानक इतनी सुन्दर हो गयी हैं कि सौन्दर्य के दो-दो मुकुट एक साथ भारत को ही दिये जाएँ? इसी तरह पहली बार भारतीय सुन्दरी रीता फैरिया को उस समय विश्वसुन्दरी का खिताब मिला था जब अमेरिका ने वियतनाम के साथ युद्ध छेड़ रखा था और जब रीता ने वियतनाम जाकर अमेरिकन सैनिकों का मनोरंजन किया था। मुझे तो लगता है कि विश्व-सुन्दरी के चुनाव के पीछे भयावह राजनीति काम कर रही है। जैसा कि चाणक्य ने लिखा है, सुन्दरियों के निर्वाचन के बाद उनका इस्तेमाल हमेशा राजनीतिक हथियार के रूप में ही किया जाता है। और जब विदेशी बाज़ार का यह हाल है तो अपने देश में ही अपनी कन्याओं के रूप का लाभ क्यों न उठाया जाए? नयी दिल्ली और चण्डीगढ़ के बीच तेज़ चलने वाली शताब्दी-एक्सप्रेस में हमारे देश की कुछ रूपसियों ने चालीस चुनिन्दा दम्पतियों और प्रेस के आमन्त्रित

सदस्यों के सामने 'कैटवाक' किया। यह विशिष्ट फ़ैशन-शो पैंतालीस मिनट तक चला और इसमें गर्मियों में पहनी जाने वाली पोशाक का 'जीवित-प्रदर्शन' किया गया। इस फ़ैशन-शो के दौरान रेल की बत्ती भी कुछ देर के लिए गुल हो गयी मगर हमारी रूपसियों के रूप के प्रकाश में यह प्रदर्शन फिर भी बिना किसी व्यवधान के चलता रहा। और 17 जून, 1995 के 'इण्डियन-एक्सप्रेस' के अनुसार एक विशिष्ट सम्प्रदाय के एक गुरु ने तीन साध्वी सुन्दरियों के साथ जो कुछ किया वह तो लिखा भी नहीं जा सकता। आश्रम के अपमान के डर से उस धर्म के अनेक दुखी लोगों ने आश्रम के गुरु के ख़िलाफ़ अभी थाने में रिपोर्ट तक दर्ज़ नहीं करायी है। ऐसी दुखान्त घटना—जो शायद सदियों बाद हुई है—फिर से साबित करती है कि पुरुष जो है वह अन्ततः एक कुत्ता ही है, और कुछ नहीं। दिल्ली में जो 'वाइफ स्वैपिंग गेम' नामक रोचक खेल चला है, उसकी भी शिकायत स्त्रियों ने ही दर्ज़ करायी है, पुरुषों ने नहीं। यह खेल आपको यह सुविधा प्रदान करता है कि आप अपनी पत्नी और अपने पति को रात भर के लिए बदलकर अपने जीवन की एकरसता कैसे दूर कर सकते हैं। यह खेल कभी हमारे वाम-मार्गी भी खेला करते थे और इसका आँखों-देखा हाल जानने के लिए आप महर्षि दयानन्द का 'सत्यार्थप्रकाश' पढ़ें। यह खेल साबित करता है कि आदमी अब कुत्ता ही नहीं, वरन् उससे भी बदतर हो गया है। डार्विन का विकासवाद अभी ज़ारी है।

हमारा देश भी एक विचित्र देश है। एक ओर तो कन्याओं को जन्म देते ही मार दिया जाता है या उन्हें वेश्या बनने के लिए विवश किया जाता है और दूसरी ओर देश में दो कुमारियाँ बड़े-बड़े राज्यों की मुख्यमन्त्री रही हैं। सुश्री मायावती का कहना है कि "मुख्यमन्त्री का पद तो उन्होंने मात्र रिहर्सल के लिए स्वीकार किया था, बनना तो उन्हें प्रधानमन्त्री ही है।" मेरा निश्चित मत है कि जब लंका, बांग्लादेश व पाकिस्तान की प्रधानमन्त्री स्त्रियाँ हैं तो हमारे देश में भी यदि कोई स्त्री प्रधानमन्त्री बन जाए तो शायद बहुत से विवाद आसानी से सुलझ सकते हैं। आख़िर उन्हें एक अवसर देने में क्या हर्ज़ है?

बहरहाल सारी दुनिया का हाल सदा से यही रहा कि नारी का शोषण पुरुष द्वारा किया जाता रहा। लगता है जैसे कि उनकी नियति ही यह है या जैसे वे स्वयं पुरुष द्वारा शोषित किये जाने की प्रतीक्षा कर रही हैं। स्त्री को लेकर, पुरुष सदा कुत्ता ही रहा। एक पत्रिका—जो कभी श्रीलाल शुक्ल व रवीन्द्रनाथ त्यागी पर विशेषांक निकाला करती थी—इस सुखद स्थिति में पहुँच गयी है कि अब उसने 'कुत्ता-विशेषांक' निकाला है। उसमें छपी एक ग़ज़ल के कुछ मिसरे आपकी ख़िदमत में पेश करता हूँ और स्त्री की यह शोषण कथा यहीं समाप्त करता हूँ। कलाम इस प्रकार है :

नेताओं और दलालों की पहचान हैं कुत्ते
माडर्न मैडमों की भी इक शान हैं कुत्ते,

गामा भी इनकी दुम कभी सीधी न कर सका
खुद सोचिए कि कितने पहलवान हैं कुत्ते,
रिश्वत के माल से कभी मरते नहीं ये
इस दौर में भी साहिबे-ईमान हैं कुत्ते,
छिड़ जाएँ रात में तो पड़ोसी न सो सकें
इश्क़-औ-वफ़ा के राग की वह तान हैं कुत्ते,
डण्डे का सामना हो तो भागें दबा के दुम
अपनी गली में तो बड़े पठान हैं कुत्ते,
जैसे कि चोर, चोर के घर में पनाह ले
कुत्तों के घर में आज यूँ मेहमान हैं कुत्ते,
कुत्तों से बदतरीन और कुत्तों पे हँस रहा
उस आदमी को देखकर हैरान हैं कुत्ते,
इन्साँ ने इनके नाम को गाली बना दिया
इनको है ये मलाल कि इंसान हैं कुत्ते।

होटल का सपना

आज़ादी हासिल करने के बाद हमारी सरकार व पूँजीपतियों ने भारत की प्राचीन संस्कृति की रक्षा की ओर पूरा ध्यान दिया जो एकदम स्वाभाविक था। अनेक सयाने लोगों से विचार-विमर्श करने के बाद बड़े-बड़े नगरों में आलीशान होटल खोले गये। इन होटलों का नामकरण-संस्कार बहुत सोच-समझकर किया गया। किसी होटल ने सम्राट् 'अशोक' को अमर किया तो किसी दूसरे होटल ने 'चाणक्य' की गरिमा बढ़ायी। इन होटलों की इमारतें हमारी प्राचीन संस्कृति के अनुकूल बेहद सुन्दर और बेहद शानदार बनायी गयीं। वेदों में वर्णित सोमरस का और वाममार्गियों के (जिन्हें ग़लती से कुछ लोग अब 'वामपन्थी' कहने लगे हैं) बताये पाँचों 'मकारों' का पूरा-पूरा ध्यान रखा गया। खजुराहो की मूर्तियों में उतारी गयी सुन्दरियों को इन्हीं होटलों ने ज़िन्दा गिरफ़्तार किया और उन्हें अपने यहाँ ठहरने वाले प्रवासियों की सेवा में समर्पित किया। जो सामिषाहारी लोग थे, वे तो मुर्दे गोश्त को खाते रहे जबकि गाँधी जी के शाकाहारी भक्तों ने ज़िन्दा गोश्त पर ज़्यादा ध्यान दिया। पाँच सितारा होटलों में भी यदि सलमा-सितारों वाला हसीन शरीर न मिले तो फिर बात ही क्या रही? मदिरा भले ही विदेशी हो, मधुबाला सदा देसी ही रखी गयी। प्रत्येक कक्ष में वात्स्यायन के कामसूत्र को किसी-न-किसी रूप में अंकित किया गया और उसके ठीक सामने गाँधी जी का चित्र टँगा गया। इन शानदार होटलों में बलात्कार से शुरू करके हत्या तक करने की सारी सुविधाएँ रखी गयीं और गाँधीवादी प्रशासन ने उनके बन्दरों के अनुसार न कुछ देखा, न कुछ सुना और न कुछ कहा।

इन होटलों में कभी-कभी जाने का सौभाग्य ख़ाकसार को भी प्राप्त हुआ पर वहाँ जाकर मैं हमेशा घबराया। खाना इतना लज़ीज़ कि भूख शान्त ही न हो और टॉयलेट इतने शानदार कि अपने को निर्वृत्त करने की हिम्मत ही न हो। हमारे भूतपूर्व उप प्रधानमन्त्री चौ. देवीलाल ने इन होटलों का 'देहाती-करण' करने का साहस किया था पर वे बेचारे खुद ही चले गये। वे कुछ दिन और रहते तो ये सारे 'नक्षत्री' होटल एकदम 'क्षत्री' हो जाते। हर कमरे में एक हल टँगा रहता और शराब की जगह लस्सी पीने को मिलती जिसे लहँगे और ओढ़नी में लिपटी कोई षोडशी

ग्रामबाला लज्जा और संकोच के साथ आपको पेश करती। अहा ग्राम्य जीवन भी क्या है, इतनी सुविधा और कहाँ है? पत्थर की प्राचीन मूर्तियों और 'अस्थि-चर्ममय' देह वाली नयी-नवेली मूर्तियों की तस्करी करने की जो खुली छूट इन शानदार होटलों में है, वह और कहाँ प्राप्त है? सन्त कबीर जैसे निर्गुण ब्रह्म के उपासक भी सगुण भक्ति का विरोध नहीं करते थे। जो काम सन्त कबीर अधूरा ही छोड़ गये थे, उसे ये शानदार होटल आज पूरा कर रहे हैं। मैं तो इन होटलों को मन्दिर ही मानता हूँ और कुछ नहीं। जिसकी रही भावना जैसी, प्रभु-मूरत देखी तिन तैसी..

मुझे आपको यह बताते हुए हार्दिक सन्तोष होता है कि होटलों के ये धर्मक्षेत्र, अब कुरुक्षेत्र का मज़ा भी देने लगे हैं। 21 फ़रवरी 1995 के अख़बार के अनुसार एक प्रतापी राजनेता ने 'अशोक' होटल का 'शोक' दूर करने के लिए, खाने की मेज़ पर रखी सारी वस्तुएँ (जिनमें काँटा और चाकू भी शामिल थे) होटल के कर्मचारियों और अपने अतिथियों के ऊपर (जिनमें कुछ संसत्सदस्य भी शामिल थे) फेंक दीं जिससे उनके लिबास भी गन्दे हो गये। नेता लोग शायद खरबूज़ों की भाँति होते हैं जो एक-दूसरे को देखकर अपना रंग बदलते हैं। ऊपर बतायी घटना को जान कर एक राज्य के एक मन्त्री ने सर्किट-हाउस के टेलीफ़ोन-आपरेटर को पीटा और वहाँ के निरीक्षक को गालियाँ दीं। ज़्यादा जानकारी के लिए आप चाहें तो 26 फ़रवरी, 1995 का अख़बार पढ़ सकते हैं। मेरे विचार में जो कुछ हुआ वह एकदम उचित था। शृंगार तो सदा से वीर-रस को जन्म देता आया। और हाँ, जिस राजनेता ने अशोक-होटल में उपर्युक्त कार्यवाही की थी, उसे हमारे गुण-ग्राहक प्रधानमन्त्री ने अपने मन्त्रिमण्डल में शामिल कर लिया। ऐसे प्रतापी व्यक्ति को यदि मन्त्री न बनाया जाता तो फिर किसे बनाया जाता? वीरभोग्या वसुन्धरा। जो प्रतापी हैं वे युद्ध लड़ते हैं और सत्ता प्राप्त करते हैं और जो कायर हैं वे व्यंग्यकार या सम्पादक बनते हैं। आप अपने (या किसी दूसरे के) वक्ष पर हाथ रखिए और ईमानदारी से बताइए कि क्या मैं ग़लत कह रहा हूँ?

होटल के आरामों का टोटल लगाने में बहुत समय लगेगा। यूरोप में तो न जाने कितने ऐसे शालीन और सम्भ्रान्त लोग हैं जो होटलों में ही पैदा होते हैं और होटलों में ही मृत्यु को प्राप्त होते हैं। ये लोग सच्चे संन्यासी हैं जो अपना घर नहीं बनाते, अपनी पत्नी नहीं रखते और अपना दिल नहीं रखते। वे सच्चे परिव्राजक हैं जो अपने और पराये में सचमुच कोई भेद नहीं समझते। वे सबके हैं और सब उनके हैं। यदि हम लोग अपने वर्तमान दृष्टिकोण को नहीं बदलेंगे तो प्राचीन भारतीय संस्कृति की रक्षा कैसे होगी?

'आरण्यक' व 'पथेर-पांचाली' जैसे महान् उपन्यासों के लेखक विभूतिभूषण वन्द्योपाध्याय ने 'होटल का सपना' नामक एक रोचक उपन्यास लिखा है। उस उपन्यास के नायक के सपने जैसा एक सपना मेरा भी है। मैं चाहता हूँ कि कभी

मैं भी किसी शानदार होटल का मालिक या मेहमान बनूँ। बढ़िया शराब, गदराती युवतियाँ, शानदार भोजन और मुलायम बिस्तर। इससे ज़्यादा मैं कुछ नहीं माँगता। उमर ख़ैयाम ने भी अपनी एक रुबाई में कुछ ऐसी ही छोटी-सी माँग पेश की थी। सादा जीवन, सादे विचार। एक इंसान को आख़िर कितनी ज़मीन चाहिए? और यदि विधानसभाओं में हाथापाई व गाली-गलौज चल सकती है तो इन शानदार होटलों में ठीक वैसा ही कार्यक्रम क्यों सम्पन्न नहीं हो सकता?

ताज़महल

शहंशाह शाहजहाँ अपनी बेग़म मुमताज़महल से इतना ज़बर्दस्त प्रेम करता था कि वह बेचारी बेग़म चौदह वर्ष तक लगातार गर्भवती रही थी। इसके बाद उसकी मृत्यु हो गयी और शाहजहाँ चरित्रहीन हो गया। 'भार्या रूपवती शत्रु' वाली कहावत सच निकली। इमारतें बनवाने के शौक़ीन शहंशाह शाहजहाँ ने मौक़े का फ़ायदा उठाया और अपनी प्यारी पत्नी की स्मृति में उसने आगरा में ताज़महल बनवाया जिसके मिसाल की इमारत इस असार संसार में और कोई नहीं है। कुछ विद्वानों का मत है कि यह भव्य इमारत बाईस वर्ष में बनी और इसके बनाने में आठ करोड़ रुपये ख़र्च हुए जबकि कुछ और इतिहासकारों के अनुसार यह इमारत आठ वर्ष में बनी और इसके ऊपर बाईस करोड़ रुपयों का ख़र्चा आया। शाहजहाँ चाहता था कि उसकी क़ब्र ठीक ताज़महल जैसी ही हो और वह काले पत्थर से यमुना के दूसरे तट पर बनवायी जाए। उसका यह स्वप्न पूरा नहीं हुआ और जब उसकी मृत्यु हुई तो सदा के किफ़ायती सम्राट् औरंगज़ेब आलमगीर ने उसे ताज़महल में ही दफ़नवा दिया। ऐसा करने से दोनों प्रेमी पति-पत्नी मृत्यु के बाद भी एक-दूसरे के पास ही रहे और सरकारी ख़ज़ाने के करोड़ों रुपये भी बच गये।

मथुरा में रिफ़ाइनरी लग जाने से शाहजहाँ का स्वप्न पूरा होने की आशा है क्योंकि वातावरण के प्रदूषण से सफ़ेद संगमर्मर से बना शानदार ताज़महल धीरे-धीरे काला होने लगा है। आगरा शहर की आबादी भी दिन-प्रतिदिन बढ़ती ही जा रही है और मोटरों की संख्या इतनी बढ़ गयी है कि उनके धुएँ से भी विश्व के इस सातवें आश्चर्य को ख़तरा पैदा हो गया है। शायद इन्हीं ख़तरों को मद्देनज़र रखते हुए लार्ड विलियम बेण्टिक ने इसके कुछ संगमर्मर को नीलाम करने का प्रस्ताव अपनी कौंसिल में रखा था और बाद में चलकर लार्ड कर्ज़न ने समूचे ताज़महल को ही नीलाम करने का निर्णय लिया था जो सौभाग्यवश ब्रिटिश-सरकार की स्वीकृति न पा सका। लार्ड कर्ज़न ने शाहजहाँ को नीचा दिखाने के लिए कलकत्ता में 'विक्टोरिया-मेमोरियल' बनवाया पर उसकी हिम्मत की दाद किसी ने नहीं दी।

ताज़महल को देखकर साहित्यकारों को सदा प्रेरणा मिलती आयी। सर एडविन

आर्नोल्ड ने इसे "चाँदनी से बनी ऐसी इमारत बताया जिसकी कि पूर्णिमा को प्रतीक्षा थी।" गुरुदेव ने इसे 'इतिहास के कपोल पर सहमा हुआ आँसू' कहकर पुकारा और सुमित्रानन्दन पन्त ने इसे लेकर शाहजहाँ को कसकर लताड़ा। "मानव ऐसी भी विरक्ति क्या जीवन के प्रति, आत्मा का अपमान, प्रेत और छाया से रति?" साहिर लुधियानवी ने भी यही कहा कि "एक सम्राट् ने अपने असीम धन का सहारा लेकर ग़रीब प्रेमियों की मज़ाक़ उड़ाने के सिवा और कुछ नहीं किया।" दिलावर फ़िगार ने अपनी खस्ता हालत के बावजूद सिर्फ़ इतना ही फ़रमाया कि "ताज़ तो बनवा देता, मुमताज़ ना मिली।"

भारत में जो विदेशी यात्री आते हैं, उनका प्रमुख आकर्षण ताज़महल ही होता है। मगर इधर हमारे देशी मन्त्री ताज़महल का दौरा इतना ज़्यादा करने लगे हैं कि विदेशी पर्यटकों की हज़ारों गाड़ियाँ ताज़महल को देखे बिना ही लौट जाती हैं। 4 मार्च 1995 के अख़बार के अनुसार एक दिन एक मुख्यमन्त्री और एक केन्द्रीय-मन्त्री के आने के कारण पाँच सौ मोटरों को बाहर रुकना पड़ा और लगभग एक हज़ार यात्री ताज़महल देखे बिना ही लौट गये। अब वे बम्बई का ताज़महल होटल देखेंगे और ख़ुशी-ख़ुशी अपने देश वापस लौटेंगे। प्रख्यात इतिहासवेत्ता पुरुषोत्तम नागेश ओक के अनुसार आगरा का 'ताज़महल' और बम्बई का 'ताज़महल-होटल' हिन्दू-राजाओं के प्रासाद थे जिनको विदेशियों ने नया नाम देकर अपना बना लिया। दिल्ली और बम्बई के रेलवे-स्टेशनों के बारे में भी उनका शायद यही मत रहा।

इधर उत्तर-प्रदेश सरकार ने ताज़महल को लेकर एक विशेष आयोजन किया जिसमें अनेक लोक-नर्तकों व जन-कवियों ने भाग लिया। नाचते-नाचते जिन कलाकारों की लुंगियाँ खुल गयीं उन्हें शायद विशेष पुरस्कार दिये गये। सुना है कि ताज़महल देखने पर जो टैक्स लगाया जाता है, सरकार उसे हटाने जा रही है। निकट भविष्य में आप शायद ताज़महल को बिना टिकट ख़रीदे ही देख सकें। मगर इल्लत यह है कि इस महान् इमारत के रख-रखाव पर जो ख़र्च आता है, उसे सरकार कैसे पूरा करे? सरकार का बाक़ी बजट तो मन्त्रियों, विधायकों और आला अफ़सरों को दी गयी सुविधाओं पर ही ख़र्च हो जाता है; अब ऐसे में यदि टिकट न लगाया जाए तो इन पुरानी इमारतों की रक्षा कैसे हो?

ताज़महल और बाक़ी ऐतिहासिक स्थल प्रेमियों के मिलने के लिए एकदम उपयुक्त स्थान हैं और इसी कारण सिनेमावाले ऐसे स्थानों पर हमेशा शूटिंग करते हुए मिलते हैं। इन इमारतों के लॉन इतने साफ़ व सुन्दर होते हैं कि गधा न होते हुए भी मैं उन पर उगी घास को चरना चाहता हूँ। जेब काटने व अपहरण करने की जितनी सुविधा इन परिसरों में है, उतनी आपको कहीं और नहीं मिलेगी। न जाने कितनी सगाइयाँ और कितने तलाक़ इन्हीं शाही इमारतों के कारण सम्पन्न होते आये। इस सन्दर्भ में मैं आपको यह दिलचस्प सूचना भी देना चाहूँगा कि ताज़महल की ऊँचाई

कुतुबमीनार से कुछ ज़्यादा ही है, कम नहीं। मगर यह भी एक अजब इत्तफ़ाक है कि सदियों से लोग कुतुबमीनार से ही कूदकर आत्महत्या करते आये हैं जब कि ताज़महल से कूदकर आज तक कोई नहीं मरा। मेरी सलाह है कि आप इस बात पर ग़ौर करें ताकि ताज़महल इस दिशा में कुतुब की लाट से पीछे न छूट जाए।

ताज़महल स्त्रियों को विशेष रूप से पसन्द आता है। एक बार एक देश के राष्ट्रपति अपनी निजी पत्नी के साथ ताज देखने आये। उनकी पत्नी ने ताज़ को जी भरकर देखा और फिर मूँगफली खाते हुए अपने पति से कहा कि "यदि तुम मेरे लिए ऐसा स्मारक बनाने का वादा करो तो मैं इसी क्षण मरने को तैयार हूँ।" इसके बाद क्या हुआ, यह मैं नहीं जानता। मेरा विचार है कि उन राष्ट्रपति महोदय ने वादा कर लिया होगा क्योंकि वादे करने में राजनेताओं से आगे कौन जा सकता है? और वैसे भी यदि इतने छोटे से वादे के करने से पुरानी मुसम्मान से मुक्ति मिलने की सँभावना हो तो कौन ऐसा पति है जो मौक़े का फ़ायदा नहीं उठाना चाहेगा?

रघुवीर सहाय की व्यंग्य कविताएँ

इस देश के इतिहास में सन् 1738 से लेकर 1764 तक के 27 वर्ष सदा याद रखे जाएँगे। सन् 1738 में नादिरशाह ने दिल्ली पर हमला किया जिसके दौरान दिल्ली में क़त्ले-आम सम्पन्न किया गया, 1757 में प्लासी का युद्ध हुआ जिसमें मीर जाफ़र ने बंगाल का नवाब बनने के लिए अपने नवाब सिराजुद्दौला के साथ भयंकर विश्वासघात किया, 1761 में पानीपत की तीसरी लड़ाई लड़ी गयी जिसमें अहमदशाह अब्दाली ने मराठों को शिकस्त दी और 1764 में बक्सर का युद्ध सम्पन्न हुआ जिसने अँग्रेज़ों के पाँव इस देश में सदा के लिए जमा दिये। ठीक इसी प्रकार मेरे जीवन में 27 वर्ष ऐसे गुज़रे जिनमें मैं प्रयाग या दिल्ली रहा और बड़े-बड़े साहित्यकारों के निकट सम्पर्क में आया। यह बात उन दिनों की है जब 'आतिश' जो था, वह जवान था। अब तो उन दिनों की याद से भी ज़िस्म अँगड़ाई लेने लगता है। सोवत निंदिया जगावत हो रामा.......

रघुवीरसहाय से भी परिचय उन्हीं दिनों हुआ। वह एक अद्‌भुत व्यक्ति था, हमेशा आधा सोता और आधा जागता हुआ। आम आदमी के लिए जितना दर्द उस आदमी के दिल में था, उतना दर्द मैंने हिन्दी के किसी साहित्यकार के दिल में कभी नहीं देखा। बहुतों के पास तो दर्द क्या, दिल ही नहीं था। रघुवीरसहाय पत्रकारिता को साहित्य का ही एक अंग मानते थे, स्वतन्त्र विधा नहीं। उनकी कविताओं को काफ़ी तथाकथित आचार्यों ने 'अख़बारी-कविता' कहा मगर रघुवीरसहाय पर उसका कोई प्रभाव नहीं पड़ा। वह बराबर अपनी राह पर अपनी तरह चलता रहा और विजयी हुआ। आज हास्य-व्यंग्य के इस पवित्र पर्व पर मैं उसकी कुछ छोटे साइज़ की कविताएँ आपको सुनाता हूँ ताकि आप उस प्रतिभाशाली व्यक्ति के प्रति आकर्षित हों और उसका शेष काव्य पढ़ने का संकल्प करें।

(एक)

धुला हुआ कमरा है, छत तक दीवालें हैं
दौड़ी हुई ऊँची, सफ़ेद, साफ़, सादी,

चुपचाप गोद में किताब एक मोटी
बन्द रख कर मैं बैठा रहने का हूँ आदी,
आख़िर कब तक धोता रहूँगा मैं यों ही
दूसरों के मैले विचारों की लादी,
शिवलिंग-सा प्रतिष्ठित यहाँ
सोचता रहूँगा 'क्यों करूँ मैं शादी'?
पता नहीं क्यों यह सामाजिक व्यवधान
तुला है करने पर मेरी बरबादी,
मेरी प्रतिभा का कहीं मान नहीं, छिः छिः यह
नवयुग आज़ादी का, नवयुग की आज़ादी,
इतने में किसी ने टोककर डपट दिया
'देख, सुन, समझ अरे घरघुस जनवादी'
चौंक देखा कोई नहीं, सुनी केवल ढप् ढप्
आँगन में गेहूँ फटक रहीं
सोलह सेर वाले दिन देखे हुए दादी...

(दो)

पढ़िए गीता,
बनिए सीता
फिर इन सबमें लगा पलीता
किसी मूर्ख की हो परिणीता
निज घरबार बसाइए;
होंय कँटीली
आँखें गीली
लकड़ी सीली, तबीयत ढीली
घर की सबसे बड़ी पतीली
भरकर भात पसाइये...

(तीन)

नारी बिचारी है
पुरुष की मारी है
तन से क्षुधित
मन से मुदित
लपक कर, झपक कर

अन्त में चित

(चार)

जब शाम होती है तब ख़त्म होता है मेरा काम
जब काम ख़त्म होता है, तब शाम ख़त्म होती है...
कितना अच्छा था छायावादी
एक दुख लेकर वह एक गान देता था,
कितना कुशल था प्रगतिवादी
हर दुख का कारण वह पहिचान लेता था,
कितना महान् था गीतकार
जो दुख के मारे था अपनी जान लेता
कितना अकेला हूँ मैं इस समाज में
जहाँ सदा मरता है एक और मतदाता...

(पाँच)

फूट कर चलते-फिरते छेद
भूमि की पर्त गयी है सूख,
औरतें बाँधे हुए उरोज
पोटली के अन्दर है भूख,
कटोरे के पेंदे में भात
गोद में लेकर बैठा बाप,
फ़र्श पर रखकर अपना पुत्र
खा रहा है उसको चुपचाप।
पीटकर कृष्णा के तट-बन्ध
लौटकर पानी जाता डूब
रात होते उठती है धुन्ध
ऊपरी आमदनी की ऊब;
जोड़कर हाथ, काढ़कर खीस
खड़ा है बूढ़ा रामगुलाम
सामने आकर के हो गये
प्रतिष्ठि पण्डित राजाराम,
मरते वही, जिलाते वही
वही दुर्भिक्ष, वही अनुदान,
विधायक वही, वही जन-सभा

सचिव वही, वही पुलिस कप्तान।
दया से देख रहे हैं दृश्य
गुसलख़ाने की खिड़की खोल,
मुक्ति के दिन भी ऐसी भूल
रह गया कम कुछ ईसबगोल

(छह)

इतने बड़े-बड़े कमरे थे जिनमें सौ-सौ लोग समायँ
बार-बार जूते खड़काते वर्दीधारी आवैं जायँ
घर के भीतर बैठे गृहमन्त्री जी, दूध-मिठाई खायँ
बाहर बैठे हुए सबेरे से मिलनेवाले जमुहायँ
मुंशी आया आगे आगे, पीछे मन्त्री दर्शन दीन्ह
किया किसी को अनदेखा तो लिया किसी को तुरतै चीन्ह।

सबसे ऊपर मैंने नादिरशाह की चर्चा की है। बहुत कम लोग जानते हैं कि सुलतान और लुटेरा होने के बावसूद नादिरशाह जो था वह एक कवि भी था। क़त्लेआम भी उसने सम्राट् मुहम्मदशाह के बड़े वज़ीर के एक शेर सुनाने पर ही बन्द किया था। इसी प्रकार पानीपत के तीसरे युद्ध में पराजित होने का प्रमुख कारण यह था कि मराठों की सेना अपने साथ बहुत सारी स्त्रियाँ ले गयी थी। स्त्रियों का ज़्यादा संसर्ग अच्छा नहीं होता। यदि महान् पेशवा बालाजी बाजीराव यह बात जानते तो युद्ध से पन्द्रह दिन पूर्व अपना विवाह नहीं रचाते और सदाशिवराव भाऊ जैसे अशिष्ट व्यक्ति को सेनापति बनाकर पानीपत न भेजते। ज़्यादा जानकारी के लिए सरदेसाई का लिखा 'मराठा-साम्राज्य का इतिहास' पढ़ना आपके हित में होगा। यदि यह महान् पोथी बालाजी बाजीराव पेशवा ने पढ़ी होती तो वे पानीपत का तीसरा युद्ध यूँ न हारते।

नीम का पेड़

हमारे पूर्वज वृक्षों की पूजा किया करते थे और पीपल और वट के वृक्ष को तो देवता ही माना जाता था। शान्ति-मन्त्रों में 'वनस्पतयः शान्तिः' भी कहा जाता है। एक पेड़ लगाने से भी अनेक पुत्रों के होने का पुण्य प्राप्त होता था और वन-महोत्सव के कारण हमारे तत्कालीन कृषि-मन्त्री श्री के.एम. मुंशी अपने को करोड़ों पुत्रों का पिता मानते थे। भगवान् बुद्ध को ज्ञान की प्राप्ति एक वटवृक्ष के नीचे ही वर्षों तक समाधि लगाने के कारण हुई थी और मेरी सलाह है कि आप लोगों में से भी यदि कोई जिज्ञासु भाई ज्ञान की प्राप्ति चाहता हो तो वह किसी वट-वृक्ष का पता लगा ले और उसके नीचे पद्मासन में बैठना शुरू कर दे। ज्ञान की प्राप्ति का ऐसा सरल ढंग और कभी नहीं निकला। इसी कारण इलाहाबाद-यूनिवर्सिटी का चिह्न एक वट-वृक्ष ही है जिसके नीचे बैठने के कारण मैं इतना ज्ञानी हूँ। कलकत्ता के पास अँग्रेज़ों का लगाया एक महान् वट-वृक्ष है। ईस्ट-इण्डिया-कम्पनी के आला अफ़सर फुर्सत मिलते ही उसके नीचे धराशायी हुआ करते थे और युद्ध के बाद युद्ध जीता करते थे।

नीम का वृक्ष भी एक महान् वृक्ष होता है जिससे लगभग पचास ओषधियाँ तैयार होती हैं। नीम कड़वा होता है और इसी कारण 'एक तो करेला और फिर नीम चढ़ा' तथा 'कड़वी औषध बिन पिये, मिटे न तन की ताप' जैसी कहावतें बनीं। नीम की आयु लगभग दो सौ वर्ष होती है और इसी कारण देहात में बच्चों को अभी भी यह आशीर्वाद दिया जाता है 'जा, तू नीम के पेड़ जैसा बड़ा बन'। नीम का साहित्य में भी बड़ा नाम है और इस सन्दर्भ में शरद जोशी की 'झरता नीम, शाश्वत थीम' नामक अमर रचना पढ़ने लायक़ है। महाकवि घाघ के अनुसार 'नीम न मीठा होय, सींचो गुड से चहे'। ऐसा चरित्रवान वृक्ष शायद और कोई नहीं है। मैं जिन-जिन वृक्षों से गिरा हूँ या जिन-जिन वृक्षों के तले विभिन्न कारणों से अपनी युवावस्था में पीटा गया हूँ उनमें नीम का स्थान सचमुच बहुत ऊँचा है।

नीम का वृक्ष हमारे देश में बहुत प्राचीन काल से पाया जाता है। राजा भर्तृहरि ने 'कंकोल निम्बकुटजारपिचन्दनास्यु' कहकर नीम की मार्मिक चर्चा की है। मैंने भी संस्कृत जो पढ़ी वह नीम के नीचे बैठकर ही पढ़ी।

फ़ारसी में 'नीम' शब्द का अर्थ 'आधा' होता है। नीम-हक़ीम ख़तरे जान। अमीर ख़ुसरो ने लगभग सात सौ वर्ष पहले नीम को लेकर कुछ पहेलियाँ लिखी थीं जिनमें से एक नीचे देता हूँ। अमीर ख़ुसरो एक सूफ़ी थे, सन्त थे और उन्होंने अपने जीवन-काल में ग्यारह सन्तान देखे थे। शहंशाह जहाँगीर का एक पुत्र भी ख़ुसरो नाम रखता था और वात्सल्य-रस में व्याकुल होकर जहाँगीर ने उसे अन्धा करवा दिया था। शाहजहाँ ने उसकी हत्या करवायी और उसकी याद में प्रयागराज में 'ख़ुसरो-बाग' लगवाया जिसके अमरूद दुनिया भर में मशहूर हैं। अकबर इलाहाबादी के अनुसार 'रखा यहाँ क्या है सिवा अकबर के और अमरूद के'। अमीर ख़ुसरो की वह पहेली इस प्रकार है :

तरुवर से इक तिरिया उतरी, उसने बहुत रिझाया
बाप का उसके नाम जो पूछा, आधा नाम बताया
आधा नाम बताया ख़ुसरो, कौन देश की बोली
उसका नाम जो पूछा मैंने, अपना नाम न बोली।

संस्कृत के कुछ रोचक श्लोक

सम्राट् औरंगज़ेब आलमगीर के आदेश पर शाइस्ता खाँ ने एक बहुत विशाल सेना लेकर जब शिवाजी पर आक्रमण किया तो जनश्रुति के अनुसार, उसने छत्रपति के पास नीचे लिखा श्लोक भेजा। श्लोक काफ़ी सरल है और उसमें प्रयुक्त 'शास्ता' शब्द शासक के साथ-साथ स्वयं 'शाइस्ता' खाँ की ओर भी इशारा करता है। उसने लिखाः

वानर! त्वं वनेशायी पर्वतस्ते सदाश्रयः
वज्रपाणिरहं साक्षात् शास्ता स्वयमुपागतः

आमेर के राजा जयसिंह मालवा की सूबेदारी करने के साथ-साथ अपना निजी राज्य भी बढ़ाते जाते थे। बाजीराव पेशवा ने अपने हाथ से लिखकर उन्हें एक श्लोक भेजा जिसमें उन्होंने कहा कि "तुम कितना भी राज्य जीतते जाओ मगर उस अगस्त्य मुनि को कभी नहीं भूलना जिसने कभी एक ही घूँट में सारा समुद्र सोख लिया था।" सवाई राजा जयसिंह ने उत्तर में तो बड़ा रूखा श्लोक लिखकर भेजा पर दिल्ली-सम्राट् की आज्ञा प्राप्त कर शिप्रा नदी में स्नान किया और पूरे मालवा-प्रदेश का पट्टा पेशवा के नाम लिख दिया। मूल श्लोकों को पढ़ने के लिए आप डॉ. मनोहरलाल द्वारा सम्पादित 'गुलेरी-रचनावली' का दूसरा खण्ड पढ़ें।

जार्ज पंचम के भारत-आगमन पर रवीन्द्रनाथ ठाकुर तक ने 'जन-गण-मन अधिनायक भारत-भाग्य-विधाता' जैसी प्रशस्ति लिखी थी। पं. चन्द्रधर शर्मा गुलेरी ने भी एक श्लोक रचा जो काफ़ी सरल है :

जयतु जयतु राजा पंचमो रजनामा
जयतु जयतु राज्ञी सापि मैरी वदान्या
जयतु जयतु ताभ्यां त्रात एवार्य धर्मो
जयतु जयतु नीवृत् भारतानां पुराणः

राष्ट्रकवि बाबू मैथिलीशरण गुप्त का 'भारत-भारती' नामक प्रसिद्ध काव्य जब 'सरस्वती में धारावाहिक रूप से छपना प्रारम्भ हुआ तो 'सरस्वती-सम्पादक' आचार्य महावीरप्रसाद

द्विवेदी ने पत्रिका में एक नोट छापा और एक श्लोक लिखा जो नीचे दिया जाता है। द्विवेदी जी कहते हैं कि "गुप्तजी की इस कविता का उत्तरोत्तरहृदयविदारक अंश पढ़ने के लिए पाठक अपना हृदय अभी से कड़ा रखें। ऐसी अच्छी कविता लिखने के लिए, हम नहीं जानते, किन शब्दों में कवि का अभिनन्दन करें।" श्लोक इस प्रकार है:

येनेदमीदृशमकारि महामनोज्ञं
शिक्षान्वितम् गुणगणाभरणैर्मृतं च
काव्यं, कृती कविवरः स चिरायुरस्तु
श्रीमैथिलीशरण गुप्त उदारवृत्तः

इस प्रशस्ति के उत्तर में राष्ट्रकवि ने आचार्य द्विवेदी जी की सेवा में यह दोहा लिखा :

तुलसी भी करते भला कैसे मानसनाद
'महावीर' का यदि उन्हें मिलता नहीं प्रसाद

इसी प्रकार मेरे मित्र पं. श्रीलाल शुक्ल ने अपना उत्कृष्ट उपन्यास 'सूनी घाटी का सूरज' जब सर्वश्री विजयदेव नारायण साही, डॉ. धर्मवीर भारती और केशवचन्द्र वर्मा को समर्पित किया तो उन्होंने समर्पण-पृष्ठ पर यह श्लोक लिखा :

प्रीत्या विजयदेवाय, धर्मवीराय धीमते
अनेकाख्यैकभावाय केशवाय समर्प्यते

क्या आप अब भी कहेंगे कि संस्कृत एक मृत भाषा है?

ग़रीबी है कहाँ?

देश को आज़ादी दिलाने वाले महात्मा गाँधी मात्र घुटनों तक की खादी की धोती ही पहनते थे क्योंकि देश की करोड़ों जनता मात्र उतने ही वस्त्रों में रहती थी। लौहपुरुष सरदार पटेल उप-प्रधानमन्त्री होने के बाद भी कभी कोट नहीं पहनते थे और भयंकर सर्दी में भी मात्र वास्कट ही पहनते थे और कन्धों पर मात्र एक चादर ही डाला क़रते थे। अब देश अमीर हो गया और इसी कारण हमारे वर्तमान प्रधानमन्त्री नरसिंहराव सूट पहनते हैं और ऊपर से शाल भी कन्धों पर डाले रहते हैं। अख़बारों के अनुसार उनकी सरकार ने उनकी छवि उभारने के लिए मात्र 150 करोड़ रुपयों की राशि स्वीकृत की है जिसे दूरदर्शन, रेडियो और डाकुमेण्टरी फ़िल्मों पर ख़र्च किया जाएगा। यह पवित्र काम शुरू हो गया है हालाँकि इसके बावजूद वे सत्ता में लौटेंगे या नहीं—यह कोई नहीं कह सकता। यह देश की अमीरी ही का सबूत है कि वर्तमान सरकार पचास हज़ार करोड़ रुपयों के घोटाले सफलतापूर्वक सम्पन्न कर चुकी है और खरबों रुपयों का एक तथाकथित घोटाला ऐसा किया जा चुका है कि हमारी संसद पिछले एक सप्ताह से कोई कामकाज कर ही नहीं पा रही है। वह चाहती है कि हमारे दूर-संचार मन्त्री त्यागपत्र दें और सारे मामले की जाँच संसद की एक विशेष समिति द्वारा हो। समिति भी कुछ कर पाएगी या नहीं—यह कोई नहीं कह सकता। पिछली ऐसी कोई भी समिति कुछ ठोस काम नहीं कर पायी—यह एक दुखद सत्य है।

केन्द्र के एक मन्त्री जी की घड़ी खो गयी जिसकी क़ीमत मात्र छह लाख रुपया थी। मन्त्री का वक़्त सचमुच बहुत क़ीमती होता है—यह सत्य उजागर हो गया। एक मुख्यमन्त्री की सन्तान की शादी में लाखों लोगों ने खाना खाया और करोड़ों रुपयों की भेंट समर्पित की। एक राज्य की मुख्यमन्त्री ने अपने दत्तक-पुत्र के विवाह में बेहद सादगी से काम लिया और मात्र एक लाख से ज़्यादा लोगों को ही निमन्त्रित किया। वधू की साड़ी भी मात्र एक लाख रुपयों की ही थी। पण्डाल ऐसे विशाल थे कि उनमें एक लाख लोग बैठ सकते थे और बारह हज़ार लोग एक साथ विशुद्ध घी से बना भोजन ग्रहण कर सकते थे। विरोधी-पार्टियों ने अपने दस्तूर के मुताबिक़

इस शादी को बीसवीं सदी की सबसे महँगी शादी बताया और आरोप लगाया कि सारा विवाह सरकारी तन्त्र की सहायता से किया गया। मगर इस सबसे होता क्या है? कुत्ते भौंकते रहते हैं और हाथी अपनी मस्त चाल में चलते जाते हैं। एक प्रदेश में दो मुख्यमन्त्रियों ने अपने छोटे-से शासनकाल में क्रमशः तीन सौ करोड़ व एक सौ करोड़ रुपयों की राशि इकट्ठी की और बाक़ी समय जनता की सेवा में लगाया, चापलूस साहित्यकारों व कलाकारों को पुरस्कार बाँटे और जनता थी कि सब भूल गयी। जो भी सरकार आएगी वह वैसा ही करेगी..

राजा के रहन-सहन का प्रभाव प्रजा पर भी पड़ा। मेरे एक मित्र के पुत्र ने अपनी सुहागरात के लिए पन्द्रह हज़ार रुपयों का तो एक जोड़ी कुर्ता और पाजामा ही ख़रीदा। हरियाणा में एक किसान नब्बे हज़ार रुपयों की घड़ी बाँधकर हल चलाता है, महाराष्ट्र में एक साधारण व्यक्ति ने मात्र पाँच लाख रुपये की मोटर-साइकिल ख़रीदने का निश्चय किया है और दिल्ली में ऐसी दुकाने हैं जहाँ एक पान इक्यावन रुपये या एक सौ एक रुपये का मिलता है। सब्ज़ियाँ तीस रुपये किलो हैं और स्कूलों में दाखिले का औसतन ख़र्चा दस हज़ार रुपये से ज़्यादा है। क्या यह सब जानकर आप यह कह सकते हैं कि भारत अब भी एक ग़रीब देश है?

कुछ लोग हैं जो अब भी भीख माँगते हैं क्योंकि वैसा करना उनकी आदत है। कुछ युवतियाँ अब भी अपनी देह बेचती हैं क्योंकि इससे उन्हें 'थ्रिल' मिलता है। कुछ लोग अब भी बिना इलाज के मरते हैं क्योंकि वे मोक्ष प्राप्त करना चाहते हैं। इन सबकी ऊल-जलूल हरकतों के कारण आप सारे देश को ग़रीब नहीं कह सकते। अमेरिका के वर्तमान राष्ट्रपति की प्रिय पत्नी जब ब्राज़ील गयीं तो समुद्र में स्नान करते हुए उनका एक फ़ोटो ऐसा लिया गया जिसमें वे लगभग नंगी ही थीं। यह फ़ोटो अख़बारों के मुखपृष्ठों पर छपा पर न तो इसका किसी ने बुरा माना और न किसी ने यह निष्कर्ष ही निकाला कि अमेरिका एक ग़रीब देश है। ख़ुशी की बात है कि हमारे देश की कुलीन व शालीन रमणियाँ भी अब अधनंगी ही रहती हैं और अपने खानसामा, बैरा, शोफ़र व चौकीदार से भी वही घनिष्ठ सम्बन्ध रखती हैं जो दक़ियानूसी पतिव्रताएँ कभी मात्र अपने पति से ही रखा करती थीं। सच्चा समाजवाद व सच्चा प्रजातन्त्र इसी को कहते हैं। मेरे ही इस देहरादून नगर में अनेक युवतियाँ पाँच-पाँच हज़ार की साड़ियाँ घर में पहनती हैं और नौलखा हार पहनकर हर तीसरे युवक से प्रेम करती हैं और उनके पति पचहत्तर हज़ार का सूट पहनते हैं और अपनी नौकरानी को दस-दस हज़ार रुपयों की हीरों की अँगूठियाँ पहनाते हैं। भगवान् की दृष्टि में सब बराबर हैं। आमीन।

अपहरण की परम्परा

पिछले दिनों मेरे साथ एक बड़ा हादसा हो गया। मैं अपनी सगी पत्नी के साथ एक ज़रूरी काम से बाज़ार गया और वहाँ जाकर पाया कि बाज़ार एकदम बन्द है। सड़कों पर काफ़ी भीड़ थी क्योंकि बाज़ार खुला होने पर जो लोग दुकानों के अन्दर होते वे भी बाहर सड़क पर ही थे। पूछताछ करने पर ज्ञात हुआ कि नगर के एक 'जौहरी' का पुत्र कुछ अपहरणकर्ताओं के 'जौहर' के कारण लापता है और उसके पिता से एक करोड़ रुपयों की क्षुद्र राशि माँगी गयी है। कुछ दिन पहले एक बेहद अमीर और दयावान मुस्लिम शहरी के साथ भी ऐसी ही धर्म-निरपेक्ष दया बरती गयी थी। लोगों का कहना है कि माँग पूरी हो जाने पर ही अपहरणकर्ताओं ने उसे मुक्त किया, वैसे नहीं। मैं बाज़ार से लौट आया और अपने उन पाँच रुपयों के लिए शोक प्रस्ताव पारित करता रहा जो मैंने अपनी मोटर पार्क करने के लिए म्युनिसपैल्टी के कर्मचारी को दिये थे।

इसके बाद कई दिनों तक मैं अख़बारों में अपहरण की ही ख़बरें पढ़ता रहा। अख़बारों के अनुसार, मेरठ के सेठों ने अपहरण के भय के कारण सुबह का घूमना एकदम छोड़ दिया है। दिल्ली में विदेशी राजदूतों से लेकर मध्यमवर्गीय लोग तक भी गुप्त किये जा रहे हैं। राजस्थान में एक भूतपूर्व केन्द्रीय मन्त्री का पुत्र ग़ायब किया गया और एक राज्य के माननीय मुख्यमन्त्री ने अपने भाई को ही कहीं नज़रबन्द करवा दिया क्योंकि वह चुनाव में उनके विरोधी का प्रचार करने वाला था। खुदा जब कलाकन्द खिलाता है तो नज़रबन्द कराके ही खिलाता है, वैसे नहीं। अन्नपूर्णानन्द की एक कहानी में ख़ुदा ने एक भक्त का इज़ारबन्द कुछ ऐसे ही समय तोड़ा था कि वैसा होने से उसे धन व प्रतिष्ठा—दोनों की प्राप्ति साथ ही साथ हुई थी।

अख़बार पढ़ने के बाद मैं सोचने लगा कि अपहरण करने की परम्परा हमारे यहाँ बहुत प्राचीन काल से है। संस्कृत में कई नाटक हैं जिनमें रुक्मिणी, सुभद्रा या अन्य सुन्दर देवियों के अपहरण की रोचक कथा कही गयी है। सुभद्रा के अपहरण में उनके भाई ने स्वयं अपहरणकर्ता की पूरी मदद की थी। बाद में चलकर अन्तिम हिन्दू-सम्राट् पृथ्वीराज चौहान ने कन्नौज के राजा जयचन्द की सुपुत्री संयोगिता का

अपहरण सम्पन्न किया जो आगे चलकर इस देश में मुस्लिम-सल्लनत स्थापित होने का कारण बना। इसके बाद भी अपहरण किये जाते रहे और ख़ुशी की बात तो यह है कि यह परम्परा आज़ाद हिन्दुस्तान में भी समाप्त नहीं हुई है। पुरानी संस्कृति को जीवित रखना हमारा कर्तव्य जो ठहरा। अँग्रेज़ी ज़माने में फ्रण्टियर के कबाइली इस धन्धे को बड़े व्यवस्थित रूप में चलाते थे और अन्त में तो स्थिति इतनी सुखद हो गयी थी कि इस अनाचार को रोकने के लिए एक बेहद समर्थ अँग्रेज़ को सीमाप्रान्त का गवर्नर बनाया गया जो पन्द्रह दिन के अन्दर-ही-अन्दर स्वयं ग़ायब कर दिया गया। उसकी फिरौती में वायसराय को एक लाख चाँदी के सिक्के और सैकड़ों मन कपास व गुड़ देना पड़ा था। मुक्त हो जाने के बाद उस योग्य गवर्नर ने आत्मग्लानि के दौर में आत्महत्या कर ली थी। अभी-अभी एक पुलिस-कप्तान का अपहरण हुआ है पर वह क्या करेगा, यह मैं नहीं जानता।

ऊपर बताये सारे लोग अपहरणकर्ताओं के चंगुल से मुक्ति पा गये जिसका सारा श्रेय पुलिस के शूरवीरों को ही जाता है, और किसी को नहीं। राजस्थान-सरकार ने पुलिस-कर्मियों को दस लाख रुपयों का इनाम दिया है और हमारे राज्य की पुलिस को भी यह इनाम मिलने ही वाला है। कुछ ग़ैरज़िम्मेदार लोगों का कहना है कि पुलिस ने सिवा खानापूरी करने के और कुछ नहीं किया और अपहृत व्यक्ति जो मुक्त हुए, वे मात्र फिरौती देने पर ही मुक्त हुए। मैं प्रेस की इस टिप्पणी से सहमत नहीं हूँ। पिछले कुछ दिनों से हमारे देश का प्रेस काफ़ी ग़ैरज़िम्मेदार होता जा रहा है जो उचित नहीं है। प्रेस को प्रशासन के ख़िलाफ़ कभी भी कुछ नहीं बोलना चाहिए।

कहा जाता है कि अपहरण करने के उपरान्त अपहृत व्यक्ति को काफ़ी सुख-सुविधा के साथ रखा जाता है। मैं चाहता हूँ कि कोई दयालु व्यक्ति कभी मेरा भी अपहरण करे। मुझे पूरा विश्वास है कि मेरी रचनाएँ सुनकर और मेरी आर्थिक स्थिति देखकर, अपहरण करने वाले लोग मुझे अपने पास से ही कुछ देकर मुक्त करेंगे, ख़ाली हाथ नहीं। ठीक वही होगा जो ओ. हेनरी की कहानी 'दी रैनज़म ऑफ़ दी रेड चीफ़' में हुआ था। अज्ञेय जी भी एक बार बिहार-नेपाल के सीमाक्षेत्र में अपहृत हुए थे। डाकुओं ने उन्हें बिरादर का सम्मान दिया, रचनाएँ सुनीं और उन्हें मुक्त कर दिया। अज्ञेय साहित्य में डकैती डालते थे और इस कारण डाकुओं से उन्हें जो स्नेह व आत्मीयता मिली, उससे हमें कोई आश्चर्य नहीं होना चाहिए। अपना यह संस्मरण अज्ञेय ने मुझे स्वयं जम्मू में सुनाया था।

मेरे मुहल्ले में एक सज्जन रहते हैं जो जाति के कारण 'गुप्त' कहलाते हैं हालाँकि वैसे न तो वे 'गुप्त-वंश' से ही कोई सम्बन्ध रखते हैं और न उन्हें कोई 'गुप्त रोग' ही है। हाँ, अपनी पत्नी से (जिन्हें वे 'गुप्ती' कहकर पुकारते हैं) उनकी हर्गिज़ नहीं बनती। इन 'गुप्त' जी का यह 'प्रकट' मत है कि जो भी अपराध देश में हो रहे हैं, उनके लिए मात्र राज्यों के व केन्द्र के नेता ही ज़िम्मेदार हैं। मैं इनकी बात नहीं

मानता। मेरे राज्य के मुख्यमन्त्री तो साहित्यकारों, खिलाड़ियों और शेष कलाकारों को सम्मान देने में ही इतने व्यस्त रहते हैं कि कुछ कहा ही नहीं जा सकता। मेरे अलावा शायद ही कोई चुटकुलेबाज़ या तुक्कड़ बचा होगा जिसे एक लाख रुपया नहीं दिया गया। एक प्रशस्तिपत्र व ऊनी शाल जो दिया जाता है, सो अलग। और जहाँ तक केन्द्र का प्रश्न है, स्थिति यह है कि वे सब लोग गाँधी जी के काम को ही पूरा करने में इतने व्यस्त हैं कि कुछ कहा ही नहीं जा सकता। गाँधी जी की इच्छा थी कि आज़ादी मिलने के बाद कांग्रेस पार्टी को समाप्त कर दिया जाए मगर कुछ स्वार्थी बड़े लोगों ने वैसा नहीं होने दिया। बहरहाल इस काम को कांग्रेस के नेता अब स्वयं पूरा कर रहे हैं ताकि देश में कोई शक्तिशाली विरोधी-दल खड़ा हो सके। चक्रवर्ती राजगोपालाचारी के अनुसार बिना सक्षम विरोधी-दल के, प्रजातन्त्र जो होता है, वह 'डिक्टेटरशिप' से भी ज़्यादा ख़राब होता है। इस रचनात्मक कार्यक्रम में हमारे केन्द्र के नेता इतने व्यस्त हैं कि एक के बाद एक बड़ा घोटाला होता जा रहा है पर किसी की नींद में संसद तक में ख़लल नहीं पड़ता। प्रतिभूति का घोटाला हुआ, फिर चीनी का घोटाला हुआ और इस बीच सार्वजनिक-संस्थानों के शेयर घाटे पर बेचने का जो घोटाला हुआ सो अलग। सारे विभागों का एक-सा ही हाल है। बच्चन के शब्दों में स्थिति यह है कि "कुछ उजेला, कुछ अँधेरा, क्या समा है; कुछ करो इस चाँदनी में सब क्षमा है।" इतने व्यस्त कार्यक्रम में किस राजनेता के पास इतना समय है कि वह अपहरण कराए या अपहरण के प्रश्न पर एक या दो अदद निगाह डाले?

मैं राज्य-सरकार व केन्द्रीय सरकार-दोनों को यह विनम्र चेतावनी देता हूँ कि मुझे तुरन्त लखटकिया पुरस्कार दे। यदि समय रहते ऐसा न किया गया तो मैं अपहरण का धन्धा खुद शुरू करूँगा। प्रारम्भ में ऊपर बताये गुप्तजी की पत्नी से ही करूँगा जो अधेड़ होते हुए भी काफ़ी आकर्षक व सुडौल हैं। पत्नी से मुक्ति मिलने की ख़ुशी में गुप्त जी मुझे काफ़ी पैसा हर महीने भेजते रहेंगे और देहरादून की वर्षा तथा सर्दी भी उनके इस 'मासिक-धर्म' में कोई बाधा नहीं डाल सकेगी।

शक्तिशाली संगीत

दक्षिणी भारत के कोची नगर के समीप डॉ. अब्राहम ने एक नया करिश्मा कर दिखाया। उन्होंने सुपारी के चार हज़ार वृक्ष लगाये और उन्हें संगीत का खाद दिया। प्रातःकाल एक घण्टे तक लाउडस्पीकरों पर भक्ति के भजन प्रसारित किये गये और शाम को इन पौधों को एक घण्टा फ़िल्मी संगीत सुनाया गया। इस संगीत-समारोह के प्रभाव से जो पौधे पाँच या छह वर्ष में फूल देते थे, वे डेढ़ वर्ष की अवधि में ही फूलों से लद गये। मनुष्य की समस्त भावनाओं को अभिव्यक्त करने की शक्ति मात्र संगीत में ही है—यह तो मैंने पढ़ा था पर उनका प्रभाव वृक्षों पर भी पड़ता है, यह मैं नहीं जानता था। भगवान् कृष्ण जो वंशी बजाया करते थे वह कोई निष्काम कर्म नहीं था क्योंकि संगीत के प्रभाव से गायें ही नहीं वरन् गोपियाँ भी ज़्यादा दूध देने लगती थीं। मैंने स्वयं कुछ ऐसे कुत्तों और गधों को देखा है जो हिन्दी के एक कवि-सम्मेलनी कवि का कविता-पाठ सुनकर भौंकना और रेंकना बन्द कर देते थे। सौभाग्य से मैंने एक ऐसे कवि के बारे में भी सुना है जिनका ओजस्वी कण्ठ इतना शक्तिशाली था कि एक सौभाग्यवती आसन्नप्रसवा नारी ने, उनकी वाणी सुनकर पण्डाल ही में बच्चा दे दिया था। इसके बाद तो उन कविजी को महिला-चिकित्सालयों में भी बुलाया जाने लगा था और एक अवसर पर तो मात्र उनके कण्ठ के प्रभाव से ही एक अविवाहिता स्त्री ने भी तीन बच्चों को एक साथ ही जन्म दे दिया था। संगीत की शक्ति सचमुच महान् है और हमारे शास्त्रों में शब्द को जो 'ब्रह्म' कहकर पुकारा गया है, वह एकदम ठीक ही है। अगर फ़िल्मी गानों के बजाने पर कुछ नियन्त्रण लगा दिया जाए तो परिवार-नियोजन की दिशा में काफ़ी प्रगति हो सकती है। अक्लमन्दाँ इशारा काफ़ी अस्त।

संगीत और कुर्सी का सम्बन्ध तो इतना घनिष्ठ रहा है कि पश्चिमी देशों में तो 'म्यूज़िकल चेयर' नामक एक रोचक खेल का ही प्रचलन हो गया है। हमारे देश में भी प्रत्येक प्रधानमन्त्री को इस खेल का लगातार शौक़ रहा। सब प्रधानमन्त्री मन्त्रिमण्डल में फेर-बदल करते रहे जिसके कारण किसी-न-किसी मन्त्री या राज्यपाल की कुर्सी छिनती गयी। सरकार के इस 'म्यूज़िक' को सदा जनता ने ही 'फ़ेस' किया, और किसी ने नहीं। जनता सब-कुछ देखती रही और विलियम शेक्सपियर की यह

पंक्ति याद करती रही कि "इफ़ म्यूज़िक बी दी फ़ूड ऑफ़ लव, देन प्ले ऑन.."

मुझे यह सौभाग्य प्राप्त है कि मैंने पं. ओंकारनाथ ठाकुर व दिलीपकुमार राय का संगीत स्वयं उन्हीं के मुख से सुना है। ठाकुर साहब का गाना सुनकर मुझे महाकवि 'अकबर' का वह शेर याद आ गया था जिसमें उन्होंने कहा है कि "मैं तो इंजन की गलेबाज़ी का क़ायल हो गया।" 'मेघदूत' की यक्षिणी—जो कभी यक्ष को ही अपनी उँगलियों पर नचाया करती थी—उसके विरह में उस मयूर को अपने कंकणों की ताल देकर नचाती थी जो उसके चाँदनी मे पुते महल में बिल्लौर की चौकी में जड़े सोने के खम्भे पर साँझ के समय आकर बैठता था। इस चौकी में पन्ने जड़े थे जो हरे बाँस की शोभा देते थे। मेरा निजी विश्वास है कि यक्ष कसकर घूस लेता था और इसी कारण कुबेर ने उसे अलका से निर्वासित किया था।

ब्राह्म-मुहूर्त में भ्रमण

हमारे पूर्वजों ने सुबह-सुबह घूमने के बड़े फ़ायदे बताये हैं। चरक नाम के एक वैद्यर्षि ने कहा है कि यदि मनुष्य प्रातःकाल, दोपहर के काल व सायंकाल नियमित रूप से यथाशक्ति घूमता रहे तो उसे काल नहीं सताता। व्याकरण के तीन कालों की भाँति ऐसा प्रतिभासम्पन्न व्यक्ति मृत्यु से पूर्व जीवित ही रहता है। अँग्रेज़ी की एक कहावत के मुताबिक जो व्यक्ति जल्दी जागता है और जल्दी सोता है वह सदा स्वस्थ, सम्पन्न व बुद्धिमान् रहता है। मैंने कभी पढ़ा था कि फ़ाह्यान, हुएनसांग, इत्सिंग व इब्नबतूता जैसे महान् यात्री अपनी यात्रा का अधिकतम भाग प्रातःकाल में ही समाप्त कर लिया करते थे ताकि दोपहर तक थकावट समाप्त हो जाए और यात्रा फिर से शुरू की जा सके। इब्नबतूता अफ्रीका से चीन तक गया था और वहाँ से स्वदेश जाने के लिए लौटा भी था। वह ग़रीब यात्री यात्रा में इतना व्यस्त रहता था कि अपना यात्रा-वृत्तान्त तक नहीं लिख सका। भारत में राहुल सांकृत्यायन तथा नागार्जुन ने बहुत यात्राएँ कीं।

मुझे घूमना कभी पसन्द नहीं आया। मेरे विचार में सुबह इस कारण बनी है कि आप सोकर उठें और 'लिपटन की चाह' पूरी करके फिर सो जाएँ। दोपहर तो बनी ही सोने के लिए है। और जहाँ तक साँझ का प्रश्न है वहाँ तो गप मारने व सोने के अतिरिक्त, मैं और कुछ कर ही नहीं सकता। मगर जब मेरी अपनी निजी पत्नी के अतिरिक्त कुछ और रूपवती देवियों ने भी मुझे 'अधेड़' कहना शुरू किया तो मैं भी प्रातः भ्रमण के लिए प्रयत्नशील हो गया। घूमने के जूते ख़रीदे और एक अदद छड़ी भी कहीं से प्राप्त कर ली। इसके उपरान्त मैं नियमित रूम से प्रातःकाल के भ्रमण के लिए निकलने लगा। यह देश का दुर्भाग्य है कि यह पवित्र सिलसिला ज़्यादा नहीं चला।

पहले दिन जो घूमने निकला तो माल रोड पर एक शव-यात्रा देखी। मन उदास हो गया और मैं बग़ैर घूमे ही वापस लौट आया। फिर एक दिन घूमने निकला तो कुछ होनहार पुलिसकर्मियों ने मुझे 'साइकिल-चोर' समझकर धर दबोचा और बड़ी मुश्किल से छोड़ा। मैंने बहुत कहा कि साहित्य के अतिरिक्त मैं और किसी क्षेत्र

में कभी भी पराये माल पर निगाह नहीं डालता पर पुलिस ने मुझे, मेरे हुलिये के कारण, तभी छोड़ा जब कि मैंने थाने के टेलीफ़ोन से डिप्टी-इन्स्पेक्टर-जनरल से बात की। तीसरी बार जो घूमने निकला तो एक मादा गैंडे से मुठभेड़ हो गयी। बाद में पता चला कि वह श्रीमती गैंडा न होकर कोई श्रीमती भालू या श्रीमती गधी थीं। पूरी खोजबीन के बाद पता चला कि वे तो पड़ोस में रहने वाले जनरल साहब की सगी पत्नी थीं जो अपना वज़न कम करने के लिए 'जॉगिंग' कर रही थीं। 'जॉगिंग' वे आँखें बन्द कर के करती थीं और इसी कारण वे मुझसे टकरा गयी थीं। स्थिति स्पष्ट होने के बाद, हम दोनों अकसर एक-दूसरे से टकराने लगे। इस टकराहट से एक दिन उनके पेट में दर्द होने लगा और यह दर्द तभी कम हुआ जब कि उन्होंने एक बहुत सुन्दर बच्चे को जन्म दे दिया।

बहरहाल घूमने का सिलसिला फिर भी चलता रहा, मगर एक दिन एक ऐसा हादसा हुआ कि मैंने कभी भी प्रातःभ्रमण पर न जाने की कसम खा ली। उस दिन मुझे बग़ैर छड़ी के जाना पड़ा था क्योंकि छड़ी ठेकेदार साहब की पतिव्रता पत्नी ठेकेदार साहब की मरम्मत करने के लिए ले गयी थीं। मैं जो घूमने निकला तो छावनी के क्षेत्र के सारे आवारा कुत्तों की भीड़ से घिर गया। जिधर देखो उधर कुत्ता और जिधर न देखो उधर कुत्ता। सारे कुत्ते प्रयाग के कवियों की भाँति अपना कलाम पेश करते रहे और बिना किसी 'मुकर्रर इरशाद' के भी भूतपूर्व राष्ट्रपति जनरल इरशाद की तर्ज़ पर गुर्राते रहे। उस दिन सचमुच बड़ी मुश्किल से जान बची। कई दिन तक मैं पलँग पर ही पड़ा रहा और फ़ाह्यान, इत्सिंग, हुएनसांग व इब्नबतूता को याद करता रहा।

आज मौसम बड़ा प्यारा है। बादल छाये हैं और घूमने को मन कर रहा है। मैं उठता हूँ और घूमने के जूते खोजने लगता हूँ। फिर यकायक याद आता है कि मैंने तो न घूमने की कसम खा रखी है और मैं अपना प्रण कैसे तोड़ सकता हूँ? रघुकुल रीति सदा चलि आयी, प्राण जायँ पर वचन न जायी। मैं रघुकुल का नहीं हूँ मगर इससे क्या फ़र्क़ पड़ता है? कालिदास ने 'रघुवंश' में मेरी चर्चा नहीं की मगर इस बात को लेकर जो कहना था वह तो आचार्य मल्लिनाथ का काम था, मेरा नहीं। मैं फिर से 'पलंगशायी' हो जाता हूँ और जयदेव का 'गीतगोविन्द' गुनगुनाने लगता हूँ। ऐसे सुहावने दिन और कोई पावस-प्रेमी घुमक्कड़ कर ही क्या सकता है?

चार क़दम सूरज की ओर

पिछले कुछ दिनों से हमारे दूरदर्शन पर 'चार क़दम सूरज की ओर' नाम से एक कार्यक्रम प्रत्येक दिन लगभग पचास बार दिखाया जा रहा है जिसमें यह सत्य विस्तार के साथ प्रदर्शित किया जा रहा है कि पिछले चार वर्षों में देश ने विभिन्न क्षेत्रों में जो प्रगति की है वह उस प्रगति से कहीं ज़्यादा है जो कि इस देश में आज़ादी के बाद से चार वर्ष पहले तक की गयी थी। कार्यक्रम के दौरान माननीय प्रधानमन्त्री जी व माननीय वित्तमन्त्री जी के चित्र भी दिखाये जाते हैं। प्रधानमन्त्री का चित्र इस कारण दिखाया जाता है कि ये पिछले चार वर्ष उन्हीं के प्रधानमन्त्री होने के बाद गुज़रे हैं और वित्तमन्त्री का चित्र शायद इसलिए दिखाया जाता है कि अगर यह कार्यक्रम झूठा निकलता है तो उसकी ज़िम्मेदारी अकेले प्रधानमन्त्री पर ही नहीं वरन् उनके सहयोगियों पर भी जाती है। बहरहाल, कार्यक्रम दिलचस्प है और उसमें जो कुछ दिखाया जा रहा है, वह भी काफ़ी हद तक सच ही है। मगर कुछ मेरे जैसे ऐसे भाग्यहीन दर्शक भी हैं जो इस कार्यक्रम से ज़्यादा ख़ुश नहीं हैं क्योंकि मेरे विचार में यह कार्यक्रम देश की पूरी प्रगति का परिचय नहीं देता और ज़्यादा ख़राब बात तो यह है कि इसमें केन्द्रीय सरकार उन प्रगतियों के बारे में चुप है जो कि विभिन्न राज्य-सरकारों ने अपने आप की हैं। अगर मैं दूरदर्शन में होता तो कुछ ऐसी महान् प्रगतियों की चर्चा भी करता जिन्हें इस कार्यक्रम में नम्रता-वश नहीं दिखाया जा रहा है।

पिछले चार वर्षों में देश के बापू महात्मा गाँधी का यह स्वप्न पूरा कर दिया गया कि 'इण्डियन नेशनल कांग्रेस' नामक उस ऐतिहासिक राजनीतिक पार्टी को ख़त्म कर दिया जाए जिसके कारण देश में कोई सक्षम और समर्थ राजनीतिक दल उभर कर विपक्षी-दल के रूप में खड़ा नहीं हो पा रहा था। गाँधी जी को इससे बड़ी श्रद्धांजलि और क्या दी जा सकती थी? अब आप जिधर देखेंगे, उधर विरोधी दल ही नज़र आएँगे, और कुछ नहीं। सरकार कौन पार्टी बनाएगी—यह कोई नहीं जानता। सच्चे प्रजातन्त्र का जो असली विकास होगा, वह अब ही होगा। इस महान् और क्रान्तिकारी क़दम के लिए हमारे आज के कांग्रेस-नेता इतिहास में अमर हो गये।

देश की राजनीति का अपराधीकरण प्रगति का दूसरा महत्त्वपूर्ण क़दम है। ऐसे-ऐसे लोग विधान-सभाओं में बैठे हैं जो कि पुलिस के 'हिस्ट्री-शीटर' हैं और कई विधायक तो ऐसे हैं जिनके ख़िलाफ़ क़त्ल तक के जुर्म दायर हैं। अब आप ही बताइए कि ऐसे लोगों के समर्थन से बनी सरकार देश की कौन-सी ऐसी सेवा है, जो नहीं कर सकेगी? प्रजातन्त्र का इससे ज़्यादा विकास और क्या हो सकता था? ये सरकारें एक ऐसे प्रशासन को जन्म देंगी जिसमें न 'प्रजा' रहेगी और न 'तन्त्र' ही रहेगा। वज़ीर और विधायक मुग़लों की भाँति शान-शौक़त से रहेंगे और आपको ज़बर्दस्ती उनके पक्ष में अपना मत देना पड़ेगा। चारण लोग इन नये राजाओं की प्रशस्तियाँ लिखेंगे और उनके प्रताप से लखटकिया पुरस्कार पाएँगे। रामायण लिखने से पहले आदिकवि वाल्मीकि भी तो एक दस्यु ही थे, और कुछ नहीं।

देश ने तीसरी प्रगति घोटालों की दिशा में की है। इन घोटालों को ऐसे सुनियोजित ढंग से किया जाता है कि जब तक एक घोटाले पर जमकर चर्चा की जाए, तब तक एक घोटाला और कर दिया जाता है। पहले बैंकों की प्रभूतियों का घोटाला हुआ और जब तक संसद की जाँच-समिति ने उसकी जाँच की तब तक घाटे में जा रहे सार्वजनिक-संस्थानों के शेयर बेचने का घोटाला कर दिया गया। सब से मधुर घोटाला 'चीनी का घोटाला' था और अख़बारों के अनुसार इन तीनों घोटालों के कारण केन्द्रीय-सरकार को मात्र 50000 करोड़ रुपयों की ही क्षति उठानी पड़ी। प्रगति का इससे और ठोस सबूत आपको क्या चाहिए? किसी भी दोषी व्यक्ति को कोई सज़ा नहीं दी गयी क्योंकि हमारी सरकार तो 'अहिंसा' के आधार पर टिकी है, न कि बदले की भावना पर। जज नाट, यी शैल नाट बी जज्ड। फ़ारगेट एण्ड फ़ारगिव। टु अर इज़ ह्यूमन, टु फ़ारगिव डिवाइन।

अन्तिम प्रमुख प्रगति स्त्रियों के हित में की गयी। देश के दो प्रमुख राज्यों की मुख्यमन्त्री साहसी स्त्रियाँ ही हैं। मगर इन दोनों के अतिरिक्त देश में जो और स्त्रियाँ बचती हैं उनमें से काफ़ी देवदासी हैं, विदेशों को निर्यात किया जाने वाला कच्चा माल हैं या फिर वे उन स्त्रियों में से हैं जिनके साथ पुलिस बलात्कार करती है, जो सारे शोषण कर लेने के बाद तन्दूर में झोंक दी जाती हैं या जिनकी आँखें इस कारण फोड़ दी जाती हैं क्योंकि उन्होंने पानी चुल्लू के बजाय उस पात्र के सहारे पिया था जो कि ऊँची जाति के लोगों के लिए बना था। इक्कीसवीं सदी की चौखट पर अपनी पुरानी संस्कृति को सँभालकर रखना स्वयं में एक महान् प्रगति है। आप स्वयं सोचिए, क्या मैं ग़लत कह रहा हूँ?

मैं पूछता हूँ कि दूरदर्शन वाले ऊपर बताये पूरे सच के बजाय एक आधा सच्चा कार्यक्रम क्यों दिखाते हैं? अरे, यदि हिम्मत है तो सिक्के के दोनों पहलू दिखाओ।

आज की शाम : डॉक्टरों के नाम

कलकत्ता में गौतम घोष नामक एक भद्र-पुरुष की माता अस्पताल में बावन दिन इलाज कराने के बाद चल बसीं। उनकी मृत्यु के बाद घोष साहब को पता चला कि जो डॉक्टर उनकी माँ का इलाज कर रहा था, वह स्वयं एक मानसिक रोगी था। मैं उसी समाचार को पढ़कर परेशान हूँ और तब से डॉक्टरों के बारे में ही सोच रहा हूँ।

कुछ डॉक्टर ऐसे होते हैं जो इलाज निमोनिया का करते हैं और मरीज़ जो मरता है वह टायफ़ाइड से मरता है। मगर ऐसे डॉक्टर भी कम नहीं हैं जिनका निदान कभी ग़लत नहीं निकलता, वे यदि निमोनिये का इलाज करते हैं तो मरीज़ निमोनिये से ही मरता है, किसी और रोग से नहीं। बढ़िया डॉक्टर अपना नुस्खा भले ही ऐसा लिखते हों जिसे दवा-विक्रेता के अतिरिक्त और कोई न पढ़ सके पर वे अपना बिल सदा स्पष्ट लिपि में लिखते हैं जिसे मरीज़ बिना किसी परेशानी के पढ़ लेता है। एक डॉक्टर ने एक दफ़ा अपना नुस्खा कुछ ऐसी लिपि में लिखा था कि कई महीने तो उसके सहारे इलाज चला, उसके बाद कई साल तक उसे उस भूतपूर्व रोगी ने रेलवे-पास के स्थान पर इस्तेमाल किया और उसके बाद उसकी तीन सुपुत्रियों ने उसके सहारे संगीत सीखा। यूरोप में संगीत की अपनी एक लिपि होती है और इसी सुविधा के कारण वहाँ बेपढ़ा या अन्धा आदमी सूरदास नहीं बन सकता। मोटरों की दुरुस्ती के दाम हमेशा बढ़ते जाते हैं जब कि आपरेशन के दाम कभी उतने नहीं बढ़ते। इस स्थिति का कारण यह है कि डॉक्टर तो उसी मानव-शरीर को दुरुस्त करते रहते हैं जो वर्षों पहले उन्होंने देखा और समझा था जबकि हर गाड़ी का मॉडल प्रायः हर वर्ष बदल जाता है। ऐसे डॉक्टर काफ़ी हैं जिनके इलाज से पत्नियाँ तो अवश्य स्वस्थ हो जाती हैं पर जिनके बिल को देखकर पति लोग आत्महत्या करने की सोचने लगते हैं। जब एक व्यक्ति ने डॉक्टर को बताया कि "मैं तो सदा आत्महत्या करने की ही सोचता हूँ और इसी कारण इतना परेशान रहता हूँ कि कुछ कह नहीं सकता," तो डॉक्टर ने ढाढस बँधाते हुए उसे सान्त्वना दी और कहा कि "अब आप परेशान होना बन्द कर दीजिए और अपनी मृत्यु की सारी ज़िम्मेदारी मुझ पर छोड़ दीजिए।" कुछ दिनों बाद शायद उस मरीज़ ने और उसके साथ उस

डॉक्टर ने भी एक साथ आत्महत्या कर ली। कुछ डॉक्टर हैं जिनके ख़िलाफ़ कोई शिकायत कभी नहीं सुनी जाती क्योंकि मुर्दे लोग कभी शिकायत नहीं करते। एक ऐसे ही डॉक्टर ने जब अदालत से पूछा कि "क्या मैं रोगी का पूरा इतिहास और मृत्यु का सम्भावित कारण बताऊँ?" तो अदालत ने फ़रमाया कि "उस सबकी कोई ज़रूरत नहीं है, आप यदि इतना ही कह दें कि मृत व्यक्ति आपके इलाज में था तो बस उतना ही काफ़ी होगा।"

एक नौजवान डॉक्टर शादी के बाद एक शाम घूमने निकला तो रास्ते में उसे एक सुन्दर युवती ने पहचाना और उसका अभिवादन किया। उस रूपसी के चले जाने के बाद डॉक्टर की ईर्ष्यालु पत्नी ने अपने पति से पूछा कि "आप इस युवती को कैसे जानते हैं?" डॉक्टर ने उत्तर में स्पष्टीकरण देते हुए निवेदन किया कि यह जान-पहचान मात्र पेशे के कारण है। मगर डॉक्टर की पत्नी इतनी भोली नहीं थी जों इस संक्षिप्त उत्तर से सन्तुष्ट हो जाती। उसने तुरन्त अपने पति से पूछा कि "किसका पेशा? उसका या तुम्हारा?" जब एक नवयुवक डॉक्टर ने एक रूपवती कन्या की नब्ज़ देखी तो कहा कि "आपकी नब्ज़ तो एकदम घड़ी की भाँति चल रही है" तो उस कन्या ने डॉक्टर को बताया कि इस स्थिति का एक कारण शायद यह भी था कि डॉक्टर ने अपना हाथ लड़की की नब्ज़ पर न रखकर उसे उसकी कलाई में बँधी घड़ी के ऊपर ही रख दिया था और वह नाड़ी की गति के स्थान पर घड़ी की गति ही सुन रहा था। जैसा मैं पहले भी बता चुका हूँ 'नाड़ी' व 'घड़ी' का पुल्लिंग हिन्दी में 'नाड़ा' और 'घड़ा' ही होता है, और कुछ नहीं। इसी प्रकार जब एक डॉक्टर ने एकान्त में एक रोगी युवती की पूरी जाँच-पड़ताल करने के लिए उससे वस्त्र उतारने को कहा तो वह लज्जा से लाल होकर मात्र इतना ही कह पायी कि "मुझे तो बहुत संकोच हो रहा है। यदि मुझसे पहले आप ही अपने कपड़े उतार लें तो वह ज़्यादा अच्छा रहेगा।" इसके बाद के हालात ख़ाकसार को कतई मालूम नहीं हैं क्योंकि कमरा भीतर से बन्द था और उस रोगी युवती व उस नीरोग डॉक्टर के अलावा उस कमरे में कोई और नहीं था। हाँ, यह सूचना मैं आपको ज़रूर देना चाहूँगा कि बिट्ठलदास मोदी के मंच पर प्रकट होने से काफ़ी पहले ही प्राकृतिक-चिकित्सा के सारे लाभ जान गया था। सादा जीवन, उच्च विचार। पहले विहार और बाद में आहार। पुरुष पर प्रहार और कन्या पर विचार। हृदय हो जाएँ एक, आँखें हो जाएँ चार। स्त्री का उद्धार और पुरुष का प्रचार। ऐसे ही चलता रहा सदा से संसार, एक है अलनासिर और दूसरी निगार...

एक सम्भ्रान्त व्यक्ति ने आधी रात सर्जन को फ़ोन किया और बताया कि उसकी पत्नी का 'एपेण्डेसाइटिस' का आपरेशन होना है। सर्जन ने बताया कि 'एपेण्डिक्स' तो एक ही होती है और वह मैं पिछले वर्ष ख़ुद निकाल चुका हूँ। अब जो दर्द है वह क्यों है? उस शालीन व्यक्ति ने बताया कि "डॉक्टर साहब, यह तो

ठीक है कि एक व्यक्ति के एक ही 'एपेण्डिक्स' होती है पर आपकी समझ में यह क्यों नहीं आ रहा है कि एक पुरुष के पत्नी तो एक से ज़्यादा भी हो सकती हैं?" इसी प्रकार जब मार्क ट्वेन से डॉक्टर ने सिगरेट छोड़ने को कहा तो उस महान् लेखक ने काफ़ी सरलता से बताया कि "सिगरेट छोड़ने में क्या मुश्किल है? हज़ारों बार तो मैं इसे पहले भी छोड़ चुका हूँ।" अमेरिका के एक राष्ट्रपति जब बीमार पड़े तो डॉक्टर ने उनकी जाँच की और उनकी पत्नी को पाउडर की एक शीशी देते हुए कहा कि "राष्ट्रपति एकदम ठीक हैं, उन्हें सिर्फ़ पूरे विश्राम की ज़रूरत है जिसके लिए मैं यह पाउडर दे रहा हूँ। इसके लेने से ख़ूब नींद आएगी और चिड़चिड़ापन भी दूर हो जाएगा।" प्रेसीडेण्ट की पत्नी ने जब पूछा कि "यह दवा राष्ट्रपति को कब देनी है?" तो डॉक्टर ने बड़ी शिष्टता के साथ कहा कि "मदाम, यह दवा यदि आप स्वयं ही ले लें तो ज़्यादा अच्छा रहेगा।" इन राष्ट्रपति का नाम अब्राहम लिंकन था। उनकी पतिपरायणा पत्नी गृहयुद्ध के भयंकर दिनों में भी कैबिनेट-मीटिंग के बीच काफ़ी की केतली तोड़ा करती थी। लिंकन जैसा महान् व्यक्ति भी देश का गृह-युद्ध तो जीत गया पर वह बेचारा अपने व्यक्तिगत और पारिवारिक गृहयुद्ध को कभी नहीं जीत पाया।

मैंने कुछ समझदार डॉक्टर भी देखे हैं। दिल्ली के एक बहुत बड़े डॉक्टर हैं जिनके प्रतीक्षा-कक्ष में स्पष्ट लिखा हुआ है कि "मैं तो मात्र इलाज करता हूँ। रोगी को नीरोग करना तो भगवान् के हाथ में है, मेरे हाथ में नहीं।" एक बहुत बड़े वैद्य हैं जिनके कक्ष में लिखा है कि "आरोग्यं परमं लाभं, निर्वाणं परमं सुखम्।" एक ईसाई सर्जन हैं जिनके आपरेशन थिएटर में मोटे अक्षरों में लिखा है कि "जन्म के दिन की अपेक्षा मृत्यु का दिन कहीं ज़्यादा सुखी होता है।" एक हक़ीम साहब हैं जिन्होंने हर मरीज़ से यह कहने की आदत डाल रखी है कि "लाई हयात आये, क़ज़ा ले चली चले, अपनी ख़ुशी न आये न अपनी ख़ुशी चले।" अपने मरीज़ों की अर्थी उठाने से जो भी वक़्त बचता है, उसमें ये अपनी किसी ग़ज़ल का मिसरा उठाते रहते हैं। इनका उपनाम 'मय्यत' है जो एकदम ठीक है।

साहित्य का व चिकित्सक का बड़ा घनिष्ठ सम्बन्ध है। सर आर्थर कानन डायल, चेख़व, ओलिवर, गोल्डस्मिथ, सामरसेट माम व ज्ञान चतुर्वेदी पेशे से डॉक्टर ही रहे। गोल्डस्मिथ ने ज्वर-पीड़ित डॉ. सैमुएल जॉनसन को जाँचा और कहा कि "मैं मात्र अपने मित्रों का ही इलाज करता हूँ" जिसके प्रत्युत्तर में डॉ. जॉनसन ने कहा कि "बरखुरदार, कितना अच्छा हो कि यदि तुम मात्र अपने दुश्मनों का ही इलाज किया करो।" कानन डायल मरीज़ों की प्रतीक्षा करते-करते जब ऊब जाते थे तो जासूसी कहानियाँ लिखकर अपनी ऊब को समाप्त किया करते थे। संस्कृत में तो वैद्य को 'कविराज' कहकर ही पुकारा जाता था। मैंने एक ऐसे कविराज भी देखे जो 'रसरत्न-समुच्चय' के स्थान पर 'रस गंगाधर' पढ़ा करते थे और स्त्री-रोगों व

गुप्तरोगों के विशेषज्ञ थे। पति के रोगी होने की स्थिति में भी वे सदा उसकी पत्नी की ही देह की जाँच-पड़ताल किया करते थे। एक दिन उन्होंने मुझसे एक बड़ा संवैधानिक प्रश्न पूछा था जिसका उत्तर मैं कभी नहीं दे पाया। वे कहते थे कि "मनु महाराज ने 'मनुस्मृति' में कितना ग़लत लिखा है कि 'जहाँ-जहाँ नारी की पूजा की जाती है, वहाँ-वहाँ देवता रमण करते हैं।' यह कहाँ का न्याय है? स्त्रियों की पूजा तो हम करें और उनके साथ रमण जो करें, वह देवता करें?" मुक्तिबोध की शैली में वे हर चन्द्रमा का मुख सीधा करके उसे सीने से लगाने की कोशिश करते थे और मनु महाराज की स्मृति में सदा यही प्रश्न पूछते थे कि "पार्टनर, सच बताओ कि मैं ठीक कर रहा हूँ या ग़लत?"

मैंने सदा उनका आदर किया, उनसे अपनी पत्नी का मासिक व अपना दैनिक धर्म समझा और संसार की सारी ईर्ष्या व कुण्ठा लेकर अपने घर लौटा। विधवाओं की जितनी सेवा उन्होंने की उतनी तो विधवाश्रम वाले भी नहीं कर पाते होंगे। विधुर हो जाने पर तो उन अधेड़ वैद्य ने वैदिक-रीति से एक ऐसी 'चन्द्रवदन मृगलोचनी' विधवा से विवाह रचाया जिसको विधवा बनाने का श्रेय भी शायद उन्हें ही जाता था। हिन्दी के प्रख्यात उपन्यासकार पं. चतुरसेन शास्त्री भी पेशे से एक राजवैद्य ही थे। 'राजवैद्य' का सही अर्थ मैं नहीं जानता। राजवैद्य क्या वह वैद्य होता था जो राजों-महाराजों का वैद्य होता था या वह व्यक्ति होता था जो वैद्यों में राजा के समान होता था? इस बार भाई श्रीलाल शुक्ल मिलेंगे तो उनसे इस लघु-शंका का समाधान ज़रूर करूँगा।

महान् लोक-कवि ईसुरी के फाग

पं. रामनरेश त्रिपाठी ने हिन्दी के ग्राम-गीतों को इकट्ठा करने का काम सबसे पहले शुरू किया। जब उनकी 'कविता-कौमुदी' का तीसरा खण्ड छपा तो डॉ. अमरनाथ झा ने कहा कि "यदि त्रिपाठी जी कुछ और न भी करते तो भी अपनी इसी पुस्तक के कारण अमर हो जाते।" त्रिपाठी जी के बाद देवेन्द्र सत्यार्थी ने जब सारे देश के लोक-गीतों को इकट्ठा करने का महान् अभियान शुरू किया तो मण्टो ने उन्हें 'फ्राड' कहकर पुकारा। इन दोनों विभूतियों के विपुल संकलनों को ध्यानपूर्वक पढ़ने की ज़िम्मेदारी मैंने सँभाली जो खुद में एक बड़ी चीज़ थी। 'कामिनी कुचकाठिन्यं, पतिर्जानाति नो पिता। लोक-गीतों के लेखक अनन्त हैं पर इस दिशा में जो सफलता बुन्देलखण्ड के महाकवि ईसुरी ने पायी वह शायद किसी और को कभी नहीं मिली।

इण्डियन गज़ेटियर (1910) के अनुसार बुन्देलखण्ड का अर्थ "उस क्षेत्र से है जो हमीरपुर, झाँसी, जालौन, बाँदा, ग्वालियर का कुछ भाग, भोपाल, ओरछा, सागर, नृसिंहपुर, सिवनी, होशंगाबाद, दतिया, पन्ना, छतरपुर, चरखारी, दमोह, बालाघाट, छिन्दवाड़ा, टीकमगढ़, अजयगढ़ और समथर तक फैला है।" इस क्षेत्र में बड़े-बड़े सूरमा, शासक, कवि, आचार्य और कलाविद् हुए हैं। महान् लोक-कवि ईसुरी का जन्म झाँसी के निकट मेंड़की नामक गाँव में लगभग सन् 1824 में हुआ था और उन्होंने लगभग 85 वर्ष की आयु पायी थी। ये जाति से ब्राह्मण थे और इनका पूरा नाम ईश्वरीप्रसाद तिवारी था। इनके पिता का नाम भोलानाथ तिवारी था। महाकवि ईसुरी के कोई सन्तान नहीं थी। वे अधिक लिखे-पढ़े नहीं थे। वे साधारण कुरता, धोती और साफ़ा धारण करते थे। अपने जीवनकाल में उन्होंने हज़ारों फाग लिखे और उनकी लोकप्रियता इतनी थी कि राजे-महाराजे तक उनका दर्शन करने में अपने को धन्य समझते थे। वे रूपवती रमणियों पर विशेष कृपा रखते थे और इसी कारण उनके रचे सारे लोकगीत प्रायः श्रृंगार-रस से परिपूर्ण रहते थे। सुन्दर स्त्रियों से जो थोड़ा-बहुत समय बचता था उसमें ये भगवान् की उपासना करते थे। इनके अनेक लोकगीत ऐसे हैं जो लौकिक व अलौकिक—दोनों अर्थ रखते हैं। अब मैं इस महान् कवि के कुछ गीत आपकी सेवा में प्रस्तुत करता हूँ। मैंने यहाँ मात्र उन गीतों को

ही लिया है जो सर्वसाधारण पाठक भी आसानी से समझ सकें।

(एक)

करके नेह टोर जिन दैयो, दिन दिन और बढ़ैयो
जैसे मिले दूध में पानी, ऊँसाई मनै मिलैयो
हमरे और तुमारा जौ जिउ, एकई जानै रैयो
कहत 'ईसुरी' बाँह गहे की, ख़बर भूल जिन जैयो

(दो)

इनके अजब सिकारी नैना, छैल छड़कते रैना
भोंय कमान बान चितवन सी, लयें रात दिन सेना
परतन दाँव चाव ना चूकैं, पंछी उड़त बचै ना
छिपे रात घूँघट के भीतर, वे भौंचक उगरैना
पर जियरा के लेन 'ईसुरी', वे निरदई कसकैं ना

(तीन)

वे दिन गौने के कब आवें, जब हम ससुरारे जावें
बारे बलम लिवौआ होकें, डोला संग सजावें
गा गा गुइयाँ गाँठ ज़ोर कैं, दोरे लौ पहुँचावें,
हाते लगा सास ननदी के, चरनन सीस नवावें
'ईसुर' कब फलानेजू की, दुलहिन टेर कहावें

(चार)

यारी सदा निबायें रैयो, बीच बिसर जिन जैयो
जैसो दिल है हाल दिनन में, ऐसोई राखे रैयो
सुनके बात जिया मोरे की, अपने जिउ की कैयो
अबे कछु बिगरो नई 'ईसुर' बाँय समर कै गैयो

(पाँच)

जब से भई प्रीत की पीरा, खुसी नयी जो जीरा
कूरा माटी भओ फिरत है, इतै उतै मन हीरा
कमती आगयी रकत मांस की, बहै दृगन से नीरा
फूँकत जात बिरह की आगी, सूकत जात शरीरा
ओई नीम में मानत 'ईसुर', ओई नीम को कीरा

(छह)

चलती बेर नज़र भर हेरो, दिल भर जावे मेरो

मिला लेव आँखन सो आँखें, घूँघट तनक उगेरो
आँसू गिरत दोऊ नैनन सें, चितै रहो मुख तेरो
'ईसुर' आयी बिदा की बेरा, भओ विधाता डेरो

(सात)

मोरे मन की हरन मुनैयाँ, आज दिखानी नैयाँ
कै कऊँ हुइये लाल के संगे, पकरी पिंजरा मैयाँ
पत्तन पत्तन ढूँढ़ फिरे हैं, बैठी कौन डरैयाँ
कहत 'ईसुरी' इनके लाने, टोरीं सरग तरैयाँ

(आठ)

बखरी रैयत है भायी की, दई पिया प्यारे की
कच्ची भीत उठी माटी की, छायी फूस चारे की
किबार किबरियाँ एकऊ नैयाँ, बिना कुची तारे की
'ईसुर' चाय निकारो जिदना, हमें कौन उबारे की

(नौ)

इक दिन होत सबई को गौनों, होनो उर अनहोनो
जाने परत सासरें सब खाँ, बुरव लगै चाय नौनो
आँय लुबौआ वे ना माने, चाँय बता दो सोनो
'ईसुर' बिदा हुए जा जिदना, पिय के संग चलौनो

(दस)

सपनन दिखा परे मोर सैंया, सुनो परोसन गुइयाँ
आपन आप उसीसे ठाड़े, झपट परी मैं पइयाँ
उनके दृग दोनों भर आये, मोरी भरी डबैयाँ
'ईसुर' आँख दगा में खुल गयी, हतो उतै कोऊ नैयाँ

(ग्यारह)

छूटे नैन-वान इन खोरन, तिरछी भोंह मरोरन
ई गलियन जिन जाव मुसाफ़िर, ग़ज़ब परो इन दोरन
नोकदार बरछी से पैने, चलत करेजे फौरन
'ईसुर' हमने तुमसे कैदई, घायल डरे करोरन

(बारह)

गोरी कठिन होत हैं कारे, जितने ई रंग बारे

कारे रंग के भँवर होत हैं, कलियन पै गुंजारे
कारे रंग के काम पखौआ पटियन जात उन्हारे
ककरिजिया खों ओढ़ 'ईसुरी' खकल करेजे डारे

(तेरह)

ऐसे अलबेली के नैना, मुख से कहत बनै ना
तामे परै सोऊ छिद जावे, अगल बगल बरकै ना
लागत चोट निसाने ऊपर, पंछी उड़त बचौ ना
जियरा लेत पराये 'ईसुर', जे निरदई कसकें ना

(चौदह)

जो तन हो गव सूक छुहारो, बैसई हतो इकारो
रै गयी खाल हाड़ के ऊपर, मकरी कैसो जारो
तन भव बाँस, बाँस भव पिंजरा, रकत रओ ना सारो
कहत 'ईसुरी' सुन लो प्यारी, खटका लगो तुमारो

(पन्द्रह)

हमते दूर तुम्हारी बखरी, रजऊ हमें जा अखरी
बसो चाइयत दोर सामने, खोर सोऊ हो सकरी
तकछक नहीं मिलत कढ़वे की, घरी भरें खों छकरी
फिर आवें फिर जावें 'ईसुर' भये फिरत हैं चकरी

ऊपर जितने भी फाग मैंने दिये हैं, उन सब में कवि ईसुरी ने अपना नाम बाक़ायदा दिया है ताकि नक्काल लोग उनके माल को अपना न बता सकें। मगर कुछ गीत ऐसे भी हैं जिनमें कवि ने अपना नाम नहीं दिया है हालाँकि पण्डित लोग उनके लिखने का श्रेय भी ईसुरी को ही देते हैं। ऐसे दो गीत नीचे देता हूँ जिनमें से पहला गीत तो ऐसा लगता है कि भाई सर्वेश्वरदयाल सक्सेना ने उसी से प्रेरणा पाकर अपना 'सुहागिन का गीत' लिखा था।

(एक)

प्रीतम प्रीत लगाइकै बसन दूर नहिं जाउ
बसो हमारी नागरी सो दरसन दै जाउ
नज़र से टारे टरो नइँ मोरे बालमा...

पीपर पत्ता चीकने दिन चिलकें और रात

यारी बालापने की खटकत है दिन रात
लगी को कानों बिसारें मोरे बालमा...

अँगना सूकै सूकनौ, बन सूखे कचनार
गोरी सूखै मायके सो हीन पुरख की नार
हमैं सुख नइहाँ, ओ मोरे बालमा...

चुनरी रँगी रँगरेज ने, गगरी गढ़त कुम्हार
बिंदिया गढ़ी सुनार ने, दमकत माँझ लिलार
बिंदुलिया तो लै दई रसीले छैल ने, जो मेरा बालमा

यारी करी दिल जान के दै परमेसर बीच
इतनी जामैं खोटी करी, छोड़ि गये अध-बीच
छैल रे, तोरे भला होने ना, ओ बालमा

(दो)

उठो पिया, अब भोर भई, चकई बोली ताल
मुखबिरियाँ फीकी परीं, सियरी मोतन माल
पिया उठजागो,
कमल दल बिकसन लागे...?

मुक्ति की दिशा में

हमारे देश में स्त्रियों की स्थिति सदा से विचित्र ही रही। एक ओर तो मनु जैसे स्मृतिकार रहे जिन्होंने स्त्री को सदा पुरुषों से नीचा ही माना और कहा कि स्त्रियों को सदा पुरुषों के नीचे ही रहना चाहिए और शासन की बागडोर उन्हें कभी देनी ही नहीं चाहिए। स्त्रीनायकाः नश्यन्ति, नश्यन्ति बालनायकाः। तुलसीदास जैसे सन्त पुरुष ने भी स्त्रियों की तुलना ढोल, गँवार, शूद्र और पशु से की और उन्हें ताड़न का अधिकारी बताया। दूसरी ओर दुर्गा की पूजा की गयी, देवियों को अपने पतियों से ऊपर माना गया और 'सीताराम' व 'राधेश्याम' जैसे शब्दों में सीता और राधा को भगवान् राम और भगवान् कृष्ण से पहले रखा गया। चाणक्य तक ने यह सलाह दी कि यदि स्त्री सुन्दर हो तो उसके कुल पर ध्यान देना एकदम बेकार है। प्रेमयोग की परम्परा भागवत् से चलकर सूरदास, विद्यापति, जयदेव, गोविन्ददास व चण्डिदास तक पहुँची। यदि स्त्री न होती तो 'अमरुशतक', 'गीतगोविन्द' व 'श्रृंगार-शतक' कैसे लिखे जाते? एलोरा, अजन्ता और खजुराहो की मूर्तियाँ कैसे बनतीं? ये सारी कला एकदम आध्यात्मिक हैं। जो क्षुद्रबुद्धि लोग इन्हें अश्लील मानते हैं, उनके विचार पहले ही से अपवित्र हैं। जाकी रही भावना जैसी, प्रभु मूरति देखी तिन तैसी।

विश्व के इतिहास में रूपवती रमणियों में जो साहस रहा, वह पुरुषों में कभी नहीं रहा। महारानी क्लियोपेट्रा मात्र दस हज़ार पुरुषों की ही हमबिस्तर रही थीं। रज़िया सुल्ताना ने एक गुलाम से प्रेम किया था और खुलेआम किया था। महारानी एलिज़ाबेथ (प्रथम) में इतना साहस था कि उसने अपने प्रेमी 'अर्ल ऑफ़ ऐसेक्स' को फाँसी दी थी। हमारे देश में महारानी अहिल्याबाई, रानी दुर्गावती व रानी रूपमती को क्या कोई भुला सकता है? इन्दिरा गाँधी ने बांग्लादेश को बनाया और इसी प्रकार कुमारी जयललिता और कुमारी मायावती ने तमिलनाडु व उत्तर-प्रदेश का स्वर्णिम विकास किया। कुमारी जयललिता मात्र एक रुपया प्रतिमाह वेतन लेती थीं पर फिर भी इतनी हिम्मत रखती थीं कि अपने दत्तक-पुत्र की शादी में उन्होंने एक लाख लोगों को बढ़िया खाना खिलाया। गुप्तचर-विभाग के छापे में घर से मात्र 200 जूते, दस हज़ार साड़ियाँ व अरबों रुपयों का सोना व चाँदी बरामद हुए। कितने दुख की बात है कि रानी लक्ष्मीबाई जैसी वीर इस महिला को पुरुषों की अदालत के हुक्म से

रवीन्द्रनाथ त्यागी - 2004

मसूरी के होटल क्लेरिजिस में अपने पौत्र प्रणव व दौहित्री कोमल के साथ

रवीन्द्रनाथ त्यागी - 1996

लोदी गार्डन, नयी दिल्ली में अपने पुत्र अशोक व पौत्री पल्लवी के साथ

न्यायिक हिरासत में जाना पड़ा। भूतपूर्व गवर्नर श्रीमती शीला कौल को भी पुरुषों की अदालत ने अपराधी माना और उन पर साठ लाख का जुर्माना ठोंक दिया। श्रीमती बेनज़ीर भुट्टो ने पाकिस्तान को कितना ऊपर उठाया, यह क्या किसी से छिपा है? बांग्लादेश व श्रीलंका में जो प्रगति स्त्री-शासकों ने की, क्या वह उनके बिना सम्भव थी?

यह सचमुच ख़ुशी की बात है कि हमारी वीर सांसद श्रीमती फूलनदेवी ने शताब्दी-ट्रेन को टुण्डला व इटावा में ज़बर्दस्ती रुकवाया और ग्वालियर में कुछ जेलरों को डाँटा। एक और सांसद ने अपनी पत्नी के समय पर स्टेशन न पहुँचने पर ट्रेन रुकवायी और गार्ड की पिटाई की। एक और सांसद ने एक दूसरी औरत को अदालत में अपनी बीवी बताकर, उससे तलाक़ ले लिया। असली पत्नी हाईकोर्ट गयी और उस अदालत ने उस पवित्र तलाक़ को खलास घोषित किया। इत्तफ़ाक देखिए कि इस मामले में हाईकोर्ट की जज एक स्त्री-रत्न ही थीं। सुप्रीम-कोर्ट ने फूलनदेवी को निर्दोष न मान कर मात्र 'पैरोल' पर ही माना है। अदालत यह भूल गयी कि हमारे आदिकवि वाल्मीकि भी 'रामायण' लिखने से पूर्व मात्र एक दस्यु ही तो थे। पुरुषों की अदालत तो बस ऐसे ही फ़ैसले देगी। उसे यह भी याद नहीं रहता कि विधायक व सांसद देश के कानून से ऊपर हैं और उन्हें हर अपराध करने का 'जनादेश' प्राप्त है। माननीय लल्लू यादव को करोड़ों रुपयों का चारा चर जाने के झूठे आरोप में फँसाया गया है और माननीय नरसिंहराव जैसे ज्ञानी पुरुष को जालसाज़ी, ठगी व रिश्वत देने के तथाकथित अपराधों के नाम पर कटघरे में खड़ा किया गया है। अदालत ने यह भी ख़याल नहीं किया कि यह व्यक्ति कभी हमारा प्रधानमन्त्री था जिसने कांग्रेस-पार्टी को समाप्त करके गाँधी जी का स्वप्न पूरा किया और देश की आर्थिक नीति को एक नयी दिशा दी। मुझे पूर्ण विश्वास है कि ये सब लोग बाइज़्ज़त बरी होंगे क्योंकि वे पुरुष हैं और अदालत जो है वह मात्र पुरुषों की ही है। हाँ, श्रीमती शीला कौल को शायद दण्ड मिल जाए क्योंकि वे एक स्त्री हैं। अबला जीवन हाय तुम्हारी यही कहानी, आँचल में है घूस और आँखों में पानी। सुखराम का सुख, कल्पनाथ का कल्प और कैप्टेन सतीश शर्मा की शर्म, कोई भी अदालत कभी नहीं छीन पाएगी।

केरल के एक जनपद में कुछ स्त्रियों ने किसी समस्या को लेकर पिकेटिंग की। पुलिस ने हारकर एक नितान्त गर्भवती पुलिस-स्त्री-कर्मी को उन्हें रोकने भेजा। उसकी आसन्न-प्रसवा स्थिति को देखकर सत्याग्रह करने वाली महिलाएँ स्वयं ही हट गयीं और सारी समस्या बिना चुटकी बजाये ही हल हो गयी।

सरकार कानून बनाने जा रही है कि संसद में एक तिहाई सदस्य महिलाएँ ही हों। मैं इस क़दम का स्वागत करता हूँ। ऐसा करने से स्त्रियों की शक्ति बढ़ेगी और संसद को भी उन कई पुरुष-सांसदों से मुक्ति मिलेगी जो दरअसल मात्र हिजड़े ही हैं, और कुछ नहीं। 'राम की शक्तिपूजा' आख़िर कब तक बेकार पड़ी रहेगी?

कारागारों की कथा

डॉ. जगदीश गुप्त ने एक बार मुझे बताया था कि 'कारागार' शब्द का शास्त्रीय अभिप्राय उस स्थान से है जहाँ कि 'कार' खड़ी की जाती हो। यदि मर्यादा पुरुषोत्तम राजा रामचन्द्र के ज़माने में 'पुष्पक' नाम का वायुयान पाया जाता था तो कोई कारण नहीं कि तत्कालीन भारत में मोटरें न होती हों। पता नहीं कैसे, यह सुखदायी शब्द 'गराज' के बजाय 'जेलों' के लिए प्रयुक्त होने लगा। पिछले दिनों अख़बारों में जेलों के बारे में काफ़ी रोचक सामग्री छपी है और यह निबन्ध मैं उसी सामग्री के सहारे लिख रहा हूँ। साहित्यिक लेख लिखते-लिखते मैं कुछ ऊब भी गया था और इसी कारण इस 'अख़बारी प्रबन्ध' को लिखने से ताज़गी आएगी। आख़िर पत्रकारिता भी तो साहित्य का ही एक अंग होती है। यदि रघुवीरसहाय व धूमिल 'अख़बारी कविता' लिख सकते थे तो मैं 'अख़बारी व्यंग्य' क्यों नहीं लिख सकता? मैं यह भी बता दूँ कि यह सारा निबन्ध मात्र उसी सामग्री पर आधारित है जो अख़बारों में सचमुच छपी है। नामूलं लिख्यते किंचित्, नापेक्षितमुच्यते (मल्लिनाथ)! मेरा योगदान तो मात्र इतना है कि उस विपुल सामग्री में से चुनी-चुनी घटनाओं को अपनी शैली में प्रस्तुत कर सकूँ। मणौ वज्रसमुत्कीर्णे सूत्रस्यैवास्ति मे गतिः (कालिदास)

हैदराबाद की एक जेल में 'विपासना' नामक ध्यान लगाने की पद्धति के माध्यम से वहाँ के क़ैदियों की आत्माएँ पवित्र हो रही हैं। यह पद्धति भगवान् बुद्ध ने निकाली थी जो हमारे देश में तो बुद्ध के निर्वाण के पाँच शताब्दी बाद ही लुप्त हो गयी पर जो बर्मा में चलती रही। इस प्रकार से ध्यान करने से क़ैदियों की जीवनदृष्टि बदल रही है और वे बाहरी दुनिया को अब एक दार्शनिक दृष्टि से देखने लगे हैं। जेलों के महाप्रबन्धक के अनुसार ध्यान लगाने की यह प्रक्रिया धीरे-धीरे राज्य के सारे कारागारों में शुरू की जाएगी और जिन क़ैदियों का चरित्र सचमुच सुधर जाएगा उन्हें फिर से समाज में नया जीवन शुरू करने का अवसर दिया जाएगा। प्रत्येक आत्मा के पवित्रीकरण में अलग-अलग समय लगेगा, ठीक उसी प्रकार जैसे कि उनके पतित होने में अलग-अलग समय लगा था। जैसे हैदराबाद के कारागार में ध्यान लगाने की नयी प्रक्रिया से नयी आशा का नया संचार हुआ है, ठीक वैसे ही

गुजरात की जेलों में बन्द युवा क़ैदियों ने एक कारागार को शिक्षा-संस्थान में बदल डालने का साहसिक क़दम उठाया है। क़त्ल के ज़ुर्म में सज़ायाफ़्ता एक प्रतिभाशाली नवयुवक ने सत्ताईस नवयुवक क़ैदियों का प्रशिक्षण शुरू किया है जो उनके लिए नये क्षितिज खोलता है। आशीष गाँधी नामक यह क़ैदी न्यायपालिका का आलोचक है क्योंकि "असली मुजरिम तो जेल के बाहर मौज उड़ा रहे हैं जबकि निर्दोष लोग जेलों के भीतर सड़ रहे हैं।" साबरमती जेल में ही एक और नवयुवक है जो किसी बड़े आदमी द्वारा संगठित एक बैंक की डकैती में रचनात्मक सहयोगी था। बैंक में मात्र बारह लाख रुपये थे जब कि लूटने वाले व्यक्ति छह थे। उसके हिस्से में सिर्फ़ दो लाख की रक़म ही आयी, जब कि वह रातोंरात करोड़पति बनना चाहता था। बहरहाल डकैती संगठित करने वाला बड़ा आदमी तो पैसे के बल पर ज़मानत पा गया जबकि बाक़ी लोग जेल में सड़ रहे हैं। एक नवयुवक है जो एकदम निर्दोष है पर उसके नौकरों ने अपराध किये और पकड़े जाने पर उसका नाम दे दिया। उस पर एक लाख रुपयों का जुर्माना हुआ और जेल जो हुई सो अलग। इसी तरह औरों की भी कहानियाँ हैं जो पता नहीं कहाँ तक सच हैं। ज़्यादा जिज्ञासु पाठक 11 जून, 1995 का 'इण्डियन-एक्सप्रेस' पढ़ें। हरि अनन्त हरि कथा अनन्ता। उड़ीसा की जेलों के बन्दियों की रचनाएँ छापने वाली 'बन्दी-वाणी' नामक एक पत्रिका राज्य के प्रशासन ने प्रकाशित करनी शुरू की है जो एक सही क़दम है। काफ़ी क़ैदी ऐसे होंगे जिनमें श्रेष्ठ साहित्य लिखने की प्रतिभा होगी जब कि जेल के बाहर काफ़ी बड़े-बड़े साहित्यकार ऐसे हैं जो यदि जेल के भीतर रहें तो देश का कहीं ज़्यादा हित होगा।

दिल्ली की तिहाड़ जेल की पूर्व महानिरीक्षक सुश्री किरण बेदी व दिल्ली की राज्य-सरकार के बीच काफ़ी तनाव पैदा हो गया है। दिल्ली के मुख्यमन्त्री ने दिल्ली के उपराज्यपाल से आग्रह किया है कि किरण बेदी के कार्यकाल में तिहाड़ जेल में जो अनियमितताएँ हुई हैं, उनकी किसी न्यायाधीश द्वारा पूरी जाँच करवायी जाए और यदि श्रीमती बेदी दोषी पायी जाती हैं तो उनके ख़िलाफ़ कड़ी कार्रवाई की जाए। श्रीमती बेदी जाँच के लिए पूरी तरह तैयार हैं बशर्ते कि जाँच करने वाला न्यायाधीश निष्पक्ष हो और वह इस मामले में कोई पूर्वाग्रह न रखता हो। लोगों का कहना है कि श्रीमती बेदी ने अपने कार्यकाल में 'टाडा' में बन्दी आतंकवादियों को भारत-विरोधी प्रचार करने तथा ज़हरीले भाषण देने के लिए उकसाया। विदेशियों को जेल में घुमाया गया। हत्याओं के मामलों में फँसे कुख्यात विदेशी अभियुक्त चार्ल्स शोभराज को विलासिता की सारी सुविधाएँ प्रदान कीं और उसे सिगार तक दिये गये जबकि किसान-नेता चौ. महेन्द्रसिंह टिकैत को एक मामूली हुक़्क़ा भी नहीं दिया गया। किरण बेदी ने बिना सरकारी अनुमति के चार बार विदेश यात्राएँ कीं और 'इण्डिया विज़ेन ट्रस्ट' के लिए करोड़ों रुपये इकट्ठा करने में मदद की। कुछ क़ैदियों का कहना है कि जेल में सांस्कृतिक कार्यक्रम व सुधारवादी काम करने

के लिए सारा काम रात-दिन उन्होंने किया जबकि उसका सारा श्रेय व 'मैगसेसे सम्मान' श्रीमती बेदी स्वयं लूटकर ले गयीं। काफ़ी लोग कह रहे हैं कि किरण बेदी का एकमात्र उद्देश्य यश कमाना, कुछ विशिष्ट करके दिखाना और विवादास्पद रहना मात्र है जैसा कि मुख्य-चुनाव-आयुक्त श्री शेषन करते हैं। इस सबके बरख़िलाफ़ काफ़ी लोग ऐसे हैं जिनके अनुसार श्रीमती बेदी का एकमात्र कसूर यह है कि वे एक नारी हैं और वे क़ैदियों के लिए एक संवेदनात्मक वातावरण पैदा करने की दिशा में प्रयत्नशील रही हैं। सच्चाई क्या है, ख़ुदा जाने। हाँ, इतना ज़रूर सच है कि श्री शेषन की भाँति किरण बेदी भी कुछ ऐसी मिट्टी की बनी हैं कि वे जहाँ भी जाएँगी वहाँ कोई-न-कोई विवादास्पद घटना ज़रूर घटेगी।

यह एक सच्चाई है कि हमारी जेलों की हालत बहुत ख़राब है। क़ैदियों को दिये गये भोजन में मिलावट की जाती है और उनके साथ बहुत अभद्र व्यवहार किया जाता है जबकि पैसेवाले क़ैदी को शराब से लेकर औरत तक हर सुविधा प्रदान की जाती है। 'जेल मैनुअल' की परवाह कोई नहीं करता और शायद ही ऐसा कोई भ्रष्टाचार हो जो हमारी जेलों में न होता हो। जेलों में सुधार होना ज़रूरी है और वर्तमान शासकों को चाहिए कि इस दिशा में कुछ ठोस क़दम उठाये जाएँ ताकि भविष्य की सरकारें जब आज के प्रशासकों को उनके वर्तमान अपराधों के लिए जेल भेजें तो उन्हें वे कष्ट न उठाने पड़ें जो आज के क़ैदी उठा रहे हैं। यदि समय रहते ऐसा नहीं किया गया तो वह दिन दूर नहीं है जबकि असली अपराधी के स्थान पर फाँसी जो लगा करेगी वह किसी दूसरे क़ैदी को लगा करेगी और असली अपराधी जो होगा वह जेल के बाहर किसी पाँच सितारों वाले होटल में किसी सलमा सितारों वाली हसीना के साथ मदिरा पीता मिलेगा। हमें हर्गिज़ नहीं भूलना चाहिए कि जहाँ प्रत्येक सन्त के साथ मात्र एक भूतकाल ही होता है वहाँ प्रत्येक पापी के पास एक भविष्य भी होता है...

कुछ लोग ऐसे संस्कारों व ऐसी प्रवृत्तियों के साथ पैदा हुए हैं जिन्हें कोई भी सुधार कभी भी शायद नहीं बदल सकता। पटना की 'आदर्श सेण्ट्रल जेल' में से अठारह क़ैदी सुप्रीम-कोर्ट के ऐसे हुक्मनामों के आधार पर ज़मानत पर रिहा कर दिये गये जो फ़र्ज़ी थे। पूरा विवरण जानने के लिए आप 3 जून 1995 का 'इण्डियन-एक्सप्रेस' पढ़ें। इसी प्रकार कुछ ही दिनों पहले तिहाड़ जेल में बन्द क़ैदियों से रिश्वत लेते हुए दो ऐसे डॉक्टर रँगे-हाथों गिरफ़्तार किये गये जो गुर्दे की बीमारी का प्रमाणपत्र देने के लिए क़ैदियों से दस हज़ार रुपयों का सौदा कर चुके थे।

उत्तर-प्रदेश की पिछली सरकार ने फ़ैसला किया था कि बरेली, आगरा व बनारस के वर्तमान केन्द्रीय कारागार पब्लिक को बेच दिये जाएँ क्योंकि वह ज़मीन, जहाँ ये कारागार फ़िलहाल स्थित हैं, अब बहुत क़ीमती हो चुकी है और उन्हें बेचने से इतना पैसा मिलेगा कि नयी जेलें बनाने के बाद भी करोड़ों रुपया बचेगा! इस बचे हुए

रुपये का क्या किया जाएगा, यह 15 मई 1995 के 'नवभारत टाइम्स' में ग़लती से नहीं छपा। कोई पन्द्रह वर्ष पूर्व एक राज्य की सरकार ने अपने शहर का रेलवे-स्टेशन गिरवी रख कर रिज़र्व-बैंक से कर्ज़ा लेना चाहा था और जब रिज़र्व-बैंक ने स्टेशन को केन्द्रीय-सरकार की सम्पत्ति बताकर उस प्रस्ताव को अस्वीकार कर दिया था तो उस राज्य के मुख्यमन्त्री ने नगर के एक विशाल सार्वजनिक पार्क को गिरवी रख कर रिज़र्व बैंक से कर्ज़ा लिया था। एक दिन ऐसा भी आ सकता है जब कि कोई होनहार प्रधानमन्त्री वर्तमान राष्ट्रपति-भवन, केन्द्रीय-सचिवालय व संसद्-भवन को ही नीलाम करके इन इमारतों का कहीं और निर्माण करने की योजना बनाए। इस देश में जो कुछ भी हो जाए, वह कम है। एक अख़बार के अनुसार एक राज्य की सरकार एक क्षेत्र को अपराध-मुक्त करने के लिए उस क्षेत्र के सारे अपराधियों को वहाँ की सुरक्षा की ज़िम्मेदारी सँभालने के लिए, सादर आमन्त्रित कर रही है। चोर को थानेदार बनाने से इन दोनों में जो थोड़ा-बहुत अन्तर बचा है, वह भी समाप्त हो जाएगा। भूखी बिल्ली की अपेक्षा जलेबियों की सुरक्षा और कौन कर सकता है?

मैं सोचता हूँ कि जेल जाने के लिए मैं भी कुछ रचनात्मक क्रिया-कलाप करूँ। दोस्तोएवस्की, ओ. हेनरी, आस्कर वाइल्ड और वाल्तेयर जैसे महान् लेखक यदि जेल न जाते तो शायद वे इतना अच्छा कभी नहीं लिख पाते। बहादुरशाह 'ज़फ़र' ने जो शायरी माण्डले की जेल की दीवारों पर हुक्के के कोयले से लिखी थी, वह यदि आज प्राप्त होती तो शायद संसार की सबसे ज़्यादा दुखान्त कविता साबित होती। सर वाल्टर रैले और स्टीफ़न ज़्वेग ने कारावास के दिनों मैं जो कुछ भी लिखा, वह बेजोड़ था। अगर मुझे मात्र एक वर्ष की क़ैद भी हो जाए तो मैं दावे के साथ कुछ ऐसा लिखूँगा कि अगला 'राममनोहर लोहिया पुरस्कार' मुझे ही मिलेगा। पता नहीं क्यों, पी.जी. वुडहाउस को इस बात का खेद रहता था कि उसके ज़्यादातर पाठक ऐसे थे जो या तो अस्पतालों में भर्ती थे या फिर जेलों में बन्द थे। उसकी जगह अगर मैं होता तो गर्व महसूस करता कि इतने दुखी व्यक्ति भी मेरी ही किताबें पढ़कर अपना समय खुशी-खुशी काट रहे हैं...

रचना समाप्त हो गयी। अब मैं आराम करूँगा और उसके बाद आस्कर वाइल्ड की 'दी बैलेड फ्रॉम दी रीडिंग जेल' नामक कालजयी कविता फिर पढ़ूँगा। मैंने जीवन में काफ़ी पढ़ा है पर सारे विश्व-साहित्य में ऐसी करुण कविता मैंने कहीं और नहीं पढ़ी। करुण-रस का अमर गायक भवभूति भी यदि यह कविता पढ़ता तो शायद रो पड़ता।

कुछ रोचक प्रसंग

(एक)

महान् दार्शनिक सुकरात के सामने एक व्यक्ति अपने वंश की प्रशंसा करने में ऐसा डूबा कि वह अपनी सुध–बुध खो बैठा। अपने वंश की प्रशंसा समाप्त करने के बाद उसने सुकरात से पूछा "क्या आपके वंश में कोई इतना बड़ा व्यक्ति कभी हुआ है जो मेरे किसी भी पूर्वज की बराबरी कर सके?" महामति सुकरात ने मुस्कुराते हुए उत्तर दिया, "आपके वंश की तुलना मेरा वंश कभी नहीं कर सकता पर इतना ज़रूर सच है कि आपके वंश की महानता आपके साथ ख़त्म होती है जब कि मेरे वंश की महानता मुझसे शुरू होती है।"

(दो)

महान् लेखक दान्ते से एक दिन बादशाह ने कहा, "यह आश्चर्य की बात है कि मेरे सारे सामन्त आप जैसे बुद्धिमान् व्यक्ति से घृणा करते हैं और मुझ जैसे मूर्ख से प्यार करते हैं।" दान्ते ने शान्त स्वभाव से उत्तर दिया, "मुझे तो इसमें कोई विस्मयकारी बात नहीं दीखती क्योंकि लोग सदा से उसी व्यक्ति से प्यार करते आये हैं जो उनके अपना जैसा होता है।"

(तीन)

भयंकर तनातनी के समय इंग्लैण्ड के राजा हेनरी अष्टम ने एक अत्यन्त चतुर दरबारी को फ्रांस के सम्राट के पास भेजने को चुना। दरबारी ने बादशाह से कहा, "कृपा करके मुझे उस क्रोधी शहंशाह के पास न भेजिए क्योंकि मुझे पूरा विश्वास है कि यह धमकी-भरा पत्र पढ़कर वह मेरा सिर कटवा देगा।" हेनरी अष्टम ने कहा, "तुम्हें घबराने की कोई ज़रूरत नहीं है। यदि उसने तुम्हारा सर कटवाया तो उसके जो दस दरबारी और राजदूत इंग्लैण्ड में हैं, मैं उनके सिर भी कलम करवा दूँगा।" उस दरबारी ने जवाब दिया, "वह तो ठीक है, पर इल्लत यह है कि उन दस सिरों में से कोई भी सिर मेरे धड़ पर फ़िट नहीं बैठेगा।"

(चार)

प्रेसीडेण्ट लिंकन का एक सचिव उनसे जब पहली बार मिला तो श्रीमती लिंकन नें उन दोनों की बातचीत में कई बार बड़े अशिष्ट ढंग से दख़ल दिया। सचिव ने पूछा, "यह अशिष्ट स्त्री कौन है जो अपने अतिथियों तक से शिष्टता नहीं बरतती?" जब लिंकन ने बताया कि वह उनकी पत्नी है तो सचिव ने राष्ट्रपति से कहा, "मुझे अपनी भूल के लिए क्या आप मुझे क्षमा कर देंगे?" लिंकन ने अपनी स्वाभाविक विनोदप्रियता के साथ कहा, "मेरी भूल के लिए आप क्षमा क्यों माँगते हैं?"

(पाँच)

पत्रकारों से बात करते-करते लार्ड सैलिस्बरी सहसा उठ खड़े हुए और चिन्तित होकर कहने लगे, "आख़िर वही हुआ जो डॉक्टरों ने कहा था। मुझे सहसा लकवा हो गया है। मैं पिछले पन्द्रह मिनट से अपनी दायीं जाँघ पर चिकोटी काट रहा हूँ पर मुझे कुछ एहसास ही नहीं हो रहा।" उनकी ठीक बग़ल में बैठी एक युवती-पत्रकार ने बताया, "इस स्थिति का एक कारण शायद यह भी है कि चिकोटी आप मेरी जाँघ पर काट रहे थे और संकोच के कारण मैंने आपको टोका नहीं।"

(छह)

सर विंस्टन चर्चिल को डॉक्टर ने बताया कि एक सिगार पीने से उनकी आयु कितनी कम हो रही है। चर्चिल ने तुरन्त हिसाब लगाया और कहा, "डॉक्टर साहब, आपको जान कर खुशी होगी कि इस सिगार पीने के मज़े के कारण मैं तीन सौ वर्ष पहले ही मर चुका हूँ।"

(सात)

सुप्रसिद्ध आविष्कारक एडीसन का सुपुत्र जब गवर्नर बनने के लिए चुनाव में खड़ा हुआ तो उसने जनता से कहा, "आप सोचेंगे कि मैं अपने पिता का नाम अपने साथ ज़रूर जोड़ूँगा ताकि मेरा प्रचार हो सके। सारी ग़लतफ़हमी दूर करने के लिए मैं सबसे प्रथम मात्र यही कहना चाहूँगा कि मैं तो अपने पिता के प्रारम्भिक-प्रयोगों का परिणाम-मात्र हूँ और कुछ नहीं।"

(आठ)

फ़ील्ड-मार्शल माण्टेगुमरी हमेशा यह कहा करते थे, "मैं कितनी भी बड़ी ग़लती कर बैठूँ पर सरकार मुझे किसी भी हालत में सेना से बर्खास्त नहीं करेगी। सब बड़े लोगों को पता है कि यदि उन्होंने ऐसा किया तो मैं अपने संस्मरण छपाना शुरू कर दूँगा।"

(नौ)

प्रख्यात उपन्यासकार जॉर्ज मूर ने अस्सी वर्ष की आयु में भी इतना स्वस्थ रहने का रहस्य बताते हुए कहा था, "मैंने सिगरेट, मदिरा व युवतियाँ—इनसे कोई सम्पर्क नहीं रखा-अपने जीवन के शुरू के पन्द्रह वर्षों में। बस यही मेरे स्वस्थ रहने का रहस्य है।"

(दस)

एच.जी. वेल्स की एक पुस्तक पढ़कर हालीवुड की एक प्रसिद्ध अभिनेत्री ने उन्हें प्रशंसा का पत्र लिखा और बाद में पूछा, "आपने यह पुस्तक किससे लिखवायी है?" वेल्स ने प्रशंसा के लिए अपना आभार प्रकट किया और बाद में पूछा, "आपने यह पुस्तक पढ़वायी किससे?"

(ग्यारह)

अलैग्ज़ैण्डर ड्यूमा ने एक बार विक्टर ह्यूगो से कहा कि दोनों मिलकर एक उपन्यास लिखें। विक्टर ह्यूगो ने मना कर दिया और कहा, "गधे का साथ क्या कभी घोड़े के साथ होता है?" ड्यूमा ने कहा, "ठीक है। अगर तुम ऐसा नहीं चाहते तो ऐसा नहीं होगा। मगर मेरे दोस्त, तुमने मुझे घोड़ा जो बनाया वह क्यों बनाया?"

(बारह)

आस्कर वाइल्ड को एक पार्टी में एक ऐसी महिला मिली जो सचमुच बेहद बदसूरत थी और अपनी इसी कमी को छिपाने के लिए वह बराबर हँसे जा रही थी। जब उसका परिचय आस्कर वाइल्ड से कराया गया तो उसने उससे पूछा, "मानते हो या नहीं कि मैं पेरिस की सबसे बदसूरत महिला हूँ?" वाइल्ड ने बड़े तपाक से कहा, "यह तो आपकी विनम्रता है। सच्चाई तो यह है कि पेरिस क्या, पूरी दुनिया में आपका जवाब मिलना मुश्किल है।"

(तेरह)

प्रख्यात जासूसी लेखिका अगाथा क्रिस्टी ने अच्छे-अच्छे वर ठुकराकर एक पुरातत्त्वप्रेमी से खुशी-खुशी विवाह किया था। वह कहती थी कि वह जैसे-जैसे और पुरानी और बूढ़ी होती जाएगी, उसके पुरातत्त्वप्रेमी पति का प्रेम उसके प्रति और बढ़ता जाएगा...

(चौदह)

बर्नार्ड शा एक शाकाहारी व्यक्ति थे। एक डिनर पार्टी में एक प्रसिद्ध नर्तकी ने उनसे चिकन खाने को कहा। बर्नार्ड शा ने उत्तर में कहा, "मेरा पेट क़ब्रिस्तान नहीं

है जिसमें मैं मुर्दे डालता जाऊँ।”

(पन्द्रह)

बर्नार्ड शा ने एक दिन अपनी बाइबिल की दो प्रतियों में से एक प्रति बेच दी। उसके मित्र ने कहा, “शा, तुमने यह अच्छा नहीं किया क्योंकि बाइबिल बेचने वाला व्यक्ति सदा नरक जाता है।” बर्नार्ड शा ने अपने मित्र से कहा, “तुम बड़े भाग्यवान् व्यक्ति हो जो तुमने यह बात बाइबिल बेचने वाले किसी दुकानदार के सामने नहीं कही।”

(सोलह)

बर्नार्ड शा के एक विरोधी ने उसे चिढ़ाने के लिए उससे एक बार पूछा, “यदि मैं अपने कुत्ते का नाम बर्नार्ड शा रख लूँ तो तुम्हें कोई आपत्ति तो नहीं होगी?” शा ने उत्तर में कहा, “मुझे इस पर क्या आपत्ति हो सकती है? हाँ, अलबत्ता तुम अपने कुत्ते से ज़रूर पूछ लेना कि वह यह नाम रखवाना पसन्द करेगा या नहीं।”

(सतरह)

एक बार एक मित्र ने मार्क ट्वेन से पूछा, “आपकी समझ में छोटी भूल में और बड़ी भूल में क्या अन्तर होता है?” मार्क ट्वेन ने तुरन्त उत्तर दिया, “यदि आप किसी होटल से अपनी सूती छतरी के बदले रेशमी छतरी उठा लाते हैं तो यह छोटी भूल मानी जाएगी पर यदि ग़लती से आप अपनी रेशमी छतरी के बदले किसी की सूती छतरी उठा लाते हैं तो वह निश्चयपूर्वक एक बड़ी भूल ही मानी जाएगी।”

(अठारह)

महान् संगीतकार रोज़िनी को एक अत्यन्त अमीर महिला ने खाने पर बुलाया। खाना बेहद स्वादिष्ट था पर वह मात्रा में कम था क्योंकि उस महिला का ख़याल था कि इतना महान् व्यक्ति बहुत कम ही खाता होगा। भोजन के बाद उस महिला ने उन्हें बहुत धन्यवाद दिया और पूछा, “पता नहीं अब आपको भोजन पर बुलाने का सौभाग्य कब प्राप्त होगा?” भूख से पीड़ित रोज़िनी ने तुरन्त उत्तर दिया, “भविष्य तो सदा अनिश्चित ही होता है। उचित यही होगा कि दूसरा भोजन भी आज इसी वक़्त हो जाए।” इतना कहने के बाद रोज़िनी फिर से खाने की मेज़ पर बैठ गये।

(उन्नीस)

मार्क ट्वेन प्रत्येक रविवार को गिरजाघर जाया करते थे और पादरी का प्रवचन सुना करते थे हालाँकि वह बेहद नीरस होता था। एक दिन उन्होंने उस पादरी से कहा, “आपका प्रवचन मुझे बेहद पसन्द आता है और ऐसा लगता है जैसे कि मुझे कोई अपना पुराना मित्र मिल गया हो। इस स्थिति का कारण यह है कि मेरे पास एक

पुस्तक है जिसमें आपके प्रवचन का प्रत्येक शब्द लिखा है।" उस पादरी ने चिढ़कर कहा, "आप झूठ बोलते हैं। ऐसी कोई पुस्तक इस संसार में नहीं है जिसमें मेरे प्रवचन का प्रत्येक शब्द दिया गया हो। कितना अच्छा हो कि वह पुस्तक आप एक दिन के लिए मुझे भेज दें।" मार्क ट्वेन ने अगले ही दिन अँग्रेज़ी के बड़े शब्दकोश की एक प्रति पादरी के पास भेज दी।

(बीस)

मार्क ट्वेन बहुत बीमार चल रहे थे। उन्हीं दिनों अख़बारों में, पता नहीं कैसे, यह समाचार छप गया कि मार्क ट्वेन की मृत्यु हो गयी। मार्क ट्वेन ने जब अख़बार पढ़ा तो उन्होंने न्यूज़-एजेंसी के पास यह सन्देश भेजा, "आप लोगों को निराश करते हुए मुझे दुख होता है पर सच्ची बात यही है कि जहाँ तक मुझे पता है, मैं अभी मरा नहीं हूँ।"

(इक्कीस)

जार्ज बर्नार्ड शा को मोटर तेज़ चलाने का ज़बर्दस्त शौक़ था। एक दिन मोटर चलाते समय उन्होंने पास बैठे अपने ड्राइवर को अपने नये नाटक का प्लॉट बताया और कहा कि उनका यह नाटक अजर और अमर होगा। इसके बाद वे उस शोफ़र को नाटक के पात्रों का विवरण देने लगे मगर इसी बीच ड्राइवर ने सहसा उनके हाथ से स्टीयरिंग ले लिया। बर्नार्ड शा को बड़ा गुस्सा आया और वे उसे गालियाँ देने लगे। ड्राइवर ने शान्त स्वर में मात्र इतना ही कहा, "क्षमा कीजिए, आपका यह नाटक अवश्य अजर और अमर होगा और इसी कारण उसके पूरा कर लेने से पूर्व मैं आपको किसी भी स्थिति में मरने नहीं दूँगा।"

(बाईस)

बर्नार्ड शा को अपनी पुस्तकों पर फ़िल्म बनवाने से बहुत चिढ़ थी। जब एक फ़िल्म-प्रोड्यूसर ने उन पर बहुत ज़्यादा ज़ोर डाला और बहुत बड़ी क़ीमत देने को कहा तो बर्नार्ड शा ने कहा, "मैं आपकी बात माने लेता हूँ बशर्ते कि आप इस फ़िल्म का एक ऐसा संस्करण भी बनाएँ जो बहरे व अन्धे व्यक्तियों का मनोरंजन भी कर सके।"

(तेईस)

बात उन दिनों की है जबकि स्वाधीनता-संग्राम के बाद अमेरिका का प्रजातन्त्रीय विधान तैयार किया जा रहा था। एक सभासद ने प्रस्ताव रखा, "अमेरिका की स्थायी सेना किसी भी हालत में पाँच हज़ार से ज़्यादा नहीं रखी जाएगी।" जार्ज वाशिंगटन

ने उठ कर कहा, "विधान में यह प्रावधान भी रखा जाए कि कोई भी देश अमेरिका के ऊपर तीन हज़ार से ज़्यादा सेना लेकर कभी भी आक्रमण नहीं करेगा।"

(चौबीस)

इंग्लैण्ड की संसद् में सर हिक्स धुआँधार भाषण दिये जा रहे थे जब कि उन्होंने देखा कि चर्चिल उनके प्रस्ताव के विरोध में बराबर सिर हिला रहे थे। यह देखकर सर हिक्स ने कहा, "मैं देख रहा हूँ कि मेरे मित्र मिस्टर चर्चिल मेरे प्रस्ताव से सहमत नहीं हैं और इसी कारण मैं यह स्पष्ट करना चाहता हूँ कि मैं जो कुछ कह रहा हूँ वह मेरा नितान्त निजी मत है।" मिस्टर चर्चिल खड़े हो गये और तपाक से बोले, "मैं जो सिर हिला रहा हूँ वह भी नितान्त मेरा निजी सिर ही तो है।"

(पच्चीस)

द्वन्द्व-युद्ध का ज़माना था। इंग्लैण्ड के एक अमीर ने ड्यूएल में हिस्सा लिया और अपने विरोधी को मार गिराया। शाम को इस खुशी में एक दावत हुई जिसमें उस अमीर ने प्रसिद्ध लेखक फ़ील्डिंग को भी निमन्त्रित किया। दावत बेहद बेमज़ा थी; क्योंकि क्या खाना और क्या शराब–दोनों ही बेहद घटिया थे। खाने के बाद उस अमीर ने फ़ील्डिंग से पूछा कि दावत कैसी रही। फ़ील्डिंग ने दावत को शानदार बताया और पूछा, "आपने अपने विरोधी को क्यों मारा?"

"और चारा ही क्या था?" उस अमीर ने जवाब दिया। उत्तर में फ़ील्डिंग ने कहा, "गोली से मारने के स्थान पर यदि आप उसे आज की इस दावत में बुला लेते तो भी परिणाम वही निकलता।"

कर्फ़्यू

मुझे अपने चरित्र के अनेक गुणों का पता था पर विश्व के शेष महान् व्यक्तियों की भाँति मुझे भी अपने भीतर छिपी सारी अलौकिक शक्तियों का पता नहीं था। मैं यह हर्गिज़ नहीं जानता था कि महाराणा प्रताप की भाँति मैं भी इतना प्रतापी हूँ कि मेरी कोठी के बनते ही देहरादून की शान्त व रमणीक घाटी भी एक दिन सहसा हल्दीघाटी की छटा देने लगेगी। देहरादून से एकदम लगे हुए जनपद का नाम गढ़वाल है और उसको पीठ की तरफ़ से आलिंगन करने वाले क्षेत्र का नाम कुमायूँ है। इन क्षेत्रों में स्थित और लगभग आठ ज़िलों में फैले भू-खण्ड को 'उत्तराखण्ड' कहा जाता है। गढ़वाल में ही पवित्र गंगोत्री व यमुनोत्री हैं और इसी क्षेत्र में बद्रीनाथ व केदारनाथ नाम के दोनों पवित्र धाम भी हैं। आदिगुरु शंकराचार्य ने अपनी एक पीठ की स्थापना भी इसी क्षेत्र में की थी। महाकवि सुमित्रानन्दन पन्त व भारत-रत्न पं. गोविन्दबल्लभ पन्त भी कूर्मांचल के ही रत्न थे। यह सारा क्षेत्र कभी नेपाल-राज्य के भीतर आता था पर ईस्ट-इण्डिया-कम्पनी ने इसे कुछ शर्तों पर उससे मुक्त कराया। बालाजी बाजीराव पेशवा के समय में यह क्षेत्र मराठों के क़ब्ज़े में रहा और तभी के बसे कुछ मराठा-सामन्तों की सन्तान यहाँ अभी तक पन्त, जोशी और पँवार जैसे कुलनाम रखती है। पिथौरागढ़ में नजीब खाँ रुहेले ने क़िला बनवाया और गढ़वाल की तराई में नजीबाबाद नामक नगर भी बसाया। बद्रीनाथ धाम जाने के दो द्वार हैं, एक है कोटद्वार और दूसरा है हरिद्वार। बाहर से आने वाले लोग प्रायः मसूरी, नैनीताल, रानीखेत और लैन्सडाउन या बहुत से बहुत अल्मोड़ा तक ही आते हैं और इसी कारण उन्हें इस क्षेत्र की ग़रीबी, मुफ़लिसी और पिछड़ेपन का पता नहीं है। वह दुख की बात है कि आज़ादी के बाद भी पहाड़ की तरफ़ उतना ध्यान नहीं दिया गया जितना कि अपनी सरकार से अपेक्षित था। जब उत्तर-प्रदेश में भारतीय-जनता-पार्टी की सरकार बनी तो उसने 'उत्तरांचल' नामक एक पृथक् राज्य की स्थापना की माँग की और अपनी सिफ़ारिश केन्द्रीय सरकार को भेजी जिसने शायद इस प्रस्ताव में भी 'साम्प्रदायिकता' की गन्ध पायी और उस सिफ़ारिश पर कोई निर्णय नहीं लिया। जब समाजवादी पार्टी व बहुजन समाज पार्टी की मिली-जुली सरकार बनी तो उसने

भी वही सिफ़ारिश की जो भारतीय-जनता-पार्टी ने की थी। केन्द्रीय सरकार इस प्रस्ताव के पक्ष में नहीं है क्योंकि इस 'उत्तरांचल' या 'उत्तराखण्ड' को एक अलग 'राज्य' घोषित कर देने पर पश्चिमी उत्तर प्रदेश में 'हरितखण्ड' दक्षिणी उत्तरप्रदेश में 'बुन्देलखण्ड' व 'बघेलखण्ड' महाराष्ट्र में 'विदर्भ-खण्ड' आन्ध्र-प्रदेश में 'तेलंगाना खण्ड' और बंगाल में 'गोरखा-खण्ड' इत्यादि मात्र सोलह और खण्डों की माँग ज़ोर पकड़ेगी। प्रदेश-सरकार शायद अल्पसंख्यकों के लिए 'रुहेलखण्ड' बनाने की माँग पर भी ध्यान देने लगे क्योंकि लालकृष्ण आडवानी के शब्दों में इस देश का और विभाजन भी होना सम्भव है। मैं भी शायद 'त्यागी-खण्ड' की माँग उठाऊँ ताकि यह वर्णसंकर जाति फिर से दलित वर्ग में गिनी जा सके। काफ़ी वर्षों पहले दिल्ली-राज्य में त्यागी लोगों को अनुसूचित जातियों में गिना जाता था जो एकदम उचित था। इस प्रकार हम देखते हैं कि 'उत्तराखण्ड' बन जाने से सारा देश शायद एक 'खण्ड-काव्य' की स्थिति प्राप्त कर ले। मगर सरकार चाहे तो पहाड़ी क्षेत्रों को 'पिछड़ा हुआ क्षेत्र' घोषित कर सकती थी या उन्हें 'झारखण्ड' वाली स्थिति प्रदान कर सकती थी मगर केन्द्रीय-सरकार अन्तरराष्ट्रीय मसलों को सुलझाने, भ्रष्ट मन्त्रियों की रक्षा करने तथा इस प्रदेश के कांग्रेस-नेता श्री नारायणदत्त तिवारी को और नीचा दिखाने जैसे बड़े-बड़े मसलों में उलझी है जबकि प्रदेश-सरकार की निगाह अगले चुनाव पर है जो एकदम स्वाभाविक है। ऐसी स्थिति में महाकवि कालिदास के 'अस्त्युत्तरस्यां दिशि देवतात्मा हिमालयो नाम नगाधिराजः" की ओर कौन ध्यान देगा? भगवतशरण उपाध्याय के अनुसार कालिदास गढ़वाल के ही निवासी थे जो शेष पहाड़ी छोकरों की भाँति रोज़ी-रोटी के सन्दर्भ में ग़लती से मालवा चले गये थे। उनकी ग़लती मात्र इतनी थी कि वह अपनी प्रेयसी को यहीं छोड़ गये जिसके कारण उन्हें 'मेघदूत' लिखना पड़ा और सिंहल-देश की एक परम रूपवती, विकसित-यौवना और विलासिनी नगरवधू की शरण लेनी पड़ी। उनकी प्रेयसी अलका-नगरी में एकाकी छूट गयी और वह कविता रचने, चित्र बनाने तथा परिवार-नियोजन करने के द्वारा अपना मन बहलाने लगी। केन्द्रीय-सरकार व प्रदेश-सरकार के बरख़िलाफ़, भूतपूर्व प्रधानमन्त्री श्री विश्वनाथ प्रताप सिंह ने अपनी अभूतपूर्व शैली में कहा है कि यदि 'उत्तराखण्ड' का निर्माण तुरन्त न किया गया तो रक्त-क्रान्ति हो जाएगी। एक राजनेता होने के कारण वे जानते ही होंगे कि रक्त-क्रान्ति होने से सत्ताधारियों पर क्या प्रभाव पड़ता है? चंगेज़ खान, महमूद गज़नवी, हलाकू, हिटलर, स्तालिन व सद्दाम हुसैन ने लाखों-करोड़ों आदमियों की हत्या की मगर इससे उनका अपना क्या नुक़सान हुआ? कस कर शराब पी, जी भरकर कबाब खाया और तबीयत के साथ असंख्य सुन्दर युवतियों के शबाब को पवित्र किया। इसके बाद वे भी मर गये। सर्वं यस्यवशातागाः स्मृतिपथम्, कालाय तस्मै नमः। एक दिन न ये मुख्यमन्त्री होंगे और न यह प्रधानमन्त्री रहेंगे, मगर 'उत्तराखण्ड' फिर भी रहेगा और उसकी समस्याएँ फिर भी रहेंगी।

सरकारों के रवैये से उत्तराखण्ड में रोष फैलना प्रारम्भ हो गया। शैक्षिक संस्थानों में सरकार ने आरक्षण-नीति की कुछ ऐसी मधुर घोषणा की कि पर्वती-क्षेत्र में 'छात्र-संघर्ष समितियाँ' प्रकट होने लगीं। आन्दोलन छात्रों से जनता तक पहुँचा जिसका न कोई निश्चित लक्ष्य था और न कोई सर्वमान्य नेता ही था। मनु के शब्दों में 'अनाथकाः विनश्यन्ति, नश्यन्ति बहुनायकाः।' असन्तुष्ट लाखों लोगों ने देश की राजधानी में एक विशाल रैली आयोजित करने की योजना बनायी क्योंकि 'संघे शक्तिः कलियुगे' वाली बात पर सारी पार्टियाँ विश्वास रखती हैं। यदि चौ. चरणसिंह, चौ. देवीलाल, चौ. महेन्द्रसिंह टिकैत तथा श्री पी.वी. नरसिंहराव दिल्ली में रैलियाँ लगा सकते हैं तो पहाड़ी लोग वैसा क्यों नहीं कर सकते? रैली लगाना तो हमारा जन्मसिद्ध अधिकार है। मुज़फ़्फ़रनगर नामक नगर के समीप रैली में व सरकार की शक्ति में टकराव हो गया। कुछ तथाकथित स्त्रियों के साथ तथाकथित बलात्कार सम्पन्न किया गया और कुछ तथाकथित सरकारी सम्पत्ति को कुछ तथाकथित क्षति पहुँचायी गयी। अख़बारों ने स्थिति का फ़ायदा उठाया और इस दुर्घटना का कस कर प्रचार किया गया। मुख्यमन्त्री ने तुरन्त हाईकोर्ट के एक जज को जाँच का आदेश दिया पर लोगों ने इसे लीपा-पोती ही कहा क्योंकि जज साहब एक अवकाश-प्राप्त अधिकारी थे और संयोग से उनकी जाति भी वही थी जो कि हमारे कर्मठ और कार्य-तत्पर मुख्यमन्त्री जी की थी। इसी दौरान इलाहाबाद के हाईकोर्ट ने इस आदेश को खलास किया और केन्द्रीय-जाँच-ब्यूरो को जाँच का आदेश दिया। प्रधानमन्त्री व मुख्यमन्त्री ने क्षति-ग्रस्त परिवारों को अनुग्रह-राशि देने की घोषणा की पर इससे पहले ही पर्वतीय क्षेत्र में आक्रोश फैल चुका था और तथाकथित पथ-भ्रष्ट नवयुवक थाने जलाना, रेल की पटरियाँ उखाड़ने की कोशिश करना व सरकारी इमारतों को क्षति पहुँचाना आदि रचनात्मक कार्य शुरू कर चुके थे। जब स्थिति काबू में थी तो कुछ नहीं किया गया और जब स्थिति काबू के बाहर हो गयी तो प्रशासन ने 'उत्तराखण्ड' के लगभग दस नगरों में कर्फ़्यू लगा दिया। देहरादून भी इन पवित्र स्थानों में शामिल था और चूँकि मैं इसी नगर में रहता हूँ मैं मात्र यहीं की चर्चा करूँगा और यथाशक्ति पूरी ईमानदारी के साथ करूँगा। नामूलं लिख्यते किंचित्, नापेक्षितमुच्यते।

कर्फ़्यू की कोई विधिवत् सार्वजनिक घोषणा देहरादून में नहीं की गयी। मैंने अख़बार पढ़ा और सिगरेट ख़रीदने के लिए पास के बाज़ार की दिशा में अपने क़दम बढ़ाये। चौराहे पर एक नगरवधू क़िस्म की समाजसेवी कुलवधू मिलीं जिन्होंने मुझे लिपस्टिक से लिपटी मुस्कान के साथ बताया कि नगर में कर्फ़्यू लग चुका है जो फ़िलहाल अनिश्चितकाल के लिए है। कोई भी घर के बाहर नहीं निकल सकता और बैंक, बाज़ार, डाकख़ाना और शेष सरकारी दफ़्तर बन्द किये जा चुके हैं। इन देवी जी को यह पवित्र सन्देश उनके धोबी ने दिया था जिसने कि– यह अफ़वाह किसी मोची या नाई से सुनी थी। चूँकि बाहर जाना मना था, इस रूपवती रमणी ने मुझे

अपने घर में घुसने की सलाह दी। मैं घर वापस आया और पुलिस को फ़ोन किया। उन्होंने सूचना की पुष्टि की और मुझे यह हर्ष-भरा सन्देश भी दिया कि टेलीफ़ोन, बिजली, पानी और रेलगाड़ियाँ कर्फ़्यू से प्रभावित नहीं होंगी हालाँकि रेलवे-स्टेशन तक पहुँचना एकदम असम्भव होगा। मैंने सूचना ग्रहण की और हराम-कुर्सी पर बैठ गया। सोचने लगा कि चन्द लोगों की चन्द बेजा हरकतों के बदले पूरे शहर के लाखों लोगों को घर में क़ैद करना, कहाँ तक न्याय-संगत है? और यह तो बहुत ही विचित्र है कि इतना बड़ा दण्ड अनिश्चितकाल के लिए है। कालिदास के यक्ष को तो मात्र एक वर्ष का ही देश-निर्वासन मिला था और उस पर भी कवि को 'मेघदूत' लिखना पड़ा था। यदि ये महाकवि अनिश्चितकालीन कर्फ़्यू वाले– नगर में मेरी तरह रहते तो कविता रचने के स्थान पर हत्या या आत्महत्या करने की सोचते।

सेवा-निवृत्त होने के बाद भी मेरी दैनिक दिनचर्या एकदम निश्चित है जिसमें किसी प्रकार की बाधा पड़ना मैं कभी भी सहन नहीं कर सकता। सुबह उठता हूँ, चाय पीता हूँ, पूजा-पाठ और हजामत वग़ैरह से फ़ारिग़ होता हूँ और फिर अख़बार पढ़कर नाश्ता करता हूँ। इसके बाद बराबर साहित्य पढ़ता हूँ, डाक देखता हूँ, चाय पीता हूँ और गाड़ी स्टार्ट करता हूँ। मेरी गाड़ी भी मेरी पत्नी की भाँति 'फ़र्स्ट-हैण्ड' ही है हालाँकि ये दोनों चल सम्पत्तियाँ मैंने क्रमशः सन् 1967 व 1955 में प्राप्त की थीं। समुचित ध्यान व निरन्तर सेवा के फलस्वरूप, दोनों ही वस्तुएँ अभी भी एकदम आकर्षक और चौबीसों घण्टे सेवा के लिए तत्पर रहती हैं हालाँकि पेट्रोल के दाम और अपनी बढ़ती आयु के कारण मैं इन दोनों से कम ही काम ले पाता हूँ। कर्फ़्यू लगने से सारी की सारी दिनचर्या खलास हो गयी। अख़बार आना बन्द हो गया, दूध के अभाव में चाय बनना समाप्त हो गया, बाहर जाने का कोई स्कोप नहीं रहा और सबसे बड़ी त्रासदी तो यह रही कि डाकिये के अन्तर्धान हो जाने के कारण मेरा बाहर की दुनिया से जो सम्बन्ध था, वह भी एकदम कट गया। ज़िन्दगी ठीक वैसी ही हो गयी जैसी कि नैपोलियन बोनापार्ट की 'सेण्ट हिलेना' में रहा करती थी। अपनी (या किसी दूसरे की) पत्नी के बिना रहना मेरे लिए सम्भव है पर बिना डाक के मैं नहीं रह सकता। कभी कहीं से रचना छपने के पचास रुपये आते हैं तो कभी सम्पादक के खेद व अभिवादन सहित रचना ही वापस आ जाती है। यदि कभी कोई पतिव्रता कन्या मुझे सूचित करती है कि मेरी रचनाएँ बराबर पढ़ने से उसका विवाहित-जीवन अब कहीं ज़्यादा सरस हो गया है तो कभी कोई प्रौढ़ पाठक लिखता है कि मेरे साहित्य के सतत अध्ययन के कारण, उसकी धर्मपत्नी एक नवयुवक साहित्यकार के साथ सहसा अन्तर्धान हो गयी है। कभी कोई पुस्तक आती है जो कि मुझे समर्पित की गयी है तो कभी कोई तलाक़शुदा अधेड़ सुन्दरी मुझे डाँटती है कि इतनी उम्र हो जाने पर भी मेरा मन 'गौरांग प्रभु' के स्थान पर किसी-न-किसी 'गौरांगना' से ही क्यों उलझा रहता है? कोई-कोई बाई पूछती है कि मेरा काफ़ी साहित्य पढ़ने के

फलस्वरूप उसका निजी चरित्र काफ़ी पतित हो चुका है और अब वह करे तो क्या करे? तुम्हीं ने दर्द दिया है, तुम्हीं दवा देना।

दोपहर का खाना खाने के बाद मैं एक घण्टा विश्राम करता हूँ और उसके बाद कुछ लिखता हूँ। कुमारी सरस्वती की सेवा के बाद मैं नाश्ता लेता हूँ, विश्राम करता हूँ और फिर घूमने जाता हूँ। हल्का-सा मधुमेह होने के कारण, मेह में भी घूमने जाना पड़ता है जिसके दौरान मैं अपने कुछ मधुर मित्रों से भी निवृत्त हो लेता हूँ। इसके बाद दूर बैठकर दूरदर्शन के दर्शन का लाभ उठाता हूँ और अधनंगी युवतियों को काफ़ी रुचि के साथ देखता हूँ। बचपन में पढ़ा था कि जल्दी सोने और देर से जागने की आदत से मनुष्य धनी, स्वस्थ व प्रसन्न रहता है। मैं वैसा ही करता हूँ हालाँकि अभी तक तो इसका कोई भी फल मुझे नहीं मिला। कर्फ़्यू के कारण मेरी यह दिनचर्या भी बिगड़ गयी। सड़कें बाँहें फैलाकर मुझे बुला रही थीं मगर दरोग़ा जी के डण्डे के डर से मैं उनका खुला निमन्त्रण स्वीकार नहीं कर पा रहा था। घूमनेवालों के स्थान पर सड़कों पर से सैनिकों, अर्ध-सैनिकों तथा रैपिड-एक्शन-सैनिकों की टुकड़ियाँ गुज़र रही थीं जिन्हें शाबाशी देने के लिए चन्द कुत्ते और चन्द गधे चौराहे पर इकट्ठे होकर भौंक रहे थे या रेंक रहे थे। इन सारे प्रतिद्वन्द्वियों को मैं दूर से ही देख रहा था और अपने लॉन पर विचरण करते हुए सोच रहा था कि जेल का जीवन कैसा होता होगा और आदमी से तो जानवर ही कहीं ज़्यादा अच्छे हैं क्योंकि कम-से-कम वे कर्फ़्यू के पाबन्द तो नहीं होते। कर्फ़्यू भी एक अजीब चीज़ है क्योंकि इसके दौरान बिना कोई कसूर किये आप क़ैद भी हैं और क़ैद नहीं भी हैं। यह 'होने' और 'न होने' की स्थिति साथ-साथ होना बड़ी दुखदायक होती है। मुझे सम्मन-बुर्ज़ में बन्द शहंशाह शाहजहाँ व चूहेदानी में बन्द चूहे की याद बुरी तरह सताने लगी। लोकमान्य तिलक स्वतन्त्रता को अपना जन्मसिद्ध अधिकार मानते थे और एक मैं हूँ कि कानून के डण्डे के डर से अपने बँगले की लक्ष्मण-रेखा भी पार नहीं कर सकता। मौत का इलाज है 'फ़िराक़' ज़िन्दगी का कोई इलाज़ नहीं।

पुलिस हमेशा शेर होती है पर कर्फ़्यू के दौरान वह बबरशेर बन जाती है। सारा 'ताजीराते-हिन्द' एक तरफ़ और दरोग़ा जी का डण्डा एक तरफ। सेवक जो है वह स्वामी बन कर कहीं ज़्यादा प्रभुता प्राप्त कर लेता है और लगता है जैसे कि गोस्वामी तुलसीदास ने 'प्रभुता पाइ काहि मद नाहीं' वाली पंक्ति कभी किसी कर्फ़्यू के दौरान ही लिखी थी। दिन चढ़ते-चढ़ते पता चला कि ज़रूरत की सारी चीज़ें दुगुने या तिगुने मूल्य पर कहीं-कहीं से अब भी प्राप्त हो रही हैं और इफ़रायत के साथ प्राप्त हो रही हैं। सरकार की यह घोषणा ग़लत नहीं थी कि ज़रूरत का सारा सामान नागरिकों को बराबर पहुँचाया जा रहा है। कुछ दुकानें थीं जो आगे से बन्द थीं मगर पीछे से खुली थीं। मैं चूँकि एक पैदायशी अँग्रेज़ हूँ, मैं बिना डबलरोटी के नाश्ता नहीं कर सकता और बिना सिगरेट के बाथरूम नहीं जा सकता। पेट साफ़

करने के लिए मुझे ऊपर से भाप की शक्ति की सहायता लेनी ही पड़ती है जिसका अन्दाज़ा शायद जेम्स वाट ने भी नहीं लगाया होगा। दूधवाला आया और दुगुने दाम पर पता नहीं किस जानवर का दूध बेच गया। इस सारे कारोबार का पता शायद खुफ़िया पुलिस को भी नहीं चला। इस कर्फ़्यू का सबसे बड़ा हादसा यह रहा कि यह महीने के शुरू में ही लग गया जब कि न लोगों ने बैंक से बजट निकाला था और न महीने भर का राशन-पानी ही ख़रीदा था। ऊपर चर्चित नगरवधू ने नागरिकों की बड़ी मदद की। लावण्य का स्रोत 'लवण' और माधुर्य की स्रोत 'शक्कर' तक उसने बराबर बाँटी। उदार होने के लिए चरित्रहीन होना बड़ा ज़रूरी है। नौकरों ने जान पर खेल कर सहायता की और सबसे बड़ी उपलब्धि तो यह रही कि वे एक स्थानीय अख़बार भी पचगुने दाम पर कहीं से ख़रीद ही लाये। अख़बार के ऊपर छपा था कि छपे हुए दाम से ज़्यादा दाम पर अख़बार न ख़रीदें। नौकर ने यह हिदायत नहीं पढ़ी थी और इसी कारण वह एक रुपये का अख़बार पाँच रुपये में लाया जिसे सारी कॉलोनी ने ख़ुशी-ख़ुशी पढ़ा। दूरदर्शन पर यह भी सुना कि सुप्रीम कोर्ट ने हमारे प्रदेश के हाईकोर्ट में हुई दुर्घटना को अदालत की मानहानि ही माना है और केन्द्रीय-जाँच-ब्यूरो को जाँच पर लगाया है। इसके अगले ही दिन प्रदेश-सरकार ने प्रयाग के एक आज्ञाकारी इन्स्पेक्टर-जनरल-पुलिस को नौकरी से मुअत्तिल कर दिया। मुज़फ़्फ़रनगर-काण्ड के सन्दर्भ में एक डिप्टी-इन्स्पेक्टर- जनरल का तबादला हो गया और वहाँ के ज़िला-मजिस्ट्रेट एक हादसे में घायल हुए पाये गये।

स्थानीय समाचार-पत्रों में (जो पता नहीं, इस दौरान कैसे छपते थे) बहुत दिलचस्प ख़बरें पढ़ने को मिलती रहीं। कर्फ़्यू के दौरान सड़कों पर घूम रहे अनेक वृद्धों को भी मुर्गा बनाया गया। बच्चों को मुर्गा भी बनाया गया और उसी आसन में (कमर के नीचे) उनकी पृष्ठभूमि पर डण्डों से कस कर प्राकृतिक चिकित्सा भी की गयी। कुछ काफ़ी बूढ़े लोगों को बैठकें भी लगानी पढ़ी जिनके कारण उन्हें अपनी युवावस्था याद आ गयी। एक या दो शराब की दुकानें कर्फ़्यू के दौरान भी बाक़ायदा खुली रहीं। शानदार होटलों में 'मधुशाला भी खुली और मधुबाला' भी मिली। खुले तौर पर शराब तभी मिली जब कर्फ़्यू में ढील दी गयी मगर 'मधुबाला की प्रणयपत्रिका' कर्फ़्यू के दौरान भी बड़े मनोयोग से लिखी और पढ़ी जाती रही। भारतीय-जनता-पार्टी ने जो कुछ भी हुआ, उसे प्रदेश सरकार व केन्द्रीय सरकार की मिली-भगत बताया। 'स्टुडेण्ट्स फेडरेशन' ने बताया कि प्रशासन की ज़्यादतियों के कारण, लोगों का अपने घरों में रहना भी मुश्किल हो गया। कर्फ़्यू के दौरान उत्पन्न एक बच्चे का नाम 'कर्फ़्यूसिंह' रखा गया। ज्योतिषपीठ के शंकराचार्य ने भी आन्दोलन छेड़ने की धमकी दी। एक स्थान पर गफ़लत में सिपाहियों ने अपने दीवानजी की ही मरम्मत कर डाली। पुलिसवालों ने अपरिचित पुलिसवालों को भी नहीं छोड़ा। एक प्रकाशक श्री हरिहरन ने अपनी व्यथा को 'नेशनल ह्यूमन राइट्स कमीशन' के

सामने रखा जिसको 'हिमाचल टाइम्स' ने भी छापा। मुझे उनकी कथा पर विश्वास नहीं है क्योंकि उनके अनुसार उन पर अत्याचार करने वाला एक पुलिस-अधिकारी त्यागी-जाति का सदस्य बताया गया है। पेय-जल की भयंकर कमी रही और रेल से आये यात्री बेहद परेशानी में पड़े।

एक सड़क पर एक अधेड़ ग़रीब् आदमी (जिसका मसाना शायद कुछ कमज़ोर था) पेशाब करने बैठा ही था कि पुलिस आ गयी। वह ग़रीब बीच में ही उठ खड़ा हुआ और सड़क पर पेशाब करता हुआ ही भागने लगा। लुंगी खुल जाने के कारण वह 'मलिनाम्बर' से 'दिगम्बर' हो गया। उसकी उस स्थिति को देखकर पुलिस-फ़ोर्स भी हँसने लगी। पता नहीं क्यों, मुझे उसके मूत्रदान की यह मुद्रा बेहद पसन्द आयी। सोचता हूँ कि कर्फ़्यू पूरी तरह उठ जाने पर, मैं भी एक दिन 'पल्टन-बाज़ार' या यहाँ की सबसे फ़ैशनेबिल सड़क 'राजपुर रोड' पर ऐसे ही पेशाब करूँगा। मेरे वैसा करने पर यदि नगर में दुबारा कर्फ़्यू न लग जाए तो आप मेरा नाम 'रवीन्द्रनाथ त्यागी' से बदलकर 'श्रीलाल शुक्त' या 'हरिशंकर परसाई' रख देना। इस सन्दर्भ में मैं यह ज़रूर कहना चाहूँगा कि मैंने पुलिस की सदा कड़ी आलोचना की है पर पुलिस ने कभी भी मेरे साथ कोई अभद्र व्यवहार हर्गिज़ नहीं किया। इन दिनों भी मुझे सड़क पर घूमते हुए एक सिपाही ने देखा, मेरी सिगरेट सुलगायी और बहुत ही भद्रता के साथ मुझे अपने घर लौट जाने की सलाह दी। मैं पूर्वाग्रह से ग्रस्त होने के बावजूद उसके प्रति हृदय से कृतज्ञ हुआ। मेरा निश्चित विचार है कि वह पुलिसकर्मी त्यागी जाति का कुलदीपक तो हो ही नहीं सकता। हर महकमे की भाँति पुलिस में भी न जाने कितने भद्र, दयालु और शालीन लोग हैं; ठीक उसी तरह जैसे कि मौके का फ़ायदा उठाने के लिए कई लफ़ंगे और असामाजिक तत्त्व भी आन्दोलनकारियों की भीड़ में घुस जाते हैं। वैसे भी, अभी मैं प्रदेश-सरकार का ही प्रशंसक चल रहा हूँ। 'उत्तराखण्ड' बन जाने के बाद मैं 'उत्तराखण्ड' का समर्थक बनूँगा, इसमें कोई सन्देह नहीं। उस दिन तो मैं अपनी सारी कठिनाइयों के बावजूद उ़त्तराखण्ड का उपराज्यपाल बनने को भी तैयार रहूँगा ताकि मैं भी सौ-डेढ़ सौ करोड़ की रक़म इकट्ठी कर लूँ और देश के सारी त्यागी लोगों को सरकारी नौकरी दे सकूँ। जो त्यागी बच्चे अभी पैदा भी नहीं हुए हैं, उनके नियुक्ति-पत्र भी जारी कर दूँगा ताकि देश-सेवा के कारण, मुझे भले ही इतिहास में स्थान न मिले मगर जाति-सेवक के रूप में मैं सदा के लिए अमर रह सकूँ। अपनी पत्नी व प्रेयसी को भी सरकार में ऊँचा पद दूँगा, ठीक उसी प्रकार जैसे कि 'तेलुगुदेसम' के सदाबहार नेता एन.टी. रामाराव करना चाहते थे। मुझे आशा है कि आप मुझसे सहमत होंगे। महाजनो येन गतः स पन्थाः।

कर्फ़्यू के दिनों में रात बितानी बड़ी कठिन होती है। देखो तो अपनी पत्नी, न देखो तो अपनी पत्नी। जैसा कि आप सभी जानते हैं, अपनी पत्नी रात को कभी अच्छी नहीं लगतीं। पुराने ज़माने में ज़रूर कर्फ़्यू लगता था वरना राजा दशरथ इतने

विवाह कभी नहीं करते— और न भगवान् कृष्ण सोलह हज़ार एक सौ आठ गोपियों के साथ रास ही रचाया करते। आचार्य महावीरप्रसाद द्विवेदी की भाँति मुझे भी नींद कम ही आती है। मैं तो मिल्टन का नरक-वर्णन और बच्चन की प्रेम-कविताएँ ही पढ़ता रहा। 'मिलनयामिनी' तो 'विरहयामिनी' ही लगी और 'सतरंगिनी' के भी सारे रंग एक-से ही लगे। 'निशा-निमन्त्रण' ने ज़रूर रात का एकाकीपन दूर करने में मदद की। कुछ पंक्तियों ने तो दिन में भी मन बहलाया। (दिन जल्दी-जल्दी ढलता है। साथी, साँझ लगी अब होने। अन्धकार बढ़ता जाता है। तुम तूफ़ान समझ पाओगे? गिरजे से घण्टे की टन-टन। स्वप्न भी छल, जागरण भी। आ, तेरे उर में छिप जाऊँ। आओ सो जाएँ, मर जाएँ। आ, गिन डालें नभ के तारे। साथी, देख उल्कापात। कोई रोता दूर कहीं पर। आज रोती रात, साथी। रो, अशकुन बतलाने वाली। क्यों रोता है जड़ तकियों पर? क्या मैं जीवन से भागा था? आओ, हम पथ से हट जाएँ। देख, दरोग़ा डण्डे वाला। सचमुच तेरी बड़ी निराशा। रात-रात भर श्वान भूँकते। साथी, सब कुछ सहना होगा। जय हो, हे सरकार तुम्हारी।) बच्चन का एक गीत मुझे बहुत प्रिय है जिसकी प्रथम पंक्ति है 'शेष बहुत है रात, अभी मत जाओ।' मगर अपने शयन-कक्ष में यदि अपनी सगी और इकलौती पत्नी ही विराजमान हो तो उसे रुकने को कहने से क्या फ़ायदा? वैसे ही वह पतिव्रता रमणी कर्फ़्यू में रात को कहाँ जाने वाली है? हाँ, मुझे बाहर निकाल दे, वह एक दीगर बात है। अधखुली लुंगी और बनियाइन में ख़ाकसार यदि बँगले के बाहर निकलेगा तो पास की उस उदारहृदया नगरवधू की कोठी के अलावा और कहाँ जाएगा? दम ले ले घड़ी भर, मुसाफ़िर जाएगा कहीं?

कर्फ़्यू लगने के कुछ लाभ भी हुए। बाहर न जाने के कारण पेट्रोल बचा और सदा घाटे में रहने वाला बजट इन दिनों सुदृढ़ हुआ क्योंकि कोई ख़रीदारी नहीं की गयी। मेहमान और साहित्य के नाम पर समय बर्बाद करने वाले मित्र, चाहते हुए भी मेरे घर नहीं आ पाये। कोई भिखारी या अनाथालय, भण्डारा व विधवाश्रम के लिए चन्दा माँगने वाला भी नहीं आया। सुना है कि जिन घरों में पहले प्रेमी या चोर लोग आया करते थे, वहाँ भी शान्ति ही छायी रही। ठीक वही श्मशान वाली शान्ति। और हाँ, कुछ चूहों के मर जाने से जो प्लेग का भय फैला था, वह भी पृष्ठभूमि में चला गया। जब आदमी ख़ुद चूहा बन गया तो बाक़ी चूहों की कौन सोचता? कोई मैं झूठ बोल रिया, कोई मैं ज़हर घोल रिया, कोई ना, भाई कोई ना, भाई कोई ना..

मैंने ऊपर तथाकथित बलात्कार जैसे पवित्र कामों की चर्चा की है। अच्छा हो कि इन विषयों पर कुछ और कहा जाए। चूँकि मैं न तो उन महिलाओं में से एक हूँ जिनके कि साथ तथाकथित बलात्कार सम्पन्न किया गया और न मैं उन पुलिसकर्मियों में से ही हूँ जिन्होंने वह तथाकथित पवित्र क्रिया सम्पन्न की, मैं इस विषय में दावे के साथ कुछ नहीं कह सकता। हाँ, यह मैं दावे के साथ कह सकता हूँ कि रैली

रोके जाने के लिए प्रदेश-सरकार ने भले ही कुछ आदेश दिये हों, बलात्कार करने के आदेश कभी नहीं जारी किये गये। ज़रूरत ही क्या थी? हमारा ज़िला-प्रशासन इस दिशा में अपनी ज़िम्मेदारी भली-भाँति समझता है और उसे पूरी तरह पूरी करने के लिए वह मुख्यमन्त्री या मुख्य-सचिव के निश्चित आदेशों की कभी प्रतीक्षा नहीं करता। भूतपूर्व मुख्यमन्त्री डॉ. सम्पूर्णानन्द के छोटे भाई और हिन्दी के महानतम हास्यकार अन्नपूर्णानन्द के अनुसार 'जब टूट गयी डोरी, तो क्या काली क्या गोरी।' लालकृष्ण आडवाणी कहते हैं कि सामूहिक बलात्कार की यह घटना 'जलियाँवाला बाग़' से भी कहीं ज़्यादा शर्मनाक है पर देश के और मनीषी इस बारे में कुछ अलग मत रखते हैं। मुज़फ़्फ़रनगर के ज़िला-मजिस्ट्रेट ने फ़रमाया है कि "सुनसान जंगल में जब भी कोई अकेली स्त्री देखने को मिलती है तो प्रत्येक पुरुष की इच्छा उसके साथ बलात्कार करने की ही होती है।" उड़ीसा के पुलिस महानिदेशक का कहना है कि "बलात्कार को अपराध मानना ग़लत होगा चूँकि इसमें लाभ की कोई सम्भावना नहीं है।" उनके अनुसार "बलात्कार में और शान्ति व व्यवस्था में कोई सम्बन्ध नहीं है।" सन् 1992 में ज्योति बसु जैसे कुशल प्रशासक ने कहा था कि "ऐसी घटनाएँ हो ही जाती हैं" और कुछ वर्ष पूर्व केरल जैसे सुशिक्षित प्रदेश के मुख्यमन्त्री श्री नायानर ने पूछा था कि "बलात्कारों को लेकर इतना होहल्ला क्यों किया जाता है? अमेरिका में प्रत्येक मिनट में एक बलात्कार किया जाता है। अब आप ही बताइए कि बलात्कार करने में और चाय पीने में क्या सचमुच कोई अन्तर है?" हमारे उच्चतम-न्यायालय ने 1993 में बलात्कार के एक मामले को काफ़ी हल्के ढंग से लिया था और दो बलात्कारियों की सज़ा भी यह कहकर कम कर दी थी कि "अपराधियों की आयु युवा है और उन्होंने जो कुछ भी किया वह क्षणिक आवेश में आकर किया।" दूसरे शब्दों में बलात्कार अपराध तभी माना जाना चाहिए जबकि उसका करने वाला युवा न हो और जब उसने यह शुभ-कार्य क्षणिक आवेश में आकर नहीं वरन् काफ़ी सोच-विचार के बाद योजना बनाकर किया हो। (इण्डियन-एक्सप्रेस, दिल्ली संस्करण, 13 अक्टूबर 1994) और फिर बलात्कार यदि स्त्री के साथ न किया जाएगा तो क्या पुरुष के साथ किया जाएगा? एलिज़ाबेथ टेलर, मुग़लानी बेग़म और रूस की सम्राज्ञी कैथरीन जैसी स्त्रियाँ क्या आज इस देश में हैं जो खुलेआम भूखी मादा-भेड़ियों की भाँति पर-पुरुषों पर टूट सकें? और हमें यह भी नहीं भूलना चाहिए कि बलात्कार के बाद ही स्त्री की महानता का पता चलता है, वैसे नहीं। जयपुर से लगभग पचास किलोमीटर दूर बसे भटेरी नाम के गाँव की बनवारी देवी नामक एक नारी ने 1992 में एक ऐसी कन्या के बाल-विवाह पर आपत्ति उठायी थी जिसकी आयु मात्र एक वर्ष थी। उसकी इस आदर्शवादिता के कारण उसके साथ सामूहिक-बलात्कार सम्पन्न किया गया। वर्ष बीतते गये और कुछ नहीं किया गया। अन्त में चलकर केन्द्रीय-जाँच-ब्यूरो ने अपना बल दिखाया

और विभिन्न नारी सहायता संगठनों वग़ैरह के प्रयत्नों से एक दिन ऐसा भी आया कि स्वयं प्रधानमन्त्री ने श्रीमती बनवारीदेवी को 10,000 रुपये दिये और उस बेचारी उपेक्षिता स्त्री को समाज में फिर स्थान मिला। इण्डियन-एक्सप्रेस, दिल्ली संस्करण (25 सितम्बर 1994) यदि प्रत्येक स्त्री के साथ अन्त में चलकर ऐसा ही सद्‍व्यवहार किया जाए तो इस ग़रीब देश की हज़ारों स्त्रियाँ ख़ुशी-ख़ुशी बलात्कार करवाने को तैयार हो जाएँगी। अभी-अभी बेल्जियम की राजकुमारी के साथ विधिवत् बलात्कार किया गया और सारा हल्ला तो इसलिए मचा कि मुज़फ़्फ़रनगर में अन्याय करने वाले पुलिस-कर्मी छोटे तबके के लोग थे। प्रत्येक प्रदेश की राजधानी में रोज़ कोई बड़ा राजनेता या उच्च-अधिकारी (या उनका कोई सम्बन्धी) ठीक यही यज्ञ सम्पन्न करता है और कभी-कभी अख़बार में छपने के बावजूद किसी का कुछ नहीं बिगड़ता। बिहार में एक विधायक ने एक हरिजन युवती को पवित्र किया। समरथ को नहिं दोष गुसाईं। और यही बड़े लोग अगले दिन महात्मा गाँधी, डॉ. अम्बेडकर, बाबू जयप्रकाश नारायण और डॉ. राममनोहर लोहिया की भव्य मूर्तियों पर माल्यार्पण करते हैं और देशवासियों को उनके चरण-चिह्नों पर चलने की सलाह देते हैं। मैं पूछता हूँ कि आख़िर इस देश का भविष्य क्या है?

ब्यूरोक्रैसी का हाल बुरा है। राजधानी से फ़ोन आता है कि दमन करो और जब हाईकोर्ट या सुप्रीम कोर्ट कार्रवाई शुरू करता है तो वही फ़ोन फिर बजता है और कहता है कि "बच्चू, अब तुम मुअत्तिली के मज़े लूटो।" एक डिप्टी-इन्स्पेक्टर-जनरल-पुलिस व पर्वती-क्षेत्र के एक ज़िला मजिस्ट्रेट ने संवाददाताओं तक से कह दिया कि "हम तो बलि के बकरे बनाये जा रहे हैं।" 'इण्डियन-एक्सप्रेस' के अनुसार एक अदूरदर्शी व्यक्ति ने लखनऊ-स्थित इलाहाबाद-हाईकोर्ट की बेंच के सामने एक 'पेटिशन' दिया है जिसके अनुसार प्रदेश की सरकार एक ही जाति के लोगों को पी.ए.सी. में भर्ती कर रही है और उन्हीं को तरक्की भी दी जा रही है। बड़े-बड़े पुलिस के अफ़सर खुलेआम सारी स्थिति पर शोक-प्रस्ताव पास कर रहे हैं मगर इससे ज़्यादा वे हिजड़े और कुछ कर ही नहीं सकते। राजनीति का अपराधीकरण किया जा रहा है और नौकरशाही का 'जातिकरण' किया जा रहा है। पहले देश धर्म के नाम पर बँटा था, अब वह जाति के नाम पर टुकड़े-टुकड़े होगा। और जैसा कि एक वयोवृद्ध केन्द्रीय मन्त्री ने आज कहा है, देश का धर्म के नाम पर और विभाजन करने की नींव भी खोदनी शुरू कर दी गयी है। वोट के लिए अल्पसंख्यकों को फिर भड़काया जाएगा, सेवाओं में आरक्षण दिया जाएगा और इस बार जिन्ना साहब का पार्ट भी, स्वार्थी हिन्दू राजनेता ही अदा करेंगे, मुसलमान नहीं। कमर के दर्द से पीड़ित होने के बावजूद राष्ट्रपति जी ने कहा है कि "शेष जातियाँ नौकरियों में आरक्षण भले ही प्राप्त कर लें, वे ब्राह्मणों की तीव्र बुद्धि कभी प्राप्त नहीं कर सकतीं क्योंकि रावण जो था, वह भी एक ब्राह्मण ही तो था।" यह बात उन्होंने यादवों की चर्चा करते समय

की। मैं यादव-लोगों की बहुत क़द्र करता हूँ और इसी कारण एयर-वाइस-मार्शल यादवेन्द्रसिंह यादव मेरे पिछले तीस वर्षों से अभिन्न मित्र हैं। हाँ, अलबत्ता सर्वश्रेष्ठ जाति त्यागी-जाति ही है—इसमें न कभी मुझे कोई सन्देह था, न है और न रहेगा। 'त्यागी' लोग यदि इतने श्रेष्ठ नहीं होते तो क्या श्रीमद्‌भगवत्‌गीता में उनकी इतनी प्रशंसा यादवश्रेष्ठ भगवान् श्रीकृष्ण द्वारा स्वयं ही की जाती? कदापि नहीं।

आपको यह जानकर सन्तोष होगा कि नौकरशाही की हालत प्रायः सभी प्रदेशों में एक-सी ही है। सारे मुख्यमन्त्री उनसे वही व्यवहार करते हैं जो बादशाह लोग खवासों के साथ किया करते थे। मगर पुलिस व प्रशासन-सेवाओं के आला अफ़सर फिर भी ख़ुश हैं क्योंकि यदि वे नौकरी छोड़ दें तो करोड़ों की रिश्वत और शराब, कबाब और शबाब के ये मज़े फिर कहाँ से मिलेंगे? दामाद विदेश कैसे जाएगा और पुत्री किसी विदेशी-विमान-सेवा में परिचारिका कैसे बनेगी? 'फ़ार्म-हाउस' कैसे बनेंगे और करोड़ों का काला धन देशी व विदेशी बैंकों में कैसे जमा होगा? जिन प्रदेशों में चुनाव होने हैं वहाँ आला अफ़सरों की हालत बिना किसी जुलाब के ही पतली हो रही है। जिन नेताओं की कोठियों पर गुण्डे लगाये जाते थे, अब वे मन्त्री बनेंगे और अफ़सरों को अब उन्हीं की खिदमत में चुनी हुई सुन्दरियों को पेश करना होगा। सेवाधर्मो परमगहनः, योगिनामप्यगम्यः (भर्तृहार) जितना व्यभिचार इन दिनों प्रदेशों की राजधानियों में व दिल्ली में हो रहा है, उतना व्यभिचार तो शहंशाह मुहम्मदशाह के रंगीले काल में भी नहीं होता था।

इस रचना के लिखते-लिखते पता चला कि कर्फ़्यू कुछ घण्टों के लिए खुल गया। यह ख़बर सुनते ही धरती बदल गयी, आकाश बदल गया और मन ने मुक्ति की अँगड़ाई ली। मैंने भी नगरवधू क़िस्म की ऊपर चर्चित रमणी की दिशा में जाने की सोची। "बहुत दिनों बाद खुला आसमान, ख़ुश हुआ जहान। प्यार से प्रिय, जी नहीं भरता किसी का। सहसा बिरवों में पात लगे, सहसा विरही की आग जगी। डालें पलाश की फूट पड़ीं, प्रिय छूट गया धीरज मेरा। खींचती वह कौन ऐसे बन्धनों से, जो कि रुक सकता नहीं मैं? मधु पी लो, मौसम आज बड़ा प्यारा है। कहाँ विमोहिनी ले जाओगी, रिझा मुझे झंकृत पायल से? प्यार, जवानी, जीवन-इनका जादू मैंने सब दिन जाना। इन चिकने, ताज़े, हरे, नये पत्तों के साये में सुमने, फिर प्यार नया हो सकता है। बँधी नाव हिलती है तट पर, कवि के अग्नि-प्राण अकुलाये।" कर्फ़्यू का अनुभव तो मुझे अपने जीवन में मेरठ और जम्मू में भी हुआ था पर तब 'साँझ होते ही न जाने, छा गयी कैसी उदासी' वाली स्थिति इस प्रवासी के साथ कभी नहीं आयी थी। देहरादून में तो कर्फ़्यू ऐसी सख़्ती के साथ लगा कि एक मामूली-सी सड़क पार करते हुए भी मुझ जैसे कालजयी साहित्यकार को भय लगता था। इस पार प्रिये, तुम हो घर है, उस पार तना डण्डा होगा; वर्दी पहने वह पुलिसमैन, मेरा तन ठण्डा कर देगा।

कर्फ़्यू लगने की भाँति उसके खुलने का पता भी पब्लिक को पब्लिक से ही लगा। जब मैंने थाने को फ़ोन किया तो उसने सूचना दी कि "जब तक यह कर्फ़्यू दुबारा नहीं लगता, तब तक आप इसे खुला ही समझिए।" मैंने उनकी सतर्कता की दाद दी।

प्रेस ने बड़ी ग़ैर-ज़िम्मेदारी दिखाई। बहुजन समाज पार्टी की नेता और इस प्रदेश की महामुख्यमन्त्री एक कुमारी ने यह कहा कि "सुप्रीमकोर्ट के मुख्य-न्यायाधीश से भी कोई न्याय नहीं मिलेगा क्योंकि वे भी जाति-प्रथा में आस्था रखते हैं।" उन्होंने प्रेस को भी ब्राह्मणों का पक्षपाती बतलाया और संवाददाताओं से यह भी कहा कि "तुम्हें जो लिखना है, लिखो और यहाँ से बाहर निकल जाओ।" प्रेसवालों को अकारण ही गुस्सा आ गया और इस "अभूतपूर्व अशिष्टता पर इस पार्टी के किसी भी नेता की किसी भी मीटिंग में न जाने की घोषणा की।" (इण्डियन-एक्सप्रेस, दिल्ली, 23 सितम्बर 1994) मेरे विचार में एक स्त्री के एक वचन पर प्रेस ने जो प्रतिक्रिया व्यक्त की, वह ग़लत थी। उन्हें कम-से-कम एक नारी का सम्मान तो करना ही चाहिए था। नार्यस्तु यत्र पूज्यन्ते, रमन्ते तत्र देवताः। इसी प्रकार जब प्रदेश-सरकार के इशारे पर दो जनप्रिय समाचारपत्रों के ख़िलाफ़ 'हल्ला-बोल' आन्दोलन छेड़ा गया तो वह भी ग़लत ही था। यदि प्रेस और न्यायपालिका भी न रहीं तो सारे देश में ऐसी रक्त-क्रान्ति हो सकती है कि उसमें सारा देश ख़त्म हो जाएगा। तब मेले लगाने के लिए शहीदों के मज़ार तक नहीं बचेंगे।

बहरहाल स्थिति तनावपूर्ण पर नियन्त्रण में है। कुछ निराश नवयुवक चीन से मदद माँगने गये हैं जैसा कि स्थानीय अख़बारों में छपा है और जो नितान्त दुर्भाग्यपूर्ण है। स्कूल और अदालतें बन्द हैं और काफ़ी कर्मचारी दफ़्तर नहीं आ रहे हैं। इस क्षेत्र के वीर नवयुवक न जाने कब से सेना में जाते रहे हैं और ऊँचे-से-ऊँचे शौर्य-पदक पाते रहे हैं। यहाँ सेवा-निवृत्त फ़ौजियों की संख्या विशाल है जिनमें से न जाने कितने तो अभी भी हथियारबन्द हैं। सरकार को उचित होगा कि 'सिंह' होते हुए भी वह गरिमा के साथ 'मुलायम' ही रहे और यथासम्भव इस वीरान प्रान्त के विकास पर दया और कोमलता से ही काम ले। बड़े आदमी का बड़प्पन उसके क्रोध या ज़िद से नहीं जाना जाता, वह तो उसकी समय के साथ बदलती दृष्टि व उदारता से आँका जाता है। दमन के ज़ोर पर कोई शासक कभी भी जनता के हृदयों में स्थान नहीं पा सका। नेताओं के अपने भविष्य के साथ-साथ यदि 'उत्तराखण्ड' का भविष्य भी उज्ज्वल हो जाए तो क्या वह एक सच्ची ख़ुशी की बात नहीं होगी? सयानों का कहना है कि इस पर्वतीय-आन्दोलन के कारण एक हज़ार करोड़ रुपयों का नुक़सान तो अभी तक ही हो चुका है। यदि हालात को और बिगड़ने से न रोका गया, तो क्या होगा?

मैं हलफ़ लेकर कहता हूँ कि मैंने जो कुछ भी ऊपर लिखा है वह अपने द्वारा देखे और अख़बारों में छपे तथ्यों के आधार पर ही लिखा है। इस 'अफ़सोस-व्यंग्य' के लिखने में मुझे अफ़सोस ही हुआ। अब यह प्रशासन पर है कि वह मेरे ख़िलाफ़

वारण्ट जारी करे या सारे मसले पर शान्त-चित्त होकर विचार करे। मैं सदा परामर्श के लिए कहीं भी जाने को तैयार हूँ। वातानुकूलित दर्जे में यात्रा करने की व 'फ़ाइव-स्टार' होटल में ठहरने की साधारण-सी व्यवस्था मेरे लिए काफ़ी होगी। बहरहाल, मैंने एक सजग व्यंग्यकार की हैसियत से अपना लेखकीय कर्तव्य पूरा कर दिया। अब मैं अपने काग़ज़-पत्तर सँभालता हूँ और रचना को यहीं समाप्त करता हूँ। रचना समाप्त करने का एक तात्कालिक कारण यह भी है कि इसके लिखते-लिखते अमेरिका से ख़रीदे मेरे पार्कर पेन की निब टूट गयी है और इस रचना के बारे में आप ईमानदारी से यह कह सकते हैं कि "इसके लिखने में त्यागीजी ने सचमुच अपनी कलम तोड़ दी।"

(10.10.1994)

खल्वाट-कथा

इस असार संसार में 'धन' नाम की जो वस्तु है वह सबसे अधिक शक्तिशाली है। तेंतीस करोड़ देवी-देवताओं में 'धन' नामक देवता ही सब से ज़्यादा प्रबल है। वाम-मार्ग के पाँच 'मकारों' में 'मुद्रा' नामक 'मकार' ही सबसे अधिक आनन्ददायक होता है क्योंकि इसकी सहायता से आप शेष चार 'मकार' भी प्राप्त कर सकते हैं। खाखी सम्प्रदाय का मूल मन्त्र मात्र यही था कि 'बिन टका टकटकायते'। लार्ड कार्नवालिस ने जब सिक्के ढालने की 'कल' लगायी तो अकलमन्द लोग धन को 'कलदार' कहने लगे और किसी परम वैष्णव-भक्त ने उसकी प्रशंसा में एक स्तोत्र गढ़ा जिसकी सर्वप्रमुख पंक्ति थी—भज कलदारं, भज कलदारं, कलदारं भज, मूढ़मते। सामरसेट माम ने कहा है कि धन वह छठी ज्ञानेन्द्रिय है जिसके बिना शेष पाँच ज्ञानेन्द्रियाँ काम नहीं करतीं। ये जितने तथाकथित आध्यात्मिक लोग हैं, जो कहते हैं कि धन का सुख से कोई सम्बन्ध नहीं है, ये वे विरक्त लोग हैं जिनके बैंक में अपने करोड़ों रुपये जमा हैं। धन की महत्ता मात्र इसी सत्य से प्रकट हो जाती है कि धनाढ्य व्यक्ति के सामने सारे लोग अपने आप उसकी दासता स्वीकार कर लेते हैं। कवि कहता है:

त्वद् भृत्यभृत्य परिचारक भृत्य भृत्य
भृत्यस्य भृत्य इति मा स्मर लोकनाथ

हमारे नीतिकारों के अनुसार धनी बनने के तीन उपाय हैं। पहला उपाय है धन अर्जित करना, दूसरा उपाय है धन संचय करना और तीसरा और सबसे बड़ा उपाय है भाग्यशाली होना। एक और महामति शास्त्रकार के अनुसार धन प्राप्त करने का कोई निश्चित नियम नहीं है क्योंकि जिस लक्ष्मी-देवी का वाहन-स्वयं उल्लू है, उसका भला क्या नियम हो सकता है? रहीम के अनुसार—कमला थिर न रहीम कहि यह जानत सब कोय, पुरुष पुरातन की वधू क्यों न चंचला होय? पता नहीं कि लक्ष्मी के पुरातन पति ने केसरी जीवन, च्यवनप्राश, मकरध्वज और स्वर्णपर्पटी का सेवन क्यों नहीं किया और अपनी सगी पत्नी को चंचला क्यों होने दिया? महामति चाणक्य का मत कुछ और ही है, वह कहता है कि 'छिद्रदन्तो क्वचित्मूर्खः,

खल्वाटो निर्धनः क्वचित्' अर्थात् दाँतों के बीच में अन्तर होने पर शायद ही कोई व्यक्ति मूर्ख होता हो और गंजा सिर होने पर शायद ही कोई व्यक्ति ऐसा होता हो जो धनाढ्य न हो। वुडहाउस, प्रिंस फिलिप और आगा खाँ को देखकर आप स्वयं ही सोच सकते हैं कि धनाढ्य होने का रहस्य मात्र गंजा होने में छिपा है। मेरे जैसे जो भाग्यहीन व्यक्ति हैं (जो छिद्रदन्त होने पर भी बुद्धिहीन हैं और जो गंजा होने पर भी धनवान् नहीं हैं) वे अपवाद हैं जिन्हें चाणक्य ने 'क्वचित्' कहकर पहले ही 'चित्त' कर दिया है। अपने दन्तों की दन्तकथा तो 'बेदान्ती' होने पर भी फिर कभी सुनाऊँगा पर हाँ, यह यहाँ ज़रूर बताऊँगा कि गंजा होने के बावजूद मेरी आर्थिक स्थिति 'देहरादून-म्यूनिसपेलिटी' की आर्थिक स्थिति की भाँति सदा कष्टप्रद ही रही। मैंने घुड़दौड़ पर पैसा लगाया, लॉटरी के टिकट ख़रीदे, क्रॉसवर्ड पज़िल को सुलझाया और एक मीर साहब की अमीर व रूपवती विधवा से प्रेम भी किया पर धन के नाम कभी कुछ हाथ नहीं लगा। चाणक्य स्वयं इतने महान् साम्राज्य का महामात्य होकर भी विद्वानों को धनवान् नहीं बना सका और इसी कारण 'विद्वान् धनी, भूपति दीर्घजीवी' कहकर यवनिका के पीछे चला गया। मैंने सब कुछ किया पर 'भार्गव अँग्रेज़ी-हिन्दी शब्दकोश' के अतिरिक्त और कोई 'कोश' मेरे हाथ कभी नहीं लगा।

नीतिशास्त्रों के अनुसार बुद्धिमान् व्यक्ति अपने धन को पाँच भागों में बाँटता है। एक भाग वह अपने आनन्द के लिए ख़र्च करता है, दूसरा भाग वह दुर्दिन के लिए संचय करता है, तीसरा भाग वह दान देता है, चौथा भाग वह और धन अर्जित करने के लिए व्यापार में लगाता है और पाँचवाँ भाग वह अपने निकट के लोगों पर ख़र्च करता है जिनमें मेरे जैसे स्वार्थी मित्र सदा शामिल रहते हैं। भर्तृहरि के अनुसार धन की मात्र तीन ही गति हैं—दान, भोग और नाश। जो न देता है और न भोगता है, उसका धन स्वतः नष्ट हो जाता है क्योंकि दान, भोग और नाश के अतिरिक्त धन की और कोई गति होती ही नहीं। भारतेन्दु हरिश्चन्द्र भोगते भी थे, दान भी खुले हाथ देते थे और फिर लाखों रुपयों के नोटों व हुण्डियों को खुद ही जला कर हाथ भी तापा करते थे। उनका कहना था कि जब इस धन को नष्ट ही होना है तो फिर यह क्रिया भी मेरे ही कर-कमलों द्वारा क्यों न पूरी की जाए? मिश्रबन्धु इस सत्य पर सदा विस्मय करते रहे कि सब कुछ करने के बाद भी भारतेन्दु मरते समय किसी के ऋणी नहीं थे।

विष्णु शर्मा के अनुसार लक्ष्मी जो है वह व्यापार में बसती है। व्यापारे वसति लक्ष्मी। मेरे विचार में 'पंचतन्त्र' जैसे महान् ग्रन्थ का यह लेखक, महामति न होकर मात्र एक मूढ़मति था। लक्ष्मी सदा से चरित्रहीन रही और इसी कारण वह आजकल राजनीति में रहती है। गुण्डे पालो, जाति और धर्म के नाम पर (या फिर डण्डे के सहारे) चुनाव जीतो और उसके बाद वज़ीर बनो। वज़ीर बनने के बाद देश तुम्हारा और विदेश तुम्हारे बाप का। अमेरिका व यूरोप की यात्रा करो हालाँकि न तुम उनका

भूगोल जानते हो और न इतिहास। हुमायूँ एक विद्वान् व्यक्ति था जो अपनी लाइब्रेरी के ज़ीने से फिसल कर मरा था। अपने पिताश्री का यह अन्त देखकर उसका सुपुत्र शहंशाह जलालुद्दीन अकबर सदा बेपढ़ा ही रहा। सलाह देने को नौ-रत्न थे और दिल बहलाने के लिए एक छोटा-सा हरम था जिसमें सिर्फ़ चार हज़ार हसीना रहती थीं। आप भी वज़ीर बनने के बाद अमीरजादों का अपहरण कराओ, खाली कोठियों पर क़ब्ज़ा करो और ख़ुशामदियों को पुरस्कृत करो। चुनावों में जो 'रिगिंग' होता है वह 'ऋग्वेद' के अनुसार होता है। और शेषन जैसे मुख्य-चुनाव-आयुक्त क्या सदा रहेंगे? इसके बाद तबीयत के साथ ज़िन्दगी के मज़े और सरकार का ख़ज़ाना लूटो। प्रेस और बड़ी अदालतें ज़रूर तंग करेंगी पर उनसे क्या डरना? शेषन के बावजूद, चुनाव-पेटियों में रबर के बैण्ड से बँधी वोटों की गड्डियाँ पायी गयीं जो किसी भी नैतिक मार्ग से पेटी में नहीं जा सकती थीं। एक स्थान पर विरोधी-दल को वोट देने के कारण, एक 'कुमारी कन्या' के साथ बलात्कार किया गया और उसे 'कन्याकुमारी' बना दिया गया। एक प्रदेश में एक ऐसे सरकारी प्रेस में आग लगा दी गयी जहाँ कि मतपत्र छपे थे। न जाने कितनी विधानसभाओं में हिस्ट्री-शीटर विधायक बने विराज रहे हैं और श्री शेषन के अनुसार एक विधायक तो ऐसे हैं कि उनके ख़िलाफ़ हत्या तक के मुक़दमे दर्ज़ हैं। ग़रीबों के लिए जो एक रुपया दिया जाता है, उसमें से मात्र दो पैसे उस तक पहुँचते हैं और बाक़ी सारा पैसा मन्त्री से लेकर ग्राम-प्रधान तक की जेबों में चला जाता है। ज्योति बसु के अनुसार 'ब्लॉक-डेवलेपमेण्ट-ऑफ़ीसर' अब 'डेवलेपमेण्ट-ब्लॉक-ऑफ़ीसर' बन गये हैं जो एकदम सच है। एक विरोधी-दल के नेता ने एक सत्ताधारी नेता के ऊपर, तीन सौ करोड़ रुपये की रिश्वत लेने का आरोप लगाया है। न जाने कितने मुख्यमन्त्रियों ने महल खड़े कर लिये, नेतागिरी को पैतृक धन्धा बना दिया और मुरारजी देसाई तथा लालबहादुर शास्त्री को छोड़कर कोई ऐसा प्रधानमन्त्री नहीं बचा जिसने कुछ-न-कुछ अनैतिक काम न किया हो। करोड़ों की रिश्वत ली जाती है और सज़ा उस ग़रीब आदमी को होती है जिसने शायद मजबूरी में दस रुपये की रिश्वत ली थी। पुराने नोट पूरी तरह नहीं जलाये जाते और जाली नोट बराबर छापे जाते हैं। विकास-योजना के नाम पर घाटे के बजट बनते गये और भ्रष्टाचार व अपव्यय पर कोई अंकुश नहीं लगाया गया। वज़ीर लोगों ने माफ़िया का साथ दिया और शराब, कबाब और शबाब—इन तीन मुद्दों के काफ़िये पर जीवन समर्पित कर दिया। दिन में गाँधी-जयन्ती मनायी और रात अपनी कोठी के ही कोठे पर गुज़ारी। एकदम सारा का सारा मुल्क वाजिद अली-शाह के 'अवध' में बदल गया। लोगों का प्रजातन्त्र से विश्वास उठ गया और धीरे-धीरे सारा देश आतंकवादी बनता चला गया। नेता लोग भोग में डूब गये, पुलिस का अपराधीकरण किया गया, सिविल सर्विस को कुत्ता बना दिया गया और विधान-सभाएँ ऐसी अखाड़ा बन गयीं कि कहीं-कहीं तो एक-दूसरे की लँगोटी तक उतार ली गयी।

और इस सबके बावजूद, जो कुछ भी किया गया वह विधान के अनुसार ही किया गया। सत्ता-प्राप्ति के बाद नेताओं ने क़त्ल करवाये, औरतें भगायीं और दलितों का तो दलिया ही बना दिया। दरिद्रता को हटाने का जादू झूठा निकला और धर्म के नाम पर दंगे किये गये जो सच्चे थे। वही जनता, जो गाँधी जी के एक इशारे पर अपनी जान देने को तैयार रहती थी, अब निराश व भ्रष्ट हो गयी। देश का इससे ज़्यादा पतन और क्या हो सकता था? इन्द्रियों का झूठा जाल सच्चे इन्द्रजाल से आगे निकल गया। यथा राजा तथा प्रजा– यह कहावत सच्ची निकली। हाथी पर ज्यों महावत, बातों में त्यों कहावत (शरद जोशी)।

इन्द्रियों का जाल स्वयं में एक जाल है जिसमें योगी, तपस्वी, साधु और संन्यासी तक आदिकाल से फँसते आये। रूपवती रमणी के 'दर्शन' के सामने 'दर्शनशास्त्र' की भला क्या हैसियत है? 'श्रुति' बड़ी या रूपसी की 'स्मृति' बड़ी? स्त्री के 'पाँच अंगों' के सामने पण्डित का 'पंचांग' क्या कभी टिका है? कामिनी के कानन में 'वेदान्त' का 'अन्त' हो जाता है, 'पतंजलि' को 'तिलांजलि' दे दी जाती है, 'मीमांसा' का 'मांसाहार' हो जाता है, 'पुराण', 'परान्न' हो जाते हैं, नायक की 'ख़तरनाक' नाक कटकर 'दर्दनाक' हो जाती है, 'व्यास' के नाम से पशु का आभास मिलता है, 'संगीत' जो है वह 'भयभीत' करता है, 'कला' को 'काल' कवलित कर लेता है और 'गुण' जो हैं वे 'घुन' बन जाते हैं। 'प्रीति' के सामने 'नीति' नहीं रहती और 'रति' के सामने 'रीति' का ज्ञान नहीं रहता। सुन्दर युवती के सामने सब फीका है। सभी अलोना लोन बिन। लावण्य के बिना यौवन में माधुर्य नहीं आता–यह स्थिति सचमुच 'विचित्र' है जो कुछ पुस्तकों में 'सचित्र' भी दिखाई जाती है। यत्राकृतिः तत्र गुणाः वसन्ति (कालिदास)। सुन्दरी को हीरे की मुन्दरी पहनाइए और 'हीर' के साथ 'राँझा' बनिए। वक़्त मिले तो भगतसिंह, राजगुरु, बिस्मिल, अशफ़ाकउल्लाह खाँ व खुदीराम बोस की मज़ार पर घी का दीपक जला कर मेले का उद्घाटन भी कीजिए और उसके बाद लिक्खाड़ों की प्रशस्ति सुनिए, कवियों की कविताई का आनन्द लीजिए और उसके बाद फिर किसी गदरायी ग्रामबाला के वक्ष में अपना सिर रखकर विश्राम कीजिए। ग़म लीडर को बहुत हैं, मगर आराम के साथ (अकबर) कमसिन है तो प्रतीक्षा करनी पड़ेगी क्योंकि "लतायां पूर्वलोनायां कुसुमस्यागमः कुतः"। "क्षणे क्षणे यन्नवतां विधत्ते, तदैवरूपम् रमणीयतायाः"। "काव्य सुधा रसज्ञानां कामिनां कामिनी सुधा, धन सुधा सलोभानां शान्तिः संन्यासिनां सुधा।" लड़की का नाम यदि सुधा है तो वह संन्यासी द्वारा भी भोग्या है। देवि शरण मैं तुम्हरी गहऊँ, करन चहौं नहि जेतौ कहऊँ। स्वच्छन्दता दिशा चहौं नारिन, दोषी अधिक नाहिं व्यभिचारिन्। स्त्रियों से कभी मन नहीं भरता। यह स्थिति राजनेताओं के ही साथ नहीं वरन् राजा ययाति के साथ भी थी। आशावधि को गतः? कवि कहता है :

इयमधिक मनोज्ञा, बल्कलेनापि तन्वी

किमपि इव मधुराणां, मण्डनं नाकृतीनाम्

नीतिकारों ने यह भी कहा है कि धन सँभालकर ही रखना चाहिए। प्रत्येक धनी व्यक्ति के चारों ओर मित्र रिश्तेदार व कुल के लोग उसे घेरे रहते हैं। इनसे 'तर्क' करने के बजाय 'सतर्क' रहना ज़्यादा ज़रूरी है। 'घाघ' कवि के अनुसार, बाढ़ खोवै नाला, दीवार खोवै आला तथा घर खोवै साला। हमें सदा ऐसी ही नारियों से प्रेम या विवाह करना चाहिए जिसके कि भाई न हों। बहन हैं तो चलेंगी पर भाई हो तो नहीं चलेगा। कवि कहता है :

वामातरो भागिनेयाः मातुलोदार बान्धवाः
आज्ञात एव गृहिणां, भक्षयन्त्या सुखद गृहम्

धन के कुछ कष्ट भी हैं। पहला कष्ट तो यह है कि धन की रक्षा करनी पड़ती है। दूसरा कष्ट यह है कि धन से कभी मन नहीं भरता। तीसरा और सबसे बड़ा कष्ट यह है कि धनी व्यक्ति को हमेशा निर्धन बने रहने का भय बना रहता है। प्रातर्भवामि वसुधाधिपचक्रवर्ती, सोहं व्रजामि विपिने जटिलस्तपस्वी। धनी से निर्धन बनना बहुत कष्टप्रद होता है : अर्थोष्मिणां विरहितः पुरुषः स एव, अन्यः क्षणेन भवतीति विचित्रमेतत्। दरिद्र पुरुष को सदा चिन्ता घेरे रहती है। कवि कहता है :

घृतलवणतैलतन्दुलतक्रेन्धन चिन्तया सततम्
नश्यन्ति विपुलमतेरपि बुद्धिः पुरुषस्य मन्दविभवस्य

ग़रीब आदमी को सुन्दर स्त्री भी पाप का मार्ग दिखाई पड़ती है। मन मलीन तन सुन्दर कैसे, विषरसभरा कनकघट जैसे। ग़रीब आदमी का तो बोलना भी हमें अच्छा नहीं लगता। बात बात पै पड़े हथौरी, सभा माँहि बोलै बड़ ज़ोरी। मैंने दो ऐसे लोग देखे हैं जो मात्र अफ़ीम खाने की लत में करोड़पति से भिखारी बन गये थे। मेरे अपने परनाना ने अफ़ीम के चस्के में अपना एक पूरा गाँव खो दिया था। समय-समय की बात है समय बड़ा बलवान, भीलों छीनी द्रौपदी वही अर्जुन वही बान। धनी व्यक्ति को कुछ फुटकर कष्ट भी होते हैं। पं. प्रतापनारायण मिश्र ने एक रईस को देखा था जिसे मूत्र बहुत आता था। हर पन्द्रह मिनट बाद वे रज़ाई के बाद रज़ाई और कपड़े के बाद कपड़े उतारते थे और फिर लघुशंका मिटाने के लिए पेशाबघर की दिशा में दौड़ते थे। वृद्ध होने के कारण उनके गुर्दे शायद मुर्दे हो गये थे और इसी कारण कभी-कभी तो उनका पेशाब पेशाबघर पहुँचने से पहले ही निकल जाता था। मिश्र जी ने उस रईस का कष्ट देखा और अपनी ग़रीबी भूल गये क्योंकि फ़िराक़ साहब की भाँति मिश्र जी भी जहाँ तबीयत होती थी, वहीं मूतने बैठ जाया करते थे। अमीर आदमी का अन्तिम कष्ट यह होता है कि वह हमेशा यही सोचता रहता है कि मैं तो मर जाऊँगा पर मेरी यह दौलत यहीं रह जाएगी। महमूद ग़ज़नवी को भी यही दुख सताया करता था। कवि के शब्दों में धनवान व्यक्ति की स्थिति यह रहती है कि वह इसी चिन्ता में पड़ा रहता है।

सदा न फूलै तोरई, सदा न सावन होय
सदा न जोबन थिर रहै, सदा न जीवे कोय

'विषयी' न होने के कारण अब मैं यह 'विषयान्तर' समाप्त करता हूँ और फिर गंजे आदमी को पकड़ता हूँ हालाँकि बाल न होने के कारण गंजे आदमी को पकड़ना कोई आसान काम नहीं है। गंजे व्यक्ति को धूप ज़्यादा लगती है। भर्तृहरि ने एक ऐसे व्यक्ति की कथा कही है जो धूप से त्रस्त होने के कारण बेल के एक महावृक्ष के नीचे सिर ठण्डा करने को रुका मगर वृक्ष से एक बड़ा बेल का फल कुछ इस तरह गिरा कि वह फल और इस गंजे व्यक्ति का सिर—दोनों एक साथ फूट गये। गंजे आदमी के सिर पर उसकी अपनी या किसी पड़ोसी की पत्नी तबला बजा सकती है। फ्रांस में दो गंजे एक-दूसरे की चाँद में अपना मुँह देखकर हजामत बनाया करते थे। 'बेनहर' नामक विश्वप्रसिद्ध फ़िल्म का नायक अपना सिर मुँडा हुआ ही रखा करता था और उसकी देखा-देखी न जाने कितने दर्शकों ने अपने सिर का मुण्डन करवा लिया था। मैं भी उन सिर मुँड़ाने वालों में से एक था हालाँकि सिर मुँड़ाते ही मुझ पर ओले नहीं पड़े। खुदा गंजे को नाख़ून नहीं देता। सैमसन की सारी शक्ति उसके सिर के बालों में ही छिपी थी। इधर लन्दन में एक क्लब खुला है जिसका सदस्य कोई भी हो सकता है बशर्ते कि वह गंजा हो। इस क्लब का नारा है कि "ओ संसार भर के गंजो, तुम एक हो जाओ। सिर के बचे-खुचे बाल खोने के अलावा तुम्हें और कोई ख़तरा नहीं है।" आप यदि चाहें तो गंजा होकर इस क्लब के सदस्य बन सकते हैं। गंजे होने के कारण कई हैं। कुछ लोग गंजेपन को विरासत में पाते हैं जबकि कुछ लोग मात्र जलवायु के कारण ही गंजे हो जाते हैं। कुछ लोग इस कारण गंजे होते हैं क्योंकि वे बहुत तंग टोप या टोपी पहनते हैं जब कि कुछ लोग जूते खाने से ही 'गंजत्व' प्राप्त कर लेते हैं। यह ढंग देशी होने के कारण काफ़ी सस्ता व सरल है। जूता खाते वक़्त बस इतना ध्यान अवश्य रखना चाहिए कि जूते मारने वाला आदमी गिनती जानता हो और उसकी याददाश्त पक्की हो नहीं तो वह सौ की जगह दो सौ जूते भी लगा सकता है जिससे आपका सिर और उसका जूता—दोनों ही टूट सकते हैं। आपने शायद वह शिक्षाप्रद कथा सुनी हो जिसमें एक जागीरदार ने अपने एक रैयत से पूछा था कि "बतलाओ, तुम्हारी इस गुस्ताख़ी पर तुम्हें कसकर पच्चीस जूते लगवाये जाएँ या पच्चीस कच्ची प्याज़ खिलायी जाएँ?" उसने अपना निर्णय प्याज़ के पक्ष में दिया। पाँच प्याज़ खाने पर वह घबरा गया और उसने जूते खाने की अभिलाषा प्रकट की। मगर पाँच जूते खाने के बाद उसने अपना मत बदल दिया और जूतों के स्थान पर प्याज़ खाने की इच्छा प्रकट की। यह क्रम इसी प्रकार चलता रहा और अन्त में चलकर स्थिति यह रही कि उसने पच्चीस प्याज़ खायीं और पच्चीस जूते भी खाये। जूतों के कारण उसकी चाँद निकल आयी। उसकी पत्नी, बिना जूते या प्याज़ खाये, पहले से ही चन्द्रमुखी

थी। यह चन्द्रमुखी कन्या उस चन्द्रमुखी से अलग थी जिसकी भेंट कभी महाकवि केशवदास से हुई थी।

अब यह प्रबन्ध समाप्त करता हूँ। आज मैं पूरे छियासठ वर्ष का अधेड़ व्यक्ति हो गया। पता नहीं, ऊपर की अदालत का सम्मन कब आ जाए। आज सारा दिन मैं अपने जीवन का लेखा-जोखा लेता रहा। नादिरशाह वृद्ध व्यक्तियों से मिलने में डरता था क्योंकि मृत्यु का भय कम होने के कारण वे स्पष्टवक्ता होते थे। मेरी जीवन-यात्रा भी अब अपने पड़ाव पर आ गयी। मैंने सुख भी सहे और दुख भी भोगे मगर कुल मिला कर दुख का हिस्सा बहुत ज़्यादा रहा। बचपन कंगाली में गुज़रा और बाक़ी जीवन 'मानसिक-अवसाद' व 'मधुमेह' के कारण दुखी हो रहा। दो बार आत्महत्या की कोशिश की पर फल पर अपना अधिकार न होने के कारण दोनों बार जीवित ही बच गया। यह 'मधुमेह' का रोग एक राष्ट्र-विरोधी रोग है। देश में चीनी की कमी है, लोग थोड़ी-सी चीनी प्राप्त करने के लिए जीवन भर 'क्यू' में खड़े रहते हैं और मैं हूँ कि बिना किसी संकोच के, उसी चीनी को अपने मूत्र के साथ नाली में बहा रहा हूँ। कभी-कभी सोचता हूँ कि यदि मैं मुरारजी देसाई की भाँति अपने मूत्र का प्रयोग अपने आप ही करने लगूँ तो कम-से-कम मेरे ज़िस्म की चीनी बेकार तो न जाए। आदमी चँद्रमा पर पहुँच गया पर मधुमेह व डिप्रेशन का इलाज अभी तक नहीं निकाल सका।

अपने जीवन में मैंने बाक़ी लोगों की भाँति हानि और लाभ, यश व अपयश और सम्मान व अपमान—सभी को भोगा और सभी को झेला। ख़ूब पढ़ा और ख़ूब घूमा। मेरा कोई सच्चा मित्र कभी नहीं रहा और न मैं ही किसी का सच्चा मित्र बन सका। कुछ तथाकथित आत्मीयों और मित्रों ने काफ़ी बड़े धोखे दिये और जो मित्र मुझे धोखा नहीं दे सके, उनको मैंने धोखे दिये। गिने-चुने सिद्धान्त रखे और उन्हें कभी नहीं तोड़ा। जिन लोगों ने मेरा अपमान किया उनसे मैंने बदला लिया और जहाँ बदला नहीं ले सका, वहाँ उन्हें क्षमा कर दिया। फ़ार्गेट एण्ड फ़ारगिव। हेट दी सिन बट नॉट दी सिनर। जज नाट, यू शैल नॉट बी जज्ड। ईश्वर और धर्म के मामले में ख़ाकसार अवसरवादी ही रहा। धर्म में सबसे बड़ा गुण यह है कि अपनी इच्छानुसार आप उसे किसी भी तरह तोड़-मोड़ सकते हैं। दर्शनशास्त्र व इतिहास का ज्ञान ज़्यादा ज़रूरी है क्योंकि उनमें इंसान की कथा है जबकि भौतिक विज्ञानों में सृष्टि की कथा है जो शायद नीरस है। मुझसे सब प्रकार हीन व्यक्ति डाइरेक्टर जनरल, सचिव, राजनेता, एयर मार्शल व राजदूत बने जबकि मैं मात्र केन्द्रीय-सरकार के संयुक्त-सचिव के स्तर तक ही पहुँच सका। साहित्यिक संसार में भी मुझे अपना पूरा हक़ अभी तक नहीं मिला जिसका मुझे कोई गिला नहीं। यदि प्रेमचन्द, निराला, बख़्शी जी, ठाकुरप्रसाद सिंह व रांगेय राघव एक मामूली मुदर्रिस, फ़क़ीर, चपरासी, बाबू और कुली जैसा जीवन जीते

रहे तो भला मुझे क्या शिकायत हो सकती है?

कुल मिलाकर स्थिति वही रही जो शहंशाह अकबर के सगे मौसेरे भाई अब्दुर्रहीम ख़ानख़ाना ने सैकड़ों वर्ष पूर्व बतायी थी और जिससे मैं पूर्णतया सन्तुष्ट हूँ। रहीम कहता है :

निज कर क्रिया रहीम कहि, सुधि भावी के साथ
पाँसे अपने हाथ में दाँव न अपने हाथ

तालस्ताय की प्रतिमा और गर्दभ-नृत्य

भारत और रूस में मूर्तियों को लेकर जो शीतयुद्ध चल रहा था वह अब समाप्त हो गया। सन् 1987 में हमारे तत्कालीन प्रधानमन्त्री श्री राजीव गाँधी व रूस की साम्यवादी पार्टी के तत्कालीन जनरल-सेक्रेटरी श्री गोर्बाचोव के बीच यह तय हुआ था कि दोनों देशों के चार-चार महान् व्यक्तियों की प्रतिमाएँ एक देश दूसरे देश में स्थापित करेगा। भारत में लेनिन, पुश्किन, तालस्ताय व मैक्सिम गोर्की की प्रतिमाएँ लगेंगी और रूस में गुरुदेव रवीन्द्रनाथ ठाकुर, महात्मा गाँधी, पं. जवाहरलाल नेहरू व श्रीमती इन्दिरा गाँधी की प्रतिमाएँ खड़ी की जाएँगी। रूस ने साहित्यकारों को महत्त्व दिया था जबकि हमने राजनेताओं को तरजीह दी थी। रूस की सरकार ने मास्को में महात्मा गाँधी, रवीन्द्रनाथ ठाकुर व इन्दिरा गाँधी की मूर्तियाँ खड़ी कर दीं और पं. नेहरू के नाम पर उस स्थल का नाम 'नेहरू चौक' भी रख दिया जहाँ कि श्रीमती गाँधी की पवित्र प्रतिमा स्थापित की गयी। भारत की सरकार ने लेनिन व पुश्किन की मूर्तियाँ तो राजधानी में खड़ी कर दीं पर उसके बाद हमारी सरकार इस मूर्तिपूजा के विरुद्ध हो गयी। जब तालस्ताय की काँसे की मूर्ति बनकर तैयार हो गयी तो रूस ने हमें उसकी ख़बर दी और एक दैत्याकार हवाई जहाज़ की सहायता से उसे दिल्ली पहुँचा भी दिया पर तब तक रूस स्वयं टूट चुका था और शायद इसी कारण हमारी सरकार ने तालस्ताय की मूर्ति के मामले पर कोई विशेष ध्यान नहीं दिया। देर के बाद देर होती चली गयी और स्थिति तनावपूर्ण होती गयी। आरोप और प्रत्यारोप लगाये जाने लगे और जब रूस की सरकार ने यह सूचना दी कि वहाँ के प्रधानमन्त्री जैसे ही निकट भविष्य में भारत आएँगे तो वे दिल्ली में तालस्ताय की मूर्ति का अनावरण-संस्कार सम्पन्न करेंगे तो हमारे कई केन्द्रीय मन्त्रालयों में खलबली मच गयी। स्थिति ज़्यादा नाज़ुक हो जाने पर प्रधानमन्त्री के दफ़्तर को आदेश जारी करने पड़े और उसी के फलस्वरूप रूस के प्रधानमन्त्री ने यहाँ तालस्ताय की मूर्ति का विधिवत् अनावरण किया। मूर्तियों को लेकर दुनिया में क्या-क्या नहीं हुआ, बुतपरस्ती का बहाना लेकर विदेशियों ने हमारे इस देश के लाखों लोगों पर क्या-क्या ज़ुल्म नहीं ढाये और पुरानी मूर्तियों की तस्करी ने इस देश के लिए कितनी विदेशी मुद्रा नहीं कमायी? ऐसी स्थिति में तालस्ताय की मूर्ति

का मामला तय होना एकदम ठीक ही रहा। रूस टूट गया पर तालस्ताय की प्रतिमा तोड़ने में किसी को क्या दिलचस्पी होगी और गुरुदेव व पुश्किन के स्वप्न तोड़ने से किसी को भी भला क्या मिलेगा?

मूर्तियों के प्रति मैं भी सदा अनुरक्त रहा हालाँकि काँसे या पत्थर की बनी मूर्तियों की अपेक्षा मुझे हाड़-मांस की बनी मूर्तियों से ही ज़्यादा अनुरक्ति रही। सादा जीवन, सादे विचार। काँसे और संगमर्मर की मूर्तियाँ लाखों रुपयों में मिलती हैं जब कि अस्थि-चर्ममय देह वाली रूपवती प्रतिमा प्रायः मुफ़्त ही मिल जाती है जो कभी-कभी अपने साथ हीरे-जवाहिरातों का सेट भी ले आती है। इन युवा मूर्तियों में कभी-कभी पत्थर का ही दिल पाया जाता है मगर वह एक दीगर बात है। वैसे भी हृदय भले ही पत्थर का हो, बाक़ी देह तो वैसी ही मिलती है जिसके कारण कन्या जो है वह कोमलांगी कहलाती है। मेरे एक प्रयागी मित्र थे जिन्हें वेदान्त और हसीन मोहतरमाओं के अलावा दुनिया की किसी भी चीज़ से कोई मोह नहीं था। एक दिन वे घूमने कम्पनी-बाग़ गये तो वहाँ देवकीनन्दन खत्री की 'कुसुमकुमारी' की भाँति सौन्दर्य की एक प्रतिमा खड़ी देखी जिसकी आँखें बन्द थीं और जो शायद सूरज की उपासना कर रही थी। मेरे मित्र ने उसे पाषाण की प्रतिमा समझा और वे उसका कपोल चूमने के लिए आगे बढ़े। उनके चुम्बन के प्रभाव से वह पत्थर की तिलस्मी मूरत यकायक हरकत में आ गयी और उसने मेरे मित्र के मुखारविन्द पर अपने चप्पलों की अजस्र वर्षा प्रारम्भ कर दी। कोई पंचहत्तर जूते खाने के बाद भी, मेरे वे वेदान्ती मित्र उसे पत्थर की देवी ही समझते रहे मगर जब वह मूर्ति चिल्लाने लगी और पार्क के और घूमने वाले जज, वकील व प्रोफ़ेसर वग़ैरह इकट्ठा होने लगे तो मेरे मित्र को होश आया। इस हादसे में उनका सिर्फ़ एक दाँत ही टूटा। थोड़ी देर यदि और हो जाती तो वे निश्चयपूर्वक 'वेदान्ती' होने के साथ-साथ 'बे-दान्ती' भी हो जाते। यह मज़ाक़ मैंने डॉ. मनोहरलाल से चोरी की।

बम्बई में अभी-अभी एक होनहार नौजवान पुलिस द्वारा हिरासत में लिये गये हैं। वे अपने को विदेशों में शिक्षित, बेहद अमीर और एक मुख्यमन्त्री का पुत्र बताते थे। वे अपनी शादी का विज्ञापन अख़बारों में दिया करते थे और अपनी होने वाली पत्नियों से किसी पाँच सितारों वाले होटल में मिला करते थे। उनका क्षेत्र पूना और नागपुर से लेकर कलकत्ता, मद्रास, दिल्ली, बड़ौदा, बंगलौर और अहमदाबाद तक फैला था। उन्होंने इसी प्रकार नौ रूपसियों का वरण किया और बाद में उन्हें सब तरफ़ से लूटकर छोड़ दिया। दसवीं पत्नी को पता नहीं कैसे सन्देह हुआ और उसके माता-पिता ने पुलिस को ख़बर दी। पुलिस ने उन्हें हिरासत में ले लिया और उनकी पीठ के नीचे वाले भाग पर डण्डे लगाकर सत्य को प्राप्त किया। सत्य यह निकला कि वे हज़रत सिर्फ़ दर्जा आठ तक पढ़े थे और धोखाधड़ी के अपराध में कई बार जेल का सुखी जीवन भी व्यतीत कर चुके थे। एक बार उन्होंने काफ़ी नवयुवकों

और नवयुवतियों को फ़िल्मी जगत् में प्रवेश करा देने का वादा करके उनसे लाखों रुपये लूटा था। फ़िलहाल पुलिस ने यह भी पता लगा लिया है कि अकेली बम्बई में ही उनके अनेक बैंकों में खाते हैं। जिस दसवीं पत्नी ने उन्हें पकड़वाया है वह इन दिनों गर्भवती भी चल रही है। इनसे बड़ा मूर्तिपूजक मिलना असम्भव नहीं तो कठिन अवश्य है। अगर ये ख़ाकसार को अपना सलाहकार रखते तो शायद इतनी परेशानी में न पड़ते। पत्नी का ज़्यादा होनहार होना सदा से ख़तरनाक रहा।

हमारे मुख्यमन्त्री श्री मुलायम सिंह यादव ने पतियों को परामर्श दिया है कि "वे अपनी (या दूसरों की) पत्नियों को पीटने की पुरातन प्रथा को तुरन्त रोक दें।" मैं उनसे एकदम सहमत हूँ। मुलायम युवतियों के प्रति हम सबको मुलायम ही रहना उचित है। नार्यस्तु यत्र पूज्यन्ते, रमन्ते तत्र देवताः। हाँ, उनके कोमल शरीर पर यदि कठोरता बरतनी ही है तो वह यथास्थान व यथासमय और प्रकार बरतनी चाहिए। इस नियम के कुछ अपवाद हो सकते हैं पर इस संसार में ऐसा कौन-सा नियम है, जिसका एक-न-एक अपवाद नहीं होता? संसार का सबसे अमीर आदमी, जो अरब के ब्रुनेई देश का सुल्तान है, अपनी दो पत्नियों के आपसी झगड़ों के मारे आत्महत्या करने की सोच रहा है। सुलतान की आयु 46 वर्ष है, वह बीस हज़ार करोड़ रुपयों की सम्पत्ति का स्वामी है, उसके महल की क़ीमत लगभग 2500 करोड़ है जिसमें मात्र 1876 कमरे तो ऐसे हैं जो दुनिया के बेहतरीन संगमर्मर से बने हैं, उसके पास 700 मोटरें हैं और अपना हवाई जहाज़ है पर उसकी ये दो परम रूपवती पत्नियाँ आपस में ऐसा गृहयुद्ध मचाये हुए हैं कि सुलतान को अपना सिरदर्द हटाने के लिए दवा, मदिरा व महल की एक हसीन दासी का नियमित सेवन करना पड़ता है। मैं अगर इस सुलतान की जगह होता तो रोज़ ब्राह्म-मुहूर्त में इन दोनों पत्नियों के चारों कपोलों पर गिन-गिनकर पच्चीस-पच्चीस जूते कस कर लगाया करता। हफ़्ते भर में यदि यह प्राकृतिक चिकित्सा काम न करती तो या तो मैं जूते बदल देता या फिर पत्नियाँ ही बदल लेता। महान् मराठा सम्राट् श्रीमन्त राजराजेश्वर बालाजी बाजीराव पेशवा की पत्नी गोपिकाबाई उन्हें इतना तंग करती थी कि पानीपत के तीसरे युद्ध के पूर्व उन्हें एक शादी और करनी पड़ी थी। स्त्रियों के साथ कभी-कभी 'सिंह' भी होना पड़ता है, मात्र 'मुलायम' रहने से सदा काम नहीं चलता।

मूर्तियों की चर्चा चले तो मन्दिरों व उनके पुजारियों को कैसे भुलाया जा सकता है? 6 जनवरी 1995 के अख़बार के अनुसार पुरी के जगन्नाथ मन्दिर में दर्शनार्थ आये कुछ ग़रीब भक्तों पर पुजारियों ने लोहे की छड़ों से हल्ला बोल दिया और जान बचाने के लिए इन ग़रीबों को—जिनमें कुछ वृद्ध लोग भी थे—छह मीटर ऊँची दीवार के ऊपर से कूदना पड़ा जिसके कारण उनमें से कुछ को शारीरिक चोट भी आयी। कुछ लोग अस्पताल में पड़े हैं— और पुलिस ने पुजारियों को हिरासत में ले लिया है। इन ग़रीब भक्तों का अपराध मात्र इतना था कि उनके पास इतने पैसे

नहीं थे कि वे पुजारियों की 'महाप्रसाद' ख़रीदने की पवित्र आज्ञा का पालन कर सकते। एक और संन्यासी हैं जो सुन्दर कन्याओं को अध्यात्म का शारीरिक पाठ इतनी दक्षता के साथ पढ़ाया करते थे कि उनका आश्रम एक 'नारी-निकेतन' की छटा प्रदान करने लगा था। दूर-दूर से वन्ध्या रमणियाँ आती थीं और संन्यासी महाराज तथा उनके परम समर्थ शिष्यों की सक्रिय सहायता से, वे सदा गर्भवती होकर ही लौटती थीं। यह खेद की बात है कि मियाँ-बीवी के राज़ी होने पर भी काज़ी ने मामले में दख़लअन्दाज़ी की और आश्रम की तलाशी ली। आश्रम में और रसों के साथ-साथ बीभत्स-रस भी चलता था और पुलिस को ज़मीन खोदने पर कुछ कंकाल, काफ़ी गाँजा व चरस और हीरे-जवाहिरात भी बरामद हुए। फ़िलहाल संन्यासी जी पुलिस की हिरासत में हैं और पुलिस ने दो युवा रूपसियों को भी पकड़ लिया है। उनकी जो सेवा आश्रम में होनी थी वह अब हवालात में होगी। इस देश की पुलिस को नारी-जाति के प्रति जो स्नेह है, उसे कौन नहीं जानता? अगले जन्म में मैं भी ऐसा ही आश्रम खोलना चाहूँगा। परोपकाराय सतां विभूतयः। हे परमपिता परमात्मा, अगले जन्म में मुझे ऐसा ही संन्यासी बनाना और यदि वह सम्भव न हो तो फिर पुलिस का दारोग़ा ही बना देना। बहरहाल जो कुछ भी चोला देना, ऐसा देना कि चोले और चोली की चिरन्तन दूरी सदा के लिए अन्तर्धान हो जाए।

अब मैं मूर्तियों को छोड़ता हूँ और रेल को पकड़ता हूँ। हमारे वर्तमान रेल-मन्त्री श्री जाफ़र शरीफ़ सचमुच एक शरीफ़ व्यक्ति हैं और शायद इसी कारण स्थिति यह हो गयी है कि रेल-दुर्घटना अब दैनिक जीवन का एक सामान्य अंग बन गयी है। सच्ची बात तो यह है कि आजकल जिस दिन कोई रेल-दुर्घटना नहीं होती, उस दिन मन बड़ा उदास हो जाता है और ऐसा लगता है जैसे कि जीवन यूँ ही खलास होता जा रहा है। डाकगाड़ियाँ तक तीन-तीन घण्टा लेट चल रही हैं क्योंकि उन्हें आउटर सिगनल पर खड़ा होना पड़ता है ज़हाँ काले पैसे का सामान रेल से बाक़ायदा उतारा जाता है। ट्रेन में झाडू लगाना बन्द कर दिया गया है और शौचालय तो इतने साफ़ रहते हैं कि उनमें आप मूत्र-विसर्जन तक नहीं करना चाहते। वह दिन दूर नहीं है जबकि मूत्र-दान करने के लिए या तो लोग खिड़की का उपयोग किया करेंगे या फिर ज़ंज़ीर खींच कर गाड़ी रोकी जाया करेगी ताकि हज़ारों यात्री पटरी के दोनों ओर स्थित खेतों की मुफ़्त सिंचाई कर सकें। इस सिंचाई से यात्री पतलून या पाजामा गीला करने से बचेंगे और सींचे गये खेतों की उपज में भी आशातीत वृद्धि होगी क्योंकि मूत्र में अनेक ऐसे उर्वरक तत्त्व मिले होते हैं जो सामान्य पानी में नहीं पाये जाते। मूत्र की शक्ति से ही हमारे एक प्रधानमन्त्री भारत-रत्न बने और लगभग सौ वर्ष तक जिये। जीवेम शरदः शतम्, पिबेत यदि मूत्रः स्वयम्। वर्तमान् रेलमन्त्री इतने कर्मठ हैं कि पता नहीं उन्होंने कितनी लम्बी छोटी पटरी को चौड़ी पटरी में बदला और यह काम इतनी आस्था के साथ किया गया कि चौड़ी की गयी पटरी अनेक

स्थानों पर इतनी चौड़ी हो गयी कि उस पर रेल को छोड़कर बाक़ी सब कुछ चल सकता था। वाराणसी-इलाहाबाद के बीच गतिशील होने वाली 'चौरीचौरा एक्सप्रेस' को यदि दिसम्बर 1994 में एक गाँव के सैकड़ों निवासी पटरी पर खड़े होकर नहीं रोक लेते तो हज़ारों यात्री यूँ ही मारे जाते। इस छोटी लाइन को बड़ी लाइन में बदलने पर मात्र सौ करोड़ रुपयों का ख़र्चा आया था। बस।

पिछले एक वर्ष में मैंने रेलों से सम्बन्धित जितनी मज़ाक़ अख़बारों में पढ़ी हैं, उनको लेकर एक किताब लिखी जा सकती है। ताम्बरम को जाने वाली एक ट्रेन मद्रास से छूटने ही वाली थी कि बिजली भाग गयी। ड्राइवर नीचे उतर गया और अपने साथियों से गप्पें मारने लगा। इसी बीच बिजली आ गयी और रेल चलने लगी। इस आश्चर्यजनक स्थिति का कारण मात्र इतना था कि इंजिन से उतरते समय ड़ाइवर साहब जो थे वे इंजिन का स्विच 'ऑफ़' करना भूल गये थे। बहरहाल रेल चली और (बिना किसी ड्राइवर के) रफ़्तार पकड़ते हुए लगभग 51 किलोमीटर की दूरी तक चली गयी। इसके बाद गाड़ी अपने आप रुक गयी क्योंकि शायद बिजली फिर किसी के साथ भाग गयी थी। एक और राज्य में एक इंजिन-ड्राइवर बीड़ी ख़रीदने नीचे उतरा और उसकी ग़ैरहाज़िरी में एक शराबी व्यक्ति ने—जो कभी रेल का ड्राइवर रह चुका था—इंजिन में प्रवेश किया और उस शंटिंग इंजिन को स्टार्ट कर दिया। पहला ड्राइवर बीड़ी ख़रीद कर वापस लौटा तो उसने इंजिन को पटरी पर से नदारद पाया। उसने बहुत सोचा और विचारा पर अन्त में चलकर उसे स्टेशन-मास्टर के सामने सारे हादसे का वर्णन करना ही पड़ा। स्टेशन मास्टर सचमुच कार्य-तत्पर अधिकारी था जो अपनी ज़िम्मेदारी पूरी तरह समझता था। उसने तुरन्त इस ड्राइवर के ख़िलाफ़ इंजिन चोरी करने की एफ. आई.आर. थाने में दर्ज़ करायी और इसके बाद जनरल-मैनेजर के दफ़्तर को फ़ोन किया। इधर यह होता रहा और दूसरी ओर वह शराबी ड्राइवर उस इंजिन को चलाता रहा। कई मील जाने के बाद इंजिन अपनी इच्छा से ही पटरी पर से उतर गया और एक खेत में विचरण करने के बाद वहीं रुक गया। गाँववालों ने जब स्टेशन को ख़बर दी तो अगली कार्रवाई की गयी। इस बीच किसी ने भी उस खोये हुए इंजिन की ओर कोई ध्यान नहीं दिया था। नीचे से ऊपर तक सारे लोग उस ग़रीब ड्राइवर के ही पीछे पड़े थे जिसने उस इंजिन की तथाकथित चोरी की थी। इसी प्रकार एक और रेल के साथ और भी ज़्यादा दिलचस्प हादसा हुआ। एक एक्सप्रेस गाड़ी ड्राइवर की लापरवाही के कारण, एक स्टेशन पर बिना रुके ही आगे बढ़ गयी। जब वह अगले स्टेशन पर रुकी तो उस ट्रेन के गार्ड व ड्राइवर का घिराव सम्पन्न किया गया क्योंकि काफ़ी यात्री ऐसे थे जिन्हें उसी स्टेशन पर उतरना था जहाँ कि गाड़ी रुकना भूल गयी थी। गाड़ी को पीछे लौटना पड़ा पर इसी बीच किसी स्टेशन ने ग़लती से उसे उस पटरी पर डाल दिया जो कहीं और जाती थी। सारी ग़लतियों के कारण गाड़ी ग्यारह घण्टे लेट हुई

और एक मालगाड़ी से टकराते-टकराते किसी तरह बची। अभी-अभी मैं बनारस से देहरादून लौटा तो बनारस में ही पता चला हावड़ा-देहरादून एक्सप्रेस कलकत्ता से ही आधा घण्टा लेट चली है और बनारस आते-आते वह डेढ़ घण्टा लेट हो जाएगी। बहरहाल देहरादून आते-आते वह लगभग साढ़े चार घण्टे लेट हो चुकी थी। लेट होने की सारी ज़िम्मेदारी ड्राइवर पर जाती थी क्योंकि बनारस में—और उसके बाद नजीबाबाद में—रेलवे का माइक्रोफ़ोन बराबर ज़ोर-ज़ोर से चिल्ला-चिल्ला कर कह रहा था कि "हावड़ा से देहरादून जाने वाली गाड़ी (जो प्लेटफ़ार्म नम्बर तीन पर खड़ी है) चलने को तैयार है। सिगनल हो चुका है और गार्ड बराबर सीटी बजा रहा है और हरी झण्डी हिला रहा है। इस गाड़ी के ड्राइवर व उनके सहायक (जहाँ कहीं भी हों, वहाँ से हट कर) इंजिन में प्रवेश करें और गाड़ी को तुरन्त स्टार्ट करें।" इस घोषण ा को सुनकर मुझे शौक़त थानवी की कहानी 'स्वदेशी रेल' याद आ गयी। रेलों की स्थिति इतनी दयनीय हो चुकी है—यह मैं सचमुच नहीं जानता था। यथा राजा, तथा प्रजा। लालबहादुर शास्त्री होते तो उन्होंने कभी का त्यागपत्र दे दिया होता।

मैं यह वाक़ई नहीं समझ पा रहा हूँ कि रेलों की हालत इतनी ख़राब क्यों होती जा रही है क्योंकि वैसे तो हमारे माननीय रेलमन्त्री काफ़ी ईमानदार व कर्मठ व्यक्ति हैं। जब वे अपने तेईस एकड़ के फ़ार्म-हाउस को जा रहे थे तो किसी रेलवे-क्रॉसिंग पर दरवाज़ा बन्द होने के कारण उनकी मोटर को पन्द्रह मिनट रुकना पड़ा और इसके फलस्वरूप वहाँ रातोंरात रेलवे को 'अण्डरब्रिज' बनाना शुरू करना पड़ा जिस पर मात्र नब्बे लाख रुपयों का ख़र्च आएगा। इस पुल से रेलमन्त्री के अतिरिक्त शायद ही किसी और की मोटर निकले क्योंकि यह एक उपेक्षित स्थान पर स्थित है जहाँ शेष यातायात न होने के बराबर है। अनेक महत्त्वपूर्ण स्थानों पर ऐसे पुल बनने हैं पर रेलवे-विभाग तो उसी पुल को प्राथमिकता देगा जिस पर अपने फ़ार्म-हाउस पर पहुँचने के लिए उनके मन्त्री जी की मोटर गुज़रनी है। दान सदा घर से ही शुरू होता है। कुछ लोगों का ख़याल है कि मन्त्री जी का फ़ार्म-हाउस स्वयं ऐसी भूमि पर बना है जो ग़ैरकानूनी ढंग से प्राप्त की गयी है। एक मुख्यमन्त्री ने सारी तथाकथित अनियमितता की जाँच के लिए कर्नाटक-कैबिनेट की एक उपसमिति का गठन किया था पर बाद में वे मुख्यमन्त्री जी ही सत्ता खो बैठे। रेलमन्त्री पर ये धूर्त अख़बारनवीस और भी भ्रष्टाचार के आरोप लगाते रहे हैं पर मैं उन पर कतई यक़ीन नहीं करता। भला श्री नरसिंहराव जैसा विद्वान् और पवित्र प्रधानमन्त्री अपनी कैबिनेट में किसी भ्रष्ट मन्त्री को कैसे बर्दाश्त कर सकता है? बहरहाल आप फिर भी 5 जनवरी 95 का 'इण्डियन-एक्सप्रेस' (दिल्ली) अवश्य पढ़ लें। इससे आपको पता लग जाएगा कि इस देश में पत्रकारिता का स्तर कितना गिर गया है। इसी पतन से क्षुब्ध होकर माननीय रेलमन्त्री जी ने एक दिन एक पत्रकार का कैमरा उससे दिनदहाड़े छीन लिया था।

रेल से उतरकर अब मैं आपको अदालत में पेश करता हूँ। शायद आप जानते हों कि प्राकृतिक-न्याय के छह सिद्धान्तों में से एक सिद्धान्त यह भी है कि देरी से न्याय मिलने और न्याय न मिलने में कोई अन्तर नहीं माना जाता। जस्टिस डिलेड इज़ जस्टिस डिनाइड। हमारे इस परम पवित्र देश की विभिन्न छोटी-बड़ी अदालतों में वर्षों से सुनवाई के लिए पड़े कुल मुक़दमों की संख्या अब लगभग चार करोड़ हो गयी है जिनमें से लाखों मुक़दमे तो सुप्रीम कोर्ट में ही पड़े हैं। आम हिन्दुस्तानी के लिए अदालत से अभिप्राय ही उस स्थान से निकलता है जहाँ तबीयत के साथ झूठ बोला जाता है, घूस दी जाती है और न्याय मिलने में इतनी देर लगती है कि मुक़दमा जीतने और हारने में कोई विशेष अन्तर नहीं रहता। मुझे आप तक इस खुशख़बरी के पहुँचाने में हार्दिक खुशी होती है कि दिल्ली के जजों की वरीयता का मामला भी पन्द्रह वर्ष से अभी तक तय नहीं हो पाया। यह मामला एक जज ने 1980 में दर्ज़ किया था और वह अभी तक विचाराधीन ही चल रहा है हालाँकि इस अवधि में दस सम्बन्धित जज रिटायर हो चुके हैं। यह मामला 1980 से तो सुप्रीम कोर्ट में ही पड़ा है। अब जजों को पता लगेगा कि तारीख़ के बाद तारीख़ लगाने का मतलब क्या होता है। तलाक़ के मुक़दमे का फ़ैसला तब होता है जबकि तलाक़ माँगने वालों की दूसरी शादी की उम्र निकल जाती है और मकान-मालिक व किरायेदार का फ़ैसला तब होता है जबकि मकान ढह जाता है। यदि आपके पास समय हो तो 5 जनवरी 1995 का अख़बार ज़रूर पढ़ें। अख़बार के अनुसार सर्वोच्च-न्यायालय के सर्वोच्च न्यायाधीश ने प्रभावित जजों से कहा है कि वरीयता के मामले ज़्यादा महत्त्वपूर्ण नहीं होते और बेहतर यही होगा कि आप इस मामले को हाईकोर्ट के साथ निबटा लें।"

जजों का ज़िक्र चले और जेल की चर्चा न हो तो सारी चर्चा अधूरी-सी लगती है। देश की विभिन्न हज़ारों जेलों में इस वक़्त मात्र दो लाख सात हज़ार लोग बन्द हैं जिनमें से एक लाख साठ हज़ार क़ैदी ऐसे हैं जिनको अदालत ने अभी तक अभियुक्त नहीं घोषित किया है और जो 'अण्डर-ट्रायल' ही हैं, इससे ज़्यादा कुछ नहीं। जेलों की हालत काफ़ी ख़राब है। भ्रष्टाचार का यहाँ भी बोलबाला है और क़ैदियों के लिए दिये गये राशन इत्यादि को यहाँ भी बाज़ार में बेचा जाता है। क़ैदी यदि अमीर हो तो उसे जेल के भीतर भी मनपसन्द खाना और मनपसन्द औरत मिल सकती है जिसका कि 'जेल-मैनुअल' में कोई प्रावधान नहीं है। बहरहाल इतनी सुख-सुविधा के बावजूद, सरकार का ख़याल है कि जेलों के प्रशासन में सुधार होना ज़रूरी है और इसी बात को ध्यान में रखकर केन्द्रीय-सरकार एक ऐसा कानून बनाना चाहती है जो जेलों की हालत को दुरुस्त करे। कानून में यह प्रावधान भी होगा कि सरकार की एक 'सैल' इस बात पर निगाह रखे कि कानून का समुचित पालन हो रहा है या नहीं। मेरा निवेदन है कि और सुधारों के साथ-साथ कुछ ऐसा भी प्रावधान किया जाए जो जेल में बन्द साहित्यकारों को कुछ विशेष सुविधाएँ दे।

सरकार चाहे तो इस दिशा में ख़ाकसार हर प्रकार की मदद करने को सदा तैयार मिलेगा। मुझे जेल के सुधारों में दिलचस्पी रखने का सबसे बड़ा कारण व्यक्तिगत है। वाल्तेयर की भाँति मेरे जैसे कालजयी व्यंग्यकार को, पता नहीं किस दिन, किसी ऐसी जेल का भीतरी हिस्सा देखना पड़ जाए जिसका कि मैं अब तक मात्र बाहरी हिस्सा ही देखता आ रहा हूँ। एक बार मेरी शादी एक जेलर की पुत्री के साथ होने की बातचीत चली थी मगर मेरे एतराज़ के कारण वह शादी नहीं हो सकी थी। मैं अपने घर को जेल नहीं बनाना चाहता था जिसमें सारी मशक्कत करने के बाद भी रोज़ हाज़िरी लगवानी पड़ती, जेलर-पुत्री की लिखित आज्ञा के बिना किसी और रूपसी से मिलना नहीं होता और जहाँ मेरे मुलाक़ाती यार-दोस्त हफ़्ते में मुझसे मिलने मात्र एक बार आ सकते थे और प्रत्येक मुलाक़ात सिर्फ़ दस मिनट तक ही हो सकती थी, ज़्यादा अवधि के लिए नहीं।

बहरहाल सरकार चाहती है कि जेलों में भीड़ न हो, लोग ज़्यादा दिनों तक अण्डर-ट्रायल' न रहें, वे अपने परिवार से बार-बार मिल सकें, जेल में स्त्री-क़ैदियों को उनके जन्मजात अधिकार मिलें, जेल-अधीक्षक के अलावा और कोई व्यक्ति क़ैदी को यातना न दे सके और 24 घण्टे से ज़्यादा जेल में बन्द क़ैदियों की नियमित रूप से डॉक्टरी जाँच हो। मुझे पूरा विश्वास है कि यह कानून ज़रूर बन जाएगा और जेलों में सुविधाएँ अवश्य बढ़ेंगी। मेरा यह विश्वास मात्र इस कारण है कि पता नहीं कब देश के नेता लोग जेल जाने शुरू हो जाएँ और कब उनका किया-धरा उनके सामने आने लगे। इस सन्दर्भ में मैं आपको यह भी बता दूँ कि पिछली बार जब मैं बिहार गया तो एक साहित्य-प्रेमी जेलर ने मुझे जेल देखने का निमन्त्रण दिया जो मैं स्वीकार नहीं कर सका। अरे, यदि जेल ही जाऊँगा तो अपने कर्मों के आधार पर जाऊँगा और काफ़ी वर्षों के लिए जाऊँगा, किसी जेलर के बुलावे पर घण्टे भर के लिए जेल जाने से क्या लाभ? ऐसी जेल-यात्रा से क्या लाभ जिससे न तो जेल की ही प्रतिष्ठा बढ़े और न मेरे यश में ही कुछ इजाफ़ा हो? वैसे भी बिहार की जेलों में जितनी भीड़ है उतनी भीड़ उत्तर-प्रदेश के अलावा और राज्यों की जेलों में नहीं है। छब्बीस हज़ार बन्दियों में से लगभग सोलह हज़ार लोग ऐसे हैं जिन्हें कई दशक बीत जाने पर भी अभी अभियुक्त बनने का सौभाग्य नहीं मिला।

रचना समाप्त करता हूँ क्योंकि मन उदास हो गया है। इस उदासी का कारण यह है कि विशेषज्ञों के अनुसार 'सरदार-सरोवर' प्रोजेक्ट के पूरा हो जाने पर कच्छ के रन में पाये जाने वाले गधों की वंश-बेल समाप्ति को प्राप्त हो जाएगी। अपनी बिरादरी के समाप्त होने की सूचना से कौन व्यक्ति उदास नहीं होगा? गधा सदा से मेरा आदर्श प्राणी रहा है। गधा ही एक ऐसा जानवर है जो कभी भी ईर्ष्या, द्वेष, अहंकार' चालाकी, बदला, आलस्य, क्रोध, मोह, लोभ और भय के चक्कर में नहीं पड़ता। तेज़ धूप में भी गरम रेत पर लोटता है और ख़ुश रहता है। वही एक जानवर

ऐसा है जो कभी-कभी चार से ज़्यादा टाँगें रखता है और फिर भी मात्र चौपाया कहे जाने पर बुरा नहीं मानता। गधा अपनी चालाकी और तिकड़म से बड़े-बड़े पुरस्कार नहीं हथियाता, दूसरों का उपहास नहीं करता और जो एक विशिष्ट ऋतु को छोड़कर कभी किसी गधी से प्रणय नहीं करता चाहे वह सोलह वर्ष की ही कन्या क्यों न हो। प्राप्ते तु षोडशे वर्षे गर्दभी अप्सरायते। काश, मैं कभी गधे की भाँति वीतरागी परमहंस बन सकता! अब मेहतर, कुम्हार व धोबी भी ख़त्म हो रहे हैं जिसके कारण गधे की जाति निश्चित रूप से ख़तरे में पड़ गयी है। मैं आपसे पूछता हूँ कि यदि गधा न रहा तो विधान-सभा में कौन बैठेगा, विश्वविद्यालयों का उप-कुलपति कौन बनेगा और मुझे साहित्य-अकादमी का एवार्ड कौन प्रदान करेगा? यदि गधा न रहा तो किसकी पत्नी मुझसे प्रेम करेगी, कौन मुझे छप्पन व्यंजन खिलाएगी और वक़्त-ज़रूरत मेरी तन, मन और धन से सहायता करेगी? गधे न रहेंगे तो साहित्य का आलोचक कहाँ से आएगा, बड़े-बड़े अख़बारों का सम्पादक कौन बनेगा और भले कामों के लिए चन्दा कौन देगा? मैं तो परमपिता परमात्मा से टाँग जोड़कर प्रार्थना करता हूँ कि एक तो वह अख़बार छापना बन्द करे और दूसरे वह अगले जन्म में मुझे गर्दभ ही नहीं वरन् गर्दभ-रत्न बनाए। फिर देखना कि न दंगे रहेंगे, न बड़े-बड़े लोगों का कभी पर्दा-फ़ाश होगा और न कभी जर, जोरू और ज़मीन को लेकर कोई क़त्ल या मुक़दमेबाज़ी (या दोनों) ही सम्पन्न करेगा। इस धरती पर जो कुछ थोड़ा-बहुत दया और धर्म बचा है वह गधों और गधियों के कारण ही तो बचा है। ऐसा स्थितप्रज्ञ, निर्विकार, वीतरागी, सन्तोष से लबालब भरा, सहनशील, तेजस्वी व समर्थ प्राणी क्या इस धरती पर कोई और है? मैं तो सरकार से प्रार्थना करता हूँ कि इण्डिया-गेट पर अँग्रेज़ बादशाह की मूर्ति हटाये जाने से जो स्थान वर्षों से खाली पड़ा है, वहाँ किसी गधे की ही कांस्य-प्रतिमा क्यों नहीं स्थापित कर दी जाती? गधे से बड़ा धर्म और जाति-निरपेक्ष प्राणी और कहाँ मिलेगा? गधे में यदि इतने गुण न होते तो बंकिम बाबू जैसे महान् उपन्यासकार उसको लेकर 'गर्दभ-स्तोत्र' भला क्यों लिखते? वैसे मुझे विश्वास है कि ऊपर बताये स्थान पर जब भी कोई मूर्ति प्रतिष्ठित की जाएगी तो वह शर्तिया किसी-न-किसी गधे की ही होगी।

नीति-ग्रन्थों की परम्परा

यह जो परम्परा नामक चीज़ है, वह बड़ी दिलचस्प और ऐतिहासिक क़िस्म की होती है। हमारे अपने देश में बहुत पहले सारा साहित्य भोजपत्र पर लिखा जाता था और लिखे हुए सारे पृष्ठ एक मज़बूत रस्सी से बाँध दिये जाते थे जिसमें एक 'ग्रन्थि' (यानी कि गाँठ) लगा दी जाती थी। अब न भोजपत्र की ज़रूरत रही और न रस्सी में ग्रन्थि लगाने की, पर परम्परा की शक्ति देखिए कि 'ग्रन्थि' न लगने पर भी हम लोग पुस्तकों को अब भी 'ग्रन्थ' ही कहते हैं। जब सर रॉबर्ट पील इंग्लैण्ड के प्रधानमन्त्री थे तो एक माननीय संसद्-सदस्य ने उनसे पूछा था कि सदन के दरवाज़े पर एक सन्तरी क्यों खड़ा रहता है जो सारे दिन संसद की पूरी कार्रवाई देखता रहता है? प्रधानमन्त्री ने एक उच्च-पुलिस-अधिकारी से कुछ पूछा तो वह ग़रीब स्कॉटलैण्ड यार्ड के दफ़्तर गया जहाँ काफ़ी पुराने रिकॉर्ड देखने पर उसे पता चला कि कोई तीस वर्ष पहले, जब लन्दन में बेहद भयंकर हिमपात हुआ था तब संसद-भवन के बरामदे की छत का एक पत्थर निकल कर नीचे गिर गया था और एक सन्तरी वहाँ इसलिए तैनात किया गया था कि संसद्-सदस्य उस छत के नीचे से न गुज़रे। छत ठीक हो गयी, हालात सामान्य हो गये, पर पिछले तीस वर्षों से एक सन्तरी की ड्यूटी वहाँ अभी भी चलती रही। इसी प्रकार राजा चार्ल्स (प्रथम) ने गृहयुद्ध से पहले एक दिन संसद में ज़बर्दस्ती प्रवेश किया था जिसका संसत्सदस्यों ने खुलकर विरोध किया था। उसके बाद यह परम्परा पड़ गयी कि राजा 'हाउस-ऑफ़-कॉमन्स' में घुस ही नहीं सकता। द्वितीय युद्ध के दौरान जर्मनी की बमबारी का जायज़ा लेने के लिए सम्राट् भी प्रधानमन्त्री सर विंस्टन चर्चिल के साथ लन्दन में घूमे थे मगर जब वे 'हाउस-ऑफ़-कॉमन्स' में क्षति देखने के लिए उसके दरवाज़े की ओर बढ़े तो वहीं तैनात पुलिस-अधिकारी ने अत्यन्त नम्रता के साथ सम्राट् को भीतर जाने से रोक दिया। सम्राट्, बाहर ही खड़े रहे और मुस्कुराते रहे। इसी प्रकार द्वितीय महायुद्ध के दौरान ब्रिटिश प्रधानमन्त्री चर्चिल के लिए सिगार जो जाती थी वह दक्षिणी भारत के 'डिण्डीगल' नामक स्थान से जाते थे। सिगारों के जाने में कोई देरी न हो—यह निश्चित करने के लिए प्रान्तीय-सरकार डिण्डीगल के कलेक्टर से

रवीन्द्रनाथ त्यागी, श्रीमती शारदा त्यागी, पुत्रवधू एवं
पौत्र-पौत्री, दिसम्बर, 2002

व्यंग्यकार : तीन पीढ़ियाँ–
रवीन्द्रनाथ त्यागी, हरीश नवल तथा आलोक पुराणिक, दिसम्बर, 2003

प्रतिमाह एक रिपोर्ट मँगाती थी जिसमें भेजे हुए सिगारों की संख्या और उनके भेजने की तिथि वग़ैरह लिखी रहती थी। युद्ध समाप्त हो गया, चर्चिल रिटायर हो गये और बाद में मर भी गये; पर डिण्डीगल के ज़िला-अधिकारी वह रिपोर्ट बराबर भेजते रहे जिसे प्रान्तीय-सरकार के अधिकारी भी केन्द्रीय सरकार के गृह-मन्त्रालय को लगातार देते रहे। रिपोर्ट खाली ही होती थी क्योंकि अब कोई सिगार तो भेजी ही नहीं जाती थी। यह रिपोर्ट सन् 1974 में बन्द की गयी। इसी प्रकार कभी हमारे यहाँ नीति-ग्रन्थ लिखने की परम्परा थी जो किसी सीमा तक अभी भी जारी है। बहरहाल मैं आज इस प्रबन्ध में नीति-शतक, विदुर-नीति और चाणक्य-नीति के कुछ रोचक प्रसंगों की चर्चा करूँगा और पुरानी परम्परा को ध्यान में रखते हुए आप मेरी बातें ध्यान से ही सुनेंगे।

राजा भर्तृहरि का प्राचीन भारत के इतिहास में ज़िक्र मिलता है। चुनार के क़िले के सन्दर्भ में उनका नाम भी लिया जाता है जो उन्हें महारानी चन्द्रकुँवरि व वारेन हेस्टिंग्ज़ के समकक्ष बिठाता है। रानी चन्द्रकुँवरि महाराजा रणजीतसिंह की विधवा रानी थीं जिन्हें 'ईस्ट-इण्डिया-कम्पनी' ने चुनार के क़िले में क़ैद रखा था और जो वहाँ से किसी प्रकार मुक्त होकर, नेपाल की शरण में चली गयी थीं। इस सन्दर्भ में मुंशी प्रेमचन्द की 'जुगनू की चमक' नामक कहानी पढ़ने लायक़ है। वारेन हेस्टिंग्ज बनारस के राजा चेतसिंह से भयभीत होकर वहाँ से भागा तो चुनार के क़िले में ही जाकर छिपा। उज्जैन में भी कई स्थान हैं जो राजा भर्तृहरि की याद दिलाते हैं। राजा भर्तृहरि को किसी सिद्ध-पुरुष ने एक ऐसा फल ला कर दिया था जिसे खाकर वे अजर और अमर हो सकते थे। राजा भर्तृहरि ने फल देने वाले को तो कारागार में डलवा दिया (ताकि वह ऐसा कोई फल किसी शत्रु राजा को भी न दे दे) और उस फल को अपनी रूपवती रानी को दे दिया जिससे वे सचमुच प्रेम करते थे और जिसे वह अजर और अमर देखना चाहते थे। रानी एक होनहार स्त्री थी और इसी कारण वह राजा की अपेक्षा एक और व्यक्ति से प्यार करती थी। उसने वह फल अपने उस यार को दे दिया। उसका यह यार एक नगरवधू पर प्राण देता था और इस कारण उसने यह अमर-फल भी उसे ही दे दिया। वह गणिका राजा भर्तृहरि की सच्ची प्रेयसी थी और इस कारण उसने वह फल राजा को ही दे दिया। राजा ने सारे मामले की पूरी जाँच करने के लिए एक 'रॉयल कमीशन' बिठाया जिसमें सारे राजनीतिक दलों के प्रतिनिधि शामिल थे। सच्चाई जानने पर राजा ने किसी भी अपराधी को कोई सज़ा नहीं दी और जो भी सज़ा दी वह मात्र अपने को ही दी। उन्होंने राजपाट छोड़ दिया और वे संन्यासी हो गये। आत्महत्या उन्होंने इस कारण नहीं की क्योंकि अभी उन्हें 'वैराग्य-शतक' नाम का ग्रन्थ और लिखना था। पूरा आनन्द पाने के लिए आप कानपुर के किशनचन्दर पहलवान द्वारा रचित 'क़िस्सा राजा भरथरी का' नाम की नौटंकी पढ़ें। किताब वही ख़रीदें जिस पर लेखक का मात्र लँगोट पहने हुए फ़ोटो छपा हो नहीं तो यह सम्भव है कि आप नक्कालों का नकली माल ख़रीद लें।

भर्तृहरि कहते हैं कि जब अच्छा समय आता है तो सारे कष्ट अपने आप ही दूर हो जाते हैं। एक साँप एक टोकरी में बन्द था और बुरी तरह भूखा था। एक दिन एक चूहे ने टोकरी काटकर उसमें प्रवेश किया। साँप ने पहले तो उस मूषक-विशेष को खाकर अपनी भूख शान्त की और बाद में वह उसी छेद के सहारे बाहर आ गया जिसे चूहे ने बनाया था। मेरे विचार में साँप जो था वह राजा भर्तृहरि से ज़्यादा समझदार था। कवि ने एक ऐसे भाग्यहीन व्यक्ति की कथा भी कही है जो एकदम गंजा था। एक दिन जब वह यात्रा पर निकला तो सूरज के ताप से उसका मस्तक चकरा गया। छाया का आनन्द लेने के लिए वह एक वृक्ष के नीचे बैठा तो स्थिति यह रही कि वृक्ष का एक बड़े साइज़ का फल उसके सिर पर इस भाँति गिरा कि वह फल और उस व्यक्ति का मस्तक—दोनों एक साथ ही फट गये। भर्तृहरि कहते हैं कि इस संसार में जितने भी दुख हैं, उन सबका कोई-न-कोई प्रतिकार है परन्तु मूर्ख व्यक्ति की मूर्खता हटाने वाली कोई ओषधि नहीं है। इस संसार में मात्र वही लोग सफल होते हैं जो परिवार पर उदारता, आश्रितों पर दया, दुर्जनों से दुष्टता, राजाओं के साथ नीति, विद्वानों के साथ सरलता, शत्रुओं के प्रति शक्ति और स्त्रियों के प्रति धूर्तता बरतते हैं। सान पर खरादा गया मणि, शस्त्रों से घायल वीर योद्धा, मदमाता हाथी, शरद ऋतु की सुन्दर तटों वाली नदी, कलाशेष चन्द्रमा और प्रणय-क्रीड़ा में मर्दित रूपवती रमणी—ये सब कृशता में ही शोभा प्राप्त करते हैं, वैसे नहीं। राजनीति जो है वह वेश्या की भाँति अवसरवादी होती है। पृथ्वी पर ऐसे स्थान कम ही हैं जहाँ कि लोग अप्रिय वचन नहीं बोलते, दूसरों की निन्दा नहीं करते और जहाँ पुरुष जो हैं वे मात्र अपनी ही विवाहिता स्त्री से सन्तुष्ट रहते हैं, शेष सुन्दर कामिनियों की इच्छा नहीं करते। कवि नागार्जुन की भाँति राजा भर्तृहरि को भी यात्रा करने का शौक़ था और ऐसी सारी बातें उन्होंने अपने विस्तृत अनुभव के आधार पर ही लिखी होंगी। यह ज़रूर दुख की बात है कि नागार्जुन की भाँति उन्होंने अपना उपनाम 'यात्री' नहीं रखा और न कोई प्रकाशन ही खोला।

चाणक्य एक अद्भुत व्यक्ति था। उसका असली नाम विष्णुगुप्त था और वह दक्षिण भारत का रहने वाला था। उसने 'मुरा' नाम की एक नापित स्त्री से उत्पन्न असहाय राजकुमार के लिए 'मौर्य' वंश का साम्राज्य खड़ा किया। मात्र चना खाने के कारण वह 'चाणक्य' कहलाता था और कुटिल होने के कारण वह 'कौटिल्य' भी कहलाया। मुरा नाम की दासी से उत्पन्न उस राजकुमार को सम्राट् चन्द्रगुप्त मौर्य कहा जाता है। चाणक्य के नीति-वाक्यों में युवतियों पर ख़ासा ध्यान दिया गया है। वह कहता है कि नदी के तट पर खड़ा वृक्ष, मन्त्री-विहीन राजा और पति के अलावा किसी दूसरे के घर रहने वाली कामिनी, शीघ्र ही नष्ट हो जाते हैं। मैत्री अपने समान पुरुष के साथ करनी चाहिए, सेवा राजा की करनी चाहिए और विवाह सुन्दर ललना के ही साथ करना चाहिए। मोह के समान कोई शत्रु नहीं, क्रोध के समान कोई

अग्नि नहीं, ज्ञान से बढ़कर कोई सुख नहीं और काम-वासना से बड़ी कोई व्याधि नहीं। प्रत्येक समझदार व्यक्ति के लिए यह उचित होगा कि वह नदी, नख व सींग वाले पशु राजकुल के लोग और स्त्री पर कभी विश्वास न करे। विष में से भी अमृत निकाल लेना चाहिए, कीच में पड़ा हुआ स्वर्ण भी उठा लेना चाहिए और सुन्दर स्त्री यदि दुष्कुल की भी हो तो भी उसे प्राप्त कर लेना चाहिए। समझदार व्यक्ति को विपत्ति-काल के लिए धन की रक्षा करनी चाहिए, धन से अधिक स्त्री की रक्षा करनी चाहिए और स्त्री से भी अधिक अपनी रक्षा करनी चाहिए। पुरुष की अपेक्षा स्त्री में दुगुना आहार, चौगुनी लज्जा, छह गुना साहस और आठ गुना काम-वासना होती है। क्रोध करने वाली पत्नी विष के समान है और उसका त्याग करना ही उचित होगा। पक्षियों में कौआ, चौपायों में शृगाल, पुरुषों में नाई और स्त्रियों में मालिन धूर्त होती हैं। राजा और ब्राह्मण भ्रमण करने पर ही पूजे जाते हैं, योगी को भी भ्रमण करना श्रेयस्कर है पर स्त्री जो होती है वह भ्रमण करने पर विनाश को प्राप्त होती है। बुद्धिमान पुरुष को उचित है कि वह सिंह से एक, बगुले से एक, कुक्कुट से चार, कौवे से पाँच, कुत्ते से छह और गधे से तीन गुण ग्रहण करे। राजा की शक्ति उसके पराक्रम में होती है, ब्राह्मणों का बल उनके ज्ञान में होता है और स्त्री की शक्ति उसके रूप और यौवन में ही छिपी होती है। विद्या से विहीन व्यक्ति कुत्ते की पूँछ के समान होता है जो न तो कुत्ते को मच्छर वग़ैरह से बचाती है और न उसके गोपनीय अंग को ही ढकती है। असन्तोषी ब्राह्मण, सन्तोषी राजा, लज्जावती गणिका व निर्लज्जा कुलांगना नाश को प्राप्त होते हैं। बुद्धिमान लोग प्रातःकाल द्यूत के प्रसंग में, दोपहर स्त्री के प्रसंग में और रात्रि को चोरी के प्रसंग में गुज़ारते हैं। ईख, तिल, शूद्र, स्वर्ण, धरती, चन्दन, दही, ताम्बूल व रमणी—इनका जितना भी मर्दन किया जाता है उतना ही उनका निखार बढ़ता है। दुर्जन व्यक्ति कभी नहीं सुधर सकता; आप अपान प्रदेश को कितना ही धो लें, वह कभी भी श्रेष्ठ इन्द्रिय नहीं बन सकता। राजपुत्रों से शिष्टाचार, पण्डितों से श्रेष्ठ वाणी, जुआरी से झूठ बोलना और स्त्रियों से कपट सीखना उचित होगा। राजा, अग्नि, गुरु और स्त्री—इनके न ज़्यादा निकट जाना चाहिए और न इनसे दूर रहना चाहिए; इनकी सेवा मध्यभाग से ही करनी चाहिए। स्त्री एक ऐसी चीज़ है कि वह एक होते हुए भी विभिन्न प्राणियों को अलग-अलग दिखाई देती है। योगी उसे शव के रूप में देखता है, कुत्ते के लिए वह मात्र एक मांसपिण्ड ही है, पर वासना में डूबा पुरुष उसे कामिनी के ही रूप में देखता है। स्त्रियाँ जो हैं वे बात किसी से करती हैं, विभ्रम-पूर्वक किसी और को देखती हैं और हृदय में जो चिन्तन करती हैं वह किसी और का ही करती हैं। दूसरे शब्दों में उनकी अनुरक्ति कभी एक पुरुष में नहीं होती। ग्रीक सेनापति सेल्यूकस की पुत्री का सम्राट् से विवाह कराने वाला चाणक्य कहता है कि उस धन से क्या लाभ जो वधू की भाँति घर ही में बन्द रहे या जो वेश्या के समान पथिकों ही द्वारा

भोगा जाए? अब मैं अन्त में चलकर चाणक्य का एक ऐसा वाक्य लिखता हूँ जो उसके ज्ञान का असली रहस्य खोलता है। वह कहता है कि "यद्यपि मैं गौरवमयी संस्कृत-भाषा का विशेष विद्वान् हूँ मगर मैं फिर भी अन्य भाषाओं के ज्ञान का लोभी हूँ। मेरी स्थिति उन देवताओं के समान है जो स्वर्ग में अमृत होते हुए भी वहाँ की अप्सराओं के अधरासव के पान के लिए सदा लालायित रहते हैं।"

संस्कृत के नीति-ग्रन्थों में 'विदुर नीति' एक अत्यन्त महत्त्वपूर्ण पुस्तक मानी जाती है। विदुर जी भी एक दासी-पुत्र थे और वे बहुत निष्पक्ष, बुद्धिमान व स्पष्टवक्ता व्यक्ति थे। संयोग की बात देखिए कि वे मेरे ही ज़िले में गंगा के तट पर निवास करते थे। 'विदुर-कुटी' नाम का वह स्थल ज़िले के सदर मुकाम बिजनौर से बहुत पास है। भगवान् कृष्ण महात्मा विदुर से मिलने विदुर-कुटी पधारे थे और वहाँ उन्होंने बथुए का साग खाया था। बथुए का एक 'वृक्ष' अभी भी वहाँ स्थित है और कहा जाता है कि यह उसी बथुए-के वृक्ष का वंशज है जिसे कृष्ण जी के भोजन के लिए सेवा का अवसर प्रदान किया गया था। 'विदुर-नीति' में वे सारी बातें संग्रहीत हैं जो विदुर जी ने महाराजा धृतराष्ट्र को समझायी थीं। प्रसन्नता की बात यह है कि इन अच्छी बातों को धृतराष्ट्र ने एक कान से सुना था और दूसरे कान से निकाल दिया था। महाभारत के उद्योग-पर्व में स्थित इन ज्ञान की बातों में से कुछ की चर्चा मैं यहाँ करूँगा।

विदुर जी कहते हैं कि साधनहीन दुर्बल मनुष्य को, पूरी तरह लुटे हुए पुरुष को, चोर को और कामदेव से पीड़ित व्यक्ति को, अनिद्रा का रोग हो जाता है। मनुष्य को उचित होगा कि वह अकेले स्वादिष्ट भोजन न करे, अकेले किसी विषय में निर्णय न ले, अकेला रास्ता न चले और बहुत-से लोग सोये हुए हों तो उनमें अकेले जागता न रहे। जो धनी होते हुए भी दान न दे और जो दरिद्र होते हुए भी कष्ट न सहन कर सके—इन दो प्रकार के मनुष्यों को गले में मज़बूत पत्थर बाँध कर जल में छोड़ देना चाहिए। स्त्री, पुत्र और दास—ये तीनों धन के अधिकारी नहीं होते। वे जो कुछ कमाते हैं वह धन उसी का होता है जिसके अधीन वे होते हैं। उपदेश देने में असमर्थ आचार्य, मन्त्रों का सही उच्चारण न करने वाला पुरोहित, रक्षा करने में असमर्थ राजा, कटु वचन बोलने वाली स्त्री, गाँव में रहने की इच्छा करने वाला ग्वाला और गाँव के बाहर रहने की इच्छा करने वाला नाई—इन छह को उसी प्रकार छोड़ देना चाहिए जिस प्रकार समुद्र पर जाने वाला नाविक, छेद वाली नाव को छोड़ देता है। चोर, वैद्य, मतवाली युवतियाँ, पुरोहित, राजा और विद्वान्—इन सबकी जीविका क्रमशः असावधान पुरुष, रोगग्रस्त लोग, प्रेमी, यजमान, झगड़ा करने वालों तथा मूर्खों से ही चलती है और किसी से नहीं। इसी प्रकार शिक्षा समाप्त होने पर आचार्य को, विवाहित हो जाने पर अपनी माता को, समागम के उपरान्त स्त्री को, काम हो जाने पर सहायक को, नदी पार कर लेने पर नाव को और चंगा होने पर चिकित्सक को भूल जाना स्वाभाविक होता है। तौलने से अन्न की रक्षा होती है, फेरने

से घोड़े की रक्षा होती है, बार-बार देखभाल करने से धेनुओं की रक्षा होती है और मैले वस्त्र पहनाने से स्त्री की रक्षा होती है। सबसे स्वादिष्ट भोजन मात्र ग़रीबों को ही मिलता है (क्योंकि भूखा होने पर उन्हें जो कुछ भी मिल जाता है वह स्वादिष्ट ही लगता है)। पिता और पुत्र, दो ब्राह्मण, दो क्षत्रिय, दो वृद्ध, दो वैश्य और दो शूद्र एक-दूसरे के साथ बैठ सकते हैं पर इनके अतिरिक्त और कोई दो व्यक्ति एक-दूसरे के साथ नहीं बैठ सकते। पशु के लिए झूठ बोलने से पाँच पीढ़ियों को, गाय के लिए झूठ बोलने पर दस पीढ़ियों को, घोड़े के लिए झूठ बोलने पर सौ पीढ़ियों को और मनुष्य के लिए झूठ बोलने पर एक हज़ार पीढ़ियों को, मनुष्य नरक में धकेलता है। बुद्धिमान लोग पच जाने पर अन्न की, निष्कलंक, यौवन बीत जाने पर स्त्री की, संग्राम जीत लेने के बाद योद्धा की और तत्त्व-ज्ञान प्राप्त हो जाने पर तपस्वी की प्रशंसा करते हैं, उससे पूर्व नहीं। ऋषि, नदी, महात्माओं के कुल और स्त्री के दुश्चरित्र का मूल कोई नहीं जानता। जो व्यक्ति स्त्री-रक्षा के द्वारा जीविका चलाता है, श्वसुर होकर पुत्र-वधू के साथ परिहास करता है, परस्त्रीगमन करता है या आवश्यकता से अधिक स्त्री की निन्दा करता है, वह अवश्य नरक जाता है। इसी प्रकार जो व्यक्ति अपने ऊपर विश्वास करने वाली स्त्री को भोगता है, गुरु की स्त्री के साथ रमण करता है या जो द्विज होकर शूद्र की स्त्री से सम्बन्ध रखता है, वह ब्रह्म-हत्या के समान पापी होता है। सावधान पुरुष जो होते हैं, वे सायंकाल शत्रु के घर नहीं जाते, रात में छिपकर चौराहे पर नहीं खड़े होते और जिस स्त्री पर राजा की निगाह हो, उस स्त्री को प्राप्त करने का प्रयत्न नहीं करते। ऐसा बुद्धिमान कौन होगा जो राजा, साँप और स्त्री पर पूर्ण विश्वास करेगा? बुद्धिमान व्यक्ति तो मात्र वही है जो स्त्रियों के निकट अत्यन्त मीठी वाणी बोलता है पर जो उनके वश में कभी नहीं रहता। विदुर जी यह भी कहते हैं कि यदि वध-योग्य शत्रु हाथ में आ जाए तो उसे कभी भी जीवित नहीं छोड़ना चाहिए। यदि उसकी हत्या करने की शक्ति इस समय हाथ में नहीं है तो उचित होगा कि शत्रु के साथ नम्रता का व्यवहार किया जाए और शक्ति प्राप्त होते ही उसे मार दिया जाए। जिस देश का शासन स्त्री, बालक या किसी जुआरी के हाथ में हो तो उस देश के लोग इस प्रकार नष्ट हो जाते हैं जिस प्रकार पत्थर की नाव में बैठे लोग, नदी में होते हैं। जुआरी जिसकी प्रशंसा करते हैं, चारण लोग जिसकी प्रशस्ति गाते हैं और गणिकाएँ जिसके गीत गाती हैं, वह मनुष्य जीवित होते हुए भी मुर्दे के ही समान होता है। विदुर जी यह भी कहते हैं कि इन्द्रियों को सर्वथा रोक रखना मृत्यु से भी बढ़कर कठिन है पर उन्हें बिलकुल छूट दे देना देवताओं तक का विनाश कर देता है। वेदों का फल है अग्निहोत्र करना, शास्त्र पढ़ने का फल है सदाचार से रहना, स्त्री का फल है रति-सुख देना और पुत्र की प्राप्ति करवाना व धन का फल है दान और उपभोग करना।

विदुर जी लक्ष्मी के स्वभाव को कभी नहीं समझ पाये। उन्होंने स्पष्ट रूप से

स्वीकार किया कि लक्ष्मी नाम की सुन्दर देवी विचित्र स्वभाव रखती है। अत्यन्त श्रेष्ठ, अतिशय दानी, अत्यन्त पराक्रमी, व्रत और नियमों का अत्यन्त पालन करने वाले और बुद्धि के घमण्ड में चूर मनुष्यों के पास लक्ष्मी इस कारण नहीं जाती क्योंकि वह उनसे भय खाती है। मगर वह अत्यन्त गुणवानों के पास भी नहीं रहती और न वह बहुत निर्गुणों के पास ही रहती है। न वह गुणों को पसन्द करती है और न अवगुणों को। उन्मत्त गाय की भाँति यह अन्धी लक्ष्मी कहाँ ठहरेगी, इसको कोई नहीं जानता।

विदुर जी के अनुसार स्त्री, धूर्त, आलसी, कायर, क्रोधी, अभिमानी, चोर, कृतघ्न और नास्तिक का विश्वास नहीं करना चाहिए। विद्याहीन पुरुष, सन्तानोत्पत्ति से रहित स्त्रीप्रसंग, आहार न पाने वाली प्रजा और राजाविहीन देश के लिए शोक करना उचित ही है। क्रीड़ा एवं हास-परिहास की उत्सुकता पतिव्रता स्त्री का मल है और पति के बिना परदेस में रहना स्त्री-मात्र का मल है। सोकर क्या कोई नींद को जीत सकता है? लकड़ी डाल-डालकर क्या आप अग्नि को जीत सकते हैं? यदि नहीं तो आप स्वयं ही सोचिए कि उपभोग के माध्यम से क्या स्त्री जीती जा सकती है? इस समस्त पृथ्वी पर जो भी धान, जौ, स्वर्ण, पशु और रूपवती रमणियाँ हैं वे सब की सब मात्र एक पुरुष के लिए भी पर्याप्त नहीं हैं। इस सत्य को ध्यान में रखने वाला बुद्धिमान व्यक्ति कभी भी सीमाहीन मोह में नहीं पड़ता। मध्यम मार्ग ही सुख का मार्ग है, और कोई नहीं। जिस व्यक्ति ने मित्रों को धन देकर, शत्रु को युद्ध में पराजित कर और स्त्रियों को सुन्दर खान-पान से वश में कर लिया है, उसका जीवन सफल है पर बुद्धिमान पुरुष यह भी कभी नहीं भूलता कि ईंधन से आग की, नदियों से समुद्र की, समस्त प्राणियों से मृत्यु की और पुरुषों से कुलटा स्त्री की तृप्ति कभी भी नहीं होती।

विदुर-नीति को धृतराष्ट्र ने बड़े ध्यान से सुना पर उसके अनुसार चलने को उसने मना कर दिया। नीति-ग्रन्थों के अलावा हमारी स्मृतियों और संहिताओं में भी अनेक अमूल्य और रत्नों जैसी आभावाली सूक्तियाँ छिपी पड़ी हैं पर मैं उनकी प्रशंसा तो बराबर करता हूँ पर उनके अनुसार चल कभी नहीं पाता। अब मैं अपने देश के सर्वप्रथम नास्तिक दार्शनिक चार्वाक की वाणी प्रस्तुत करता हूँ। चार्वाक का कहना है कि डण्डे की नीति ही सच्ची नीति है बाक़ी जो बातें हैं वे इसके अन्दर ही आती हैं। दण्डनीतिरेव विद्या, अत्र वार्ता अन्तर्भवति। कहते हैं कि एक बार शहंशाह अकबर ने राजा बीरबल से पूछा था, "बीरबल, बताओ, अक्ल बड़ी होती है या कि भैंस?" बीरबल ने तुरन्त उत्तर दिया, "अन्नदाता, अक्ल के सामने भैंस क्या चीज़ है? कितना अच्छा हो कि आप अपनी अक्ल अपने पास ही रखें और अपनी सारी भैंसें इस सेवक को दे दें।" इस सलाह का क्या परिणाम रहा, यह जानने के लिए 'आइने-अकबरी' फिर पढ़ूँगा और जो कुछ भी हाथ लगेगा, उसकी सूचना अगली रचना में आपको दूँगा।

मक़बूल हुसैन फ़िदा : माधुरी दीक्षित पर फ़िदा

मैं मक़बूल फ़िदा हुसैन और अमृता प्रीतम का हृदय से प्रशंसक हूँ। हुसैन साहब को मैं लियोनार्डो दा विंसी, पिकासो, वान गॉग व पाल गागिन से भी ज़्यादा उच्च कोटि का चित्रकार मानता हूँ और अमृता प्रीतम को तो मैं डाफ़्न डा मारिया और पर्ल एस. बक से भी कहीं ज़्यादा मार्मिक लेखिका स्वीकार करता हूँ। मगर इस अभागे देश में देसी माल की कभी कोई क़ीमत नहीं लगायी जाती और मात्र इसी कारण मेरे जैसे काफ़ी स्वार्थी लोग ऐसे हैं जो समझते हैं कि ये दोनों महान् कलाकार सिर्फ़ इस कारण देश-विदेश में मान्यता पा गये क्योंकि वे देश के सत्ताधारियों के सदा समीप रहे। अमृता प्रीतम श्रीमती इन्दिरा गाँधी की मित्र थीं और हुसैन ने भी इमरजेंसी के दौरान श्रीमती गाँधी को 'दुर्गा' के रूप में चित्रित किया था। वे शायद वर्तमान प्रधानमन्त्री श्री नरसिंहराव को भी 'सहस्रबाहु' के रूप में चित्रित कर चुके हैं या करना चाहते हैं। यह लेख मैं हीनभावना से ग्रस्त ऐसे दक़ियानूसी लोगों के लिए नहीं लिख रहा हूँ। हुसैन साहब सत्ता के समीप रहने के कारण राज्य-सभा के सदस्य तो बन सकते थे पर अन्तरराष्ट्रीय जगत् में उनकी चित्र-प्रदर्शिनियों को जो मान्यता व प्रशंसा मिली वह मात्र उन्हें अपनी प्रतिभा और परिश्रम के बल पर ही मिली, वैसे नहीं।

मक़बूल फ़िदा हुसैन अस्सी वर्ष के एक निश्छल व सुन्दर व्यक्ति हैं और मुझे तो वे भगवान् रजनीश की भाँति एक सन्त ही दिखाई पड़ते हैं। वे प्रेमयोगी हैं और कबीर की 'ढाई आखर प्रेम का पढ़े सो पण्डित होय' वाली वाणी के सच्चे उपासक हैं। उन्होंने अनेक सुन्दर कन्याओं से प्रेम किया और बाद में, उन्हीं के अपने शब्दों में, उनका 'कन्यादान' भी किया। वे बढ़िया सूट पहनते हैं, असली दाढ़ी रखते हैं और नंगे पैर रहते हैं। जूता-विहीन होने के कारण वे अनेक शानदार होटलों से बड़ी शान के साथ निकाले जा चुके हैं जिसका उन्हें कोई मलाल नहीं है। सिर सलामत रहे तो जूतों की क्या कमी? अगर वे खुद ही जूता पहनने लगे तो शायद 'मियाँ की जूती, मियाँ का सिर' वाली कहावत ही कभी सच निकल जाए। वे एक नम्र व दूरदर्शी व्यक्ति हैं और वे जान-बूझकर स्वयं को विवादास्पद नहीं बनाना चाहते। महाकवि

केशवदास की भाँति, वे जब भी किसी चन्द्रमुखी को देखते हैं तो उनके मन-मन्दिर में प्रेम के घण्टे अपने आप बजने लगते हैं जो प्रत्येक सच्चे कलाकार के लिए एकदम स्वाभाविक है। उनको देखकर मुझे शायर का यह कलाम अकसर याद आता है :

बिन इश्क़ ज़रा आदमी की शान ही नहीं
जिसको न होवे इश्क़, वो इंसान ही नहीं

(रज़ी)

मुहब्बत में नहीं है फ़र्क़ जीने और मरने का
उसी को देखकर जीते हैं, जिस काफ़िर पे दम निकले

(ग़ालिब)

बुते-मशरिक नहीं मोहताजे-सामाँ
कमर ही जब न हो तो कैसा कमरबन्द?

(अकबर)

तेरी तिरछी नज़र से हम को डर क्या
मुहब्बत की तो फिर दिल क्या, जिगर क्या?

(अकबर)

तौबा का तो इरादा हमारा भी है ऐ शेख़
लेकिन ज़रा आ जाय बुढ़ापा अभी कुछ और

(सोज़ाँ)

मेरी दाढ़ी से रहता है वो बुत इनकार पर क़ायम
मगर जब दिल दिखाता हूँ तो फ़ौरन मान जाता है

(अकबर)

माधुरी दीक्षित वर्तमान हिन्दी-सिनेमा की सबसे मधुर अभिनेत्री हैं जिनसे न जाने कितने अभिनेता दीक्षा ले चुके हैं। वे सचमुच अत्यन्त रूपवती रमणी हैं जो दीगर कलाओं के साथ-साथ अभिनय की कला में भी अत्यन्त कुशल हैं। उनके प्रशंसकों की और चाहने वालों की संख्या इतनी ज़्यादा है कि शायर का यह कलाम अपने आप याद आ जाता है:

बीसियों चाहने वालों की ज़रूरत क्या है
नाज़ उठवाओगे तुम उनसे या छप्पर कोई?

(बेढब)

हुजूमे आशिकाँ देखा जो दरवाज़े पै, वे बोले
हमें तो टीम आल इण्डिया मालूम पड़ती है

(जरीफ़)

मक़बूल फ़िदा हुसैन व माधुरी दीक्षित की नाम-राशि एक ही है और इसी कारण

उनकी एक-दूसरे के साथ भेंट होनी निश्चित थी। और भेंट हुई। फ़िल्मी सितारे फ़ेल हो सकते हैं पर आसमान के सितारे कभी फ़ेल नहीं होते। प्रथम भेंट में ही हुसैन साहब माधुरी के रूप के सागर में ऐसे डूबे कि कभी निकले ही नहीं। अस्सी साल के हुसैन साहब ने माधुरी दीक्षित को सर्वांग सुन्दरी घोषित किया और उसी क्षण से वे उसके दीवाने हो गये। उन्होंने उस अभिनेत्री की 'हम आपके हैं कौन' नामक फ़िल्म मात्र पचास बार देखी और अपनी मोहब्बत के कारण उस वयोवृद्ध चित्रकार ने उसकी 'मोहब्बत' नाम की फ़िल्म में भूमिका भी स्वीकार कर ली। माधुरी काम करती थीं और हुसैन साहब उसे निहारा करते थे। इसके बाद उन्होंने माधुरी के विभिन्न मुद्राओं में आदमकद चित्र बनाने भी शुरू कर दिये और एक पेण्टिंग का नाम तो 'धक धक माधुरी' ही रख दिया। इतनी उम्र में आँखों की ज्योति कुछ कम हो जाती है और शायद इसी कारण वह महान् वृद्ध कलाकार, उस अभिनेत्री के पीछे इतना दीवाना हो गया कि बाक़ी दीवाने तो दीवानखाने के पीछे रह गये या फिर दीवानी मुक़दमों की भाँति लम्बे खिंचने लगे। माधुरी दीक्षित के कारण उनके दिल ने तो चोट खायी ही पर जो चोट उनकी टाँग में लगी, वह भी कम नहीं थी। वैसे भी टाँग की टूटी हड्डी के जुड़ने में, टूटे दिल के जुड़ने से हमेशा ज़्यादा वक़्त लगता आया। वे एक पेण्टिंग पर काम कर रहे थे कि नौकर ने बताया कि माधुरी दीक्षित का फ़ोन है। माधुरी का नाम श्रवण करते ही हुसैन साहब फ़ोन की दिशा में इतनी त्वरित गति से दौड़े कि फिसल गये और जिसके कारण उनकी टाँग टूट गयी। बहरहाल पेण्टिंग तो हाथों को बनानी थी, वह बनती रही और माधुरी का मधुर लावण्य देखने के लिए मात्र आँखें ही दरकार थीं, वे उसे अपलक देखती रहीं। जहाँ भी माधुरी शूटिंग पर गयी, वे उसके साथ बराबर गये और उसके रूप की चाँदनी को अपने नेत्रों से पीते रहे। उम्र के अन्तर ने उनके अनुराग पर कोई व्यवधान उपस्थित नहीं किया जो इतिहास में कोई नयी बात नहीं थी। सीज़र क्लियोपेट्रा से काफ़ी बड़ा था, सुकरात व स्तालिन की पत्नी (क्रम संख्या 2) उनसे कई दशक छोटी थीं और यही स्थिति यासेर अराफात व उसकी पत्नी के साथ है। पिकासो का भी यही हाल था और चार्ली चैपलिन की अन्तिम पत्नी तो इतनी कमसिन थी कि उसकी पहली पत्नी से प्राप्त उसका अपना पुत्र ही उसकी इस सबसे छोटी पत्नी से बाक़ायदा प्रेम करता था। जैकी केनेडी का दूसरा पति ओनासिस भी उससे बहुत ज़्यादा बड़ा था। तो साहिबान, इस तरह हुसैन साहब माधुरी दीक्षित के इश्क़ में गिरफ़्तार हो गये। शायर कहता है :

ग़र हुस्न नहीं, इश्क़ भी पैदा नहीं होता
बुलबुल गुले-तस्वीर पर शैदा नहीं होता

(अज्ञात)

पीर जी इश्क़ में घुले ऐसे

उड़ गया गोश्त, रह गया छिलका

(पीर)

कैसो-फ़रहाद के क़िस्से सुना करते थे
दाद दो इसकी, हमने तुम्हें चाहा कैसा

(अकबर)

इक मुजस्सम ग़ज़ल है मेरे सामने
ग़ज़ल देखकर मैं ग़ज़ल कह रहा हूँ

(नूर इन्दौरी)

फ़िक्र साड़ी की है, न कंगन की
अब तो धुन है उन्हें फ़िरंगन की

(अकबर)

फ़ितना रहे, फ़िसाद रहे, गुफ़्तगू रहे
मंज़ूर सब मुझे, जो मेरे घर में तू रहे

(अकबर)

मुमकिन नहीं कि मिस तेरा नोटिस न लिया जाय
गाल ऐसे परीज़ाद हों और 'किस' न लिया जाय

(अकबर)

हुसैन साहब माधुरी दीक्षित के अनुपम रूप से इतने अभिभूत हो गये कि उसके बिना उन्हें अपना जीवन बेकार लगने लगा। माधुरी अपना माधुर्य बिखेरने जब कनाडा व अमेरिका गयीं तो उस 'प्रियप्रवास' को 'प्रियतर' बनाने के लिए हुसैन साहब भी उनके साथ वहीं चले गये। इस हड़बड़ी में वे अपने कैनवास व रंग तो अपने साथ ले गये पर अपना ब्रश वे यहीं भूल गये और इसके परिणामस्वरूप ब्रश का काम उन्हें अपनी शालीन दाढ़ी से ही लेना पड़ा। माधुरी दीक्षित को हुसैन साहब का यह अनुराग अच्छा लगा। इतने बड़े कलाकार का अपने पीछे इतना दीवाना होना किस रूपसी को अच्छा नहीं लगेगा? और वैसे भी ऐसा मुफ़्त का गुलाम तो हर बेग़म को अच्छा ही लगेगा:

लाये हैं ख़रीद कर बाज़ार से आलू अच्छे
इसमें नहीं है शक कि हैं हूर के खालू अच्छे

(अकबर)

मगर धीरे-धीरे जब हुसैन साहब सीमा का अतिक्रमण करने लगे तो उसने उन्हें शिष्टतापूर्वक टालना शुरू कर दिया। कवि के शब्दों में हद से बाहर जाने की यह स्थिति इस प्रकार रही :

जब सुन चुके मेरी ग़ज़लें, बोले ला चन्दा
जो हिनहिनाया है तो अब लीद भी कर

(अकबर)

धमका के बोसा लूँगा उस रूख़े-माह का
चन्दा वसूल होता है साहब दबाव से

(अकबर)

माधुरी दीक्षित की इस ठण्डी प्रतिक्रिया की प्रतिक्रिया में हुसैन साहब को अपनी आयु, विवशता और मूर्खता का कुछ एहसास होने लगा और उन्हें वही महसूस हुआ जो बहुत पहले ही महसूस हो जाना चाहिए था :

ले गये घसीट कर मुझको परेड पर
तैयार हो रहा था मैं जन्नत के वास्ते

(अकबर)

मगर यहीं उनसे वही भयंकर ग़लती हो गयी जो प्रेमी लोग सदा से करते आये। उन्होंने अपने समर्पण के निश्चय को माधुरी दीक्षित के सामने और भी ज़्यादा खुलासा कर दिया और यही क़दम उनके ख़िलाफ़ गया :

करो दोस्तो पहले आप अपनीय इज़्ज़त
जो चाहो करें लोग इज़्ज़त ज़ियादा,
निकालो न रखने नसब में किसी के
नहीं इससे कोई रिज़ालत ज़ियादा,
फिर औरों की तकते फिरोगे सखावत
बढ़ाओ न हद से सखावत ज़ियादा,
कहीं दोस्त तुमसे न हो जाएँ बदज़न
जताओ न अपनी मुहब्बत ज़ियादा

(हाली)

माधुरी दीक्षित को हुसैन पर फिर दया आयी मगर उसे यह पसन्द नहीं था कि वह भूत एक परी के साथ सड़कों पर निकले। उन दोनों को एक साथ घूमते हुए एक शायर ने देखा तो नीचे लिखे अशार उसकी ज़ुबान से बरबस निकल पड़े :

आज तक मैंने कभी नीम की डण्डी के सिवा
हाथ में उनके न शमशीर न खंजर देखा,
किस तरह यार को अब ढूँढ़ने जाऊँ 'सरपर'
बम-पुलिस में भी कई रोज़ बराबर देखा,

मैंने इस शान से उस शोख़ को अक्सर देखा
डुगडुगी हाथ में और साथ में बन्दर देखा

(सरपर)

इस स्थिति का पता लगते ही माधुरी दीक्षित ने सारी कोमल भावनाओं को तिलांजलि दे दी और हुसैन साहब से साफ़-साफ़ कह दिया कि "मैं उन मूर्ख मनोवैज्ञानिकों की क़ायल नहीं हूँ जो अपने प्रेमी या पति में अपना पिता देखना चाहती हैं।" स्थिति एकदम स्पष्ट करने के लिए उसने हुसैन साहब को धक्के देकर होटल के बाहर किया और शायरों का यह कलाम उन्हें चीख़-चीख़कर सुनाया :

धो सके तो अपने दिल का दाग़ धो
शेख़, मुँह को हर घड़ी धोता है क्या?

(सोज़ाँ)

शेख़, दोज़ख़ से डराने की ज़रूरत क्या है
हम तो दाढ़ी ही तेरी देख के डर जाते हैं

(रंजूर)

सूफ़सी दाढ़ी लगा तुम बन गये लंगूर से
इसको कटवाओ, मैं बाज़ आयी ख़ुदा के नूर से

(अकबर)

वो मिस बोली मैं ज़िक्र करती अपने फ़ादर से
मगर आप अल्लाह अल्लाह करता है, पागल के माफ़िक है

(अकबर)

हुस्न देखिए बुताने-काशी का
चेहरा कि चाँद पूर्णमाशी का
चश्मे-तर देखकर वो मिस बोलीं
महकमा है ये आबपाशी का

(अकबर)

प्रेयसी के मुख से यह कलाम सुनकर हुसैन साहब का निश्छल हृदय टूट गया। वे अपनी व अपनी मुहब्बत की बेइज़्ज़ती बर्दाश्त कर सकते थे पर अपनी पवित्र दाढ़ी के बारे में वे कुछ भी सुनने में असमर्थ थे। यही दाढ़ी तो वह चीज़ थी जो ख़ुदा का नूर होने के साथ-साथ ब्रश के न मिलने पर, पेण्टिंग बनाने में उनकी मदद करती थी। वह ग़रीब तड़पता हुआ सड़कों पर घूमने लगा और पुराने उस्तादों के कलाम को याद करता रहा :

लगा न दिल को कहीं, क्या सुना नहीं तुमने
जो कुछ कि 'मीर' का इस आशिकी ने हाल किया

(मीर)

यह इश्क़ वह है जो पत्थर को दम में आब करे
लगाये दिल वही जिसको ख़ुदा ख़राब करे

(अज्ञात)

'अमीर' इस रास्ते से जो गुज़रते हैं वो लुटते हैं
महल्ला है हसीनों का कि कज़्ज़ाको की बस्ती है?

(अमीर)

बारहा बैठ गये हार के चुंगी वाले
रास्ता इश्क़ का हमवार न होने पाया

(बेढब)

कल मियाँ हज़्ज़ाम सबका मूँड़ते फिरते थे सिर
आज इस कूचे में उनकी भी हज़ामत हो गयी

(इनायतुल्लाह)

काबा भी हम गये, न गया पर बुतों का इश्क़
इस दर्द की ख़ुदा के घर में भी दवा नहीं

(यक़ीन)

उश्शाक कहीं खींच न ले टाँग पकड़कर
इस खौफ़ से माशूक लबे-बाम न आया

(जरीफ़)

लोग कहते हैं मुहब्बत में असर होता है
किस शहर में होता है? कहाँ होता है?

(जुरअत)

इस 'नहीं' का कोई इलाज नहीं
रोज़ कहते हैं आप 'आज नहीं'

(दाग़)

बलाये-ताक वस्ल की उम्मीद हो गयी
छाती से लगकर बोली सनम 'हाय बाप रे'

(जगत)

निकलना खुल्द से आदम का सुनते आये थे लेकिन
बहुत बे-आबरू होकर तेरे कूचे से हम निकले

(ग़ालिब)

वाइज़ की नसीहत क्यों न मानें आख़िर
पतलून की ताक में लँगोटी भी गयी

(अकबर)

न थी मुतलक तवक़् के बिल बनाकर पेश कर दोगे
मेरी जाँ, लुट गया मैं तो तुम्हारा मेहमाँ होकर

(अकबर)

मुहब्बत उनसे करके फँस गये हम तो आफ़त में
न दिल काबू में आता है, न उन पर ज़ोर चलता है,
ख़ुदा की शान मेरा तड़पना वो दिल्लगी समझें
किसी की जान जाती है, किसी का दिल बहलता है

(अकबर)

अब हुसैन साहब क्या करेंगे, यह किसी को पता नहीं। हो सकता है कि वे अब सूफ़ी हो जाएँ और बाक़ी ज़िन्दगी सूफ़ियानी तस्वीर बनाने में ही गुज़ार दें। भर्तृहरि ने भी 'श्रृंगारशतक' लिखने के बाद 'वैराग्यशतक' लिखा था। यह भी हो सकता है कि उन्हें कोई और ऐसी कन्या मिल जाए जो उनके दिल और कला को और नया आयाम दे सके, और हो सके तो एकाध बच्चा भी दे जाए। इस बीच आप 15 सितम्बर 1995 का 'नवभारत टाइम्स' पढ़ें, ताज़ा हाल जानने के लिए बी.बी.सी. सुनें और मण्टो द्वारा लिखित 'आग़ा हश्र कश्मीरी' का अमर संस्मरण पढ़ें जिसमें उसने कहा है कि बुढ़ापे का जो इश्क़ होता है, वह बड़ा ज़ालिम होता है। मैं तो तीन शेर और सुनाकर आपसे विदा लेता हूँ। ये तीनों शेर बड़े अनुभवी कवियों के हैं और इनके अनुसार प्रेम के क्षेत्र में निराश होने का तो कोई प्रश्न ही नहीं उठता। कलाम हाज़िर है :

इलाही कैसी कैसी सूरतें तैने बनायी हैं
कि हर सूरत कलेजे से लगा लेने के क़ाबिल है....

(अकबर)

जो चेहरा सामने आया परीतिमिसाल है गोया
यह दुनिया ख़ूबसूरत लड़कियों की टाल है गोया

(ज़मीर जाफ़र)

हूर मिस को, मये-गुलगूँ को परी कहते हैं
शेख़ ख़ुश हों या ख़फ़ा, हम तो खरी कहते हैं।
हुस्न के बाब में 'अकबर' की सनद ठीक नहीं
ये तो हर एक बुते-कमसिन को परी कहते हैं।

(अकबर)

एक बड़े अस्पताल के बारे में

ज्यों केलन के पात में, पात पात में पात
त्यों गुनियन की बात में, बात बात में बात

इस नगर विशेष में, जहाँ मैं फ़िलहाल नियुक्त हूँ एक अस्पताल वाक़ई बहुत बड़ा है। यह मेडिकल कॉलेज का ही एक हिस्सा है। जब मेडिकल कॉलेज के डॉक्टर व छात्र लोग अपनी मोटी-मोटी पोथियाँ पढ़ते-पढ़ते थक जाते हैं तब वे रोगियों की देह से मनचाही खिलवाड़ करने के लिए अस्पताल आ जाते हैं और ठीक इसी प्रकार जब अस्पताल में किसी रोगी के प्राण चले जाते हैं तो डॉक्टर लोग अपना ग़म ग़लत करने के लिए कॉलेज चले जाते हैं, जहाँ दवा के नाम पर ख़रीदी हुई दारू पी जाती है जो प्रायः विदेशी ही होती है। दारू पीने के बाद कॉलेज की छात्राओं को परिवार-नियोजन के देसी ढंग विस्तार से समझाये जाते हैं जो वे ख़ुशीख़ुशी सीखती हैं। लोग इस अस्पताल में तभी जाते हैं जब उन्हें मरना होता है। वसीयत लिखवा दी जाती है, कफ़न ख़रीद लिया जाता है और इस सबके बाद सबकी ग़लतियाँ अन्तिम बार माफ़ करता हुआ बेचारा बीमार आदमी इस अस्पताल में भर्ती होने चला जाता है। रास्ते में वह रिक्शा रुकवाता है और अपने पुत्र को बताता है कि राशन-कार्ड कहाँ रखा है और बीमे के काग़ज़ात अलमारी की कौन-सी दराज में रखे हैं। वह घर की नौकरानी को अन्तिम बार जी भर कर देखना चाहता है पर अपनी पतिव्रता भार्या के भय से वह वैसा कर नहीं पाता।

यह अस्पताल सचमुच बहुत विशाल है। चारों तरफ़ अनेक मंज़िलों वाला यह शानदार अस्पताल एकदम सरकारी है और इसी कारण यहाँ एक वार्ड हमेशा खाली रखा जाता है ताकि यदि कोई मन्त्री, सचिव या विरोधी पक्ष का नेता, यमराज से भेंट करना चाहता हो तो उसे भर्ती करने में कोई परेशानी न हो। करोड़ों रुपयों की इमारत है, करोड़ों रुपयों की मशीनें हैं, सैकड़ों ऐसे विद्वान् डॉक्टर हैं जो देशी होने के कारण प्रायः विदेश में ही रहते हैं और नर्सें व डॉक्टरनी हैं जो हर वक़्त बिना किसी कारण के पूरे मेक-अप में रहती हैं। अस्पताल में घूम कर ऐसा महसूस होता है कि आप शायद कण्व मुनि के आश्रम में आ गये हैं जहाँ यदि एक ओर

शकुन्तला है तो दूसरी ओर प्रियंवदा है जो आपको अपना 'मौन-निमन्त्रण' दे रही है। कवि कहता है :

आज तलक इस गाँठ को सका न कोई खोल
कैसे मुख नमकीन से निकलें मीठे बोल।
कसे बदन सब, इस तरह गदरायी मुस्कान
ज्यों चाँदी के वर्क में लिपटा मघई पान।
नमकीनों की व्यर्थ में देते आप दलील
उनके मुख के सामने, फ़ीकी साँभर झील।
कसे अंग सब, इस तरह हैं चोली के बन्द
जैसे पिंगल-शास्त्र से कसे सवैया छन्द।
दृग दोहे, अलकें कुटिल, सुन्दर छप्पय छन्द
अंग अंग बरवै सजे, देते हैं आनन्द।
रंगत अधर शबाब की अद्भुत बनी हसीन
चखने में मीठी लगे, लखने में नमकीन।
रसिकों ने की है यही अपराधों की खोल
लगा-लगी की आँख ने, मसले गये उरोज।
ऊपर तो है कंचुकी, नीचे है पतलून
आधे में अप्रैल छवि, आधे में है जून।
उनसे मिलने के लिए लगी फ़ोन पर घात
एक टके में हो गयी, लाख टके की बात।

इस अस्पताल में प्रवेश पाने के लिए कोई पन्द्रह पृष्ठ का फ़ार्म भरना पड़ता है और स्थिति यह है कि कई लोग तो इस फ़ार्म के भरते-भरते ही दिवंगत हो चुके हैं। जो कोई बच जाता है, वह भीतर जाकर मरता है। आरोग्यं परमं लाभं, निर्वाणं परमं सुखम्। प्रवेश-पत्र देने वाले दफ़्तर के पास ही 'कैजुअल्टी विभाग' है जो सर्वथा उचित है। भीतर जाकर आप अपने मनचाहे विभाग में जा सकते हैं। सारे विभाग प्रसिद्ध विशेषज्ञों से भरे पड़े हैं मगर एक छोटी-सी यह इल्लत ज़रूर रहती है कि कोई भी बड़ा डॉक्टर कभी भी अपने चैम्बर में नहीं मिलता। कोई डॉक्टर छुट्टी पर होता है, कोई डॉक्टर अदालत में अपनी झूठी या सच्ची गवाही देने गया होता है, कोई डॉक्टर विदेश गया हुआ मिलता है और कोई डॉक्टर किसी 'महत्त्वपूर्ण व्यक्ति' को या उसकी रखैल को देखने के लिए उसके घर गया होता है। कानों का डॉक्टर ग़लत कान का ऑपरेशन करता है तो दाँतों का डॉक्टर सड़े हुए दाँत के आसपास के दो स्वस्थ दाँत और निकाल देता है। एक बार मनोरोग-विभाग में–जहाँ मुझे बिजली दी जानी थी–बेहोशी की दवा देने के बाद ही, मनोचिकित्सक को यह परम सत्य ज्ञात हुआ कि मेरे पलँग के सिरहाने रखा ऑक्सीज़न का सिलिण्डर खाली था।

गुप्त-रोग विभाग में डॉक्टर जो है वह एक शालीन स्त्री है और स्त्रियों की बीमारियों का विशेषज्ञ एक स्वस्थ व रूपवान नवयुवक है। बड़ा कर्मठ और ज़िम्मेदार डॉक्टर है। स्त्रियों की जो भी छोटी-मोटी परेशानियाँ होती हैं, यह डॉक्टर उन सबको सँभालता है और खुशी-खुशी सँभालता है। सभी विभागों में, मेडिकल कॉलेज के छात्र बराबर पाये जाते हैं जो बीमार प्राणी को इस प्रकार उलटते-पुलटते हैं कि गोया वह इंसान न होकर कोई मेंढक हो। जब तक उन्हें सत्य की प्राप्ति होती है तब तक मरीज़ भी प्रायः अपने कष्टों से मुक्ति प्राप्त कर लेता है। और सबसे मज़ेदार है ऑपरेशन थियेटर। इसे इतना साफ़-सुथरा रखा जाता है कि कुछ कहा नहीं जा सकता। जो लोग ऑपरेशन से नहीं मरते, वे बाद की लगी छूत से मर जाते हैं। बहरहाल मरीज़ ज़िन्दा रहे या मरे, उसकी-फ़ीस (जो हमेशा पहले ही ले ली जाती है) आपको कभी वापस नहीं की जाती। ऑपरेशन थियेटर में रोशनी इतनी तेज़ होती है कि सर्जन लोग प्रायः धूप का चश्मा लगा कर ही ऑपरेशन करते हैं और बाद में पता लगता है कि उनकी कैंची और चाकू के साथ-ही-साथ वह धूप का चश्मा भी मरीज़ के पेट के भीतर ही बन्द कर दिया गया है जहाँ सारा सामान सदा के लिए पूरी तरह सुरक्षित है। सारी इमारत कुछ ही वर्ष पूर्व बनी है मगर स्थिति यह है कि एक बार जब एक स्त्री का पेट खोला जा रहा था तो छत से प्लास्तर का एक वज़नी टुकड़ा नीचे आ गिरा। एक और मरीज़ और भी भाग्यवान था; उसके फेफड़े के ऑपरेशन के समय ऊपर चलते बिजली के पंखे का एक ब्लेड ही निकल गया जिससे पास खड़ी एक अधेड मैट्रन कुछ-कुछ घायल हो गयी। मैंने जब भी इसे या इस तरह की शेष अधेड़, भूतपूर्व रूपवती और खुर्राट डॉक्टरनियों, मैट्रनों और नर्सों को यहाँ देखा, तभी मुझे कवि की नीचे लिखी वाणी याद आयी। कवि कहता है :

पहलवान वारांगना, लारी मोटर वान
बाडी के सौन्दर्य में इनकी छटा महान।
गुर्राती जब ज़ोर से, बनी कालका मेल
तब बचकाने इश्क़ का दिल हो जाता फ़ेल।
रोयें खम्भों से खड़े, क़द लम्बा है ताड़
लगते वक्ष पहाड़ से, वाणी शेर दहाड़।
वे मदमाती चाल में यों लग रहीं ललाम
ज्यों इठलाता जा रहा, चिड़ियघर अभिराम।
लिपस्टिक, मुख पाउडर, लगा लाल रंग नेल
छकड़ा यों बनकर चली, आत हावड़ा मेल।
खुद तो लम्बी इस कदर, जितना लम्बा ताड़
इस पर भी जूड़ा खड़ा, ज्यों सतपुड़ा पहाड़।
वे पहनें यों सोहतीं सैण्डल एड़ीदार

घण्टाघर पर चढ़ रही मानो कुतुबमीनार।
इनके अनुपम रंग का कठिन जानना भेद
तारकोल-सा मुख लिये, बातें करें सफ़ेद।
कहीं न छुतहे, अधर मिल, करें प्रभावित भाल
वे बदले में क्रीम के, मलने लगीं डिटाल।
मिस अण्डरस्टैण्ड का बड़ा बोल्ड स्टैण्ड
खोज रहीं नक्खास में सेकिण्डहैण्ड हस्बैण्ड।
क्रीम, पाउडर की क़ीमतें, बड़ी बन गयी शैल
अब उनके पोते बिना परियाँ लगैं चुड़ैल।
अस्पताल में हो गयी प्रौढ़ा से पहचान
भूखे ब्राह्मण को लगै, कद्दू ही पकवान।

सबसे दिलचस्प विभाग नेत्र-विभाग है। जैसा कि पं. प्रतापनारायण मिश्र नामक एक हिन्दी के लेखक ने कभी कहा था, आँख जो है वह एक बला है और एक 'अबला' की 'बला' कैसी होगी, इसका अनुमान आप स्वयं लगा सकते हैं। आँख का आना, जाना, उठना, बैठना, खुलना और मुँदना—सभी भयानक सम्भावनाओं से परिपूर्ण हैं! इस बड़े अस्पताल के नेत्र-विशेषज्ञ सचमुच एक ख़ुशमिज़ाज आदमी हैं। दायीं आँख का ऑपरेशन करने के स्थान पर बायीं आँख का ऑपरेशन कर देना इनके दायें हाथ का काम है। चश्मे का नम्बर देंगे तो सिर्फ़ माइनस की जगह प्लस लिखेंगे। कई बार जेल जाते-जाते बचे हैं। सुन्दर रमणियों की आँखों में आँखें डालकर उन्हें आधे घण्टे तक निहारते रहना इनका पुश्तैनी शौक़ है। इनके वालिद कभी माण्टगुमरी में चश्मों के फ्रेम बेचा करते थे। कहते हैं कि उन्हें भी युवतियों से आँखें चार करने का ज़बर्दस्त शौक़ था। बहरहाल, आदमी धाकड़ है, कितनी भी ग़लती कर ले पर फिर भी वह मरीज़ से आँखें नहीं चुराता। कवि कहता है :

उनकी आँखें चार से यदि हों आँखें चार
पतझड़ का मौसम खरा, लगे वसन्त-विहार।
जाने यह कैसा बना विधना का दस्तूर
आँखों से आँखें लड़ें, दिल हो चकनाचूर।
अति विचित्र संसार में आँखों की यह खेल
ज्यों ज्यों आपस में लड़ें, त्यों त्यों होता मेल।
चितवन चंचलता रहित यों है नहीं समर्थ
जैसे काले गाल पर काला तिल है व्यर्थ।
अश्रु-भरे यों नेत्र के बढ़ जाते हैं दाम
ज्यों वर्षा के नीर से मीठे होते आम।
जगह जगह कहती फिरै अति उदास हो रेल

इंजन सा अंजन लगा आँख बन गयी मेल।
उनके प्रश्नों का यही देते रहे जवाब
आँखों से आँखें लड़ीं, इससे हुई ख़राब।
आँख खुलीं, आँखें मिलीं, बतरस मिली महान
यादों की बारात ले, आये लौट मकान।
हम डॉक्टरनी को कहें क्यों अपना हमदर्द
गोली दे सिर-दर्द की, बढ़ा दिया दिल-दर्द।

यह आँखों का डॉक्टर भले ही आँखें न चुराता हो मगर इस अस्पताल में अनेक नर्स, परिचारिकाएँ व डॉक्टर ऐसी हैं जो पहले दिल चुराती हैं और बाद में आँखें भी चुराती हैं। इस अस्पताल से सारे अंग लेकर लौटना असम्भव है। गुर्दे की चोरी एक आम बात है क्योंकि ज़रूरत पड़ने पर एक गुर्दा लाखों रुपयों में बिकता है। नवजात शिशुओं की अदला-बदली होती है और कस कर होती है। सबसे ज़्यादा सुख की बात यह है कि नवजात शिशुओं की अदला-बदली ही नहीं वरन् चोरी तक होती है। किसी ग़रीब स्त्री का शिशु, किसी निःसन्तान और अमीर दम्पती को बहुत बड़ी क़ीमत पर बेच दिया जाता है और ग़रीब माँ से बता दिया जाता है कि उसका बच्चा तो जन्म लेने की प्रक्रिया में ही दिवंगत हो गया। वह ग़रीब और बेसहारा माता अपनी छाती पर पत्थर रखकर घर लौट जाती है ताकि अगले दिन से वह फिर काम पर जा सके। इस मातृत्व-विभाग की डॉक्टर एक वृद्धा रमणी है जो अपने यौवन-काल में काफ़ी समाज-सेवा कर चुकी है। उसे देखकर मुझे कवि की वाणी फिर याद आने लगती है:

वृद्धापन की ठसक की ठसकों का यह हाल
लक्ष्मण-झूले सी लचक, कनकैयाकट चाल।
कितना ही मेक-अप करे वृद्धा अफ़लातून
लेकिन हो सकती नहीं कभी जनवरी जून।
मेक-अप बल वृद्धा लगे सदाबहार जवान
आँखें ऐनक ओट में, ठुमके तोड़े तान।
वृन्दावन में रूप का घटा न कोई अंश
इन्द्र-धनुष-सी कटि हुई, वास हो गये हंस।
गोरे मुख पर झुर्रियाँ यों दे रहीं बहार
जैसे कुर्ता चिकन का, चुनतर हैं जियमार।
दोनों हालत में लगें अनुपम उनके ओठ
हरे-हरे अदरख रहें सूख गये तो सोंठ।
यौवन में जो शिखर थे, शिव कन्दुक केओज
उमर बीतने पर हुए, सुटके आम उरोज।

इन अधरों के सामने जग-छवि तेरह-तीन
जिनको छूकर हो गयी कलाकन्द नमकीन।
वृद्धापन में है घुसा विकट विरोधाभास
मन तो हज़रतगंज है, जर्जर तन नक्खास।
वृद्ध नयन चितवन बिना, यूँ लगते बेकाम
ज्यों सारी मय उड़ गयी, खाली हो गया जाम।
इस वय में भगवान् से यूँ होता है प्यार
ज्यों बिल्ली हज को चले, चूहे खाय हज़ार।

इस ऐतिहासिक अस्पताल में कोई दवा कभी नहीं मिलती। लाखों रुपयों की मशीनें होने के बावजूद 'एक्स-रे' से लेकर 'टोड-टेस्ट' तक सारे पैथोलोजिकल टेस्ट प्राइवेट डॉक्टरों के ही यहाँ कराने पड़ते हैं। 'टोड-टेस्ट' एक बार मुझे भी सुझाया गया था हालाँकि इस टेस्ट का उपयोग मात्र यह जानना होता है कि मुसम्मात के हमल है या नहीं। डॉक्टर शायद मेरी तोंद के मुटापे के कारण ग़लतफ़हमी का शिकार हो गया था। सारे झंझटों से बचने का एक ही मार्ग है और वह है अस्पताल के डॉक्टर से घर पर मिलना या उन्हें घर पर बुलाना। वैसा करने से फ़ीस तो देनी पड़ती है पर निदान ठीक प्रकार हो जाता है, सारे टेस्ट अस्पताल में ही हो जाते हैं और दवा भी मुफ़्त मिल जाती है। अस्पताल का स्टॉक डॉक्टरों के घर पर रहता है और सैम्पिल में कम्पनी से मिली दवाएँ जो होती हैं सो अलग। आपके अपने ग्रुप का रक्त देने के लिए डॉक्टर दुगुनी फ़ीस लेते हैं जो सर्वथा उचित है। वार्ड में बेड लेने के लिए बड़े डॉक्टर की स्टेनो को रिश्वत देनी पड़ती है। रुग्ण स्त्रियों तथा उनके साथ आयी युवा परिचारिकाओं के साथ बलात्कार किया जाता है जिसमें चपरासी से लेकर मेडिकल सुपरिण्टेण्डेण्ट तक, सब शामिल रहते हैं और इस प्राकृतिक-चिकित्सा की अलग से कोई फ़ीस भी नहीं ली जाती। शिलान्यास के पत्थर को छोड़कर इस महान् चिकित्सालय में सब कुछ नकली है। जिस स्त्री की प्राकृतिक-चिकित्सा की गयी थी, उसकी बाद की परेशानियाँ भी अस्पताल में ही दूर की जाती हैं और मुफ़्त ही दूर की जाती हैं। तुम्हीं ने दर्द दिया था, तुम्हीं दवा देना। क़त्ल से पहले देते हैं क्लोरोफ़ार्म, शुक्र है 'अकबर' उनकी मेहरबानी का।

इस अस्पताल की सबसे बड़ी सुविधा यह है कि यह प्रायः हड़ताल के कारण बन्द ही रहता है। कभी निचले कर्मचारियों की हड़ताल, कभी डॉक्टरों की हड़ताल और कभी नर्सों की हड़ताल-यानी कि एक साथ सब लोग कभी हड़ताल पर नहीं जाते, वे अपने नम्बर की प्रतीक्षा करते हैं और नम्बर आने पर ही हड़ताल करते हैं। पिछली हड़ताल इस बात को लेकर सम्पन्न हुई थी कि एक कोमल नर्स के साथ एक कठोर डॉक्टर ने कुछ छेड़खानी करने की तथाकथित कोशिश की थी। डॉक्टर ने मेडिकल सुपरिण्टेण्डेण्ट को बताया कि उसका इरादा नर्स के साथ छेड़खानी करने

का हर्गिज़ नहीं था; वह तो मात्र उसके कपोल पर बैठे मच्छर को हटाना चाहता था। चूँकि उसके दोनों हाथ दवाओं व स्टेथोस्कोप से उलझे थे, उसके पास अपने ओठों द्वारा उसके कपोल पर चिपके मच्छर को हटाने के अलावा और कोई विकल्प नहीं था। उसने जब यह कहा कि वह सारा कार्यक्रम ठीक-ठीक समझाने के लिए, ठीक वही उपचार फिर से करने को तैयार है तो मेडिकल सुपरिण्टेण्डेण्ट ने कहा कि वैसा कष्ट करने की कोई ज़रूरत नहीं है क्योंकि वे सारे घटनाक्रम को भलीभाँति समझ गये हैं। उन्होंने उस नवयुवक की प्रत्युत्पन्नमति की प्रशंसा भी की और कहा कि वह चाहे तो मच्छर उड़ाने की इस मौलिक पद्धति को 'पेटेण्ट' करा सकता है। नर्स से उन्होंने मात्र दो ही बातें कहीं। पहली बात तो यह कि जब तक उस मच्छर-विशेष का बयान न ले लिया जाए तब तक डॉक्टर को कोई सज़ा नहीं दी जा सकती क्योंकि मच्छर के अतिरिक्त और कोई चश्मदीद गवाह सीन पर मौजूद ही नहीं था। दूसरी बात उन्होंने नर्स से यह कही कि भविष्य में यदि कोई भाग्यशाली मच्छर या पतिंगा उसके कपोलों या शेष अंगों पर फिर आसन जमाए, तब वह उसी 'कम ख़र्च, बाला नशीं' पद्धति का प्रयोग करने का अवसर स्वयं उन्हें प्रदान करे। बस इस ज़रा-सी बात को लेकर अस्पताल की सारी नर्सों ने (जो डॉक्टरों के साथ बराबर राउण्ड पर जाया करती थीं और वैसे भी जिनके सारे अंग राउण्ड (गोल) ही थे) हड़ताल का ऐलान कर दिया। उन दिनों मैं भी एक बार अस्पताल का स्वास्थ्य देखने वहाँ गया। सैकड़ों कोमलांगी नर्सें भयंकर सर्दी में और अधनंगी अवस्था में, हाथ में पोस्टर लगे बाँस लिये हुए अपने हक़ों के लिए नारे लगा रही थीं। मुझे तो ऐसा महसूस हुआ कि मैं हड़ताल के स्थान पर कोई सौन्दर्य-प्रदर्शनी देख रहा हूँ और मुझे कवि की वाणी फिर याद आ गयी :

उनके मेक-अप में भरा, सब्जपरी का ओज़
उभरे अक्षर बदन के, लगते उठे उरोज।
तकिये के मानिन्द हैं उनके लाल कपोल
उन पर बोसा यों लगे, जैसे उसका खोल।
विधुवदनी अलकें घटा, विद्युत् हँसी समान
यह बिजली जिस पर गिरे, उसका भाग्य महान्।
नयन अधखुले, कुच युवा और मन्द मुस्कान
करते रेगिस्तान को सुन्दर नखलिस्तान।
गौरवर्ण सौन्दर्य से हुआ हमें यह ज्ञान
निर्गुण जन भी प्यार का माँगें तुमसे दान।
सुर-दुर्लभ नर को सदा सुलभ तुम्हारा प्यार
अलख जगाते हैं खड़े, तापस योगी द्वार।
हुस्न म्याँव का ठौर है, इश्क़ न मुँह का कौर

कमसिनहो, सिन कम अभी, करो बात पर ग़ौर।
इश्क़-हुस्न के मेल का गणित अमित नायाब
मेरी नज़र सवाल है, तेरी नज़र जवाब।
बिजली के खम्भे हुए इसीलिए मदहोश
उन पर चिपके पोस्टर नंगे जिस्मफ़रोश।
उनकी छवि की आँच से बही रूप की धार
मुस्कानें लू सी लगें, अंग अंग अंगार।
वे अपने लावण्य में ढाबे का तन्दूर
पास बैठ छवि-आँच से, जाड़ा करिए दूर।
इनकी अनुपम चाल की ऐसी बैठी गोट
वे सब पेटीकोट हैं, जो थे ओवरकोट।
यही लतीफ़ा प्रेम का हैं बक रहे लतीफ
सभी शरीफ़ा हैं यहाँ, कोई नहीं शरीफ़।

अस्पताल की स्थिति ठीक करने के लिए नगर के प्रमुख नागरिकों का एक प्रतिनिधि-मण्डल राजधानी गया और स्वास्थ्य-मन्त्री से मिला। उन्होंने सबको बोलने का मौक़ा दिया और बाद में कहा कि "मैं आपसे एकदम सहमत हूँ कि अस्पताल उस तरह नहीं चल रहा है जिस तरह कि उसे चलना चाहिए। यह अस्पताल ही क्या, सारे अस्पताल इसी तरह या इससे भी बदतर ढंग से चल रहे हैं। आपने शाहदरा, आगरा व राँची के मानसिक-अस्पतालों के बारे में पढ़ा होगा जहाँ सैकड़ों व्यक्ति ऐसे बन्द हैं जो कतई पागल नहीं हैं। अस्पताल ही क्या, सारे संस्थान इसी प्रकार चल रहे हैं। क्या पुलिस, अदालतें, शिक्षा-संस्थान या विधान सभाएँ ठीक चल रही हैं? ऐसे में अकेले इसी अस्पताल को मुद्दा बनाना आपको शोभा नहीं देता। अस्पतालों के कर्मचारियों का वेतन तीन महीने से रुका पड़ा है, यह ठीक हो सकता है मगर क्या आपको पता है कि शिक्षा-विभाग के शिक्षकों का वेतन पिछले छह महीने से रुका पड़ा है और बेचारे पुलिस व जेल के कर्मचारी तो लगभग एक वर्ष से वेतन के बिना ही काम कर रहे हैं और ख़ुशी-ख़ुशी कर रहे हैं। सारा दोष हमारे चरित्र का है। चरित्र न होने के कारण ही सारी दिक्कतें पैदा होती हैं। मैं आपसे चार बातें निवेदन करूँगा और बस। पहली बात तो यह है कि मैं अकेले किसी एक अस्पताल के लिए कुछ नहीं करूँगा, जो कुछ करूँगा सारे स्वास्थ्य विभाग के लिए करूँगा। मैं पक्षपात का दोषी नहीं बनना चाहता। मैं जानता हूँ कि हमने किन-किन मापदण्डों से नाप कर अस्पतालों में नर्स, डॉक्टरनियाँ व डॉक्टर नियुक्त किये हैं जिनमें से प्रायः सभी या तो मेरे रिश्तेदार हैं या फिर मुख्यमन्त्री जी के रिश्तेदार हैं। मुझे पता है कि किन-किन मदों से पैसा बटोर कर, हमने आपका अस्पताल आधुनिक ढंग का बनाया है। यदि इतने पर भी अस्पताल ठीक तरह काम नहीं कर रहे हैं तो

इसके पीछे ज़रूर किसी साम्प्रदायिक ताक़त, किसी विरोधी-दल या किसी विदेशी ताक़त का हाथ है जिसका हमें खुलकर मुक़ाबला करना है। दूसरी बात यह है कि अस्पताल आप जैसे सम्भ्रान्त व शालीन लोगों के लिए नहीं बने हैं। आप लोगों को तो प्राइवेट नर्सिंग होम में जाना चाहिए जहाँ एक दिन ठहरने के पाँच हज़ार लगते हैं। सरकारी अस्पतालों को मात्र ग़रीब लोगों के लिए छोड़ देना चाहिए। तीसरी बात यह है कि आप अपनी प्राचीन संस्कृति को क्यों भूलते हैं जिसमें आयुर्वेद, प्राकृतिक चिकित्सा, समुचित व्यायाम और यूनानी चिकित्सा-पद्धति को विस्तार में समझाया गया है? चौथी और अन्तिम बात यह है कि आपके इस अस्पताल में मरने वालों की संख्या अवश्य सर्वाधिक है पर जैसा कि स्वास्थ्य सचिव ने आज ही मुझे बताया है, आपका अस्पताल एकमात्र ऐसा अस्पताल है जो श्मशान से एकदम लगा है। ऐसी सुविधा और कहीं नहीं है। मरना-जीना तो ऊपर वाले के हाथ में है और उसमें कोई दख़ल नहीं दे सकता।" इसके बाद मन्त्री जी एकदम चुप्प हो गये क्योंकि आज उन्हें मौनव्रत रखना था और चरखा चलाना था। उन्होंने दीवार पर टँगी राष्ट्रपिता की फ़ोटो को प्रणाम किया और फिर वे हरम के भीतर चले गये।

राजधानी से वापस आकर कुलीन प्रतिनिधियों ने सबको बताया कि पानीपत की इस लड़ाई में मराठों का क्या हश्र रहा! अब वह दिन दूर नहीं है जब डॉक्टर लोग ऑपरेशन के दौरान किसी स्त्री के शरीर में कैंची, चाकू व चश्मे के स्थान पर खुद ही अन्तर्धान हो जाया करेंगे। सर्जरी के स्थान पर उपवास, मिट्टी का लेप, धूप, हवा, जल व फलों का खुला प्रयोग किया जाएगा। चरित्र की कमी पूरी की जाएगी। हाँ, बहरहाल यह सबने स्वीकार किया कि अस्पताल का इतिहास भले ही कैसा हो, उसका भूगोल सचमुच उत्कृष्ट है। अस्पताल के पिछले दरवाज़े से कोई सौ गज़ पर श्मशान है। यह पिछला द्वार चौबीस घण्टे खुला रहता है और इसी कारण एक जीवित रोगी को अस्पताल के भीतर ले जाने में भले ही कितनी परेशानी पड़ती हो, किसी मुर्दे को बाहर ले जाने में कभी कोई परेशानी नहीं पड़ती। अतिम-संस्कार की सारी आवश्यकताएँ भी वहाँ उपलब्ध थीं। सिविल-सर्जन का कुलदीपक क़फ़न की दुकान पर बैठता था, डायरेक्टर मेडिकल सर्विसेज का दामाद मुर्दा जलाने के लिए हर प्रकार की लकड़ी बेचता था और मन्त्री जी का एक सगा-सम्बन्धी ब्राह्मण (जो कि औपचारिकता निभाने के लिए अस्पताल का चौकीदार था) मन्त्र पढ़ने के लिए सदा तत्पर मिलता था। श्मशान इतना सुन्दर था कि वहाँ जाकर, एक स्वस्थ व चरित्रवान व्यक्ति के हृदय में भी मृत्यु की कामना जाग उठती थी। मेरी समझ में यह कभी नहीं आया कि सारा सत्य जानने के बावजूद, रोगी लोग पहले अस्पताल क्यों जाते थे? वे यदि सीधे ही श्मशान आ जाया करते तो उन समेत सबको कितनी सुविधा रहती।

मन्त्री जी ने नर्सिंग होम जाने की जो सलाह दी थी, वह भी शायद ठीक ही थी।

नर्सिंग होम में घर क़ी सारी सुविधाएँ उपलब्ध होती हैं पर बिल इतना बड़ा आता है कि उसे देखकर ही भूतपूर्व रोगी के वर्तमानकाल और भविष्यकाल स्वतः भूतकाल में बदल जाते हैं। मैं अभी एक बार मात्र तीन दिनों के लिए ही एक नर्सिंग होम में रहा हूँ और मैं यह स्वीकार करता हूँ कि मेरे जैसे पेंशनर व्यक्ति को 'नर्सिंग होम' की अपेक्षा अपने निजी 'होम' में ही 'होम' होना कहीं अधिक श्रेयस्कर है। और पत्नी को तो ख़ैराती अस्पताल के अलावा और कहीं भेजना सरासर बेवकूफ़ी ही है। औरत तो पैर की जूती है, पुरानी फट गयी तो दूसरी आ गयी। ढोल, गँवार, शूद्र, पशु, नारी; ये सब ताड़न के अधिकारी। पुलिस जो दलित स्त्रियों को नंगा करती है और बाक़ी लोग जो स्त्री के साथ राक्षस-विवाह सम्पन्न करते हैं, वे आर्य-संस्कृति के सच्चे पुजारी हैं। भगवान् उन्हें लम्बा जीवन दे। पेशवा-परम्परा में महानतम शासक बालाजी बाजीराव पेशवा थे। जब मराठों की सेना (जिसमें हज़ारों स्त्रियाँ भी साथ लायी गयी थीं) पानीपत के तीसरे युद्ध में पराजित हुई तो ऊपर बताये महान् पेशवा ने लगभग उन्हीं दिनों एक नयी पत्नी का अंगीकरण किया। विवाह का कारण था अपनी पुरानी रानी—गोपिकाबाई—के द्वारा दिये गये कटुवचनों का बदला लेना। युद्ध में पराजय का समाचार सुनकर उपर्युक्त महान् पेशवा का देहान्त हो गया। स्त्रियों के कारण पुरुष कहाँ और कब नहीं गिरा?

रचना समाप्त हो गयी। रचना के प्रारम्भ में जो दोहा है वह हिन्दी के महानतम हास्यकार अन्नपूर्णानन्द का है। मेरी तरह उन्हें भी अपने जीवनकाल में सही मान्यता नहीं मिली थी और उन्हीं की भाँति मैं भी 'मानसिक-अवसाद' का पुराना रोगी होने के कारण इस संसार से विरक्त ही हो गया। ऊपर जो कविताएँ उद्धृत की हैं वे शारदा प्रसाद भुशुण्डि की हैं। वे भी अब स्वर्गीय हो चुके हैं। उनमें काका हाथरसी से कम प्रतिभा नहीं थी पर दाढ़ी न रहने के कारण, उन्हें कोई यश या ख्याति नहीं मिली। हिन्दी के स्नातकों से मेरा अनुरोध है कि वे इन उपेक्षित लोगों का मूल्यांकन करें और उन्हें उनका वाजिब हक़ दें। कवि ने जो स्थिति नीचे बतायी है वह दुखदायी है। कवि कहता है :

हिन्दी के उत्थान की यह है कला नवीन
तुकाराम दर दर फिरैं, मौज करें तुकहीन।
ज़िन्दा कवि के सामने नहीं डालते घास
फिरते हैं वे खोजते, मुर्दों का इतिहास।
हिन्दी के उत्थान की अद्भुत बनी लकीर
मरने पर सम्राट् कवि, जीवित दास कबीर।

बादलों का गाँव

सृष्टि के सारे रहस्यों को कोई नहीं जानता। हमारे पूर्वजों ने इन रहस्यों को दर्शन-शास्त्र के द्वारा जानना चाहा और ठीक वही काम आज विज्ञान के द्वारा किया जा रहा है। दर्शन में तर्क की कसौटी थी, विज्ञान में प्रयोगशाला में किये गये प्रयोग हैं। दोनों ही मार्गों में कुछ मान्यताओं को आधार मान कर चला जाता है और दोनों के ही अनेक निष्कर्ष नितान्त हास्यास्पद निकलते हैं। सारे ज्ञान व विज्ञान के बावजूद, हमारी जानकारी बहुत ही कम है और हमारी शक्ति तो नितान्त सीमित है। वैदिक धर्म के अनुसार, प्रकृति, परमात्मा व जीवात्मा—ये तीनों शक्तियाँ अनादि व अनन्त हैं। काल व स्थान ('टाइम' व 'स्पेस') भी अनादि और अनन्त हैं क्योंकि वे भी प्रकृति के ही अंग हैं। दोनों पदार्थ निश्चल हैं और स्थिर हैं। कालो न यातः वयमेव यातः। न जाने कब से करोड़ों अरबों लोग पैदा होते चले आ रहे हैं और मरते चले जा रहे हैं। 'चल' व 'अचल' में अन्ततः कोई अन्तर नहीं है। सृष्टि त्रिगुणा है और इसी कारण सदा से नाना प्रकार के लोग दुख व सुख भोगते हुए सृष्टि का क्रम जारी रखे हुए हैं। अच्छे और बुरे, सुन्दर व असुन्दर, सुखी व दुखी, पापी और पुण्यात्मा लोग, न जाने कब से, इसी तरह पैदा होते व मृत्यु को प्राप्त करते चले आ रहे हैं। काम, क्रोध, लोभ, मोह, निद्रा, आहार, भय, सम्भोग, दया, घृणा, द्वेष, प्रेम, भोग, त्याग इत्यादि अनन्त अन्तर्विरोधी भावनाओं से युक्त अनन्त लोग सृष्टि के मंच पर आते हैं और चले जाते हैं। तर्क के द्वारा मात्र ज्ञान ही प्राप्त होता है जबकि सामान्य लोग विश्वास के सहारे ही जीते हैं और प्रेम, कर्म, भक्ति, नशा और कर्मकाण्डों द्वारा ही सुख प्राप्त करने की चेष्टा करते हैं। ऐसे ही अनेक सामान्य लोगों में एक व्यक्ति ऐसे थे जिनका नाम मुंशी शमशेर सिंह था और ये व्यक्ति संयोग से मेरे नाना थे। वे एक उदास व्यक्ति थे जो शायद इसी कारण पगड़ी बाँधते थे और दाढ़ी रखते थे। वे एक जागीरदार के कारकुन थे और उनका वेतन दस रुपये मासिक था। उन्होंने अपने जागीरदार के साथ दिल्ली-दरबार देखा था। वे एक ईमानदार व्यक्ति थे और इसी कारण वे छप्पर के मकान में रहते थे। उनका एक चित्र मेरे पास था जो उन्होंने दिल्ली-दरबार के परम पवित्र अवसर पर कभी खिंचवाया था।

उस फ़ोटो के आधार पर मेरे चचेरे भाई (हरिपाल त्यागी) ने एक पेण्टिंग बनायी जो मेरे मकान में टँगी है। वे आर्यसमाजी थे और इसी कारण वे ईश्वर, पुनर्जन्म व भाग्य में विश्वास रखते थे। "हमारा सुख और दुख भाग्य के अधीन है और भाग्य जो है वह जन्म-जन्मान्तरों के कर्मों का संचित फल है।" सुखी और दुखी होने का यही नियम है जिसे सिद्ध या असिद्ध साबित करना असम्भव है। मैंने अपने बँगले का नाम 'शमशेर-हाउस' जो रखा, वह अपने नाना जी की स्मृति में ही रखा। उनकी मृत्यु के समय मैं लगभग एक वर्ष का शिशु था। (कुछ लोगों की धारणा है कि मेरे मकान का नाम हिन्दी-कवि शमशेर बहादुर सिंह की स्मृति में है पर यह धारणा ग़लत है हालाँकि यह एक सच है कि कवि शमशेर का जन्म देहरादून में ही हुआ था) इस सन्दर्भ में यह बताना भी ठीक ही होगा कि हिन्दी में 'नाना' शब्द नाना प्रकार के अर्थ रखता है। एक 'नाना' शब्द तो वह है जो नाना फड़नवीस और बाजीराव द्वितीय के दत्तक पुत्र नाना साहब श्रीमन्त धोंधू पन्त के साथ लगाया जाता है, दूसरा 'नाना' वह है जो गोस्वामी तुलसीदास ने 'नानापुराणनिगमागमसम्मत' में प्रयुक्त किया है और तीसरा 'नाना' वह है जो माता के पिता के लिए प्रयोग किया जाता है। मुंशी श्री शमशेरसिंह मेरे इसी अर्थ में नाना थे मगर उन्हें ठीक उन नाना विपत्तियों का सामना करना पड़ा जिसकी चर्चा गोस्वामीजी ने यह कहकर की है कि 'जहाँ सुमति तहँ सम्पति नाना, जहाँ कुमति तहँ विपति निदाना।" ज़ाहिर है कि गोस्वामी तुलसीदास अपने नाना से कुछ ज़्यादा ही प्रेम करते थे।

मेरे नाना जी के एक ही सन्तान थी और जैसा कि आप में से समझदार लोग अब तक समझ गये होंगे, वह सन्तान मेरी माँ थी जिसकी कि सन्तान मैं स्वयं हूँ। लगता है, परिवार-नियोजन के बारे में मेरे नाना जी को उन दिनों भी पता था। वे स्वयं भी अपने उस पिता के अकेले पुत्र थे जिसने अफ़ीम के शौक़ में अपना पूरा एक बहुत बड़ा गाँव ही बेच दिया था। नाना जी ने अपनी इकलौती कन्या का विवाह एक ऐसे व्यक्ति से कर दिया जो वैसे तो एक कुलीन वंश का था और डी.ए. वी. कॉलेज लाहौर का स्नातक था पर जो बुरी संगति में पड़ा, आलसी, असन्तुलित और अकर्मण्य बना, ग़रीब रहा, झूठी शान में जिया, लापरवाह व निर्दय बना और अन्त में चलकर स्वार्थी व स्वाभिमान से सर्वथा शून्य हो गया। उन्होंने मेरी माता से तब विवाह किया जब कि वे तेरहवें वर्ष में थीं और एक वर्ष बाद उन्होंने उसको मातृत्व का सुख भी प्रदान कर दिया। कुल मिलाकर उनके लगभग बारह बच्चे हुए जो ग़रीबी और मुफ़लिसी के कारण एक-एक करके मर गये। मात्र मैं जीवित हूँ और मेरी बड़ी बहन जीवित हैं। न उन्होंने पुत्रियों के विवाह की कभी कोई चिन्ता की और न कभी मेरी शिक्षा की ओर ही कोई ध्यान दिया। जिस अभाव में मैं रहा और पढ़ा, उसका कष्ट वर्णनातीत है। मैं इतना नीच हूँ कि उस राक्षस-मानव को न कभी भूल सका और न कभी उसे माफ़ ही कर सका। मैंने वर्षों तक संस्कृत पढ़ी

और बाद में मेहनत-मज़दूरी करके नियमित शिक्षा प्राप्त की। प्रयाग-विश्वविद्यालय से एम.ए. किया, उसमें सर्वप्रथम स्थान पाया और देश की सर्वोच्च सिविल-सर्विसेज़ की प्रतियोगिता-परीक्षा में बैठा और एक बड़ी सेवा के लिए चुन भी लिया गया। मेरी माँ ने वह सबकुछ किया जो वे कर सकती थीं। सूत काता, जाल बुने और ग़रीबी में अपने सारे गहने तक बेच दिये। इस त्याग के कारण मैं उनसे बेहद प्यार करने लगा जो शायद स्वाभाविक था। वैसे वे बेहद भद्दी थीं। एकदम गोरा रंग, भद्दी नाक और निकले हुए बीभत्स दाँत। मगर माँ तो सदा सुन्दर ही लगती है। प्रेम का दूसरा नाम रूप है।

मेरे ज़िले के एक बड़े ज़मींदार थे जो बदलते ज़माने को पहचानते थे। उनके पुत्र केन्द्रीय-सरकार के राजपत्रित अधिकारी थे जिनके सारे रिश्तेदार बहुत बड़े-बड़े सरकारी अफ़सर थे। उनकी सर्वगुणसम्पन्न कन्या से मेरी सगाई हुई और उसके दुर्भाग्य से, बाद में विवाह भी उसी के साथ सम्पन्न हुआ। मैं बिना बचपन का बच्चा था पर जब मैं युवा हुआ तो यौवन मेरे पास था। बड़ी कोठी, नौकर-चाकर, बड़ी तनख़्वाह और समाज में सम्मान–सब अपने आप मेरे पास आते चले गये। मेरा पतित पिता–जो एक काइयाँ आदमी था–अवसरवादी होने के कारण अब मेरा भक्त हो गया और मेरी पत्नी पर तो उसने ऐसा जादू किया जो अभी तक क़ायम है। हाँ, अलबत्ता मेरी माँ मेरी शादी होते ही मुझसे दूर होती चली गयीं। ग़रीब-से-ग़रीब सास भी यह कभी बर्दाश्त नहीं कर सकती कि उसका तुच्छतम सिंहासन भी छिने और उसके स्तनपायी पुत्र को कोई और स्त्री अपने स्तनों के वश में कर ले। यह हादसा जब मेरे अपने घर में ही हुआ तो मैं चकित हो गया। बहरहाल मेरे माता-पिता सदा मेरे ही साथ रहे। बहुत वर्षों बाद, पिता को पक्षाघात हुआ और मरते समय तक मैं उन्हें डाँटता-फटकारता रहा।

शादी के बाद लगभग दस वर्ष अत्यन्त सुख से बीते। कभी लगता था कि वसन्त की ऋतु है, सारे वृक्ष फूलों से लदे हैं, सब दिशाएँ गोरे रंग की हैं और हवाओं में चन्दन घुला है। गर्मी के लम्बे दिन छोटे लगते थे और उनके बीतने के बाद 'मेघदूत' की ऋतु आती थी। आषाढ़ के मेघ, श्रावण की वर्षा और भाद्रपद की साँझ। वर्षा के बाद शरद की पूर्णिमा, नदियों के नंगे और लजाते तट और नदी पर पाल उड़ा कर जाती नावों की क़तार। जनश्रुति के अनुसार जयदेव व पद्मा जब नदी के इस तट पर भावविह्वल होकर 'गीतगोविन्द' गाते थे तो उनके स्वर के आकर्षण से, दूसरे तट की नावें अपने आप इस तट तक खिंची चली आती थीं। शब्द ब्रह्म है, ध्वनि संगीत है और जीवन काव्य है। मगर इस सारे 'ऋतु-संहार' में मैंने और मेरी शान्त और पुण्यात्मा पत्नी ने मेरी माँ की हर सुविधा का पूरा-पूरा ध्यान रखा। उनका बक्सा धोतियों, साड़ियों और कामदार चादरों से भरा रहा। मगर माँ थीं जो उदास, बदमिज़ाज और हीनभावना से ग्रस्त होकर, अपनी बहू की ही शत्रु

बनती चली गयीं। हम दोनों ने उन्हें तीर्थ कराये, अपनी मोटर से मथुरा, वृन्दावन, प्रयाग, चित्रकूट, विन्ध्याचल, अयोध्या, वाराणसी, सारनाथ, हरिद्वार व गया इत्यादि की यात्रा करायी पर मेरी माता ने मेरी पत्नी को कभी अपना स्नेह नहीं दिया। हाँ, कभी-कभी वे मुझे दूसरी शादी करने की पवित्र सलाह ज़रूर देने लगीं क्योंकि सात वर्ष के मेरे पूर्ण व अनवरत परिश्रम के बावजूद मेरी पत्नी किसी सन्तान को जन्म नहीं दे पायी थी। इसके बाद मैं 'मानसिक अवसाद' नामक भयंकर रोग से ग्रस्त हो गया। ठाली से बेगार भली।

मेरी नौकरी ऐसी थी कि मुझे अपने देश में दूर-दूर नियुक्त रहना पड़ता था। मैं अपने गाँव में पिताजी की पैतृक भूमि और क़स्बे में नाना जी के मकान को (जिस पर पता नहीं कैसे, मेरे पिताश्री ने छत डलवा दी थी) ग़ैरों के क़ब्ज़े से बचाना चाहता था और इसी कारण मैंने उन दोनों सम्पत्तियों को पानी के मोल बेच दिया। और कोई रास्ता ही नहीं था और वैसे भी उन दिनों सम्पत्ति की क़ीमतें बेहद कम होती थीं। अम्मा को अपना पैतृक मकान बेचते हुए सचमुच बहुत दुख हुआ पर मैंने लालच के क्षणों में उनके उन आँसुओं की ज़्यादा परवाह नहीं की और उन्होंने रजिस्ट्री पर दस्तख़त कर ही दिये। अपने नकली दाँतों में जवान लगने वाली मेरी माँ, इस दुर्घटना का सारा दोष भी मेरी निरीह पत्नी पर ही डालने लगीं। जितनी भी समृद्धि आयी, उतनी ही वह अपनी पुत्रवधू से ईर्ष्या करती चली गयीं और जितना भी दुख मेरी पत्नी को पहुँचा, उतना ही मैं उसके और समीप आता चला गया। समय बीतता गया। मैं नौकरी करता रहा और साहित्य पढ़ता और बाद में यथाशक्ति लिखता भी चला गया। बाद में धीरे-धीरे सन्तान भी हुईं, उनकी शिक्षा व विवाह से मुक्त भी हुआ, देहरादून में एक बँगला भी बनाया और फिर एक दिन रिटायर भी हो गया। अम्मा बूढ़ी हुईं, और बूढ़ी हुईं और फ़िलहाल जो उनकी स्थिति है वह ऐसी है कि उन पर दया भी आती है, क्रोध भी आता है, घृणा भी उपजती है और दुख भी होता है। अब उनकी आयु का तिरानबेवाँ वर्ष चल रहा है और मैं ख़ुद पैंसठ वर्ष पार कर चुका हूँ। वे मुझसे लगभग अट्ठाईस व़र्ष बड़ी हैं..

इस 93 वर्ष की आयु में अम्मा की मानसिक हालत काफ़ी ख़राब हो चुकी है। अपना कहा तुरन्त भूल जाती हैं। समय का और दिशा का कोई ज्ञान नहीं रहा। लगभग अन्धी और पूरी तरह बहरी हो गयी हैं। मौसम की सर्दी या गर्मी, उन पर अब कोई असर नहीं करती। वे यह हर्गिज़ नहीं मानतीं कि उनकी उम्र सचमुच इतनी हो गयी है। वे तिल-तिल कर मर रही हैं या—जैसा कि मुझे कभी-कभी महसूस होता है—वे मर चुकी हैं और जो आकृति मुझे दिखाई पड़ती है, वह मात्र उनकी छाया है, उनका प्रेत है। सारी इन्द्रियाँ मात्र स्वाद और भूख में बदल गयी हैं। जब भी जाओ तभी एक ही प्रश्न पूछती हैं कि "क्या खाना आ गया?" कभी-कभी खाना खाने के तुरन्त बाद फिर खाने के बारे में पूछने लगती हैं और कभी-कभी खाना न खाने पर

भी वे भोजन नहीं लेतीं और कहती हैं कि खाना तो उन्होंने खा लिया, क्या दुबारा खिलाकर हम लोग उन्हें मारना चाहते हैं? इस स्थिति में और इस आयु में उन्हें जीवन से इतना मोह किसलिए है? अब मैं खुद वृद्ध हो रहा हूँ, अब हमारे अपने मरने के दिन आ रहे हैं और इन्हें अभी और जीने की इच्छा है। क्यों और किसलिए?

अम्मा इस वक़्त अपने कमरे में हैं। उनका अलग हवादार कमरा है, लगा हुआ बाथरूम है मगर उन्हें सिवा खाँसने, खँखारने और दीवारों व फ़र्श पर बलग़म थूकने के और कोई काम नहीं। मेरी पत्नी उनका पूरा ख़याल रखती है, कपड़ों में किया मल-मूत्र धोती है या धुलवाती है और उनकी गालियाँ सुनती रहती है। उसके अनुसार यह सब कर्मों का फल है। गीता ने भी अन्तिम अध्याय में 'दैव' कहकर भाग्य को स्वीकार किया है। अम्मा हैं कि नंगी स्थिति में ही आँगन में या बगीचे में निकल जाती हैं और मेरी पत्नी उन्हें ज़बर्दस्ती कपड़े पहनाती है। मैं सोचता हूँ कि क्या ये हमारे बाद मरेंगी? या ये कभी मरेंगी ही नहीं? सिन्दबाद जहाज़ी की कमर पर एक बार एक बूढ़ा बैठ गया था जो उसकी गर्दन हर वक़्त जकड़े रहता था। मुझे उसकी वही यात्रा याद आने लगती है। कभी-कभी सोचता हूँ कि मैं इनकी हत्या ही कर दूँ या फिर आत्महत्या ही कर लूँ। एक बार आत्महत्या करने की पूरी कोशिश भी की, मरने की दवा खाकर बड़ा मुक्त और आह्लादित महसूस किया मगर ज़हर ने इत्तफ़ाक से असर ही नहीं किया। कुछ घण्टे बाद जीने की इच्छा लौट आयी, घर को फ़ोन किया, नर्सिंग होम में पेट धोया गया और मैं कुछ हज़ार का बिल अदा करके फिर अपने घर लौट आया। बाहर अम्मा मिलीं तो पूछने लगीं कि 'खाना बन गया क्या?"

मैं चुप हो गया और बाइबिल और गीता को याद करने लगा। ईश्वर को प्यार करो और अपने पड़ोसी से भी उतना ही प्यार करो जितना कि तुम अपने से करते हो। हे मेरे प्रभु, मुझे सही मार्ग बताओ, मैं कुछ नहीं जानता। ओ मेरे भगवान् तुम्हारी ही इच्छा पूर्ण होगी, मेरी नहीं। मैं सब बुरा करने वालों को भूल सकूँ और सबके ग़लत कामों के लिए उन्हें माफ़ कर दूँ। मैं मात्र अपनी कमियाँ ही देखूँ, दूसरों की नहीं। मैं कर्मयोगी तथा समत्वबुद्धि बनूँ। मैं धीरज रखना सीखूँ, तनाव से बचूँ और एक क्षण के लिए भी अपना मानसिक-सन्तुलन न बिगड़ने दूँ। मैं झूठ न बोलूँ, हीनभावना से क्षण भर के लिए भी ग्रस्त न होऊँ, निडरता से जिऊँ और अन्दर से पवित्र व बाहर से शिष्ट, नम्र और शालीन रहूँ। यह संसार असार है। दारा रहा न रहा सिकन्दर-सा बादशाह, तख़्ते ज़मीं पै सैकड़ों आये, चले गये। जिनके महलों में हज़ारों झाड़ और फानूस थे; झाड़ उनकी क़ब्र पर है, और निशाँ कुछ भी नहीं। सर्वं यस्य वशात् गाःस्मृतिपथम् कालाय तस्मै नमः। हे ईश्वर, एक तुम्हीं सत्य हो, शेष सब मिथ्या है, माया है, और कुछ नहीं। मैं भूतकाल के लिए कोई शौक़ न करूँ और भविष्य का सारा भय छोड़ दूँ।

अम्मा का अब सबसे बड़ा काम है अपने से स्वयं बातें करना और उन लोगों

को याद करना जो अब नहीं रहे। अपना पुराना मकान, चुखरिया बाह्मनी, झूमकी (जो 'नाका' नामक अपने किसी मगरमच्छ प्रेमी के साथ कभी भागी थी) और काशी की बहू वग़ैरह वग़ैरह। वे अपने क्रूर पति और मृत सन्तानों को याद नहीं करतीं, वे दिलावरसिंह नामक उस दर्ज़ी को याद करती हैं, जिससे कभी उनकी सगाई सम्पन्न हुई थी। उनका यह रिकॉर्ड सारा दिन और सारी रात बजता है पर न रिकॉर्ड ही टूटता है और न सुई ही घिसती है। मैं बँगले का गेट बन्द रखता हूँ ताकि वे बाहर न निकल जाएँ। इसमें से जो समय बचता है, उसमें मेरी माँ वे सारी क्रियाएँ सम्पन्न करती हैं जो मेरी पत्नी को दुख पहुँचाएँ जैसे कि खिले हुए फूलों को तोड़ना, उसे मकान बेचने के लिए ज़िम्मेदार ठहराना और सब लोगों को उन बातों की याद दिलाना जो उन लोगों को दुख पहुँचाती हों। इसी कारण हम लोग उन्हें अतिथियों से यथासम्भव दूर ही रखते हैं। क्या यह वही अम्मा हैं जो कभी मेरे लिए रात-रात भर सूत कातती थीं और जिन्हें मैं कभी इतना प्यार करता था?

मैं फिर लॉन पर गार्डन-चेयर बिछा कर बैठ जाता हूँ। भगवान् ने मुझे कितने सुख दिये हैं। मैं काफ़ी लम्बा व स्वस्थ व्यक्ति हूँ और देखने-भालने में भी बुरा नहीं हूँ। मेरा मन निश्छल है, बुद्धि तीव्र है और स्वभाव कर्मठ व दयालु है। मैंने कितने कष्ट उठाये और इतनी शानदार उच्च शिक्षा पायी। मैं केन्द्रीय-सरकार का एक उच्च-अधिकारी रहा हालाँकि कुछ कारणों से मैं उतने उच्च पद तक नहीं पहुँच सका जहाँ तक मुझे हर हालत में पहुँचना ही था। (मगर अपने और दुखों के साथ-साथ, मैं इसे भी ईश्वर की इच्छा ही मानता हूँ। सुख या दुख तो मात्र अपने मन में ही हैं, बाहर नहीं। इस सारे संसार में पूर्ण सुख केवल किसी संन्यासी को ही मिलता है क्योंकि वह उसकी इच्छा ही नहीं करता। ईश्वर ने जो जीवन दिया है, वही हमें खुशी-खुशी जीना चाहिए। धन एक महानू पदार्थ है पर सारी खुशियाँ आप उससे भी नहीं ख़रीद सकते। हम लोगों को ईश्वर ने अपना जीवन स्वयं समाप्त करने की शक्ति दी है जो उस स्थिति में अवश्य प्रयोग में लायी जा सकती है जब जीते रहना सचमुच एक भार बन जाए। मैं देखता हूँ कि इतने लोग परम दुख में जी रहे हैं, और वह भी बिना मतलब। ये लोग आत्महत्या क्यों नहीं कर लेते? शायद भगवान् इन्हें इसी दुख में रखना चाहता है।) मैं कंगाल से अमीर बना। देहरादून जैसे रमणीक नगर में एक सादा मगर काफ़ी सुखदायक बँगला है जिसमें 'ड्राइव' है, मोटर है, लॉन है, उपवन है, लाइब्रेरी, टेलीविज़न, टेलीफ़ोन व फ्रिज हैं, सारे कमरे फ़र्नीचर और सुन्दर व कम क़ीमती कलाकृतियों से सजे हैं, कपड़े, जूते और टाइयाँ हैं, बैंक में रुपया है, अभी भी बहुत काफ़ी मासिक आय है। इतना बढ़िया परिवार है कि कुछ कह नहीं सकता। लड़का सत्तर हज़ार रुपये प्रति माह वेतन पाता है और हवाई जहाज़ से देश-विदेश घूमता है। उसकी मोटर तक वातानुकूलित है। वह एक औद्योगिक संस्थान में उच्च अधिकारी है। उसकी पत्नी उसकी ख़ुद की चुनी हुई

है जो हर प्रकार से कुलवन्ती है। वह भी एक बड़ी सरकारी अफ़सर है जो अपनी मोटर अलग रखती है। पुत्री व जामाता सर्वगुणसम्पन्न हैं और उनका अपना शानदार बँगला है, काम है और अपनी कार है। इतने बड़े-बड़े लोग मेरे मित्र या आत्मीय हैं और इन सबसे सुन्दर मेरी पौत्री है। अब मेरा जीवन प्रमुखतः साहित्यिक ही है। थोड़ा-बहुत लिख भी लेता हूँ और संसार के लगभग सारे महान् ग्रन्थ पढ़ने की कोशिश में जुटा रहता हूँ। जीवन में विभिन्न प्रकार के इतने सुख पाये और अनेक कमियों के बावजूद करोड़ों से अच्छा रहा। कितने लोग ग़रीब हैं, अपंग हैं, अन्धे हैं, भिखारी हैं और झुग्गी-झोंपड़ियों में रहते हैं या फ़ुटपाथ पर सोते हैं। भगवान् की कितनी कृपा है कि उसने इतने लोगों को इतना दुखी बनाया। यदि ये न होते तो मैं अपनी तुलना किससे करता और ईश्वर को धन्यवाद कैसे देता? मगर मेरी अम्मा हैं जो मेरे घर को अपना घर नहीं मानतीं। सारा दिन एक उमर-क़ैदी की भाँति अपने कमरे में ही गुज़ारती हैं, अपने से ही बातें करती हैं और हर वक़्त भूखी रहती हैं। अगर वे कुछ पूजा-पाठ वग़ैरह करतीं तो उनका दुख शायद ज़रूर कम हो जाता। फ़िलहाल वे सचमुच दुखी हैं, दयनीय हैं और जीने और मरने की स्थिति के बीच में हैं। 'कामायनी', 'चाँद का मुँह टेढ़ा है' व 'पृथ्वीकल्प' पढ़कर जो पीड़ा मुझे होती है, ठीक वही पीड़ा मुझे अपनी माँ को देखकर होती है। वे सचमुच अभागिनी हैं जो इतना सब कुछ होते हुए भी निर्धन हैं, अकेली हैं और अपनी पुत्रवधू के प्रति कुटिल हैं। कभी-कभी यह कुटिलता ऐसी भयंकर दीखती है जैसे कि उम्र ने एक सती-साध्वी स्त्री को एक पिशाचिनी बना दिया हो। अब उन्हें देखकर हास्य, करुण, वीर, रौद्र व बीभत्स—इन सभी रसों की सृष्टि होती है। वे मुझसे थोड़ा-बहुत स्नेह शायद अब भी करती हों, पर इतनी सेवा करने वाली और कर्तव्य-परायणा पुत्रवधू से उन्हें अभी भी कोई मोह नहीं है। हम कुछ लोग अपने शानदार डाइनिंग-रूम में या ड्राइंग रूम में बैठे होते हैं और वे अचानक प्रकट हो जाती हैं और फिर पूछने लगती हैं कि "मैं कहाँ हूँ और क्या मैं यहाँ पेशाब कर सकती हूँ?"

पन्तजी के सांस्कृतिक काव्य की भाँति मेरी माँ भी उसी बात को बार-बार दुहराती हैं। वे छूतछात मानती हैं। सी.ई.एम. जोड का कहना एकदम सही है कि उम्र के साथ-साथ हममें से सभी की क्रूरता व कुटिलता बढ़ती जाती है। कुछ का लालच भी बढ़ता है पर वह स्थिति मेरी माँ के साथ हर्गिज़ नहीं है। कभी-कभी वे मेरी पत्नी को छोड़कर परिवार के शेष लोगों को आशीष भी दें डालती हैं पर ऐसे क्षण कम ही होते हैं। स्त्री के साथ जितनी शत्रुता एक स्त्री निभा सकती है उतनी शत्रुता कोई पुरुष कभी नहीं निभा सकता। चूँकि उनकी पुत्रवधू-उनके विचार में—उन्हें मारना चाहती है, वे इसी कारण और जीना चाहती हैं। जिजीविषा जो है वह ज़्यादा जीने का सर्वप्रमुख कारण है। मेरी पत्नी है जो कहती है कि यह सब हमारे कर्मों का फल है। मैं पत्नी के सामने अपने को एक अपराधी-सा महसूस करता हूँ। यह

शायद मेरे कर्मों का फल है।

मैं यह तो मानता ही हूँ कि फल पर हमारा कोई अधिकार नहीं है पर क्या अपने कर्मों पर भी हमारा पूरा अधिकार है? हर्गिज़ नहीं। जो लोग जन्म से ही अपंग हैं, उनके सारे काम उस अपंगता से ज़रूर प्रभावित रहेंगे। परिस्थितियाँ भी हमारे कर्मों को प्रभावित करती हैं। देश व काल भी हमारे कर्मों को हमारे अधिकार के बाहर ले जाते हैं। कुल मिलाकर इस्लाम में जो 'लिमिटेड फ्री विल' की चर्चा की गयी है, वह ज़्यादा सच्ची लगती है। कर्मों पर हमारा जो अधिकार है वह भी अत्यन्त सीमित-ही है, पूर्ण नहीं। पूर्वजन्म का 'अवैज्ञानिक' लगने वाला सिद्धान्त, मात्र भाग्य के सिद्धान्त को स्थापित करने के लिए ही बनाया गया। अपने दुखों की ज़िम्मेदारी हमीं पर है, किसी और पर नहीं। और हमारे नीतिशास्त्र तो कर्मों पर भी हमारा कोई अधिकार मानते ही नहीं। चाणक्य के अनुसार हमारे विनाश के समय हमारी अपनी बुद्धि स्वयं हमारे ही विपरीत हो जाती है और विदुर के अनुसार जब हमारा भला होने को होता है तो देवता लोग हमें सुबुद्धि से स्वयं जोड़ देते हैं। यदि यह सच है तो 'ख़ुदा की मर्ज़ी' के अलावा और कुछ भी नहीं बचता। हुइगा वही जो राम रचि राखा। हानि, लाभ, जीवन, मरण, यश, अपयश विधि हाथ। भाग्य का नियम कोई नहीं जानता। गीता के सिद्धान्त ही सारी शंकाओं का समाधान करने की कोशिश करते हैं, यह सच है। वैसे भाग्य या भगवान् की इच्छा तो है ही। यदि ऐसा न होता तो क्या 'निराला' जैसा महान् सौन्दर्यवादी कवि ऐसी फटी और गन्दी लुंगी में उसके अन्तिम वर्ष गुज़ारता जिससे आप शायद फ़र्श पर पोंछा भी लगवाना न पसन्द करें और क्या ऐसे लोगों को लाखों की आय होती और पुरस्कार मिलते जिन्होंने मंच पर लतीफ़े सुनाने, कवि सम्मेलनों में गीत गाने और अश्लील साहित्य लिखने के अलावा और कुछ नहीं किया? क्या 'वंशी और मादल' जैसे गीत ठाकुरप्रसाद सिंह के अलावा किसी और ने हिन्दी में लिखे हैं? और उसके बदले उस ग़रीब को मिला क्या, कुछ भी नहीं। मैं जन्मजात कारणों से व बचपन की भयंकर परिस्थितियों की वजह से 'मानसिक-अवसाद' का उम्र भर रोगी रहा और मात्र उसी कारण केन्द्रीय-सरकार के संयुक्त-सचिव के स्तर से ऊँचा पद नहीं प्राप्त कर सका जबकि मेरे से सब प्रकार हीन लोग भारत-सरकार के सचिव तक बने। इतने परिश्रम और ईमानदारी का मुझे पूरा परिणाम क्यों नहीं मिला—ईश्वर की इच्छा, भाग्य (या मात्र संयोग?) के अतिरिक्त इसका क्या उत्तर हो सकता है? इतनी सेवा के बावजूद मेरी पत्नी ने मेरी बीमारी व मेरी माता के व्यवहार से जो पीड़ा सही, उसका इसके अतिरिक्त और क्या समाधान है? कोई उत्तर है किसी के पास? उमर ख़ैयाम जो कहता है कि महल में एक ताला ऐसा था जिसकी चाबी किसी को नहीं मिली। उस ताले का नाम ही भाग्य है। चाबी अभी मिलनी है। जब तक वह दिन आए, गीता पर विश्वास करो और मौज़ उड़ाओ। ईश्वर का होना तो ज़ाहिर है। आख़िर यह सृष्टि

किसने बनायी और कौन है जो ब्रह्माण्ड को चलाता है? मगर ईश्वर से हमारा क्या सम्बन्ध है, यह कोई नहीं जानता। मैं विश्वास तो कर सकता हूँ पर अन्धविश्वास नहीं। यह मेरा दुर्भाग्य है कि बिना अन्धविश्वास के आप धार्मिक नहीं बन सकते। सत्य क्या है, यह कोई नहीं जानता..

बहरहाल अपने सारे प्रलाप, आलाप और विलाप के बावजूद मेरे बचपन की अम्मा—जिसकी भीतरी व बाहरी आकृति अब एकदम बदल चुकी है—एक दिन मर जाएगी। महल्लेवाले आएँगे, अर्थी बनेगी और श्मशान में चिता चुनी जाएगी। मैं अग्नि दूँगा और सारी शिकायतों के बावजूद बुरी तरह रोऊँगा। उनका कमरा खाली हो जाएगा। यही एक दिन मेरे अपने साथ होगा। एक आज जैसा ही कोई दिन होगा जिस दिन रवीन्द्रनाथ त्यागी नाम का यह व्यक्ति दुनिया में नहीं रहेगा। पीढ़ी-दर-पीढ़ी यही सिलसिला जारी रहा है और यही सिलसिला भविष्य में भी जारी रहेगा। मगर मैं मात्र जलूँगा, समाप्त नहीं होऊँगा। मुझे नया रूप प्राप्त होगा और मुझे नया 'जन्म' मिलेगा। किसी-न-किसी रूप में मैं हमेशा था और किसी-न-किसी रूप में मैं हमेशा रहूँगा। वैदिक धर्म आशावाद की चरम सीमा को तोड़ कर और भी आगे जाता है। विज्ञान के अनुसार भी 'मैटर' व 'स्प्रिट' एक हैं और 'मैटर' का कभी भी नाश नहीं होता।

अब मैं अपने चिन्तन के मादक ज्वार में खो रहा हूँ। अगले जन्म में मैं किसी बहुत बड़े उद्योगपति का एकमात्र पुत्र जन्मूँगा। हमारा एक महल होगा जिसके चारों तरफ़ विशाल व विस्तृत लॉन होंगे। मैं ऑक्सफ़ोर्ड व कैम्ब्रिज में पढ़ूँगा और हाईकोर्ट का एक प्रख्यात बैरिस्टर बनूँगा। मेरे पिता के पास कोयले व मैंगनीज़ की खानें होंगी, जूट व कपड़े की फ़ैक्टरियाँ होंगी, रेलगाड़ियाँ होंगी, पानी के जहाज़ होंगे और चारों दिशाओं में हीरे, जवाहिरात, सोना, चाँदी और मोती बिखरे होंगे। मेरी पत्नी संसार की सबसे ज़्यादा रूपवती रमणी होगी। मैं टेनिस खेलूँगा और तैराक बनूँगा। छः फ़ीट लम्बा, हृष्ट-पुष्ट और कामदेव-सा रूपवान्। कम-से-कम दस या पन्द्रह हज़ार करोड़ रुपयों का स्वामी। मैं बड़े-बड़े राजनेताओं को ख़रीदूँगा और आयकर की चोरी करूँगा। मगर मैं सुखी होऊँगा या दुखी—यह कोई नहीं कह सकता। और क्या मैं इस जन्म में कुछ ऐसे परोपकारी और पुण्यकारी काम कर रहा हूँ जो मेरा अगला जन्म इतना भाग्यशाली निकले? या क्या यह उचित होगा कि अगले जन्म की आशा में, मैं इस जन्म की जमा पूँजी भी परोपकार में खो दूँ? और यदि ये सारी जन्नत न मिली तो पुनर्जन्म में विश्वास करने से फ़ायदा ही क्या? ध्रुवाणि जो परित्यज्य...। (मेरा यह निश्चित मत है कि हमारे प्राचीन दार्शनिक पुनर्जन्म का अनुभव रखते थे। शंकराचार्य ने मण्डन मिश्र की पत्नी द्वारा पूछे गये 'काम' के प्रश्नों का उत्तर देने के लिए काश्मीर के राजा अमरुक के शरीर में प्रवेश किया था और उसकी सौ रूपवती रानियों को जी भर कर भोगा था। सब कुछ जानने के बाद, आदिगुरु

शंकराचार्य फिर अपने पुराने चोले में आ गये और इस बार उन्होंने मण्डन मिश्र की धर्मपत्नी को हर प्रश्न का सटीक उत्तर दिया। बाल-ब्रह्मचारी शंकराचार्य ने उसे संयम की शिक्षा दी और उसे माता कहकर पुकारा।) हाँ, मैं भगवान् से सौदेबाज़ी करने को हमेशा तैयार हूँ। वह चाहे तो मेरी सम्पत्ति में से चालीस-पचास करोड़ कम कर सकता है। पत्नी का जहाँ तक प्रश्न है, स्थिति यह है कि यदि इंग्रिड बर्गमैन न मिले तो न सही, मैं आशा पारीख के साथ भी उतना ही खुश रह लूँगा। मैं चाहता हूँ कि मेरे महल में डेढ़ सौ कमरे हों पर यदि दस-बीस कमरे कम भी हों तो भी कोई शिकायत नहीं की जाएगी। भूल-चूक लेनी-देनी। मेरे उन्माद का ज्वार उतर जाता है। अपने शंखों, मोतियों से भरी सीपियों और चन्द्रमा को सावधानी से समेट कर समुद्र वापस लौट जाता है और सदा का एकाकी मैं, उसकी ध्वनि को देखता हुआ, तट की तलछट के साथ यहीं छूट जाता हूँ। सफ़ेद बलाकाएँ भी अपने-अपने हिस्से का आकाश लेकर उसी के साथ चली जाती हैं। कुछ शेष रहता है तो वह मेरी माँ है जो बाहर बरामदे में आराम के साथ लेटी गा रही है कि "आ जा आ जा रे देवरिया, बलम चले परदेस..."

संस्कृत के एक कवि के अनुसार, अपनी जन्मभूमि और अपनी माँ—ये दोनों चीज़ें स्वर्ग से भी ज़्यादा श्रेष्ठ होती हैं। मैं कितना अभागा हूँ कि मुझे इन दोनों चीज़ों से भयंकर विरक्ति है, घृणा है। जिस क़स्बे के अँधेरे में मेरा जन्म हुआ, उसके टूटे हुए महल, मन्दिर, छप्पर, गन्दी नालियाँ और तंग गलियाँ मुझे डराती हैं। लोना लगे- वे पुराने मकान, अपमान और अभाव से भरे वे खँडहर, मुहल्ले और जान-पहचान के वे अजीब लोग—मैं दुबारा नहीं देखना चाहता। मेरे बचपन के साथी या तो मर गये होंगे या चिथड़ों जैसे शरीरों में वृद्ध हो गये होंगे। मैं अपने बचपन के उस श्मशान में दुबारा नहीं जाना चाहता। और जहाँ तक मेरी माँ का प्रश्न है, स्थिति यह है कि मैं हाथ जोड़कर ईश्वर से प्रार्थना करता हूँ कि वह मुझे इतनी आयु हर्गिज़ नहीं दे जिसमें कि मेरी अपनी ही सन्तान भगवान् से वही प्रार्थना करने लगे जो मैं भगवान् से अब करता हूँ। हे परमपिता परमेश्वर, यदि तू सचमुच अपने भक्तों की सुनता है तो अब मेरी इतनी वृद्धा और अपाहिज़ माँ को अपने पास बुला ले। जिस स्त्री से कभी मैं इतना प्यार करता था, उससे मैं इतनी घृणा और नहीं कर सकता। हर्गिज़ नहीं। अम्मा हैं कि अपनी उसी छोटी-सी टूटी-फूटी स्मृतियों की दुनिया में उलझी हैं और हम हैं कि उन्हें इस तरह नहीं देखना चाहते।

मगर परमपिता परमात्मा है कि मेरी अम्मा को अपने पास नहीं बुलाता। उसे शायद फुर्सत ही नहीं है या फिर उसके दफ़्तर के कर्मचारी भी हड़ताल पर हैं। मेरी पत्नी है कि वह अम्मा के पेशाब में भीगे पेटीकोट, बिस्तर की चादरें व और कपड़े बदलना चाहती है जब कि अम्मा जी हैं कि भारत-रत्न मोरारजी देसाई की भाँति स्वमूत्र में और पानी में कोई अन्तर ही नहीं स्वीकार करतीं। मैं सब कुछ देखता

हूँ समझता हूँ और कलेजे पर पत्थर रखकर चुप रहता हूँ। माता जी की स्थिति सचमुच दयनीय है। हम लोग हैं जो अख़बार पढ़ते हैं, टेलीफ़ोन करते हैं, मोटर में घूमने जाते हैं और बाक़ी लोगों से मिलते हैं जब कि अम्मा की दुनिया सिर्फ़ एक कमरे में बन्द है जहाँ वे अपनी सगाई का दृश्य देखती रहती हैं, दिलावर दर्ज़ी या बाह्मनों-बनैनियों के मुहल्ले का आँखों-देखा हाल सुनाती रहती हैं और एक ऐसे नाटक का सच्चा अभिनय करती रहती हैं, जिसके सारे पात्रों के संवाद वे स्वयं ही बोलती हैं और जिस नाटक को देखने वाला कोई नहीं है। मैं उनकी इस तंग दुनिया से तंग आ गया हूँ और उसे किसी भी तरह ख़त्म करना चाहता हूँ। आस्कर वाइल्ड ने अपनी कविता (दी बैलेड फ्राम दी रीडिंग जेल) में ठीक ही कहा है कि हममें से हर एक उस वस्तु की हत्या करना चाहता है जिससे कि वह प्रेम करता है। बहादुर और दिलेर आदमी यह काम तलवार से करते हैं जबकि मेरे जैसे कायर लोग उसी क्रिया को अपने चुम्बनों से सम्पन्न करते हैं। बहरहाल मैं आत्महत्या भले ही कर लूँ मगर किसी भी स्थिति में किसी दूसरे की हत्या मैं कभी भी नहीं कर सकता। मैं अपराधी हूँ क्योंकि अपराध करने की हिम्मत मेरे पास नहीं है..

क्या आपने बादलों का कोई गाँव कभी देखा है? न देखा हो तो मेरी माँ को देख लीजिए।

(15 दिसम्बर 1995)

संस्कृत-साहित्य का सन्दर्भ

(एक)

इस असार संसार में कुछ प्राणी ऐसे भी पाये जाते हैं जिनकी धारणा यह है कि संस्कृत भाषा लैटिन और ग्रीक की भाँति मृत्यु को प्राप्त हो चुकी है और उसका अन्त्येष्टि संस्कार भी सम्पन्न किया जा चुका है। ये मूढ़मति लोग यह नहीं जानते कि संस्कृत जो है वह देव-वाणी है और जब देवता कभी नहीं मरते तो उनकी-वाणी कैसे मर सकती है? उपनिषद्, रामायण, महाभारत और भागवत आज भी सारे भारतवर्ष में (जिसमें पूरा जम्मू और कश्मीर भी शामिल है) उसी तन्मयता से पढ़े और पढ़ाये जाते हैं जैसे कि वे सैकड़ों हज़ारों वर्ष पहले पढ़े और पढ़ाये जाते थे। जैन और बौद्धों तक ने अपने काफ़ी ग्रन्थ संस्कृत में ही लिखे। द्रविड़ भाषाओं पर भी संस्कृत का प्रभाव पड़ा। अनेक विदेशी विद्वानों ने संस्कृत-साहित्य की मुक्तकण्ठ से प्रशंसा की है और जिसने नहीं की है, उसे कम-से-कम मैं तो विद्वान् ही नहीं मानता। और तो और, रामायण में इल्वल राक्षस तक संस्कृत बोलता है और ब्राह्मणों को निमन्त्रित करता है और बहुभाषाविद् पवनपुत्र हनुमान जी भी अशोक-वाटिका में यही निश्चय करते हैं कि माता जानकी से संस्कृत में ही वार्तालाप किया जाए। अधिकांश ग्रन्थ नष्ट हो जाने पर भी संस्कृत में लिखी प्राप्त पुस्तकों की संख्या पचास हज़ार से ऊपर जाती है। संस्कृत के जीवित रहने का एक बड़ा कारण यह भी है कि ज़्यादातर साहित्यकारों के देश, नाम और काल का पता नहीं लगता और यह भी ज्ञात नहीं होता कि पोथी में मूल भाग कौन-सा है और क्षेपक कौन-सा। दूसरे शब्दों में खोज करने, शोध करने और डॉक्टरेट प्राप्त करने की जितनी सुविधा संस्कृत में है, उतनी सुविधा किसी और क्षेत्रं में नहीं है। ऐसी भाषा कभी मर सकती है?

(दो)

रामायण और महाभारत हमारे प्राचीन इतिहास-पुराण हैं जिन्हें अँग्रेज़ी में 'एपिक्स' कहकर पुकारा जाता है। इन दोनों पुस्तकों में मूल-कथा के साथ-साथ न जाने कितने आख्यान और उपाख्यान चलते जाते हैं और पाठक के मन को बाँधे रहते हैं। रामायण

में चौबीस हज़ार श्लोक हैं जिनमें से केवल एक चौथाई ही मूल हैं। रामायण की कथा ज़्यादा प्राचीन है हालाँकि बाद में लिखे महाभारत में भाषा और शैली ज़्यादा ऊबड़-खाबड़ हैं। रामायण में एक स्थान पर गौतम बुद्ध की चर्चा भी की गयी है जो निश्चयपूर्वक प्रक्षेपित है। महाभारत का काफ़ी भाग ऐसा है जिसका कौरवों और पाँडवों के बीच में हुए युद्ध से कोई सम्बन्ध नहीं है। महाभारत में ही यह कहा गया है कि वह सर्वप्रधान काव्य, दर्शनों का सार, स्मृति और इतिहास, चरित्र-चित्रण की खान व पाँचवाँ वेद है। "जैसे दही में मक्खन, मनुष्यों में ब्राह्मण, वेदों में आरण्यक, औषधों में अमृत, जलाशयों में समुद्र और चौपायों में गौ श्रेष्ठ हैं, ठीक उसी प्रकार इतिहासों में 'भारत' श्रेष्ठ है।" महाभारत तीन बार लिखा गया। सर्वप्रथम पाठ में मात्र नौ हज़ार श्लोक थे जब कि अब उपलब्ध महाभारत में लगभग एक लाख श्लोक हैं। यन्न भारते, तन्न भारते। रामायण में जब कैकेयी सीता को वन जाने के लिए 'तपस्वी वस्त्र' देती है तो प्रजा कैकेयी को गाली देती है पर महाभारत में द्रौपदी के चीर-हरण के समय, भीष्म और द्रोण जैसे वयोवृद्ध भी कुछ नहीं कहते। सीता की अग्नि-परीक्षा ली जाती है जब कि कुन्ती विवाह से पहले ही मातृत्व का सुख प्राप्त कर लेती है और द्रौपदी पाँच पतियों की सेवा करती है। रामचन्द्रजी रावण के घायल हो जाने पर उसे और नहीं सताते जब कि महाभारत में काफ़ी बड़े-बड़े लोग धोखे से मारे जाते हैं। धर्मराज कहलाने वाले युधिष्ठिर तक छल से काम लेते हैं। इन बातों से यह पता लगता है कि रामायण का काल महाभारत के काल से कहीं अच्छा था। हम लोग वास्तव में सतयुग से कलियुग की दिशा में बढ़ रहे हैं और मौजूदा सरकार भी यही साबित करने पर तुली है। महाभारत-काल में म्लेच्छ आ गये थे जिनकी अपनी अलग भाषा थी। लाक्षागृह का निर्माता पुरोचन म्लेच्छ था और विदुर ने 'म्लेच्छ-भाषा' में ही पाण्डवों को लाक्षागृह का रहस्य समझाया था। यह 'म्लेच्छ-भाषा' क्या थी, इसे सम्भवतः कोई नहीं जानता।

(तीन)

दण्डी के 'काव्यादर्श' के अनुसार महाकाव्य की कथा ऐतिहासिक या पौराणिक होनी चाहिए; कवि की कल्पना पर आधारित किसी मौलिक कथा पर महाकाव्य नहीं लिखा जा सकता। उसका नायक धीरोदात्त प्रकृति का होना अनिवार्य है। महाकाव्य में नगर, समुद्र, पर्वत, ऋतुएँ, सूर्योदय, चन्द्रोदय, जल-क्रीड़ा, उद्यान, विवाह, यात्रा, युद्ध और विजय-प्राप्ति आदि विषयों की चर्चा होनी चाहिए और वह संक्षिप्त नहीं होना चाहिए। शृंगार और वीर रस का रहना महाकाव्य के लिए ज़रूरी है और इसी कारण महाकाव्य में कम-से-कम एक हसीन हीरोइन और एक सेहतमन्द खलनायक का होना निहायत ज़रूरी है। महाकाव्य सर्गों में विभाजित होना चाहिए और प्रत्येक सर्ग का अन्तिम श्लोक किसी और छन्द में होना चाहिए। इन शर्तों को निश्चित

करने के बाद दण्डी ने स्वयं महाकाव्य कभी नहीं रचा।

कालिदास ने 'रघुवंश' व 'कुमारसम्भव' नामक दो महाकाव्य रचे। इसके अतिरिक्त उसने 'मेघदूत' तथा 'ऋतुसंहार' नामक दो गीति-काव्यों का भी सृजन किया। कुछ विद्वानों के अनुसार कालिदास तीन थे, एक नहीं। नाटककार कालिदास ईसा से पहले हुए थे, कवि कालिदास चन्द्रगुप्त विक्रमादित्य (द्वितीय) के समकालीन थे और 'शृंगार तिलक' व 'श्रुतबोध' इत्यादि काव्यों के रचयिता कालिदास बहुत बाद में हुए। 'कुमारसम्भव' नाम का काव्य चन्द्रगुप्त के पुत्र कुमारगुप्त के जन्म को ध्यान में रखकर लिखा गया और चन्द्रमा व 'गुप' धातु का अत्यधिक प्रयोग भी सम्राट चन्द्रगुप्त के नाम को ध्यान में रखकर ही किया गया। पं. जवाहरलाल नेहरू मात्र हिन्दी-कविता को ही 'दरबारी कविता' कहते थे जब कि सच्ची बात तो यह है कि संस्कृत-कविता और भी ज़्यादा दरबारी थी। आचार्यों का कहना है कि 'कुमारसम्भव' के सात सर्ग ही कालिदास ने रचे क्योंकि टीकाकार मल्लिनाथ ने उसके बाद के सर्गों की टीका नहीं लिखी। 'कुमारसम्भव' के आठवें सर्ग में कवि ने शिव और पार्वती की रति-क्रीड़ा का आँखों देखा हाल लिखा और 'मेघदूत' में प्रेमी पति द्वारा प्रेयसी पत्नी के नाड़ा खोलने की चर्चा की। नाड़े का स्त्री-लिंग नाड़ी होता है जिसकी गति देखकर हमारे चिकित्सक रोग का निदान किया करते थे। कुछ अनुभवी और प्रतिभाशाली लोग नायिका की सच्ची दशा जानने के लिए उसकी नाड़ी की अपेक्षा उसके नाड़े पर ही ध्यान दिया करते थे। मगर यह कहना या सोचना अन्याय होगा कि कालिदास अश्लील या शृंगारी कवि थे। उन्होंने कामदेव को शिव के तीसरे नेत्र से भस्म करवाया और इस सत्य की स्थापना की कि वासना-जनित क्षणभंगुर शारीरिक प्रेम, दुख और क्लेश के अतिरिक्त और कुछ नहीं देता। काम-वासना से बच्चा तो पैदा हो सकता है (जैसा कि शकुन्लता नाटक में हुआ) पर सच्चे स्नेह की उपलब्धि के लिए शरीर से ऊपर उठना सदा से अनिवार्य रहा। कालिदास को तो मात्र उपमा प्रिय थी, शृंगार रस से उन्हें कोई लगाव नहीं था।

महाकवि कालिदास के बाद अश्वघोष का नाम लिया जाता है जो कवि होने के साथ-साथ एक कुशल संगीतज्ञ व दार्शनिक भी थे। उनकी रचनाएँ चीनी व तिब्बती भाषाओं में भी अनूदित हुईं। उनके बाद भारवि हुए जिन्होंने अर्जुन द्वारा किरात-रूपधारी भगवान् शिव के साथ युद्ध करवाया। बड़ी-बड़ी रूपवती अप्सराओं ने अर्जुन को अपने पथ से विचलित करने का प्रयास किया परन्तु वे उन्हें अपने पथ से विचलित नहीं कर सकीं। अर्जुन उतने ही कठिन निकले जितने कि महाकाव्य 'किरातार्जुनीय' के तीन सर्ग हैं जिन्हें 'पाषाणत्रय' कहकर पुकारा जाता है। मल्लिनाथ ने भारवि की तुलना नारियल से की है जो एकदम उचित है। भारवि ने एक श्लोक ऐसा भी लिखा जिसमें मात्र 'न' अक्षर का ही प्रयोग किया गया है और जिसका

अर्थ बहुत ही मार्मिक है। वह कालजयी श्लोक इस प्रकार है:

न नोननुन्नो नुन्नोनो नाना नानानना ननु
नुन्नोऽनुन्नो ननुन्नेनो नानेना नुन्ननुन्ननुन् ।।

'भट्टिकाव्य' के प्रणेता भट्टि ही थे। उनकी यह काव्य-कृति व्याकरण की पोथी है, कविता की पुस्तक नहीं। इसे पढ़कर कवि के प्रति या तो वीर-रस उत्पन्न होता है या फिर करुण-रस ही ज़ोर मारता है। "उनकी यह कृति व्याकरण-प्रेमियों के लिए दीपक है और साहित्य-प्रेमियों के लिए उतनी ही उपयोगी है जितना कि एक दर्पण किसी अन्धे के लिए होता है।" 'जानकीहरण' नामक महाकाव्य के प्रणेता कुमारदास सिंहल देश के राजा थे। कवि 'रत्नाकर' का नाम इस कारण प्रसिद्ध है क्योंकि उनकी कृति 'हर-विजय' संस्कृत-साहित्य का सबसे बृहत्काय महाकाव्य है। कथानक छोटा होते हुए भी उन्होंने उसे इस तरह खींचा है कि रोना भी आता है और हँसी भी आती है। शिवसेना की युद्ध की तैयारी का वर्णन मात्र चार सर्गों में हुआ है और शिव के दूत तथा अन्धकासुर के बीच जो बातचीत चलती है वह मात्र सात सर्ग लेती है। इस राक्षस का नाश करने के लिए शिव के सचिवों का परामर्श ग्यारह सर्ग लेता है और इसी तरह शिव के गणों का विहार-वर्णन तेरह सर्गों में चलता है। कुल मिलाकर स्थिति यह है कि जब तक राक्षस की मृत्यु होती है तब तक पाठक भी लगभग उसी स्थिति को प्राप्त कर लेता है।

'माघ काव्य' एक अत्यन्त प्रसिद्ध और उत्कृष्ट पुस्तक है जिसके रचयिता का नाम भी इत्तफ़ाक से माघ ही था। उनका यह नाम शायद इस कारण पड़ा क्योंकि उनका जन्म माघ के ही महीने में हुआ था। इस पुस्तक में शिशुपाल के वध की कथा बहुत मार्मिक ढंग से कही गयी है। कवि के अनुसार "जिस जिस प्रिया को प्रियतम (श्रीकृष्ण) ने देखा, उसी ने लज्जा से अपना मुँह नीचा कर लिया और वैसा होने पर दूसरी युवतियों ने उस प्रियतम को ईर्ष्या-वश, निर्भय होकर, एक साथ अपने नयन-बाणों से घायल कर दिया।" माघ कवि अर्थशास्त्र, दर्शन, नाट्यशास्त्र, व्याकरण, संगीतशास्त्र और राजनीति के भी पण्डित थे। अधिक ज्ञानी होने के कारण, उनकी कविता बोझिल हो गयी है। यह अजीब इत्तफ़ाक है कि उनकी कृति को इतनी प्रतिष्ठा मिली जितनी संस्कृत की किसी और कविता-पुस्तक को नहीं मिली। राजशेखर के अनुसार "जहाँ भारवि की कविता सूर्य-किरणों की भाँति समग्र ज्ञान को प्रकाशित करने वाली है, वहाँ माघ मास के समान माघ कवि का नाम सुनकर किसकी कँपकँपी नहीं बँध जाती?" धनपाल के शब्दों में "जिस प्रकार माघ के ठिठुरते जाड़ों में बन्दर उछल-कूद नहीं मचाते, उसी प्रकार माघ की रचना के सामने बड़े-बड़े कवियों की वाणी मौन हो जाती है।" मल्लिनाथ ने कहा है कि 'माघकाव्य व मेघदूत पढ़ने में मेरी उम्र चली गयी (माघे मेघे गतं वयः) एक और आचार्य हैं जिनके अनुसार सर्वश्रेष्ठ कवि तो कालिदास ही हैं पर सर्वश्रेष्ठ काव्य

माघकाव्य ही है (काव्येषु माघः कवि कालिदासः)। एक और बहके हुए साहित्य के महन्त हैं जो माघ को दण्डी, कालिदास और भारवि—इन तीनों के बराबर मानते हैं जो अतिशयोक्ति की हद है और जिस पर कोई भी विज्ञ पाठक विश्वास नहीं कर सकता। इन महन्त जी का फ़तवा इस प्रकार है:

उपमा कालिदासस्य, भारवेरर्थ गौरवम्
दण्डिनः पद लालित्यम्, माघे सन्ति त्रयो गुणाः

यह फ़तवा बस उतना ही सच है जितना कि माघ का एक श्लोक है। कवि कहता है कि "प्रलय के समय जिस कृष्ण के उदर में सारा संसार समा गया था, उसी कृष्ण को एक उत्कण्ठित युवती ने अपने अधखुले नेत्र के एक कोने से ही पी लिया।" हिन्दी के कुछ रीतिकालीन कवि भी ऐसे-ऐसे झूठ बोल कर ही अमर हो गये।

अब मैं महाकवि श्रीहर्ष की चर्चा करूँगा जिनके रस-विलास को महाप्राण निराला भी कालिदास की लालित्य-योजना से कदाचित् श्रेष्ठतर मानते थे। श्रीहर्ष के काव्य का नाम 'नैषधीयचरितम्' है जिसे 'नैषध' कहकर भी पुकारा जाता है। ये बड़े नम्र कवि थे और इसी कारण इन्होंने अपने प्रत्येक सर्ग के अन्त में, अपने माता-पिता का नाम दिया है। इनके पिता का नाम श्रीहरि तथा माता का नाम मामल्लदेवी था। ये प्रसिद्ध राजा जयचन्द के दरबारी कवि थे जहाँ उनका बड़ा सम्मान था। कन्नौज-नरेश जयचन्द उन्हें स्वयं आसन देते थे और पान के दो बीड़े भी ख़ुद ही पेश किया करते थे। यह सब कुछ कर लेने के बाद, राजा जयचन्द मुहम्मद गौरी को चिट्ठी लिखा करते थे कि वह पृथ्वीराज पर फिर चढ़ाई करे। नैषध-काव्य में नल-दमयन्ती के प्रेम और परिणय की पवित्र कथा को बड़े बेबाक ढंग से कहा गया है। उनकी सुहाग-रात का विशद वर्णन करने के बाद ही काव्य समाप्त किया गया है, उससे पहले नहीं। कवि के कुछ काव्यांशों का अनुवाद प्रस्तुत करता हूँ। कवि कहता है कि "जिसके शृंगारिक भावों ने ब्रह्मा, विष्णु और महेश के शान्त भाव को जर्जर कर दिया है और अपने पाँचों बाणों से जिसने संसारी जीवों की पाँचों इन्द्रियों को क्षुब्ध कर दिया है, वे पंचसायक कामदेव आपको प्रमुदित करें।" "दमयन्ती का शरीर कान्ति के झरनों से अथाह हो गया है और इसी कारण उसमें चलने वालों को डूबने का भय लगा रहता है। दमयन्ती के अंग-प्रत्यंग में काम और यौवन का संचार है। ये दोनों अपने को कैसे बचाएँ? डूबते को तिनके का सहारा भी काफ़ी होता है और इसी कारण इनको तैरने के लिए जो दो घड़े मिल गये हैं वे दमयन्ती के पुष्ट उरोज हैं। इन्हीं के सहारे काम और यौवन, दमयन्ती के सौन्दर्य-सरोवर में निडर होकर स्वच्छन्दता के साथ सन्तरण कर रहे हैं।" "प्रकृति और पुरुष दोनों काम में ही आसक्त रहा करें, अपवर्ग (मोक्ष) तो मात्र प्रकृति (नपुंसक) के लिए बना है।" इतना सब कुछ कह लेने के बाद, श्रीहर्ष दार्शनिक हो जाते हैं और अद्वैत-सिद्धान्त की चर्चा करने लगते

हैं। वैसे उनका शृंगार-रस भी अद्वैतवाद की ही पुष्टि करता है, द्वैतवाद की नहीं।

'काव्य-प्रकाश' के लेखक आचार्य मम्मट ने 'नैषध' के बारे में कहा है कि "यह एक ऐसा ग्रन्थ है जिसमें काव्य के सारे दोष एक ही स्थान पर मिल जाते हैं। यदि यह ग्रन्थ मुझे पहले मिल गया होता तो मेरा वह सारा परिश्रम बच जाता जो मैंने अपनी पुस्तक के सातवें उल्लास के लिखने के सन्दर्भ में किया।" मगर इस प्रकार की निन्दाओं को छोड़ दें तो हम देखते हैं कि पण्डितों ने इस महाकाव्य की बड़ी प्रशंसा की है और सब से ज़्यादा प्रशंसा तो कवि ने स्वयं ही की है। यदि एक आचार्य ने यह कहा कि "श्रीहर्ष की अलोक-सामान्य प्रतिभा से प्रज्वलित नैषध रूपी रत्न के सामने महाकवि माघ और भारवि की आभा फीकी पड़ जाती है (उदिते नैषधे काव्ये, क्व माघः क्व च भारविः)" तो कवि स्वयं अपनी उपलब्धि पर कहता है कि "मैं अमृत आदि चौदह रत्न उत्पन्न करने वाला क्षीरसागर हूँ जब कि सारे शेष कवि दो-चार दिन में सूख जाने वाली नदियों को उत्पन्न करने वाले छोटे-मोटे पर्वत मात्र हैं।"

संस्कृत में कुछ पुस्तकें ऐसी हैं जो अद्भुत या विचित्र कही जा सकती हैं। कविराज नामक कवि ने 'राघवपाण्डवीयम्' नामक काव्य लिखा जिसके प्रत्येक शब्द में श्लेष है और इस प्रकार रामायण और महाभारत की कथा एक साथ चलती जाती है। इस पुस्तक का अनुसरण कुछ और कवियों ने भी किया और चिन्दबर नामक कवि ने तो ऐसा काव्य रचा जो एक साथ रामायण, महाभारत और भागवत्—तीनों की कथा कहता है। इस दिशा में सबसे ज़्यादा कमाल कवि वेंकटाध्वरि ने कर दिखाया जिसने 'यादवराघवीयम्' नामक छोटा-सा काव्य रचा। इस काव्य को सीधा पढ़ने पर रामचन्द्रजी की और उल्टा पढ़े जाने पर श्रीकृष्णजी की कथा का वर्णन मिलता है। एक विदेशी विद्वान् का कहना है कि ऐसी पुस्तक संसार की किसी और भाषा में कभी नहीं लिखी गयी।

(चार)

जिन काव्यों में महाकाव्य के सारे गुण या लक्षण नहीं पाये जाते उन्हें हम लोग 'खण डकाव्य' या 'गीतिकाव्य' के नाम से पुकारते हैं। संस्कृत में इस प्रकार के अनेक ग्रन्थ पाये जाते हैं जिनमें से ज़्यादा महत्त्वपूर्ण ग्रन्थों की चर्चा नीचे की जाती है।

महाकवि कालिदास के दो गीतिकाव्य हैं जिनके नाम हैं 'ऋतुसंहार' और 'मेघदूत'। 'ऋतुसंहार' कवि की प्रारम्भिक रचना है जिसे बहुत वर्षों तक विद्वान् लोग कालिदास की रचना ही नहीं मानते थे। उनका प्रमुख तर्क यह था कि मल्लिनाथ ने कालिदास के सभी काव्यों की टीका लिखी पर उन्होंने 'ऋतु-संहार' की टीका नहीं लिखी। आपको यह जानकर कुतूहल होगा कि कालिदास जैसे महान् कवि की कविता भी कभी बुरी टीकाओं के कारण बदनाम हो गयी थी। उनके टीकाकार मल्लिनाथ ने लिखा है कि 'कालिदास की वाणी बुरी टीकाओं के विष के प्रभाव से

मूर्च्छित पड़ी है। मैं अब 'संजीवनी' नाम की नयी व्याख्या लिखता हूँ जिसके प्रभाव से उस महान् कवि की वाणी फिर से जीवित हो उठेगी।" पन्तजी और निराला जी भी कदाचित् शान्तिप्रिय द्विवेदी और डॉ. रामविलास शर्मा के बिना इतने यशस्वी नहीं बनते। परसाईजी की सारी उपलब्धि मात्र डॉ. नामवर सिंह के कारण ही तो प्रकाश में आयी, वैसे नहीं। यह बात डॉ. नामवरसिंह ने स्वयं अपने मुख से कही है। 'प्रसाद' जी ने कोई चेला नहीं पाला और इसी कारण वे पाठ्य-पुस्तकों के बाहर कहीं नहीं दिखाई पड़ते। अज्ञेय जी हमेशा चन्द तिलंगों को पाला करते थे और उनकी आर्थिक सहायता भी करते थे। वे स्वयं सदा मौन रहते थे पर जिस किसी को कटवाना होता था, उसके पीछे अपना कोई पालतू कुत्ता लगा देते थे। उन्होंने यह कृपा एक बार ख़ाकसार पर भी की थी। 'अश्क़' जी भी कोई न कोई ऐसा मित्र बराबर रखते थे जो मनसा-वाचा-कर्मणा उनका हितचिन्तक हो। निष्पक्ष आलोचना से उनका उद्देश्य सदा ऐसी आलोचना से रहता था जिसमें उनकी मुक्त-कण्ठ से प्रशंसा की गयी हो। 'वंशी और मादल' जैसे गीतिकाव्य और 'सात घरों का गाँव' जैसे उपन्यास का सर्जक ठाकुरप्रसाद सिंह यूँ ही मर गया और 'साहित्य-अकादमी' ऐसे लोगों को पुरस्कृत करती रही जिनका किसी बड़े राजनेता से सम्बन्ध था या जिनकी रचना सस्ती पर कुतूहल को पैदा करने वाली थी। दरबार में तो दरबारी होने पर काम चलेगा, वैसे नहीं।

'ऋतु-संहार' संस्कृत का ऐसा एकमात्र काव्य है जिसमें मात्र ऋतुओं का ही वर्णन किया गया है। प्रत्येक ऋतु ऐसी है जिसमें प्रेमी और प्रेयसी अनंग के बाणों से बराबर बिंधते हैं। यह कालिदास की अनन्य प्रतिभा है कि उसी पुराने थीम को लेकर, उसने सदा ताज़ी से ताज़ी कविता लिखी और आप उसकी कविता को कितनी ही बार पढ़ें, वह हमेशा नयी ही लगेगी। सच्ची बात तो यही है कि भवभूति ग़लत था जो करुण-रस को ही रस मानता था। यदि कोई रस शाश्वत है तो वह मात्र श्रृंगार-रस ही है। यदि श्रृंगार-रस न हो तो बाक़ी रसों के पैदा होने का तो प्रश्न ही नहीं उठता। 'भागवत' पहला महान् ग्रन्थ है जिसमें इस सत्य को स्वीकार किया गया और तभी से भक्ति और श्रृंगार एक-दूसरे के पर्याय बन गये। जयदेव, विद्यापति और बँगला के वैष्णव भक्त-कवियों ने इस सत्य को कला की सर्वोच्च सीढ़ी पर प्रतिष्ठित किया। गुरुदेव रवीन्द्रनाथ ठाकुर भी बँगला के भक्त कवियों से बेहद 'प्रभावित' थे। निराला की 'प्रबन्ध प्रतिमा' इस सत्य को प्रकट करती है।

'मेघदूत' एक ऐसी काव्य-कृति है कि जिसके बराबर कोई और कविता की पुस्तक संसार में शायद ही हो। बड़े-बड़े देशी व विदेशी विद्वानों का मत है कि यदि कालिदास और कुछ भी न लिखता, तब भी वह विश्व-साहित्य में 'मेघदूत' के कारण अमर होता। इस पुस्तक में एक ऐसे व्यक्ति की कथा है जो राजा कुबेर की राजधानी अलका में एक सरकारी मुलाज़िम था। उसकी जोरू बड़ी हसीन थी और इसी कारण यक्ष नाम का वह व्यक्ति अपने काम में ज़्यादा दिलचस्पी नहीं रखता था। मौक़ा पाकर एक दिन उसकी शिकायत बड़े मुंशी ने मीर-बख़्शी से की और धीरे-धीरे सारी

बात सुल्तान कुबेर तक पहुँची। कुबेर ने यक्ष को एक वर्ष का देश-निकाला दे दिया और हुक्मनामे को दस्तख़त करके उसे सही कर दिया। यक्ष छोटा नागपुर में रहने के लिए अलका से बाहर आया और उसकी मुसम्मात अलका में अकेली रह गयी। वह बड़ी अमीर थी जिसका एक कारण यह भी था कि अलका में चाँदनी सदा रहने के कारण किसी को भी बिजली का बिल नहीं देना पड़ता था। यक्ष ने वनवास की दो तिहाई अवधि काटी ही थी कि मुल्क में मौसमे-बरसात आ गया और इसकी वजह से रामगिरि में यक्ष को अकेले रहते ठण्ड लगने लगी। उसने एक बादल को अपना दुख बताया और उसे अलका जाकर अपनी बीवी को अपना सन्देसा देने को फुसलाया। मेघ ने जब यक्षिणी के रूप की चर्चा सुनी तो वह तुरन्त तैयार हो गया और यक्ष का एलची बनकर उसने अलका के क़स्बे की दिशा में कूच किया। 'मेघदूत' के आधे भाग में अलका जाने का 'गाइड-मैप' है और बाक़ी भाग में यक्ष का सन्देसा है। कुबेर ने यक्ष की हालत की नज़ाकत देखते हुए, उसे तुरन्त अपनी ड्यूटी अंजाम करने का हुक्म ज़ारी कर दिया। 'मेघदूत' कई स्थानों पर विशुद्ध अस्लीलता से परिपूर्ण है और उसका यह गुण पुस्तक की अपार लोकप्रियता का प्रमुख कारण है। 'मेघदूत' की अपार लोकप्रियता के कारण बाक़ी कवियों ने भी उसका अनुसरण किया और 'पवनदूत', 'नेमिदूत', 'हंसदूत', 'कोकिल-दूत', 'शीलदूत' और 'उद्धव-दूत' नामक पुस्तकों की सृष्टि की गयी। 'मेघदूत' ने विदेशों में भी अपार लोकप्रियता प्राप्त की। मैं एक पति और उनकी सगी पत्नी को जानता हूँ जो कि एक-दूसरे से मात्र तीन मील दूर होने के कारण बराबर एक-दूसरे के लिए ठीक 'मेघदूत' जैसी ही पोथियाँ लिख रहे हैं। पत्नी 'चूहा-दूत' लिख रही है और पति जो है वह 'गधा-दूत' लिख रहा है। बहरहाल मैं इतना अवश्य कहूँगा कि आप शरद जोशी की एक रचना (मेघदूत : एक पुस्तक-समीक्षा) अवश्य पढ़ें। कालिदास का एक गीतिकाव्य और भी है जिसका नाम 'शृंगार तिलक' है। इस पुस्तक में एक दूरदर्शी पति अपनी परममूर्खा पत्नी को समझाता है कि "देखो, चन्द्रग्रहण होने जा रहा है और मेरी बात मानो तो तुम मकान के अन्दर जाकर छुप जाओ। तुम चन्द्रमा से कहीं ज़्यादा सुन्दर हो और राहु ने यदि तुम्हारा मुखड़ा देख लिया तो चन्द्रमा को छोड़कर वह तुम्हें ही ग्रस लेगा जिससे मुझे कुछ व्यक्तिगत कष्ट होगा।" कालिदास ने शृंगाररस के उत्पन्न करने में जो 'अति' की उसे कुछ विद्वान् आध्यात्मिक रूप देते हैं। उदाहरण के लिए पण्डित चन्द्रशेखर पाण्डेय अपने 'संस्कृत-साहित्य की रूपरेखा' नामक ग्रन्थ में कहते हैं कि "उद्दाम वासना से अभिभूत होने के कारण ही कर्तव्य-विरोधी प्रणय अपने उच्च और अलौकिक धरातल (अलका) से च्युत होकर निम्न पार्थिव स्तर (रामगिरि पर्वत) पर आ गिरा किन्तु दीर्घवियोग ने यक्ष की वासना को भस्मसात् कर दिया और उसे पुनःविशुद्ध प्रणय में परिवर्तित कर दिया। सच पूछिए तो कालिदास ने अपने 'मेघदूत' काव्य द्वारा संसार को प्रणय-सिद्धान्त का यही गूढ़ सन्देश दिया।" मेरे व्यक्तिगत

मत में इस प्रकर का अर्थ निकालना कवि कालिदास के साथ घोर अन्याय करना है। यक्ष तो वासना के भस्मीभूत हो जाने के बाद भी विशुद्ध वासना की ही बात करता है। वह मेघ से स्पष्ट शब्दों में कहता है कि "मार्ग में तुझे गम्भीरा नाम की नदी पड़ेगी। उसका नीला जल, नीले वस्त्र की भाँति लगेगा। तरंगों से उठा हुआ उसका वह जल, बेंत की डालों में फँसकर कुछ ऐसा आभास देगा कि मानो चलते समय नायक ने अपनी प्रियतमा के वस्त्र को ले जाने के लिए उसका वस्त्र पकड़ा है और इसी कारण वह वस्त्र तटरूपी कटि से सरक गया है। तमाम जल्दी होते हुए भी तू वहाँ अवश्य रुकेगा क्योंकि कोई भी अनुभवी व्यक्ति किसी अधनंगी रमणी को छोड़कर क्या आगे जा सकता है?" (ज्ञातस्वादो विवृतजंघाम् को विहातुं समर्थः) मगर सम्भव है कि मैं शायद ऐसा इस कारण सोचता हूँ क्योंकि मेरे जो विचार हैं वे पहले से ही अपवित्र हैं।

'घटकर्पर' नामक छोटे से काव्य को घटकर्पर नामक कवि ने ही लिखा है जो सम्राट विक्रमादित्य के दरबारी थे। इस काव्य की कथा 'मेघदूत' से उलटी है और यहाँ यक्ष के बजाय यक्षिणी अपने पति को वर्षा-ऋतु में सन्देश भेजती है। इस 'महान' कवि का नाम घटकर्पर इसलिए पड़ा था क्योंकि इसने कभी यह सार्वजनिक घोषणा की थी कि "यमक अलंकार के प्रयोग में यदि कोई कवि कभी मुझे पराजित कर दे तो मैं मृत्यु-पर्यन्त उसके यहाँ घड़े के खप्पर से पानी भरूँगा।"

प्राकृत के कवि हाल ने एक काव्य रचा जिसका नाम 'गाथा-सप्तशती' रखा गया। 'सप्तशती' रचने की परम्परा उन्होंने ही डाली। इस पुस्तक में कवि ने शृंगार-रस से सनी लाखों गाथाओं में से सात सौ चुनी हुई उक्तियाँ संगृहीत कीं। उनका कहना है कि "इस संसार में बहरे और अन्धे लोग ही सुखी हैं क्योंकि वे किसी के कटु वचन नहीं सुन पाते और न ही किसी और को समृद्धि देखकर ईर्ष्या से ग्रस्त होते हैं। कृपण व्यक्ति के लिए उसका धन उसी प्रकार निष्फल है जैसे ग्रीष्म-ऋतु में धूप से त्रस्त व्यक्ति को अपनी छाया होती है।" इस कवि ने ग्राम-वधुओं की प्रेम-चेष्टाओं, खेत में काम करने वाली सुन्दर युवतियों के अभिसारों और दूध देने वाले पशुओं को पालने वाली रमणियों की प्रेम-गाथाओं का इतना विशद वर्णन किया है कि कुछ कहा ही नहीं जा सकता। एक किसान की रूपवती पुत्रवधू रंगीन साड़ी में ऐसी सजी है कि वह मुग्धा स्वयं तन्वंगी होने पर भी गाँव की चौड़ी सड़क में नहीं समा पाती। कवि ने प्रेमिका के उरोजों की तुलना बादलों को चीर कर निकलते हुए चन्द्रमा से की है। एक प्रेमिका अपनी सखी से कहती है कि "जैसे सारे नगर को भस्म कर देने वाली अग्नि जाड़ों में सुख देती है वैसे ही अपराध करने पर भी अपने प्रियतम को तो मनाना ही पड़ता है क्योंकि ऐसा करने के अतिरिक्त और चारा ही क्या है?"

इत्सिंग के अनुसार गृहस्थाश्रम और वानप्रस्थाश्रम के बीच सात बार भटकने वाले कवि भर्तृहरि एक राजा थे जिन्होंने तीन शतक लिखे। 'नीति-शतक' तो

'रहीम-दोहावली' की भाँति है, शृंगार-शतक' में काम-केलि सम्बन्धी सामग्री है और 'वैराग्य-शतक' में सचमुच मार्मिक सौ श्लोक हैं। व्यक्तिगत जीवन में मैं उनके 'वैराग्य-शतक' का सच्चा प्रशंसक हूँ हालाँकि शृंगार-शतक' भी मुझे कम प्रभावकारी नहीं लगता। कवि कहता है कि मदनदेव एक ऐसा लुटेरा है जो कि कामिनियों के सौन्दर्य-कानन में छिपा रहता है और जो उनके दुर्गम कुचों की आड़ लेकर पथिकों को लूटता है। इस भवसागर से पार होने में कोई कठिनाई नहीं होती यदि ये रूपवती रमणियाँ अपने कटाक्षों से मार्ग में बाधा नहीं खड़ी करतीं। समाधि लगाना ज़्यादा सुखदायक है या विलासिनियों के नितम्बों का सेवन करना ज़्यादा सुखदायक है?" इस प्रसंग को मैं यहीं रोकता हूँ क्योंकि अश्लीलता से मुझे कभी कोई विशेष मोह नहीं रहा।

एक बिल्हण नाम के कवि थे जो सचमुच बड़े भाग्यशाली थे। वे अपने देश के राजा की ही कन्या से प्रेम करते थे और इसी कारण उन्हें प्राण-दण्ड की आज्ञा सुनायी गयी थी। फाँसी लगने से पूर्व इस प्रतिभाशाली कवि ने जेल ही में एक प्रणय-काव्य लिखा जिसमें उसने अपने मिलन और विरह का ऐसा तपता हुआ वर्णन किया कि उसे पढ़कर राजा का हृदय पिघल गया और उसने उसका अपराध क्षमा कर दिया। उसकी शादी भी राजकन्या से कर दी। भगवान् ने जैसा सुख उसे दिया, वैसा ही सुख मुझे भी मिले।

'अमरुकशतक' संस्कृत-साहित्य का एक प्रसिद्ध व उत्कृष्ट रत्न है। इस पुस्तक का लेखक कौन था, इस बारे में अनेक मत मिलते हैं। जनश्रुति के अनुसार जब शंकराचार्य ने वाराणसी के पं. मण्डन मिश्र को शास्त्रार्थ में हरा दिया तो उनकी सुन्दर पत्नी ने अपने पति की अर्धांगिनी होने की हैसियत से शंकराचार्य को शास्त्रार्थ के लिए ललकारा। भोले-भाले शंकराचार्य इसके लिए तैयार हो गये। मण्डन मिश्र की पत्नी सुन्दर होने के साथ-साथ अत्यन्त चतुर भी थी। उसने शंकराचार्य से 'काम-शास्त्र' पर मार्मिक प्रश्न पूछने शुरू किये। ब्रह्मचारी होने के कारण शंकराचार्य उनका उत्तर न दे सके। उन्होंने उत्तर देने के लिए, एक मास की अवधि माँगी जो उन्हें दे दी गयी। इसके बाद शंकराचार्य ने अपने प्रधान शिष्य पद्मपाद से विचार-विमर्श किया और फिर वे योग के बल से काश्मीर-नरेश अमरुक की मृत देह में घुस गये। उन्होंने एक माह की अवधि तक राज्य का संचालन किया और साथ ही साथ उसकी सौ रूपवती रानियों को जी भरकर भोगा। यह कार्य सम्पन्न करने के बाद वे फिर अपने पुराने शरीर में आ गये और मण्डन मिश्र की पत्नी के सारे प्रश्नों का हल प्रस्तुत कर दिया। मण्डन मिश्र की नवयौवना पत्नी शंकराचार्य के उत्तरों से इतनी ज़्यादा पुलकित हुई कि वह अपने वृद्ध पति मण्डन मिश्र को छोड़कर अपने किसी नवयुवक प्रेमी के साथ अन्तर्धान हो गयी। मण्डन मिश्र ने दुखभरे हृदय से अपना सिर घुटवाया और लोग भी उन्हें 'मण्डन मिश्र' के स्थान पर 'मुण्डन मिश्र' ही कहकर पुकारने लगे।

बहरहाल, 'अमरुक-शतक' एक रस-सिद्ध कवि की रचना है जो पाठक के मर्म को छूती है। मेरे विचार में ऐसी पुस्तक को यदि पति-पत्नी साथ-साथ पढ़ें तो समझने में ज़्यादा सुविधा रहेगी।

पण्डितराज जगन्नाथ एक अत्यन्त श्रेष्ठ व प्रसिद्ध कवि थे। स्वयं सम्राट शाहजहाँ ने ही उनको पण्डितराज की उपाधि दी थी। कवि जगन्नाथ ने एक यवन कन्या से विवाह किया था जिसके कारण बनारस के ब्राह्मणों ने उनका आजीवन निरादर किया। पण्डितराज ने दो ग्रन्थ लिखे जिनमें से एक का नाम 'रस गंगाधर' है और दूसरे ग्रन्थ का नाम 'भामिनीविलास' है। यह दूसरी कृति ही गीतिकाव्य है और पाठकों के सौभाग्य से यह पुस्तक भी शृंगार-रस से ही सराबोर है। कवि जगन्नाथ अपनी पुस्तक की प्रशस्ति गाते हुए स्वयं ही कहते हैं कि "वीणापाणि भगवती सरस्वती अपनी वीणा बजाते बजाते हाथ रोककर जिसकी मधुर वाणी के अमृतमय रस का आकण्ठ पान करने लगती हैं, उन पण्डितराज जगनाथ के श्रवण-सुभग पद्यों को सुनकर जो व्यक्ति 'वाह-वाह' कहता हुआ सिर न हिलाने लगे वह वास्तव में या तो मनुष्य के रूप में कोई पशु है और या फिर साक्षात् वीतराग भगवान् शंकर ही है।" उनकी अन्तिम कृति 'गंगालहरी' है। कवि पद्माकर की भाँति पण्डितराज जगन्नाथ भी 'गंगालहरी' जैसे-जैसे पढ़ते गये, वैसे-वैसे ही गंगा ऊपर चढ़ती गयी। जैसे ही कवि ने अपना अन्तिम पद पढ़ा, वैसे ही गंगा उनके कुष्ठपीड़ित शरीर को बहाकर अपने साथ ले गयी।

जयदेव का 'गीतगोविन्द एक ऐसा अनुपम ग्रन्थ है जिसका अनुवाद किसी और भाषा में हो ही नहीं सकता क्योंकि कवि ने ऐसे मधुर व सरस व्यंजनों का प्रयोग किया है कि कुछ कहा ही नहीं जा सकता। छन्द भी ऐसा है कि उसे बदला नहीं जा सकता। कहते हैं कि जब कवि की पत्नी पद्मा 'गीतगोविन्द' को नदी के इस तट पर गाया करती थी तो उसकी वाणी के प्रभाव से दूसरे तट की नावें अपने आप इस तट पर ठीक इस प्रकार आ जाया करती थीं जैसे कि आजकल रुपयों की थैली देखकर हमारे विधायक और सांसद उस पार्टी से इस पार्टी में आ जाते हैं। जयदेव का जन्म बंगाल के एक गाँव में हुआ था। उनकी पत्नी उनके पदों के पाठ के समय नृत्य किया करती थी। कवि जयदेव राजा लक्ष्मणसिंह की राजसभा के सदस्य थे। उनकी यह कृति बेहद लोकप्रिय हुई और जिस गाँव में कवि ने अपनी अमर कृति को लिखा था उसका तो नाम ही 'जयदेवपुर' पड़ गया। आज भी उनके भक्त उनकी वर्षगाँठ मनाते हैं। लगभग आठ सौ वर्ष पुराने एक शिलालेख पर 'गीतगोविन्द' का एक पद उत्कीर्ण है और कोई छह सौ वर्ष पूर्व उत्कलदेश के राजा प्रतापरुद्रदेव ने एक सरकारी विज्ञप्ति जारी की थी जिसके अनुसार, राज्य के सारे नर्तक और सारे गायक मन्दिरों में मात्र 'गीतगोविन्द' के ही पद गा सकते थे। जयदेव की इस उत्कृष्ट कृति की नक़ल में अनेक गीतिकाव्य लिखे गये पर 'गीतिगोविन्द' की कला-पराकाष्ठा

किसी को भी नहीं मिल सकी।

'गीतगोविन्द' ठीक उसी परम्परा की कलाकृति है जिसमें बंग्ला के प्राचीन वैष्णव भक्त-कवि अपने गीत लिखा करते थे और जिनके प्रभाव को विश्वकवि गुरुदेव रवीन्द्रनाथ ठाकुर तक ने स्वीकार किया। पुस्तक के प्रारम्भ में ही जयदेव ने कह दिया था कि "हे भक्तजनो, यदि श्रीकृष्ण भगवान् की स्तुति से अपना हृदय शीतल करना चाहते हो और यदि वृन्दावनविहारी की रासलीला व काननक्रीड़ा सुनने की इच्छा रखते हो तो कवि जयदेव का रचा 'गीतगोविन्द' पढ़ो जो मधुर है, कोमल है और सुन्दर है:

यदि हरिस्मरणे सरस मनो, यदि विलासकलासु कुतूहलम्
मधुर कोमलकान्त पदावलिं, शृणु तदा जयदेव-सरस्वतीम्।।

(पाँच)

संस्कृत में अनेक ऐतिहासिक काव्य भी लिखे गये जिनसे इस देश के मध्यकालीन इतिहास पर प्रकाश पड़ता है। बहुत सम्भव है कि समय के कारण या विदेशी आक्रमणों की वजह से इस प्रकार के कुछ और ग्रन्थ नष्ट हो गये हों। कुछ ग्रन्थ ऐसे भी हो सकते हैं जो विद्यमान हैं पर जिनका पता विद्वानों को नहीं है। डॉ. ब्यूलर को एक ऐतिहासिक काव्य सन् 1874 ई. में जैसलमेर में प्राप्त हुआ। इसी प्रकार गणपति शास्त्री ने एक ऐतिहासिक काव्य सन् 1925 ई. में ढूँढ़ निकाला।

सर्वप्रथम ऐतिहासिक काव्य रचने का श्रेय बाणभट्ट को जाता है जिन्होंने कन्नौज के सम्राट हर्षवर्धन को लेकर 'हर्ष चरित' लिखा। इसी पुस्तक में उस होनहार रानी की चर्चा है जो विधवा होने के डर से पति के जीवनकाल में ही सती हो गयी थी। हर्ष ने उत्तरी-भारत की दिग्विजय की थी और उसके बाद 'महाराजाधिराज' की उपाधि ग्रहण कर तीस वर्ष तक यहाँ शासन किया था। बाणभट्ट द्वारा वर्णित घटनाएँ व तिथियाँ ह्वेनसांग द्वारा दी गयी सामग्री से मेल खाती हैं। बाण का काल निश्चित है और इस कारण उससे और कवियों का समय निश्चित करने में मदद मिलती है। ('हर्ष चरित' गद्य में लिखा गया है पर अपनी कवित्वमय शैली और भाषा के कारण इसे सदा काव्य ही स्वीकार किया गया)। बाणभट्ट अपनी आत्मकथा लिखना चाहते थे पर 'हर्ष चरित' लिखने में उनकी उम्र निकल गयी और अन्त में चलकर स्थिति यह आ गयी कि इस काम को वाराणसी के आचार्य हज़ारीप्रसाद द्विवेदी ने बीसवीं शती में पूरा किया। 'नव साहसांक चरित' को पद्मगुप्त ने रचा जो राजा मुंज तथा उनके पुत्र राजा सिन्धुराज के राजकवि थे। यह पुस्तक अपने आश्रयदाता राजा की प्रशस्ति है। पद्मगुप्त की कविता कालिदास से इतनी ज़्यादा प्रभावित है कि इतिहासकारों ने उन्हें 'परिमल-कालिदास' कहकर पुकारा है। इस काव्य में नागराज शंखपाल व राजकुमारी शशिप्रभा का विवाह बहुत ही मार्मिक ढंग

से वर्णित किया गया है जिससे कवि की प्रतिभा का पता लगता है। पुस्तक में दिये ऐतिहासिक तथ्य प्रामाणिक साबित हुए हैं। इन कवि बिल्हण का जन्म काश्मीर में हुआ था और शिक्षा के बाद इन्होंने काफ़ी देशाटन भी किया था। इनकी पुस्तक का नाम 'विक्रमांक देव चरित' है जिसे इन्होंने अपने आश्रयदाता कल्याण के नरेश विक्रमादित्य (षष्ठ) की प्रशस्ति में लिखा। इस राजा ने इन्हें अपना राजकवि बनाया और उन्हें 'विद्यापति' की उपाधि भी दी। इनकी पुस्तक में ऐतिहासिक सत्य कम है पर काव्य के शेष सारे गुण पूरी मात्रा में प्रकट हुए हैं।

महाकवि कल्हण-कृत 'राजतंरगिणी' नामक काव्य ऐतिहासिक काव्यों में सबसे ज़्यादा महत्त्वपूर्ण माना जाता है। इसके रचयिता काश्मीर में उत्पन्न हुए थे और वे तत्कालीन कश्मीर-नरेश विजयसिंह के मन्त्री चम्पक के पुत्र थे। इस अमूल्य ग्रन्थ में आदिकाल से लेकर सन् 1151 ई. तक के काश्मीर के प्रत्येक राजा के शासनकाल में घटी घटनाओं का वृत्तान्त है। पुस्तक में लगभग 8000 श्लोक हैं और इसके लिखने में कवि ने अधिकार-पत्र, शिलालेख, सिक्के, दानपत्र, प्रशस्तिपत्र और जनश्रुति इत्यादि सारी सामग्री से सहायता ली है। पुस्तक प्रामाणिक है और उपन्यास की भाँति रोचक है। कवि इतना निष्पक्ष है कि वह अपने आश्रयदाता राजा तक के भयंकर अत्याचारों का भी पूरा विवरण देता है। ऐतिहासिक होने के साथ-साथ पुस्तक काव्यात्मक गुणों से भी परिपूर्ण है। कल्हण एक नियतिवादी व्यक्ति थे। उन्होंने एक स्थान पर कहा है कि "अटल भवितव्यता मनुष्य के भागने पर भी उसका पीछा नहीं छोड़ती जैसे किसी पक्षी के पूँछ में लगी आग उसके उड़ने पर भी उसके साथ ही रहती है, कहीं छूटती नहीं।"

शेष इतिहास-काव्यों के रचयिता काफ़ी हैं जिनमें वाक्पतिराज, हेमचन्द्र, जयानक सोमेश्वरदत्त और सन्ध्याकर नन्दिन् विशेष रूप से उल्लेखनीय हैं।

(छह)

संस्कृत के जिन काव्य-ग्रन्थों में गद्य और पद्य का समान मात्रा में संयुक्त प्रयोग किया जाता है, उन्हें (चम्पू काव्य) कहा जाता है। इन काव्यों में गद्य और पद्य का प्रयोग इस प्रकार किया जाता है जैसे संगीत में गीत और वाद्य का। त्रिविक्रम भट्ट का 'नल चम्पू' सबसे पुराना चम्पू है जिसमें नल और दमयन्ती की कथा कही गयी है। इस कवि ने 'मदालसा चम्पू' भी रचा। त्रिविक्रम भट्ट श्लेष अलंकार पर पूर्ण अधिकार रखते थे। उन्होंने एक श्लोक में वाणी और रमणी के बारे में कहा है कि "सौभाग्य से ही किसी व्यक्ति के मुख में ऐसी वाणी और घर में ऐसी रमणी का वास होता है जो प्रसाद-गुण से युक्त हो (अर्थात् जो प्रसन्नचित्त रहती हो) जो परिकृत पदावली के कारण मनोरम हो (अर्थात् जो अपनी कान्तिपूर्ण देह से आकर्षक हो) और जो चारों प्रकार के श्लेषों का उद्घाटन करती हो (अर्थात् जो बारह प्रकार के

आलिंगनों में दक्ष हो)। कवि सोमदेव के 'यशस्तिलक चम्पू' में अवन्तिपुर के नरेश यशोधर की कथा वर्णित है जिसमें राजा अपनी रानी की कपट-पूर्ण चालों से उकता कर अपना राज्य छोड़ देता है और जैनधर्म स्वीकार कर लेता है। राजा की हत्या तथा उसके पुनर्जन्म की कथा भी इस चम्पू में मिलती है। कवि कहता है कि "यदि किसी विशिष्ट नदी, सरोवर, समुद्र या बावली में स्नान करने मात्र से पुण्य की प्राप्ति होती है तब तो सारे जलचर सबसे पहले स्वर्ग में पहुँचते होंगे और मनुष्यों की बारी तो बहुत देर में आती होगी।" सोमदेव ने ऐसी अनेक कृतियों की चर्चा भी की है जो अब प्राप्त नहीं होतीं। धारानगरी के राजा भोज ने 'रामायण चम्पू' लिखा तो अनन्त कवि ने 'महाभारत चम्पू' लिखा। 'उदयसुन्दरी कथा चम्पू' में सोड्ढल नामक कवि ने प्रतिष्ठानगर के राजा मलयवाहन और राजकुमारी उदयसुन्दरी के प्रणय और विवाह की कथा कही। एक-दो स्थानों पर तो ऐसा लगता है कि यह कवि हलवाई का धन्धा भी करते थे। वे कहते हैं कि "चन्द्रमा रात रूपी भैंस का दूध है जो चन्द्रमण्डल रूपी पात्र में औटाया जा रहा है। यही दूध वियोगियों के सन्ताप की आँच से उफन कर आकाश में चारों तरफ़ बिखरा है।" दक्षिण के राजा अच्युतराय की रानी तिरुमलाम्बा एक विदुषी स्त्री थीं और उनका लिखा 'वरदाम्बिका-परिणय-चम्पू' उन्हीं की अपनी प्रेमकथा वर्णित करता है। यह एक कलात्मक कृति है। कवि कर्णपूर ने आनन्दविलास चम्पू लिखा तो जीवगोस्वामी ने 'गोपाल चम्पू' की रचना की। सतरहवीं सदी में नारायण नामक कवि ने 'स्वाहा सुधाकर-चम्पू' लिखा जिसमें अग्नि-पत्नी स्वाहा और चन्द्रमा की प्रणय-कथा कही गयी। 'विश्वगुणादर्श चम्पू' में कवि वेंकटाध्वरि ने विमान पर सवार दो गन्धर्वों द्वारा भारतवर्ष के विभिन्न प्रदेशों का गुण-दोष-विवेचन किया और शंकर कवि ने 'शंकर चेतो विलास चम्पू' में वारेन हेस्टिंग्स का सामना करने वाले वाराणसी के राजा चेतसिंह की कथा कही।

'चम्पू' काव्य के सृजन की परम्परा अब ख़त्म हो गयी। बाद के लोगों ने 'चम्पू' लिखने के स्थान पर अपनी 'चम्पी' करवाना शुरू कर दिया। खुशवन्तसिंह के अनुसार "ज़िन्दगी में तीन ही तो मज़े हैं—पहला है सम्भोग, दूसरा है सिर में चम्पी करवाना और तीसरा है लम्बा व सन्तोषजनक पाद।"

(सात)

संस्कृत-साहित्य में अनेक श्रेष्ठ नाटक हैं जिनमें से कुछ तो विश्व-साहित्य में अपना विशिष्ट स्थान रखते हैं। ब्रह्मा ने ऋग्वेद से संवाद लिये, सामवेद से संगीत लिया, यजुर्वेद से अभिनय लिया तथा अथर्ववेद से रस लिया और यह तब कच्चा माल इकट्ठा करके उन्होंने भरत मुनि को इस काम पर लगाया कि वह नाट्यशास्त्र लिखें। मंच के लिए पर्दे अवश्य यवनों से लिये गये और इसी कारण उन्हें 'यवनिका' कहकर पुकारा गया। संस्कृत के नाटकों में 'सूत्रधार' अवश्य होता है जिसे कभी-कभी प्रूफ़

की ग़लती के कारण 'मूत्रधार' भी छापा जाता है। 'नाटक' का परिष्कृत रूप 'नौटंकी' है जिसका सच्चा आनन्द लेने के लिए आप 'तीसरी कसम' नामक फ़िल्म देखें। यह फ़िल्म इतनी लोकप्रिय हुई कि एक ओर तो इसके निर्माता शैलेन्द्र की हृदय-गति रुक गयी और दूसरी ओर एक और होनहार प्रोड्यूसर ने 'तीसरा ख़सम' नाम की फ़िल्म का निर्माण किया जो कि एक ज़बर्दस्त 'हिट' साबित हुई।

नाटककारों में 'भास' का नाम बहुत ऊँचा है और कालिदास तक ने अपने एक नाटक की प्रस्तावना में उनका ज़िक्र किया है। और लोग मानें या न मानें, विद्वान् लोग यह अवश्य मानते हैं कि भास ने तेरह नाटक लिखे। उनके इन तेरह नाटकों में से एक नाटक, जिसका नाम स्वप्नवासवदत्ता है, बहुत प्रसिद्ध है। संस्कृत का सर्वप्रथम एकांकी नाटक भी भास ने ही लिखा। नाट्यशास्त्र के सारे नियमों का पालन तो भास नहीं कर पाये पर फिर भी उनके नाटक श्रेष्ठ हैं और रोचक भी। राजा शूद्रक ने 'मृच्छकटिक' नामक श्रेष्ठ नाटक लिखा और उसमें सबसे पहले अपनी मृत्यु का आँखों-देखा हाल लिखा जिसके कारण विद्वान् लोग अभी तक परेशान हैं कि यह नाटक लिखा तो किसने लिखा। डॉक्टर कीथ के अनुसार इस नाटक की रचना रामिल या सौमिल्य (या दोनों) लेखकों ने की। इस नाटक में इश्क़िया कहानी व सियासती हालात—दोनों की बराबर चर्चा की गयी है। इस नाटक में हास्य-रस नहीं है। इस एक कमी को छोड़कर, बाक़ी सारी बातों में यह एक नितान्त दिलचस्प नाटक है जो हमें हिन्दी की किसी फ़ार्मूला बँधी फ़िल्म की याद दिलाता है।

कालिदास संस्कृत के सर्वश्रेष्ठ नाटककार स्वीकार किये जाते हैं। उनके तीनों नाटकों में कविता का आनन्द आता है। 'विक्रमोर्वशीयम्' में राजा पुरुरवा व कुमारी उर्वशी के मिलने, बिछुड़ने और फिर से मिलने की सनातन कथा कही गयी है। 'मालविकाग्निमित्र' नामक नाटक की नायिका इतनी सुन्दर है कि कवि के शब्दों में "उसका निर्माण चन्द्रमा, कामदेव या वसन्त—इन तीनों में से एक ने (या तीनों ने) स्वयं किया होगा क्योंकि वेदव्यास-से शुष्क व विषय-वासनाओं से रिक्त ऋषि जरठ नारायण ऐसी रूपवती रमणी के पिता नहीं माने जा सकते।" कवि का सर्वश्रेष्ठ नाटक 'अभिज्ञान शाकुन्तलम्' है जिसकी कथा महाभारत से ली गयी है हालाँकि ठीक ऐसा ही कथानक 'पद्म पुराण' में भी पाया जाता है। सुधी आचार्यों का कहना है कि "काव्यों में नाटक श्रेष्ठ होता है, नाटकों में शकुन्तला-नाटक सर्वश्रेष्ठ है और सबसे श्रेष्ठ वे चार श्लोक हैं जो उसके चौथे अंक में हैं।" (काव्येषु नाटकं रम्यं नाटकेषु शकुन्तला, तत्रापि च चतुर्थोऽकः तत्र श्लोक चतुष्टयम्।) इस नाटक की नायिका इतनी रूपवती है कि हस्तिनापुर का राजा दुष्यन्त उसे देखते ही अपनी सारी रानियों को भूल जाता है। राजा कहता है कि "शकुन्तला एक ऐसा रत्न है जिसे किसी ने अभी तक नहीं बींधा। वह ऐसा फूल है जिसे किसी ने अभी तक नहीं सूँघा। वह उस कोंपल के समान है जो बिना किसी प्रयास के यूँ ही टूट गयी है या वह ऐसा

शहद है जिसे अभी तक किसी ने नहीं चखा।" उसकी बातें सुनकर उसका पेटू विदूषक कहता है कि "हे अन्नदाता, मुझे तो ऐसा लगता है कि रनिवास की रानियों से तृप्त होकर आप अब किसी और नयी रूपसि को पाना चाहते हैं और वह भी इस तरह जैसे कि मीठे फलों से ऊबकर कोई इमली चखने की चेष्टा करता है।" यह विदूषक बड़ा चतुर और होनहार क़िस्म का प्राणी है और इसी कारण राजा को लगातार मदनवाण लगने की शिकायत सुनकर वह उनके पीछे लाठी लेकर भागता है और उसकी इस हरकत पर ख़ुशमिज़ाज राजा दुष्यन्त कामदेव के बाणों से त्रस्त होते हुए भी हँस पड़ता है। शकुन्तला अज्ञातयौवना है और जब वह सखी अनसूया से कहती है कि "मेरी दूसरी सखी प्रियंवदा ने आज मेरी 'ब्रा' बहुत तंग बाँध दी है, तुम ज़रा इसे ढीली कर दो" तो परिहासप्रिय प्रियंवदा कहती है कि "तुम किसी और को दोष क्यों देती हो? सच्ची बात तो यह है कि तुम्हें अपने यौवन को उलाहना देना चाहिए जिसके कारण तुम्हारे उरोजों का अब विस्तार हो रहा है।" इस नाटक में ग़रीब धीवर हैं, रिश्वतखोर सिपाही हैं, ख़ुशामदी सेनापति हैं और डाबर की जन्मघुट्टी नियमित रूप से पीने वाले ऐसे बच्चे हैं जो शेर का ज़बड़ा खोल कर उसके दाँत गिनते हैं। इस नाटक के ये ही वे गुण हैं जिनके कारण जर्मनी के महाकवि गेटे को इसके पढ़ने के तुरन्त बाद हिस्टीरिया के दौरे पड़ने लगे थे। मुझे भी यह नाटक अत्यन्त प्रिय है क्योंकि 'कण्व ऋषि' का आश्रम मेरे ही ज़िले में था, 'मालिनी' नदी मेरी पत्नी के ननिहाल के पास अब भी बहती है और 'हस्तिनापुर' भी मेरे ज़िले से एकदम लगा है जहाँ कभी राजा दुष्यन्त राज्य करते थे। मेरे पास जो 'अभिज्ञान शाकुन्तलम्' की प्रति है वह शक संवत् 1838 व विक्रमी-सम्बत् 1973 में ब्रजरत्न भट्टाचार्य की 'मनोरमा' नामक 'सरल, सरस व सविस्तार हिन्दी भाषा-व्याख्या' के साथ मुम्बई से छपी थी। जैसा कि मुखपृष्ठ पर छपा है, श्री भट्टाचार्य 'शतशः ग्रन्थों के संशोधक, सम्पादक, टिप्पणीकर्ता, अनुवादक, विविध ग्रन्थ प्रणेता, मुरादाबाद निवासी, पदकालकृत विद्याभूषण थे।' पुस्तक को 'गंगा-विष्णु श्री कृष्णदास, अध्यक्ष लक्ष्मीवेंकटेश्वर छापेखाने में पं. शिवदुलारे जी वाजपेयी ने मालिक के लिए छापकर प्रकाशित किया था और रजिस्ट्री का सब हक्क यन्त्रालयाध्यक्ष ने स्वाधीन रखा था।' भूमिका में भूमिका-लेखक ने पुस्तक की महत्ता दर्शाने के लिए कई शेर व बबरशेर व कविता के अंश उद्धृत किये हैं जिनमें से कुछ मैं यहाँ देता हूँ, :

(एक)

नहीं चैन मिलता कभी आशिकों को
मुहब्बत में बस एक मुश्किल यही है

(दो)

जान ले लेता है आख़िर को लगाना दिल का

(तीन)

हम तो मरते हैं इन चार पर
नाज़ पर, अन्दाज़ पर, रफ़्तार पर, गुफ़्तार पर

(चार)

प्रेमपन्थ अति कठिन है, सब कोउ जानत नाहिं
चढ़िबो मोम तुरंग पै, चलिबो पावक माहि

(पाँच)

प्रेम पयोनिधि में फँसि के
हँसि के कढिबो, हँसि खेल नहीं फिर

कन्नौज को राजधानी बनाकर सारे उत्तरी-भारत पर शासन करने वाले सम्राट् हर्षवर्धन एक कुशल साहित्यकार भी थे। इन्होंने तीन नाटक रचे जिनका नाम था, 'रत्नावली', 'नागानन्द' तथा 'प्रियदर्शिका'। कुछ लोगों का मत है कि 'रत्नावली' नाटक किसी और लेखक ने लिखा था जिसने प्रचुर सम्पत्ति के बदले उसके सारे कॉपीराइट अधिकार सम्राट हर्ष को बेच दिये थे। 'नागानन्द' नाटक के विषय में ऐसा कोई विवाद नहीं है क्योंकि चीनी यात्री इत्सिंग ने इस नाटक को सम्राट हर्ष की कृति बताया है। विदेशी विद्वान् कभी झूठ नहीं बोलते।

कालिदास के बाद भवभूति संस्कृत के दूसरे महान् नाटककार माने जाते हैं। कल्हण के अनुसार भवभूति भी कन्नौज के राजा यशोवर्मा के आश्रित साहित्यकार थे। उनके नाटकों के नाम हैं 'महावीर चरित', 'मालतीमाधव' तथा 'उत्तररामचरित'। 'उत्तररामचरित' एक अत्यन्त उत्कृष्ट कृति है जिसमें भवभूति ने यह स्थापना की है कि इस सारे जीवन में केवल करुण रस ही सब रसों के ऊपर है। एको रसः करुणमेव। इस नाटक को रचने के लिए भवभूति ने वाल्मीकि की 'रामायण' में वर्णित कथा में कुछ मौलिक परिवर्तन किये ताकि उनकी यह कृति सुखान्त ही रहे। इस नाटक को उनका सर्वश्रेष्ठ नाटक स्वीकार किया जाता रहा है जो सर्वथा समुचित है। भवभूति दर्शनशास्त्र के भी पण्डित थे। वे विशुद्ध प्रेम के पुजारी थे और इसी कारण विशुद्ध शृंगार रस को उन्होंने कहीं भी वर्णित नहीं किया। वे एक गम्भीर व्यक्ति थे और इसी कारण वे अपने नाटकों में विदूषक नहीं रखते थे। ऐसा लगता है कि मेरी भाँति शायद भवभूति को भी अपने जीवन में वह यश और सम्मान नहीं मिला था जिसके कि वे अधिकारी थे। इसी कारण उन्हें कहना पड़ा कि "मेरी कला को समझने वाला भी कभी पैदा होगा। यह पृथ्वी बहुत विशाल है और समय जो है वह अनन्त है।" उत्पत्स्यते हि मम कोपि समानधर्मा, कालो ह्य निरवधिः' विपुला च पृथिवी।

संस्कृत के प्रसिद्ध 'जासूसी' नाटक 'मुद्राराक्षस' के रचयिता विशाखदत्त महाराज

पृथु के पुत्र थे। इस नाटक का घटना-स्थल पाटलिपुत्र है जिसे फ़ाह्यान ने एक समृद्ध नगर और मगध-साम्राज्य की राजधानी पाया था और जिसे हुएनसांग ने भग्नावशेष पाया। इस नाटक की कथा ऐतिहासिक है। इस पुस्तक में कोई स्त्री-पात्र नहीं है—हाँ, अलबता विषकन्या की चर्चा अवश्य है। पुस्तक शृंगार-रस से विहीन है और इसी कारण यह पुस्तक छात्र-छात्राओं के पाठ्यक्रम में इफ़रायत के साथ लगायी जाती है। दक्षिण देश की किसी ललना ने 'कौमुदी महोत्सव' नामक नाटिका लिखी और उसमें भी राजनीति व प्रणय—इन दोनों की कथा साथ ही साथ कही गयी। 'वेणीसंहार' नामक नाटक की रचना भट्टनारायण ने की जो कि और कवियों की भाँति कन्नौज में ही रहते थे पर बाद में बंगाल चले गये थे। उनके ही वंश में, बाद में 'टैगोर' जाति के लोग पैदा हुए पर इस बारे में निश्चित रूप से कुछ नहीं कहा जा सकता। 'वेणीसंहार' में नायक कौन है, यह कोई नहीं जान सका। इस नाटक के द्वितीय अंक में दुर्योधन और भानुमति के सम्भोग-शृंगार का वर्णन बड़ी तबीयत के साथ किया गया है और इस ज़रा सी बात को लेकर कुछ वृद्ध और अशक्त आचार्यों ने इसकी निन्दा की है। कुछ मतिमान लोग यह भी कहते हैं कि दूसरे अंक के बाद जो और तीन अंक हैं, उनके लिखने की तो कोई ज़रूरत ही नहीं थी। मुरारि ने 'अनर्घराघव' लिखा जिसमें सात अंक रखे गये। इस पवित्र नाटक में राम एक जगह सीता से कहते हैं कि "ब्रह्मा ने तुम्हारी और चन्द्रमा की सृष्टि की मगर तुम्हारा सौन्दर्य-भार ज़्यादा था और इसी कारण तुम तो पृथ्वी पर रह गयीं और हल्का होने के कारण चन्द्रमा ऊपर चला गया।" नाटककार मुरारि अपने को वाल्मीकि का 'जेबी संस्करण' कहते थे। शक्तिभद्र ने 'आचार्य चूड़ामणि' नामक नाटक लिखा जिसमें 'रामायण' की कथा अद्भुत-रस में कही गयी। कुमारी शूर्पणखा चिरंजीव लक्ष्मण को इतनी सुन्दर लगती है कि वे कह उठते हैं कि "कमलों की शोभा चुराने वाली यह रमणी इस दुर्गम वन में कहाँ से आ गयी? सोने के कमलों के मकरन्द का पान करने वाली यह हंसिनी, इस खारे जल के समुद्र में भला कैसे रह पाएगी?" दामोदर मिश्र ने 'हनुमन्नाटक' रचा जिसके दो पाठ उपलब्ध हैं। कुछ भक्तों के अनुसार एक पाठ स्वयं हनुमान् जी ने लिखा। राजशेखर बड़े नम्र साहित्यकार थे। उन्होंने स्वयं अपनी तुलना वाल्मीकि, भर्तृमेण्ठ तथा भवभूति से की है। उन्होंने कई नाटक लिखे जिनमें 'कर्पूरमंजरी' ज़्यादा प्रसिद्ध है। उन्होंने प्राकृत को संस्कृत से मधुर भाषा बताया और कहा कि 'प्राकृत' स्त्री है और 'संस्कृत' पुरुष है। राजा की अनंगपीड़ा और ठीक उसी समय विदूषक की विनोदप्रियता एक विचित्र वातावरण की सृष्टि करती हैं। एक स्थान पर नायक जो है वह नायिका के बारे में सूचना देते हुए कहता है कि "उसके मणि-नूपुरों से कैसी मीठी झंकार निकलती है, उसका कण्ठहार किस प्रकार दमकता है, उसकी करधनी छोटे-छोटे घुँघरुओं के कारण कितनी मधुर ध्वनि देती है—ऐसी शशिकला युवती को झूले पर झूलते हुए देखकर किसका हृदय

विचलित नहीं होगा?" बौद्ध दार्शनिक दिङ्नाग ने 'कुन्दमाल' की रचना की जिससे कदाचित् भर्तृहरि भी प्रभावित हुए। कृष्ण मिश्र का नाटक 'प्रबोध-चन्द्रोदय' भक्ति और ज्ञान से परिपूर्ण नाटक है जिसे देखकर किसी और नाटक देखने या पढ़ने की इच्छा स्वतः ही समाप्त हो जाती है। हिन्दी के महाकवि केशवदास ने इस कृति का अनुवाद अपनी वृद्धावस्था में 'विज्ञानगीता' के नाम से किया। 'चन्द्रालोक' नामक प्रसिद्ध अलंकार-ग्रन्थ के लेखक जयदेव ने भी 'प्रसन्नराघव' नामक नाटक लिखा। ये जयदेव 'गीतगोविन्द' के कालजयी जयदेव से सर्वथा भिन्न हैं।

बारहवीं शती के बाद संस्कृत में नाटकों का प्रचार कम होता गया। एक प्राप्त प्राचीन सूची के अनुसार संस्कृत में कुल मिलाकर 650 नाटक लिखे गये। मैंने अपना सारा जीवन संसार की विभिन्न भाषाओं का अध्ययन करने में लगाया है और मैं दावे के साथ कहता हूँ कि रूप, प्रणय और सौन्दर्य के सर्वश्रेष्ठ कवि कालिदास व जयदेव ही हैं पर नाटकों की दुनिया में हमारा कोई भी नाटककार विलियम शेक्सपियर की बराबरी नहीं करता। इस स्थिति का कारण यह नहीं है कि हमारे नाटककार हीन हैं, इस स्थिति का एकमात्र कारण नाट्यशास्त्र के वे सिद्धान्त हैं जिनके अनुसार यह अनिवार्य था कि नाटक सुखान्त ही हो और उसमें मृत्यु, स्नान, यात्रा, भोजन, विवाह, चुम्बन और आलिंगन जैसे 'क्रीड़ाजनक' दृश्य मंच पर प्रस्तुत न किये जाएँ। पर्दे के पीछे कुछ भी होता रहे, वह सब क्षम्य है। शेक्सपियर जैसा प्रतिभाशाली नाटककार भी अपने दुखान्त नाटकों में ही सब से ज़्यादा प्रभाव छोड़ता है, अपने सुखान्त नाटकों में नहीं। यदि ये शास्त्रीय बन्धन न होते तो कदाचित् संस्कृत के नाटककार किसी से भी पीछे नहीं रहते।

(आठ)

संस्कृत में गद्य लिखने की परम्परा वैदिक काल से रही है। गद्य को ही साहित्यकारों की कसौटी माना गया। गद्यं कवीनां निकषं वदन्ति। गद्य-लेखकों में महाकवि दण्डी सबसे प्राचीन लेखक स्वीकार किये जाते हैं जो अपने 'पद-लालित्य' के लिए वैसे भी बेहद लोकप्रिय रहे हैं। उनकी प्रमुख पुस्तकें हैं 'दशकुमारचरित' तथा 'अवन्तिसुन्दरी-कथा'। महाकवि दण्डी दक्षिणी भारत के निवासी थे। वे एक सम्पन्न व्यक्ति थे और उनके अनुभवों का आयाम बहुत विस्तृत था। 'दशकुमारचरित' को एक विद्वान् ने 'धूर्तों का रोमाँस' नाम दिया है। इस उपन्यास में दस कुमारों की कथा है जिनके माध्यम से हमें दम्भी तपस्वी, कपटी ब्राह्मण, धूर्त कुटनियाँ, व्यभिचारिणी स्त्रियाँ तथा लज्जाविहीन वेश्याएँ—इन सबका घनिष्ठ परिचय प्राप्त होता है। पुस्तक अपने समय का पूरा-पूरा खाका आपके सामने रख देती है। दण्डी की कथा की परम्परा में मैंने भी 'ग्यारहवें राजकुमार की कथा' लिखी है जो मेरे 'भित्तिचित्र' नामक कालजयी व्यंग्य-संग्रह में शामिल है। दो-चार सदी बाद विद्वान् शोधकर्मी यह साबित करने

की पूरी-पूरी कोशिश करेंगे कि या तो मेरी उपर्युक्त रचना दण्डी ने ही लिखी या फिर 'दशकुमारचरित' की रचना भी मैंने ही की। मुझे दोनों ही स्थितियों में ख़ुशी होगी। सुबन्धु की 'वासवदत्ता' नामक पोथी संस्कृत के उस गद्य का नमूना पेश करती है जिसमें कथानक कम है और वर्णन-विस्तार अधिक है। कल्पना कम है और पाण्डित्य-प्रदर्शन ज़्यादा है। शायद इसी कारण इस गल्पलेखक का समय व स्थान कोई नहीं जानता।

संस्कृत साहित्य में सर्वोत्कृष्ट गद्य-लेखक बाणभट्ट थे। उनके एक गद्य-काव्य की चर्चा ऊपर की जा चुकी है मगर बाणभट्ट ने 'हर्षचरित' के अतिरिक्त एक और महान् कथा भी लिखी जिसका नाम 'कादम्बरी' है। बाणभट्ट के पूर्वज इतने बड़े विद्वान् होते थे कि लोग उनके घर जाने से डरते थे कि कहीं उस घर के पिंजड़े में टँगे तोता और मैना, उनकी व्याकरण की किसी अशुद्धि पर उलाहना न दे दें। यह बात सच ही होगी क्योंकि इसे बाण भट्ट ने स्वयं ही कहा है। बाण के पिता अपनी तरह के विचित्र समाज-सेवक थे और इसी कारण बाण के दो भाई ऐसे थे जो कि एक शूद्र स्त्री के गर्भ से उत्पन्न हुए थे। बाण को घूमने, विद्या प्राप्त करने, मित्रों की मण्डली ज़माने और संसार के प्रत्येक प्रकार का अनुभव प्राप्त करने का बेहद शौक़ था। बाक़ी आप ख़ुद समझ लीजिए। उनके विरुद्ध शिकायत पाकर, सम्राट हर्ष ने उनके नाम 'सम्मन' जारी किया। बाण को दरबार जाना पड़ा जहाँ पहले तो उन पर डाँट पड़ी और बाद में उनके उत्तर से सम्राट हर्ष को हर्ष हुआ। जब सम्राट ने देखा कि बाणभट्ट 'हर्षचरित' लिख सकता है तो उन्होंने ख़ुशी-ख़ुशी उन्हें दरबार में रख लिया और उन्हें 'वश्यवाणी कविचक्रवर्ती' की उपाधि भी दी। सम्राट की मृत्यु के बाद अराजकता का युग आया और बाणभट्ट कन्नौज छोड़कर फिर अपने गाँव आ गये। 'कादम्बरी' समाप्त करने से पूर्व ही उनका निधन हो गया और पुस्तक को उनके पुत्र ने ठीक उसी प्रकार पूरा किया जैसे कि देवकीनन्दन खत्री के एक अपूर्ण उपन्यास को उनके सुपुत्र दुर्गाप्रसाद खत्री ने पूरा किया था। बाण की 'कादम्बरी' समस्त संस्कृत-साहित्य की सर्वोकृष्ट गद्य-कृति है। इसमें बताया गया है कि विदिशा के राजा शूद्रक की सेवा में एक चाण्डाल-कन्या अपना बेहद अक्लमन्द तोता भेंट करती है और यह तोता राजा को विन्ध्याचल के वनों में अपने जन्म से लेकर महर्षि जाबालि के आश्रम में पहुँचने तक का वृत्तान्त सुनाता है और फिर वह अपने पूर्वजन्म की कथा भी राजा को सुनाता है जो कि जाबालि ऋषि ने स्वयं तोते को सुनायी थी और जिसे उस चतुर तोताचश्म तोते ने बख़ूबी याद कर रखा था। पुस्तक की कहानी सम्भवतः 'बृहत्कथा' नामक उस महान् ग्रन्थ से ली गयी है जो अब अप्राप्य है और पुस्तक की भाषा-शैली ऐसी है कि पुस्तक 'उपन्यास" के स्थान पर एक 'चित्रशाला' जैसी लगती है। कादम्बरी की प्रशंसा में कहा गया है कि "प्रियतम की शय्या की ओर अपनी इच्छा से जाती हुई नववधू की भाँति कादम्बरी ने अपने

अतुलनीय रसास्वाद से पाठकों के चित्त को सदा के लिए हर लिया।"

(नौ)

संस्कृत का आख्यान-साहित्य बहुत विपुल है और वह इतना महत्त्वपूर्ण है कि विश्व भर में उसकी महत्ता व प्रभाव को स्वीकृति मिली है। उसमें एक ऐसे संसार की सृष्टि की गयी है, जो कल्पित होते हुए भी कुतूहल-पूर्ण है, घटना-वैचित्र्य से भरा है, हास्य व व्यंग्य से परिपूर्ण है, कहीं उपदेशात्मक है तो कहीं ऊँचे दर्जे का मनोरंजन देने वाला है और कहीं सरस काव्य की भँति रस से भी परिपूर्ण है। बौद्धों की 'जातक-कथाएँ' जैन लेखकों द्वारा लिखी 'उक्कास की विमानयात्राएँ' और 'पंचतन्त्र' की नीतिकथाएँ सारे संसार में अपना सानी नहीं रखतीं।

'पंचतन्त्र' एक अत्यन्त प्राचीन व अपने ढंग का एक महान् ग्रन्थ है। नीति-कथाओं का यह सर्वश्रेष्ठ संग्रह है जिसे विष्णु शर्मा ने रचा। नीति-कथाओं में पात्र जो होते हैं वे प्रायः पशु-पक्षी या वन के पशु होते हैं जो मनुष्यों की भाषा बोलते हैं। इन कथाओं की रचना गद्य में की गयी है पर बीच-बीच में पद्य आते रहते हैं। पंचतन्त्र का सर्वप्रथम अनुवाद छठी शताब्दी में पहलवी भाषा में हुआ। इस अनुवाद के आसुरी व अरबी रूपान्तर अभी भी प्राप्य हैं। पंचतन्त्र का मूल रूप तो संस्कृत में भी प्राप्य नहीं है। यह ईसा से तीन सौ वर्ष बाद लिखा गया था और इसके अनुवाद धीरे-धीरे संसार की सभी महत्त्वपूर्ण भाषाओं में किये गये। ईसप की कहानियाँ भी 'पंचतन्त्र' से ही प्रेरित हैं। संस्कृत का कोई ग्रन्थ विश्व में इतना लोकप्रिय नहीं हुआ जितना कि 'पंचतत्र' हुआ। विशेषज्ञों का कहना है कि यह पुस्तकं पचास भाषाओं में अनूदित हुई और इसके तीन सौ से ज़्यादा संस्करण हो चुके हैं। ग्रीस और रोम के लोग 'पंचतन्त्र' की कथाओं से लगभग डेढ़ हज़ार वर्ष पूर्व परिचित हो चुके थे। इसके प्रचार की पूरी कथा पढ़ने के लिए, डॉ. मोतीचन्द की वह भूमिका पढ़ने लायक़ है जो कभी उन्होंने राजकमल-प्रकाशन द्वारा पॉकेट-संस्करण में प्रकाशित 'पंचतन्त्र के हिन्दी अनुवाद के प्रारम्भ में लिखी थी। 'पंचतन्त्र' के बाद नारायण पण्डित ने 'हितोपदेश' की रचना की। उसने पचतन्त्र' की ही कथाओं को अपने ढंग से प्रस्तुत किया और लेखक की जगह अपना नाम दिया। अज्ञेय जी ने भी अपनी महान् कविता 'असाध्य-वीणा' में यही कर दिखाया था। हिम्मते मरदाँ, मददे ख़ुदा। उन्होंने एक चीनी कविता को हिन्दी कविता बनाया था।

नीतिकथाओं के अतिरिक्त संस्कृत में लोककथाओं का भी बहुत विशाल ख़ज़ाना है। लोककथाओं के पात्र मनुष्य होते हैं और उनका मुख्य उद्देश्य पाठकों का मनोरंजन करना होता है। संस्कृत की सर्वप्रथम रची लोककथाओं की पुस्तक 'बृहत्कथा' है जिसे गुणाढ्य ने रचा था। यह पुस्तक अब उपलब्ध नहीं है। इस पुस्तक की मूलकथा यह दिखाती है कि राजा उदयन का पुत्र अपनी प्रिय रानी मदनमंजूषा (जिसे मानसवेग

हर कर ले गया था) को अपने विश्वासपात्र चतुर मन्त्री गोमुख द्वारा कैसे प्राप्त करता है। बाणभट्ट ने 'बृहत्कथा' को 'हरिलीला' समान बताया है। 'अलिफ़लैला' की अनेक कहानियाँ इसी पुस्तक से ली गयीं। 'बृहत्कथा' का जो संक्षित संस्करण प्राप्त है उसका नाम 'कथासरित्सागर' है जिसे सोमदेव ने बाद में बनाया। यह ग्रन्थ संसार का सबसे बड़ा कथा-संग्रह है। जिसमें 'क़िस्सा साढ़े तीन यार', 'क़िस्सा साढ़े तीन परी', 'क़िस्सा चहार दरवेश', 'क़िस्सा हातिमताई' और 'क़िस्सा गुलबकावली' की मूल कथाएँ छिपी हैं। "वैताल पंचविंशतिका' व 'द्वात्रिंशत्पुत्तलिका' भी बेहद दिलचस्प किताबें हैं। 'शुकसप्तति' एक अश्लील पुस्तक है पर विशेषज्ञों का कहना है कि 'सिन्दबाद जहाज़ी की कथा' पर इसका स्पष्ट प्रभाव है। यह मत मुझे ग़लत लगता है। अकबर ने ऊपर लिखी कुछ किताबों के फ़ारसी में अनुवाद कराये। स्याम, मंगोलिया और अफ्रीका तक की जनता भी, भारतीय कथाओं से सैकड़ों वर्ष पूर्व परिचित हो गयी थी। संक्षेप में यह कहा जा सकता है कि 'भारतीय आख्यान जितने विचित्र हैं, उससे कहीं अधिक विचित्र उनके विश्व-विजय की गाथा है।' इन कथाओं की सबसे बड़ी बात यह है कि ये सब सुखान्त हैं और सब में नायक को मनचाही प्रियतमा मिल ही जाती है। मिलने के बाद नायक जो है वह नायिका के साथ ठीक वही करता है जो शास्त्रों में बताया गया था।

(दस)

ऊपर कहीं भी मैंने किसी भी लेखक का निवास-स्थान या जन्म व मृत्यु की तिथि नहीं बतायी। इस स्थिति का मूल कारण यह है कि इन बातों के बारे में कोई भी विद्वान् निश्चित रूप से कुछ नहीं कह सकता। काफ़ी विद्वानों का निश्चित मत है कि कालिदास एक ही नहीं हुआ, इस नाम के कम-से-कम तीन कवि अवश्य हुए। जयशंकर 'प्रसाद' भी यही मत रखते थे। यदि आप बल्लाल कवि द्वारा रचित 'भोजप्रबन्ध' नाम की पोथी पढ़ें तो आपको यह पता लग जाएगा कि सारे कवि एक ही समय में हुए और सब-के-सब राजा भोज की ही चाकरी करते रहे। कीथ का कहना है कि कालिदास काश्मीर के निवासी थे क्योंकि उन्होंने हाथी को बहुत कम स्थान दिया है और हाथी जो है वह काश्मीर में नहीं होता। मैक्डानल के अनुसार भारवि समुद्रतट के वासी थे क्योंकि समुद्र में होते सूर्यास्त का, उनके अतिरिक्त किसी भी संस्कृत कवि ने वर्णन नहीं किया। इसी प्रकार मैंने किसी भी पुस्तक की पूरी कथा कहीं नहीं बतायी। इसका कारण यह है कि मैं चाहता हूँ कि आप उनको पढ़ने का कष्ट स्वयं करें। जो थोड़ी-बहुत चर्चा की है वह भी इसी उद्देश्य से की है - कि बाक़ी हाल आप सुनहरे पर्दे पर देख सकें। जो लोग पुस्तक पढ़ने का कष्ट नहीं कर सकते उनको मैं 'खाखी' सम्प्रदाय का मानने वाला कहूँगा। इन लोगों का कहना था कि "पढ़ोगे तो भी मरोगे और इस स्थिति में दाँत किटकिटाकर क्या प्राप्त

कर लोगे?" पठितव्यं तदपि मर्तव्यं, दन्त किटकिटाति किम् कर्तव्यम्? ऐसे दूरदर्शी मत इस देश में और भी हुए। एक मत का नारा तो बहुत ही सरल था। उनका कहना था कि "रंग है कलियाकन्त को, जिसने हुक़्क़ा पिलाया सन्त को।" एक और सम्प्रदाय था जिसका मन्त्र था :

जल पवितर, सथल पवितर और पवितर कुआ
शिव कहे सुन पार्वती, तूँबा पवितर हुआ

जो भक्तजन इस दिशा में अधिक जानकारी चाहते हैं वे स्वामी दयानन्द द्वारा रचित 'सत्यार्थप्रकाश' पढ़ें। इस निबन्ध में मैंने हास्य-व्यंग्य की पुस्तकों पर भी कुछ नहीं लिखा जिसका एकमात्र कारण यह है कि सारे संस्कृत-साहित्य में सब कुछ है पर हास्य-व्यंग्य नहीं है। 'हास्यार्णव प्रहसन' अश्लील है और शेष प्रहसन बेहद घटिया हैं। बड़े नाटककारों के नाटक भी मात्र विदूषक रखने की परम्परा को निभाते हैं, बाक़ी कुछ नहीं करते। 'पंचतन्त्र' की कुछ कथाएँ ख़ूब हँसाती हैं और व्यंग्य के क्षेत्र में जैन-लेखक हरिभद्र सूरि द्वारा पाली भाषा में लिखी 'धूर्तोपाख्यानम्' नामक पुस्तक बेजोड़ है। इसके बेजोड़ होने का एक कारण यह भी है कि यह आदि से अन्त तक अश्लील है और इतनी तबीयत के साथ अश्लील है कि कुछ कहा नहीं जा सकता।

(ग्यारह)

इस प्रबन्ध की रचना में मैंने अनेक ग्रन्थों से सहायता ली है जिनमें डॉ. कीथ, डॉ. मैक्डानल, डॉ. डे व पण्डित चन्द्रशेखर पाण्डेय के ग्रन्थ प्रमुख हैं। संस्कृत के सारे प्रख्यात ग्रन्थ मेरी निजी लाइब्रेरी में हैं और उनकी विशद भूमिकाएँ तो कहीं-कहीं मूल ग्रन्थ से भी ज़्यादा बड़ी हैं। इन भूमिकाओं से भी मैंने सहायता ली है। मैं इन सब विद्वानों और भूमिका-लेखकों का ऋणी हूँ। एक रमणी इन दिनों मेरी विशेष रूप से प्रशंसिका हैं और उन्होंने मुझे इस लेख के लिखने के लिए जो प्रेरणा दी है वह अत्यन्त पवित्र व सराहनीय है। यह सुन्दर रमणी मेरे लिए सदा 'संस्कृत-साहित्य के इतिहास' की ही भाँति खुली हैं और यह मुझ पर है कि मैं उनका कौन-सा परिच्छेद पढ़ूँ। यह रमणी पहले कन्या थीं, फिर कुमारी थीं और फिर विवाहिता थीं। फिर उन्होंने कई पति बदले और फिर सारा जीवन, साहित्य को तो नहीं पर साहित्यकारों को ज़रूर समर्पित कर दिया। इनका पिछला पति इनसे तीस वर्ष बड़ा था जब कि यह रमणी मात्र पति का प्यार ही चाहती थीं, पिता का नहीं। मात्र इसी छोटे-से कारण से दोनों ने एक-दूसरे से तलाक़ ले लिया। अब यह वैधव्य का सुख देखना चाहती हैं और इसीलिए मेरी भक्त बनने की कोशिश में हैं। युवती क्या हैं, मकरध्वज, चन्द्रप्रभा गुटिका, स्वर्ण पर्पटी और च्यवनप्राश का सम्मिलित संस्करण हैं जब कि मैं पैंसठ वर्ष का अधेड़ हूँ और शेष जीवन अखण्ड ब्रह्मचर्य के साथ बिताना चाहता

हूँ। इन्हें 'शृंगारशतक' प्रिय है जब कि मुझे अब 'वैराग्य-शतक' प्रिय है। कितना अच्छा होता यदि यह ललना मुझे तीस या चालीस वर्ष पहले मिली होतीं। मगर मेरे यौवन के प्रथम चरण में देश इतना पिछड़ा हुआ था कि जिस किसी बालिका को भी मैं प्रेम का रहस्य विस्तार से और गहराई से पूरी तरह समझाना चाहता था, वही बालिका मुझे या तो स्वयं ही अपने पदत्राण से पीटती थी या फिर अपने पिता, भाई या पति (या सबसे) से सरे-बाज़ार पिटवाती थी। इस सन्दर्भ में मैं आपकी सेवा में एक शेर प्रस्तुत करता हूँ जिसे स्वामी बनने से पूर्व (या बाद में) स्वामी रामतीर्थ ने कभी कहा था :

भागती फिरती थी लक्ष्मी, जब तलब रखते थे हम
अब हमें नफ़रत हुई, वह बेक़रार आने को है?

हिन्दी के कुछ प्राचीन कवि

यह एक आश्चर्य की बात है कि हिन्दी-साहित्य का सर्वप्रथम इतिहास एक फ्रेंच विद्वान् (गर्सां द तांसी) ने लिखा जिसका अनुवाद हिन्दी में अभी तक नहीं हुआ। इस पुस्तक के बाद शिवसिंह सेंगर की 'शिवसिंह सरोज' नामक पोथी का नम्बर आता है। उसके बाद जार्ज ग्रियर्सन का नाम आता है जिन्होंने सन् 1822 में 'दी माडर्न वर्नाक्यूलर लिट्रेचर ऑफ़ हिन्दोस्तान' नामक आलेख रचा। मिश्रबन्धुओं ने 'मिश्रबन्धु विनोद' व हिन्दी 'नवरत्न' नामक दो अत्यन्त महत्त्वपूर्ण ग्रन्थ लिखे। आचार्य रामचन्द्र शुक्ल का 'हिन्दी साहित्य का इतिहास' सबसे पहला शास्त्र-सम्मत व वैज्ञानिक शैली पर लिखा गया हिन्दी-साहित्य का इतिहास है हालाँकि उसमें दिये गये सारे मत सबको स्वीकार्य नहीं हैं। बाद में की गयी खोज के प्रकाश में शुक्लजी द्वारा दिये गये कुछ तथ्यों पर भी विवादास्पदता छा गयी है जो स्वाभाविक है। शुक्लजी का उपर्युक्त इतिहास काशी-नागरी-प्रचारिणी-सभा द्वारा प्रकाशित 'हिन्दी-शब्द-सागर' नामक विशाल ग्रन्थ की भूमिका के तौर पर लिखा गया था।

प्राचीन हिन्दी कवियों के जीवन के बारे में सम्पूर्ण व प्रामाणिक जानकारी किसी को नहीं है। 'चौरासी (और दो सौ) वैष्णवन की वार्ता' (गोकुलनाथ) 'भक्तमाल' (नाभादास), 'भक्त नामावली' (ध्रुवदास) तथा 'गुरु ग्रन्थ साहिब', 'गोसांई चरित' और 'सन्तवाणी' जैसे पुराने ग्रन्थों में जो कुछ दिया गया है, उसी को सबने अपनी यात्रा का 'प्रथम बिन्दु' माना है। गुरुमुखी लिपि में लिखे कई ग्रन्थ, कर्नल टाड का 'राजस्थान का इतिहास', 'कालिदास हज़ारा', 'काव्य-निर्णय', 'कवि नामावली', 'विद्वान् मोदतरंगिणी', 'शृंगार-संग्रह', 'कवि रत्नमाला', 'सुन्दरी तिलक', 'कवित्त रत्नाकर', 'विचित्रोपदेश', 'राग सागरोद्भव', 'दिग्विजय भूखन' तथा 'रस चन्द्रोदय' जैसी पुरानी किताबों में काफ़ी सामग्री दी गयी है हालाँकि उस सामग्री की विश्वसनीयता सन्देहास्पद है। ग्रियर्सन ने 952 कवियों की चर्चा की है और 'शिवसिंह सरोज' में एक हज़ार कवियों के जीवन-वृत्त व उनके काव्य के नमूने इकट्ठे किये गये हैं। इस सारी सामग्री पर काफ़ी काम किया जा चुका और काफ़ी काम अभी किया जाना है। ऐसा लगता है कि खेती के बाद, हमारे देश का दूसरा बड़ा धन्धा कविता करना ही था। सम्राट

अकबर और उसके रहीम, टोडरमल व बीरबल नामक सामन्त तक, सरकारी काम कम करते थे और कविता ज़्यादा रचते थे। अब मैं कुछ प्राचीन कवियों की चर्चा करूँगा जो 'नानापुराणनिगमागमसम्मत' होने के साथ-साथ दिलचस्प भी होगी।

(एक)

सुखिया सब संसार है, खावै अरु सोवै
दुखिया दास कबीर है, जागे अरु रोवै

कबीर का जन्म सन् 1399 में एक विधवा ब्राह्मणी के गर्भ से सम्पन्न हुआ था। उनके असली पिता का असली नाम किसी को भी ज्ञात नहीं है और इस दिशा में शोध करने की सम्भावनाएँ अनन्त हैं। लोक-लाज के भय से इनकी माता ने इन्हें काशी के 'लहरतारा' ताल के पास छोड़ दिया था। एक सन्तानहीन जुलाहा-दम्पती ने इन्हें बड़े स्नेह से पाला। इनकी पत्नी का नाम 'लोई' था जो अपने नाम के अनुसार सर्दी भगाने में कुशल थी। पति के सहयोग से लोई ने एक पुत्र व एक पुत्री को जन्म दिया। 'सादा जीवन, सादे विचार' के सिद्धान्त को ध्यान में रखते हुए कबीर ने उनके नाम 'कमाल' व 'कमाली' ही रखे (डूबा वंश कबीर का उपजे पूत कमाल) कुछ लोगों के मत में उनकी एक पत्नी और भी थी जिसके बच्चों के नाम निलाल व निलाली थे।

कबीर पढ़े-लिखे नहीं थे (मसि कागद छूयो नहीं, कलम गही नहिं हाथ) पर वे एक प्रगाढ़ पण्डित थे। जैनेन्द्रकुमार की भाँति, वे भी अपनी रचनाएँ लिखते नहीं थे; वे बोलते जाते थे और 'साधो' नाम के एक सज्जन उन्हें लिपिबद्ध करते जाते थे। कुछ रचनाएँ उन्होंने बाँसों पर उल्टा लेटकर भी बोली थीं और इन रचनाओं को इसी कारण 'उलटबाँसियाँ' कहकर भी पुकारा जाता है। संसार से विरक्त होते हुए भी, वे अपना पुश्तैनी धन्धा बखूबी करते रहे और साथ ही साथ साधु-सेवा में भी संलग्न रहे। वे जुलाहे, रँगरेज़, बढ़ई व धोबी को भी ईश्वर का ही दर्जा देते थे। खरी बात कहने के कारण वे काफ़ी अलोकप्रिय भी थे और 'इसी खरेपन के कारण वे कहीं-कहीं उद्दण्ड ही नहीं वरन् अश्लील भी हो जाते थे"। उनकी ऐसी कविता इस लेख के लेखक को बहुत पसन्द है। उनके नाम पर 'कबीर-पन्थ' भी चला जिसकी आगे चलकर मात्र बारह शाखाएँ ही हुईं। मिश्रबन्धुओं के अनुसार इस देश में लगभग नौ लाख कबीरपन्थी तो बीसवीं शती के प्रारम्भ में भी थे। फ़िलहाल सबसे प्रसिद्ध कबीर-पन्थी वाराणसी के डॉ. शुकदेव सिंह हैं जिनके घर का नाम 'कबीर-विवेक' ही है और जो तोता, देवता व शेर—इन तीनों प्राणियों के गुणों से युक्त हैं। कबीर को कभी भी अपने मन का गुरु नहीं मिला जिसका उन्हें सदा दुख रहा (ऐसा कोई ना मिला हमको दे उपदेश, भी सागर में डूबता कर गहि काढै केश)। कबीर के अनुसार मनुष्य की नैसर्गिक प्रवृत्ति पतन की ओर ही होती

है, ऊपर उठने का मार्ग तो सदा से कठिन ही रहा है। उनका राम 'अवतारी राम' से अलग है और बताये राम से विमुख रहना 'शूकर की योनि के समान' सुखदायक है। उनकी तीन चौथाई कविता उपदेशों से भरी है। वे संसार को मात्र एक हाट ही समझते थे और मनुष्य के शरीर को वे मात्र कुत्तों, शूकरों, कीडों-मकोड़ों व कौओं इत्यादि पशु-पक्षियों का भोजन ही स्वीकार करते थे। स्त्रियों की उन्होंने सदा निन्दा ही की जिससे पता चलता है कि वे काफ़ी मतिमान् व्यक्ति थे। कहीं-कहीं उन्होंने अपने को पत्नी व ब्रह्म को पति माना है जिससे उनकी हिम्मत का पता चलता है। उनके अनुसार उनके दुख को और लोग ठीक उसी तरह नहीं समझ सकते जैसे कि वन्ध्या स्त्री प्रसव की पीड़ा को नहीं जान पाती। भगवान से मिलन को उन्होंने 'विवाह' ही स्वीकार किया। (दुलहिनी गाओ मंगलाचार, हम घर आये हो राजा राम भरतार) गुणी व्यक्ति होने के कारण कबीर निर्गुणवादी होते हुए भी सगुण-भक्ति के विरुद्ध नहीं थे। कबीर के काव्य में प्रतीकों को बहुत महत्त्व दिया गया हालाँकि 'प्रतीक' व 'नया प्रतीक' निकालने की परम्परा 'अज्ञेय' ने बहुत बाद में डाली। कबीर ने केला, मछली, हाथी, ऊँट, भैंस, बैल, कुत्ता, बिल्ली, गधा, खरगोश, चूहा, चर्खा, बढ़ई व धोबी जैसे घरेलू पदार्थों को भी प्रतीकों के रूप में इस्तेमाल किया। वे चिन्तक थे, पण्डित थे, धर्मनिरपेक्ष थे और एकदम निर्भीक थे। "कहीं-कहीं उन्होंने अपने को पैगम्बर न मानते हुए भी वैसा होने की ध्वनि दी है।" वे क्या हिन्दू और क्या मुसलमान—दोनों के भयंकर आलोचक थे। "तू ब्राह्मण, हौं काशी का जुलाहा चीन्ह न मोर गियाना, तू भी बामन बामनी जाया और राह है क्यों नहि आया?"

कबीर की मृत्यु लगभग 120 वर्ष की आयु में सम्पन्न हुई। ज़िला आज़मगढ़ (उत्तर प्रदेश) में स्थित मगहर नामक स्थान पर उनकी मज़ार व समाधि पास-पास स्थित हैं। जनश्रुति के अनुसार उन्हें 94 वर्ष की आयु में सुल्तान सिकन्दर लोदी के हुक्म से हाथी से कुचलवा दिया गया था। मगर कबीर जैसे महान् सन्त को क्या कोई सुल्तान कभी ख़त्म कर सकता है? कबीर ने अपनी फ़क़ीरी ही में दुनिया जीत ली (रमैया की दुल्हन लुटत बज़ार) (कहत कबीर पुकार के, अद्भुत कहिए ताहि।)

कबीर का परिचय संसार को देने वालों में गुरुदेव रवीन्द्रनाथ ठाकुर कदाचित् सर्वप्रमुख हैं। वे स्वयं भी कबीर से प्रभावित थे। जब एक हिन्दी-कवि को गुरुदेव से मिलवाया गया तो उन्होंने पूछा कि "क्या हिन्दी में कोई कवि भी है?" उस हिन्दी-कवि ने तपाक से जवाब दिया कि "हिन्दी में तो ऐसे-ऐसे कवि हैं कि जिनसे प्रेरणा पाकर कुछ लोग तो विश्व-कवि तक कहलाने लगे।" कबीर का पुनर्जन्म सन् 1911 में मिथिला-प्रदेश में हुआ। इस नये कबीर को लोगों ने अन्ततः नागार्जुन कहकर पुकारा। नागार्जुन ने आम आदमी की पीड़ा को कला के रूप में साकार किया और जीवन के अन्तिम चरण में लाखों रुपयों के इनाम भी प्राप्त किये। जब उनके सारे कष्ट दूर हो गये और इसी कारण जब वे चुक गये तो 'साहित्य-अकादमी' ने उन्हें

अपना 'फ़ैलो' मनोनीत कर, उन्हें अपना सबसे बड़ा सम्मान दिया।

कबीर के विशाल काव्य में से कुछ चुने हुए अंश यहाँ प्रस्तुत करता हूँ। इन अंशों को पढ़कर शायद आप भी मेरे इस मत से सहमत होंगे कि यदि कबीर चाहते तो एक श्रेष्ठ शृंगारी कवि भी हो सकते थे। सब से अन्त में जो दो काव्यांश हैं, वे दो 'उलटबासियाँ' हैं। वे कबीर की विनोदी वृत्ति का परिचय भी देती हैं :

(एक)

चल हंसा वह देश जहँ पिया बसैं चितचोर
सुरत सुहागिन है पनिहारिन भरे ठाट बिन डोर,
वहि देसवाँ बादर ना उमड़े, रिमझिम बरसे मेह
चौबारे में बैठ रहो ना, जा भीजह निर्देह,
वाहि देस में नित्त पूर्निमा कबहूँ न होय अँधेर
एक सूरज कै कवन बतावै, कोटिन सूरज उजेर

(दो)

समुझ देख मन मीत पियरवा, आसिक होकर सोना क्या रे
पाया हो तो दे ले प्यारे, पाय पाय फिर खाना क्या रे
जब अँखियन में नींद घनेरी, तकिया और बिछौना क्या रे
कहे कबीर प्रेम का मारग, सिर देना तो रोना क्या रे

(तीन)

चुनिया हमारी पिया ने सँवारी
कोई पहिरे पिय की प्यारी,
आठ हाथ की बनी चुनरिया
पाँच रंग पटियापारी,
चाँद सुरुज जामें आँचल लागे
जगमग जोति उजारी,
बिनु ताने ये बनी चुनरिया
दास कबीर बलिहारी,
बालम आओ हमारे गेह रे
तुम बिन दुखिया देह रे

(चार)

नैहर में दाग़ लगाय आय चुनरी।

ऊ रँगरेजवा के मरम न जाने
नहिं मिले धुबिया, कौन करे उजरी।
पहिर ओढ़ के चलि ससुररिया
गौवाँ के लोग कहैं बड़ी फुहरी।
कहें कबीर सुनो भाई साधो
बिन सतुगुरु कबहूँ नहिं सुधरी।

(पाँच)

चुनरी में परि गया दाग़ पिया।
पाँच तन्त की बनी चुनरिया
सोलह सै बन्द लागै जिया।
यह चुनरी मेरे मैके ते आयी
ससुरा में मनुआ खोय दिया।
मलि मलि धोयी, दाग़ न छूटै
ग्यान को साबुन लाय पिया।
कहै कबीर दाग़ न छुटिहै
जब साहेब अपनाय लिया।

(छह)

नारी की झाँई परत अन्धा होत भुजंग
कबिरा तिनकी कौन गति, नित नारी के संग

(सात)

भैंस दामिनी, आशिक चूहा, मेंढक ताल लगावै
चोल्हा पहिर गदहिया नाचे, ऊँट बिसनु पद गावै
आग डारि चढ़ै कछुआ तोड़े, गिलहरि चुन चुन लावै
कहत कबीर सुनो भाई साधो, बगुला भोग लगावै।

(आठ)

बाबाजी को देखकर परी बिलइया फूट
ब्रह्मा, विष्णु, महेश को क्षण में लीन्हा लूट,
क्षण में लीन्हा लूट, इन्द्र के गल में लटकी
नारद मुनि की पूँछ पकड़ कर दीन्हीं पटकी,
कहते दास कबीर पकर श्रृंगी ऋषि पटको

दुरवासा पारासर पटक दिया गोरख को

(दो)

'सूर सूर, तुलसी ससी, उडगन केशवदास' वाली कहावत के अनुसार सूरदास हिन्दी के सर्वश्रेष्ठ कवि हैं। इनका जन्म शायद सन् 1478 में दिल्ली से चार कोस पर बसे सीही गाँव में हुआ। युवावस्था में ही ये वैरागी हो गये थे और दिल्ली-मथुरा मार्ग पर यमुना-तट पर स्थित गऊघाट नामक स्थान पर रहने लगे थे। यहीं इनकी भेंट वल्लभाचार्य से हुई थी। वे इनके गायन से बहुत प्रभावित हुए और उन्होंने इन्हें दीक्षा देकर 'पुष्टिमार्ग' में शामिल किया और श्रीनाथजी के मन्दिर में कीर्तन का काम सौंपा। लाला भगवानदीन के अनुसार "ये रुनकुता ग्राम के निवासी थे। इनका असली नाम सूर्यदास या सूरजदास था। ये जन्म से अन्धे नहीं थे। पढ़-लिखकर कवि होने के बाद अन्धे हो गये हों, ऐसा मानने में कोई हर्ज़ नहीं। अन्धा होने पर ये जब किसी काम के योग्य नहीं रहे, तब गऊघाट पर रहने लगे। ईश्वर-भक्ति के भजन सुनाकर पथिकों से जो मिल जाता था, उसी में मस्त रहते। इनके विवाह और सन्तान के बारे में कुछ भी पता नहीं चलता। वल्लभाचार्य इनके पद सुनकर इन्हें ब्रज ले आये और सूरदास उनके चेला हुए। श्री वल्लभाचार्य के पुत्र विट्ठलनाथ ने इन्हें अष्टछाप के कवियों में प्रमुख माना।" नाभादास के एक छप्पय के अनुसार ये भगवद्भक्त थे और अन्धे थे। ये एक प्रसिद्ध गायक भी थे। 'चौरासी वैष्णवन की वार्ता' के अनुसार ये अन्धे नहीं थे क्योंकि "सूरदास जी आचार्य श्री महाप्रभून को दर्शन करि के आगे आय बैठे" वाली पंक्ति इस मत की पुष्टि करती है क्योंकि अन्धा व्यक्ति दर्शन कैसे कर सकता है? एक छन्द के अनुसार-जैसा कि मिश्रबन्धुओं का कहना है—ये भाट थे। कुछ विद्वान् तो इन्हें चन्दवरदाई का वंशज मानते हैं। जनश्रुति के अनुसार इनकी भेंट सम्राट् अकबर व गोस्वामी तुलसीदास से हुई थी। 'भक्तमाल' के अनुसार ये बचपन में ही कुएँ में गिर पड़े थे जहाँ इन्होंने छह दिन पूर्ण विश्राम किया था। सातवें दिन किसी दयावान व्यक्ति ने इन्हें कुएँ के बाहर निकाला मगर उसने सूरदास को अपना नाम नहीं बताया। सूरदास ने समझा कि भगवान श्रीकृष्ण ही ने उनके प्राण बचाये हैं। उन्होंने उलाहने में एक दोहा पढ़ा (बाँह छुड़ाये जात हो निबल जानिके मोहि, हिरदै सौ जब जाइहौं मरद बदौंगे तोहि) लगभग यही बात एक रूपवती रमणी ने एक बार इस लेख के लेखक को भी कही थी। तीन या चार सूरदास और भी हुए हैं सूरदास के सिवा। उदाहरणार्थ मदनमोहन सूरदास नामक एक और व्यक्ति अकबर के दरबारी थे और बादशाह ने प्रसन्न होकर उन्हें सण्डीला में अमीन नियुक्त किया था। वे कवि भी थे और गायक भी। वे बड़े सफल अमीन साबित हुए क्योंकि वे लोगों को गाना सुना-सुनाकर कर वसूली किया करते थे। सण्डीले में लड्डुओं की सबसे पहली दुकान शायद उन्होंने ही खोली थी और उनका चलाया

वह कारोबार अभी तक चला आ रहा है हालाँकि अब वहाँ लड्डू तो सख़्त बनते हैं पर हँडिया बड़ी कच्ची बनने लगी है। महँगाई ने सबका चरित्र बदल दिया। सूरदास को छोड़कर अष्टछाप के अन्य कवि (जैसे नन्ददास) साम्प्रदायिक विचार रखते थे।

सूरदास की प्रमुख कृति 'सूरसागर' है जिसमें सवा लाख पद होने की बात कही गयी है। लाला भगवानदीन के शब्दों में "सूरसागर के जितने भी संस्करण मिलते हैं उनमें कुल मिलाकर दस हज़ार पद होंगे। मगर सवा लाख पदों वाली प्रतियाँ हैं पर वे ऐसे लोगों के पास हैं जो उन्हें छिपाने में ही अपना महत्त्व समझते हैं।" (बाबू श्यामसुन्दर दास ने रामचरितमानस की स्वयं गोस्वामी तुलसीदास के हस्तलेख में लिखी एक प्रति एक दरिद्र ब्राह्मण के घर से कलेक्टर की मदद से चोरी करवा के प्राप्त की थी मगर उतना साहस सबमें नहीं होता। बाबू श्यामसुन्दर दास को रायसाहब या रायबहादुर कोई यूँ ही थोड़े बना दिया गया था। अँग्रेज़ सरकार गुणियों की ही इज़्ज़त करती थी, कायरों की नहीं। राजा लक्ष्मण सिंह को राजा की उपाधि और बहुत बड़ी जागीर मात्र इस कारण दी गयी थी क्योंकि 1857 के ग़दर में उन्होंने कम्पनी-सरकार की जी तोड़कर मदद की थी। वे उन दिनों आगरा के आसपास डिप्टी-कलेक्टर थे। राजा और जागीरदार बनने के बाद उन्होंने 'मेघदूत' का ब्रजभाषा में अनुवाद किया मगर इधर की गयी खोज से पता लगता है कि यह अनुवाद कुछ धन के बदले एक और विपन्न कवि ने सम्पन्न किया था)। बहरहाल असली "सूरदास का 'सूरसागर' एक प्रबन्ध काव्य न होने के कारण महाकाव्य नहीं है।" नन्ददुलारे वाजपेयी ने इसे 'शृंगार-प्रधान काव्यग्रन्थ' कहकर पुकारा है जो एकदम ठीक है। गोस्वामीजी के अनुसार सूरदास 'पुष्टिमार्ग का जहाज़' थे। कुछ लोगों के अनुसार और सब कुछ होने के साथ-साथ वे उद्धव के अवतार भी थे—ठीक उसी प्रकार जैसे कि सत्य-साईं बाबा (जिनके आश्रम पर पुलिस ने पिछले दिनों छानबीन की थी) सिरडी के साईं बाबा के अवतार रहे।

'सूरसागर' नामक गीती-काव्य में भगवान् कृष्ण का चरित्र लिखा गया है। "यूँ तो सारे ही प्रसंग अत्यन्त मार्मिक व कलात्मक हैं पर रासलीला के कृष्ण और राधा के जो प्रेम प्रसंग हैं उनमें कवि ने अपनी कलम के साथ-साथ मर्यादा की सीमा भी तोड़ दी है। सूरदास के शृंगारी प्रसंग सस्ते, बाज़ारू व अश्लील तक हो गये हैं। कृष्ण जी गोपियों को पतिव्रता होने की सलाह देते हैं पर जब वह कठिन पाठ उनकी समझ में नहीं आता तो कृष्ण उनके सम्पूर्ण समर्पण को स्वीकार कर लेते हैं। वे गोपियों के साथ और राधा के साथ एकाकार हो जाते हैं और इस प्रकार इन सब सुन्दर रमणियों को स्वर्गीय आनन्द की अनुभूति प्रदान करते हैं। भगवान के द्वार से खाली हाथ कोई नहीं लौटता। भक्ति-शृंगार के क्षेत्र में जयदेव, विद्यापति और बंग्ला के वैष्णव भक्त-कवि, सूरदास से सचमुच बहुत पीछे छूट जाते हैं, इसमें कोई सन्देह नहीं। भागवत् (जो सूरसागर का आधार है) भी पीछे रह जाती है। गोपियों

की सही संख्या सोलह हज़ार एक सौ आठ थी। कृष्ण एक-एक रात एक-एक गोपी के साथ व्यतीत करते हैं और फिर उसी रात्रि को वेश बदलकर दूसरी गोपी को पवित्र करते हैं। यह सारा वर्णन नितान्त निर्लज्जता से भरा है। भगवान् कृष्ण को सूरदास ने भगवान् के स्थान पर एक व्यभिचारी ही दिखाया है जो कवि की सुरुचि का परिचायक नहीं है। राधा तो कृष्ण की चिरन्तन भोग्या हैं पर वे जो कृष्ण के लिए और गोपियों के मध्य प्रेमप्रचार करती हैं और उन्हें कृष्ण के लिए जुटाती हैं, वह कहाँ तक ठीक है?" मैं नन्ददुलारे वाजपेयी की स्पष्टवादिता और निर्भीकता की प्रशंसा करता हूँ। यदि वे अपनी श्रृंगारी-वृत्ति पर कुछ नियन्त्रण रखते तो सूरदास निश्चित रूप से हिन्दी के महानतम कवि माने जाते। अपनी इस कमी के बावजूद वे इतने बड़े हैं कि कुछ कहा नहीं जा सकता। कविता रही सो कबिरा कहिगा सूरै कही अनूठी, रही सही कठमलिया कहिगा और कहैं सो जूठी। किधौं सूर को सर लग्यो किधौं सूर की पीर, किधौं सूर को पद लग्यो तन मन धुनत सरीर। शरीर वह गोपी भी धुनती थी जो कृष्ण को किसी और गोपी के साथ रति करते देखती थी और अपनी बारी की प्रतीक्षा करती थी।

इस मधुरतम हिन्दी-कवि की मृत्यु पारसोली नामक स्थान पर सन् 1580 में सम्पन्न हुई। जनश्रुति के अनुसार यह वही स्थान था जहाँ रासलीला रचायी जाती थी। इनकी मृत्यु के समय स्वामी विट्ठलनाथ वहाँ उपस्थित थे। "मृत्यु के समय गोस्वामीजी ने उनसे पूछा कि "नेत्र की वृत्ति कहाँ है?" इसके उत्तर में सूरदास ने 'खंजन नैन रूप रस माते' वाला पद पढ़ा और शरीर छोड़ दिया।" यदि गोस्वामीजी यह प्रश्न न पूछते तो शायद सूरदास कुछ दिन और खींच जाते। अमृतलाल नागर ने बहुत परिश्रम करके उनके जीवन पर 'खंजन-नयन' नामक उपन्यास लिखा जो किसी भी दृष्टि से एक सफल कृति नहीं कहा जा सकता। हाँ, यह मैं अवश्य स्वीकार करता हूँ कि सूरदास जैसे महान् कवियों में भविष्य को झाँकने की अलौकिक शक्ति होती थी। मेरा जन्म सन् 1930 में हुआ पर सूरदास ने सैकड़ों वर्ष पहले मेरी चर्चा कर दी। और देव सब रंक भिखारी, त्यागी बहुत अनेरे। इसी प्रकार मुंशी प्रेमचन्द ने मेरे जन्म से काफ़ी पहले 'त्यागी का प्रेम' नामक एक कहानी लिखी। और पन्तजी ने तो मुझे सार्वजनिक रूप से ही डाँट दिया और कहा—त्यागी बन कर पामर, तुम रिक्त रह गये, प्रभुता के क्षण में। सूरदास सचमुच महान् थे, सचमुच अन्धे थे। और महाकवियों ने भी मेरी चर्चा की है पर अपने मुँह अपनी प्रशंसा करना मुझे शोभा नहीं देता।

सूरदास भक्तिकालीन कवि हैं। विदेशियों से पराजित होने के बाद हमारे कवि या तो भक्त हो गये या फिर नायिका की बाँहों में सो गये। इसके अलावा और चारा ही क्या था?

(तीन)

गोस्वामी तुलसीदास कदाचित् हिन्दी के सर्वश्रेष्ठ कवि हैं मगर यह होते हुए भी उनके लौकिक जीवन के प्रति हमें बहुत कम ज्ञात है और जो कुछ ज्ञात है, वह मतभेदों से भरा पड़ा है। गोस्वामीजी का जन्म सन् 1532 में बाँदा ज़िले के राजापुर नामक स्थान पर सम्पन्न हुआ था। इनका असली नाम 'रामबोला' था क्योंकि जन्म के समय इनके मुख से 'राम' शब्द निकला था। गीता प्रेस, गोरखपुर से छपी रामायण के अनुसार ये जन्म के समय रोये नहीं थे और जन्म के समय इनके मुख में बत्तीस दाँत थे और इनका डीलडौल पाँच वर्ष के बच्चे जैसा था। इनकी माता का नाम हुलसी था और इनको असाधारण देखकर वे इनको जन्म देने के बाद अगले ही दिन स्वर्ग सिधार गयी थीं। इनका पालन-पोषण चुनिया नामक दासी ने किया मगर लगभग पाँच वर्ष बाद उसकी भी मृत्यु हो गयी। कुछ लोगों के अनुसार हुलसी इनकी माता न होकर इनकी पत्नी थी। तुलसीदास अनाथ हो गये और द्वार-द्वार भटकने लगे (बारे ते ललात बिललात द्वार द्वार दीन, जाचत हो चारि फल चारि हो चनक को) निर्धन होने के कारण इनका विवाह पच्चीस वर्ष की आयु में ही हो पाया पर उनकी पत्नी रत्नावली एक परम रूपवती रमणी थी और तुलसीदास उसके प्रति बुरी तरह आसक्त थे। ये उसे एक दिन के लिए भी अपने से अलग नहीं रख सकते थे। कुछ विद्वानों ने रत्नावली द्वारा रचित एक पुस्तक की खोज भी कर ली है। पत्नी के उपालम्भ पर इन्हें संसार से वैराग्य हो गया हालाँकि तब तक ये एक पुत्र के पिता हो चुके थे। वैरागी होने के बाद इन्होंने स्वामी नरहरिदास से दीक्षा ली और फिर मथुरा, वृन्दावन, कुरुक्षेत्र, प्रयाग, चित्रकूट, जगन्नाथपुरी और शूकर तीर्थ की यात्रा की हालाँकि इनका मुख्य वास काशी में ही रहा। एक प्रेत के प्रभाव से इन्हें हनुमान् जी के दर्शन हुए और हनुमान जी की कृपा से चित्रकूट में इन्हें भगवान् राम के दर्शन हुए (चित्रकूट के घाट पर भई सन्तन की भीर, तुलसीदास चन्दन घिसैं तिलक देत रघुवीर) इन्होंने संस्कृत में काव्य-रचना प्रारम्भ की मगर भगवान् शंकर के स्वप्नादेश पर इन्होंने अवधी का उद्धार किया। ये अयोध्या चले गये और 'रामचरितमानस' लिखने में जुट गये। लोगों ने पुस्तक को चुराने की कोशिशें भी कीं पर वे सफल न हो सके। महापण्डित मधुसूदन सरस्वती ने पुस्तक की प्रशंसा की और उसके बाद उन्हें वह ख्याति प्राप्त हुई जो कि बाद में मुंशी प्रेमचन्द व बच्चन को छोड़कर किसी और हिन्दी-साहित्यकार को नहीं प्राप्त हुई। कुछ विद्वानों के अनुसार इनकी आयु मात्र 126 वर्ष हुई।

सम्राट् अकबर का शासनकाल धार्मिक उदारता व कविता का काल था। रहीम, गंग, राजा मानसिंह, राजा बीरबल, राजा टोडरमल और स्वयं सम्राट अकबर भी कविता रचते थे। गोस्वामीजी का अब्दुर्रहीम ख़ानख़ाना से परिचय था। नाभादास इनके मित्र

थे। सूरदास के दर्शन तुलसीदास ने किये थे। टोडरमल के कुटुम्बियों में जब कलह हुई तो गोस्वामीजी को ही पंच बनाया गया। उनके हाथ का लिखा फ़ैसला महाराजा बनारस के यहाँ अभी भी सुरक्षित रखा है। शुरू-शुरू में पण्डितों को गोस्वामीजी से बड़ी ईर्ष्या व शत्रुता हुई, पर गोस्वामीजी ने उनकी ओर कोई ध्यान नहीं दिया (धूत कहौ अवधूत कहौ रजपूत कहौ जोलहा कहौ कोई, काहू की बेटी से बेटा न व्याहब काहू की जाति बिगार न सोऊ) मगर बाद में सभी लोग उन्हें वही सम्मान देने लगे जो कभी ऋषियों और मुनियों को दिया जाता था।

तुलसीदास का काव्य 'नानापुराणनिगमागमसम्मत' है और संस्कृत की 'प्रसन्नराघव' व 'आर्यासप्तशती' इत्यादि प्राचीन पोथियों से उन्होंने बहुत कुछ ग्रहण किया है। उन्होंने अनेक पुस्तकें लिखीं पर रामायण के बाद सबसे ज़्यादा जनप्रिय पुस्तक 'हनुमानचालीसा' ही है जिसकी बिक्री 'मधुशाला', 'गोदान', 'साकेत', 'कामायनी', 'चित्रलेखा' व 'गुनाहों के देवता' से भी कहीं ज़्यादा हुई है। सामान्य तौर पर गोस्वामीजी ने स्त्रियों की कसकर निन्दा की है। मिश्रबन्धुओं के अनुसार "बैरागी होने के कारण उच्च-श्रेणियों की स्त्रियाँ इनसे नहीं मिलती होंगी और केवल निम्न-श्रेणियों की स्त्रियों को ही वे इधर-उधर देखते होंगे। अतः स्त्रियों के विषय में उनका अनुभव अच्छा नहीं था।" डॉ. कुबेरनाथ राय के अनुसार 'ढोल गँवार शूद्र पशु नारी, यह सब ताड़न के अधिकारी' जैसी चन्द चौपाइयाँ शायद क्षेपक हैं जब कि पण्डित श्रीनारायण चतुर्वेदी के अनुसार स्त्रियों के सन्दर्भ में 'ताड़न' का प्रयोग करना कुछ गुप्त प्रयोजन रखता है। मिश्रबन्धुओं के अनुसार "शूर्पणखा कोई व्यभिचारी स्त्री नहीं थी, वह तो रामचन्द्रजी से (और बाद में उनके आदेश पर चिरंजीव लक्ष्मण जी से) विधिवत् विवाह करने गयी थी। हाँ, अपने विधवा होने की बात को उन्होंने अवश्य छिपाया था पर इतनी-सी भूल के लिए उनके नाक और कान काट लेना क्या उचित था?" गोस्वामीजी एक विनोद-प्रिय व्यक्ति थे और शायद इसी कारण उन्होंने शूर्पणखा की नाक कटवायी थी। 'लक्ष्मण-परशुराम संवाद', 'रावण-अंगद संवाद' और अन्य कितने ही प्रसंग गोस्वामीजी की हास्य-प्रियता पर प्रकाश डालते हैं। उनके समय में देश की जनता काफ़ी दुखी थी। जीविकाविहीन लोग सीद्यमान सोच सब, कहे एक एकन सौ कहाँ जाए का करी।

'रामचरितमानस' अनेक विरोधाभासों के बावजूद हिन्दी का उत्कृष्टतम काव्य-ग्रन्थ है। हजारीप्रसाद द्विवेदी के शब्दों में "उनका समस्त काव्य समन्वय की विराट् चेष्टा है। लोक और शास्त्र का समन्वय, गार्हस्थ्य व वैराग्य का समन्वय, भक्ति और ज्ञान का समन्वय और कथा व तत्त्वज्ञान का समन्वय, ब्राह्मण और चाण्डाल का समन्वय और पाण्डित्य व अपाण्डित्य का समन्वय।"

वैराग्यवान हो जाने के बाद तुलसीदास की भेंट अपनी पत्नी से एक बार हुई थी और एक दोहा पढ़कर पत्नी ने उनसे उसे अपने ही साथ रखने का अनुरोध

भी किया था। पर समन्वयवादी होने पर भी गोस्वामीजी इस अनुरोध को स्वीकार नहीं कर सके। उन्होंने ब्रजभाषा में कृष्ण की जीवन-गाथा भी लिखी। उन पर लिखा अमृतलाल नागर का उपन्यास (मानस का हंस) सचमुच एक उत्कृष्ट कृति है हालाँकि पत्नी द्वारा प्रताड़ना देने वाला सर्वाधिक महत्त्वपूर्ण अंश यहाँ भी कमज़ोर है। तुलसीदास की सर्वश्रेष्ठ कथा 'निराला' ही ने अपने खण्डकाव्य 'तुलसीदास' में लिखी। उनकी इस चरम सफलता का एक कारण यह भी था कि कभी वे भी 'समन्वय' नामक पत्रिका में काम कर चुके थे।

गोस्वामी तुलसीदास की मृत्यु सन् 1623 में काशी में हुई (संवत् सोरह सो असी असी गंग के तीर, श्रावण शुक्ला सप्तमी तुलसी तजो शरीर)। पिछली बार जब मैं वाराणसी गया तो मैं प्रसाद जी की प्रसिद्ध दुकान, भारतेन्दु हरिश्चन्द्र का भव्य मकान तथा गंगाजी का असीघाट भी देखकर आया। चोला मगन हो गया। महाकवि ग़ालिब के शब्दों में बनारस जाकर वहाँ से लौटने की इच्छा किसे होती है?

(चार)

महाकवि केशवदास का जन्म सन् 1555 में हुआ था। ये ओरछा के निवासी थे। ये तीन भाई थे और तीनों ही कवि थे। कविता करना इनका पारिवरिक धन्धा था। ओरछा के राजा इन्द्रजीत सिंह ने अपनी इन्द्रियों को जीतने के बाद केशवदास को इक्कीस गाँव दिये थे। (भूतल को इन्द्र इन्द्रजीत जीवे युग युग, जाके राज केसोदास राज सो करत है) जब जहाँगीर इलाहाबाद का सूबेदार था तो उसने राजा इन्द्रजीत से कहकर अबुलफ़ज़ल की (जो दक्षिणी भारत के दौरे से लौट रहा था) हत्या सम्पन्न करवा दी। इस शुभ-कार्य के करने से सम्राट अकबर को बड़ा दुख पहुँचा और उन्होंने राजा इन्द्रजीत सिंह पर एक करोड़ रुपयों का जुर्माना किया जिसे माफ़ कराने कवि केशवदास आगरा गये। राजा इन्द्रजीत सिंह संगीत के प्रेमी थे और मात्र संगीत के लिए ही अपने दरबार में वेश्याओं को रखते थे। इन देवियों में रायप्रवीण नाम की वेश्या ग़ज़ब की हसीन थी और वह राजा को रात्रि के समय प्रत्येक मामले में 'राय' देने में भी 'प्रवीण' थी। उसके रूप की प्रशंसा सुनकर सम्राट अकबर ने उसे कुछ समय के लिए आगरा भी बुलवाया था। जब अकबर की मृत्यु हुई तो जहाँगीर सम्राट बने। उन्होंने बुन्देलखण्ड का पट्टा राजा वीरसिंह के नाम लिखा क्योंकि अबुलफ़ज़ल की हत्या वीरसिंह ने ही की थी जो राजा इन्द्रजीत सिंह के अनुज थे। राजा वीरसिंह गद्दी पर बैठे तो केशव भी उन्हीं के आश्रय में खिसक गये और 'वीरसिंहदेवचरित' की रचना की। वीरसिंह के बड़े भाई रतनसिंह थे और उनकी प्रशंसा में केशव ने 'रतन-बावनी' लिखी। राजा बीरबल, अब्दुर्रहीम ख़ानख़ाना और किसी सीमा तक राजा टोडरमल भी केशवदास के मित्र थे। बीरबल ने अपनी प्रशंसा में लिखे एक काव्य पर केशवदास को छह लाख का इनाम दिया और उन्हें 'अति-विशिष्ट-साहित्यकार' की

सनद दी। बाद में चलकर केशवदास ने सम्राट की प्रशंसा में 'जहाँगीर-जस-चन्द्रिका' लिखी। पण्डित जवाहरलाल नेहरू हिन्दी को जो दरबारी कविता कहते थे, वह एकदम ग़लत नहीं था। शेष समय में केशवदास ने रायप्रवीण नामक उपर्युक्त रमणी की सेवा की और साथ ही साथ 'रामचन्द्रिका' भी लिखी। वे सूर और तुलसी के समकालीन थे। वे एक रसिक व्यक्ति थे और यौवन बीत जाने का उन्हें बहुत दुख था। (केशव केसन अस करी जस अरिहूँ न कराहि, चन्द्रवदन मृगलोचनी बाबा कहि कहि जाहि) मिश्रबन्धुओं के अनुसार जितना धन लेखनी से केशव ने कमाया, उतना किसी को नहीं प्राप्त हुआ। आधुनिक काल के साहित्यकारों में देवकीनन्दन खत्री, मैथिलीशरण गुप्त, श्रीलाल शुक्ल, बच्चन, गुलशन नन्दा व प्रेमचन्द के सुपुत्र इनके समकक्ष बैठते हैं। इन विभूतियों ने मनोरंजन के साथ-साथ नये नैतिक मूल्यों की स्थापना भी की। देवकीनन्दन खत्री का साहित्य आध्यात्मिक है जिसमें बताया गया है कि मनुष्य का जीवन मात्र एक तिलिस्म है। श्रीलाल शुक्ल अपनी रचनाओं में 'शुक्ल' कम और 'लाल' अधिक रहे। चूँकि सारे पुरस्कार राज-दरबार से ही मिलने थे, उन्होंने अपने 'कथासरित्सागर' जमा 'अकबर-बीरबल विनोद' वाले कालजयी ग्रन्थ का नाम 'राग दरबारी' ही रखा। गुलशन नन्दा ने साबित कर दिखाया कि प्रेम ही सब कुछ है, बाक़ी तो वासना मात्र ही है। वासना से निबट कर जो प्रेम बचता है, वही पवित्र है। प्रेम में ही भगवान् हैं और प्रेम में ही भगवती बाई हैं। इनके बिना आप इस संसार-रूपी 'झील के उस पार' नहीं जा सकते। इन महान् रचनाकारों के सामने मुंशी प्रेमचन्द और महाप्राण निराला—जो विपन्नता ही में जिये और विपन्नता ही में मरे—कहीं ठहर सकते हैं? एक प्रवाद के अनुसार महाकवि बिहारीलाल, महाकवि केशवदास के पुत्र थे।

केशवदास कवि भी थे और आचार्य भी थे। उन्होंने अनेक संस्कृत-ग्रन्थों से खुले-आम चोरी की और शृंगार के वर्णन में कलम तोड़ दी (कहा को सिंगार कै बिगारती है मेरी आली, तेरे अंग बिना सिंगार के सिंगार हैं)। आलोचकों ने उनकी संवेदनशीलता की कमी के कारण उन्हें 'हृदयहीन' तथा कहीं-कहीं भाषा की जटिलता के कारण 'कठिन काव्य का प्रेत' कहकर पुकारा है। 'रामचन्द्रिका' ब्रजभाषा में है। केशवदास संस्कृत, प्राकृत व अपभ्रंश भाषाओं को जानते थे और वैसे भी वे एक बहुश्रुत व्यक्ति थे। उन्होंने 'रामचन्द्रिका' को ऐसा अखाड़ा बनाया जिसमें उनकी बहुज्ञता पूरी उछलकूद कर सकी। वे एक भटके हुए कवि थे और साहित्यिक-अजीर्ण से पीड़ित थे। उन्हें नाटकीयता का शौक़ था। उन्होंने गीदड़ की और खजूर के पेड़ की भी चर्चा की है और कई स्थानों पर इलायची, लौंग और सुपारी के वृक्षों को बिहार में उगता दिखाया है। उनकी मृत्यु सन् 1617 में हुई। रीझि है सुकवि जो तो जानो कविताई, न तो राधिका गुविन्द सुमरिन को बहानो है।

(पाँच)

अपनी एक छोटी-सी पुस्तक के सहारे अमर हो जाने वाले कवि नरोत्तम दास के जीवन के बारे में हमें कुछ भी ज्ञात नहीं है। 'शिवसिंह-सरोज' नामक पोथी के अनुसार वे सन् 1545 में जीवित पाये गये थे। कृष्ण के शाप से सुदामा दरिद्र हो गये थे और अन्त में उन्हीं की कृपा से वे धनवान बने। 'सुदामा-चरित' एक ऐसा खण्ड-काव्य है जो कहीं-कहीं पाषाण-हृदय वाले व्यक्ति को भी रुलाने की शक्ति रखता है (पानी परात को हाथ छुयो नहीं, नैनन के जल से पग धोये) सुदामा की पत्नी एक चतुर स्त्री थी और द्वारिका के राजा कृष्ण की पत्नी रुक्मिणी भी एक दानिशमन्द मुसम्मात थी। यदि वह न रोकती तो कृष्ण जी तीनों लोकों की सम्पत्ति सुदामा को ही दे डालते और स्वयं सुदामा बन जाते। उस स्थिति में यदि कृष्ण महामहिम सुदामा के पास जाते तो पता नहीं कि उन्हें क्या मिलता।

जिस व्यक्ति-विशेष ने नरोत्तमदास को सन् 1545 में जीवित-पाया था, उसके बारे में भी हमें कोई ज्ञान नहीं है। मेरे विचार में वह भी कालान्तर में दिवंगत हो गया होगा।

(छह)

मलिक मुहम्मद जायसी का जन्म ज़िला रायबरेली में जायस नामक स्थान पर सन् 1494 में हुआ था। कुरूप होने के साथ-साथ वे काने और बूचे भी थे। बादशाह शेरशाह सूरी को जब उन्हें देखकर हँसी आयी तो जायसी ने पूछा कि "मोह का हँसेसि कि कोहरहि?" जनश्रुति के अनुसार शेरशाह ने उनसे क्षमा माँगी थी। जायसी एक किसान थे और अत्यन्त अतिथि-परायण थे। बाद में ये वैरागी हो गये और फ़क़ीर बन गये। अमेठी के राजा इनका अत्यन्त सम्मान करते थे और उन्होंने उनके निवास के लिए एक घने जंगल में एक घर बनवा दिया था। जायसी की क़ब्र भी राजभवन के पास ही बनवायी गयी। जायसी की मृत्यु सन् 1542 में हुई। उन्होंने अपने जीवनकाल में सिकन्दर लोदी, इब्राहीम लोदी, बाबर, हुमायूँ व शेरशाह का शासन देखा।

जायसी की प्रमुख कृति 'पद्मावत' नामक काव्य है जो 'घरेलू अवधी' में लिखा गया। लिपि प्रायः फ़ारसी की थी। पं. रामचद्र शुक्ल ने जायसी को लेकर बहुत काम किया। 'पद्मावत' में राजा रत्नसेन, रानी पद्मावत, हीरामन तोता और सुल्तान अलाउद्दीन ख़िलज़ी की कथा है जो काल्पनिक है। जैसा कि कवि ने स्वयं ही कहा कि रानी पद्मावत ईश्वर है, रत्नसेन साधक है, नागमती संसार है, तोता गुरु है, अलाउद्दीन माया है और राघवचेतन जो है, वह शैतान है। यह कथा पहले प्राकृत में 'रयणशेखर कहा' के नाम से लिखी हुई प्राप्त होती थी। इस प्रेमकथा में अनेक ऐसी

वस्तुओं की सूचियाँ भी गयी हैं कि मन ऊब जाता है। संयोग और वियोग के चित्र स्वाभाविक हैं जो मर्म को छूते हैं। नागमती रानी का विरह हर ऋतु में एक अलग शक्ल अख़्तियार करता है और इसी कारण उसे बारहमासा कहा गया है। जायसी के अनुसार प्राणी का सब कुछ (तन, मन, धन और यौवन) उसी का है जिससे वह प्यार करता है। हमारा लौकिक जीवन मात्र प्यार के माध्यम से ही आध्यात्मिक रूप ले सकता है, और किसी भाँति नहीं। मैंने कई रमणियों को जायसी का यह सरल सिद्धान्त समझाने की कोशिश की मगर परिणाम में जूते ही खाने को मिले। अलाउद्दीन ख़िलज़ी ने चित्तौड़ पर सचमुच हमला किया था, नगर को नष्ट किया था, रानी पद्मिनी सती हुई थीं और विजय के बाद जो क़त्लेआम हुआ था उसमें मात्र 30000 राजपूत मारे गये थे। यह सब इतिहासकारों को मान्य है पर 'पद्मावत' काव्य की कथा काफ़ी अलग है और वह इतिहाससम्मत नहीं मानी जाती है। इस पुस्तक का बँगला में भी अनुवाद प्राप्य है।

अलाउद्दीन ख़िलज़ी एक वीर व उदार पुरुष था। एक बार वह काफ़ी लाव-लश्कर के साथ शिकार खेलने गया। वहाँ उसकी सबसे ज़्यादा प्रिय व परम-रूपवती बेग़म एक नवयुवक सेनापति के साथ कहीं अकेली छूट गयी जो वह चाहती थी। उसने उस सजीले सेनापति को अपने यौवन की भड़कती ज्वाला को तुरन्त शान्त करने का आदेश दिया। वह आदेश का पालन कर ही रहा था कि कहीं से एक शेर प्रकट हो गया। वीर सेनापति ने प्रेम-क्रिया जारी रखी और एक तीर से शेर को भी मार गिराया। बेग़म उसकी गुलाम हो गयी। एक रात जब सुल्तान स्वयं उसी बेग़म से महलों में प्यार कर रहा था तो कहीं से एक चूहा निकल आया और रंग में भंग डालने लगा। सुल्तान ने बन्दूक तीन बार चलायी पर मूषकराज के प्राण गणेशजी की कृपा से बच गये। बेग़म ने सुल्तान की यह वीरता देखी तो उसकी हँसी फूट पड़ी। अलाउद्दीन ख़िलज़ी ने बेग़म से इस प्रकार हँसने का कारण पूछा तो बेग़म ने कुछ दिन की मोहलत माँगी। उसने प्रेमी सेनापति को सारी बात बतायी और जब वह शहर छोड़ गया, तभी बेग़म ने सारी कथा सुल्तान को सुनायी। कथा सुनकर सुल्तान ख़ुश हुआ और सेनापति की गिरफ़्तारी का वारण्ट जारी कराया। वह सेनापति अब हठी वीर हमीरसिंह का आश्रय ले चुका था और इस कारण सुरक्षित रहा। जो पाठकगण (और पाठिकागण) इस कथा को (या इसी प्रकार की अन्य नैतिक कथाओं को) सुनने में रुचि रखते हों वे मेरे मित्र डॉ. मनोहर लाल से सम्पर्क करें। मैं जायसी की संयोग-स्थिति का वर्णन करता हूँ और विषय बदलता हूँ। विहँसी झरोखे आइ सरेखी, निरखि साह दरपन में देखी। होतहि दरस पुरस भा लोना, धरती सरग भएउ सब सोना। रवि, ससि, नखत दिपहिं अहि जोती, रतन पदारथ मानक मोती। जहिं जहिं विहँसि सुभावहिं हँसी, तहँ तहँ छिटकि जोति परगसी।

(सात)

महाकवि केशवदास भक्तिकालीन कवि भी थे और रीतिकालीन कवि भी थे। उनके बाद सारे प्राचीन कवि ज़्यादातर रीतिकालीन ही रहे। रीतिकाल के कदाचित् सर्व-प्रमुख कवि बिहारीलाल थे जिनका जन्म सन् 1595 में हुआ था। विद्वानों के अनुसार इनका जन्म ग्वालियर के पास हुआ था मगर मेरे विचार में ये बिहार में कहीं जन्मे थे और इसी कारण इनका नाम 'बिहारी' था। इनकी ससुराल मथुरा में थी और काफ़ी समय तक ये घरजमाई रहे थे। महाकवि बिहारीलाल जयपुर के राजा महाराज जयसिंह के दरबारी कवि थे। जिन दिनों राजा साहब अपनी एक नयी और कमसिन रानी के साथ भोगविलास में इतने ज़्यादा व्यस्त रहते थे कि सारे काम-काज को एकदम भुला बैठे थे तब बिहारी के एक दोहे ने ही उनकी आँखें खोली थीं। (नहिं पराग, नहिं मधुर मधु नहिं विकास यहि काल, अली कली ही से बिंध्यो आगे कौन हवाल) उनकी मृत्यु सन् 1663 में सम्पन्न हुई। जयपुर के अतिरिक्त वे कुछ समय तक जोधपुर राज्य में भी रहे जहाँ राजा जसवन्तसिंह कविता के सच्चे मर्मज्ञ थे। बिहारी एक सन्तोषी व्यक्ति थे और जाति से मिश्रबन्धुओं ने इन्हें 'माथुर चौबे' बताया है। करी बिहारी सतसई भरी अनेक सवाद।

बिहारी की कविता 'बिहारी-सतसई' नामक एक छोटी-सी पोथी में संकलित है जिसमें सात सौ से कुछ ज़्यादा दोहे संग्रहीत हैं। बिहारी एक चमत्कार-वादी कवि हैं और उन्होंने काफ़ी माल संस्कृत की 'आर्यासप्तशती', 'गाथासप्तशती' व 'अमरुशतक' इत्यादि पुस्तकों से उड़ाया है। तौ पर वारौ उरबसी सुनि राधिके सुजान, तू मोहन के उर बसी ह्वै उरबसी समान। उनकी भाषा पर फ़ारसी का प्रभाव भी है। अतिशयोक्ति के मामले में वे उस्ताद हैं और ये अतिशयोक्तियाँ कहीं-कहीं उपहासास्पद तक हो गयी हैं। उनकी भाषा अत्यन्त व्यंजनापूर्ण और सुव्यवस्थित है। "उनकी इस छोटी-सी पुस्तक में जितना चमत्कार प्रकट होता है उतना चमत्कार हिन्दी का कोई भी कवि अपने महाकाव्यों तक में नहीं ला पाया।" वे बहुज्ञ और बहुश्रुत व्यक्ति थे जो 'अपने मतलब की बात कहीं भी ढूँढ़ निकाल लेते थे।' यूँ तो उन्होंने नायिका के क्या गुप्त और क्या प्रकट, सभी अंगों का विशद वर्णन किया है पर आँखों के वर्णन में उन्होंने कई कलमें तोड़ डाली हैं। "उनकी कविता में काइयाँपन भी है और इशारेबाज़ी भी है।" सच्ची बात तो यही है कि उर्दू की शैली में हिन्दी-कविता लिखने वाले वे प्रथम कवि हैं। "वे रसिक-शिरोमणि थे और उनकी काफ़ी कविता ऐसी है जो विवाहित स्त्री-पुरुषों के पढ़ने योग्य है" (मिश्रबन्धु) डॉ. ग्रियर्सन के अनुसार, बिहारी जैसी रचनाएँ यूरोप की किसी भी भाषा में नहीं हैं जब कि रेवरेण्ड एडविन ने इन्हें मात्र 'शब्दों का चतुर प्रयोक्ता' ही स्वीकार किया है। महाकवि बिहारी धार्मिक पाखण्ड से घृणा करते थे और इसी कारण उन्होंने एक पुराण-वाचक को व्यभिचारी दिखलाया

और एक मन्दिर को प्रेमी-प्रेमिकाओं के सहवास का नियमित स्थान बताया। कामदेव से पीड़ित बिहारी की नायिकाएँ स्थान का चुनाव नहीं करतीं, वे अपने प्रेमियों से एकाकार होने के लिए वन, खँडहर, कुंज और खेतों तक में जा पहुँचती हैं। हाँ, साथ में एक दूती ज़रूर रहती है। प्रेमी-युगल प्रेम करने से पूर्व प्रायः मदिरापान करता है और निर्लज्जता की चरम सीमा तक पहुँच जाने पर नायिका विपरीत-रति के लिए भी तैयार हो जाती है। बाक़ी वारदात आप सुनहले पर्दे पर देखिए, क्योंकि संयोग-काल की ऐसी कोई स्थिति नहीं है जिसकी ऊँचाई या गहराई महाकवि बिहारीलाल ने न जाँची हो। उनका विरह-वर्णन कमज़ोर है क्योंकि महाकवि स्वयं शायद विरह में कभी रहे ही नहीं थे। उनका प्रकृति-चित्रण मार्मिक है और हास्य से उन्हें चिढ़ है। "उनकी महान् उपलब्धि यह है कि अपने से छः सौ वर्ष पूर्व काल में रचे धर्मप्रधान काव्य की श्रृंखला तोड़कर, उन्होंने कविता को वास्तविक जीवन की दिशा में मोड़ा।" यह काम लगभग वैसा ही है जैसा कि बच्चन ने छायावाद के बाद किया। शुगल बेहतर है इश्क़बाज़ी का, क्या हक़ीक़ी क्या मज़ाज़ी का (सेज है, सुराही है, सुरा है और प्याला है; सुबाला है, दुशाला है, विशाल चित्रशाला है।)

(आठ)

महाकवि देव इटावा में रहते थे। इनका जन्म व मरण क्रमशः सन् 1673 व 1768 में हुआ। इन्होंने लगभग सत्तर ग्रन्थ रचे। कुछ विद्वानों के अनुसार इनका जन्म ज़िला मैनपुरी में हुआ और इन्होंने लगभग पचास ग्रन्थ रचे। ये सम्राट औरंगज़ेब के पुत्र आज़मशाह से परिचित थे मगर उत्तराधिकार के लिए जो युद्ध हुआ उसमें यह शहज़ादा हलाक़ हो गया। देव जो थे वे उर्दू के सम्मानित कवि 'वली' के समकालीन थे। देव को अपने जीवनकाल में ही काफ़ी यश मिल गया था। बाद में चलकर भारतेन्दु ने उन्हें 'कवि-शिरोमणि' कहकर पुकारा जब कि कुछ आलोचकों ने उन्हें 'सरस्वती का पुत्र' बताने की परम कृपा भी की! वे श्रृंगार को ही सर्वश्रेष्ठ रस मानते थे और जनश्रुति के अनुसार उनकी वाणी सिद्ध थी। वे जो कुछ भी कह देते थे, वह सच ही निकलता था। अपने आश्रयदाताओं से वे कभी सन्तुष्ट नहीं रहे हालाँकि उनके आश्रयदाता अनेक रहे। शहज़ादा के लिए इन्होंने 'अष्टयाम' तथा 'भवविलास' लिखा, दादरी के वैश्य भवानीदत्त के लिए 'भवानीविलास' रचा, फफूँद के रईस कुशलसिंह के लिए कुशलविलास' की सृष्टि की, उद्योतसिंह बैस के लिए 'प्रेमचन्द्रिका' लिखी, भोगीलाल के भोग के लिए 'रसविलास' लिखा और अकबरअली खाँ के लिए 'सुखसागर तरंग' बहायी। इन्होंने पर्यटन बहुत किया था और इसी कारण इन्हें प्रत्येक प्रान्त व जाति की सुन्दरियों के साथ सहवास का अवसर मिला। पुराने ग्रन्थों से वे अगली पोथियों के लिए काफ़ी सामग्री ले लिया करते थे और 'अज्ञेय' को छोड़कर शेष साहित्यकारों की भाँति इन्होंने भी अपने पूर्ववर्ती कवियों

से तस्करी की। जीवन के अन्त में वे दर्शनशास्त्र पढ़ने लगे और यह भी कहा कि सारे प्रेमों में पति और पत्नी का प्रेम ही सर्वश्रेष्ठ होता है (तब लौं ही शृंगार रस, जब लगि दम्पती प्रेम) स्वेद बढ़्यो तन, कँप उरोजनि, आँखिन आँसू, हाँसी कपोलनि।

देव सचमुच एक महान् कवि थे। उनमें जीवन के रस के प्रति मोह व इस असार संसार के प्रति विरक्ति—दोनों भावनाएँ साथ-साथ पायी जाती हैं (सदा न काहू के रही प्रियतम के गल बाँह, ढलते-ढलते ढल गयी सब तरुवन की छाँह।) बिहारी के काव्य से पाठक पहले चमत्कृत होता है और फिर अभिभूत होता है जब कि देव के काव्य को पढ़कर पाठक पहले अभिभूत होता है और फिर उसके शिल्प से चमत्कृत होता है (अंग अंग आगि ऐसे केसर के नीर लागे, चीर लागे जरन अबीर लागे दहकन) अनुप्रास की दृष्टि से भी वे कहीं-कहीं पद्माकर से पीछे नहीं पड़ते (कंजन कलिनमयी कुंजन अनिलमयी, गोकुल की गलिन नलिनमयी कै गयी) देव का सौन्दर्य-निरीक्षण अत्यन्त सूक्ष्म है। बिहारी चमत्कारवादी हैं, देव रसवादी हैं। बिहारी के काव्य में अलंकारों की छटा है, देव में अर्थगौरव है और मर्म को छूने वाली अलौकिक संवेदना है। देव की भाषा विशुद्ध है, मतिराम को छोड़कर किसी भी सुमति कवि ने उनकी जैसी शुद्ध ब्रजभाषा नहीं लिखी (रतिया अँधेरी, धीर तिरिया न धरति, मुख बतियाँ कढ़ति उठैं छतियाँ तपकि) (जागि जपि जी है विरहागि उपजी है अब, जीहै कौन बैरिनि बजी है बन बाँसुरी?) उनका वियोग-वर्णन बिहारी से कहीं आगे है (दीजिए दरस 'देव' कीजिए संजोगिनी ये, जोगिनि ह्वै बैठी हैं वियोगिनी की अँखियाँ। 'पन्त और निराला' की भाँति 'देव और बिहारी' में से कौन श्रेष्ठतर है, इसका फ़ैसला कोई भी आलोचक कभी नहीं कर पाएगा क्योंकि कुछ बात ऐसी है जो एक में ही है, दूसरे में नहीं। बहरहाल इस मुद्दे को लेकर फ़ारसी व संस्कृत के उद्भट विद्वान् पण्डित पद्मसिंह शर्मा ने अपना सारा समय बिना बात नष्ट किया। वे चाहते तो श्रेष्ठ मौलिक गद्य लिख सकते थे पर इस पचड़े के कारण 'हिन्दी में तुलनात्मक समालोचना के पिता' बनकर ही रह गये। मेरा अनुरोध है कि आप शर्मा जी की 'बिहारी-सतसई की भूमिका' तथा पं. कृष्णबिहारी मिश्र की 'देव और बिहारी' नामक पुस्तकें अवश्य पढ़ें। ऐसा करने से आपका विवाहित जीवन और सुखी होगा और जो अविवाहित हैं वे विवाह करना चाहेंगे। मगर गोरे गोल पदार्थ देखकर, आप लाल तिकोन को नहीं भूलेंगे। हर्गिज़ नहीं। (पैरे जहाँ ही जहाँ वह बाल, तहाँ तहाँ ताल में होत त्रिवेनी।) छलिया छबीलो छैल छाती छुवै चलो गयो।

(नौ)

मीरा का जन्म सन् 1498 में राजस्थान के मेड़ता राज्य में हुआ था। बचपन में क्रोध से झल्लाकर इनके दादा ने किसी अवसर पर यह कह दिया था कि 'तेरा दूल्हा तो

गिरिधर गोपाल ही होगा।' मीरा ने यह बात उम्र भर के लिए गाँठ में बाँध ली। इनका सांसारिक विवाह प्रसिद्ध सिसौदिया वंश के (मेवाड़ के नरेश) राणा साँगा के पुत्र कुँवर भोजराज से हुआ। मीरा ने तो कृष्ण जी को ही अपना पति स्वीकार कर लिया था और इसी कारण उसने इस सांसारिक विवाह की पूर्ण उपेक्षा की हालाँकि इनके सहृदय पति इनकी भावनाओं का सदा सम्मान करते रहे। पच्चीस वर्ष की कच्ची आयु में मीरा को वैधव्य का सुख भी प्राप्त हो गया। तीस वर्ष की आयु प्राप्त करने तक ये सब तरफ़ से अनाथ हो गयीं और कृष्ण जी के चरणों में पूरी तरह समर्पित हो गयीं। अब वे वैष्णव भक्तों के साथ कीर्तन करती थीं और कभी-कभी भावविभोर होकर नृत्य भी करने लगती थीं। राणा साँगा युद्ध में मारे जा चुके थे और नये राजा को रानी मीरा की ये हरकतें बेजा लगती थीं। उनकी भक्ति में अनेक बाधाएँ डाली गयीं और उनके प्राण लेने की चेष्टा भी कई बार की गयी। जनश्रुति के अनुसार मीरा व गोस्वामी तुलसीदास के बीच कभी-कभी पत्र-व्यवहार होता था और सम्राट अकबर ने महान् संगीतज्ञ तानसेन के साथ मीरा के दर्शन भी किये थे। वृन्दावन के जीव गोस्वामी ने मीरा से मिलने को मना कर दिया था क्योंकि वे स्त्रियों से नहीं मिलते थे। मीरा ने पूछा कि वृन्दावन में श्रीकृष्ण के अतिरिक्त क्या और कोई पुरुष भी रहता है? उनका व्यंग्य सुनकर वैष्णव-भक्त जीव गोस्वामी नंगे पाव ही मीरा की दिशा में दौड़े। अपनी भक्ति और रूप के कारण मीरा सारे देश में प्रसिद्ध हो गयी थीं और उनकी ख्याति व जनता की उनके प्रति श्रद्धा, समय के साथ-साथ बढ़ती ही गयी। जनम-जनम की क्वारी मीरा। मेरे तो गिरिधर गोपाल, दूसरा न कोई। भगवान् कृष्ण के अतिरिक्त इन्होंने कभी भी किसी और को अपना पति नहीं माना। इनकी मृत्यु सन् 1546 में हुई। मीरा के पद अपनी भक्ति की सघनता और अनुभूति की तीव्रता के कारण हमारे साहित्य की अमर निधि हैं। उनका काव्य विरह का महान् गीति-काव्य है। 'जाके सिर मोर मुकुट' वाले अपने पति की वे सदा प्रतीक्षा करती रहीं। उनकी ब्रजभाषा में राजस्थानी का हलका-सा पुट है और कहीं-कहीं फ़ारसी तथा खड़ीबोली के शब्द भी मिलते हैं। वे संसार से विरक्त थीं। सुमित्रानन्दन पन्त ने उन्हें 'राजपूताने के मरुस्थल की मन्दाकिनी' बताया है, जो एकदम ठीक है। उनकी अनेक पंक्तियाँ सदा-सदा के लिए अमर हैं। (कागा सब तन खाइयो चुनि चुनि खइयो मांस, दो नैना मत खाइयो, पिया मिलन की आस। लकड़ी जलि कोयला भई, कोयला जलि भई राख, मैं बिरहन ऐसी जली कोयला भई न राख) उनके पति भी एक ज़बर्दस्त प्रेमी थे और उसी सन्दर्भ में उनके प्राण गये थे। प्रेमचन्द की कहानी (मर्यादा की वेदी) इसी घटना पर निर्भरहै।

बीसवीं शताब्दी में शहर फ़र्रुख़ाबाद में मीरा ने सन् 1907 में फिर जन्म लिया। इस बार उनका नाम महादेवी वर्मा रखा गया। हालाँकि इनका विवाह मात्र नौ वर्ष की आयु में ही कर दिया गया था पर फिर भी इन्हें पति का कोई सुख नहीं मिला।

उनमें बौद्धिकता व भावुकता का अद्भुत मिश्रण था। वे भी अपनी वेदना अपनी कविता में ही उतारती रहीं। दरद की मारी वन वन डोलूँ, वैद मिल्या नहीं कोई, मीरा की तब पीर मिटै जब वैद सँवलिया होई। फ़र्रुख़ाबाद की महादेवी तो प्रसिद्ध हैं ही, वहाँ के लिहाफ़ भी कम प्रसिद्ध नहीं हैं। सूली ऊपर सेज हमारी सोना किस विध होई, गगनमण्डल पै सेज पिया की किस विध मिलना होई? सेज की चर्चा चले तो लिहाफ़ की याद आना एकदम स्वाभाविक ही जो ठहरा। कुछ विद्वानों के मत के अनुसार महादेवी का गद्य शायद उनके पद्य से ज़्यादा सशक्त है।

(दस)

हिन्दी के मधुरतम कवि पद्माकर का जन्म सन् 1753 में बाँदा में हुआ। इन्होंने अस्सी वर्ष की आयु पायी जिसका अधिकांश भाग देशाटन में व्यतीत हुआ। इनकी मृत्यु 1833 में कानुपर में गंगा-तट पर हुई। इनके वंश में कविता करने की कई पीढ़ियों से प्रथा थी और इसी कारण इनके वंश को लोग 'कवीश्वर वंश' ही कहते थे। ऐसे वंश में जन्म लेने पर पद्माकर को भी कवि का जीवन अपनाना ही पड़ा। सागर-नरेश रघुनाथराव अप्पा ने इन्हें अपनी प्रंशसा में लिखे एक पद के लिए एक लाख मुद्राएँ दी थीं। राजा से कुछ कहासुनी होने पर पद्माकर बाँदा चले आये और बाद में उन्होंने दतिया के महाराजा का आश्रय लिया जिन्होंने कवि को जागीर दी। दतिया के बाद वे रजधान के गुसाईं के आश्रय में गये जहाँ उन्होंने एक ग्रन्थ रचा जो गुसाईं हिम्मत-बहादुर की प्रशंसा में था और जिसका नाम भी "हिम्मतबहादुर बिरुदावली' ही था। वहाँ से चलकर वे सतारा पहुँचे जहाँ रघुनाथराव पेशवा (राघोबा) ने उनको बहुत सम्मान दिया। बाद में ये जयपुर के दरबार में भी रहे और वहाँ उन्होंने बहुत मौज उड़ायी। जयपुर से चलकर वे उदयपुर गये और वहाँ कुछ समय बिताने के बाद वे ग्वालियर के राजकवि बने। जब रतनसिंह चरखारी गद्दी पर बिराजे तो किसी बात पर अप्रसन्न होकर वे वहाँ से भी अपने घर लौट आये। जीवन के अन्तिम भाग में इन्हें कोढ़ हो गया था। उनकी रची 'गंगा लहरी' के पद सुनकर गंगा धीरे-धीरे तट तक आयीं और इन्हें बहा कर ले गयीं। (ठीक ऐसी ही जनश्रुति पण्डितराज जगन्नाथ के बारे में भी सुनी जाती है जिन्होंने 'भामिनी विलास' नामक संस्कृत का प्रसिद्ध काव्य-ग्रन्थ रचा था) वे बड़े ठाट से रहते थे और आत्मसम्मान के सामने किसी भी वस्तु की परवाह नहीं करते थे। तुमहूँ महाराज हो तो हम भी कविराज हैं।

कवि पद्माकर की सारी ख्याति उस ऋतु-वर्णन पर टिकी है जो कि 'ऋतु-संहार' की परम्परा में लिखा गया और जो सचमुच अनुपम है और जयदेव के 'गीत-गोविन्द' की भाँति जिसका अनुवाद किसी और भाषा में कभी नहीं किया जा सकता। (केलिन में, केलि में, कछारन में, कुंजन में, बनन में, बागन में बगरौ बसन्त है। तालन पै

ताल पै तमालन पै मालन पै वृन्दावन बीथिन बिहार बंसीबट पै। घन की घमण्ड घटा घेरि के घनेरी आवै, गरज गयी थी फेरि गरजन लागी री) "विश्वकवि रवीन्द्रनाथ ठाकुर ब्रजभाषा जानते थे, उसमें काव्य-रचना भी करते थे और वे कवि पद्माकर के कवित्त पढ़ते-पढ़ते झूम उठा करते थे।" पद्माकर का भाषा पर असाधारण अधिकार है। भावना की विभिन्न भूमियों के अनुकूल भाषा-प्रवाह धीर, गम्भीर या चंचल होता जाता है। उनकी भाषा में शब्द-चित्र विधान की जैसी अतुलनीय शक्ति है, वैसी ही अप्रतिम सामर्थ्य नाद उत्पन्न करने की भी है। अनुप्रास और पदमैत्री तो उनकी भाषा के स्वाभाविक अंग बन गये हैं। "इतना कम लिखकर इतनी ख्याति प्राप्त करने वाला कोई दूसरा कवि हिन्दी में अभी तक नहीं हुआ।" (मिश्रबन्धु)

(ग्यारह)

नन्ददास का जन्म सन् 1533 में सोरों के पास हुआ था। गोस्वामी तुलसीदास शायद इनके चचेरे भाई थे। ये कोई अत्यन्त समृद्ध व्यक्ति थे क्योंकि श्याम-भक्त होने के कारण इन्होंने अपने गाँव 'रामपुर' का नाम 'श्यामपुर' रखा था और वहाँ 'श्याम-सर' नामक एक तालाब भी बनवाया था। 'दो सौ बावन वैष्णवन की वार्ता' में इन्हें गोस्वामी तुलसीदास का छोटा भाई बताया गया है जिसकी पुष्टि का कोई भी प्रमाण नहीं मिलता। वैसे ये आदमी होनहार थे, द्वारिका की यात्रा पर निकले तो एक खत्री युवती पर आसक्त हो गये। खत्राणी मूर्ख थी, उसने उनकी छेड़खानी की शिकायत गोस्वामी बिट्ठलनाथ तक पहुँचा दी। गोस्वामीजी की शिक्षा के प्रभाव से नन्ददास सदा के लिए बैरागी हो गये और साथ ही साथ कृष्ण-काव्य भी लिखने लगे। 'वियोगी होगा पहला कवि, आह से उपजा होगा गान' वाली पंक्ति एकदम सच्ची निकली। वल्लभाचार्य के शिष्यों में सूरदास प्रसिद्ध हुए और बिट्ठलनाथ के शिष्यों में नन्ददास ने ही ख्याति पायी। कुछ विद्वानों का मत है कि इनके काव्य को प्रेरणा देने वाली रूपमंजरी नामक एक परम रूपवती भक्त-रमणी थीं। अपनी सर्वश्रेष्ठ कविता-पुस्तक 'रास पंचाध्यायी' में कवि ने 'अपने परम मित्र इक रसिक' के प्रति बड़ा मार्मिक आभार प्रकट किया है और वियोगी हरि का मत है कि यह मित्र बिट्ठलभाई की शिष्या गंगाबाई थी। मैंने इस दिशा में काफ़ी जाँच-पड़ताल की है और मेरे विचार में यह वही प्रथम प्रेयसी थी जो ग़लती से कवि की शिकायत तो कर बैठी थी पर मन ही मन नन्ददास पर मोहित हो गयी थी और इसी कारण नाम बदल-बदल कर कवि का पीछा बराबर करती चली आ रही थी। स्त्रियः चरित्रम् पुरुषस्य भाग्यम्, ब्रह्मा न जानाति कुतो मनुष्यः (मनुज रूप है अवतर्यो तीन वस्तु को जोग, द्रव्य उपार्जन, हरिभजन अरु कामिनी संग भोग)।

नन्ददास को भक्त-महिलाओं से जो थोड़ा-बहुत समय मिलता था उसमें ये मेरी भाँति या तो साहित्यानुशीलन करते थे या अपने काव्य के कलापक्ष पर ध्यान देते थे।

और कवि गढ़िया, नन्ददास जड़िया। कवि के अनुसार श्रीकृष्ण को गोपियों से कोई मोह नहीं था। गोपियाँ जब प्रेम की भिक्षा माँगने उनके पास आती थीं तो श्रीकृष्ण उन्हें नारीधर्म और पतिव्रता-कर्तव्य भलीभाँति समझाते थे पर जब वे गोपियाँ सारे उपदेशों के बावजूद कृष्ण का साथ नहीं छोड़ती थीं तो वे बेचारे विवश होकर उनके साथ विहार करते थे। (हे अवनी नवनीत चोर चितचोर हमारे, राखे कितहु दुराय बतावहु प्रान-पियारे), (अद्‌भुत रस रह्यौ रास गीतध्वनि सुनि मोहे मुनि, सिला सलिल बह चली सलिल बह रही सिला पुनि) वियोगी हरि ने नन्ददास की 'रास-पंचाध्यायी' को 'हिन्दी का गीत गोविन्द' कहकर पुकारा है। (उबटन उबरी अंग न्हवाई, ओपी दामिनी लोपी जाई) नन्ददास अकेले कवि हैं जो राधा को कृष्ण के साथ विवाह करने और उनकी धर्मपत्नी बनने की आँखों देखी चर्चा करते हैं :

दूलह गिरिधरलाल छबीलो, दुल्हिन राधा गोरी
जे देखत ते मन में लाजत, ऐसी बनी है ज़ोरी
ब्याह भयो मोहन को जब ही, जसुमति देति बधाई
चिरजीवौ भूतल ये ज़ोरी, नन्ददास बलि जाई

(बारह)

रसखान का असली नाम सैयद इब्राहीम था। ये शायद ज़िला हरदोई के निवासी थे। ये एक पठान सरदार थे जो राजवंश से जुड़े थे (छिनहिं बादसाबंस की ठसक छोरि रसखान) इनके जन्म या मृत्यु के बारे में कुछ पता नहीं चलता। ये एक रमणी से प्रेम करते थे जिसने शायद इन्हें निराश किया और उसी के वियोग में ये भक्त और कवि बने (तोरि मानिनी तें हियो फोरि मोहिनी मान, प्रेमदेव की छबिहिं लखि भए मियाँ रसखान) ये गोकुल गये और बिट्ठलनाथ के शिष्य हो गये। अपने स्वभाव के कारण वे ज्ञानी कम और प्रेमी ज़्यादा थे। रसखान एक यथार्थवादी भक्त-कवि थे और वे लौकिक प्रेम में व अलौकिक प्रेम में कोई अन्तर नहीं महसूस करते थे। मैं जो उनसे प्रभावित हूँ वह उनके इसी दृष्टिकोण के कारण हूँ। उनकी भक्ति में तत्त्वज्ञान और प्रेम-दृष्टि का अद्‌भुत समन्वय पाया जाता है (टेरत-हेरह हारि पर्‌यो, रसखान बतायो न लोग-लुगावन, देखो दुरो वह कुंज-कुटीर में बैठो पलोटत राधिका-पायन)। उनका गंगा-वर्णन अपूर्व है; इतनी श्रद्धा तो श्रेष्ठ से श्रेष्ठ हिन्दू भी नहीं दिखा सकता जितनी कि श्रद्धा रसखान ने गंगा के प्रति प्रदर्शित की है। रसखान की भाषा सरल, स्वाभाविक, रसपूर्ण तथा हृदयग्राही है और इसी कारण बड़े-बड़े काव्य-मर्मज्ञों ने उन्हें 'पीयूषवर्षी कवि' कहकर पुकारा है। उन्होंने ज़्यादा नहीं लिखा पर जितना लिखा वह उत्कृष्ट ही लिखा। भारतेन्दु हरिश्चन्द्र ने ठीक ही कहा था कि "इन मुसलमान हरिजनन पै कोटिन हिन्दुन वारिये।" सदियाँ गुज़र गयीं, सुल्तान आये और चले गये पर रसखान की वाणी है कि उसकी अनुगूँज आज भी उतनी ही ताज़ी है :

मानुष हौं तो वही 'रसखान'

बसौं ब्रज गोकुल गाँव के ग्वारन,
जो पशु हौं तो कहा बस मेरो
चरौं नित नन्द की धेनु मँझारन,
पाहन हौं तो वही गिरि को
जो धर्‌यो कर छत्र पुरन्दर कारन,
जो खग हौं तो बसेरो करौं
मिलि कालिन्दी कूल कदम्ब की डारन

(तेरह)

घनानन्द का जन्म सन् 1689 में दिल्ली में हुआ। ये जाति के कायस्थ थे और युवा होने पर इन्हें शहंशाह मुहम्मदशाह (रंगीला) के दरबार में नौकरी मिल गयी। धीरे-धीरे तरक्की पाते-पाते ये मुग़ल-सम्राट के 'मीरमुंशी' बन गये जो एक ऊँचा ओहदा होता था। बादशाह की एक चहेती वेश्या से इन्हें प्रेम हो गया और इसी कारण इन्हें दरबार व दिल्ली—दोनों छोड़ने पड़े। दिल्ली छोड़ते समय इन्होंने सुजान नामक उस नगरवधू से अपने साथ चलने को कहा पर ऐन वक़्त पर वह मुकर गयी। साहित्य के लिए जितना त्याग घनानन्द ने किया, उसकी बराबरी कोई नहीं कर सका। बड़े-बड़े त्यागी हुए पर इतना त्याग वे भी नहीं कर सके। इनका कण्ठ अत्यन्त मधुर था। दिल्ली छोड़ने के बाद ये एक भक्त हो गये पर सुजान को फिर भी नहीं भूल सके। मेरे विचार में इनका असली नाम कुछ और था, 'घनानन्द' नाम तो कवि होने के बाद मात्र यूँ पड़ा क्योंकि इनकी कविता पढ़कर लोगों को 'घना आनन्द' प्राप्त होता था। नादिरशाह के सिपाहियों द्वारा वृन्दावन में इनकी मृत्यु सम्पन्न की गयी। नादिरशाह का हमला सन् 1738 में हुआ था। यह मत रामचन्द्र शुक्ल का है। कुछ विद्वानों के अनुसार इनकी मृत्यु अहमदशाह अब्दाली के आक्रमण के समय सन् 1760 में मथुरा में हुई। अब्दाली का अन्तिम हमला (पानीपत का तीसरा युद्ध) सन् 1761 में सम्पन्न हुआ था जिसमें बालाजी बाजीराव पेशवा की भेजी विशाल सेना ने उसका सामना किया था। घनानन्द के चालीस प्राप्य ग्रन्थों में 'सुजानहित' व 'पदावली' प्रमुख स्थान रखते हैं। इन्हीं ग्रन्थों में इनकी प्रेम व्यंजना सबसे घने रूप में व्यक्त हुई है (अधर लगे हैं आनि करिकै पयान प्रान, चलन चहत ये सँदेसौ लै 'सुजान' को)। उनकी कृतियों में से एक का नाम 'इश्क़लता' भी है। वे फ़ारसी के पण्डित थे हालाँकि उसका प्रभाव इन्होंने अपनी कविता पर यथासम्भव नहीं पड़ने दिया। अति सूधो सनेह को मारग।

इनके काव्य में अर्थगौरव भी है और भावप्रवणता भी है। 'सुजान' को इन्होंने कभी वेश्या के रूप में हेय नहीं समझा और उनके संयोग-वर्णन इतने सजीव हैं कि लगता है कि उस रमणी से इनके सम्बन्ध घनिष्ठतम रहे थे। वे सुजान को मरते

दम तक नहीं भूल सके। उसके बिना इन्हें यह सारा संसार असार लगता था : देह दहै, न रहै सुधि गेह की, भूलि हू नेह को नाम न लीजै। उन्होंने जो कुछ लिखा है वह कृष्ण के प्रति भी है और अपनी प्रेयसी के प्रति भी है। द्वैतवाद में अद्वैतवाद की छटा देना एक कठिन काम है।

विश्वम्भर 'मानव' ने कहा था कि इनके काव्य का गम्भीर अध्ययन अभी नहीं हुआ। मेरे मित्र डॉ. मनोहरलाल ने इसी कारण इन पर डॉक्टरेट ली और अपना विशद ग्रन्थ (घनानन्द के काव्य में अप्रस्तुत योजना) छपाया। उनके अनुसार "हिन्दी काव्य-धारा के प्रमुख कवियों से तुलना करने के बाद, हम इस निष्कर्ष पर पहुँचते हैं कि घनानन्द ने अपने पूर्ववर्ती कवियों से भाव एवं अप्रस्तुत—दोनों ही ग्रहण किये हैं। घनानन्द की मौलिकता यह है कि उन्होंने अपने अभिव्यंजना-शिल्प से परम्परागत अप्रस्तुतों को मौलिकता प्रदान की। प्रत्येक अप्रस्तुत के लाक्षणिक प्रयोग से उसकी अर्थ-व्यंजना में प्रसार किया। घनानन्द पर अपने पूर्ववर्ती कवियों में बिहारी, देव तथा रसखानि का विशेष प्रभाव है तथा परवर्ती काव्य की प्रेम-धारा में रसलीन, भारतेन्दु तथा रत्नाकर उनके विशेष रूप से ऋणी हैं।" (वाणी को सार बखान्यो सिंगार, सिंगार की सार किसोर किसोरी। देह दहै न रहै सुधि गेह की, भूलिहू नेह का नाव न लीजै)।

(चौदह)

रहीम का जन्म सन् 1553 में हुआ। ये सम्राट अकबर के मौसेरे भाई थे क्योंकि हुमायूँ की पत्नी व बहराम खान (बैरम खाँ) की पत्नी सगी बहनें थीं! अपनी अकाल-मृत्यु के समय बादशाह हुमायूँ ने अपने पुत्र अकबर का सारा भार अपने सामन्त व साहू बैरम खाँ को ही सौंपा था। बैरम खाँ ने अकबर की व उसके राज्य की बड़ी कुशलता के साथ रक्षा की। पानीपत के दूसरे युद्ध के दौरान अकबर का बैरम खाँ से भयंकर मतभेद हो गया और शासन का सारा काम अकबर ने अपने हाथ में ले लिया हालाँकि इस समय उसकी उम्र लगभग सोलह वर्ष ही थी। बैरम खाँ ने अपने पुत्र रहीम को अकबर के हाथों में सौंप दिया और वे स्वयं हज करने चले गये। गुजरात के प्रदेश में किसी ने बैरम खाँ की हत्या कर दी। पुरुषोत्तम नागेश ओक के अनुसार यह हत्या अकबर की आज्ञा से हुई थी मगर यह बात ग़लत लगती है क्योंकि इस मत की पुष्टि और कोई बड़ा इतिहासवेत्ता नहीं करता। अकबर ने रहीम को अपना सर्वोच्च सामन्त बनाया और उन्हें 'ख़ानख़ाना' की उपाधि दी। रहीम का बहुत-सा जीवन युद्धों में बीता। वे बड़े ठाठ से रहते थे और अपनी दानशीलता, वीरता व पाण्डित्य के लिए विख़्यात थे। अकबर के बाद नूरजहाँ ने 'ख़ानख़ाना' की पदवी जहाँगीर से कहकर महाबत खाँ को दिलवा दी और अपने पुत्र परवेज खाँ को युवराज बनवा दिया जिसके कारण शहज़ादा खुर्रम (शाहजहाँ) ने अपने पिता के ख़िलाफ़ विद्रोह कर दिया। यह दुर्भाग्य ही रहा कि रहीम ने इस विद्रोह में शाहजहाँ का साथ दिया। विद्रोह कुचल दिया गया और रहीम को राजद्रोह के अपराध में क़ैद

कर लिया गया और उनकी जागीर भी छीन ली गयी। रहीम का शेष जीवन भयंकर कष्टों में बीता। उनकी पौत्री का विवाह शाहजहाँ से हुआ। "जेल में एक दिन जब इन्होंने तरबूज खाने की इच्छा प्रकट की तो नूरजहाँ के हुक्म से इनके एक पुत्र का सिर ही काटकर इन्हें पेश किया गया।" जनश्रुति के अनुसार बादशाह ने बाद में इनका कसूर माफ़ कर दिया था। कुछ इतिहासकारों के अनुसार रहीम ने विद्रोह में कोई भाग नहीं लिया था और उन्हें जो सज़ा दी गयी थी वह ग़लत थी।

रहीम एक सज्जन, सहृदय, विद्वान् और परोपकारी व्यक्ति थे। वे फ़ारसी, संस्कृत, तुर्की और अरबी भाषा के ज्ञाता थे। गोस्वामी तुलसीदास का ये बेहद सम्मान करते थे और केशवदास से भी ये परिचित थे। कविता करने का उन्हें शौक़ था और जब वे गुजरात के गवर्नर थे तो एक छप्पय छन्द पर इन्होंने कवि गंग को छत्तीस लाख रुपये की हुण्डी लिख दी थी। वे राणा प्रताप के प्रशंसक थे। 'गोसाईं-चरित' नामक ग्रन्थ के अनुसार उन्होंने अपने कुछ बरवै तुलसीदास के पास संशोधन के लिए भेजे थे। इनका एक नौकर छुट्टी पर गया तो फिर बहुत दिनों बाद लौटा। रहीम के नाराज़ होने पर उस सेवक ने अपनी पत्नी का लिखा एक पद उन्हें सुनाया। (प्रीति-रीति को बिरवा चले लगाय, सींचन की सुधि लीजियो, मुरिझ न जाय) रहीम ने उस छन्द का नाम 'बिरवा' रखा और नौकर को छह माह की छुट्टी पर फिर घर भेज दिया ताकि उसकी पत्नी और काव्य रच सके और प्रेम का पौधा और सींचा जा सके। रहीम की मृत्यु सन् 1626 में हुई।

रहीम के दोहे हिन्दी-भाषी क्षेत्रों में सदियों में तुलसीदास की चौपाइयों की भाँति कहे जाते रहे। नीति से भरी उनकी अनेक उक्तियाँ सदा के लिए अमर हैं। जीवन में उन्होंने उत्थान और पतन देखा, अमीरी व ग़रीबी देखी और इसी कारण जो आकर्षण उनके दोहों में है वह अन्यत्र दुर्लभ है। उनके कुछ मार्मिक व प्रसिद्ध दोहे नीचे दिये जाते हैं:

अब रहीन मुसकिल परी, गाढ़े दोऊ काम
साचौं कहों तो जग नहीं, झूठै मिलें न राम।
अमी पियावत मान बिनु, रहिमन मोंहि न सुहाइ
प्रेम सहित मरिबो भलो, जो विष देइ बुलाइ।
अरज-गरज माने नहीं, रहिमन ये जन चारि
रिनियाँ, राजा, माँगता, काम-आतुरी नारि।
असमय परे रहीम कहि, माँगि जात तजि लाज
ज्यों लछिमन माँगन गये पाराशर के नाज।
उरग, तुरग, नारी, नृपति, नीच जाति, हथियार
रहिमन इन्हैं सँभारिए, पलटत लगै न बार।
ओछे काम बड़े करै तो न बड़ाई होइ

ज्यों रहिमन हनुमन्त को, गिरिधर कहे न कोइ।
कमला थिर न रहीम कहि, यह जानत सब कोय
पुरुष पुरातन की वधू क्यों न चंचला होय?
काह करब बैकुण्ठ लै, कल्पवृच्छ की छाँह
रहिमन ढाक सुहावनी, जो गल पीतम बाँह।
ख़ैर, ख़ून, खाँसी, खुसी, बैर, प्रीति, मदपान
रहिमन दाबे न दबै, जानत सकल जहान।
छमा बड़ेन को चाहिए, छोटेन को उत्पात
का रहीम हरि को घट्यो, जो भृगु भारी लात।
चित्रकूट में रमि रहे रहिमन अवध-नरेस
जेहि पर विपदा परत है, सो आवत यहि देस।
जे ग़रीब पर हित करै ते रहिमन बड़ लोग
कहा सुदामा बापुरो, कृष्ण मिताई जोग।
जैसी परै सो सहि रहै, कहि रहीम यहि देह
धरती पर ही परत सब, सीत, धाम अरु मेह।
जो रहीम ओछो बड़े तौ तितही इतराइ
प्यादे से फ़र्ज़ी भयो ढेढ़ो टेढ़ो जाइ।
जो रहीम गति दीप की, कुल कपूत की सोइ
बारै उजियारौ लगै बढ़े अँधरो होइ।
टूटो सुजन मनाइये जो टूटैं सौ बार
रहिमन फिरि फिरि पोहिए, टूटे मुकता हार।
सीखी कहाँ नवाब जू ऐसी देनी दैन
ज्यों ज्यों कर ऊँचे करो, त्यों त्यों नीचे नैन।
निज कर क्रिया रहीम कहि, सुधि भावी के हाथ
पाँसे अपने हाथ में, दाँव न अपने हाथ।
बड़े बड़ाई ना करें बड़े न बोलें बोल
रहिमन हीरा कब कहै, लाख टका मेरो मोल।
बिगरी बात बनैं नहीं, लाख करौ किम कोइ
रहिमन बिगरे दूध के मथे न माखन होइ।
माँगे घटत रहीम पद, कितो करौ बड़ काम
तीनि पैग बसुधा करी, तऊ बामने नाम।
मान सहित विष खायकै, सम्भु बने जगदीस
बिन आदर अमृत पियो, राहु कटायो सीस।
यों रहीम सुख होत है, उपकारी के संग

बाँटनबारे के लगै ज्यों मेहँदी को रंग।
रहिमन छोटे नरन सों, नहीं होत बड़ काम
मढ़ौ दमामो नहिं बनै, सौ चूहे के चाम।
रहिमन नीचन संग बसि, लगत कलंक न काहि
दूध कलारिन हाथ लखि, मद समुझत सब ताहि।
रहिमन वे नर मरि चुके, पर घर माँगन जाहि
उनते पहले वे मरे, जिन मुख निकसत नाँहि।
रहिमन देखि बड़ेन को, लघु न दीजिए डारि
जहाँ काम आवै सुई, कहा करै तरवारि।
रहिमन पानी राखिए, बिन पानी सब सून
पानी गये न ऊबरे, मोती, मानुस, चून।
रहिमन धागा प्रेम को, मति तोरो चटकाइ
टूटै से फिर ना मिलै, मिलै गाँठि परि जाइ।
रूप, कथा, पद, चारु पट, कंचन, दोहा लाल
ज्यों ज्यों निरखत अलप त्यों, मोल रहीम बिसाल,
रहिमन जिह्वा बावरी, कहि गइ सरग-पताल
आपु तो कहि भीतर भई, जूती खात कपाल।
सबै कहावत लसकरी, सब लसकर को जाँइ
सैल सड़ाके जो सहैं वही जगीरें खाँइ।
या दुनिया में आइकै, छोड़ि देह तू ऐंठ
लेना है सो लेइले, उठी जाति है पैंठ।
राम न जावत हरिन सँग, सीय न रावन साथ
जो रहीम भावी कतहुँ, होति आपने हाथ।
रहिमन चुप ह्वै बैठिए, देखि दिनन को फेर
जब नीके दिन आइ हैं, बनत न लगि हैं.. बेर।
वे रहीम दर दर फिरैं, माँगि मधुकरी खाँहि
यारो, यारी छोड़ दो, अब रहीम वे नाहि।

'दोहावली' के अतिरिक्त रहीम के दोहों का एक और संग्रह भी है जिसका नाम है 'नगर-शोभा'। इन दोहों में मात्र सुन्दर युवतियों पर ही ध्यान दिया गया है जो चित्ताकर्षक हैं। रहीम जाति-प्रथा में विश्वास नहीं रखते थे और इसी कारण उन्होंने खत्रानी, कायस्थिनी और तुरकिनी से लेकर सुनारिन, रँगरेज़िन, कोसिन, नटनी, डोमनी और घसियारिन तक के प्रति अपनी आसक्ति को प्रकट किया है जो नितान्त सराहनीय है। कुछ अंश प्रस्तुत करता हूँ :

रूप, रंग, रति-राज में ख़तरानी इतरान
मानो रची विरंचि पचि, कुसुम कनक में सान।
कैथिन कथन न पारई, प्रेम-कथा मुख बैन
छाती ही पाती मनो, लिखी मैन की सैन।
चतुर, चपल, कोमल, विमल, पग परसत इतराइ
रस ही रस बस कीजिए, तुरकिन तरकि न जाइ।
रँगरेज़िन के संग में, उठत अनंग तरंग
आनन ऊपर पाइयुत, सुरत अन्त के रंग।
घासिन थोरे दिनन की, बैठी जोबन त्यागि
थोरे ही बुझि जात है, घास जरायी आगि।
उत्तम जाति बरह्मनी, देखत चित्त लुभाइ
परम पाप पल में हरत, परसत वाके पांइ।
बनिआइन बनि आइ कै, बैठि रूप की हाट
प्रेम पैक तन हेरि कै, गरुबे तारत बाट।
गरब तराजू करत चख, मौंहि मोरि मुस्क्यत
डाँडी मारत विरह की, चित-चिन्ता घटि जात।
धुनिआइन पुनि रैन-दिन धरै सुरत की भाँत
वाको राग न बूरही, कहा बजावै ताँत।
काम पराक्रम जब करै, छुवत नरम है जाय
रोम रोम पिय के बदन, रुइ जैसी लिपटाय।
निसि-दिन रहै ठठेरनी, राजे माँजे गात
मुकता वाके रूप को, धारी पै ठहरात।
आभूषण बस्तर पहिरि, चितवत पिय-मुख ओर
मानो गढ़े नितम्ब, कुच, गडुवा डारि कठोर।

रहीम ने नायिका-भेद पर भी लिखा है मगर मैं उसकी तथा उनके 'मदनाष्टक' की चर्चा नहीं करूँगा क्योंकि वे अश्लील हैं। मैं 'सुन्दरम्' का उपासक हूँ बशर्ते कि वह 'सत्यम्' व 'शिवम्' भी हो, वैसे नहीं।

दीने-इलाही की भाँति रहीम भी एक ऐसी भाषा बनाना चाहते थे जो आधी संस्कृत और आधी फ़ारसी हो। नीचे एक उदाहरण पेश करता हूँ। कवि का एक सोरठा भी उद्धृत करता हूँ जो मुझे बहुत प्रिय है। इन्हीं दो उदाहरणों के साथ इस महान् जनप्रिय कवि की चर्चा समाप्त करता हूँ। रात काफ़ी गहरा गयी है और मुझे नींद आ रही है।

(एक)

मुश्तरी यदि भवेत् ज़रखाने
बुज़रुगः परमपुण्य मतिःस्यात्
कामिलः कनकसूनु युतश्च
खूबरोहि मनुजो ज़रदारः

(दो)

पलटि चली मुस्काय, दुति रहीम उपजाय अति
बाती सी उकसाय, मानो दीनी दीप की

(पन्द्रह)

महाकवि भूषण का जन्म कानपुर ज़िले में गंगा के तट पर बसे एक गाँव में सन् 1613 में हुआ। इनके पिता एक होनहार व्यक्ति थे क्योंकि उनके चार पुत्रों में से तीन पुत्र (चिन्तामणि, भूषण व मतिराम) प्रसिद्ध कवि या आचार्य हुए। भूषण कुछ कमाते नहीं थे और इसी कारण एक बार इनकी भाभी ने भोजन करते समय नमक माँगने पर इन्हें ताना दे दिया। ये भोजन की थाली छोड़कर उठ खड़े हुए और कवि बन गये। इनका असली नाम शायद पतिराम था। पहले ये चित्रकूट के नरेश राजा रुद्र शाह के यहाँ रहे और फिर इन्होंने रायगढ़ जाकर छत्रपति शिवाजी से भेंट की। "शिवाजी ने इनसे एक छन्द बावन बार सुना और प्रसन्न होकर इन्हें बावन गाँव, बावन हाथी और बावन लाख रुपये दिये।" इन्होंने सबसे पहले बावन गाड़ी नमक ख़रीदा और भाभी के घर पहुँचाया। शिवाजी ने इनकी नियुक्ति राज-कवि के पद पर की। जनश्रुति के अनुसार इनकी भेंट एक बार सम्राट औरंगज़ेब से भी हुई थी। सम्राट ने जब इनसे कविता सुनाने को कहा तो इन्होंने सम्राट को हाथ धोने की सलाह दी क्योंकि इनकी कविता सुनते-सुनते बादशाह का हाथ अपनी मूँछें ऐंठने को जा सकता था। औरंगज़ेब चुप रहा और भूषण ने कवित्त के बाद कवित्त सुनाना शुरू किया। वीररस के हृदयग्राही छन्द सुनते-सुनते औरंगज़ेब का हाथ सचमुच अपनी मूँछों की ओर चला गया। सम्राट् प्रसन्न हुआ और उन्हें इनाम भी दिया। शिवाजी की मृत्यु के बाद ये दक्षिण से लौट आये और प्रसिद्ध बुन्देला वीर राजा छत्रसाल से मिले। चलते समय राजा छत्रसाल ने जब इनकी पालकी को कन्धा दिया तो ये नम्रतावश पालकी से कूद पड़े जिसके कारण इन्हें कोई चोट वग़ैरह तो नहीं आयी पर इन्हें छत्रसाल की प्रशंसा में एक कवित्त ज़रूर पढ़ना पड़ा जिसके अन्त में उन्होंने कहा कि "शिवा को बखानौं कि बखानौं छत्रसाल को?" इन्हें कई राजाओं ने अपने दरबार में रखना चाहा पर शिवाजी का राजकवि भला कहीं और रह सकता था?

कुमायूँ के राजा ने एक लाख रुपयों की राशि भी इनकी सेवा में पहुँचायी पर इन्होंने उनका राजकवि बनने से साफ़ मना कर दिया। इनकी मृत्यु सन् 1715 में हुई।

इनकी प्राप्य कृतियों में 'शिवराजभूषण' सर्वप्रसिद्ध है। यह पुस्तक मेरी बी. ए. की परीक्षा के लिए हिन्दी के पाठ्यक्रम में शामिल थी और डॉ. रामशंकर शुक्ल 'रसाल' इसे पढ़ाया करते थे। वे प्राचीन परिपाटी के आदमी थे। सिर पर गोल टोपी और बन्द गले का कोट (जिसे बच्चन के अनुसार वे रात को किसी घड़े में रखा करते थे) और नीचे धोती, मोज़े और बूट। हाथ में छाता या छड़ी और माथे पर चन्दन का हल्का-सा टीका रखते थे। उनके छोटे भाई भी कवि थे और उनकी पुस्तक 'अभिमन्यु 'बध' ने हमारा 'बध' इण्टरमीडिएट में किया था। 'रसाल' साहब पाण्डित्य से परिपूर्ण एक परिश्रमी व्यक्ति थे पर दुर्भाग्य से उनका पढ़ाने का ढंग बहुत ही विचित्र व उबाने वाला था। वे डॉ. अमरनाथ झा के चरण छुआ करते थे। उनका पढ़ाया 'शिवराजभूषण' मुझे कभी अच्छा नहीं लगा। बहुत बाद में पुस्तक स्वयं पढ़ी और पसन्द आयी। उनकी पोथी में वीर रस तो है ही, हास्य व व्यंग्य भी कम नहीं है। केशवदास के बाद जितना सम्मान और ऐश्वर्य महाकवि भूषण को प्राप्त हुआ, उतना और किसी प्राचीन हिन्दी-कवि को नहीं प्राप्त हुआ। वे बड़े ठाठ से रहते थे और बड़े-बड़े राजा व महाराजा उनका पूरा सम्मान करते थे। इन्होंने देशाटन भी काफ़ी किया था। इनके कदाचित् सर्वोत्कृष्ट दो कवित्त नीचे दिये जाते हैं :

(एक)

इन्द्र जिमि जम्भ पर, बाड़व सुअम्भ पर
रावण सदम्भ पर रघुकुल राज हैं
पौन वारिवाह पर, सम्भु रति-नाह पर
ज्यों सहस्र-बाहु पर राम द्विजराज हैं,
दावा द्रुम दण्ड पर, चीता मृग-झुण्ड पर
'भूषण' वितुण्ड पर जैसे मृगराज हैं,
तेज़ तम अंस पर, कान्ह जिमि कंस पर
त्यों म्लेच्छ बंस पर सेर सिवराज हैं

(दो)

'भूषण' भनत नाद बिहद नगारन के
नदी नद मद गैबरन के रलत हैं
ऐल-फैल खैल-भैल खलक में गैल गैल
गजन की ठेल-पेल सैल उसलत हैं
तारा सो तरनि धूरि-धारा में लगत, जिमि
थारा पर पारा पारावार यों हलत हैं,

साजि चतुरंग वीर रंग में तुरंग चढ़ि
सरजा सिवाजी जंग जीतन चलत हैं

"जिस रीति-काल में शृंगार का बोलबाला था, उसमें वीर-रस का संचार कर भूषण ने अपने व्यक्तित्व के वैशिष्ट्य को प्रमाणित किया। रामचन्द्र शुक्ल ने उन्हें हिन्दू-जाति का प्रतिनिधि कवि कहकर उनका महत्त्व बहुत कम कर दिया...."। वे जातीय कवि नहीं, राष्ट्रीय कवि थे।

(सोलह)

दीनदयाल गिरि का जन्म बनारस में सन् 1803 में सम्पन्न हुआ। इनकी माता इनके बचपन ही में मर गयी थी और इनके पिताश्री पक्षाघात के कारण अपंग थे। इन्हें गुरु कुशगिरी ने अपने आश्रय में रखा और बीस वर्ष की आयु में इन्होंने प्रेम या विवाह के स्थान पर कविता करनी शुरू कर दी और 'दृष्टान्त-तरंगिणी' नामक पुस्तक की रचना की। बाद में इन्होंने संन्यास ले लिया। इन्होंने रामेश्वरम् की यात्रा की और बाद में काशी के पास ही रहने लगे। ये गेरुए वस्त्र पहनते थे और घोड़े की सवारी करते थे। भारतेन्दु हरिश्चन्द्र के पिता इनके पिता के मित्र थे। ये बेहद परोपकारी, विनोद-प्रिय और 'संसार को आँख खोलकर देखने वाले' व्यक्ति थे। इनकी मृत्यु सन् 1858 में हुई।

इस कवि की 'अन्योक्ति कल्पद्रुम' नामक पुस्तक एक प्रौढ़ कृति है जो इनकी प्रतिभा की परिचायक है। विस्तार में न जाकर मूल सत्य को पकड़ने की और उसे सरल भाषा में व्यक्त करने की कला इन्हें आती थी। इनकी सबसे सुन्दर अन्योक्तियाँ वे हैं जहाँ इन्होंने कबीर की भाँति विवाह का रूपक बाँधा है। इन कविताओं में उन्होंने नारी-जाति को उपदेश देना और आत्मा की यात्रा की कथा कहना—इन दोनों कामों को एक साथ सम्पन्न किया है। दो ऐसी अन्योक्तियाँ नीचे देता हूँ और आशा करता हूँ कि देश की युवतियाँ उनसे लाभान्वित होंगी।

(एक)

भलै जोबन के न मद, अरी बाबरी बाम
यह नैहर दिन चार को, अन्त कन्त सो काम,
अन्त कन्त सो काम, तन्त सब ही तज दै री
जातें रीझै नाह, नेह नव ताँते करि री,
बरने 'दीनदयाल' भूष भूषन अनुकूलै
चलि पिय गेह सनेह साजि लखि नेह न भूलै

(दो)

औरी पिय सों सब पिया मिलीं महल में जाय
तू बौरी पौरी धरे, बाहर ही पछिताय,
बाहर ही पछिताय रही अपनी करनी ते
अली लगी अति देर, चली कौनी सरनी ते,
बरने 'दीनदयाल' चूकि तेरी इह ठौरी
अब तो लगे कपाट, भई यह बेला औरी

मेरे परम मित्र डॉ. नवीनचन्द्र त्यागी नीचे लिखी कविता को दीनदयाल जी की ही रचना मानते हैं। यह कविता मुझे अत्यन्त प्रिय है और इसी कारण नीचे दी जाती है:

पहला सुख, नीरोगी काया
दूजा सुख, घर में माया,
तीजा सुख, कुलवन्ती नारी
चौथा सुख, पुत्र आज्ञाकारी,
पंचम सुख, पंचों में मान
छठा सुख, ईश्वर में ध्यान

(सत्रह)

महाकवि मतिराम महाकवि भूषण के सगे छोटे भाई थे। इनकी कृतियों में 'ललित-ललाम', 'रसराज' व 'मतिराम-सतसई' प्रमुख हैं। 'ललित-ललाम' में बूँदी-नरेश महाराज भाऊसिंह का और उनके हाथियों का बहुत यशोगान है। 'मतिराम-सतसई' में 'बिहारी-सतसई' की भाँति सात सौ दोहे हैं जिनमें से लगभग दो सौ दोहे सचमुच उत्कृष्ट हैं। "इनका शब्द-चयन बहुत श्रेष्ठ है। वाक्य-विन्यास माधुर्य व प्रसाद का जामा पहने हुए है। पदावली अलंकृत, प्रांजल और भाव-व्यंजन में पूर्णतया समर्थ है। कोमलता, कान्ति, अर्थाभिव्यक्ति आदि गुण मानो आप ही के लिए बने हैं। कथन में मार्मिकता, भाव-व्यंजन में स्वाभाविकता और वर्णन में पूर्णता है। छन्द धाराप्रवाह से चलते हैं। अनुभव की मर्मस्पर्शी व्यंजना, प्रभावशाली शब्द, भावों के मनोहर विधान, चेष्टाओं के सजीव चित्रण, संचारी भावों की चमत्कृत कल्पना, पदावली में स्निग्धता, अनुप्रासों की झंकार और रसार्द्रता में पूर्णता मतिराम के काव्य में देखने को मिलती है। अर्थ-गाम्भीर्य उनका प्रमुख गुण है। मतिराण हिन्दी के बहुत बड़े कवि थे। चार-छह परमोत्कृष्ट कवियों को छोड़कर और किसी कवि की कविता मतिराम के काव्य की समता नहीं करती। मतिराम के सवैयों से देव का और दोहों से बिहारी का स्मरण हो आता है।" (मिश्रबन्धु) उदाहरण के लिए उनका एक पद नीचे दिया जाता है:

दूसरे की बात सुनि परति न, ऐसी जहाँ
कोकिल, कपोतन की धुनि सरसाति है,
छाइ रहै जहाँ द्रुम-बेलिन सों मिलि 'मति-
राम' अलि-कुलनि अँधेरी अधिकाति है,
नखत से फूलि रहे फूलन के पुंज, घन
कुंजन में होति जहाँ दिनहूँ में राति है,
ता वन की बाट, कोऊ संग ना सहेली साथ
कैसे तू अकेले दधि बेचन को जाति है?

(अठारह)

मिश्रबन्धुओं की भाँति महाकवि चन्दबरदाई की चर्चा मैं भी बाक़ी महान् कवियों के उपरान्त ही कर रहा हूँ हालाँकि उनकी चर्चा बहुत पहले ही की जानी चाहिए थी। अन्तिम हिन्दू-सम्राट् पृथ्वीराज के सखा और मन्त्री चन्द बरदाई ने पृथ्वीराज चौहान् की 'प्रशस्ति' में लगभग ढाई हज़ार पृष्ठों का महाकाव्य 'पृथ्वीराज-रासो' लिखा जिसमें उसने सम्राट् के चौदह विवाहों का वर्णन तबीयत के साथ किया। प्रख्यात पुरातत्त्ववेत्ता डॉ. गौरीशंकर-हीराचन्द ओझा ने इसे 'जाली ग्रन्थ' बताया है और चन्द-बरदाई के तत्कालीन अस्तित्व पर भी शंका प्रकट की है। इस महाकाव्य में प्रयुक्त भाषा कहीं शुद्ध प्राचीन है और कहीं नवीन है। कुछ विद्वानों के अनुसार 'रासो' का अन्तिम भाग चन्द बरदाई के पुत्र ने रचा। कहते हैं कि यह महाकाव्य एक दुर्घटना में बिखर गया था और बाद में मेवाड़-नरेश महाराजा अमरसिंह की आज्ञा से इसे अनेक कवियों द्वारा सम्पादित व संकलित करवाया गया। इसी सम्पादन की प्रक्रिया में पुस्तक की भाषा अलग-अलग क़िस्म की हो गयी और क्षेपकों का प्रवेश भी प्रचुरता के साथ हो गया। जो 'पृथ्वीराज-रासो' प्राप्य है वह अपनी ऐतिहासिकता के बारे में शंकाग्रस्त होने के बावजूद एक परमोत्कृष्ट साहित्यिक ग्रन्थ है। इसमें वीर रस की प्रधानता होते हुए भी अन्य रस बड़ी मार्मिकता के साथ उभरे हैं।

किंववदन्ती के अनुसार पृथ्वीराज व चन्द बरदाई साथ ही उत्पन्न हुए और साथ ही मरे। युद्ध के समय में भी कवि, सम्राट् के साथ ही रहते थे और जैसे ही कोई घटना घटती थी वैसे ही कान पर से कलम उतारकर एक-दो छन्द लिख लेते थे। उन्होंने सम्राट् की सुहागरात्रि का भी आँखों-देखा हाल ही लिखा, आप उस पर विश्वास करें या न करें। जनश्रुति कहती है कि मुहम्मद गौरी ने पृथ्वीराज को अनेक बार युद्ध में ललकारा और बार-बार उससे पराजित हुआ। अन्त में एक बार ऐसा हुआ कि पृथ्वीराज युद्ध हार गये। मुहम्मद गौरी ने पृथ्वीराज और चन्द बरदाई को बन्दी बनाया और अपने देश पहुँचकर सम्राट् को अन्धा करवाया और क़ैद में डाल दिया। एक दिन बादशह मुहम्मद गौरी ने सम्राट् पृथ्वीराज की 'शब्दभेदी-वाण-कला'

की परीक्षा ली। पास में खड़े चन्द बरदाई ने पृथ्वीराज को बताया कि “आठ बाँस, चौबीस गज़, अंगुल अष्ट प्रमान; ता ऊपर सुल्तान है, अब न चूक चौहान।” सुल्तान की आवाज़ सुनते ही अन्धे पृथ्वीराज ने ऊपर बतायी बातें याद रखीं और ऐसा बाण चलाया कि सुल्तान मारा गया। इसके बाद सम्राट् व राजकवि—दोनों को क़त्ल कर दिया गया। आप यदि कभी राष्ट्र-कवि बनने की सोचते हों तो इस घटना को ध्यान में अवश्य रखें।

बड़े-बड़े इतिहासवेत्ताओं की राय में उपर्युक्त जनश्रुति में कोई सत्य नहीं है। इतिहास के अनुसार मुहम्मद गौरी पृथ्वीराज से सन् 1192 में “तराइन के दूसरे युद्ध में जीत गया क्योंकि इस बार उसकी युद्ध-प्रणाली व सैन्य-संचालन पृथ्वीराज से बेहतर था। पृथ्वीराज की सेना विशाल थी पर वह उतनी सजग नहीं थी।” फ़रिश्ता के अनुसार “पृथ्वीराज की सेना में पाँच लाख घुड़सवार और तीन हज़ार हाथी थे” जो स्पष्टतः एक अतिशयोक्ति है। इस युद्ध में पृथ्वीराज का भाई व मुहम्मद गौरी मुँह-दर-मुँह टकराये। सुल्तान की तलवार से गोविन्दराय और गोविन्दराय के भाले से मुहम्मद ग़ौरी घायल हुए। पृथ्वीराज बन्दी बना लिया गया और जब उसे जीवित जानकर हिन्दू राजा फिर संगठित होने लगे तो उसे क़त्ल कर दिया गया और सुल्तान की सेना ने अजमेर जीत लिया। मुहम्मद गौरी ने अपने ‘वायसराय’ कुतुबुद्दीन ऐबक को आदेश दिया कि “अजमेर का शासन पृथ्वीराज के एक पुत्र को ही सौंपा जाए।” यह मत स्मिथ, गांगुली व हसन निज़ामी के मतों पर आधारित है और इसके विरुद्ध कोई ठोस प्रमाण नहीं मिलते। चन्द बरदाई वीरगाथा-कालीन कवि हैं। आचार्य शुक्ल ने विद्यापति को भी वीरगाथाकालीन कवि माना। विद्यापति-पदावली में कृष्ण ने राधा के साथ जो पराक्रम किया उसे देखते हुए शुक्लजी का यह मत एकदम ठीक व न्यायसंगत था। ‘पृथ्वीराज रासो’ हिन्दी का सबसे अधिक विवादास्पद ग्रन्थ है।

(उन्नीस)

हिन्दी के युगपुरुष भारतेन्दु हरिश्चन्द्र का जन्म सन् 1850 को बनारस में सम्पन्न हुआ और उनकी मृत्यु लगभग चौंतीस वर्ष की आयु में ही हो गयी। वे उसी सेठ अमीचन्द के वंशज थे जिन्हें कभी लार्ड क्लाइव ने भयंकर धोखा दिया था। वे इतिहासकार, धर्मज्ञ, भक्त, पुरातत्त्ववेत्ता, पर्यटक, सम्पादक, अभिनेता, लोकनर्तक, समाजसेवी, संगीतज्ञ, कबूतरबाज़, विलासी, शिक्षाविद्, अध्यापक, अनुवादक, बहुभाषाविद्, चित्रकार, फ़ोटोग्राफ़र, ताश व शतरंज के परम प्रेमी, अक्खड़, दाता, परोपकारी और कुशल पाकशास्त्री होने के साथ-साथ एक अत्यन्त उच्च कोटि के कवि भी थे। वे बहुत अमीर थे जो दानी और अपव्ययी होने के साथ-साथ नोटों व हुण्डियों को जला-जला कर तापने के लिए भी विख्यात थे। उनकी इस ख़र्चीली वृत्ति को देखकर काशी-नरेश ने उन्हें लताड़ा भी था पर इस सबका उन पर कोई

प्रभाव नहीं पड़ा। अन्त में चलकर वे कंगाल-से ही हो गये थे। उन्होंने हिन्दी-गद्य का स्वरूप निश्चित किया और लगभग 175 ग्रन्थों की सृष्टि की। वे हिन्दी-गद्य के सर्वप्रथम व्यंग्यकार थे जिन्होंने 'ताज़ीराते-हिन्द' की मज़ाक़ उड़ाने के लिए 'अन्धेर-नगरी' तथा 'ताज़ीराते-शौहर' की रचना की। वे समय-समय पर बनारस के निवासियों को बेवकूफ़ भी बनाया करते थे। होली के अवसर पर वे अपनी कमर पर लकड़ी का मोटा कुन्दा बाँधकर 'कबीर' गाते हुए बनारस की गलियों में घूमा करते थे और 'बकरी-विलाप' जैसे ग्रन्थों की भी रचना करते थे। जैसा कि बाद में जार्ज पंचम के भारत आने पर 'जनगणमन अधिनायक' जैसा खुशामदी गीत गुरुदेव ने लिखा (जिसमें सम्राट् को 'भारत-भाग्य-विधाता' कहा गया) ठीक उसी प्रकार भारतेन्दु ने 'अमिय की कटोरियाँ है, महारानी विक्टोरिया' जैसी पंक्तियाँ लिखीं। यही नहीं, विक्टोरिया के पति की मृत्यु पर उन्होंने 'अलवरत वर्णन अन्तर्लाक्तिका' लिखी और जब मलिका के द्वितीय पुत्र (ड्यूक ऑफ़ एडिनबरा) भारत आये तो भारतेन्दु ने 'श्री राजकुमार-सुस्वागत-पत्र' भी लिखा। प्रिंस-ऑफ़ वेल्स' के टायफ़ाइड से ग्रस्त होने पर उन्होंने एक प्रार्थना लिखी। ड्यूक-ऑफ़-एडिनबरा की शादी के मौके पर उन्होंने 'मुँह देखावनी' लिखी और अँग्रेज़ राजकुमार के भारत आने पर 'मानसोपायन' व 'श्री राजकुमार-आगमन-वर्णन' लिखे। और तो और, उन्होंने वायसराय लार्ड रिपन को लेकर रिपनाष्टक तक लिखा। बहरहाल हिन्दी के लिए उन्होंने जो कुछ भी किया, उसे लेकर पन्तजी ने ठीक ही लिखा :

भारतेन्दु कर गये भारती की वीणा निर्माण
किया अमर स्पर्शी ने जिसका बहुविधि स्वर-सन्धान

भारतेन्दु हरिश्चन्द्र की दो प्रेयसियाँ थीं। एक थी माधवी और दूसरी थी मल्लिका। वे काशी की वेश्याओं के नृत्य और बाक़ी फुटकर चीज़ें भी देखा करते थे और कुल मिलाकर 'एक रसिक जीव थे।' उनकी पत्नी लगभग उपेक्षिता ही रही और उनकी अनेक रचनाएँ ब्रिटिश सम्राटों की प्रशस्ति में भी लिखी गयीं।

उनका काव्य कृष्ण के प्रति समर्पित है। वे सूरदास, विद्यापति व उस प्रकार के अन्य महान् कवियों की परम्परा को आगे बढ़ाते हैं। उनका राधा-कृष्ण का संयोग वर्णन अनेक स्थानों पर कुछ अश्लील हो गया है और वे प्रसंग मुझे अत्यन्त प्रिय हैं:

पहले ही जाय मिले गुन में, श्रवन फेरि
रूप-सुधा मधि कीनो नैनहू पयान है,
हँसनि, नटनि, चितवनि, मुसुकानि, सुघराई,
रसिकाई मिलि मति पय पान है
मोहि-मोहि मोहन-मयी री मन मेरो भयो
'हरिचन्द' भेद ना परत कछु जान है,
कान्ह भये प्रानमय, प्रान भये कान्हमय
हिय मैं न जानी परै, कान्ह है कि प्रान है

"प्रेम में सब कुछ पाकर भी हरिश्चन्द का हृदय कभी पूर्ण रूप से सन्तुष्ट नहीं हुआ।" (जिन आँखिन में तव रूप बस्यो, उन आँखिन सो अब देखिए का) "उनके व्यक्ति और काव्य की महत्ता यह है कि प्राचीन को आत्मसात् कर उन्होंने नवीन की सृष्टि की।" छन्दों में धारावाहिकता, कथनों में मूर्तिमत्ता, वर्णन में विदग्धता, स्वभावोक्ति की सक्षमता, वियोग की कसम, प्रेम की पिपासा, रस का प्राचुर्य और भावावेश में स्वाभाविकता उनके काव्य की प्रमुख विशेषताएँ हैं। "वे उर्दू के भी एक अच्छे कवि थे और उन्होंने हास्य-कविताएँ भी लिखीं। उनका कृष्ण-काव्य ब्रजभाषा की श्रेष्ठतम कविताओं में रखा जा सकता है।"

(बीस)

उपर्युक्त कवियों के अलावा 'जहँ तहँ प्रकास' करने वाले अनगिनत कवि 'प्राचीन-काल' में हुए जिनके बारे में कहीं-कहीं तो हमें कुछ भी ज्ञात नहीं है। अनेक काव्यांश या पद ऐसे हैं कि जो प्रत्येक दृष्टि से उत्कृष्ट हैं पर उनके रचयिता का हमें नाम तक नहीं मालूम है। जिन लोगों के नाम ज़्यादा चर्चित हैं उनमें सरहपा (जिन्हें डॉ. काशीप्रसाद जायसवाल ने हिन्दी का प्रथम रचनाकर माना है) भट्‌ट केदार, मधुकर, नाल्ह (बीसलदेव रासो), जगनिक (आल्ह-खण्ड), अमीर खुसरो, गुरु नानक, दादू दयाल, सुन्दरदास, मलूकदास, कुतुबन, उसमान, प्राणचन्द्र, हृदयराम, कृष्णदास, रविदास, हित हरिवंश, गदाधर भट्‌ट, हरिदास, बनारसीदास, सेनापति, चिन्तामणि (जिन्हें पं. रामचन्द्र शुक्ल रीतिकाल का प्रवर्तक-मानते हैं), महाराज जसवन्त सिंह, कुलपति मिश्र, भिखारीदास, तोषनिधि, रसलीन, दूलह, बैनी बन्दाजन, भौन, बेनी प्रवीन, ग्वाल, वृन्द, आलम (जो काव्य-रचना के साथ-साथ एक रंगरेज़िन से प्यार भी करते थे), सबलसिंह चौहान, बेताल, लाल, सूदन, गुरु गोविन्द सिंह, गिरधर कविराय, बोधा, सम्मन, ठाकुर, पजनेस, हरिचरनदास, जोइसी, जसवन्त, तोष, मधुसूदन, हनुमान, हीरालाल, कविन्द, कृपादास, हरजन, गिरिधारी, हठी, मून, द्विज, प्रताप, कान्ह, दास, महाकवि, नेवाज, किसोर, नरेश, कालिदास, गंग, गदाधर, मकरन्द, मीरन, मुबारक, सम्भु मुरलीधर, मोतीराम, रघुनाथ, राम, रूप, विदुष, वाहिद, लछिराम, सेवक, शिवराम और श्रीपति इत्यादि का मोटा जीवन-वृत्त व पूरा या अधूरा काव्य अभी भी विशेषज्ञों को मालूम है। और भी अनेक कवि रहे होंगे जिनके नाम इतिहासकारों से या मुझसे छूट गये हैं। गद्य के अभाव में कवियों की संख्या अब की अपेक्षा पहले कहीं ज़्यादा होती थी। हरि अनन्त, हरि कथा अनन्ता..

बहरहाल मेरे प्रिय कवि तो मलूकदास ही हैं और मेरे लिए तो उनका स्थान सदा सर्वोच्च ही रहेगा। उनका सारा महान् जीवन-दर्शन एक छोटे-से दोहे में छिपा है। इस दोहे में 'अजगर' और 'चाकरी' की चर्चा है जो राजा व दरबारी के प्रतीक होने के कारण वीरगाथा काल की याद दिलाता है। इस दोहे में 'काम' की भी चर्चा है जो रीतिकाल का आधार-स्तम्भ है और अन्त में चलकर इस दोहे में 'पंछी' तथा

'राम' की याद भी दिलायी गयी है जो कि भक्ति काल के प्रतीक हैं। आराम के साथ जीवन-यापन करने का उपदेश देने के साथ-साथ यह अकेला दोहा प्राचीन हिन्दी-काव्य के सारे कालों का प्रतिनिधित्व भी एक साथ ही करता है जिससे सिद्ध होता है कि मलूकदास एक 'सिद्ध' पुरुष थे। यह कालजयी दोहा आप सबके लाभार्थ अपने मूल पाठ में नीचे दिया जाता है :

अजगर करै न चाकरी, पंछी करै न काम,
दास मलूका कह गये सबका दाता राम।

सन्दर्भ-ग्रन्थ :

हिन्दी नवरत्न (मिश्रबन्धु)
हिन्दी साहित्य का इतिहास (पं. रामचन्द्र शुक्ल)
हिन्दी साहित्य का सुबोध इतिहास (बाबू गुलाबराय)
हिन्दी साहित्य का अद्यतन इतिहास (डॉ. मोहन अवस्थी)
सूर पंचरत्न (लाला भगवान दीन)
सूर-सन्दर्भ (नन्ददुलारे वाजपेयी)
खंजन नयन (अमृतलाल नागर)
'कल्याण' का 'रामचरितमानस विशेषाक'
रामचरितमानस की भूमिका (पं. रामदास गौड़)
हमारे प्रतिनिधि कवि (विश्वम्भर 'मानव')
मानस का हंस (अमृतलाल नागर)
तुलसीदास (निराला)
दिल्ली-सल्लनत (फ़रिश्ता)
बिहारी-सतसई की भूमिका (पं. पद्मसिंह शर्मा)
बिहारी-सतसई (रामवृक्ष बेनपुरी)
देव और बिहारी (कृष्णबिहारी मिश्र)
पद्माकर-पराग (दुर्गाप्रसाद गुप्त)
रहीम-रचनावली (सुरेन्द्र तिवारी)
घनानन्द के काव्य में अप्रस्तुत-योजना (डॉ. मनोहर लाल)
'कहानीकार' का 'भारतेन्दु-विशेषांक'
रीति-काव्य-संग्रह (डॉ. जगदीश गुप्त)
पल्लव (सुमित्रानन्दन पन्त की भूमिका)
भौन-कवि (निराला के 'चाबुक' में संग्रहीत निबन्ध)
कृष्ण-काव्य और भारतेन्दु (डॉ. विद्यानिवास मिश्र का निबन्ध)
हिन्दी साहित्य : युग और प्रवृत्तियाँ (डॉ. शिवकुमार शर्मा)

पचास वर्ष पूर्व का प्रयाग : कुछ संस्मरण

(एक)

प्रयाग हमारे देश का एक अद्‌भुत नगर है। पहली बात तो यह है कि यह हमारे देश का प्रमुखतम धार्मिक स्थान है। 'प्रयाग' शब्द का अर्थ उस स्थान से होता है जहाँ दो नदियाँ एक-दूसरे से मिलती हों। बद्रीनाथ-धाम जाते हुए कई 'प्रयाग' पड़ते हैं जैसे 'कर्ण-प्रयाग', 'देव-प्रयाग' व 'रुद्र-प्रयाग'। इलाहाबाद में तीन नदियों का संगम होता है हालाँकि तीसरी नदी सैकड़ों साल पहले सूख चुकी है। इलाहाबाद को इसी कारण 'प्रयाग' नहीं वरन् 'प्रयाग-राज' कहा जाता है। यहाँ हर बारह वर्ष बाद कुम्भ का महान् मेला जुड़ता है। संगम के पास स्थित लेटी हुई मुद्रा में हनुमान का मन्दिर है व अक्षय-वट देखने के लिए असंख्य यात्री लोगों की भीड़ लगी रहती है। धार्मिक होने के अतिरिक्त प्रयाग एक अत्यन्त प्राचीन व ऐतिहासिक नगर है। वाल्मीकि-रामायण के अनुसार रामचन्द्रजी वनवास जाते हुए महर्षि भरद्वाज के आश्रम में यहाँ आये थे। सम्राट् हर्षवर्धन यहाँ प्रत्येक पाँचवें वर्ष आते थे और सब कुछ दान करने के बाद मात्र एक लँगोटी में अपनी राजधानी कन्नौज लौटते थे। नाग वासुकि का मन्दिर व द्रौपदी-घाट बड़े प्राचीन स्थल हैं। बहुत बाद में मुग़ल-सम्राट् अकबर ने यहाँ सन् 1575 में क़िला बनवाया और बाँध बनवाया ताकि नदी नगर में प्रवेश न कर सके। क़िला बनवाने के बाद उसने जौनपुर की सूबेदारी ख़त्म की और अपने पुत्र शहज़ादे सलीम को इलाहाबाद का सर्वप्रथम सूबेदार नियुक्त किया। आजकल क़िले में असली अक्षयवट, अशोक की लाट व रानी जोधाबाई का महल—ये तीन चीज़ें देखने लायक़ हैं। अकबर और बीरबल की प्रथम भेंट प्रयाग में ही हुई थी। गंगा के उस पार राजा पुरुरवा व उर्वशी रहते थे—ऐसा विश्वास किया जाता है। सन् 1857 के ग़दर में जनरल नील ने विद्रोहियों पर भयंकर अत्याचार किये। शहंशाह शाहआलम इलाहाबाद के क़िले में अँग्रेज़ों के संरक्षण में तब तक 'मेहमान' रहा जब तक कि मराठा सामन्त महादजी सिन्धिया ने उन्हें वहाँ से निकालकर दिल्ली के तख़्त पर नहीं बैठा दिया। ईस्ट इण्डिया कम्पनी की समाप्ति का घोषणा-पत्र लार्ड कैनिंग

ने प्रयाग के मिण्टो पार्क में ही पढ़ा था।

बीसवीं सदी में प्रयाग की प्रसिद्धि के तीन प्रमुख कारण रहे। एक कारण था आगरा के चीफ़-कोर्ट को हटा कर इलाहाबाद का हाईकोर्ट बनाना जो देश का सबसे बड़ा हाईकोर्ट है और जहाँ के बैरिस्टरों में पण्डित मोतीलाल नेहरू, सर तेजबहादुर सप्रू व डॉ. कैलाशनाथ काटजू के नाम अभी भी लोगों की ज़ुबान पर हैं। दूसरा कारण था यहाँ सन् 1875 में विश्वविद्यालय की स्थापना करना जो बाद में 'पूरब का ऑक्सफ़ोर्ड' कहलाता था और तीसरा कारण था प्रयाग का 'साहित्य का एक गढ़' रहना। अकबर इलाहाबादी, श्रीधर पाठक, महावीरप्रसाद द्विवेदी, देवीदत्त शुक्ल व बख़्शी जी से लेकर फ़िराक़, पन्त, निराला, अश्क़, महादेवी और नरेश मेहता इत्यादि तक प्रयाग के ही निवासी रहे। प्रयाग की चौथी विशेषता यह भी रही है कि चुनार, विन्ध्याचल, कौशाम्बी, चित्रकूट, अयोध्या, जौनपुर व बनारस भी प्रयाग के पास ही स्थित हैं, दूर नहीं। प्रयाग की अन्तिम विशेषता यह है कि यह अभी भी उत्तर-प्रदेश की दूसरी राजधानी है। मैं सन् 1950 में मात्र ट्यूशन करके बचाये गये सौ रुपये लेकर प्रयाग गया था और अर्थशास्त्र में एम. ए. की परीक्षा में 'टॉप' करके लौटा था। उसके बाद मैं भारत-सरकार की 'सर्वोच्च सिविल सर्विसेज' में से एक सर्विस में आ गया और फिर अनेक वर्षों के लिए प्रयाग ही में नियुक्त हो गया। अब मैं कुछ ऐसे व्यक्तियों की चर्चा करूँगा जो आज से पचास वर्ष पूर्व बेहद प्रख्यात थे पर जिन्हें समय के साथ-साथ लोग भूलते गये।

पण्डित सुन्दरलाल अपने ज़माने के एक बेहद मशहूर आदमी थे। उन्होंने 'भारत में अँग्रेज़ी राज' नामक एक ग्रन्थ लिखा जिसका प्रथम संस्करण मार्च सन् 1929 में प्रकाशित हुआ। इस पुस्तक में पूरे विस्तार व प्रमाणों के आधार पर यह पर्दाफ़ाश किया गया कि अँग्रेज़ों ने भारत पर जो क़ब्ज़ा किया वह बहादुरी या बुद्धिमानी के सहारे नहीं किया बल्कि यह सारा काम उन्होंने अपनी चालबाज़ी, भ्रष्टाचार व कुटिलता के सहारे सम्पन्न किया। पुस्तक के छपने से पहले ही अँग्रेज़ी-सरकार घबरा उठी और पुस्तक के 'आउट' होने से पहले ही उसे ज़ब्त कर लिया गया। महात्मा गाँधी ने सरकार की इस बेजा हरकत को 'दिनदहाड़े डाका' कहकर पुकारा और सर तेजबहादुर सप्रू ने इलाहाबाद के हाईकोर्ट में पुस्तक की ज़ब्ती के ख़िलाफ़ मुक़दमा लड़ा। उन्होंने ज़ोरदार शब्दों में जब यह कहा कि "पुस्तक में सिर्फ़ सच ही लिखा है और कुछ नहीं" तो सरकारी वकील ने जवाब में कहा कि "क्योंकि पुस्तक में जो कुछ लिखा है वह मात्र सच है, इसको ज़ब्त करने का जो हुक्म सरकार द्वारा जारी किया गया है वह एकदम वाजिब है।" अदालत ने सप्रू साहब के निवेदन को ठुकरा दिया और देश के आज़ाद होने तक यह महान् पुस्तक ज़ब्तशुदा ही रही। आज़ादी मिलते ही यह प्रसिद्ध ग्रन्थ 'सस्ता-साहित्य-मण्डल' से खादी की जिल्द में तीन मोटे खण्डों में छपा। पुस्तक मैंने 1948 ही में पढ़ ली थी' और उसके

लेखक प्रयाग में ही रहते थे।

प्रयाग में जैसे ही मैं कुछ पैर जमा पाया वैसे ही मैं कुछ और साथियों के साथ पं. सुन्दरलाल से मिलने गया। वे रामबाग़ रेलवे-टेशन के पास एक साधारण-से मकान में बेहद सादगी से रहते थे और चीन की यात्रा से तभी-तभी लौटे थे। वे बड़े ही प्रेम से मिलें और हमको शर्बत पिलाया। वे बहुत भावुक व्यक्ति थे और बातचीत के दौरान रोने तक लगते थे। मैं उनकी पुस्तक की कुछ आलोचना करना चाहता था पर उस वृद्ध व्यक्ति को मैं दुख नहीं पहुँचा सकता था। मैं चुप ही रहा हालाँकि मुझे पूरा विश्वास है कि उनकी पुस्तक में कई जगह जान-बूझकर सच्चाई को छिपाया गया है और कई जगह अँग्रेज़ों की निराधार निन्दा की गयी है या उनके द्वारा किये गये अच्छे कामों को भी नकारा गया है। उनके विचार में भारतीय शासकों में किसी भी प्रकार की कोई कमी नहीं थी और देश जो गुलाम हुआ था उसका एकमात्र कारण यह था कि सारे के सारे अँग्रेज़ धूर्त थे, कुटिल थे और धोखेबाज़ थे। हम लोग बहुत देर तक पण्डित जी के साथ बैठे और बाद में भी उनसे मिलते रहे। मेरे विचार में पण्डित सुन्दरलाल की आयु उस समय सत्तर वर्ष से ऊपर थी और पुस्तक को लिखने के पूर्व उन्होंने बेशुमार सामग्री का गहन अध्ययन किया था।

(दो)

उर्दू में 'बिस्मिल' उपनाम रखने वाले कई कवि हुए हैं। रामप्रसाद 'बिस्मिल' को काकोरी-केस में फाँसी दी गयी थी। फाँसी लगने से एक दिन पहले ही उन्होंने यह शेर लिखा था–दरो दीवार पर हसरत से नज़र रखते हैं, खुश रहो अहले-वतन हम तो सफ़र करते हैं। वे तो अपना फ़र्ज़ पूरा कर सफ़र पर निकल गये पर अहले-वतनों ने जो ख़ुशी पायी और इस मुल्क का जो हाल किया वह हम सबके सामने है। शायद ही कोई ऐसा राज-नेता हो जो भयंकर भ्रष्टाचार में गले तक न फँसा हो। विधान-सभाओं में जूता चलता है और कोठी पर गाँधी जी के चित्र के नीचे बैठकर मदिरा-पान किया जाता है। ऐसे-ऐसे लोग विधायक हैं जो क़त्ल के जुर्म में फँसे हैं। गाँधी जी की समाधि पर फूल चढ़ते हैं, उनकी स्मृति में राम-धुन चलती है और उसके बाद सारा दिन रिश्वतें लेने और अपराध करने में गुज़ारा जाता है। बड़े-बड़े तथाकथित लेखक उन साथियों की याद में लाखों रुपयों का इनाम लेते हैं जिनसे वे जीते-जी बात भी करना पसन्द नहीं करते थे...।

जब मैं प्रयाग गया तो 'बिस्मिल' इलाहाबादी नाम के एक अच्छे शायर इलाहाबाद में रहते थे। 'फ़िराक़' साहब ने हमसे कहा कि उनसे ज़रूर मिलो। 'बिस्मिल' से मिलने हम लोग खुसरो-बाग़ में स्थित म्युनिसपैलिटी के दफ़्तर गये जहाँ वे काम करते थे। एक के बाद एक बैरक पार करके हम लोग आख़िरी कमरे में पहुँचे जहाँ एक अधेड़ सज्जन नंगे फ़र्श पर बैठे थे और बिलों पर मुहर का ठप्पा लगा रहे

थे और जिन्होंने लुंगी व बनियान—बस ये ही दो कपड़े पहन रखे थे। हमने उनसे 'बिस्मिल' साहब के बारे में पूछा तो उन्होंने फ़रमाया कि "बिस्मिल साहब अभी सरकारी ड्यूटी को अंजाम दे रहे हैं और हम लोग अगर आधा घण्टा बाग़ घूमने में लगाएँ तो बेहतर होगा।"

खुसरो-बाग़ जहाँगीर के बेटे शहज़ादे खुसरो के नाम पर है। उसने अपने बाप के ख़िलाफ़ विद्रोह किया था और पराजित हो जाने पर बादशाह ने उसे अन्धा करवा दिया था। शहज़ादा खुर्रम (जो बाद में शाहजहाँ के नाम से गद्दीनशीन हुआ) किसी तरह खुसरो को अपने साथ दक्षिण ले गया जहाँ उसे ज़हर देकर मार डाला गया। खुसरो इलाहाबाद में ही दफ़न किया गया जहाँ उसकी माता व पत्नी पहले ही से दफ़न थीं। खुसरो बाग़ अमरूदों के लिए यूरोप तक मशहूर है (रखा यहाँ है क्या सिवा अकबर के और अमरूद के—अकबर)

बाग़ घूमकर हम आये तो देखा कि बिलों पर ठप्पा लगाने वाले वही सज्जन काम ख़त्म कर चुके हैं और कमीज़-पाजामा पहन कर हमारी प्रतीक्षा कर रहे हैं। उन्होंने हमें अपने साथ फ़र्श पर बिठाया और खैनी खाकर और बीड़ी सुलगाकर हमें बताया कि उनका ही नाम 'बिस्मिल' है और वे रोज़ी-रोटी के लिए म्युनिसपैलिटी में दफ़्तरी का काम करते हैं। इतने बड़े आदमी को इस हालत में देखकर हम लोगों को बड़ा सदमा हुआ पर हम लोग कर ही क्या सकते थे...

'बिस्मिल' साहब का शानदार कलाम हमें 'मुस्लिम-होस्टल' में होने वाले एक मुशायरे में सुनने को मिला। उनकी एक ग़ज़ल तो ऐसी मार्मिक थी कि 'जिगर' साहब ने उन्हें स्टेज पर ही छाती से लगा लिया।

(तीन)

सन् उन्नीस सौ पचास में देवीदयाल चतुर्वेदी 'मस्त' नाम के एक साहित्यकार 'सरस्वती' के सम्पादक थे। बड़े शिष्ट न नेकदिल इंसान थे। उन्होंने दो बार मेरी कविताएँ 'सरस्वती' में प्रकाशित कीं। पारिश्रामिक तो कुछ नहीं मिला पर 'सरस्वती' में छपने की मुझे जो खुशी हुई वह शब्दों में व्यक्त नहीं की जा सकती। थोड़े ही दिनों बाद पदुमलाल पुन्नालाल बख़्शी 'सरस्वती' के सम्पादक बन कर फिर आ गये और पत्रिका का स्तर बहुत ही जल्दी ऊपर उठने लगा। बख़्शी जी आचार्य महावीरप्रसाद द्विवेदी के साथ 'सरस्वती' के सहायक सम्पादक रह चुके थे। वे एक अधेड़ पुरुष थे जिन्होंने सम्पादन व अध्यापन के अतिरिक्त कोई और काम कभी किया ही नहीं था। वे मध्य-प्रदेश के ख़ैरागढ़ राज्य में स्थित राजनाँदगाँव नामक एक स्थान के निवासी थे। कुछ प्रसिद्ध लोगों के अनुसार ख़ैरागढ़ की रानी उनसे प्रेम करती थी। वे अत्यन्त साधारण स्तर का जीवन जीते थे पर साहित्य पर उनकी असाधारण पकड़ थी। वे बहुत ही दीन व संकोची स्वभाव के व्यक्ति थे जिन्होंने विश्व-साहित्य का

गहन अध्ययन किया था। वे मुंशी प्रेमचन्द व महाकवि पन्त के भक्त-अनुचर थे। वे कुछ दीर्घसूत्री भी थे और इस कारण भी साहित्य-सृजन से बचते थे। मित्रों के दबाव के फलस्वरूप उन्होंने 'विश्व-साहित्य-अनुशीलन' नामक आलोचनात्मक ग्रन्थ लिखा और 'कुछ' तथा 'और कुछ' नामक दो अद्वितीय निबन्ध-संग्रह भी लिखे जो मील के पत्थर हैं। उनकी प्राप्य पुस्तकें बारह हैं जिनमें 'मेरी अपनी कथा' नामक उनकी आत्मकथा व 'शतदल' नामक एक काव्य-ग्रन्थ भी शामिल है। वे साहित्य के मूक साधक थे और इस कारण भी उनको उचित सम्मान नहीं मिला हालाँकि उनमें महान् प्रतिभा थी। 'निराला' जी भी उनकी प्रतिभा के क़ायल थे और पन्तजी उन पर जान देते थे।

बख़्शी जी से धीरे-धीरे परिचय हुआ और धीरे-धीरे मुझे उनकी थोड़ी-बहुत अन्तरंगता प्राप्त हुई। वे अजीब-अजीब बातें किया करते थे। उदाहरण के तौर पर एक दिन वे कहने लगे कि "ये ही बारह महीने हैं, ये ही सप्ताह के सात दिन हैं और ये ही चौबीस घण्टे हैं। जो कुछ भी होता है, वह इन्हीं में होता है। ये ही 'अ' से लेकर ज्ञ' तक अक्षर हैं जिन्हें हज़ारों वर्ष से करोड़ों लोग बोलते चले आ रहे हैं और इन्हीं अक्षरों के प्रयोग से लोग 'कालिदास' या 'दण्डी' या 'पद्माकर' भी बनते हैं। 'सा' से लेकर 'नी' तक —ये ही सात स्वर हैं जिनमें आप रोते हैं, हँसते हैं, गालियाँ देते हैं और जितने भी राग हैं, रागिनियाँ हैं वे भी इन्हीं सात स्वरों से निकली हैं।" मैं चुपचाप बैठा रहता था और मन्त्रमुग्ध होकर उनकी विलक्षण वाणी सुनता रहता था..

बख़्शी जी एक विरक्त व उदासीन प्राणी थे। उन्हें अख़बार तक पढ़ने से विरक्ति थी। वे कभी निराश या दुखी नहीं होते थे जिसका रहस्य यह था कि वे कभी किसी चीज़ की आशा ही नहीं करते थे और जीवन के विभिन्न सुखों का उन्हें कोई अनुभव ही नहीं था। साहित्य के अतिरिक्त उनका कोई और शगल था ही नहीं। यूँ तो वे सूरदास, तुलसीदास, देव, बिहारी और मतिराम इत्यादि सभी कवियों के प्रेमी थे पर पद्माकर से उन्हें इतना मोह था कि कुछ कहा ही नहीं जा सकता। वे देवकीनन्दन खत्री व मैथिलीशरण गुप्त के उपासक थे पर वे यह कहने में भी कोई संकोच नहीं करते थे कि भविष्य जो है वह प्रेमचन्द, जैनेन्द्रकुमार, पन्त और निराला का ही है, किसी और का नहीं। फुर्सत में वे गुरुदेव रवीन्द्रनाथ ठाकुर, बंकिम, शरत् और प्रभातकुमार चटर्जी को विशेष रूप से पढ़ते थे। उन्हें देखकर पता चलता था कि एक समर्पित साहित्यकार कैसा होता है।

हिन्दी में जो कुछ निबन्ध-साहित्य अब तक लिखा गया है, उसे चार मोटे खण्डों में विभाजित किया जा सकता है। पहले प्रकार के निबन्ध तो वे हैं जिन्हें पढ़ कर सिर में दर्द होने लगता है जैसे कि जयशंकर 'प्रसाद' या रामचन्द्र शुक्ल के निबन्ध। दूसरी प्रकार के निबन्ध वे हैं जो बातचीत का आनन्द देते हैं जैसे कि बालकृष्ण

भट्ट, प्रतापनारायण मिश्र, महावीरप्रसाद द्विवेदी या बाबू गुलाबराय के निबन्ध। तीसरी प्रकार के निबन्ध वे हैं जो अध्ययन, कल्पना व लालित्य का अद्‌भुत समन्वय प्रस्तुत करते हैं जैसे कि आचार्य हजारीप्रसाद द्विवेदी, विद्यानिवास मिश्र व कुबेरनाथ राय के निबन्ध (यह एक विचित्र संयोग है कि ये तीनों लेखक भोजपुर-क्षेत्र के ही हैं।) और चौथी प्रकार के निबन्ध वे हैं जिनमें हास्य व व्यंग्य को प्रधानता दी गयी। हरिशंकर परसाई, शरद जोशी, श्रीलाल शुक्ल व रवीन्द्रनाथ त्यागी—इन चार लेखकों की रचनाएँ इतनी लोकप्रिय हुईं कि आज जिसे देखो वह व्यंग्यकार ही बनने की कोशिश करता दिखाई पड़ता है। मेरे तुच्छ विचार में बख़्शी जी हिन्दी के महानतम निबन्धकार हैं। गुलेरी जी की 'उसने कहा था' नामक कहानी की भाँति, बख़्शी जी का 'रामलाल पण्डित' नामक एक निबन्ध ही उन्हें अमर रखने के लिए काफ़ी है। यह परम खेद की बात है कि जब हिन्दी-साहित्य-सम्मेलन ने भाई विद्यानिवास मिश्र जी को शुक्लोत्तर-काल के निबन्धकारों का निबन्ध-संग्रह तैयार करने का काम सौंपा तो उन्होंने अपने प्रसिद्ध ग्रन्थ 'आधुनिक निबन्धावली' में राममनोहर लोहिया, कमलापति त्रिपाठी व डॉ. नगेन्द्र जैसे 'लेखकों' को तो शामिल किया पर बख़्शी जी को लेना वे भूल गये।

जब विश्वम्भर 'मानव' ने 'हमारे प्रतिनिधि लेखक' नामक ग्रन्थ लिखना शुरू किया तो एक प्रख्यात हिन्दी-लेखक ने उनकी पुस्तक में शामिल होने की इच्छा प्रकट की। ये प्रख्यात हिन्दी-लेखक कुछ ऐसी मिट्टी के बने थे कि वे हमेशा चर्चा का विषय बना रहना चाहते थे। मानव जी ने उनके निवेदन को ठुकरा दिया। इसके बाद उस लेखक ने मानव जी को चाय-पार्टी दी, बार्नेट में खाना खिलाया और यह भी कहा कि "आप चाहे मेरी निन्दा ही कीजिए पर मुझ पर एक अध्याय लिख ज़रूर दीजिए।" मानव जी ने उनके साम, दान, दण्ड और भेद—सबको ठुकरा दिया और साफ़ कह दिया कि "मैं आपको चर्चा के लायक़ ही नहीं समझता।" एक तरफ़ तो यह हाल रहा और दूसरी ओर स्थिति यह रही कि मानव जी बख़्शी जी से बातचीत करने न जाने कितनी बार बख़्शी जी के पास गये पर बख़्शी जी ने ऐसी विरक्ति दिखाई कि कुछ कहा ही नहीं जा सकता। बहराहाल, मानव जी ने बख़्शी जी पर एक पूरा शानदार अध्याय लिखा और अपना फ़र्ज़ पूरा किया।

बख़्शी जी लगभग दो वर्ष प्रयाग रहे। उसके बाद उन्होंने इण्डियन प्रेस के मालिक श्री हरिकेशव घोष (पटल बाबू) से सदा के लिए विदा माँगी। पटल बाबू ने उनको रोकने की बहुत कोशिश की पर पता नहीं क्यों, बख़्शी जी ने अपने गाँव जाने की ज़िद न छोड़ी। प्रयाग छोड़ने से पहले उन्होंने संगम में स्नान किया, पन्त और निराला से अन्तिम भेंट की, हिन्दू-होस्टल के कर्ता-धर्ता पं. देवीदत्त शुक्ल के साथ भोजन किया और हम जैसे नौसिखियों को आशीर्वाद भी दिया। मुझसे उन्होंने स्पष्ट कहा कि "सच्चा साहित्यकार मात्र वही व्यक्ति हो सकता है जो मात्र 'स्वान्तः

सुखाय' ही लिखता हो। सृजन के सुख के सामने प्रशंसा, पुरस्कार व यश भी कोई मायने नहीं रखते। साहित्य का सच्चा समीक्षक मात्र काल है, और कोई नहीं।" उन्होंने यह भी कहा कि "पुराने साहित्यकारों को सदैव पढ़ते रहना चाहिए। पुराने को जाने बिना आप नया नहीं लिख सकते।" उनको छोड़ने मैं स्टेशन गया और जब गाड़ी चली तो प्रयाग को सदा के लिए छोड़ते हुए वे अत्यन्त भावुक हो उठे। सभी लोगों की आँखों में आँसुओं के अतिरिक्त और कुछ नहीं था। अपने जीवन में मैंने अनेक बड़े-बड़े साहित्यकार देखे पर बख़्शी जी जैसा विरक्त, उदासीन और निःसंग व्यक्ति कोई और नहीं देखा.."

बख़्शी जी के जाने के बाद 'सरस्वती' छपती तो रही पर उसमें पहले जैसी बात अब नहीं रही थी। सेवा-निवृत्त होने के बाद राय-साहब पं. श्रीनारायण चतुर्वेदी ने 'सरस्वती' का सम्पादन अपने हाथों में ले लिया और 'निराला' के गीत भी कभी-कभी छपने लगे। चतुर्वेदी जी एक विलक्षण व्यक्ति थे जिन पर लक्ष्मी व सरस्वती-दोनों की कृपा थी। शिक्षा विभाग के बड़े अफ़सर होने के कारण, अपने सेवा-काल में वे ज़्यादातर लखनऊ ही में रहते थे पर प्रयाग का आना-जाना सदैव बना रहता था। विनोद शर्मा नाम से उन्होंने 'राजभवन की सिगरेटदानी' व मेरी श्रेष्ठ व्यंग्य रचनाएँ' नामक दो उत्कृष्ट व्यंग्य-ग्रन्थ लिखे। वे अकेले बड़े आदमी थे जिनसे 'निराला' जी सच्चा स्नेह रखते थे। 'निराला' जी का सर्वश्रेष्ठ काव्यग्रन्थ (तुलसीदास) जब छपा तो उन्होंने उसे 'अपने अग्रज' चतुर्वेदी जी को ही समर्पित किया। इस स्नेह के क़ारण दो थे। पहला कारण था चतुर्वेदी जी का एक सच्चा साहित्य-मर्मज्ञ होना और दूसरा कारण था निराला जी के प्रति चतुर्वेदी जी का अनन्त अनुराग। 'निराला' का अन्तिम गीत-संग्रह (सान्ध्य-काकली) उन्होंने ही सम्पादित किया और छपवाया। 'सरस्वती' का 'हीरक-जयन्ती विशेषांक' चतुर्वेदी जी ने ही तैयार करवाया और उसका लोकार्पण हमारे तत्कालीन राष्ट्रपति डॉ. राजेन्द्र प्रसाद ने ही किया (स्वीकृतं कुरु राजेन्द्र। यह विशेषांक राष्ट्रपति को ही समर्पित था जो हिन्दी-प्रेमी थे और जो 'हिन्दी-साहित्य-सम्मेलन' के सभापति तक रह चुके थे। 'सरस्वती' का यह हीरक-जयन्ती-विशेषांक' बीसवीं सदी के हिन्दी-साहित्य का इतिहास है और इसके प्रकाशन के लिए सारा हिन्दी-जगत् चतुर्वेदी जी का सदा ऋणी रहेगा। चतुर्वेदी जी ने नब्बे वर्ष से कुछ ज़्यादा ही आयु पायी। उन्होंने सारी उम्र हिन्दी का भला ही किया।

(तीन)

सन् 1950 में जब मैं प्रयाग पहुँचा तो देखा कि हर आदमी—चाहे वह किसी भी पेशे का हो और कितना ही बड़ा क्यों न हो—डॉ. अमरनाथ झा के नाम से 'आतंकित' था। और यह बात तो तब थी जब कि झा साहब उन दिनों प्रयाग में नहीं रहते थे, वे पटना में रहते थे जहाँ वे 'बिहार-पब्लिक-सर्विस-कमीशन' के चेयरमैन थे। हाँ,

उनकी पैतृक कोठी प्रयाग के जार्ज टाउन में ही थी और वे अक्सर प्रयाग आते रहते थे। वे प्रयाग विश्वविद्यालय के उपकुलपति महामहोपाध्याय डॉ. सर गंगानाथ झा के सुपुत्र थे और वे लगातार तीन बार (अर्थात् नौ वर्ष तक) प्रयाग विश्वविद्यालय के उपकुलपति रह चुके थे और "अगर चाहते तो और भी ज़्यादा अवधि तक यूनिवर्सिटी के सर्वेसर्वा बने रह सकते थे।" यूनिवर्सिटी से रिटायर होने के बाद वे 'उत्तर-प्रदेश-पब्लिक सर्विस-कमीशन' के अध्यक्ष रहे और बाद में वैसे ही पद पर बिहार चले गये। मूलतः वे बिहार के मिथिला-प्रदेश के ही निवासी थे जिनके पिता प्रयाग में बस गये थे।

झा साहब के बारे मैं तरह-तरह की अफ़वाहें फैली हुई थीं। लोगों का कहना था कि वे और 'फ़िराक़' साहब बी.ए. की कक्षा में सहपाठी थे और डॉ. गंगानाथ झा के कहने पर 'फ़िराक़' साहब ने 'ड्राप' किया था ताकि वाइस-चांसलर के सुपुत्र अमरनाथ झा क्लास में टॉप कर सकें। यह जनश्रुति एकदम सच है हालाँकि यह नहीं कहा जा सकता कि 'फ़िराक़' साहब ने जो 'ड्राप' किया था वह डॉ. गंगानाथ झा के कहने पर किया था या यह क़दम उन्होंने स्वयं ही कुछ निजी कारणवश उठाया था। डॉ. अमरनाथ झा "पण्डित नेहरू के क़रीबी माने जाते थे और पत्राचार में महात्मा गाँधी तक से वे बराबरी का व्यवहार करते थे।" मैं झा साहब के दर्शनों को व्याकुल था कि एक दिन 'निराला' जी ने मुझसे अचानक ही यह कह डाला कि "यू मस्ट मीट अमरनाथ झा, ही इज़ ए वैरी स्मार्ट मैन।" 'निराला' जी के दर्शन मैं प्रायः प्रत्येक रविवार को करता था। मैं लाइब्रेरी गया और 'स्मार्ट' शब्द के अर्थ ढूँढ़ने लगा। डिक्शनरी के अनुसार 'स्मार्ट' शब्द के कई अर्थ हैं, जैसे तीक्ष्ण-बुद्धि, चतुर, चुस्त, तीखा, चरपरा, प्रफुल्ल और रौबदार। पता नहीं 'निराला' जी के दिमाग़ में कौन-सा अर्थ था। बहरहाल झा साहब उन दिनों प्रयाग आये हुए थे और एक बड़े आदमी ने मेरी व उनकी मुलाक़ात कराने में मदद करने का वादा भी किया पर मेरी अपनी ही हिम्मत ने साथ नहीं दिया...

संयोग की बात कि कुछ ही दिनों बाद विजयानगरम् हॉल में एक लेक्चर था और उसमें प्रमुख वक्ता झा साहब ही थे। मैं भी श्रोताओं में से एक था। झा साहब की मोटर एकदम ठीक समय पर आयी और उन्हें 'रिसीव' करने के लिए बड़े-बड़े वरिष्ठ प्रोफ़ेसर दौड़ पड़े। झा साहब हल्की-सी मुस्कान के साथ आये और सम्राट् जूलियस सीज़र की तरह धीमी गति से चलते हुए मंच की प्रमुख कुर्सी पर पहुँचे। वे दुहरे शरीर के, मध्यम क़द के और गेहुँआँ रंग के व्यक्ति थे जिनकी प्रत्येक भंगिमा से शालीनता, सम्भ्रान्तता, गरिमा और आत्मसम्मान टपकता था। उनके बाल करीने के साथ कटे थे और ठीक तरह कंघी किये गये थे। वे सामन्तवादी युग के व्यक्ति लगते थे और जैसा कि ज़ाहिर था, उन्हें चाटुकारों या प्रशंसकों से कोई एतराज़ नहीं था। उनका सूट ग़ज़ब का था और टाई जो थी वह बेशक़ीमती थी। उनका

भाषण अँग्रेज़ी में था और उसमें अनेक विनोदपूर्ण बातें भी कही गयी थीं। सारे लोग खिलखिलाकर हँसते रहे पर झा साहब मात्र मुस्कुराते ही रहे। अपना कोई आधे घण्टे का भाषण करते ही उन्होंने उत्सव छोड़ दिया और ख़ुशामदियों की भीड़ उन्हें छोड़ने फिर मोटर तक गयी। कई बड़े लोगों ने उनके चरण तक छुए। उनके चले जाने के बाद भाषण तो कई हुए पर फ़ंक्शन तो अब उजड़ चुका था। मात्र एक व्यक्ति इतना प्रभावशाली हो सकता है, यह मैंने पहली बार जाना।

बी.ए. करने के बाद मैं गंगानाथ झा होस्टल में चला आया क्योंकि जैन बोर्डिंग हाउस में पढ़ने-लिखने का वातावरण कम था। इस होस्टल को 'गंगानाथ झा होम' भी कहते थे क्योंकि कभी इसी स्थान पर वह बँगला था जिसमें पं. गंगानाथ झा सपरिवार रहते थे। इस होस्टल में मैं 'स्टडी-सर्किल' का सेक्रेटरी बनाया गया। डॉ. अमरनाथ झा इस छात्रावास में आने के लिए सदा उत्सुक रहते थे। उन्हें निमन्त्रित करने मैं जब-जब भी झा साहब के पास गया, तभी-तभी उन्हें नज़दीक से देखने का अवसर मिला। वे 'क्लीन शेव्ड' नहीं रहते थे, उनकी मूँछें बेहद करीने के साथ बहुत महीन कटी रहती थीं। उनकी मेज़ पर नयी-नयी किताबें रहती थीं और फ्रैडरिक हैरिसन से लेकर पर्ल बक तक से उनका पत्र-व्यवहार रहता था। उनका पुस्तकालय शानदार था और सारी चीज़ें बेहद सलीके के साथ सजी रहती थीं। उनको कोठी की हैज और लॉन—उतने ही करीने के साथ कटे हुए मिलते थे जितना कि सुव्यवस्थित व सजा हुआ उनका ड्राइंग-रूम व स्टडी-रूम होते थे। वे बेहद शिष्ट, वक़्त के पाबन्द, संयमी और चुप रहने वाले व्यक्ति थे। जिसे जितना टाइम दिया जाता था, उसे प्रायः उतना ही टाइम मिलता था—चाहे वह मेरे जैसा एक साधारण छात्र हो या हाईकोर्ट का चीफ़-जस्टिस हो। वे हमेशा हमारे होस्टल आते थे और प्रायः मैथिली वेशभूषा में ही आते थे। रेशम का कुर्ता, उम्दा धोती और कन्धे पर रेशमी चादर और न्यूकट या पम्प-शू। उन्होंने अपने जीवन-काल में ही अपनी चिता के लिए पर्याप्त चन्दन ख़रीद लिया था। वे विधुर थे पर वे एकदम पवित्र जीवन जीते थे। यह बात मैं दावे के साथ कहता हूँ। वैसे वे एक अधेड़ व्यक्ति थे।

उन्होंने न जाने कितने लोगों की विभिन्न प्रकार से सहायता की और उन लोगों तक को यह पता कभी नहीं लगा कि झा साहब ने उनकी मदद की है और कैसे की है। वे कभी किसी के नीचे काम नहीं कर सकते थे और अपनी इसी आदत के कारण वे फ्रांस के राजदूत बनते-बनते रह गये। वे हमारे गवर्नर को 'मिस्टर मुंशी' कहकर ही सम्बोधित करते थे जब कि वे पं. सुमित्रानन्दन पन्त का बेहद आदर करते थे। बच्चन जी ने उनका बहुत स्नेह पाया हालाँकि उनका अनुशासन कभी-कभी बच्चन जैसे 'ही-मैन' के लिए भी असह्य हो उठता था। मुझे पता नहीं कि अपना 'पद्मभूषण' लेने वे राष्ट्रपति-भवन गये थे या नहीं।

झा साहब एक कुशल प्रशासक होते हुए भी मूलतः एक शिक्षक ही थे और

कुछ नहीं। वाइस-चांसलर होने पर भी वे बी.ए. का एक इंग्लिश पीरियड लेते थे। अमरनाथ झा होस्टल के प्रत्येक छात्र से उनका व्यक्तिगत परिचय था और वहाँ एक 'फ्राई-डे क्लब' भी चलता था जिसे कुछ लोग मज़ाक़ में 'फ्राई-डे मैन क्लब' भी कहते थे। म्योर होस्टल (जो बाद में अमरनाथ झा होस्टल कहलाया) में प्रवेश पाना अत्यन्त कठिन था क्योंकि प्रत्येक प्रत्याशी का इण्टरव्यू झा साहब स्वयं लेते थे। पी. सी. बनर्जी होस्टल में जब पानी का संकट ज़्यादा हो गया तो लड़कों का पूरा झुण्ड मात्र तौलिये में ही उनकी कोठी तक पैदल गया। झा साहब ने स्नेह के साथ सबको 'डाँटा' और चौबीस घण्टे के अन्दर उस होस्टल में नलकूप लगा दिया गया।

इस छोटे-से संस्मरण में डॉ. अमरनाथ झा जैसे बड़े आदमी को बाँधना असम्भव है। वे दृश्य-काव्य थे, श्रव्य-काव्य नहीं। मुझे आज तक जितने भी लोग मिले वे या तो उनके प्रशंसक निकले या उनसे भयभीत। उनका निन्दक कोई नहीं मिला। वे सचमुच अजातशत्रु थे। सच्चाई तो यह है कि उन्होंने अपने शत्रुओं की भी मदद ही की; बदला कभी नहीं लिया। यह उनका स्वभाव ही नहीं था।

मैं, अपने जीवन के छियासठ वर्ष पूरे कर चुका हूँ। अपने जीवन में मैंने कितने ही राजनेता, राजदूत, आई.सी.एस. अधिकारी, सचिव और सेनाध्यक्ष वग़ैरह देखे हैं, पर डॉ. अमरनाथ झा जैसा शानदार इंसान कोई दूसरा नहीं देखा। वे सचमुच एक अद्‌भुत व्यक्ति थे।

(चार)

अपने क़स्बे में मैं 'राष्ट्रीय-स्वंयसेवक-संघ' का सदस्य था और नियमपूर्वक उसकी शाखा 'अटेण्ड' करता था। मेरे क़स्बे में मुसलमान ज़्यादा थे पर साम्प्रदायिकता जैसी कोई चीज़ वहाँ नहीं थी। देश के विभाजन के समय मैं लगभग सोलह-सत्रह वर्ष का था। मेरे क़स्बे में पंजाब से बहुत थोड़े से शरणार्थी आये थे और वे बाक़ी लोगों में घुल-मिल कर रहने लगे थे। हमारे क़स्बे से शायद कोई भी मुसलमान पाकिस्तान नहीं गया था। डॉ. रशीद अहमद खान का एकमात्र पुत्र ज़रूर पाकिस्तान चला गया था और उसके ग़म में डॉक्टर साहब को दिल का दौरा पड़ा और उनका इन्तकाल हो गया जिसके कारण क्या हिन्दू और क्या मुसलमान, दोनों को बेहद दुख हुआ था। सारे क़स्बे में केवल कांग्रेस-पार्टी ही का राज था। पं. गुणप्रकाश वैद्य व श्रीमती बसन्ती देवी त्यागी कांग्रेस का ही काम करते थे और सन् 1942 के आन्दोलन में सब्ज़ी मण्डी से स्वयं गिरफ़्तार हुए थे। अजादी से पहले हमारे ज़िले का कप्तान-पुलिस एक अँग्रेज़ था और ज़िले का जो कलेक्टर था वह एक आई.सी. एस. था जो हिन्दू था। मैंने उन दोनों को बहुत नज़दीक से देखा था और कलेक्टर ने तो मुझे स्कूल के सालाना जलसे में कुछ सर्टिफ़िकेट भी दिये थे। गाँधी जी की हत्या के बाद, मेरे ज़िले के गोविन्द सहाय नामक एक कांग्रेसी नेता ने (जो प्रान्तीय

सरकार में पार्लियामेण्टरी-सेक्रेटरी बन गये थे) 'राष्ट्रीय-स्वयंसेवक-संघ' को महात्मा जी की हत्या के लिए दोषी ठहराया और उसकी तुलना हिटलर की नाज़ी-पार्टी से की। इसके बाद मेरे कस्बे में संघ की शाखा ने काम करना बन्द कर दिया। मुझे बड़ा ताज्जुब हुआ क्योंकि संघ ने कभी भी शारीरिक-व्यायाम के अतिरिक्त और कोई बात कही ही नहीं थी। गाँधी जी के विरुद्ध तो कभी कुछ कहा ही नहीं गया था। संघ के जो कार्यकर्ता थे वे भी गाँधीजी की हत्या पर बाक़ी लोगों की तरह दुखी थे। हम सब लड़का-लोग केवल अनुशासन व शारीरिक व्यायाम के लिए ही 'शाखा' जाते थे। हमारी कोई राजनीतिक विचारधारा नहीं थी। इण्टरमीडिएट में मैं भी भयंकर आर्थिक कष्टों में रहा और मैंने पहली बार यह सोचना शुरू किया कि क्या ग़रीबी को संसार से किसी तरह मिटाया नहीं जा सकता? मेरा यह स्वप्न टूट गया था कि आज़ादी के बाद सब चीज़ें अपने आप ठीक हो जाएँगी। मुझे न जाने कितनी बार भूखे पेट सोना पड़ता था। इण्टरमीडिएट की परीक्षा में, मैं सारे प्रान्त के छात्रों में सातवीं पोज़ीशन रखता था और मैंने इलाहबाद युनिवर्सिटी 'ज्वाइन' करने का संकल्प कर रखा था। सैमुएल स्माइल्स की 'सैल्फ़-हैल्प' व बुकर टी. वाशिंग्टन की 'अप फ्रॉम स्लेवरी' नामक पोथियाँ ही मेरा सहारा थीं।

मैं प्रयाग पहुँच ही गया और धीरे-धीरे थोड़ा-बहुत जम भी गया। प्रयाग में मैंने उन लोगों को देखा जो या तो समाजवादी थे या साम्यवादी थे। मैं उन लोगों से मिलना-जुलना शुरू किया और कार्ल मार्क्स की 'दास कैपिटल' व 'मैनिफ़ेस्टो ऑफ़ दी कम्यूनिस्ट पार्टी' नामक पुस्तकें भी पढ़ीं। आसिफ अन्सारी ने मेरी हिम्मत बढ़ायी। वह सचमुच एक अजीब आदमी था, हाई कोर्ट का जज बनने के बाद भी वह रिक्शे में ही अदालत जाता था। उसने मोटर कभी नहीं ख़रीदी। मेरा अपना हाल प्रयाग में भी वैसा ही रहा। हफ़्ते में कई रातें भुने हुए चनों पर ही गुज़ारनी पड़ती थीं और कभी-कभी तो वे चने भी मयस्सर नहीं होते थे...

मैंने कॉमरेड पी. सी. जोशी को पास से देखा। वे प्रयाग रेलवे-स्टेशन के उस पार एक बँगले में रहते थे। शिष्ट, शान्त, सुलझे हुए और चुप रहने वाले। उन्होंने मुझे कभी भी कम्यूनिस्ट बनने को नहीं कहा और न कभी किसी व्यक्ति या विचारधारा की निन्दा ही की। मगर उस शख़्स में कोई जादू ज़रूर था जिससे मैं बँधता गया। दो या तीन वर्ष बाद मैं युनिवर्सिटी-स्टूडेण्ट-फ़ेडरेशन का अध्यक्ष बन गया और सोचने लगा कि ग़रीबी हटाने का साम्यवाद के अतिरिक्त और कोई चारा नहीं था। स्तालिन के बारे में सच कभी नहीं जाना जा सकता। एक ओर कम्यूनिस्ट प्रोपेगण्डे का साहित्य और 'फ़ाल ऑफ़ बर्लिन' जैसे चल-चित्र और दूसरी ओर अतिशयोक्तिपूर्ण अमेरिकन पुस्तकें जो उसे मात्र एक शैतान ही साबित करने पर तुली थीं। मैंने कॉमरेड जोशी से पूछा कि सत्य क्या है मगर वे सदा की तरह चुप ही रहे।

कुछ अमीर मित्रों ने मेरी आर्थिक सहायता करने की कोशिश की पर मैं चाहते

हुए भी उसे स्वीकार नहीं कर सका। कई ट्यूशन मिल गये, एक पाँच रुपये माहवार की नौकरी भी थी और वज़ीफ़ा तो मिलता ही था। युनिवर्सिटी में फ़ीस माफ़ थी, होस्टल में किराया और बिजली माफ़ थे और कुल मिलाकर मेरी स्थिति ऐसी हो गयी थी कि एक बार बीस रुपये मैंने अपनी माँ को भी भेजे। हाँ, एक प्रकाशक ने मेरे साथ बहुत अन्याय किया। उसने मुझसे हाई-स्कूल के छात्रों के लिए एक किताब लिखवायी जो बहुत ज़्यादा बिकी मगर मुझे उसने सिर्फ़ डेढ़ सौ रुपये ही दिये।

बाबू जयप्रकाश नारायण प्रायः प्रयाग आते थे। वे सफ़ेद धोती व कुर्ते में होते थे और लाल रंग में रँगी गाँधी-टोपी लगाते थे। उनके साथ चन्द्रशेखर जी भी होते थे जो तब तक युनिवर्सिटी छोड़ चुके थे। खरी-खरी सुनाने और अपनी ईमानदारी के कारण उनकी बड़ी इज़्ज़त थी। जयप्रकाशनारायण 'डैमोक्रेटिक सोशलिज्म' का प्रचार करते थे मगर उनको सुनना तो बहुत अच्छा लगता था पर पल्ले कुछ नहीं पड़ता था। उनकी गम्भीरता प्रभावित करती थी पर थे वे अकर्मण्य ही, और कुछ नहीं। आचार्य नरेन्द्रदेव भी विश्वविद्यालय आते थे जो लखनऊ-युनिवर्सिटी के वाइस-चांसलर थे। वे एकदम किसान लगते थे। उनका प्रमुख सन्देश प्रायः एक ही होता था। वे कहा करते थे– "मेधावी छात्र ऊँची नौकरियों में न जाएँ, वे राजनीति में काम करें। यदि ऐसा नहीं किया गया तो राजनीति में सिर्फ़ दूसरे या तीसरे दर्जे के लोग ही रह जाएँगे जो देश के हित में नहीं होगा।"

अन्त में चलकर मुझे ठीक वैसा व्यक्ति मिला जैसा कि मैं चाहता था और वे थे डॉ. राममनोहर लोहिया। वे सैद्धान्तिक पक्ष के पूर्ण ज्ञाता थे और साथ ही साथ वे कर्मठ भी थे। वे निडर थे, बेबाक थे और उनको किसी भी पक्ष में पराजित करना मुश्किल था। वे हँसमुख थे, नाटे थे और वक़्त-ज़रूरत छोटे से छोटा उचित काम भी करने को तैयार रहते थे। वे जब भी प्रयाग आते, मैं बहादुरगंज में उनसे ज़रूर मिलता था। राजा जी की भाँति उनका भी विश्वास था कि "शासन की सारी पद्धतियों में प्रजातन्त्र ही सर्वश्रेष्ठ है पर बिना सशक्त विरोधी पक्ष के, प्रजातन्त्र जो है वह डिक्टेटरशिप से भी ज़्यादा ख़तरनाक हो जाता है।" वे कहते थे कि "गाँधी जी अन्तिम गाँधीवादी थे, पं. नेहरू को विलासिता, तालियाँ और विश्व-इतिहास में स्थान पाने के अलावा और कुछ नहीं चाहिए जब कि सरदार पटेल मात्र सत्ता चाहते हैं और कुछ नहीं। वे पार्टी को एक जेब में रखते हैं और ब्यूरोक्रैसी को दूसरी जेब में। गाँधी जी ठीक कहते थे कि आज़ादी के बाद कांग्रेस पार्टी को समाप्त कर देना चाहिए क्योंकि अब वह मात्र राजनीतिक शोषण का माध्यम रह जाएगी।" उनका दृढ़ विचार था कि "पण्डित नेहरू भीतर से प्रजातन्त्र के शत्रु हैं क्योंकि वे विरोधी पक्ष को संगठित ही नहीं होने देते। वे ये भी चाहते हैं कि उनके बाद उनकी पुत्री प्रधानमन्त्री बने। ये प्रजातन्त्र है या राजतन्त्र?" डॉ. लोहिया अपनी या विरोधी पार्टियों की तीखी से तीखी आलोचना करने में भी कतई नहीं हिचकिचाते थे। बाबू

जयप्रकाशनारायण से वे भी कुछ निराश ही थे।

पहला आम चुनाव 1952 में हुआ। पं. नेहरू इलाहाबाद से खड़े हुए और अपने चुनाव-प्रचार की उन्हें कोई चिन्ता नहीं हुई। जब पण्डित पन्त ने उन्हें गुप्त-सूचना दी कि उनका प्रतिद्वन्द्वी श्री प्रभुदत्त ब्रह्मचारी एक बेहद सन्त, धार्मिक और पुण्यात्मा व्यक्ति है जिसके भक्तों की संख्या अपरम्पार है तो पण्डित जी को चुनाव-क्षेत्र का दौरा करने आना पड़ा। हम सब लोग भी उनके चुनाव-प्रचार में जुट गये। मुझे व मेरे कुछ साथियों को ट्रक की छत पर बैठे हुए, पेड़ों की भारी शाखाओं से टकरा जाने के कारण काफ़ी चोटें आयीं और हमें श्रीमती इन्दिरा गाँधी स्वयं दूध व जलेबियाँ खिलाने आयीं। पण्डित जी जीत तो गये मगर उनके प्रतिद्वन्द्वी श्री प्रभुदत्त ब्रह्मचारी की ज़मानत ज़ब्त नहीं हुई और उन्हें काफ़ी वोट मिले। प्रयाग के कांग्रेसियों में राजर्षि पुरुषोत्तमदास टण्डन व विश्वम्भरनाथ पाण्डे सबसे ज़्यादा प्रभावशाली व लोकप्रिय थे।

मैं पारिवारिक परिस्थितियों के कारण न तो वकील ही बन पाया और न राजनीतिक जीवन में ही प्रवेश कर सका। मैं भारत-सरकार का एक अपेक्षाकृत बड़ा ब्यूरोक्रेट और साहित्यकार ही बना। वहाँ भी मुझे अपना हक़ नहीं मिला। साम्यवाद के बारे में मुझे भी यही महसूस हुआ कि "यदि कोई व्यक्ति बीस या पच्चीस वर्ष की आयु में साम्यवादी नहीं होता तो समझ लीजिए कि उसके पास हृदय नहीं है और यदि कोई व्यक्ति पैंतीस या चालीस वर्ष की आयु में भी साम्यवादी विचारधारा रखता है तो समझ लीजिए कि उसके पास अपना कोई दिमाग़ नहीं है।" ज़्यादा जानकारी के लिए आप याल्टा पेपर्स (खण्ड तीन) पढ़ें।

(पाँच)

सन् 1930 में प्रयाग व उसके आसपास के इलाक़े में यदि कोई आदमी महात्मा गाँधी के बराबर प्रसिद्ध था तो वे थे मिट्ठू बाबू। मिट्ठू बाबू का असली नाम राय साहब लालमोहन बनर्जी था— और उनका जन्म सन् 1885 के आसपास हुआ था। अपने छात्र-जीवन में वे युनिवर्सिटी से सात बार निकाले गये थे। एक बार तो मात्र इस कारण निकाले गये थे कि सीनेट-हॉल में जब कन्वोकेशन चल रहा था तो अपनी क्लास के कुछ साथियों से पाँच-पाँच रुपये की शर्त जीतने के लिए, वे गवर्नर व उनकी लेडी के सामने पूरी तरह नंगे हो गये थे। पैंतीस वर्ष की आयु में उन्होंने बी. एस-सी. व कानून की परीक्षाएँ पास की थीं और अपने प्रभावशाली पिता के कारण, वे प्रोविंशियल-सिविल-सर्विस के लिए मनोनीत कर दिये गये थे। वे कई वर्ष मैजिस्ट्रेट रहे और अपने इस पद पर वे इतने धाकड़ क़िस्म के अधिकारी रहे कि इलाक़े के सारे गुण्डे, बदमाश, जेबकतरे, लोगों को ठगने वाले पण्डे और महन्त उनके नाम से काँपते थे। इसके बाद चलती हुई रेलगाड़ी के फ़र्स्ट-क्लास में, उन्होंने किसी अँग्रेज़ अफ़सर की अकेली मेम साहब के साथ कुछ छेड़खानी कर दी जिसकी

वजह से उन्हें नौकरी छोड़नी पड़ी। नौकरी छोड़ने के बाद वे फ़ौजदारी के वकील हो गये और फिर सारी उम्र उसी में गुज़ार दी। वकील के रूप में भी 'अदालत की मानहानि' के जितने मुक़दमे उनके ख़िलाफ़ चले, उतने शायद ही किसी वकील के ख़िलाफ़ चले हों। वे प्रायः 'बार-एसोसिएशन' के अध्यक्ष रहे और ग़रीब लोगों के मुक़दमे मुफ़्त में लड़ते रहे।

जब मैं 1950 में मिट्ठू बाबू से मिला तो वे जैन-होस्टल के वार्डन थे। उनका बँगला जैन-होस्टल के ठीक सामने था। वे उस समय पैंसठ वर्ष के रहे होंगे। उनकी काठी मज़बूत थी, क़द मध्यम था और उनके साँवले चेहरे से विलासिता, अमीरी, रोबदाब व धाकड़पन साफ़ चमकता था। घर पर वे सिर्फ़ एक मिर्जई व घुटनों तक की धोती ही पहनते थे और हाथ में एक ख़ूबसूरत डण्डा रखते थे। वे विधुर थे, अपने लड़के से उनकी बिकुल नहीं बनती थी और उनके एक भाई थे जिनके साथ वे रात का खाना रोज़ खाते थे। उनके ये भाई—बटुककृष्ण बनर्जी—फ़ौजदारी के वकील थे और शायद निःसन्तान थे। उनके नाम पर नये कटरे में एक गली भी थी। मिट्ठू बाबू जितने नटखट और शरारती थे, उनके भाई उतने ही शालीन व सज्जन थे। बटुक बाबू यदि हाईकोर्ट में प्रैक्टिस करते तो शायद वे बहुत कामयाब रहते पर उन्होंने सेशंस की अदालत कभी नहीं छोड़ी। वे कहा करते थे कि "हाईकोर्ट में बाल की खाल निकालने के अलावा कुछ नहीं होता। असली ड्रामा जो होता है वह तो 'ट्रायल-कोर्ट' में ही होता है।" मिट्ठू बाबू अमीर थे, अकेले रहते थे और कुछ नौकरानियाँ वग़ैरह उनका खाना पकाती थीं और घर की सफ़ाई वग़ैरह करती थीं। उनका लड़का निचली मंज़िल में रहता था और उससे उनकी बोलचाल तक नहीं थी। मिट्ठू बाबू को इतिहास की पुस्तकें, हुक्के व छड़ियाँ इकट्ठा करने का शौक़ था और इस दृष्टि से उनका तल्ला एक अजायबघर का मज़ा देता था। मेरी उन्होंने बहुत मदद की। एक महीने में कुल चार बार एक-एक घण्टा पढ़ाने का ट्यूशन दिलवाया (जिसका मुझे दस रुपया प्रतिमाह मिलता था) और होस्टल की फ़ीस, बिजली और पानी वग़ैरह की चिन्ता से मुक्त किया। वे दयालु थे मगर अपनी दया को वे कभी प्रकट नहीं करते थे। वे युनिवर्सिटी की सीनेट के मेम्बर थे।

धीरे-धीरे उनके जीवन की अनेक घटनाएँ सुनने को मिलीं। जब उनका सुपुत्र गवर्नमेण्ट-स्कूल में पढ़ता था तो एक दिन उसने क्लास की टेबुल पर पेशाब कर दिया। स्कूल के अँग्रेज़ हैडमास्टर ने सारी वारदात की रिपोर्ट मिट्ठू बाबू को भेजी और यह भी पूछा कि उसे क्या सज़ा दी जानी चाहिए। मिट्ठू बाबू ने जवाब दिया कि "जहाँ तक पेशाब करने का प्रश्न है, स्थिति यह है कि वह तो छात्र-जीवन में मैंने भी किया था और अपने उस्ताद की सुराही में किया था मगर जहाँ तक दण्ड देने का प्रश्न है, वह तो आपको स्वयं ही तय करना है। आप कैसे नाकारा हैडमास्टर हैं जो यह भी तय नहीं कर सकते कि ऐसी शरारत का क्या दण्ड होना चाहिए? आप

जो भी उचित समझें, वह दण्ड दें और यह भूल जाएँ कि शरारत करने वाले लड़के का बाप एक मैजिस्ट्रेट है।" उनका वह ख़त मिलते ही वह अँग्रेज़ हैडमास्टर उनसे मिलने अपनी टमटम पर आया और इसके बाद वे दोनों दोस्त हो गये।

कर्नलगंज की एक युवती कुछ घरेलू झगड़ों के कारण, एक रात कुएँ में कूद गयी। भीड़ इकट्ठी हो गयी पर कर्नलगंज के उस गहरे कुएँ में कूदने की हिम्मत किसी को नहीं हुई। मिट्ठू बाबू को पता चला तो वे फ़ौरन वहाँ गये और कुएँ में कूद गये। लोगों ने रस्सी में बाँधकर एक पीढ़ा कुएँ में उतारा जिस पर मिट्ठू बाबू उस युवती को लेकर बैठे। लोगों ने खींचना शुरू किया पर दो आदमियों के वज़न से रस्सी टूट गयी और दोनों फिर कुएँ में गिर गये। बाद में एक-एक करके दोनों को निकाला गया। अगर मिट्ठू बाबू हिम्मत न करते तो वह औरत शर्तिया मर जाती।

धीरे-धीरे मिट्ठू बाबू से मेरी दोस्ती हो गयी। वे कभी-कभी मुझे अपने संस्मरण सुनाया करते थे। एक संस्मरण मुझे अभी तक याद है। प्रयाग में कुम्भ का मेला लगा था और मिट्ठू बाबू 'मेला-मैजिस्ट्रेट' लगे थे। बिहार का कोई नवयुवक अपनी परम-रूपवती पत्नी के साथ संगम में स्नान करने की इच्छा से प्रयाग आया और कुछ पण्डों ने उसे स्टेशन पर ही फाँस लिया। उनके साथ वह यात्री उनके बड़े पण्डे के पास ठहरने गया। वहाँ जो महन्त थे, वे उसकी पत्नी पर मोहित हो गये। उन्होंने उस नवयुवक को तो सौदा-सुलुफ़ लेने किसी शिष्य के साथ बाज़ार भेज दिया और बाद में बड़ी क्रूरता के साथ, उसकी नव-विवाहिता पत्नी के साथ, उस नीच महन्त ने बलात्कार किया। नवयुवक लौटा तो पत्नी को बुरी हालत में देखा। दुखी होकर उसने गंगा-स्नान को तो तिलांजलि दे दी और पत्नी को लेकर वह घर जाने के लिए स्टेशन की ओर चला। वह अकेला उन पण्डों से कोई बदला नहीं ले सकता था। रास्ते में उसने 'मेला-मैजिस्ट्रेट' का बोर्ड देखा और तम्बू के भीतर जाकर उसने मिट्ठू बाबू को सारी घटना बता दी। मिट्ठू बाबू ने कहा कि "तुम घर लौट जाओ और अगर मेरा नाम भी मिट्ठू बाबू है, तो मैं इस महन्त को वह दण्ड दूँगा कि वह याद रखेगा।"

महन्त जी गया के रहने वाले थे। मेला समाप्त होने पर जब वे प्रयाग-स्टेशन पहुँचे, तो पूर्वनियोजित योजना के अनुसार, एक दरोग़ा ने उनकी तलाशी ली और उन्हें गाँजा-चरस वग़ैरह रखने के जुर्म में गिरफ़्तार कर लिया गया। यह गाँजा और चरस दरोग़ा जी ख़ुद अपने साथ लाये थे और महन्त की गिरफ़्तारी मिट्ठू बाबू के सामने की गयी जो कि चश्मदीदगवाह थे। मुक़दमा चला और मिट्ठू बाबू ने गवाही दी। अदालत ने उस महन्त को शायद कुछ महीने की सज़ा दी क्योंकि अवैध रूप से गाँजा-चरस रखने के जुर्म में उससे बड़ी सज़ा उसे नहीं दी जा सकती थी। महन्त जी को नैनी की सेण्ट्रल-जेल में रखा गया जिसके जेलर एक बंगाली थे और जिन्हें मिट्ठू बाबू सब कुछ समझा चुके थे। जेलर के जासूसों ने महन्त पर कड़ी नज़र रखी

और यह पता लगा लिया कि बिना कोकीन खाये वह नहीं रह सकता था। जेलर ने उसकी कोकीन बन्द करा दी और कुछ ही महीनों में वह मर गया। मिट्ठू बाबू ने अपना वचन पूरा किया।

मैं स्वयं एक बार भयंकर विपत्ति में पड़ गया। बी.ए. (फ़ाइनल) की परीक्षा सोमवार से थी और शनिश्चर के दिन हम कुछ साथी, अपनी-अपनी सीट देखने युनिवर्सिटी गये। मेरी सीट कहीं थी ही नहीं। पूछताछ करने पर पता चला कि मुझे वज़ीफ़ा लेने के साथ-साथ युनिवर्सिटी की फ़ीस माफ़ करवाने का कोई हक़ नहीं था। पैसा एकदम वापस करने की स्थिति में मैं हर्गिज़ नहीं था और मैं घबरा उठा। मैं घबराहट में मिट्ठू बाबू के पास गया जो 103 डिग्री बुख़ार में पड़े थे। सारी बात सुनकर उन्होंने वाइस-चांसलर को ख़त लिखा जो बहुत कड़े शब्दों में था। पत्र में लिखा गया था कि "फ़ीस युनिवर्सिटी माफ़ करती है और वज़ीफ़ा हाईस्कूल का बोर्ड देता है और इन दोनों का एक-दूसरे पर कोई प्रभाव नहीं पड़ता। और अगर इन दोनों में कोई सम्बन्ध है भी, तो क्या उसका पता परीक्षा से दो दिन पहले ही लगना था? तुम्हारा रजिस्ट्रार दफ़्तर चलाता है या कि काँजी-हाउस? माई डीयर दक्षिणारंजन, यदि इस लड़के को परीक्षा से रोका गया तो मैं, इसी बुख़ार में, 'रिट' देने वाले हाई कोर्ट के जज के घर जाऊँगा और इस ग़रीब लड़के वो हर हालत में परीक्षा में बैठने दूँगा।" मैंने पत्र लिया और जार्ज-टाउन गया। डॉ. दक्षिणारंजन भट्टाचार्य अपने दफ़्तर के कमरे में काम कर रहे थे। पत्र पढ़ते ही उन्होंने फ़ोन पर रजिस्ट्रार को डाँटना शुरू कर दिया और मुझसे कहा कि 'कल रविवार है पर तुम कल ही ग्यारह बजे रजिस्ट्रार के दफ़्तर जाओ। डिप्टी-रजिस्ट्रार तुम्हारी सीट तुम्हें दिखाएगा। कोई परेशानी हो तो मुझे बताना और मिट्ठू बाबू से हमारा सलाम बोलना। हमें बहुत अफ़सोस है कि तुम्हें यह परेशानी पड़ी।' मैं अगले दिन युनिवर्सिटी गया। डिप्टी-रजिस्ट्रार ने मेरी सीट मुझे दिखायी। मैं परीक्षा में बैठा और सारे छात्रों में मेरी चौथी पोज़ीशन आयी। मज़े की बात यह रही कि फिर किसी ने भी मेरी माफ़ की गयी फ़ीस को भी वापिस नहीं माँगा। एम. ए. में भी मुझे वज़ीफ़ा मिला और फ़ीस भी माफ़ की गयी और कभी किसी ने कोई एतराज़ नहीं किया।

ईविंग क्रिश्चियन कॉलेज में एक बार बहुत शानदार जलसा हुआ। मुख्य-अतिथि थे मिट्ठू बाबू और सभापति थे डॉ. अमरनाथ झा। उस जलसे में मिट्ठू बाबू ने बताया कि "मैंने इस कॉलेज पर जितने अहसान किये हैं, उनका गिनना मुश्किल है। बहुत साल पहले, आपकी लेबोरेटरी में एप्पेरेटसों की बहुत कमी थी जिससे हम विद्यार्थियों को बड़ी मुश्किल पड़ती थी। एक दिन मैंने देखा कि म्योर कॉलेज के लॉन पर बहुत सारे एप्पेरेटस धूप में सूख रहे हैं। मैंने दर्जनों छोटे-बड़े एप्पेरेटस अपनी बग्घी में रखे और यहाँ ले आया। उनमें से कुछ तो अभी काम कर रहे होंगे।" लड़कों ने उनके अनेक दिलचस्प कारनामे सुने और अपनी तालियों से हॉल सिर पर

उठा लिया। सबसे अन्त में डॉ. अमरनाथ झा ने कोई एक घण्टे का बेहद दिलचस्प भाषण दिया जिसका कि तीन चौथाई भाग उन्होंने मिट्ठू बाबू को ही दिया। मिट्ठू बाबू की कारस्तानियाँ सुनाते-सुनाते झा साहब भी लड़कों के साथ हँसते रहे।

बी.ए. पास करने के बाद मैं 'सर-गंगानाथ झा-होस्टल' में चला गया, मगर मिट्ठू बाबू से बराबर मिलता रहा। इसके बाद जब मैं सिविल सर्विस में आ गया तो वर्षों तक प्रयाग में ही नियुक्त रहा। मिट्ठू बाबू बराबर मेरे घर आते थे और मेरे बच्चों के लिए खिलौने लाते थे। सन् 1969 में जब मैंने प्रयाग छोड़ा तो उन्होंने मेरी पत्नी को (जिसे वे अपनी पुत्र-वधू कहते थे) एक अँग्रेज़ी का उपन्यास भेंट में दिया। कई वर्ष बाद जब मैं रक्षा-मन्त्रालय में उपसचिव था, मुझे उनकी मृत्यु की सूचना मिली जिससे मुझे अत्यन्त दुःख पहुँचा। उन्होंने लगभग पिचासी वर्ष की आयु पायी। ऐसा अद्‌भुत आदमी, जो वृद्धावस्था में भी बच्चों जैसा शरारती हो, मैंने अपने जीवन में फिर कभी नहीं देखा।

(छह)

मुग़ल-सम्राट फ़र्रुख़सियर सन् 1716 में जब काश्मीर गया तो उसकी पारखी निगाह राज कौल नामक एक पण्डित पर पड़ी जो संस्कृत और फ़ारसी—दोनों भाषाओं पर असाधारण अधिकार रखते थे। वह उन पण्डित को दिल्ली ही ले आया और उन्हें शाही खिलअत, जागीर और एक ऐसा मकान दिया जो कि एक नहर के किनारे स्थित था। 'नहर' के कारण 'अब ये लोग 'नेहरू' कहलाने लगे। ग़दर के दिनों में पं. गंगाधर नेहरू दिल्ली के कोतवाल थे। ग़दर के कारण सब कुछ तहस-नहस हो गया और बहुत ही लाचारी की हालत में सारा ख़ानदान आगरा चला आया। जहाँ पं. नेहरू को भगवान् ने एक पुत्र दिया जिसका नाम मोतीलाल रखा गया। उनके बड़े भाई एक मशहूर वकील थे और जब आगरा का चीफ़-कोर्ट हाईकोर्ट बनकर प्रयाग आ गया तो सारा परिवार भी प्रयाग का ही निवासी हो गया। पं. मोतीलाल नेहरू की प्रारम्भिक शिक्षा अरबी व फ़ारसी में हुई। वे बहुत बड़े वकील बने और उन्हीं के पुत्र पं. जवाहरलाल नेहरू, स्वतन्त्र भारत के प्रधानमन्त्री बने।

एक ज़माना था कि पण्डित मोतीलाल नेहरू व सर तेजबहादुर सप्रू इलाहाबाद-हाई कोर्ट के सर्वप्रमुख वकील माने जाते थे। प्रसिद्ध काकोरी-केस के अभियुक्तों पर जब मुक़दमा चला तो पण्डित मोतीलाल नेहरू ने देश के सर्वश्रेष्ठ वकील बी. के. चौधरी को कलकत्ता से बुलाया और ख़ुद उनके जूनियर की हैसियत से पैरवी की। इन दोनों महान् वकीलों ने मुक़दमा लड़ा, बिना किसी फ़ीस के लड़ा पर एक विद्रोही के सरकारी गवाह बन जाने के कारण वे मुक़दमा हार गये और पं. रामप्रसाद 'बिस्मिल' व श्री अशफ़ाक उल्ला खाँ को 19.9.1927 को फाँसी दे दी गयी। कहते हैं कि सर तेजबहादुर सप्रू जब नायब-तहसीलदारी की परीक्षा में फ़ेल हो गये थे तो वे रो पड़े थे। वही सप्रू साहब, एक दिन वायसराय की एक्ज़ीक्यूटिव काउंसिल के मेम्बर बने।

वे एक विलक्षण व्यक्ति थे जिन पर क्या कांग्रेस-पार्टी और क्या अँग्रेज़ी हुकूमत—दोनों बराबर यक़ीन रखती थीं। जब मैं प्रयाग गया तो ऊपर बताये दोनों महान् वकील दिवंगत हो चुके थे। सप्रू साहब के एक सुपुत्र युनिवर्सिटी में कानून के प्रोफ़ेसर थे और दूसरे सुपुत्र हाईकोर्ट के जज थे। पं. मोतीलाल नेहरू व सर तेजबहादुर सप्रू के बाद जो अगले बड़े वकील बने वे भी इत्तफ़ाक से कश्मीरी ही थे और उनका नाम था डॉ. कैलाशनाथ काटजू। आज मैं उन्हीं की चर्चा करूँगा। मैंने उन्हें कई बार देखा, उनके सम्पर्क में भी आया और उनसे मुलाक़ातें भी कीं।

स्वतन्त्रता-संग्राम में तो शायद डॉ. काटजू ने कोई विशेष भाग नहीं लिया था पर पहले चुनाव के पहले ही, पं. नेहरू ने उन्हें सक्रिय राजनीति में खींच लिया था। उन्हीं दिनों मैंने अपने क़स्बे में नदी के किनारे बने डाक-बँगले के लॉन पर उनका भाषण सुना। वे एक कुशल वक्ता थे और बाक़ी पेशेवर राजनीतिज्ञों की भाँति भावना-प्रधान भाषण देने के बजाय, उनका भाषण तथ्यों पर आधारित था और तर्क-संगत था। कुल मिलाकर उनकी स्पीच काफ़ी पुरज़ोर थी और लोगों ने उसे काफ़ी पसन्द भी किया था। उनके दर्शन का दूसरा अवसर मुझे तब मिला जब वे हमारी युनिवर्सिटी के 'डायमण्ड-जुबिली होस्टल' के एक विशिष्ट समारोह में आये। उन दिनों वे शायद पश्चिमी बंगाल के गवर्नर थे। यहाँ मैंने उन्हें निकट से देखा। वे दबंग थे, बेबाक थे और उनका व्यंग्य रूखा और विनोद-वृत्ति से एकदम शून्य था। उनमें चुस्ती और बड़प्पन तो था पर उनमें वह आकर्षण या स्नेह नहीं था जो कि डॉ. अमरनाथ झा में था।

वे एक कर्मठ व्यक्ति थे और अपना एक क्षण भी बेकार नहीं जाने देते थे। गवर्नरी के दिनों में उन्होंने अपनी वकालत के संस्मरण लिखे जो 'केसेज़ डु रिमेम्बर' नामक एक शानदार पुस्तक के रूप में प्रकाश में आये। वे उस ग्रन्थ का हिन्दी-अनुवाद छपाना चाहते थे और इस काम के लिए एक बैरिस्टर ने—जिनके बच्चों को मैं ट्यूशन पढ़ाता था—उन्हें मेरा नाम सुझाया। मेरी उनसे पहली नज़दीकी मुलाक़ात इसी सन्दर्भ में हुई। मैंने उन्हें एकदम 'बिज़नेस-लाइक' व भावना-शून्य व्यक्ति पाया जो कि ग़लत था। वे आम आदमी का दुख-दर्द समझते थे पर अपने व्यक्तित्व के उस पहलू को दिखाना वे जानते ही नहीं थे। मैंने उनके बाहरी रूप को ही देखा और अनुवाद का काम हाथ में लेने को मना कर दिया हालाँकि उन दिनों मैं बेहद तंगी में था। बहरहाल उन्होंने मुझसे ज़्यादा बात नहीं की और यह मुलाक़ात यहीं ख़त्म हो गयी। पुस्तक का अनुवाद एक बहुत ही योग्य व्यक्ति ने किया और वह 'कुछ संस्मरणीय मुक़दमे' नाम से हिन्दी में छपी और बेहद लोकप्रिय साबित हुई। लगभग इन्हीं दिनों वे गृह-मन्त्री बन कर केन्द्रीय-सरकार में चले गये। बाद में वे रक्षा-मन्त्री भी रहे। पुस्तक का संशोधन प्रत्येक संस्करण में चलता रहा।

इस पुस्तक का एक केस बहुत दिलचस्प है और उससे पता चलता है कि एक

आदर्श वकील की भाँति काटजू साहब मात्र अपनी बुद्धि का सौदा करते थे, अपनी आत्मा का नहीं। यह केस स्वयं उन्होंने 'ला कॉलेज' की एक बैठक में सुनाया था।

कानपुर के एक सेठ थे जिनके मुक़दमे हमेशा काटजू साहब ही सँभालते थे। एक दिन सेठजी ने ख़बर भिजवायी और शाम ही की गाड़ी से काटजू साहब कानपुर पहुँच गये। कानपुर में सेठजी स्वयं स्टेशन पर उन्हें लेने आये। मामला कोई ख़ास नहीं था। सेठजी की एक मिल के पास एक ब्राह्मण की झोंपड़ी थी जो सेठजी के पास गिरवी पड़ी थी और सेठजी उस पर क़ब्ज़ा करना चाहते थे जो उस ब्राह्मण की एक अर्ज़ी के कारण वे नहीं कर पा रहे थे। अगले दिन मामले की सुनवाई होनी थी। अदालत में ब्राह्मण देवता ने जज से कहा कि "हुज़ूर, न मुझे कोई वकील करना है और न कोई पैरवी करनी है। मेरी तो बस एक ही प्रार्थना है। यदि सेठजी गंगाजल का लोटा हाथ में लेकर यह कह दें कि मैंने इनका रुपया नहीं दिया है तो ज़मीन इनकी है।" गवाही के कानून के तहत "कोई भी अदालत किसी भी गवाह को 'स्पेशल ओथ' लेने को मजबूर नहीं कर सकती पर उसके आचरण से अपने निष्कर्ष ज़रूर निकाल सकती है।" जज ने सेठजी की ओर देखा और उन्होंने लंच के बाद तक का समय माँगा। सेठजी ने काटजू साहब से सलाह माँगी तो काटजू साहब ने बहुत रूखेपन के साथ सेठजी को बताया कि "मैं आपका वकील हूँ, आपका पादरी नहीं। जो मामला आपके सामने है, वह कानून से नहीं बल्कि आपकी आत्मा से सम्बन्ध रखता है और इसका फ़ैसला सिर्फ़ आपके हाथ में है, और किसी के नहीं।" काटजू साहब समझ गये थे कि सेठजी का दावा झूठा है और ब्राह्मण जो है वह एकदम ईमानदार है। चूँकि ज़मीन सेठजी की मिल से लगी है, वे इसे कानून की आड़ से हड़पना चाहते हैं। बहरहाल जब अदालत लंच के बाद जुड़ी तो सेठजी ने झूठी कसम खा ही ली हालाँकि उनके हाथ काँप रहे थे और गंगाजल लोटे से नीचे गिर रहा था। सेठजी मुक़दमा जीत गये और काटजू साहब अपनी फ़ीस के दो सौ रुपया लेकर प्रयाग लौट आये। अगले ही दिन उन्हें पता चला कि झूठ बोलने के दुख में सेठजी को दिल का दौरा पड़ा और उनकी मृत्यु हो गयी। काटजू साहब को महसूस हुआ कि सेठजी ने पाप तो किया मगर उसका प्रायश्चित्त भी किया। वे गिर गये थे पर पूरी तरह नहीं। काटजू साहब इस मामले से बहुत दुखी हुए।

आज़ादी मिलने से कुछ समय पहले, वायसराय ने एक 'आर्डिनेंस' जारी किया और बनारस के पं. कमलापति त्रिपाठी (जो एक कांग्रेसी-कार्यकर्ता नवयुवक थे) को उसके तहत गिरफ़्तार कर लिया गया। फैडरल कोर्ट ने उस आर्डिनेंस को अवैध घोषित कर दिया और इस तथ्य के आधार पर सप्रू साहब ने हाईकोर्ट से त्रिपाठी जी की रिहाई की माँग की। हाईकोर्ट के चीफ़-जस्टिस ने (जो एक हिन्दुस्तानी ही थे) फ़ैडरल-कोर्ट के निर्णय को 'गज़ट' में देखने की माँग की। जब तक वह गज़ट छपा, ब्रिटिश पार्लियामेण्ट ने उस 'आर्डिनेंस' को बाक़ायदा एक 'एक्ट' में बदल

दिया और त्रिपाठी जी को जेल हो गयी। इस हादसे को लेकर 'बाम्बे-क्रॉनिकल' के सम्पादक श्री हार्नीमैन ने इलाहाबाद के चीफ़-जस्टिस के ख़िलाफ़ एक बेहद सख़्त टिप्पणी लिखी और हाईकोर्ट ने उनके ख़िलाफ़ अदालत की मान-हानि का मुक़दमा शुरू किया। जब सम्मन का कोई असर नहीं हुआ तो हाईकोर्ट ने श्री हार्नीमैन की गिरफ़्तारी का वारण्ट जारी कर दिया। उन दिनों किसी भी अदालत का वारण्ट सिर्फ़ उसी प्रान्त में असर रखता था जिसमें कि वह अदालत स्थित होती थी, उसके बाहर नहीं। इलाहाबाद-हाईकोर्ट का वह वारण्ट बम्बई-हाईकोर्ट गया और उसने वकील श्री मुंशी के तर्क स्वीकार किये और वारण्ट पर अमल करने से इनकार कर दिया। इसके बाद श्री हार्नीमैन ने एक के बाद एक ज़ोरदार टिप्पणी छापी पर इलाहाबाद-हाईकोर्ट उनका कुछ भी न बिगाड़ सका। श्री हार्नीमैन इतनी सावधानी अलबत्ता ज़रूर बरतते थे कि संयुक्त-प्रान्त की धरती पर क़दम नहीं रखते थे। दिल्ली आने के लिए, वे भरतपुर में ही रेल से उतर जाते थे और वहीं से टैक्सी वग़ैरह लेकर दिल्ली पहुँचते थे । डॉ. काटजू जब गृह-मन्त्री बने तो उन्होंने 'क्रिमिनल प्रोसीज़र कोड' में संशोधन करवाया और आज स्थिति यह है कि एक सब-जज का वारण्ट भी सारे देश में बराबर असर रखता है।

जब मैं अन्तिम बार डॉ. काटजू से मिला तो वे सचमुच बूढ़े हो चुके थे और ऊँचा सुनने लगे थे। याद दिलाने पर उन्होंने मुझे पहचान लिया और बहुत ही आत्मीयता और स्नेह से मुलाक़ात की। उन्होंने कुछ व्यक्तिगत संस्मरण भी हम लोगों को सुनाये जो बेहद दिलचस्प थे। उन्होंने यह भी कहा कि सरकारी नौकरी में काम कुछ अलग क़िस्म का है और वेतन-मान बहुत कम है। वे हँसकर कहने लगे कि जितनी मेहनत उन्होंने सचिवालय में की है, उससे कहीं कम मेहनत पर वकालत में वे हज़ारों गुना ज़्यादा कमा सकते थे। मगर हाँ, वकालत में सिर्फ़ घोड़े को ही घास डाली जाती है जब कि सचिवालय में गधे और घोड़े—दोनों बराबर ही चारा पाते हैं। उनका यह भी निश्चित मत था कि भ्रष्टाचार का जितना 'स्कोप' कार्यपालिका में है, उतना 'स्कोप' न्यायपालिका में होना शायद असम्भव है। उन्होंने यह भी बताया कि दिल्ली में कुछ नहीं रखा, शहर जो है वह तो बस इलाहाबाद ही है—और कोई नहीं।

(सात)

भारतेन्दु हरिश्चन्द्र की भाँति, जयशंकर 'प्रसाद' ने भी 'इन्दु' नाम की एक पत्रिका निकाली थी जिसमें उनकी व उनकी मित्र-मण्डली की रचनाएँ छपती थीं। विनोदशंकर व्यास, रुद्र, वाचस्पति पाठक, प्रेमचन्द, उग्र, बेढब बनारसी, अन्नपूर्णानन्द, रायकृष्णदास, शान्तिप्रिय द्विवेदी व और भी अनेक साहित्यकार बनारस ही में रहते थे। 'निराला' जी भी कुछ समय तक बनारस ही में रहे। प्रसाद जी की तमाखू की दुकान इन सबका अड्डा थी। बाद में रायकृष्णदास ने 'भारती-भण्डार' नाम से एक प्रकाशन-संस्थान

खोला जो बाद में लीडर-प्रेस के कार्यालय का एक भाग बनकर प्रयाग आ गया। इसके संचालक थे पं. वाचस्पति पाठक जो 'प्रसाद' जी व रायकृष्णदास के 'भक्त-अनुचर' थे। वे एक कहानीकार थे जिनके दो कहानी-संग्रह छपे। रायकृष्णदास व वाचस्पति पाठक ने 'इक्कीस कहानियाँ' नामक हिन्दी का एक कथा-संग्रह भी सम्पादित किया जो बहुत प्रसिद्ध रहा। इसके बाद पाठक जी को, पता नहीं क्यों, लेखन से विरक्ति हो गयी हालाँकि उनका साहित्य-प्रेम अन्त तक बरकरार रहा। वे प्रसाद, निराला, पन्त और महादेवी के परम-आत्मीय थे और छायावाद के इन सब महान् स्तम्भों की सारी पुस्तकें भारती-भण्डार से ही छपती थीं और बहुत बाद में उन्होंने 'प्रसाद, निराला, पन्त और महादेवी की श्रेष्ठ कविताएँ' नामक एक पुस्तक सम्पादित भी की जिसकी एक हस्ताक्षरित प्रति मुझे देने, वे मुझ अकिंचन के घर तक आये।

पं. वाचस्पति पाठक एक अद्‌भुत व्यक्ति थे। वे रेशम का कुर्ता, बढ़िया धोती व न्यू-कट पहनते थे। वे टोपी प्रायः नहीं लगाते थे पर जाड़ों में वास्कट और ऊनी शाल ज़रूर इस्तेमाल करते थे। वे अन्त तक 'बनारसी' ही रहे। वही ज़र्दे का पान व वही मस्ती। उनका बढ़िया मकान बनारस ही में था, प्रयाग में वे लीडर-प्रेस के परिसर में ही रहते थे। उनकी सन्तान एक पुत्री ही थी। अपने दौहित्र के जन्म लेने पर उन्होंने एक भव्य आयोजन किया था जिसका निमन्त्रण मुझे भी दिल्ली में मिला था। 'निराला' व 'उग्र' कभी-कभी उनकी बैठक में मदिरापान भी करते थे और एक बार जब 'निराला' उनके यहाँ ठहरे तो चोरी-चोरी उनकी 'द्राक्षासव' की सारी बोतलें खाली कर गये। बाद में वे 'भारती-भण्डार' से भी विरक्त-से ही हो गये थे और पुस्तकों की बिक्री बहुत कम हो गयी थी। उनके साथ न जाने कितने संस्मरण सदा के लिए समाप्त हो गये। हाँ, उनके नाम आये पत्र, पता नहीं कैसे, डॉ. कमल किशोर गोयनका को ज़रूर मिल गये। इन पत्रों में 'रेणु' जी से लेकर ख़ाकसार तक के पत्र शामिल हैं। नरेश मेहता ने उन्हें 'मानुष-स्तुत्य' कहा और बच्चन जी ने अपनी 'आत्मकथा' में उनकी खुली निन्दा की। 'अश्क़' जी के साथ उनके सम्बन्ध सदा बनते-बिगड़ते रहे। कुछ लोग तो उन्हें 'प्रयाग का चाणक्य' तक कहते थे। पाठक जी पर इस सब का कोई असर नहीं पड़ता था। वे सम्भ्रान्त, शालीन, बैठकबाज़, रात को रोज़ पूरियाँ खाने वाले एक साहित्य-मर्मज्ञ व्यक्ति थे जो व्यवहार-कुशल होने के साथ-साथ बेहद स्वाभिमानी और विशाल हृदय भी थे।

मेरी सर्वप्रथम पुस्तक-जो एक कविता-संग्रह थी—भारती भण्डार से ही छपी थी। मेरी उनसे जान-पहचान तभी से शुरू हुई जो धीरे-धीरे प्रगाढ़ आत्मीयता में बदल गयी। हम लोग प्रायः साथ-साथ सपरिवार भोजन करते थे—कभी मेरे घर, कभी उनके घर। एक बार जब मेरी नयी मोटर आयी तो हम दोनों का परिवार विन्ध्याचल की ढाकवनी देखने गया। जब मैं केन्द्रीय-सचिवालय दिल्ली में नियुक्त था तो वे आने से पहले पत्र लिख देते थे और बग़ैर मिले कभी नहीं लौटते थे। राष्ट्रकवि मैथिलीशरण

गुप्त से मेरी प्रथम भेंट उन्होंने ही करवायी। उनके साथ एक युग समाप्त हो गया...।

'अश्क़' जी ने मोटे-मोटे उपन्यासों में बहुत वक़्त बर्बाद किया। उनके साथ—एक सीमा से ज़्यादा—लगातार अन्तरंग रहना किसी के लिए भी हितकर नहीं रहा। यही बात 'शानी' कहते थे और यही बात 'मानव' जी कहते थे। उन्होंने बढ़िया भी लिखा और नये लोगों का हौसला भी बढ़ाया। उनका सबसे बड़ा गुण था—लगातार लगे रहना। पचासी वर्ष की आयु के अन्तिम क्षण तक वे बराबर काम करते रहे। उनका सबसे बड़ा दोष था—आत्मचर्चा की अदम्य इच्छा जिसके लिए वे 'विवादास्पद' तक बने रहने को हमेशा तैयार रहते थे। 'रेणु' जी कहा करते थे कि "बन्धु, मैं तुम्हारी सारी बात मानता हूँ मगर यदि यह व्यक्ति प्रयाग में न रहे तो क्या यह शहर बेरौनक नहीं रह जाएगा?" उनकी इस उक्ति पर श्रीपतराय से लेकर भैरवप्रसाद गुप्त तक सब लोग खिलखिलाकर हँस पड़ते थे। अश्क़जी के ठहाके कौन भूल सकता है? उनके जैसा जीवट कितनों के पास है? मुझे उन्होंने कई बार कानूनी नोटिस देने की धमकी दी और मेरे माफ़ी माँगने पर उन्होंने मुझे सदा तुरन्त माफ़ भी कर दिया। मैंने एक बार कहा था कि "अश्क़जी, आप सदा बच्चे ही रहेंगे और कुछ नहीं।" उन्होंने ठहाका लगाया और कहा कि "यार, तुम्हीं ने मुझे ठीक पहचाना है, और किसी ने नहीं। आओ, काफ़ी-हाउस चलते हैं, वहाँ तुम्हें कॉफ़ी पिलाएँगे।"

इलाचन्द्र जोशी कर्नलगंज में बहुत साधारण ढंग से रहते थे। वे एक शान्त, मितभाषी और संकोची व्यक्ति थे। साहित्य-सेवा के अतिरिक्त, आय का शायद और कोई साधन नहीं था। अमृतलाल नागर व वाचस्पति पाठक के अतिरिक्त वे हिन्दी के शायद तीसरे और अन्तिम साहित्यकार थे जिन्होंने शरत् बाबू के साथ उनके गाँव में बने शानदार घर में कुछ दिन गुज़ारे थे। उन दिनों की चर्चा वे बड़े उल्लास के साथ किया करते थे। वे एक सुन्दर व लम्बी-चौड़ी काठी के व्यक्ति थे। उनके केश सुन्दर व कुछ लम्बे थे जिनको वें चोटी की शक्ल देकर दोनों कन्धों पर आगे लटकाये रहते थे। 'मानव' जी उन्हें इसी कारण 'चोटी का कलाकार' कहा करते थे और इस विशेषण से वे बहुत मुस्कुराते थे। वे पन्तजी के 'क्लास-फैलो' या 'स्कूल-फ़ैलो' थे और वह भी अल्मोड़ा में। दोनों में नैसर्गिक आत्मीयता थी पर छनती उनकी 'निराला' जी के साथ ही थी। वे कभी-कभी 'निराला' को अपने यहाँ खाने पर बुलाते थे और उस दिन वे गोश्त खुद ही पकाते थे। वे जानते थे कि मैं परम वैष्णव था और इसी कारण वे उस दिन मुझसे प्रणाम स्वीकार करने के अलावा, और कोई बात नहीं करते थे। वे फ्रॉयड के मनोविज्ञान में अन्धा विश्वास रखते थे और उनके सारे उपन्यास इसी आधार पर रचे गये थे। जब पश्चिमी देशों में उन सिद्धान्तों को नकारा जाने लगा तो वे बहुत दुखी हुए। मगर थोड़े ही दिनों बाद उनका एक श्रेष्ठ उपन्यास आया जो फ्रॉयड के सिद्धान्तों से कोई सम्बन्ध नहीं

रखता था। प्रेमचन्द व गुरुदेव की भाँति वे भी उपन्यास की अपेक्षा कहीं ज़्यादा शानदार कहानियाँ लिखते थे पर वे कभी किसी सलाह, आलोचना, उपेक्षा या प्रशंसा से प्रभावित ही नहीं होते थे और जो जी में आता था, वही करते थे। उन्होंने कष्ट उठाये पर लिखते रहे; बाज़ार पर उन्होंने कभी निगाह नहीं रखी।

भैरवप्रसाद गुप्त एक और भी बड़े व्यक्ति थे। वे सच्चे अर्थों में एक 'प्रगतिशील' लेखक थे। 'सत्ती मैया का चौरा' अपने ढंग का हिन्दी में एक अप्रतिम उपन्यास है। प्रगतिशीलता की आड़ में कुछ लोगों ने लाखों रुपये कमाये, विदेश-यात्राएँ कीं और घोटाले तक किये पर भैरवप्रसाद गुप्त ग़रीबी में रहकर, ग़रीबों की तरफ़ समाज का ध्यान खींचने के लिए, उम्र भर चुपचाप बढ़िया से बढ़िया लिखते रहे और उसी संघर्ष में दिवंगत हो गये। मुझे उनके घर जाकर तीर्थयात्रा का आनन्द मिलता था। नये लेखक उन्हें घेरे रहते थे और वे प्रत्येक की रचना पढ़ने और सलाह देने को सदा तैयार रहते थे। ऐसा सच्चा लेखक मैंने जीवन में और नहीं देखा। कमियाँ उनमें भी हैं और कमियाँ तो शेक्सपियर में भी हैं। उनसे एकदम बचना किसी भी लेखक के लिए शायद असम्भव है। मनुष्य की पूर्णता उसकी अपूर्णता में ही छिपी है...।

सन् 1950 में प्रयाग साहित्यकारों का सचमुच एक गढ़ था। 'निराला', पन्त, महादेवी व 'फ़िराक़' बेताज के बादशाह थे। लक्ष्मीकान्त वर्मा, प्रकाशचन्द्र गुप्त, जगदीश गुप्त, रामकुमार वर्मा, बच्चन, विजयदेवनारायण साही, धर्मवीर भारती, सर्वेश्वर, रमानाथ अवस्थी, ओंकार शरद्, दुष्यन्त, सुरेन्द्र चतुर्वेदी, ओंकारनाथ श्रीवास्तव, अजितकुमार, मार्कण्डेय, कमलेश्वर, श्रीहरि, गिरधर गोपाल, केशवचन्द्र वर्मा, मलयज, शमशेरबहादुर सिंह, लक्ष्मीनारायण मिश्र, रामनाथ 'सुमन', अमृतराय व रामनारायण शुक्ल—सब के सब सीन पर मौजूद थे। बाद में चलकर नरेश मेहता बालकृष्ण राव, सत्यव्रत सिन्हा, उमाकान्त मालवीय, सुरेन्द्रपाल, केशवप्रसाद मिश्र, अमरकान्त व विश्वम्भर 'मानव' भी प्रयाग ही में प्रकट हुए।

और भी बाद में शेखर जोशी, शैलेश मटियानी, सतीश जमाली, दूधनाथ सिंह, सुरेश सिन्हा व गोपीकृष्ण 'गोपेश' भी प्रयाग में ही आ गये। बाहर से यदा-कदा आने वालों में जोश मलीहाबादी, अली सरदार जाफ़री, दिनकर, वृन्दावनलाल वर्मा, नागार्जुन, अज्ञेय व हज़ारीप्रसाद द्विवेदी की याद अभी तक ताज़ा है। 'रेणु' जी तो कुछ समय के लिए प्रयाग के निवासी ही बन गये थे। ऊपर दिये नाम किसी वरीयता के अनुसार नहीं हैं, जैसे-जैसे याद आती जा रही है, वैसे-वैसे लिखता जा रहा हूँ। हो सकता है कि कोई नाम छूट भी गया हो जिसके लिए मैं क्षमा-प्रार्थी हूँ। आखिकार, मैं भी तो वृद्ध होता जा रहा हूँ। यह बात और है कि कोई भी बड़ा पुरस्कार या सम्मान मुझे अभी तक नहीं मिला और यह मुझ जैसे बेबाक आदमी को (जो किसी भी गुट में नहीं है) कभी मिलेगा भी नहीं। बहरहाल उससे कहीं बड़ी बात यह है कि वह इलाहाबाद अब उजड़ गया। कालाय तस्मै नमः। मैं कितना भाग्यशाली व्यक्ति

हूँ जो उस अवधि में प्रयाग की परम पवित्र भूमि पर रहा...।

सबसे अन्त में मैं शालिग्राम शर्मा की चर्चा करूँगा जो 'परिमल' के एक विशिष्ट फ़ोटो में मेरे साथ खड़े हैं। उनकी सोलह-सोलह पृष्ठों की ग्रामगीतों की पुस्तकें लाखों की तादाद में बिकी होंगी। दाम था दो आना और पाँच प्रतियाँ एक साथ ख़रीदने पर छठी प्रति मुफ़्त। बातें तो बहुत हैं पर इस रवीन्द्र कालिया नामक निर्दय व्यक्ति का क्या करूँ जो चाहता है कि पुराने ज़ख़्म भी खुलें और ख़ून जो है वह चार पृष्ठों से ज़्यादा न बहे...।

(आठ)

यह एक विचित्र संयोग है कि प्रयाग को हिन्दी साहित्य का गढ़ व हमारी संस्कृति का केन्द्र बनाने में सबसे ज़्यादा योगदान उन लोगों का रहा है जो प्रयाग के निवासी नहीं थे। एक कहावत है कि "प्रयाग में प्रसिद्धि सदा उसे मिली जो प्रयाग का निवासी नहीं था और प्रयाग के निवासी को प्रसिद्धि तब मिली जब उसने प्रयाग छोड़ दिया।" इन बाहर के लोगों में बंगालियों का योगदान सबसे ज़्यादा रहा।

श्री चिन्तामणि घोष ने सन् 1884 में 'इण्डियन-प्रेस' की स्थापना की और सन् 1900 से 'सरस्वती' का प्रकाशन शुरू हुआ। चिन्तामणि घोष एक साधन-विहीन व्यक्ति थे और वे 'पायनियर प्रेस' में एक साधारण कर्मचारी थे। जब उन्होंने 'पायनियर-प्रेस' छोड़ा तो उनकी जगह पाँच आदमियों की नियुक्ति की गयी थी। 'सरस्वती' के प्रथम सम्पादक बाबू श्यामसुदर दास थे जो बनारस में रहते थे। वे सम्पादन का काम बिना वेतन लिये करते थे। डाक-व्यय व स्टेशनरी के लिए उन्हें बीस रुपये की रक़म प्रत्येक माह दी जाती थी जिसका कि पूरा लेखा-जोखा वे चिन्तामणि घोष को नियमित रूप से भेजा करते थे। महावीरप्रसाद द्विवेदी नामक एक व्यक्ति ने–जो मध्यप्रदेश में रेलवे के तारबाबू थे– 'सरस्वती' में छपी एक रचना की बखिया उधेड़ी और चिन्तामणि घोष ने बाद में चलकर उसी व्यक्ति को 'सरस्वती' का सम्पादक नियुक्त किया। द्विवेदी जी ने अनिद्रा-रोग के कारण जब 'सरस्वती' छोड़ी तो घोष दादा ने उनको आजीवन सत्तर रुपये प्रतिमाह की पेंशन दी जो उनके वेतन के बराबर थी। चिन्तामणि घोष को वृद्धावस्था में अपने पुत्र, पुत्री व पत्नी का निधन सहना पड़ा और वह भी मात्र सोलह दिन के भीतर। इस घटना ने उन्हें तोड़कर रख दिया। जब मैं प्रयाग गया तो उनके दूसरे सुपुत्र श्री हरिकेशव घोष (पटल बाबू) 'इण्डियन-प्रेस' के कर्ता-धर्ता थे। बख़्शी जी ने मुझे उनसे परिचित कराया। वे बेहद शिष्ट, परिश्रमी व दयालु व्यक्ति थे। उनके समय में 'इण्डियन-प्रेस' एक साम्राज्य बन गया था। वे अपने समय के हिन्दी के सर्वश्रेष्ठ मुद्रक, प्रकाशक व पुस्तक-विक्रेता थे और मेरे जैसे लड़कों के लिए तो वे एक वरदान के समान थे। उन दिनों 'इण्डियन-प्रेस' से 'सरस्वती', 'मंजरी', 'हल', 'बालसखा' व 'देशदूत' नामक शानदार पत्र-पत्रिकाएँ

छपती थीं। 'देशदूत' के सम्पादक श्री ज्योतिप्रसाद मिश्र 'निर्मल' थे जिनका प्रखर सम्पादकीय 'सीधी, टेढ़ी, खरी मज़ेदार' नाम से प्रत्येक सप्ताह छपता था। दुर्भाग्य से पटल बाबू का स्वर्गवास 1953 में ही हो गया। उनके बाद 'इण्डियन-प्रेस' उजड़ गया। पन्तजी का 'पल्लव' तक कभी इण्डियन-प्रेस से ही छपा था।

हिन्दी की प्रसिद्ध पत्रिका 'चाँद' श्री सहगल साहब 'चन्द्रलोक लिमिटेड' से निकालते थे। सहगल साहब से मैं मिला था। पत्रिका की सम्पादिका श्रीमती महादेवी वर्मा थीं जो नये लेखकों को कोई प्रोत्साहन नहीं देती थीं। 'चाँद' के प्रख्यात विशेषांक 'फाँसी-अंक' का सम्पादन आचार्य चतुरसेन शास्त्री ने किया था जिसे अँग्रेज़ी-हुकूमत ने ज़ब्त कर लिया था। 'चाँद' का मारवाड़ी अंक' अपनी अश्लीलता के कारण कभी काफ़ी बिका था। सर सी. वाई. चिन्तामणि ने 'लीडर' निकाला और बाद में हिन्दी दैनिक 'भारत' भी छपना शुरू हुआ जो बहुत लोकप्रिय था और जिसके साहित्य-सम्पादक भाई बालाजी राव जोशी मेरे मित्र थे। लीडर प्रेस ने बाद में 'संगम' नामक एक शानदार साप्ताहिक निकाला जिसके सम्पादक थे श्री इलाचन्द्र जोशी व उप-सम्पादक थे श्री धर्मवीर भारती व श्री रमानाथ अवस्थी। 'संगम' ने पन्तजी के पचास वर्ष पूरे हो जाने पर बहुत शानदार विशेषांक निकाला था जिसकी एक प्रति मेरे पास अभी भी सुरक्षित है। सर चिन्तामणि के सुपुत्र श्री बालकृष्ण राव जब प्रयाग के निवासी बने तो उन्होंने लीडर-प्रेस से 'कादम्बिनी' निकाली जो बाद में रामानन्द 'दोषी' दिल्ली ले गये। राव साहब ने 'हिन्दी साहित्य सम्मेलन' से 'माध्यम' निकाला जो प्रत्येक दृष्टि से एक श्रेष्ठ पत्र था। श्रीपतराय ने बाद में 'कहानी' निकाली और अमृतराय ने अपने पुत्र की अकाल-मृत्यु के बाद मन बँटाने के लिए 'नयी कहानियाँ' ख़रीद ली। मैं उसमें नियमित रूप से छपता था! सन् 1950 में ठाकुर श्रीनाथ सिंह 'दीदी' निकालते थे जिसमें 'बच्चन' की 'मिलन-यामिनी' अक्सर छपती थी। डॉ. जगदीश गुप्त 'नयी कविता' निकालते थे। पं. पद्मकान्त मालवीय कभी 'अभ्युदय' निकालते थे जिसमें श्री धर्मवीर भारती शायद उनकी सहायता करते थे। पन्तजी का 'रूपाभ' भी कुछ दिनों छपा। 'निकष' के भी कुछ अंक निकले जो बेहतरीन थे। बाद में शैलेश मटियानी ने 'विकल्प' व सतीश जमाली ने 'नयी कहानी' निकाली जिसके कारण उनका सच्चा साहित्य-प्रेम सबके सामने आया। मैं 'माध्यम' व 'विकल्प' में भी बराबर छपा। श्री क्षितीन्द्रमोहन मित्र ने 'मित्र प्रकाशन' खोला जिसकी 'माया' व 'मनोहर कहानियाँ' कभी अत्यन्त लोकप्रिय कहानी-पत्रिकाएँ होती थीं। 'माया' में कलात्मक कहानियाँ छपती थीं और 'मनोहर कहानियाँ' आम लोगों के लिए सुन्दर गल्प छापती थी। बाद में चलकर ये दोनों पत्रिकाएँ धीरे-धीरे बन्द-सी हो गयीं। आलोक मित्र ने इन पत्रिकाओं को फिर से निकाला मगर 'इम्प्रिण्ट' व 'इल्लसट्रेटेड वीकली' की भाँति वे अब समाचार-पत्रिका बन गयी थीं। 'सत्यकथा' व 'मनोरमा' का प्रकाशन शुरू हुआ और अब 'गंगा-यमुना' भी वहीं से निकल रही है जिसमें लक्ष्मीकान्त वर्मा जैसे

दिग्गज अपना कॉलम लिख रहे हैं। मेरी सलाह है कि मित्र-प्रकाशन कभी बच्चों के लिए एक सुन्दर पत्रिका निकाले। हिन्दी में बाल-साहित्य बहुत ही कम है और मैं इस बारे में बहुत चिन्तित रहता हूँ। मैक्सिम गोर्की के कहने पर स्तालिन ने संसार की श्रेष्ठ पुस्तकों को बेहद सस्ते दाम पर छापने का निर्णय लिया था और ठीक वैसा ही अभियान माओ-उत्सुंग ने सत्ता पाने के बाद चीन में शुरू किया। पण्डित नेहरू ने प्रकाशन-विभाग से बच्चों के लिए लोककथाओं के अनेक संकलन निकलवाये और उनकी भूमिका भी लिखी। यह खेद की बात है कि नागार्जुन, केदारनाथ अग्रवाल, डॉ. रामविलास शर्मा व कृष्णा सोबती (जिन्हें मैं हिन्दी के जीवित, साहित्यकारों में सर्वश्रेष्ठ मानता हूँ) ने भी इस दिशा में कुछ नहीं किया। बाक़ी लोगों को छोड़िए, उन्हें पुरस्कार दिलवाने या हथियाने के अलावा, अब और कोई काम करने को नहीं बचा। मार्क ट्वेन व राबर्ट लुई स्टीवेंसन मूलतः बच्चों के लिए ही लिखते थे। बांग्ला में तो जो 'प्राइमर' भी है, वह भी स्वनामधन्य ईश्वरचन्द्र विद्यासागर द्वारा लिखी गयी 'वर्ण-परिचय' नामक पोथी ही है। सच्ची बात तो यह है कि बाक़ी विधाओं में भी जितना श्रेष्ठ साहित्य फ़िलहाल क्षेत्रीय भाषाओं में लिखा जा रहा है, उसकी तुलना आज का हिन्दी-साहित्य हर्गिज़ नहीं कर सकता। बाल-साहित्य के क्षेत्र में भी पं. रामनरेश त्रिपाठी मुझसे बहुत विचार-विनिमय किया करते थे मगर उनके बारे में तो अलग से ही लिखूँगा। बाल-साहित्य के क्षेत्र में भी 'इण्डियन-प्रेस' ने शानदार शुरुआत की। कम्पनी-सरकार के दिनों में लिखी 'फ़ोक-टेल्स ऑफ़ हिन्दोस्तान' नामक प्रसिद्ध ग्रन्थ का अनुवाद (शेख़चिल्ली की कहानियाँ), व रसिकलाल दत्त की एक प्रसिद्ध बंग्ला-पुस्तक (खिलौना) 'इडियन प्रेस' ने ही छापी।

इग्लैण्ड में 'प्रेस' को 'फ़िफ़्थ स्टेट' कहा जाता है। प्रेस जो है वह कार्यकारिणी, व्यवस्थापिका, न्यायपालिका व सम्राट से भी ऊपर है। वहाँ पर लार्ड बीवरब्रुक, लार्ड लादरमियर और लार्ड नार्थक्लिफ़ अपनी निर्भीक व निष्पक्ष पत्रकारिता के कारण शासन के सच्चे सूत्रधार बन गये थे। भारत में 'स्टेट्समैन' के सम्पादक श्री जानसन व 'बाम्बे क्रॉनिकल' के सम्पादक श्री हार्नीमैन लगभग वैसे ही पत्रकार थे। इंग्लैण्ड के प्रधानमन्त्री लायड जार्ज के ख़िलाफ़ एक टिप्पणी लन्दन के 'दी टाइम्स' में छपी। उसी दिन संसद में लायड जार्ज से सवाल के बाद सवाल पूछे गये। सारे प्रश्नों को सुनने के बाद लायड जार्ज ने मात्र इतना ही कहा कि "दी टाइम्स में जो छपा है वह कभी झूठ हो ही नहीं सकता और सांसद लोग जो कुछ भी मेरे ख़िलाफ़ करना चाहते हैं, वह ज़रूर करें। मैं अपने में विश्वास खो सकता हूँ पर 'टाइम्स' में नहीं।" सांसद लोग चुप हो गये। कुछ ही दिनों बाद 'टाइम्स' में छपी ख़बर सच साबित हो गयी क्योंकि अपनी पत्नी की मृत्यु के बाद लायड जार्ज ने अपनी प्राइवेट-सेक्रेटरी के साथ विवाह कर ही लिया। विवाह करने के बाद, सदा के विनोदी लायड जार्ज ने खुले-आम कहा कि "मैंने यह शादी मात्र 'टाइम्स' को सच साबित करने के लिए की

है, और किसी कारण से नहीं।" विपक्ष के नेता ने 'टाइम्स' को सलाह दी कि "वह भविष्य में वे काम न करे जो स्कॉटलैण्ट-यार्ड' के क्षेत्र में आते हैं।" मैंने भी प्रयाग में एक महान् पत्रकार को देखा है जो काफ़ी निर्भीक और तटस्थ थे। संयोग की बात देखिए कि ये सज्जन भी बंगाली ही थे। अब मैं मात्र उन्हीं क़ी चर्चा करूँगा।

तुषारकान्ति घोष 'अमृतबाज़ार पत्रिका' के मालिक व सम्पादक थे। यह अख़बार कलकत्ता व प्रयाग—दोनों नगरों से छपता था। कुछ समय बाद प्रयाग से छपने वाले अख़बार का नाम 'नार्दर्न इण्डिया पत्रिका' कर दिया गया और 'अमृत-पत्रिका' नाम से एक हिन्दी दैनिक भी छपने लगा। तुषार बाबू सचमुच एक भद्र-पुरुष थे। मैं उनसे सर्वप्रथम भेंट 1951 में कर पाया जब मिट्ठू बाबू मुझे अपने साथ उनके घर ले गये। उनकी कोठी म्योर रोड पर राजापुर से कुछ आगे थी। उन्होंने मिट्ठू बाबू से मेरा परिचय पाया और मुझे हार्दिक स्नेह के साथ 'रिसीव' किया। वे प्रायः काली शेरवानी व सफ़ेद पाजामा पहनते थे। गर्मियों में कुर्ता-धोती ही उनकी वेशभूषा थी। वे अत्यन्त सरल, स्नेही, सम्भ्रान्त, शालीन व कुलीन पुरुष थे। उनकी आँखें बहुत भावुक थीं। चश्मे के पीछे से उनकी आँखें सदा यही पूछती लगती थीं कि "क्या मैं आपकी कोई सेवा या सहायता कर सकता हूँ?" पहली ही भेंट में वे मेरे आत्मीय हो गये। मिट्ठू बाबू की वे बेहद इज़्ज़त करते थे। मेरे सामने उन दोनों बंगवासियों ने मात्र हिन्दी या अँग्रेज़ी में ही बात की, बँगला में नहीं। तुषार बाबू भी पटल बाबू की भाँति यही विश्वास रखते थे कि 'अख़बार का मालिक व सम्पादक एक ही व्यक्ति होना चाहिए, दो नहीं।' वैसे वे मालिक ही थे, बाक़ी सारा काम योग्य तथा विश्वस्त लोग ही सँभालते थे। मैं उनसे बार-बार मिलता रहा।

तुषार बाबू पत्रकारिता के बारे में अथाह ज्ञान रखते थे। उन्होंने ही एक बार बताया था कि उर्दू-पत्रकारिता नवाब शम्सुद्दीन के मुक़दमे से ठीक उसी तरह शुरू हुई जैसे कि बंगला-पत्रकारिता महाराज नन्दकुमार के मुक़दमे से शुरू हुई थी। इन दोनों महत्त्वपूर्ण व्यक्तियों को कम्पनी-सरकार ने अँग्रेज़ी कानून के तहत सर्वप्रथम फाँसी दी-थी। हिन्दी का सर्वप्रथम दैनिक पत्र 'हिन्दुस्थान' नाम से कालाकाँकर से उन्नीसवीं शताब्दी में निकला था। इलाहाबाद के उर्दू-साप्ताहिक 'सूरज' को 'प्रेस-एक्ट' के तहत बन्द होना पड़ा था। यह अख़बार शायद नौ या दस महीने चला था और इसी अवधि में तेरह अवैतनिक सम्पादकों को उम्र-क़ैद या काला-पानी की सज़ाएँ हुई थीं।

तुषार बाबू से बाद में काश्मीर में भी भेंट हुई जहाँ पर उनके साथ खिंचा एक फ़ोटो मेरी अलबम में अभी तक लगा है। कलकत्ता में भी उनसे भेंट हुई और उस महान् नगर के विभिन्न ऐतिहासिक स्थल, मैंने उन्हीं की सलाह और सहायता से देखे। वे पण्डित पन्त के प्रशंसक थे, पं. नेहरू के कृपा-पात्र थे और सरदार पटेल के भक्त थे। प्रयाग में वे कुछ अकेले-से थे। वे सत्यनिष्ठ, कर्मयोगी, दयालु, शान्तचित्त व निर्विकार व्यक्ति थे। लेबर-यूनियन वग़ैरह के झगड़ों में वे समझौता करना पसन्द

करते थे, संघर्ष नहीं। अगर संघर्ष हो ही गया हो तो वे लिये गये निर्णय पर दृढ़ रहते थे मगर यह ध्यान वे बराबर रखते थे कि यथासम्भव किसी के साथ अत्याचार न हो जाए।

उनकी मृत्यु से इलाहाबाद और भी सूना हो गया...

(नौ)

सन् 1835 में मैकाले ने—जो गवर्नर-जनरल की कौंसिल का एक सदस्य था—भारत में अँग्रेज़ी शिक्षा का सुझाव कौंसिल के सामने रखा जो मंज़ूर हो गया। उसका विचार था कि पूर्वी-भाषाएँ व साहित्य एकदम बेकार हैं। उसका सुझाव मानते ही कम्पनी-सरकार का सारा अनुदान अँग्रेज़ी शिक्षा के प्रसार में ही लगा और संस्कृत व अरबी भाषा के कॉलेजों को और विकसित नहीं किया गया। कोई बीस वर्ष बाद 1857 का ग़दर आ गया और कम्पनी-सरकार ख़त्म हो गयी। ब्रिटिश सरकार ने लार्ड मैकाले को तीन काम दिये। पहला काम था अँग्रेज़ी शिक्षा-पद्धति का विस्तार करना, दूसरा काम था 'इण्डियन सिविल-सर्विस' की रूपरेखा बनाना और तीसरा काम था 'ताज़ीराते-हिन्द' का मसौदा तैयार करना। कलकत्ता, मद्रास व बम्बई में प्रेसीडेंसी-कॉलेज खुले और 1875 में प्रयाग में 'म्योर-कॉलेज' व 'म्योर होस्टल' बने। अजमेर में 'मेयो कॉलेज' खोला गया जिसका प्रमुख उद्देश्य भारतीय नरेशों की सन्तान को पश्चिमी शिक्षा प्रदान कराना ही था। सन् 1887 में इलाहाबाद-युनिवर्सिटी संयुक्तप्रान्त, सेण्ट्रल प्रोविंसेस, बरार व (पंजाब के अतिरिक्त) सारे उत्तरी-भारत की अकेली ऐसी संस्था थी जो मिडिल-स्कूल व उसके ऊपर की सारी शिक्षा का भार सँभालती थी। सन् 1920 तक लगभग सभी होस्टल बन चुके थे। 'अक्षय-वट' को ध्यान में रखते हुए, 'वट-वृक्ष' को ही युनिवर्सिटी का प्रतीक बनाया गया। लार्ड लैंसडाउन ने युनिवर्सिटी का दौरा किया और इसे 'पूरब का 'ऑक्सफ़ोर्ड' बनाने का वचन दिया। युनिवर्सिटी बराबर आगे बढ़ती गयी और 1925 में इसे 'देश की सर्वश्रेष्ठ युनिवर्सिटी' घोषित किया गया। मेरी पत्नी के दादाजी के पास मिडिल-स्कूल पास करने की जो सनद थी वह इलाहाबाद-युनिवर्सिटी ने ही प्रदान की थी।

मैं इलाहाबाद-युनिवर्सिटी का छात्र 1950 में बना। हालाँकि डॉ. सर शफ़ात अहमद खान, डॉ. मेघनाथ साहा, डॉ. बेनी प्रसाद, डॉ. रामप्रताप त्रिपाठी व डॉ. ताराचन्द जैसे अनेक विद्वान् तब तक रिटायर हो चुके थे, पर फिर भी युनिवर्सिटी सचमुच बढ़िया हालत में थी। लाइब्रेरी, लेबोरेटरियाँ व लॉन अच्छी स्थिति में थे और प्रत्येक विभाग श्रेष्ठ अध्यापकों से भरा पड़ा था। अनुशासन बढ़िया था और रहन-सहन काफ़ी सस्ता था। योग्य व ग़रीब छात्रों की मदद की जाती थी और कोई अप्रिय घटना कभी नहीं घटती थी। देश-विदेश के बड़े-बड़े लोग युनिवर्सिटी आते थे और यूनियन हाल में उनका भाषण होता था। युनिवर्सिटी की मैगज़ीन हिन्दी

व अँग्रेज़ी—दोनों भाषाओं में छपती थी। कवि-सम्मेलन, साहित्य-गोष्ठियाँ, मुशायरे व हाकी, क्रिकेट व टैनिस के मैच बराबर खेले जाते थे। उस समय कुल छात्रों की संख्या छह हज़ार या उससे कम थी। डेलीगेसी' का प्रबन्ध ठीक नहीं था। हाईकोर्ट के चीफ़-जस्टिस मि. थामम ने सारी युनिवर्सिटी के प्रशासन की जाँच-पड़ताल 1951 में की थी। उस रिपोर्ट ने छात्रों की स्थिति को काफ़ी सुधारा था। कमियाँ थीं और काफ़ी थीं पर कुल मिलाकर वातावरण ठीक ही था।

मैं चार वर्ष तक युनिवर्सिटी का छात्र रहा। दो वर्ष जैन-छात्रावास में गुज़ारे व दो वर्ष सर गंगानाथ झा होस्टल में रहा। 'रैगिंग' नाम मात्र को ही हुई। युनिवर्सिटी के वाइस-चांसलर श्री दक्षिणारंजन भट्टाचार्य व श्री ए. सी. बनर्जी रहे। दोनों लोग वैज्ञानिक थे। श्री बनर्जी एक बहुत बड़े भौतिक-शास्त्री माने जाते थे। प्रोफ़ेसरों पर मोटरें बहुत कम थीं, सब लोग रिक्शा या साइकिल से ही आते थे। भूतपूर्व प्रधानमन्त्री श्री विश्वनाथ प्रतापसिंह, भूतपूर्व कैबिनेट सेक्रेटरी श्री विनोदचन्द्र पाण्डेय, भूतपूर्व प्रधानमन्त्री स्व. राजीव गाँधी के प्रमुख सचिव गोपीकृष्ण अरोरा तथा और भी अनेक बड़े लोग मेरे समकालीन थे। भारतीय-जनता-पार्टी के भूतपूर्व अध्यक्ष डॉ. मुरली मनोहर जोशी मेरे होस्टल-फैलो और परम मित्र थे।

साइन्स-कॉलेज की उन दिनों धाक थी। डॉ. गोरखप्रसाद जैसे दिग्गज गणित-विभाग के अध्यक्ष थे। उनका व्यक्तित्व बहुत आकर्षक था। बनारस में स्नान करते हुए, अपने नौकर को डूबने से बचाने की प्रक्रिया में, वे स्वयं ही गंगाजी में डूब गये थे। रसायन-शास्त्र के अध्यक्ष श्री नीलरतन धर ने अपनी स्वर्गीय पत्नी के नाम पर 'शीला धर इंस्टीट्यूट' खोला था। वे दिन-रात युनिवर्सिटी में ही रहते थे। उन्होंने अपना सब कुछ उसी संस्थान में लगा दिया था। उनकी ख्याति भी विदेशों में फैली थी। वे एक फ़क़ीर की तरह रहते थे। श्री दक्षिणारंजन भट्टाचार्य वनस्पतिशास्त्र के ज्ञाता होने के साथ-साथ संगीतज्ञ भी थे और संगीत-विभाग की स्थापना उन्होंने ही की।

अर्थशास्त्र-विभाग के अध्यक्ष श्री. एस. के. रुद्रा खिलाड़ी थे और वे साइकिल पर ही युनिवर्सिटी आते थे। वे नैनीताल की झील में डूब गये। उनके बाद श्री जे. के. मेहता अर्थशास्त्र-विभाग के अध्यक्ष बने। वे सचमुच एक मौलिक-विचारधारा के व्यक्ति थे पर देखने में पादरी लगने वाले श्री मेहता अपनी आलोचना बरदाश्त नहीं कर सकते थे और मात्र इसी कारण उन्होंने सुरतदास श्रीवास्तव व विनोद दुबे को अध्यापक नहीं बनने दिया। श्री सुरतदास भारतीय-प्रशासन-सेवा में चले गये और उत्तर-प्रदेश के चीफ़-सेक्रेटरी व भारत-सरकार के उद्योग-सचिव बने। ज़्यादा तनाव के कारण उन्हें दिल का दौरा पड़ा और उनकी मृत्यु हो गयी। श्री विनोद दुबे 'संयुक्त-राष्ट्र-संघ' में किसी बड़े पद पर चले गये। मैं भी सरकारी-नौकरी के बजाय युनिवर्सिटी में ही रहना चाहता था पर मैं भी निराश ही हुआ हालाँकि मेरी

जगह मेरे जिस साथी को विभाग में लिया गया वह सचमुच मुझसे ज़्यादा योग्य था हालाँकि मैंने क्लास में सर्वप्रशम स्थान पाया था और उसकी पोज़ीशन नौवीं थी। दुर्भाग्यवश मेरा वह सहपाठी (सुरेशचन्द्र पन्त) शराब पीने लगा और कुछ ही वर्षों बाद उस प्रतिभावान नवयुवक की मृत्यु हो गयी। श्री पी.सी. जैन श्री मेहता की प्रत्येक क्लास में हद से ज़्यादा ख़ुशामद-भरी प्रशंसा करते थे। उन्होंने अनेक पुस्तकें लिखीं और मेहता साहब के बाद वे ही विभागाध्यक्ष बने। वे बहुत ही परिश्रमी व सज्जन व्यक्ति थे जो मेरे ही ज़िले के होने के कारण, मुझसे बेहद स्नेह करते थे। वे बाद में रेलवे-ट्रिब्यूनल के सदस्य बने जिसका दर्ज़ा हाईकोर्ट के जज के बराबर होता था। ये अन्त-समय तक मुझसे पत्र-व्यवहार रखते रहे और मैं भी अपनी पुस्तकें उन्हें भेजता रहा। श्री दयाशंकर दुबे दारागंज से रिक्शे में आते थे और उन्होंने गंगोत्री से लेकर गंगासागर तक गंगाजी के किनारे-किनारे पैदल यात्रा की थी जिसका विवरण 'कल्याण' में छपता था। वे सचमुच एक सरल व दयालु व्यक्ति थे जो गंगा को माता मानते थे। उनकी मृत्यु पर पं. श्रीनारायण चतुर्वेदी ने 'सरस्वती' में सम्पादकीय लिखा। डॉ. रामप्रताप बहादुर बहुत ठाठ से रहते थे और महाकवि पन्त से उनकी घनिष्ठता थी। उनकी जान-पहचान बहुत बड़े-बड़े लोगों से थी और एक बार उन्होंने ही मुझे एक बड़े बैरिस्टर के यहाँ ट्यूशन दिलवाया। अपनी 'फ़िज़ूलख़र्ची' के कारण वे क़र्ज़ से दबे रहते थे। उन्होंने मेहता साहब से तंग आकर युनिवर्सिटी छोड़ दी और गोरखपुर चले गये जहाँ वे शायद वाइस-चांसलर बने। उनकी पुत्री की शादी में मैं भी गोरखपुर गया था। तब मैं डिप्टी-कण्ट्रोलर के पद पर प्रयाग ही में नियुक्त था। श्री आर.एन. भार्गव ने भी हमारी युनिवर्सिटी छोड़ दी थी और वे शायद बनारस चले गये थे। श्री प्रयागदास हजेला बहुत बढ़िया अध्यापक थे और वे बाद में युनिवर्सिटी के वाइस-चांसलर भी बने। श्री परमार, श्री एस.के. मुकर्जी, श्री कुशवाहा व श्री जी.डी. कारवाल शेष अध्यापकों में विशिष्ट थे। श्री महेशचन्द्र बड़े ही परिश्रमी थे और सरल व साधारण जीवन जीने में उनका मुक़ाबला सिर्फ़ श्री सरस्वतीप्रसाद ही कर सकते थे, और कोई नहीं। दोनों ही लोग एक फ़क़ीर की तरह ही रहते थे।

कॉमर्स-विभाग के अध्यक्ष श्री एम. के. घोष थे जो मोटर रखते थे। श्री अमरनारायण अग्रवाल की एक पुस्तक बहुत लोकप्रिय थी। दुर्भाग्यवश वे व उनके भाई (श्री एस. एन. अग्रवाल) बहुत जल्दी ही मर गये। दर्शन-विभाग के अध्यक्ष एक बंगाली थे जो नम्बर एक के भुलक्कड़ थे। वे कला-संकाय के 'डीन' भी रहे थे और तभी मुझे उनसे एक बार मिलने का साबका पड़ा था। राजनीति-विभाग में कैप्टेन अवधबिहारी लाल को छोड़कर मैं किसी को भी नहीं जानता था।

युनिवर्सिटी का इतिहास-विभाग बहुत शानदार होता था। विभाग के अध्यक्ष डॉ. बनारसीप्रसाद सक्सेना थे जो 'दिल्ली-सल्तनत' पर एक अधिकारी विद्वान् माने जाते थे। उनकी ख्याति दूर-दूर तक थी। डॉ. गोवर्धन शर्मा ने कौशाम्बी की ख़ुदाई

करवायी और डॉ. गोविन्दचन्द्र पाण्डेय बाद में राजस्थान-युनिवर्सिटी के वाइस-चांसलर बने। वे बहुत ही सरल व्यक्ति थे और अपनी वेशभूषा वग़ैरह के मामले में भी वे विरक्त ही रहते थे। उनका एक कविता-संग्रह भी छपा जिसका श्रेय श्री विद्यानिवास मिश्र को ही जाता है। 'अग्नि-बीज' सचमुच एक श्रेष्ठ कविता-संग्रह है। श्री ओ. पी. भटनागर आधुनिक इतिहास के ज्ञाता थे और मेरे ऊपर उनकी विशेष कृपा थी। वे हँसमुख, सरल व स्नेही व्यक्ति थे जो सदा दूसरों की मदद करने को तैयार रहते थे। वे सचमुच बेहद लोकप्रिय थे।

इतिहास-विभाग का प्रमुख आकर्षण थे डॉ. ईश्वरीप्रसाद। वे 'हुमायूँ-काल' के विशेषज्ञ थे और हुमायूँ पर उनका एक मोटा ग्रन्थ भी छपा। उनकी लिखी इतिहास की अनेक पाठ्य-पुस्तकें बेहद लोकप्रिय थीं और उन्हीं के कारण वे अपेक्षाकृत काफ़ी अमीर थे और कुछ साथी-लोग उनसे ईर्ष्या भी करते थे। डॉ. ईश्वरीप्रसाद एक विनोदी, सरल, स्नेही, शिष्ट व सात्त्विक व्यक्ति थे जिनका स्नेह मैं कभी नहीं भूल पाऊँगा। पता नहीं क्यों, वे मुझे 'पण्डित जी' कहकर ही पुकारा करते थे। जब उन्होंने 'स्टडी-क्लब' खोला तो मुझे भी उसका सदस्य बनाया। चीफ़-जस्टिस मि. मूथम प्रायः इस क्लब में आते थे। यह क्लब वाक़ई शानदार था।

डॉ. ईश्वरीप्रसाद एक अत्यन्त प्रभावशाली वक्ता थे। फ्रांस की राज्यक्रान्ति व नैपोलियन बोनापार्ट पर उनके लेक्चर सचमुच बेहद शानदार होते थे। उनका पढ़ाने का ढंग बेहद मौलिक व स्वाभाविक था। उन्हें इतिहास से सच्चा प्रेम था। उनका व्यक्तित्व अत्यन्त आकर्षक था। उनका लेक्चर सुनते समय हम लोग बाक़ी दुनिया को एकदम भूल जाते थे। उन जैसे लोगों के साथ हमारी शानदार युनिवर्सिटी का स्वर्ण-युग समाप्त हो गया। मैं इतिहास का विद्यार्थी नहीं था पर डॉ. सक्सेना व डॉ. ईश्वरीप्रसाद का घण्टा मैं यथासम्भव कभी नहीं छोड़ता था। इतिहास के प्रति मेरा जो प्रेम है वह इन्हीं दो महान् व्यक्तियों के कारण है। इनका यह अहसान मैं कभी नहीं भूल सकता...।

(दस)

1950 में इलाहाबाद-युनिवर्सिटी का हिन्दी-विभाग बड़ी सरलता से दो प्रकार के अध्यापकों में बाँटा जा सकता था। डॉ. उदयनारायण तिवारी को छोड़कर, कुछ अध्यापक बहुत पतले थे और कुछ अध्यापक बहुत मोटे थे। विभाग के अध्यक्ष डॉ. धीरेन्द्र वर्मा सबसे अधिक पतले थे। वे एक शान्त, सरल व गम्भीर व्यक्ति थे। डॉ. रामशंकर शुल्क 'रसाल' पुरानी पीढ़ी के विद्वान् थे जो गोल टोपी लगाते थे, बन्द गले का जोधपुरी कोट पहनते थे और धोती के साथ मोज़े व बूट धारण करते थे। "रात को वे शायद सारे कपड़े किसी घड़े में रखते थे।" वे डॉ. अमरनाथ झा के चरण छुआ करते थे। वे अत्यन्त परिश्रमी, स्नेही व सात्त्विक क़िस्म के इंसान

थे और हम लोगों को 'रामचरितमानस' व 'शिवराजभूषण' पढ़ाते थे। डॉ. ब्रजेश्वर वर्मा ने सूरदास पर काफ़ी काम किया था और बाद में सूरदास के बारे में उनका एक विशद ग्रन्थ भी छपा। डॉ. रामस्वरूप चतुर्वेदी भी पतले ही व्यक्ति थे जिनकी 'शरत के नारी पात्र' नामक एक श्रेष्ठ पुस्तक भी छपी थी। डॉ. रघुवंश एक अद्भुत व्यक्ति थे जो हाथों से जन्मजात अपंग होने के कारण पैरों से ही लिखते थे और अपनी महान् इच्छा-शक्ति के बल पर वे हिन्दी के मूर्धन्य विद्वान् व मनीषी बने। उन्होंने काफ़ी लिखा व बढ़िया लिखा। डॉ. हरदेव बाहरी पाठ्यक्रम से बाहर की ही बातें किया करते थे और हाजी लकलक की शायरी भी हम लोगों को सुनाया करते थे। डॉ. धर्मवीर भारती भी हमें पढ़ाते थे और 'परिमल' के सर्वेसर्वा भी वही थे। बाद में वे 'धर्मयुग' के सम्पादक बनकर बम्बई चले गये, जहाँ उन्होंने पत्रकारिता व साहित्य का अद्भुत संगम प्रस्तुत किया। आचार्य महावीरप्रसाद द्विवेदी व रामानन्द चटर्जी की भाँति उन्होंने भी अनेक नये लेखक बनाये जिनमें शरद जोशी व ख़ाकसार शामिल हैं। उनकी एक पुस्तक (गुनाहों का देवता) इतनी लोकप्रिय साबित हुई कि 'साकेत', 'गोदान', 'चित्रलेखा', 'कामायनी' और 'मधुशाला' की बिक्री के रिकॉर्ड भी उसने शायद तोड़ दिये। उन्होंने एक मोटर भी ख़रीदी थी जो एकदम छकड़ा थी। वे उसमें ज़्यादा से ज़्यादा दोस्तों को बिठाया करते थे ताकि यदि कहीं वह रुक जाए तो धक्के मारने वालों की कमी न रहे।

डॉ. रामकुमार वर्मा, डॉ. माताप्रसाद गुप्त, पं. उमाशंकर शुक्ल व डॉ. जगदीश गुप्त मोटे अध्यापक थे। डॉ. रामकुमार वर्मा एक डिप्टी-कलेक्टर के पुत्र थे और वे मोटर रखते थे। वे धीमे बोलने वाले, एक रसिक व विनोदी व्यक्ति थे जिन्हें जर्दे के पान का शौक़ था। वे महाकवि पन्त के परम आत्मीय थे और प्रयाग-स्ट्रीट पर बना उनका 'साकेत' नाम का बँगला किताबों से छत तक लदा था। उन्होंने दो महाकाव्य लिखे, एकांकी नाटक लिखे व कबीर पर भी काफ़ी काम किया। सरकार ने उन्हें 'पद्म-भूषण' से अलंकृत किया। होली के अवसर पर हम लोग उनके घर जाते थे और उनकी बातें सुन-सुनकर हम इतना हँसते थे कि हमारा पेट दुखने लगता था। पं. उमाशंकर शुक्ल एक कर्तव्यनिष्ठ व स्नेही व्यक्ति थे जिनसे मैं, बिना किसी कारण के सदा डरता और बचता था। डॉ. माताप्रसाद गुप्त एक बेहद सरल व गम्भीर व्यक्ति थे जो हमारे प्राचीन हिन्दी-साहित्य के क्षेत्र में खोज व शोध में जुटे रहते थे। डॉ. जगदीश गुप्त दारागंज में 'मोतीमहल' नामक एक पुरानी हवेली में रहते थे और साइकिल पर लम्बी से लम्बी दूरी तय करते थे। वे एक कुशल चित्रकार, एक श्रेष्ठ कवि और एक बहुत ही निष्पक्ष सम्पादक थे। उनकी 'नयी कविता' नामक शानदार पत्रिका ने 'प्रयोगवाद' को 'नयी कविता' का नाम दिया। उन्होंने ब्रजभाषा में भी श्रेष्ठ काव्य रचा और 'रीतिकाव्य-संग्रह' नामक अमूल्य ग्रन्थ की सृष्टि की। वे बहुत ही स्नेही, विनोदी, सरल व नये लेखकों को प्रोत्साहन देने वाले व्यक्ति थे।

जो स्नेह उन्होंने मुझे दिया, उसे मैं कभी भी नहीं भुला सकता..।

उर्दू, फ़ारसी व अरबी भाषा के विभागों में जो अध्यापक थे वे बहुत विद्वान, विशाल-हृदय व नयी परम्परा के लोग थे। डॉ. एहतशाम हुसैन के साथ मेरा एक चित्र मेरे पास है। बाद में मेरे आत्मीय डॉ. जाफ़र रज़ा भी उर्दू-विभाग में ही नियुक्त हो गये। उनकी 'आधुनिक उर्दू-साहित्य' नामक श्रेष्ठ पुस्तक मेरी अपनी लाइब्रेरी में सुरक्षित है। उनके साथ बिताया हुआ समय मुझे अभी भी याद आता है।

मेरे ज़माने में संस्कृत विभाग सचमुच शानदार था। डॉ. बाबूराम सक्सेना विभाग के अध्यक्ष थे। वे एक शान्त-चित्त, दयालु व भावुक व्यक्ति थे जिनका गला हमें 'उत्तर-रामचरित' पढ़ाते समय, पुस्तक की करुणता के कारण रुँध जाता था। वे महाकवि पन्त के आत्मीय थे और बाद में किसी युनिवर्सिटी के वाइस-चांसलर बनकर मध्य-प्रदेश चले गये थे। मेरे विचार में डॉ. बाबूराम सक्सेना व डॉ. धीरेन्द्र वर्मा पन्तजी के साथ म्योर-सेण्ट्रल कॉलेज में पढ़ते थे और यही इन तीन मित्रों की गहन आत्मीयता का रहस्य था। श्री क्षेत्रेशचन्द्र चट्टोपाध्याय एक गौरवर्ण रूपवान व्यक्ति थे जो हमेशा धोती-कुर्ता ही धारण करते थे। वे एक धुरन्धर विद्वान् थे जो कभी-कभी कुछ धाकड़ व अहंकारी होने का आभास भी दे डालते थे। वे एक सच्चे स्वाभिमानी पुरुष थे। उनके विपरीत, रघुवर मिट्ठूलाल शास्त्री एक नम्र व संकोची पुरुष थे जो हमें 'कठोपनिषद्' पढ़ाते थे। उनके बैठने की बैरक उसी बुरी हालत में थी जिसमें अर्थशास्त्र-विभाग की प्रमुख इमारत के पीछे वाली बैरक थी। संस्कृत के एक नवयुवक अध्यापक बड़े क्रोधी थे। बाद में शायद वे हमारी युनिवर्सिटी के वाइस-चांसलर भी बने। उनके बरख़िलाफ़ एक और अध्यापक थे जो हर दृष्टि से बेहतर थे पर उन्हें कभी कैजुअल' के स्थान पर 'रेगुलर' अध्यापक भी नहीं बनाया गया। विधिरहो बलवान् इति में मतिः (भर्तृहरि)।

कानून का विभाग बहुत प्रसिद्ध था। उसके अध्यक्ष थे प्रो. किरनकुमार भट्टाचार्य। जनश्रुति के अनुसार वे नेताजी सुभाषचन्द्र बोस के क्लास-फेलो थे और आज़ादी की जंग में हिस्सा लेने के लिए उन्होंने जज की नौकरी छोड़ दी थी। वे लम्बे, पुष्ट व आकर्षक व्यक्ति थे जो हमेशा गाँधी-टोपी, शेरवानी व चुस्त पाजामा ही पहनते थे। वे दबंग वक्ता थे और उनका रौबदाब बहुत ज़्यादा था। वे शायद अविवाहित थे और सिविल लाइन्स में रहते थे। सर तेजबहादुर सप्रू के सुपुत्र श्री वी. एन. सप्रू भी कानून के विभाग में थे जो अपनी विद्वत्ता व शराफ़त के लिए बहुत लोकप्रिय थे। बाक़ी लोगों में श्री शास्त्री बहुत दिलचस्प आदमी थे। मैं केवल उन्हीं के निकट सम्पर्क में आया। वे दक्षिण-भारत के निवासी थे जो सिर पर पगड़ी बाँधते थे और अपनी प्रशंसा भी वे ख़ुद ही कर लेते थे। इस काम को वे इतनी चतुरता के साथ करते थे कि कुछ कहा ही नहीं जा सकता।

सबसे अधिक महत्त्वपूर्ण विभाग अँग्रेज़ी का था। विभाग के अध्यक्ष थे सतीशचन्द्र

देब। उनके छोटे भाई (आर.एन. देब) भी अँग्रेज़ी-विभाग में ही थे। वे सिगार व पेण्टिंग के शौक़ीन थे और दिल के मरीज़ थे। बाक़ी लोगों में सर्वश्री के. के. मेहरोत्रा, दस्तूर, खत्री, रघुपतिसहाय 'फ़िराक़', उनके छोटे भाई यदुपतिसहाय, प्रकाशचन्द्र गुप्त, हरिवंशराय 'बच्चन', साही साहब व प्रकाशचन्द्र गुप्त बहुत ही शक्तिशाली साहित्यकार थे। साही साहब दीर्घसूत्री और बेबाक आदमी थे जो कवि होने के साथ-साथ कभी अपने अंचल के बुनकरों के एक समर्थ नेता भी रह चुके थे। वे बड़े ही विनोदी पुरुष थे जो शायद अत्यधिक धूम्रपान के कारण हृदय-रोग के रोगी बने और इसी कारण अकाल-मृत्यु को प्राप्त हुए। श्री प्रकाशचन्द्र गुप्त एक प्रख्यात आलोचक थे और 'प्रगतिशील' होने के बावजूद, वे पन्तजी व 'निराला' जी की सौन्दर्यवादी कविता के ज़बर्दस्त फ़ैन थे। 'फ़िराक़' साहब व 'बच्चन' जी पर अलग से किश्त लिखूँगा। यह मेरा सौभाग्य ही है कि ये चारों दिग्गज मुझसे सच्चा स्नेह रखते थे और मेरी कलम के क़ायल थे। अँग्रेज़ी विभाग में श्री मेहरोत्रा, श्री दस्तूर व 'बच्चन' जी मोटर रखते थे। शायद खत्री साहब के पास भी मोटर थी। बाक़ी लोग पैदल आते थे या साइकिल या रिक्शे की सहायता लेते थे। श्री सतीशचन्द्र देब अपनी टमटम रखते थे। अब मैं मात्र देब साहब व मेहरोत्रा साहब की ही चर्चा करूँगा।

प्रो. के.के. मेहरोत्रा कैम्ब्रिज में पढ़े थे जहाँ वे लॉन-टेनिस के कप्तान थे। उनकी पत्नी विदेशी थी। दुर्भाग्य से मेहरोत्रा साहब को, बाद में चलकर पोलियो हो गया था और वे चलना-फिरना तो क्या, खड़े तक नहीं हो सकते थे। उनकी पत्नी उन्हें मोटर से छोड़ने आती थी और वे पहिया-कुर्सी के सहारे, नीचे के तल्ले में स्थित, अपने क्लास के कमरे में जाते थे। शाम को उनकी पत्नी उन्हें मोटर से घर ले जाने के लिए फिर आती थी। पति-पत्नी के बीच इतना प्रेम देखना कठिन ही है। मेहरोत्रा साहब अपनी अपंगता के बावजूद हमेशा ख़ुश रहते थे और ख़ुशी-ख़ुशी टेनिस का मैच देखा करते थे और विजयी टीम को ट्राफ़ी भी दिया करते थे। मैं उनसे बराबर मिलता था क्योंकि जिस प्रकार डॉ. रामकुमार वर्मा युनिवर्सिटी की हिन्दी-मैगज़ीन के सम्पादक थे, ठीक उसी प्रकार मेहरोत्रा साहब अँग्रेज़ी की मैगज़ीन के सम्पादक थे। तुषार बाबू के कहने के फलस्वरूप, उन दिनों मैं दोनों भाषाओं में लिखा करता था।

प्रो. सतीशचन्द्र देब एक अजीब आदमी थे। वे हिन्दुस्तानी ड्रेस ही पहनते थे और उनका 'मूड' बहुत ही जल्दी बदलता था। उन्हें डींग मारने की भी आदत थी और 'फ़िराक़' साहब अक्सर उनकी फूँक निकाला करते थे। जब वे 'प्रॉक्टर' थे तो एक बार मैं किसी शिकायत को लेकर उनके पास गया। वे बिना बात मुझ पर गर्म हो गये और मुझे कमरे से तुरन्त बाहर निकल जाने को कहा। मैं बाहर बरामदे में आ गया। वे गरजते हुए बाहर आये और उन्होंने मुझे बरामदे से भी बाहर निकल जाने को कहा। मैं बरामदा छोड़कर भागा क्योंकि यदि मैं वैसा नहीं करता तो वे मुझे युनिवर्सिटी छोड़ने को भी कहते। कुछ दिन बाद मैं उनसे फिर मिला तो वे

एकदम बदले हुए थे और वे मुझसे कहने लगे कि “आई एम योर मोस्ट ओबिडिएण्ट सर्वेण्ट।” मैं चकित रह गया। ‘बच्चन’ ने प्रोफ़ेसर देव को लेकर एक कविता लिखी थी जो कुछ-कुछ इस प्रकार थी:

प्रोफ़ेसर देव थे गोलमटोल
मानो विश्व-ज्ञान के ढोल,
विनम्रता के थे अवतार
और विनम्रतर बन जाने में
उन्हें नहीं लगती थी बार,
कर सकते थे वे हाफ़िज का
होनोलूलू का, हलवे का
एक साँस में शंखोच्चार

किश्त ख़त्म करता हूँ हालाँकि वहाँ के होस्टल, लाइब्रेरी, रजिस्ट्रार का दफ़्तर और बाक़ी गतिविधियों की चर्चा रह गयी। यूनियन की चर्चा भी छोड़ता हूँ। ऊपर बताये अनेक लोग ऐसे हैं कि उन पर प्रत्येक के लिए अलग-अलग किश्त लिखी जानी चाहिए थी। युनिवर्सिटी उन दिनों सचमुच लाजवाब थी। आज वही शानदार युनिवर्सिटी एक काँजी-हाउस की तरह काम कर रही है—यह देखकर आँखों में आँसू आ जाते हैं..। इतनी गनीमत है कि इलाहाबाद-युनिवर्सिटी का कोई छात्र कहीं भी यदि मिलता है तो बिना बात उसे गले लगाने की इच्छा होती है। देश के विभिन्न नगरों में ‘इलाहाबाद युनिवर्सिटी एसोसिएशन’ हैं। श्री हेमवतीनन्दन बहुगुणा ने दिल्ली में अपनी कोठी में जलसा किया जिसमें उन्होंने कैबिनेट-सेक्रेटरी श्री भैरवदत्त पाण्डे को खुले-आम ‘सर’ कहकर पुकारा हालाँकि बहुगुणा जी केन्द्रीय-सरकार के वित्तमन्त्री थे। बात यह थी कि युनिवर्सिटी में पाण्डे जी उनसे सीनियर थे। दिल्ली-एसोसिएशन ने ‘फ़िराक़’ साहब का भी शानदार अभिनन्दन किया। उस उत्सव में श्री पाण्डे के अतिरिक्त और भी ऐसे अनेक सीनियर मिले जो ‘इण्डियन सिविल सर्विस’ के सदस्य थे।

(ग्यारह)

आज की इस किश्त में मैं दो घटनाओं की चर्चा करूँगा जो 1950 से 1952 के बीच हुईं। पहली घटना थी हम कुछ छात्रों का बम्बई जाना और दूसरी घटना थी मेरा ‘कुलपति-शिविर’ में भाग लेना।

बम्बई में देश की बढ़ती हुई जनसंख्या को लेकर एक अधिवेशन होना था जिसका उद्‌घाटन देश के उपराष्ट्रपति डॉ. सर सर्वपल्ली राधाकृष्णन् द्वारा किया जाना था। अर्थशास्त्र-विभाग के कुछ चुने हुए छात्र एक वरिष्ठ प्रोफ़ेसर के साथ इस अधिवेशन में भेजे गये और मैं, पता नहीं कैसे, उनमें शामिल किया गया। सारा

ख़र्चा युनिवर्सिटी को ही उठाना था और जेब-ख़र्च के लिए मैंने अपने साथियों से कुछ क़र्ज़ लिया जो मैंने जल्दी से जल्दी उतार दिया।

अधिवेशन शानदार था। कोई बहुत बड़ा हॉल था और देश के लगभग एक हज़ार विद्वान्, विशेषज्ञ, छात्र व अख़बारनवीस अधिवेशन में भाग लेने आये थे। डॉ. राधाकृष्णन् का भाषण बहुत विद्वत्तापूर्ण, लम्बा और नीरस था। किसी के पल्ले कुछ नहीं पड़ा। अधिवेशन कई दिन चला और कुछ लोगों के भाषण सचमुच अद्‌भुत थे। विदेशी विशेषज्ञों को हमारी बढ़ती जनसंख्या को लेकर, हमारे अपने नेताओं की अपेक्षा कहीं ज़्यादा जानकारी और चिन्ता थी। हमारी सरकार ने इस दिशा में पहले तो कुछ भी नहीं किया और बाद में भी जो कुछ किया, वह बहुत कम और ग़लत था। अधिवेशन सिर्फ़ दोपहर तक ही होता था और बाक़ी वक़्त हमने बम्बई देखने और फ़िल्मी हस्तियों से मिलने में गुज़ारा।

बम्बई सचमुच एक शानदार नगर है। बोरीबन्दर का इलाका तो बहुत ही भव्य है। गेटवे-ऑफ़-इण्डिया, ताज़महल होटल, विक्टोरिया टर्मिनस रेलवे-स्टेशन, ओरियण्टल इंश्योरेंस व टाइम्स-ऑफ़-इण्डिया-प्रेस वाला इलाका सचमुच बेहद गरिमापूर्ण है। 'गेटवे-ऑफ़ इण्डिया' ठीक वह जगह है जहाँ दिल्ली-दरबार के लिए आये इंग्लैण्ड के सम्राट् ने अपने पहले क़दम भारत-भूमि पर रखे थे और जिनके स्वागत के लिए गुरुदेव ने 'भारत भाग्य विधाता' नामक प्रशस्ति लिखी थी और जो अब हमारा राष्ट्रीय-गान है। बंकिम बाबू का 'वन्दे मातरम्' नामक राष्ट्रीय गान पीछे हटा दिया गया क्योंकि पं. नेहरू को 'भारत भाग्य विधाता' की पश्चिमी धुन ज़्यादा अच्छी लगती थी। बात कड़वी है मगर सच्ची है। मौनात् सत्यं विशिष्यते। ये सारी बातें तुषारकान्ति घोष बड़ी बेबाकी के साथ बताया करते थे। बम्बई में मैंने समुद्र पहली बार देखा। हम लोग जुहू गये, एलीफेण्टा गये (जिसके ऊपरी क्षेत्र में एक शक्तिशाली पुर्तगीज़ तोप रखी है) मुम्बादेवी का मन्दिर देखा और प्रिंस-ऑफ़-वेल्स-म्यूज़ियम, महालक्ष्मी रेसकोर्स, पेण्टिंग गैलरी, तारपोरवाला एक्वेरियम, मैरीन ड्राइव तथा फ़्लोरा-फ़ाउण्टेन वग़ैरह की सैर की। इस सब को देखने के बाद हम लोग्मों ने कुछ फ़िल्मी-हस्तियों को देखा जिसमें हमें कोई विशेष परेशानी नहीं पड़ी। वैसे भी हम लोग अपने संगीतज्ञ वाइस-चांसलर का एक पत्र एक म्यूज़िक-डाइरेक्टर के नाम ले गये थे जिसने हमारी बड़ी मदद की। उन दिनों बम्बई में विक्टोरिया नाम की एक शानदार घोड़ा-गाड़ी चलती थी जो समय के साथ-साथ समाप्त हो गयी।

सबसे पहले हम लोग सबर्बन ट्रेन द्वारा चेम्बूर गये और आर. के. स्टूडियो को पवित्र किया। राजकपूर व नरगिस, ज़मीन पर बिछी एक टीन की चादर पर बैठे थे। 'बरसात' व 'आवारा' के राजकपूर का क़द काफ़ी छोटा था, वे देखने में म्युनिसपैलिटी के क्लर्क लगते थे और उस वक़्त वे किसी और ही दुनिया में खोये हुए थे। उन्होंने हाथ मिलाया, आटोग्राफ़ दिये, सिगरेट के बाद सिगरेट सुलगायी पर

रहे वे विरक्त ही। उनके विपरीत, नरगिस घरेलू सीधी-सादी और एकदम स्वाभाविक मुद्रा वाली युवती लगती थीं जिन्होंने हम लोगों से बराबर बातचीत की। वे सचमुच नम्र, सम्भ्रान्त, शालीन, शिष्ट व शानदार युवती थीं जो हँसमुख भी थीं। कोई आधा घण्टा हम लोगों ने उनके साथ गुज़ारा। जब हम बाहर की ओर चले तो लाल रंग की एक एम्बेसेडर आयी जिसमें से प्राण साहब उतरे। उन्होंने ख़ाकी ज़ीन की पैण्ट व सफ़ेद रंग की हाफ़-शर्ट पहन रखी थी। वे जल्दी में थे और वे तुरन्त उस कमरे में चले गये जहाँ एक खिड़की से लगी छोटी-सी मेज़ पर किशोर साहू कुछ लिख-पढ़ रहे थे। हम लोग उन दोनों को खिड़की के बाहर से देखते रहे। मुलाक़ात किसी से भी न हो सकी।

अगले दिन हम एक और स्टूडियो में गये और निगार सुल्ताना से मिले। उन्होंने ठीक वही स्नेह दिया जो एक बड़ी बहन अपने छोटे भाइयों को देती है। उन्होंने पास खड़े मजरूह सुल्तानपुरी से मिलवाया और दिलीप कुमार से मुलाक़ात पक्की करवायी जो उस वक़्त उसी स्टूडियो में थे और डिनर पर थे। वे हमें एक ड्राइंग-रूम में ले गयीं, चाय का ऑर्डर दिया और फिर विदा लेकर चली गयीं। थोड़ी ही देर बाद दिलीपकुमार आये और मेरे ही पास उसी सोफ़े पर बैठ गये। 'जोगन', 'नदिया के पार', 'अन्दाज', 'दीदार' व 'बाबुल' का लगभग तीसवर्षीय वह महान् 'ट्रेजेडी किंग' एक शान्त, गम्भीर व सेल्फ़ कांशस आदमी था जो एक-एक शब्द तौल कर बोलता था। काफ़ी देर बातचीत हुई और हम लोगों के पूछने पर उन्होंने बताया कि उनकी 'दाग़' नामक फ़िल्म अभी-अभी रिलीज़ हुई है और 'वह शायद आपको दिलचस्प लगे।' उन्होंने ऑटोग्राफ़ दिये और हाथ भी मिलाया।

अगले दिन हम लोग 'श्रीनिवास साउण्ड स्टूडियो' गये। 'मुग़ले-आज़म' का बेशक़ीमती सेट पड़ा हुआ था और उस पर बैठे ओमप्रकाश अपने लतीफ़ों से एकस्ट्रा कलाकारों को हँसा रहे थे। हम लोग यह देखने गये थे कि कोई भी गाना खाली रिकॉर्ड में कैसे भरा जाता है। थोड़ी ही देर बाद गीता राय आ गयीं। वे बहुत सरल, स्वाभाविक, सुन्दर व शिष्ट युवती थीं। गाने के कमरे में जाने से पहले उन्होंने हमसे बातें कीं और आटोग्राफ़ दिये। एक चपरासी ने पूछा कि "गीता दीदी, आपका आटोग्राफ़ सब लोग लेते हैं पर हमारा कोई नहीं लेता..."। गीता राय ने मुस्कुरा कर कहा कि "डरते क्यों हो? तुम्हारा ऑटोग्राफ़ हम लेंगे।" उनकी बात सुनकर उस चपरासी के साथ हम सब लोग भी खिलखिलाकर हँस पड़े।

अशोककुमार से भेंट नहीं हो सकी। घर पर वे मिलते ही नहीं थे और ऐसे स्टूडियो का पता ही नहीं लगा जहाँ कि उनकी शूटिंग चल रही हो। मोतीलाल शहर के बाहर थे। हाँ, रेस-कोर्स पर मुकरी साहब ज़रूर मिले। वे एक छोटी-सी लाल रंग की खुली छत की मोटर में थे। बेहद शरीफ़, नम्र व संकोची व्यक्ति। अशोककुमार के छोटे भाई अनूपकुमार व जयराज को भी अलबत्ता ज़रूर देखा। हममें से कुछ लोग

याकूब साहब से भी मिले। उन्होंने मेरे उन साथियों को मेरठ का गज़क खिलाया और यह डाँट भी पिलायी कि "अरे, तुम इतनी बड़ी युनिवर्सिटी के स्टूडेण्ट हो और हम भाँड़ लोगों को देखने में वक़्त ख़राब कर रहे हो! माँ-बाप ने पढ़ने को भेजा है। यह उम्र पढ़ने के लिए है। फ़िल्म देखने के लिए तो उम्र पड़ी है.." वग़ैरह-वग़ैरह।

बम्बई से लौटते हुए हम लोग शायद जलगाँव या मनमाड के स्टेशन पर उतरे और ऐलोरा-अजन्ता की महान् गुफ़ाएँ देखने गये। मैं अकेले ही रास्ता पूछता-पूछता महारानी अहिल्याबाई की बेहद साधारण ढंग से बनी समाधि भी देख आया। एलोरा व अजन्ता की महान् गुफ़ाओं को देखने के बाद हम लोग दौलताबाद गये जहाँ हमने परम ऐतिहासिक क़िला व चाँदबीवी का रोज़ा देखा। क़िले के वे हिस्से भी देखे जिनमें कभी सरदार पटेल, पण्डित नेहरू व मौलाना आज़ाद क़ैद रहे थे। दौलताबाद का पुराना नाम 'देवगिरि' था। यही वह स्थान है जिसे मुहम्मद तुग़लक ने दिल्ली शहर को पूरी तरह उजाड़कर, अपनी राजधानी बनाया था। कुछ समय बाद ही, उसका दिल यहाँ से उकता गया था और उसने देवगिरि छोड़कर दिल्ली को फिर अपनी राजधानी बनाया था। लाखों लोगों पर क्या क़हर बरपा और कितने करोड़ का नुक़सान हुआ, यह जानने के लिए आप 'फ़रिश्ता' द्वारा लिखित 'सल्तनत की तवारीख' पढ़ें।

दौलताबाद से हम लोग औरंगाबाद गये जो उन दिनों एक क़स्बा ही था। शहंशाह शाहजहाँ ने औरंगज़ेब को दक्षिण का सूबेदार बनाया था और यह शहर उसी के नाम पर बसा। औरंगज़ेब के बाद, दक्षिण में 'निज़ाम' की नियुक्ति शुरू की गयी जो सूबेदार से बड़ा होता था। सम्राट् बनने के बाद भी शिवाजी से उलझा रहने के कारण, औरंगज़ेब आलमगीर को अपने पचास वर्ष के लम्बे शासनकाल का आधा भाग (यानी कि पच्चीस वर्ष) दक्षिण में ही गुज़ारना पड़ा। दिल्ली में न रहने के कारण साम्राज्य कमज़ोर होता चला गया। औरंगज़ेब की सबसे प्यारी बेग़म यहीं मरी और औरंगज़ेब ने उसकी स्मृति में 'बीवी का मकबरा' बनवाया जो 'ताज़महल' की बेहद सस्ती नक़ल है। औरंगज़ेब की मृत्यु भी यहीं हुई और उसकी कच्ची क़ब्र, जो मात्र मिट्टी की ही बनी है, यहीं स्थित है। क़ब्र पर जो छत डलवायी वह भी औरंगज़ेब के उत्तराधिकारियों ने ही डलवायी। सम्राट् की क़ब्र इस सच को उजागर करती है कि उम्र के साथ-साथ वह महान् सम्राट् वाक़ई एक फ़क़ीर की भाँति जीवन से विरक्त हो गया था और अपने गुज़ारे के लिए शाही ख़ज़ाने से एक छदाम तक नहीं लेता था। वह अपनी जीविका कैसे कमाता था– यह दर्दनाक क़िस्सा जानने के लिए आपको 'तवारीखे आलम-गीरी' पढ़नी पड़ेगी। बम्बई के चक्कर में किश्त पूरी हो गयी। 'कुलपति के शिविर' की कथा अब अगली किश्त में ही सुना पाऊँगा, पहले नहीं।

सम्राट् औरंगज़ेब आलमगीर जैसे महान् शक्तिशाली शासक की कच्ची क़ब्र

की याद मुझे कभी भी आ जाती है। और क़ब्र की याद आती है तो उर्दू के अज्ञात शायरों के ये कलाम भी अनायास ही याद आ जाते हैं :

(एक)

दारा रहा न रहा सिकन्दर सा बादशाह
तख़्ते ज़मी पर सैकड़ों आये, चले गये...

(दो)

जिनके महलों में हज़ारों झाड़ और फानूस थे
झाड़ उनकी क़ब्र पर है, और निशाँ कुछ भी नहीं

(बारह)

सन् 1950 में जब मैंने इलाहाबाद युनिवर्सिटी में दाखिला लिया तो हमारे गवर्नर व युनिवर्सिटी के चांसलर श्री कन्हैयालाल माणिकलाल मुंशी थे। मुंशी जी एक प्रसिद्ध वकील थे (बम्बई हाई कोर्ट में उनकी बहुत इज़्ज़त थी और मिस्टर जिन्ना के बाद वे ही वहाँ के सर्वश्रेष्ठ अधिवक्ता माने जाते थे) गुजराती के प्रसिद्ध लेखक थे और इस सबके साथ एक कुशल राजनीतिज्ञ भी थे। हिन्दू धर्म व संस्कृति के साथ-साथ उन्हें इतिहास से अनन्त प्रेम था। वे केन्द्रीय विधान-सभा की 'ड्राफ़्टिंग कमेटी' के मेम्बर रह चुके थे और बाद में वे केन्द्रीय-सरकार के कृषि-मन्त्री भी रहे जहाँ उन्होंने बहुत अच्छा काम किया और 'वन-महोत्सव' की शुरुआत की। हैदराबाद के निज़ाम के राज्य में 'पुलिस-एक्शन' से पहले, वे वहाँ भारत-सरकार के 'एजेण्ट-जनरल' भी थे मगर इस पद पर वे कोई ठोस काम नहीं कर सके। उनके उपन्यास ऐतिहासिक थे जिनमें 'जय सोमनाथ' शायद सर्वश्रेष्ठ है। उनके 'पृथ्वीवल्लभ' नामक उपन्यास पर सोहराब मोदी ने उसी नाम की एक प्रसिद्ध फ़िल्म बनायी और इस सन्दर्भ में मुंशी जी को पाँच हज़ार रुपये मिले। उनका 'श्रीकृष्णावतार' नामक उपन्यास कई खण्डों में छपा। 'दी ग्लोरी दैट वाज़ गुर्जर देश' नाम से उन्होंने गुजरात का प्रामाणिक इतिहास लिखा जो किसी उपन्यास की भाँति रोचक था।

मुंशी जी सरदार पटेल के गुट के आदमी थे। पटेल साहब की मृत्यु के बाद उन्हें मन्त्रिमण्डल से निकाल दिया गया और वे संयुक्त-प्रान्त के गर्वनर बनाये गये। गवर्नर के पास काम बहुत कम होता है और मुंशी जी जैसे कर्मठ व्यक्ति के लिए यह स्थिति असहनीय थी। वे जब बम्बई-सरकार में मन्त्री थे तो उन्होंने 'आरे मिल्क कॉलोनी' व 'भारतीय-विद्या-भवन' की स्थापना की थी। संयुक्त-प्रान्त का गवर्नर बनने पर उन्होंने बनारस, अयोध्या, प्रयागराज, जौनपुर, कन्नौज, महोबा, गुर्गी, झाँसी, चित्रकूट, मथुरा, वृन्दावन, आगरा, हस्तिनापुर, सरधना, बदायूँ, सम्भल से लेकर बद्रीनाथ व

जोशीमठ तक सारे धार्मिक व ऐतिहासिक स्थानों का दौरा किया और यह सब कुछ करने के बाद उन्होंने 'चांसलर्स कैम्प' की शुरुआत की। बनारस व अलीगढ़ को छोड़कर (जहाँ की युनिवर्सिटियाँ केन्द्रीय सरकार के नीचे आती थीं) प्रान्त की सारी युनिवर्सिटियों से मेधावी या खिलाड़ी छात्र तथा प्रख्यात व विद्वान् प्रोफ़ेसर चुने गये और रानीखेत के पास चौबटिया नामक स्थान पर कैम्प का उद्घाटन हुआ। मेरी युनिवर्सिटी ने चुने हुए छात्रों में मुझे भी शामिल किया। कैम्प का उद्घाटन मुंशी जी ने स्वयं ही किया और उनका भाषण अँग्रेज़ी में ही था। वे काफ़ी वृद्ध, भावुक, चुस्त, विद्वान् व सतर्क व्यक्ति थे। उनका क़द छोटा था, शरीर पतला था और वे गाँधी-टोपी, शेरवानी, धोती, मोज़े व न्यूकट पहनते थे। वे लेखक या वकील बाद में थे, सबसे पहले वे गवर्नर थे। वही रौबदाब, वही शिष्टाचार व वही तनावपूर्ण व्यवहार। उनकी पत्नी श्रीमती लीलावती मुंशी उनके साथ थीं और वे भी गवर्नर की 'लेडी' की भाँति सब लोगों से काफ़ी दूरी रखती थीं। मुंशी जी आत्म-प्रशंसा के शौक़ीन थे और जैसा कि मैंने बाद में देखा, उन्हें दरबारियों व ख़ुशामदियों से भी कोई एतराज़ नहीं था। पण्डित गोविन्दवल्लभ पन्त ही अकेले ऐसे गरिमापूर्ण व्यक्ति थे जो चुप रहते थे और गवर्नर की ओर कोई अतिरिक्त ध्यान नहीं देते थे। "जब पन्तजी और मुंशी जी साथ-साथ चलते थे तो लगता था जैसे कि गणेशजी के साथ उनका चूहा जा रहा हो।" बहरहाल हमारे कानून-विभाग के अध्यक्ष श्री किरनकुमार भट्टाचार्य जैसे दबंग व्यक्ति को यह माहौल पसन्द नहीं आया और वे मुंशी जी से अनुमति लिये बिना ही अगले दिन प्रयाग चले गये। इस हादसे के बाद कैम्प का वातावरण काफ़ी घरेलू हो गया।

रानीखेत में हम लोग कोई पन्द्रह दिन रुके। डॉ. राधाकमल मुकर्जी का इतिहास का लेक्चर सचमुच दिलचस्प होता था और बाक़ी प्रोफ़ेसर भी यथाशक्ति काफ़ी ज्ञान प्रदान करते थे। बाक़ी वक़्त में हम लोग 'भालू-डैम' या उससे भी आगे तक घूमने जाया करते थे। रानीखेत जैसा पर्वतीय सौन्दर्य, हिमालय में शायद और कहीं देखने को नहीं मिलता। एक दिन हाकी का मैच हुआ जिसमें मेजर ध्यानचन्द ने भी बतौर तकल्लुफ़ के हिस्सा लिया। एक दिन एक 'योगी' आये जिन्होंने हम सबके सामने (अपनी छाती के ऊपर तख़्ते बिछवा कर) एक लदे हुए ट्रक को अपने वक्ष के ऊपर चढ़ाया। मुंशी जी ने प्राणायाम पर भाषण दिया और उन योगीराज का सम्मान किया। एक दिन एक सपेरे ने साँपों के करतब दिखाये। इन समारोहों में मुंशी जी एक आम आदमी जैसी रुचि लेते थे और उनकी विनोद-प्रियता भी ऐसे ही अवसरों पर प्रकट होती थी। कैम्प ख़त्म होने पर, सारे छात्र व प्रोफ़ेसर अपनी युनिवर्सिटियों को लौट गये। एक प्रोफ़ेसर ने मुंशी जी की हद्दर्जा ख़ुशामद की थी और शायद उसी के फलस्वरूप वे एक युनिवर्सिटी के वाइस-चांसलर बने।

बाद में चलकर ये कैम्प मुंशी जी की सुविधानुसार विभिन्न स्थानों पर लगते

रहे और मुंशी जी महीने में दो बार, हम लोगों को लम्बे-लम्बे पत्र भी छपवा कर भेजते रहे। इन पत्रों में मुंशी जी के व्यक्तिगत संस्मरण, उनके दौरों का विवरण व विभिन्न विषयों पर ज्ञान की विपुल सामग्री रहती थी। बाद में वे सारे पत्र, 'कुलपति के पत्र' नाम से 'भारतीय-विद्या-भवन' से छपे जिनकी छह जिल्दें मेरे पास हैं। मुंशी जी एक बहुश्रुत व्यक्ति थे और हिन्दू-संस्कृति के परम भक्त होते हुए भी प्रशासन के क्षेत्र में वे एकदम धर्म-निरपेक्ष व्यक्ति थे। वे मशीन की भाँति काम करते थे। अँग्रेज़ी लिखने व बोलने पर उनका पूर्ण अधिकार था। ऊपर बताये सारे 'कुलपति के पत्र' बहुत श्रेष्ठ अँग्रेज़ी में लिखे गये थे। मुंशी जी में यदि कोई कमी थी तो वह थी उनके स्वभाव की अस्थिरता। सारे साहित्यकारों की भाँति वे भी एक 'मूडी' व्यक्ति थे जो कभी एकदम सरल, विनोदी व दयालु थे तो एक क्षण बाद ही अहंकारी, निरंकुश व भयानक हो सकते थे।

प्रयाग में कई कैम्प लगे। एक कैम्प कौशाम्बी में लगा जहाँ का सारा प्रबन्ध महादेवी जी ने किया। महादेवी जी व मुंशी जी का आपसी व्यवहार एकदम वैसा ही था जैसा कि एक सगी बहन व भाई में होता है। वे उनके साथ बराबरी का व्यवहार करती थीं और उन्हें मुंशी जी के साहित्यकार रूप से ही लगाव था, उनकी वकालत या गवर्नरी का उन पर कोई प्रभाव नहीं पड़ता था। एक आयोजन प्रयाग के राजभवन में हुआ जहाँ का ग्रुप-फ़ोटो मेरी अलबम में है। फ़ोटो में मुंशी जी केन्द्र में बैठे हैं और उनके दोनों ओर हमारे वाइस-चांसलर श्री ए. सी. बनर्जी, प्रो. एम. के. घोष, डॉ. बाबूराम सक्सेना, डॉ. बनारसीप्रसाद सक्सेना व प्रो. किरनकुमार भट्टाचार्य वग़ैरह बैठे हैं। छात्र पीछे खड़े हैं और छात्राएँ सामने दरी पर बैठी हैं। नीति आद्वल, ओतिमा मुकर्जी व मीनाक्षी चौधरी को अभी भी पहचाना जा सकता है। प्रयाग का यह राजभवन अब तोड़ दिया गया है। एक और आयोजन की याद भी ताज़ा है जिसमें महादेवी जी की तगड़ी सिफ़ारिश के बावजूद महाकवि पन्त कुछ 'अस्वस्थ होने के कारण' नहीं आ सके थे। डॉ. अमरनाथ झा आये थे और उन्होंने बहुत ही रौब के साथ हलो मि. मुंशी, 'हाउ डू यू डू' कहकर उनसे हाथ मिलाया था। मुंशी जी के झा साहब के साथ पुराने सम्बन्ध थे। 'निराला' व 'फ़िराक़' को महादेवी जी ने निमन्त्रित ही नहीं किया था जो शायद एकदम उचित ही था। इसी आयोजन में श्री दिलीपकुमार राय ने, गवर्नर के अनुरोध करने पर, अपना शास्त्रीय संगीत सुनाया था। गाना भी ख़राब था और राय साहब का व्यवहार भी दयनीय था। वे मुंशी जी के सामने इस तरह पेश आ रहे थे जैसे रिआया कभी अपने जागीरदार के सामने पेश होती थी। मैंने जब यह घटना तुषार बाबू को बतायी तो उन्हें कोई विस्मय नहीं हुआ। उन्होंने बताया कि "उसकी तो आदत ही यह है और ऐसे ही लोगों ने तो इन नेताओं का दिमाग़ बिगाड़ा है।"

अब मैं अपको इस किश्त की एक भयानक घटना सुनाता हूँ जिसका मैं चश्मदीद

गवाह हूँ। प्रयाग में कुम्भ का मेला लगा था और मुंशी जी स्नान करने प्रयाग आये थे। उन्होंने महन्तों के अखाड़े देखे और उनके साथ खाना भी खाया। इसी बीच राष्ट्रपति डॉ. राजेन्द्रप्रसाद व प्रधानमन्त्री पण्डित नेहरू भी प्रयाग आ पहुँचे। एक शाम मुंशी जी ने क़िले के भीतर चाय-पार्टी का आयोजन भी किया जहाँ 'कुलपति के शिविर' के स्थानीय छात्र भी निमन्त्रित थे। बड़ी शानदार पार्टी थी। सुमित्रानन्दन पन्त भी एक टेबिल पर थे। हम छात्र लोगों का परिचय राष्ट्रपति से कराया गया जो बन्द गले के जोधपुरी कोट, उसी कपड़े की पैण्ट, पैरों में बढ़िया बूट और सिर पर उसी सूट के कपड़े की गाँधी-टोपी में सजे अपने सिंहासन पर बैठे थे। उन्होंने मुस्कुराहट व बड़ी नैसर्गिक सरलता के साथ हमारे नाम पूछे और फिर बैठे ही बैठे हम लोगों के नमस्कार के प्रत्युत्तर में अपने करबद्ध प्रणाम के साथ हम लोगों को विदा दी। उस दिन पं. नेहरू कुछ अजीब मुद्रा में थे। उन्होंने शेरवानी, टोपी व पेशावरी चप्पलें उतार दी थीं और वे सिगरेट पीते हुए लॉन पर नंगे पैर घूम रहे थे। मेले में कुछ हादसा हो गया था जिसे लेकर श्रीमती लीलावती मुंशी कह रही थीं कि मेले-ठेलों में ऐसा हो ही जाता है। पार्टी ख़त्म होने के बाद बाहर आकर पता चला कि हादसा बहुत बड़ा था और सैकड़ों यात्री मारे जा चुके थे। बाद में अख़बार के सम्पादकीय में यह बताया गया कि यह भयंकर घटना मात्र इस कारण हुई थी क्योंकि इतने बड़े-बड़े लोग बिना किसी पूर्व-सूचना के प्रयाग भी गये थे और उनकी सुरक्षा वग़ैरह में इतनी पुलिस-फ़ोर्स लग गयी कि मेले में अव्यवस्था फैल गयी और सैकड़ों नहीं वरन् हज़ारों लोगों को मोक्ष मिल गया। मेरा मित्र सुरेन्द्रपाल उस हादसे में ख़ुद ही फँसा था और पता नहीं कि वह कैसे बच गया। जिस वक़्त हम लोग उस शानदार पार्टी में चाय और काजू ले रहे थे, ठीक उसी वक़्त मेले में मची भगदड़ में हज़ारों लोग दम तोड़ रहे थे। आधी दुनिया यह कभी नहीं जान पाएगी कि दूसरी आधी दुनिया पर क्या बीत रही है...।

(तेरह)

1950 में प्रयाग के सर्वप्रथम नागरिक राजर्षि पुरुषोत्तमदास टण्डन ही थे, और कोई नहीं। वे सच्चे देखभक्त, गाँधीवादी व हिन्दी के संरक्षक थे। राजर्षि जनक के बाद शायद वे दूसरे व्यक्ति थे जिन्हें जनता ने राजर्षि कहकर पुकारा था। उनका सचमुच बहुत आदर किया जाता था। यह किश्त मैं उन्हीं के बारे में लिखूँगा हालाँकि मैं कभी उनके निकट सम्पर्क में नहीं आया। मैं मात्र एक बार ही उनसे चन्द मिनटों के लिए मिला था मगर उतने थोड़े समय में ही धैर्य, आशा, संकल्प व सात्त्विकता की जो छाप उन्होंने मेरे हृदय पर छोड़ी, वह आज तक उसी तरह क़ायम है। मेरी मुलाक़ात हिन्दी-साहित्य-सम्मेलन के पुस्तकालय के बारे में हुई थी, किसी व्यक्तिगत समस्या के सन्दर्भ में नहीं।

राजर्षि टण्डन का जन्म सन् 1882 को प्रयाग में ही हुआ था। पेशे से वे वकील

थे। महामना पं. मदनमोहन मालवीय, जो इलाहाबाद-हाईकोर्ट के वकील थे, जब पूरी तरह सार्वजनिक कामों में जुट गये तो उन्होंने अपना 'बस्ता' टण्डन जी को सौंप दिया। मालवीय जी केवल सच्चे मुक़दमे ही हाथ में लेते थे और टण्डन जी उनसे भी एक क़दम आगे थे। वकालत तो क्या चलती, परिवार को भूखा रहने की नौबत आने लगी। मालवीय जी ने उन्हें एक ख़त देकर, लाला लाजपतराय के पास लाहौर भेजा। लाला जी ने उन्हें काफ़ी बड़े वेतन पर 'पंजाब-नेशनल-बैंक' में एक ऊँचे पद पर लगवा दिया। बाद में लाला लाजपतराय जब महात्मा गाँधी के समर्थक हो गये तो टण्डन जी भी नौकरी छोड़कर कांग्रेस में शामिल हो गये। इसके बाद उनकी सारी उम्र कांग्रेस की सेवा में ही गुज़री। वे सरदार पटेल के गुट के आदमी थे और उन्होंने ही टण्डन जी को कांग्रेस का प्रेसीडेण्ट बनवाया था। सरदार पटेल की मृत्यु के बाद पं. नेहरू ने उन्हें उस पद पर नहीं रहने दिया। उन्हें त्यागपत्र देना पड़ा और आचार्य कृपलानी कांग्रेस के प्रेसीडेण्ट बने। आज़ादी के बाद वे संयुक्त-प्रान्त की विधान-सभा के स्पीकर ही रहे, और कोई पद उन्होंने कभी स्वीकार ही नहीं किया।

टण्डन जी ने राजनीति के क्षेत्र में सारी उम्र काम किया पर उनका सच्चा आदर जो है वह उस महान् योगदान के कारण है जो उन्होंने हिन्दी भाषा के क्षेत्र में किया। सन् 1910 में 'काशी-नागरी-प्रचारिणी-सभा' के प्रांगण में जो सम्मेलन हुआ था उसके सभापति व प्रधानमन्त्री, क्रमशः महामना मालवीय और टण्डन जी ही थे। ये दोनों सज्जन प्रयाग के ही निवासी थे। अधिवेशन का सारा काम-काज टण्डन जी के खपरैल पड़े बरामदे में होता था। और जिस कुर्सी पर टण्डन जी बिराजते थे, उसकी सिर्फ़ तीन ही टाँग होती थीं चौथी टाँग की जगह, टण्डन जी ईंट लगा लिया करते थे। इन परिस्थितियों में 'हिन्दी-साहित्य-सम्मेलन' का जन्म हुआ जिसकी शाखाएँ आज सारे संसार में फैली हैं और जो एक विश्वविद्यालय का स्थान रखता है।

टण्डन जी का कहना था कि "मेरे लिए हिन्दी का प्रश्न स्वराज्य का प्रश्न है।" हिन्दी को लेकर टण्डन जी ने महात्मा गाँधी, पं नेहरू व केन्द्रीय गृहमन्त्री पं. गोविन्द वल्लभ पन्त तक से सीधी टक्कर ली। उन्हें 'अकबर' इलाहाबादी की मित्रता का सौभाग्य प्राप्त था हालाँकि महाकवि 'अकबर' उनकी 'कट्टरता' को लेकर हँसी-मज़ाक़ किया करते हैं। 'अकबर' तो प. मदनमोहन मालवीय तक को नहीं छोड़ते थे। उन्होंने एक बार भरी महफ़िल में कहा था कि उनके नाम में जो 'मदन' लगा है वह दर-असल 'मदीने' का अपभ्रंश है और 'मालवीय' शब्द जो है वह तो बना ही 'मौलवी' से है। "टण्डन जी की प्रारम्भिक शिक्षा एक मौलवी साहब की छत्रछाया में हुई थी और उन्होंने हिन्दी की वर्णमाला व अंक उन मौलवी साहब से ही सीखे थे। वे 'अकबर' इलाहाबादी के भक्त-अनुचर थे।"

टण्डन जी विशुद्ध खादीधारी, सच्चे गाँधीवादी, संयमी, मितव्ययी, दाढ़ी रखने वाले, उदार प्रकृति के सौम्य पुरुष थे मगर हिन्दी के ख़िलाफ़ वे कुछ नहीं सुन सकते थे।

इस मुद्दे को लेकर उन्हें तुरन्त क्रोध आ जाता था। उनकी मृत्यु सन् 1962 में हुई। सम्मेलन की जो वर्तमान स्थिति है वह हम सब लोग जानते ही हैं। डॉ. नामवरसिंह के शब्दों में 'हिन्दी-साहित्य-सम्मेलन' अब मात्र 'हिं.सा. सम्मेलन' ही रह गया है, और कुछ नहीं। प्रयाग का वह स्थान, जहाँ देश-विदेश के बड़े-बड़े लोग आते थे और भाषण देते थे, 'पुरुषोत्तमदास टण्डन पार्क' ही है, और कोई स्थल वह गौरव नहीं प्राप्त कर सका। टण्डन जी सचमुच एक तपस्वी थे। उनके एक सुपुत्र हमारी युनिवर्सिटी के 'रसायन-शास्त्र विभाग' में व्याख्याता थे। हमारे राष्ट्रपति महामहिम डॉ. राजेन्द्रप्रसाद ने 'हिन्दी-साहित्य-सम्मेलन' की ओर से उन्हें 'टण्डन-अभिनन्दन-ग्रन्थ' प्रयाग में ही भेंट किया था। उन्हें भारत-सरकार ने 'भारत-रत्न' से भी अलंकृत किया।

प्रयाग आने वाले बड़े लोगों में पं. नेहरू का नाम सबसे पहले याद आता है। वे कभी इलाहाबाद के मेयर भी रह चुके थे। उन्होंने थोड़े दिनों हाई कोर्ट में वकालत भी की जो कोई ख़ास नहीं चली। प्रधानमन्त्री बनने के बाद वे जब भी प्रयाग आते थे तो बेहद व्यस्त रहते थे। वे युनिवर्सिटी ज़रूर आते थे और ब्रेकफ़ास्ट, लंच व डिनर पर, अपने परिचित सारे लोगों को मुलाक़ात के लिए बुलाया करते थे। इन लोगों में हाईकोर्ट के जज, युनिवर्सिर्टी के प्रोफ़ेसर और सुमित्रानन्दन पन्त व फ़िराक़ साहब जैसे साहित्यकार भी होते थे। डॉ. अमरनाथ झा यदि प्रयाग में होते थे तो वे ज़रूर ही बुलाये जाते थे। 'बच्चन' का पं. नेहरू के साथ जो परिचय हुआ वह (कुछ लोगों के अनुसार) डॉ. अमरनाथ झा के माध्यम से ही हुआ था। पण्डित जी का अन्तिम सार्वजनिक भाषण मैंने सन् 1960 में म्योर कॉलेज के लॉन पर ही सुना था। वे एकदम 'सेनाइल' हो गये थे और उनके भाषण में अहंकार व झूठी आदर्शवादिता के अतिरिक्त और कुछ नहीं बचा था।

पण्डित गोविन्दवल्लभ पन्त सचमुच एक बड़े दूरदर्शी व कुशल प्रशासक थे। सरदार पटेल की भाँति उनका भी पूरा मूल्यांकन किया जाना अभी बाक़ी है। वे पुरुषोत्तम टण्डन पार्क में बैठकर भाषण दिया करते थे जिसे लोग बेहद ध्यान से सुनते थे। भारत-रत्न पण्डित पन्त में एक ही कमी थी और वह थी उनका वक़्त का पाबन्द न होना। लोगों को समय निश्चित कर लेने के बाद भी, घण्टों तक प्रतीक्षा करनी पड़ती थी। उनके पास गयी फ़ाइलें भी देर से लौटती थीं। सरदार पटेल के बाद पन्तजी जैसी सूझबूझ व दूरदर्शिता, उस महान् पीढ़ी के किसी और राष्ट्रीय नेता के पास नहीं थी। यह बात गाँधी जी भी मानते थे।

मेरे छात्र-जीवन में जो और लोग प्रयाग आये उनमें आचार्य कृपलानी, बाबू श्रीप्रकाश, जयप्रकाश नारायण, डॉ. श्यामाप्रसाद मुकर्जी, अशोक मेहता, आचार्य नरेंद्र देव, छेदी जागन और श्रीमती रूज़वेल्ट की याद अभी ताज़ा है। कृपलानी जी व बाबू श्री प्रकाश बेहद हँसोड़ व्यक्ति थे। उनके भाषण सुनते-सुनते इतना हँसना पड़ता था कि पब्लिक का पेट दुखने लगता था। टण्डन-पार्क में जितनी भी सभाएँ होती

थीं उन सबका सभापतित्व प्रायः श्री विश्वम्भरनाथ पाण्डेय ही करते थे। वे प्रयाग के सच्चे नायक थे, एकदम विशुद्ध गाँधीवादी, सरल व निःस्वार्थ प्रवृत्ति के व्यक्ति। श्रीमती गाँधी ने बड़ी मुश्किल से उन्हें उड़ीसा का राज्यपाल बनने को तैयार किया। पाण्डे जी ने गर्वनर बनने के बाद भी अपनी वेशभूषा व रहन-सहन में कतई कोई परिवर्तन नहीं किया। बहुत बाद में, संयोग से मुझे उनके साथ प्रयाग से नागपुर तक की यात्रा करने का सौभाग्य मिला। फ़र्स्ट-क्लास के उस डिब्बे में हम दो ही यात्री थे। मैं सरकारी दौरे पर केरल जा रहा था और वे शायद वर्धा जा रहे थे। सारे रास्ते वे मुझे अपने विभिन्न संस्मरण सुनाते रहे।

राजर्षि टण्डन जो थे वे महाकवि 'निराला' के प्रति कुछ अजीब-सी भावनाएँ रखते थे। पं. श्रीनारायण चतुर्वेदी इत्यादि के मुख से 'निराला' जी की महानता के बारे में वे काफ़ी जान चुके थे और भीतर ही भीतर उन्हें 'निराला' से स्नेह भी था पर उनकी शक्ति से ज़्यादा दानशीलता व उनके अघोरीपन से टण्डन जी को गुस्सा आता था। ऐसे 'असन्तुलित' व्यक्ति का दुख दूर किया जाए तो कैसे किया जाए? बहरहाल, 'निराला' जी की विपन्नता बर्दाश्त से बाहर हो जाने पर, उत्तर-प्रदेश सरकार ने उन्हें तीन सौ रुपये माहवार की जो आर्थिक सहायता दी, उसके पीछे टण्डन जी का हाथ शायद ज़रूर था। 'निराला' ने सरकारी ख़ज़ाने से यह रुपया कभी लिया या नहीं—इसके बारे में मैं कुछ नहीं जानता। 'निराला' ने जब 'प्रबन्ध-प्रतिमा' छपाई तो उसे 'हिन्दी-साहित्य-सम्मेलन के प्राण' बाबू पुरुषोतमदास टण्डन को ही सविनय समर्पित किया। इतना मैं ज़रूर जानता हूँ कि पं. वाचस्पति पाठक से यदि टण्डन जी की कभी भेंट होती थी तो वे 'निराला' जी का कुशल-क्षेम ज़रूर पूछा करते थे।

प्रयाग में उन्हीं दिनों एक पुरुषोत्तम टण्डन और भी थे। वे पत्रकार थे और सिविल-लाइंस में रहते थे। वे अपना नाम पी. डी. टण्डन रखते थे। वे नेहरू-परिवार के बहुत निकट थे। मैंने उन्हें पास से देखा। वे एक बढ़िया फ़ोटोग्राफ़र व एक नितान्त सरल, दयालु व निस्वार्थ पत्रकार थे जो हमारी युनिवर्सिटी के बारे में जो कुछ लिखते थे, वह सही ही लिखते थे। पं कमलापति त्रिपाठी (जो स्वयं एक पत्रकार थे और 'संसार' के सम्पादक रह चुके थे) जब उत्तर-प्रदेश के मुख्य-मन्त्री बने तो उन्होंने पी. डॉ. टण्डन को अपने मन्त्रिमण्डल में शामिल कर लिया। उन दिनों उनके साथ एक हादसा हो गया। लखनऊ में उन्हें प्रधानमन्त्री श्रीमती गाँधी मिलीं जो टण्डन जी को अपने साथ वायुसेना के विमान में दिल्ली ले गयीं। श्रीमती गाँधी का किराया तो कांग्रेस-पार्टी से मिल गया पर टण्डन जी को अपना किराया अपनी जेब से देना पड़ा। उसके बाद श्री. पी. डी. टण्डन ने वायु-सेना के विमान से शायद कभी सफ़र नहीं किया।

राजर्षि टण्डन के अन्तिम दर्शन मैंने लगभग सन् 1958 में दिल्ली में किये थे। कुछ ख़ुशामदी हिन्दी लेखकों व पत्रकारों से घिरे टण्डन जी, सरकारी-क्षेत्र में हिन्दी

की प्रगति आँकने वाली एक विचार-गोष्ठी में भाषण देने गये थे। उन्होंने प्रधानमन्त्री व गृहमन्त्री–दोनों को हिन्दी की दुर्गति के लिए खुले-आम धिक्कारा और बाद में उन चाटुकारों की भी ख़बर ली जो उन्हें बिना बात घेरे हुए थे। वृद्ध होने के बावजूद उनमें परशुराम जैसा ओज, क्रोध व उत्साह था। उस दिन का उनका वह रौद्र-रूप, मैं कभी नहीं भूल सकता।

(चौदह)

भारतेन्दु हरिश्चन्द्र ने गद्य के लिए खड़ी बोली को स्वीकार किया पर कविता के लिए उन्होंने ब्रजभाषा को ही उपयुक्त समझा। उनका विचार था कि खड़ी बोली कविता के लिए कर्ण-कटु थी। डॉ. ग्रियर्सन तक का यही मत था कि ब्रजभाषा का प्रयोग समाप्त होते ही, हिन्दी-कविता समाप्त हो जाएगी। इस सबके बावजूद खड़ी बोली में कविता लिखी जानी शुरू हो गयी और पं. श्रीधर पाठक, अयोध्यासिंह उपाध्याय, महावीरप्रसाद द्विवेदी, नाथूराम शंकर शर्मा, मैथिलीशरण गुप्त, ठाकुर गोपालशरण सिंह व रामनरेश त्रिपाठी इत्यादि ने खड़ी बोली में काव्य रचा। इन लोगों में मेरा विशेष परिचय पं. रामनरेश त्रिपाठी जी से ही रहा। मैं तो जयशंकर 'प्रसाद' को भी इन्हीं कवियों के साथ रखता हूँ पन्त या 'निराला' के साथ नहीं।

जब मैं त्रिपाठी जी से मिला तो उनकी आयु लगभग साठ वर्ष थी। वे शायद ज़िला सुल्तानपुर के थे और उनका प्रकाशन (हिन्दी मन्दिर) सर गंगानाथ झा होस्टल के पास कटरे में स्थित था। उनसे मेरा परिचय एक चौकीदार की मार्फ़त हुआ जिसका नाम बमबहादुर सिंह था। (बमबहादुर सिंह के पुत्र का नाम तोपबहादुर सिंह था जो बहुत सज्जन व्यक्ति था।) त्रिपाठी जी भी राष्ट्रीय भावनाओं के कवि थे जो ऊपर बताये खड़ी बोली के अन्य कवियों की भाँति, देशप्रेम की ही कविता लिखा करते थे। उन्होंने 'स्वप्न', 'मिलन' व 'पथिक' नाम के तीन खण्ड-काव्य रचे जिनमें से 'पथिक' जो था, वह हम लोगों ने इण्टरमीडिएट कॉलेज में पाठ्यपुस्तक होने के कारण पहले ही पढ़ रखा था। इन तीन ग्रन्थों के अलावा, उन्होंने बच्चों के लिए सरल काव्य रचा और 'कविता-कौमुदी' नामक अमर पुस्तक के छह खण्ड छापे। प्रथम खण्ड हिन्दी के प्राचीन कवियों के विशिष्ट काव्यों का संकलन था और दूसरा खण्ड हिन्दी के अर्वाचीन कवियों की चुनी हुई कविताओं का संकलन था। पुस्तक का तीसरा खण्ड हिन्दी की विभिन्न बोलियों के ग्रामगीतों का संकलन था जो बेहद प्रसिद्ध हुआ। त्रिपाठी जी ग्रामगीतों के सर्वप्रथम संग्रहकार थे और देवेन्द्र सत्यार्थी भी उनके बाद ही आये। 'कविता-कौमुदी' के इस खण्ड के बारे में डॉ. अमरनाथ झा ने कहा था कि "यदि त्रिपाठी जी और कुछ भी न लिखते तो भी वे इस खण्ड के कारण सदा के लिए अमर थे।" 'कविता-कौमुदी' का चौथा खण्ड उर्दू की श्रेष्ठ कविताओं का संग्रह था। बाक़ी दो खण्ड मैंने नहीं पढ़े। त्रिपाठी जी एक व्यवहारकुशल, अध्ययनशील,

स्नेही व हँसमुख स्वभाव के व्यक्ति थे। उनका परिचय प्रत्येक हिन्दी-प्रेमी से था चाहे वह उनके अपने ज़िले का चौकीदार बमबहादुर हो या फिर देश का राष्ट्रपति डॉ. राजेन्द्रप्रसाद हों। उनका पत्र-व्यवहार डॉ. राजेन्द्रप्रसाद व डॉ. सम्पूर्णानन्द से लेकर, प्राइमरी स्कूलों के अध्यापकों तक से रहता था। वे पन्त व निराला के स्नेहभाजन थे और मेरे जैसे नवयुवकों से बेहद स्नेह करते थे। मैं जब भी उनसे मिलने गया, तभी उन्होंने ताज़ी जलेबियाँ व खस्ता कचौरियाँ खिलायीं। वे ख़ूब हँसाते थे और अपनी परेशानियों के बावजूद प्रसन्नचित्त रहते थे। उनका परिचय बड़े-बड़े मारवाड़ी सेठों से था हालाँकि उन्होंने उनसे कम-से-कम लाभ उठाया। वे शालीन व नम्र व्यक्ति थे जो प्रत्येक के काम आते थे। उनके कुछ शत्रु भी थे जिनको वे हमेशा मुँहतोड़ जवाब दिया करते थे। आचार्य द्विवेदी ने खड़ी-बोली के अन्य कवियों की भाँति, उन्हें भी प्रश्रय दिया था और इस कारण वे द्विवेदी जी के गुण सदा गाते रहते थे। त्रिपाठी जी का निधन सन् 1962 के आसपास हुआ। उनके स्नेह को मैं कभी भी नहीं भूल सकता। पन्तजी की भाँति वे भी बख़्शी जी से मिलने को सदा उत्सुक रहते थे। प्रेमचन्द उनके प्रिय कथाकार थे और ग्रामगीतों का वे जीता-जागता कोष थे। उनकी स्मरण-शक्ति असाधारण थी और उनके मित्र असंख्य थे। वे बहुत परिश्रमी व्यक्ति थे और ग्रामगीतों को एकत्रित करने के सन्दर्भ में उन्होंने अत्यन्त कष्टपूर्ण यात्राएँ की थीं। बाल-साहित्य, कविता-कौमुदी (छह खण्ड) तथा तीन खण्डकाव्यों के अतिरिक्त उन्होंने उपन्यास, कहानियाँ, नाटक, जीवनी, आलोचना व संस्मरण वग़ैरह भी लिखे। बाल-साहित्य की कमी के बारे में वे बहुत चिन्तित रहते थे। मैंने अब तक बच्चों के लिए जो चार हास्य-कथाओं के संग्रह छपाये हैं वे मात्र त्रिपाठी जी के साथ समय गुज़ारने के फलस्वरूप ही लिखे हैं। उनका कहना था कि "हिन्दी का प्रत्येक लेखक यदि कम-से-कम एक पुस्तक बच्चों के लिए लिखे तो समस्या का समाधान हो सकता है।" उनके दबाव के कारण ही प्रेमचन्द व जैनेन्द्र तक को बाल-साहित्य लिखना पड़ा। वे रुडयार्ड किपलिंग के मित्र रह चुके थे और उनकी 'दी जंगल बुक' से प्रेरणा लेकर ही मुंशी प्रेमचन्द ने 'जंगल की कहानियाँ' नामक पोथी लिखी थी।

त्रिपाठी जी ने मुझे श्रीनाथ सिंह से मिलवाया जो 'बालसखा' के सम्पादक थे और जो उन दिनों 'दीदी' नामक अपनी पत्रिका निकालते थे। उनसे मिलने की मुझे वर्षों से प्रतीक्षा थी। ऋषभचरण जैन के 'सचित्र दरबार' नामक पत्र के 'ग्वालियर-विशेषांक' में उनकी 'भिण्ड की सेठानी' नामक एक कहानी कभी बचपन में पढ़ी थी और उसका जादू अभी भी मेरे दिल पर क़ायम है। जब मैं ठाकुर साहब से मिला तो उनकी आयु लगभग पचास वर्ष रही होगी। वे पतले-दुबले पर दबंग व्यक्ति थे। जब वे 'सरस्वती' के सम्पादक थे तो उन्होंने 'बच्चन' की 'मधुशाला' को 'सरस्वती' में छापा था और वह भी तब जब कि हिन्दी की सारी पत्र-पत्रिकाओं ने उसे छापने से साफ़ इनकार कर दिया था। 'बच्चन' उनके प्रति सचमुच कृतज्ञ

थे। 'दीदी कार्यालय' युनिवर्सिटी-रोड पर युनिवर्सिटी की डिस्पेंसरी के ठीक सामने स्थित था। ठाकुर साहब अक्खड़ पुरुष थे और उनका झगड़ा आचार्य रामदास गौड़, राजर्षि टण्डन, पं. रामचन्द्र शुक्ल व मुंशी प्रेमचन्द तक से हो चुका था। स्वभाव से वे स्नेही और नम्र पुरुष थे पर यदि कोई भी व्यक्ति (चाहे वह कितना ही बड़ा क्यों न हो) उनके साथ अभद्र व्यवहार करता था तो वे ईंट का जवाब पत्थर से देते थे। 'इण्डियन-प्रेस' की नौकरी भी वे इस्तीफा जेब में रखकर ही करते थे, वैसे नहीं।

मैं अक्सर उनके पास बैठा करता था। वे भी मुंशी प्रेमचन्द, बख़्शी जी, पन्त और निराला के भक्त थे। उनका पत्र-व्यवहार महात्मा गाँधी व पं. नेहरू तक से रहता था। वे एक स्वाभिमानी, सरल व अत्यन्त परिश्रमी व्यक्ति थे। मैंने उनके कहने पर बच्चों के लिए कुछ कविताएँ लिखीं जो 'बालसखा' में छपीं। ठाकुर साहब आचार्य द्विवेदी के संस्मरण अक्सर सुनाया करते थे। मुझे उन्होंने सदा चाय पिलायी और कभी किसी की निन्दा नहीं की। उनके मित्र ज़्यादा नहीं थे। उनका स्वभाव विचित्र था। वे डॉ. सर शफ़ात अहमद खान व फ़िराक़ साहब की भी फूँक निकाल सकते थे और उनके परिचितों में मोची, हलवाई, नाई और ज़िल्दसाज भी शामिल थे। मिट्ठू बाबू के वे भी बहुत प्रशंसक थे। ठाकुर साहब ने मुझे एक ऐसे व्यक्ति से मिलवाया जो सचमुच अद्‌भुत था। अब मैं उसी विचित्र व्यक्ति के बारे में ही लिखूँगा। उससे मेरी प्रथम भेंट 'दीदी' के दफ़्तर में ही हुई थी।

फ़ाज़िल साहब का असली नाम कोई नहीं जानता था। वे बहुत बूढ़े व्यक्ति थे जो कर्नलगंज की एक गली में स्थित एक छोटे-से कमरे में रहते थे। वे उर्दू, फ़ारसी व अरबी के ज्ञाता थे और उन्हें अलिफ़-लैला' पूरी याद थी। फ़ाज़िल साहब अपने उपनाम के अनुसार सचमुच एक बुद्धिमान व्यक्ति थे। उन्होंने ही बताया था कि 'अलिफ-लैला' कहना ग़लत है। अरबी शब्द 'अल्फ़' है जिसका अर्थ 'एक हज़ार' है। उनकी आमदनी का एकमात्र ज़रिया वह छोटी-सी पेंशन थी जो उन्हें प्रतिमाह मिलती थी। वे इस दुनिया में अकेले थे जो रोज़ शाम को थोड़ी-सी दारू ज़रूर पीते थे। वे सारी उम्र अदालत में ऐसे पेशकार रहे थे जो अँग्रेज़ी हुकूमत की न्यायप्रियता की याद में बराबर रोते थे। वे उर्दू की शेरो-शायरी के ख़ज़ाना थे और 'कविता-कौमुदी' के उर्दू-शायरी वाले खण्ड की तैयारी में उन्होंने पं. रामनरेश त्रिपाठी की मदद की थी। वे ओझागीरी भी करते थे और गण्डे व ताबीज़ भी बनाते थे। मगर मैं तो उनके प्रति मात्र इस कारण आकृष्ट था क्योंकि उन्हें 'चिरकीन' का पूरा दीवान याद था। उनके अनुसार 'चिरकीन' जैसा कोई दूसरा शायर दुनिया की किसी भाषा में कभी नहीं हुआ। 'चिरकीन' साहब अठारहवीं शताब्दी के अन्त में हुए थे और वे किसी नवाब के दरबार में एक गम्भीर ग़ज़लगो थे। उनसे ईर्ष्या रखने वाले कुछ दरबारियों ने नवाब को उनके ख़िलाफ़ भड़का दिया। उन्होंने दरबार छोड़ दिया और वे 'चिरकीन' के नाम से ऐसी शायरी लिखने लगे जैसी कि विश्व-साहित्य में कभी लिखी ही नहीं

गयी। 'फ़ाज़िल' साहब को ऐसे-ऐसे शेर याद थे जो बाहर से हँसाते थे पर भीतर ही भीतर महान् आध्यात्मिक अर्थ तक रखते थे। उनकी ओझागीरी का मुझे कोई अनुभव नहीं रहा मगर यह सच है कि कभी-कभी पुलिस तक उनसे मदद माँगती थी। अपनी ओझागीरी का वे कोई इनाम वग़ैरह कभी नहीं लेते थे; सारा काम एकदम मुफ़्त ही होता था। उनके अनुसार उनकी यह 'अलौकिक' शक्ति उनके पास तभी तक थी जब तक कि वे उसे 'बेचते' नहीं। भूत-प्रेत उतारने में उन्हें कमाल हासिल था और एक बार तो एक बहुत अमीर आदमी को उन्होंने ही अपनी झाड़फूँक से तब आराम किया था, जब शहर के सारे चिकित्सक उन्हें जवाब दे चुके थे। कुछ कारणों से मैं उस बड़े आदमी का नाम आपको यहाँ नहीं बता सकता। एक ऐसे ही आदमी की चर्चा, देश के प्रथम भारतीय इन्स्पेक्टर-जनरल-पुलिस श्री. बी. एन. लाहिड़ी ने अपनी प्रसिद्ध पुस्तक 'दी डायरी ऑफ़ ए पुलिसमैन' में की है। लाहिड़ी साहब भी प्रयाग में ही बस गये थे मगर उनकी विस्तृत चर्चा मैं कभी अलग से ही करूँगा। पं. वाचस्पति पाठक ऐसी अलौकिक शक्ति में निश्चित विश्वास रखते थे और यही हाल महाकवि पन्त का था। मैंने 'फ़ाज़िल' साहब की चर्चा जब 'निराला' जी से की तो वे चुप ही रहे। हाँ, 'चिरकीन' का नाम सुनकर वे ख़ूब मुस्कुराये थे।

(पन्द्रह)

सन् 1950 में इलाहाबाद-हाईकोर्ट के जितने भी बैरिस्टर थे, उनमें श्री गोपालस्वरूप पाठक शायद सबसे ज़्यादा महँगे थे। वे सिविल मामलों के वकील थे जिनकी सलाह देने की फ़ीस कम-से-कम तीन सौ रुपया प्रति घण्टा थी। बाद में वे देश के उपराष्ट्रपति बने। उनके योग्य सुपुत्र श्री आर. एस. पाठक जब इलाहाबाद-हाईकोर्ट के जज बने तो वे देश के विभिन्न हाईकोर्टों के सारे जजों में सबसे कम उम्र के जज थे और शायद इस कारण भी एक दिन वे सुप्रीम-कोर्ट के चीफ़ जस्टिस बने। वहीं से रिटायर होने के बाद वे इन्टरनेशनल कोर्ट के जज हो गये। फ़ौजदारी के सबसे बड़े वकील श्री शेखर सरन थे। वे एक सम्भ्रान्त, शालीन व शान्त व्यक्ति थे जो गिने-चुने मुक़दमे ही हाथ में लेते थे। श्री गोपालस्वरूप पाठक व श्री शेखर सरन को मैंने यूनियन-हाल में सुना था। दोनों लोगों के भाषण बेहद तर्कपूर्ण व एकदम नीरस थे। फ़ौजदारी के अगले बड़े वकील श्री पी.सी. चतुर्वेदी थे जिनकी आय लगभग तीस हज़ार रुपया प्रतिमाह थी। वे एक परिश्रमी, नम्र व शिष्ट व्यक्ति थे जिनके एक दूर के सम्बन्धी (श्री अनूपेन्द्रनाथ चतुर्वेदी) मेरे परम मित्र थे जो बाद में वकालत छोड़कर 'भारतीय-विद्या-भवन' बम्बई में किसी बड़े पद पर चले गये। फ़ौजदारी के अन्तिम बड़े वकील श्री एस. एन. मुल्ला थे जो एक शिष्ट, बेतकल्लुफ़ व दयालु व्यक्ति थे और जिनके बच्चों को मैं कभी ट्यूशन पढ़ाता था। श्री सतीशचन्द्र खरे उन दिनों टैगोर-टाउन में रहते थे और उनकी वकालत ज़्यादा नहीं चलती थी। मैं

उनसे अपने मित्र (सुरेशचन्द्र पन्त) के साथ अक्सर मिलता था। बाद में चलकर वे 'रिट-पैटीशन' के मामलों के बहुत बड़े वकील बने और श्रीमती इन्दिरा गाँधी का चुनाव का मुक़दमा उन्होंने ही लड़ा। यह महत्त्वपूर्ण मुक़दमा, इत्तफ़ाक से, वे हार गये और श्रीमती गाँधी को सत्ता में रहने के लिए देश में 'आपत्कालीन स्थिति' की घोषणा करनी पड़ी। हाईकोर्ट के वकीलों में कुछ वकील बहुत विलासी थे।

श्री शिवाधार पाण्डेय उन दिनों युनिवर्सिटी में अँग्रेज़ी के विभागाध्यक्ष थे जब कि अमरनाथ झा व रघुपतिसहाय उनके छात्र होते थे। रिटायर होने के बाद वे पुनाप्पा रोड पर द्रौपदी-घाट के पास एक साधारण बँगले में रहने लगे। गंगास्नान वे प्रतिदिन करते थे। पन्तजी को कवि बनाने का श्रेय उन्हें व श्रीधर पाठक हो ही जाता है। वे बड़े प्रभावशाली वक्ता थे और जनश्रुति के अनुसार 'निराला' जी के पास 'दी कम्पलीट वर्क्स ऑफ़ विलियम शेक्सपियर' की जो जिल्द थी वह उन्हें पाण्डेय जी ने ही दी थी। पाण्डेय जो एक नम्र व उदार व्यक्ति थे और उनके पास से उठने की तबीयत ही नहीं करती थी।

पं. लक्ष्मीनारायण मिश्र हमारे प्राचीन इतिहास को लेकर नाटक लिखा करते थे। वे 'प्रसाद' जी की परम्परा के नाटककार थे और उनका 'गरुड़ध्वज' नामक नाटक, इण्टरमीडिएट परीक्षा के पाठ्यक्रम में शामिल होने के कारण, मैं पहले ही पढ़ चुका था। उन्होंने लगभग दो दर्जन नाटक लिखे। वे आज़मगढ़ के निवासी थे और उनका स्वभाव बड़ा तीखा था। जब मैं उनसे मिला तब उनकी आयु लगभग पचास वर्ष रही होगी। उन्हें मुक़दमेबाज़ी का ज़बर्दस्त शौक़ था और इस कारण भी वे प्रयाग आते रहते थे। मुझसे वे बड़े स्नेह से मिले और यह भी कहा कि "जीवन में कुछ भी बनना पर नाटककार कभी नहीं बनना। हिन्दी में सब कुछ है पर मंच नहीं है।" साही साहब ने उनकी सलाह का समर्थन किया। एक दिन बड़ा मज़ा आया। प्रान्त के मुख्यमन्त्री पं. गोविन्दवल्लभ पन्त का यूनियन-हाल में भाषण था। यूनियन के अध्यक्ष परम मूर्ख थे और उन्होंने पन्तजी की प्रशंसा में यह भी कह दिया कि "पता नहीं, राजनीति में इतना व्यस्त रहते हुए भी, पन्तजी नाटक लिखने के लिए समय कैसे निकाल लेते हैं?" पन्तजी ने अपने भाषण में हम सब लोगों को इतना हँसाया कि कुछ कहा ही नहीं जा सकता। यूनियन के उस मूर्ख अध्यक्ष को यह पता ही नहीं था कि नाटककार गोविन्दवल्लभ पन्त एक दूसरे व्यक्ति थे जो शायद बनारस में रहते थे। इसी प्रकार हम लोगों ने इण्टरमीडिएट की कक्षा में 'अभिमन्यु-वध' नामक एक खण्ड-काव्य पढ़ा था। उसके कवि पं. रामचन्द्र शुक्ल नाम के एक कवि थे जो हमारे प्राध्यापक डॉ. रामशंकर शुक्ल 'रसाल' के छोटे भाई थे। वे नये कटरे में रहते थे। मैं कई बार गया पर वे हमेशा लुंगी पहने हुए और मूँछ मरोड़ते हुए, अपने चबूतरे पर चहलकदमी करते हुए ही मिले। मैं डर के मारे उनसे कभी नहीं मिला। वे पहलवान लगते थे, कवि नहीं।

अमृतराय मुझसे आठ या दस वर्ष बड़े थे। जब मैं 'युनिवर्सिटी-स्टूडेण्ट-फैडरेशन' का अध्यक्ष बना तो आसिफ़ अंसारी ने मुझे उनसे परिचित कराया। पता नहीं उन्होंने मुझमें क्या देखा कि वे सदा के लिए मेरे मित्र हो गये। बहुत बाद में चलकर उनके एक पुत्र को रक्त-कैंसर हो गया और बेहतरीन इलाज के बावजूद उसकी बम्बई में मृत्यु हो गयी। मन बँटाने के लिए उन्होंने राजकमल-प्रकाशन से 'नयी कहानियाँ' ख़रीद लीं और उसे वे सम्पादित करने लगे। मैं हर अंक में छपता था और वे मुझे ज़रूरत से ज़्यादा ही मानदेय देते थे। बाद में उन्होंने अपनी प्रत्येक पुस्तक की प्रति दस्तख़त कर के हमेशा मुझे भेजी और अपना व्यंग्य-उपन्यास (जंगल) मुझे ही समर्पित किया। अमृतराय को इस बात का बड़ा दुख था कि "लोग मुझे प्रेमचन्द के बेटे के रूप में ही क्यों जानते हैं? वे मेरी क़ीमत मेरे कृतित्व के आधार पर क्यों नहीं आँकते?" एक दिन उन्हेंने मुझे अचानक बुलाया और बताया कि "मेरे उप-सपादक ने एक लेखक की कहानी अपने नाम से छाप ली है। मैं थाने जा रहा हूँ तुम मेरे साथ चलो।" मैंने उन्हें शान्त किया। उप-सम्पादक को नौकरी से निकाल दिया गया पर उसको थाने में नहीं दिया गया। फ़िलहाल वह उपसम्पादक एक अच्छा-ख़ासा कथाकार है। श्रीपतराय में मुझे कोई आकर्षण कभी नहीं दिखाई दिया हालाँकि उन्होंने मेरे साथ सदा अच्छा व्यवहार ही किया। बहरहाल, इतना मैं दावे के साथ कहता हूँ कि वे एक अत्यन्त श्रेष्ठ चित्रकार थे। 'अज्ञेय' जी जब प्रयाग आते थे तो उन्हीं के पास ठहरते थे। भैरवप्रसाद गुप्त की सलाह पर रघुवीरसहाय की 'अज्ञेय' के साथ प्रथम भेंट वहीं हुई थी। रघुवीरसहाय ने लौटने पर गुप्तजी को यह रिपोर्ट दी थी कि "अज्ञेय ने मेरी पूरी मदद की है पर आदमी वह घटिया ही है, और कुछ नहीं।"

पुनाप्पा रोड पर पं. पदमकान्त मालवीय रहते थे और 'अभ्युदय' निकालते थे। उनकी मोटर बहुत ही खस्ता थी और उसे मात्र वे स्वयं ही चला सकते थे। मालवीय जी मुझसे स्नेह करते थे हालाँकि काफ़ी लोग उनसे बिना बात बचते थे। उनके मकान में साँप बहुत थे मगर वे उन सब के बीच में भी, निश्चिन्त होकर रहते थे। पुनाप्पा रोड पर ही बी.एन. लाहिड़ी का बँगला था जो ऐसे पहले भारतीय पुलिस-अधिकारी थे जो 'इन्स्पेक्टर-जनरल-पुलिस' बने। उन्हें भी यह पद इस कारण मिला था क्योंकि देश के आज़ाद होने पर, काफ़ी अँग्रेज़ पुलिस अधिकारी स्वदेश लौट गये थे। लाहिड़ी साहब एक लेखक भी थे और उनकी 'दी डायरी ऑफ़ ए पुलिसमैन' नामक पुस्तक एक 'हिट' साबित हुई। उस किताब में एक शाहजी का क़िस्सा है जिन्होंने अन्धे होने के बावजूद एक बड़े आदमी की पत्नी का क़ीमती हार अपनी अलौकिक शक्ति से खोज निकाला था जब कि पुलिस उस बारे में एकदम निराश हो चुकी थी। पं. वाचस्पति पाठक ने मुझे एक ऐसे अद्भुत व्यक्ति के बारे में बताया था जो लन्दन में ठहरे अपने एक रोगी को वक़्त-ज़रूरत मानिकपुर ज़ंक्शन के पास स्थित अपने गाँव से हवा में इंजेक्शन लगाया करते थे और रोगी जो था

वह लन्दन में ठीक हो जाता था। वह रोगी कोई साधारण व्यक्ति नहीं था; वह मध्यप्रदेश का एक वाइस-चांसलर था जिनका नाम डॉ. रामप्रताप त्रिपाठी था। वे कभी हमारी युनिवर्सिटी में ही इतिहास-विभाग के अध्यक्ष होते थे। अलौकिक शक्ति के बारे में मार्क ट्वेन ने अपनी आत्मकथा में एक पूरा अध्याय लिखा है। महर्षि दयानन्द गणित ज्योतिष को स्वीकार करते थे मगर हमारे गवर्नर श्री मुंशी जी का निश्चित मत था कि गणित ज्योतिष फ़ेल हो सकता है जब कि अलौकिक शक्ति रखने वाले सिद्धपुरुष का फलित ज्योतिष (जिसमें आशीर्वाद व शाप शामिल हैं) कभी झूठा नहीं निकलता। महाकवि पन्त दोनों प्रकार के ज्योतिषों में पूर्ण विश्वास रखते थे। उनके बारे में अलग से लिखूँगा। ज्योतिषाचार्य हज़ारीप्रसाद द्विवेदी को ज्योतिष में विश्वास नहीं था। फणीश्वरनाथ 'रेणु' को तन्त्र-विद्या में रुचि थी। जब वे प्रयाग में 'परती-परिकथा' लिख रहे थे तब भी वे एक तान्त्रिक से मिलने झूँसी जाया करते थे। एक दिन मैंने डॉ. अमरनाथ झा को बहुत रगेदा क्योंकि उनके एक भाई–जो एक डॉक्टर थे–भूत-प्रेतों में विश्वास रखते थे। सदा की भाँति झा साहब शान्त रहे और कहने लगे कि "इस सृष्टि के सारे रहस्यों को कोई भी नहीं जानता।" झा साहब स्वयं रत्नों की शक्ति में विश्वास रखते थे और एक बार तो उन्होंने दो सौ रुपयों में एक नीलम ख़रीदकर 'बच्चन' को दिया था जो उनके लिए बहुत शुभ निकला। फ़िराक़ साहब, मिट्ठू बाबू व पं. नेहरू को ये सारी बातें 'ठगविद्या' लगती थीं। निराला जी सुनते थे, चुप रहते थे और मुस्कुराते थे। मेरे गणितज्ञ मित्र त्रिविक्रम पति (जो बाद में हमारी युनिवर्सिटी के वाइस-चांसलर बने) हस्तरेखा-विशारद थे। चाणक्य कहता है कि मनुष्य का भाग्य तभी निश्चित हो जाता है जब कि वह गर्भ में होता है। कबीर कहते हैं कि ज्योतिष वग़ैरह सब कुछ झूठ हैं और कर्मों की गति को कोई नहीं टाल सकता। तुलसीदास भावी को प्रबल मानते हैं और कहते हैं कि "हानि-लाभ, जीवन-मरण, यश-अपयश विधि हाथ।" बाइबिल के अनुसार "स्टेज आर द वेज़ ऑफ़ गॉड।" इतिहास के अनुसार शेरशाह जब बच्चा ही था तभी जौनपुर के एक दरवेश ने भरे बाज़ार में यह ऐलान कर दिया था कि यह बच्चा एक दिन हिन्दुस्तान का बादशाह बनेगा। हरि अनन्त हरि कथा अनन्ता।

दर्शन-शास्त्र, इतिहास व साहित्य–इन तीन विषयों को मैं पिछले पचास वर्षों से पढ़ रहा हूँ पर मेरा ज्ञान बेहद सतही है। वही स्थिति है जो विष्णु शर्मा ने 'अनन्तपारं किल शब्दशास्त्रं' वाले श्लोक में बतायी है। लाल हरदयाल ने अपनी महान् पुस्तक 'दी हिट्स फ़ॉर सेल्फ़-कल्चर' में कहा है कि "यदि मैं ग्रीक देवता टिथोनस की भाँति अजर और अमर होता तो सौ वर्ष रसायन-शास्त्र को देता, सौ वर्ष इतिहास को देता और इतना ही समय मैं बाक़ी प्रत्येक विषय को देता पर मैं तो एक मरणशील प्राणी हूँ और मैं तो यह जानने से भी पहले ही मर जाऊँगा कि मैं कितना नहीं जानता।" लाला हरदयाल स्वयं एक विलक्षण व्यक्ति थे जो पाँच या छह दिमाग़ी काम एक

साथ कर सकते थे। लार्ड कार्नवालिस के एक पत्र के अनुसार "सुल्तान हैदरअली एकदम बेपढ़ा होने के बावजूद अपने बीस मुंशियों से एक साथ काम ले सकता था।"

पं. इलाचन्द्र जोशी के कारण मुझे भी फ्रायड के प्रति आकर्षण था। उससे पहले किसी भी वैज्ञानिक या दार्शनिक ने 'अवचेतन मस्तिष्क' का पता नहीं लगाया था। गीता भी इन्द्रियाँ, मन, बुद्धि व आत्मा को ही मानती है, शेष किसी को नहीं। फ्रायड से प्रभावित हो कर जे. कृष्णमूर्ति ने बुद्धि व आत्मा के बीच 'अन्तःकरण' को स्वीकार किया। बहरहाल मैं उन्हीं दिनों एक ऐसे व्यक्ति के सम्पर्क में आया जो सचमुच लाजवाब था।

जहाँ आजकल प्रयाग का मेडिकल-कॉलेज है, वहाँ पहले एक छोटी-सी जेल होती थी। जेल के व गवर्नमेण्ट-इण्टर कॉलेज के बीच एक सरकारी संस्थान था जिसका नाम 'ब्यूरो ऑफ़ साइकालोजी' था और जिसके कर्ता-धर्ता श्री भाटिया साहब होते थे (जो बाद में 'डाइरेक्टर ऑफ़ एजुकेशन' बने) वे बहुत सज्जन, शिष्ट व दयावान व्यक्ति थे। उन्होंने मेरी जिज्ञासा सुनी और मेरे ऊपर कुछ परीक्षण करवाये। उनके अनुसार मैं एक 'अत्यन्त बुद्धिमान व अत्यधिक संवेदनशील व्यक्ति' था जिसे 'मनोवैज्ञानिक गाइडेंस' की ज़रूरत थी। मैं 'इलाज' के लिए तैयार हो गया और मुझे डॉ. सीताबरसरन नामक एक वरिष्ठ मनोवैज्ञानिक की देखरेख में रखा गया। डॉ. सरन् एक गम्भीर, शास्त्रीय संगीत के प्रेमी और अविवाहित व्यक्ति थे। वे मुझे सप्ताह में दो बार 'सेशन' देते थे और उस प्रक्रिया को 'फ्री एसोसिएशन' कहा जाता था। कुल मिलाकर कोई सौ सिटिंग हुई। उस कठिन व दुखद प्रक्रिया के माध्यम से, मैं अपने 'अवचेतन मन' से साक्षात्कार कर पाया जिसके फलस्वरूप मैं अपेक्षाकृत काफ़ी सन्तुलित इंसान बन सका। 'एब्नार्मल' मैं सदा से था और सदा रहूँगा। बहुत बाद में मुझे 'मानसिक-अवसाद' का भयंकर रोग लगा पर फिर भी दवाई व बिजली के साथ-साथ फ्रायड की मनोवैज्ञानिक चिकित्सा सदा काम में लायी गयी। फ्रायड सचमुच एक महान् व्यक्ति था। आल्डस हक्स्ले के शब्दों में "फ्रायड ने ज्ञान व विज्ञान का अन्तर मिटा दिया, वह एक साथ वैज्ञानिक व दार्शनिक—दोनों था।"

(सोलह)

विश्व की प्रत्येक भाषा में आन्दोलन आते हैं पर हिन्दी-कविता में 'छायावाद' नाम का जो आन्दोलन सन् 1930 के क़रीब आया वह कदाचित् सब से महान् था। "हिन्दी-साहित्य में 'छायावाद' एक ऐसा जीवन्त कालखण्ड था जिसने हिन्दी-साहित्य को न केवल अँग्रेज़ी-साहित्य की आधुनिकता के समानान्तर कर दिया बल्कि नये भारतीय समाज की नींव डालने के लिए आधिभौतिक आधार भी तैयार किया।" 'छायावाद' के सबसे अधिक शक्तिशाली स्तम्भ दो थे—एक पन्त और दूसरे 'निराला'। इन लोगों की कविता ने, बच्चन को छोड़कर, अपने समकालीन व बाद के सारे

हिन्दी-कवियों को किसी न किसी तरह निश्चित रूप से प्रभावित किया। ये दोनों महान् कवि मूलतः सौन्दर्यवादी थे। यह मेरा परम सौभाग्य है कि मैं इन दोनों महान् कलाकारों को नज़दीक से देख पाया।

पन्तजी से मेरी प्रथम भेंट दुष्यन्तकुमार के साथ सन् 1950 में हुई। पन्तजी उन दिनों जार्ज टाउन में 'हैमिल्टन रोड' के एक बँगले के एक भाग में रहते थे। कुछ वर्षों बाद वे टैगोर-टाउन की 'इण्डियन-प्रेस कॉलोनी' में चले गये और उसके बाद वे स्टैनली-रोड के सरकारी बँगले में रहने लगे जहाँ वे अपने अन्तकाल तक रहे। वे मध्यम क़द के अत्यन्त सुन्दर व्यक्ति थे। वे सुरुचि के साथ अँग्रेज़ी कपड़ों में रहते थे। वे एक शान्त, शिष्ट, संयमी व शालीन व्यक्ति थे जो एक हल्की स्नेहिल मुस्कान के साथ प्रायः मौन ही रहते थे। उनका स्मितपूर्ण मौन, डॉ. अमरनाथ झा के मौन की भाँति अत्यन्त आकर्षक था; उसमें 'अज्ञेय' का चोट पहुँचाने वाला अहंकार हर्गिज़ नहीं था। उनके केश बहुत सुन्दर थे और वे उनका ख़्याल भी काफ़ी रखते थे। 'विक्स इनहेलर' व 'पीयर्स सोप' उनकी प्रमुख कमज़ोरियाँ थीं। वे ऐसे कोट पहनते थे जिनमें वे कुछ ज़्यादा लम्बे लगें। अपने केशों के कारण, पन्तजी अपनी जवानी में महादेवी जी तक को लड़की लगते थे। वे जब कविता-पाठ करते थे तो उनके हाव-भाव कुछ स्त्रैण हो जाते थे हालाँकि बातचीत में वे ग़ज़ब के निर्भीक थे। वे किसी बहुत बदसूरत आदमी को ज़्यादा देर तक बर्दाश्त नहीं कर पाते थे और उनके 'निकम्मेपन' का अन्दाज़ आप इसी बात से लगा सकते हैं कि वे अपने आप रेल या बस का टिकट तक नहीं ख़रीद सकते थे। उनका सारा जीवन पहाड़, कालाकाँकर व प्रयाग ही में बीता। अगर कहीं बाहर जाना होता तो वे परेशान हो उठते थे। वे सिंहचर्म पर सोते थे और ज्योतिष में पूरा दख़ल रखते थे। वे बेहद विनोदी भी थे मगर केवल अपनी 'सर्किल' के सदस्यों के साथ। वे आस्तिक थे, अजातशत्रु थे और परनिन्दा व आत्म-विज्ञापन—इन दोनों कमियों से वे एकदम मुक्त थे। वे अपना दुख अपने तक ही सीमित रखते थे और इस विशाल संसार में वे एकदम अकेले थे (एकाकीपन का अन्धकार, दुःसह है इसका मूक भार) उनका सचमुच अपना कोई नहीं था...।

पन्तजी का जन्म कुमायूँ के अल्मोड़ा ज़िले में स्थित कौसानी नामक अत्यन्त सुन्दर स्थान पर सन् 1900 में हुआ था। उन्हें जन्म देते ही उनकी माँ मर गयी थीं (खोलती जन्म इधर लोचन, मुँदती अधर मृत्यु प्रति क्षण और उनका असली नाम गुसाईदत पन्त था। वे एक सम्पन्न परिवार में जन्मे थे पर वहाँ से उन्हें उपेक्षा ही मिली। जब वे प्रयाग विश्वविद्यालय के म्योर कॉलेज में इण्टरमीडिएट के विद्यार्थी थे तभी उन्होंने स्वाधीनता-आन्दोलन के कारण शिक्षा छोड़ दी थी। वे हिन्दू होस्टल के निवासी थे। इसके बाद उनका सारा जीवन साहित्य-सेवा व अकर्मण्यता में ही गुज़रा। उनका सारा काव्य, सारा जीवन-दर्शन और सारा चिन्तन-आजीवन हिमालय

से ही प्रभावित रहा। उन्होंने काफ़ी लिखा पर 'निराला' की अपेक्षा उनका 'टोटल आउटपुट' कम था। उन्होंने एक श्रेष्ठ कहानी-संग्रह व एक कमज़ोर उपन्यास भी छपाया। उदयशंकर की फ़िल्म के लिए उन्होंने गीत रचे और बम्बई से वे पाण्डिचेरी भी गये। अरविन्द व मार्क्स के दर्शन से वे कुछ प्रभावित भी हुए। पं. नेहरू की भाँति पन्तजी भी काग़ज़ी समाजवादी ही थे। स्वयं विलास से रहना और उसके बाद ग़रीबों से सच्ची सहानुभूति रखना—यह कला इन दोनों महापुरुषों को ख़ूब आती थी।

पन्तजी अविवाहित थे। लोगों का कहना था कि जिस नवयुवती से वे प्रेम करते थे, उससे उनका विवाह नहीं हो सका और उनके अनुसार पन्तजी के अविवाहित रहने का मूल कारण यही था। पन्तजी का कहना था कि अपनी आर्थिक विपन्नता के कारण ही उन्हें अविवाहित रहना पड़ा। बहरहाल स्त्री-सुख न मिलने के कारण, उनकी दबी हुई कामुकता, उनके काव्य में अन्त तक झलकती रही। उनकी सर्वश्रेष्ठ पुस्तक 'गुंजन' में संकलित 'भावी पत्नी के प्रति' शीर्षक कविता (न जाने किस घर में अनजान, छिपी हो तुम प्राणों की प्राण) से लेकर 'युगान्तर' में संकलित 'गर्भस्थ शिशु के प्रति' शीर्षक कविता यह स्पष्ट करती है कि वे एक सामान्य जीवन जीना चाहते थे जो उन्हें नहीं मिला। वे अकेले थे, उदास थे, दुखी थे। उनका सच्चा आत्मीय कोई नहीं था। एक लक्ष्मण-रेखा थी जिसे कोई नहीं लाँघ सकता था। जिसने भी यह कोशिश की, उसे ही निराश होना पड़ा—चाहे वे शान्तिप्रिय द्विवेदी हों या वे डॉ. धर्मवीर भारती हों। जब पन्तजी को यक्ष्मा की सम्भावना बतायी गयी तो उन्हें कालाकाँकर के कुँवर सुरेश सिंह का आश्रय लेना पड़ा। वहाँ वे सुख से तो रहे मगर पराश्रय की ग्लानि उन्हें अन्त तक सताती रही। क्या अँग्रेज़ी का कोई पन्त या 'निराला' जैसा महान् कवि इस ग़रीबी में जीने के लिए मजबूर हो सकता था? हर्गिज़ नहीं। पन्तजी की ग़रीबी तब समाप्त हुई जब उनकी किताबें राजकमल-प्रकाशन से छपनी शुरू हुईं। इसके बाद वे रेडियो पर 'सलाहकार' नियुक्त हुए और 'ज्ञानपीठ-एवार्ड' मिलने के बाद तो उन्होंने नयी मोटर ख़रीदी और एक बच्ची को बाक़ायदा गोद भी लिया। 'निराला' के दिन कभी नहीं फिरे...। मरा हूँ हज़ार मरण, पायी तब चरण-शरण।

पन्तजी एक महान् सौन्दर्यवादी कवि थे। वसन्त, धूप और शरद् ऋतु, उन्हें बेहद प्रिय थीं। उन्होंने प्रकृति का अद्भुत चित्रण किया; "ऐसा मनोरम व मार्मिक चित्रण पिछले एक हज़ार वर्षों में कोई भी कवि नहीं कर पाया।" उन्होंने नये छन्दों का निर्माण किया, नये शब्द गढ़े और हिन्दी-भाषा को एक नया रूप दिया। डॉ. विद्यानिवास मिश्र के शब्दों में "पन्तजी ब्रजभाषा से लगभग एकदम अपरिचित थे, उर्दू वे जानते ही नहीं थे और खड़ी बोली के बोलीपन से भी वे एकदम अपरिचित थे। यह एक अद्भुत संयोग है कि पन्तजी ही ने हिन्दी को सशक्त काव्य-धारा में ढालने में सबसे अधिक योगदान किया। उनकी भाषा में ऋग्वेद की सहज अन्तःप्रेरित

सत्य से पिघली हुई भाषा की छटा है, कालिदास की कल्पनाप्रवण लालित्य-योजना है और जयदेव की कोमलकान्तता है। यह पन्तजी की प्रतिभा का ही चमत्कार है कि आधुनिक हिन्दी को पचास वर्ष की अवधि में ही एक ढली हुई भाषा मिल गयी जब कि ब्रजभाषा को काव्य-भाषा बनने में दो शताब्दियाँ लगी थीं।" "हिन्दी-भाषा की जो समृद्धि पन्तजी ने की वह 'निराला' नहीं कर पाये। उनकी उस ओर कोई दिलचस्पी ही नहीं थी" (वाचस्पति पाठक) इतना सब कुछ करने के बाद भी 'अश्क़' का कहना था कि "पन्तजी तो तुकान्त शब्द खोजने के लिए कोष का सहारा लेते हैं!" "हिन्दी की छीछीलेदरी का नाम है उपेन्द्रनाथ 'अश्क़' (डॉ. रामविलास शर्मा)।

पन्तजी की कविता प्रकृति से शुरू होकर पुरुष की ओर बढ़ी (सुन्दर हैं सुमन, बिहग सुन्दर मानव तुम सबसे सुन्दरतम), हालाँकि 'युगान्त' के बाद की कविता को लेकर 'निराला' तक ने कहा कि 'वह पन्त तो अब मर गया।' यही बात बख़्शी जी ने लिखी। पन्तजी छन्द को कभी नहीं छोड़ पाये; हाँ, 'कला और बूढ़ा चाँद' में उन्होंने छन्द को एकदम छोड़ा और 'रश्मिपदी' शैली में कविता लिखी। उनका 'चाइल्ड लाइक' भोलापन, उनकी अपूर्व ताज़गी और उनके काव्य की ऐश्वर्यपूर्ण भाषा—एक ऐसा तिलस्म बनाते हैं कि उसमें से निकलने को तबीयत ही नहीं करती। महाप्राण निराला को गुरुदेव की कविताओं के बाद यदि किसी और कवि की इतनी कविताएँ ज़ुबानी याद थीं तो वे मात्र पन्तजी ही की थीं। निराला को यदि किसी कवि से 'ईर्ष्या' थी तो वह मात्र पन्तजी ही से थी। पन्तजी की महानता का इससे बड़ा सबूत और क्या हो सकता है? आचार्य महावीरप्रसाद द्विवेदी ने पन्तजी को 'सरस्वती' में छापा और डॉ. रामविलास शर्मा तक ने उन्हें 'महान् कवि' स्वीकार किया (तार सप्तक) तालस्ताय की भाँति वे भी लोककथाओं को लेकर कविताएँ लिखना चाहते थे मगर 'लोकायतन' ने उन्हें समय नहीं दिया। 'कला और बूढ़ा चाँद' में संकलित 'दन्तकथा' नामक कविता सचमुच अद्वितीय है।

पन्तजी 'सम्पूर्ण जीवन' जीने में विश्वास रखते थे। शरीर, मन, बुद्धि, अन्तःकरण व आत्मा—इन सबको पूर्ण विकसित करना और इन सबका सुख साथ-साथ प्राप्त करना, उनका जीवन-दर्शन था। 'लोकायतन' में यह बात प्रकट की गयी हालाँकि वह उनकी कदाचित् सबसे 'लचर' पुस्तक है यद्यपि उस पुस्तक में भी जहाँ उनकी दृष्टि प्रकृति के सौन्दर्य पर जाती है वहाँ वे फिर से लगभग उतने ही आकर्षक व रम्य हो जाते हैं जितना कि वे कभी पहले थे। इसी जीवन-दर्शन के लिए उन्होंने 'रूपाभ' नामक पत्रिका निकाली और एक सांस्कृतिक संस्थान की स्थापना के लिए डॉ. सम्पूर्णानन्द से सहायता माँगी। मुख्य-मन्त्री पं. गोविन्दवल्लभ पन्त ने दस हज़ार रुपये स्वीकृत किये और फ़ाइल पर लिखा कि "सुमित्रानन्दन को यह स्पष्ट कर दिया जाए कि इससे ज़्यादा मैं कुछ नहीं दे सकता और न दे पाऊँगा। मैं हर्गिज़ नहीं चाहता कि लोग कहें कि एक कुमायूँनी ने एक दूसरे कुमायूँनी की मदद की।"

रुपया मिलते ही 'लोकायतन' की स्थापना की गयी और डॉ. बाबूराम सक्सेना उसके कोषाध्यक्ष बनाये गये। इस पैसे में से कभी कोई ख़र्चा नहीं किया गया और शायद सारी रक़म सरकार को ही 'लैप्स' कर गयी। महाकवि पन्त के विशुद्ध स्वप्नजीवी होने का, इससे बड़ा प्रमाण आपको कभी नहीं मिल सकता। पं. श्रीनारायण चतुर्वेदी इस सारी कथा को इस तरह सुनाया करते थे कि हँसते-हँसते पेट में बल पड़ जाते थे। चौबे जी पन्त जी से असीम स्नेह करते थे हालाँकि छनती उनकी 'निराला' के साथ ही थी।

पन्त और 'निराला' आजीवन एक-दूसरे के प्रति समर्पित रहे। बीच-बीच में व्यवधान आते थे पर उनका ऊपर बताये सत्य पर कोई प्रभाव नहीं पड़ता था। भयंकर 'शीतयुद्ध' के दौर में भी पन्तजी ने 'निराला' की प्रशस्ति लिखी जो अक्षरशः उनके हृदय से निकली थी। जव 'निराला' की मृत्यु हुई तो पन्तजी रूस में थे और गोपी कृष्ण 'गोपेश' के साथ ठहरे थे। 'प्रवदा' व और समाचार-पत्रों में 'निराला' की मृत्यु का समाचार मुखपृष्ठ पर छपा पर 'गोपेश' जी उसे पन्तजी को नहीं बता सके। पन्तजी ने जब सामाचार स्वयं पढ़ा तो वे स्तब्ध रह गये। खाना-पीना, हजामत बनाना और घूमना वग़ैरह सब बन्द हो गया। 'गोपेश' जी घबरा गये। "पन्तजी को थोड़ा-बहुत 'नॉर्मल' होने में भी लगभग एक सप्ताह लगा। पूरी तरह नॉर्मल वे फिर कभी नहीं हुए।"

पन्तजी की सरलता कभी-कभी उन्हें मूर्खता की सीमा तक ले जाती थी। श्री हेमवतीनन्दन बहुगुणा जैसे प्रान्तीय राजनेता की प्रशस्ति लिखने का वादा करना और निश्चित तिथि पर सारा दिन अमृतराय के घर में छिपे रहना, बच्चन के ख़िलाफ़ फ़ौजदारी का मुक़दमा दायर करना और फिर उसे अकारण ही वापस ले लेना तथा बाबू मैथिलीशरण गुप्त की सम्पत्ति के बँटवारे जैसी जिम्मेदारी को हाथ में लेना, उनकी मूर्खता के कुछ उदाहरण हैं। सूची बहुत लम्बी बनेगी। मगर इससे इस सत्य पर कोई अन्तर नहीं पड़ता कि उनके व्यक्तित्व व काव्य में जादू था। मेरी प्रारम्भिक कविताएँ एकदम उनकी नक़ल थीं। मैंने उन्हें जला दिया और फिर लगभग सात-आठ वर्ष तक मैंने एक पंक्ति नहीं लिखी। इसके बावजूद मेरे प्रथम कविता-संग्रह में कुछ पंक्तियाँ उनसे प्रभावित रह ही गयीं। उनकी सबसे बड़ी मूर्खता थी 'लोकायतन' लिखना और साही साहब के सत्य बोलने पर उनके ख़िलाफ़ जिहाद छेड़ना जिसकी वजह से 'विवेचना' समाप्त हो गयी। साही साहब ने 'लोकायतन' को किसी जासूसी उपन्यास से भी घटिया ही बताया था। मगर इस सब के बावजूद न तो साही जी के मन में पन्तजी के प्रति आदर घटा और न पन्तजी के मन में साही साहब के प्रति अपने स्नेह में कोई अन्तर आया।

पन्तजी को अपने जीवन में बहुत आदर मिला। मैंने अज्ञेय, आचार्य हजारीप्रसाद द्विवेदी व वृन्दावनलाल वर्मा को उनके प्रति अपना सच्चा स्नेह व सम्मान प्रदर्शित

करते देखा है। हिन्दी-विभाग के अध्यक्ष डॉ. धीरेन्द्र वर्मा, संस्कृत-विभाग के अध्यक्ष डॉ. बाबूराम सक्सेना, उर्दू के धाकड़ स्तम्भ 'फ़िराक़' साहब व सदा के 'एरिस्टोक्रैट' डॉ. अमरनाथ झा-पन्तजी के प्रति अपने हृदय में इतना स्नेह और सम्मान रखते थे कि उसे शब्दों में प्रकट ही नहीं किया जा सकता। और बख़्शी जी तो उनसे मिलने को इतना तरसते थे जैसे कि कोई बच्चा मिठाई के बने खिलौने के लिए तरसता है। बख़्शी जी को हिन्दी के पाँच ग्रन्थ पसन्द थे जिनमें से एक जो था वह 'पल्लव' था। पाठक जी के अनुसार बाक़ी चार पुस्तकें शायद 'चन्द्रकान्ता', 'सेवासदन', 'रंगभूमि' व 'पद्माकर-पराग' रही होंगी। पन्तजी भी बख़्शी जी के प्रति सच्ची आत्मीयता और अनुराग रखते थे। पं. नेहरू उनसे स्नेह करते थे और हमारे गवर्नर मुंशी जी भी पन्तजी से मिल पाये तो पन्तजी की ही शर्तों पर मिल पाये। बनारस के प्रसिद्ध 'ठलुआ क्लब' ने उनका सम्मान प्रयाग में ही किया। 'हिन्दुस्तानी-ऐकेडमी' का प्रशस्त हॉल खचाखच भरा था। पं. सीताराम चतुर्वेदी उत्सव के कर्ता-धर्ता थे। वह विनोदी सन्ध्या मुझे सदा याद रहेगी। नरेन्द्र शर्मा के प्रति पन्तजी के मन में विशेष स्नेह था।

प्रत्येक महान् व्यक्ति को बिना किसी ग़लती के भी कभी-कभी अपमान सहना ही पड़ता है। पन्तजी के साथ ऐसा कई बार हुआ। जब 'भारतीय ज्ञानपीठ पुरस्कार' शुरू हुआ तो रामधारी सिंह 'दिनकर' ने—तत्कालीन राष्ट्रपति के अप्रत्यक्ष प्रभाव से— उसे प्राप्त कर लिया हालाँकि पन्त व 'निराला' दोनों जीवित थे। उसके बाद जब हिन्दी का नम्बर फिर आया तो 'ज्ञानपीठ' के दफ़्तर में पन्त को यह ज्ञापन मिला कि "इस वर्ष का एवार्ड आपके और 'फ़िराक़' साहब के बीच बाँटना निश्चित किया गया है। कृपा करके पुष्टि करें कि आपको इस निर्णय पर कोई आपत्ति नहीं है।" पन्तजी ने ज्ञानपीठ को उसी दिन लिख दिया कि "आप सारा एवार्ड 'फ़िराक़' साहब को ही दे दीजिए, मैं तो इस सम्मान के क़ाबिल ही नहीं हूँ।" ज्ञानपीठ ने पूरा एवार्ड पन्तजी को ही दिया, 'फ़िराक़' साहब को एवार्ड अगले वर्ष मिला। 'दिनकर' बहुत 'विचित्र' व्यक्ति थे। वे राज्यसभा की मानद सदस्यता, साहित्य-अकादमी एवार्ड, भारत—सरकार के एक राज्यमन्त्री की हैसियत से हिन्दी-सलाहकार की नियुक्ति और विदेशों की यात्रा वग़ैरह यह सब कुछ प्राप्त करते जा रहे थे जब कि उनके लिखने का स्तर दिन--दिन घटिया होता जा रहा था। धीरे-धीरे हालत यह हो गयी कि उन्हें 'हारे को हरिनाम' नामक काव्य-ग्रन्थ लिखना पड़ा। उनकी स्थिति सचमुच दयनीय थी और हालत इतनी नाज़ुक हो गयी थी जब 'राजपाल-एण्ड-संस' ने 'हिन्दी के लोकप्रिय कवि' सिरीज़ में उनकी चुनी हुई कविताओं का संकलन छापा तो उसका सम्पादन मन्मथनाथ गुप्त ने ही किया। मेरे जैसे साधारण साहित्यकार ने भी 'दिनकर' जी को (एक विशिष्ट अवसर पर) पहचानने से साफ़ इनकार कर दिया था जिसका मुझे आज तक गर्व है। ये तिकड़म से पुरस्कार हथियाने वाले लोग यह कतई भूल जाते हैं कि साहित्य का समीक्षक मात्र काल होता है, और कोई नहीं। रुडयार्ड

किपलिंग नोबल-प्राइज़ पाने के बावजूद, जेम्स जॉयस के सामने क्या हैसियत रखते हैं? 'ज्ञानपीठ-एवार्ड' न मिलने से 'निराला' का क्या बिगड़ा? पन्तजी से मैं बराबर मिलता रहता था। उनके पास बैठकर ऐसा लगता था जैसे कि आप किसी ऋषि के आश्रम में बैठे हों। पन्तजी के पास सब मुलाकातियों के साथ बैठने का समय सदा रहता था। वे कभी किसी को निराश नहीं करते थे। जब मेरा प्रथम काव्य-ग्रन्थ छपा, जो उन्हें ही समर्पित था, तो उन्होंने बहुत शानदार फ़्लैप-मैटर लिखा। मेरे तीसरे काव्यग्रन्थ (आदिम राग) से वे सचमुच प्रभावित हुए और कहा कि "आपमें सचमुच बड़ी ताज़गी है।" उन दिनों मुझे काफ़ी पैदल चलना पड़ता था और सिवा दो सूती पैण्ट और दो कमीज़ों के, मेरे पास कोई कपड़ा नहीं था हालाँकि प्रयाग में जाड़ों की ऋतु काफ़ी ठण्डी हो जाती है। क्लास की पढ़ाई मैं रात को देर तक करता था क्योंकि पन्तजी के शब्दों में दिन के समय "मैं नियमित रूप से अनियमित था।" नये साहित्यकारों को प्रोत्साहन देने में, मैंने पन्तजी जैसा तत्पर कोई दूसरा महान् साहित्यकार नहीं देखा। मेरी उनसे अन्तिम भेंट सन् 1969 में हुई जब मैं पत्नी के साथ उनसे मिलने गया। पन्तजी लगभग एक घण्टे तक मेरी पत्नी से चौके-चूल्हे के बारे में ही बतियाते रहे। उनके साथ 'परिमल' के एक विशेष आयोजन पर खिंचा एक ग्रुप-फ़ोटोग्राफ़ मेरी अलबमों में अभी भी सुरक्षित है।

पन्तजी को ज्योतिष ख़ूब आती थी। उन्हें अपनी मृत्यु के दिन का पता था। सन् 1978 के एक दिन वे अपने सारे मित्रों से बिना बात मिलकर आये और अच्छी तरह सोये। रात को सोते-सोते उन्हें भयंकर कष्ट हुआ और अगले ही दिन प्रातःकाल उनके प्राणों का स्वर्ण-हँस उड़कर मानसरोवर चला गया। उनका अन्तिम संस्कार संगम पर ही-बिना किसी राजकीय सम्मान के-सम्पन्न किया गया। ऐसे कालजयी कवि के मरने से प्रयाग उजड़ गया। 'निराला' जी पहले ही मर चुके थे और पन्त व 'निराला' के बिना प्रयाग की तो मैं कल्पना तक नहीं कर सकता...।

पन्तजी मेरे जैसे लोगों के लिए कभी नहीं मर सकते। मैं अक्सर महसूस करता हूँ कि जैसे पन्तजी मेरे पास बैठे हैं और मुस्कुरा रहे हैं। मुझे उनकी नीचे लिखी पंक्तियाँ कभी भी याद आ जाती हैं और मैं भावुक हो उठता हूँ हालाँकि ये उनकी सर्वश्रेष्ठ पंक्तियाँ हर्गिज़ नहीं हैं:

ऐसे सोने के साँझ-प्रात
ऐसे चाँदी के दिवस-रात
ले जाती बहा कहाँ गंगा
जीवन के युग-क्षण, किसे ज्ञात...

या

रच रहा सृष्टि मैं एक नवल
भावी मानव के हित भीतर,

सौन्दर्य, स्नेह, उल्लास मुझे
मिल सका नहीं जग में बाहर

(सतरह)

जुलाई 1950 के अन्त में मैंने 'निराला' के प्रथम दर्शन किये। जैन बोर्डिंग हाउस से दारागंज ज़्यादा दूर नहीं था और वैसे भी उन दिनों मुझे काफ़ी पैदल चलने की आदत थी। दारागंज में 'निराला' जी को सभी जानते थे और मुझे उनका घर ढूँढ़ने में कोई दिक्कत नहीं हुई। उन दिनों उनके नाम के साथ 'महाप्राण' विशेषण नहीं जुड़ा था। हाँ, कुछ सम्पादक लोग मुक्तछन्द के प्रथम प्रयोग के कारण उन्हें 'युग-प्रवर्तक' अवश्य कहते थे। मैंने अपने इण्टर-कॉलेज की लाइब्रेरी में उपलब्ध उनकी सारी पुस्तकें पूर्ण मनोयोग से पढ़ रखी थीं। उन पुस्तकों में उनके चित्र भी देखे थे। मगर जब मैंने 'निराला' को पास से देखा तो वे उन चित्रों से बहुत भिन्न लगे। वे समय से पहले वृद्ध हो चुके थे और उन्हें देखकर शर-शय्या पर लेटे भीष्म पितामह या युद्ध में पराजित होकर भी आत्म-समर्पण न करने वाले राजा पोरस की याद आती थी। मैं हक्का-बक्का होकर उन्हें देखता रहा। वे दाढ़ी रखने लगे थे जो साइड से तो ठीक लगती थी पर सामने से देखने पर कुछ अजीब-सी लगती थी क्योंकि वह छोटी थी और तिकोनी थी। बाद में चलकर मैंने पाया कि उनकी दाढ़ी का साइज़ शायद नाई की इच्छानुसार घटता-बढ़ता रहता था। उनके लम्बे बाल अब कट चुके थे। सिर, मूँछ और दाढ़ी का कोई-कोई बाल अब सफ़ेद भी होने लगा था। वे उस दिन कुछ थके-से लगते थे।

मैंने उनके चरण छुए जिसकी उन पर कोई प्रतिक्रिया नहीं हुई। मैंने अत्यन्त संक्षेप ने अपना परिचय दिया और कहा कि मैं कभी-कभी आपके दर्शन करने आया करूँगा। इस निवेदन के उत्तर में उन्होंने मुझे घूरकर देखा। उनकी आँखों में सतर्कता, बुद्धिमत्ता और स्नेह का अपूर्व सम्मिश्रण था। थोड़ी देर बाद वे तख़्त पर बैठ गये और बहुत थोड़ा-सा मुस्कुराये। मेरी हिम्मत बैठने की नहीं हुई और मैंने विदा लेने की गर्ज़ से उनके चरण फिर छुए मगर इसकी भी कोई प्रतिक्रिया उन पर नहीं हुई। सारे रास्ते मैं यही सोचता चला आया कि 'निराला' जी ने मुझे एक नौसिखिया, संसार के छल-प्रपंच से अनभिज्ञ, अतिशय भावुक, मूर्ख व एकदम निकम्मा लड़का ही समझा था, और कुछ नहीं। उनका यह 'इम्प्रेशन' मैं कभी भी दूर नहीं कर सका। बहरहाल मैंने भी उनके पास जाना नहीं छोड़ा। प्रत्येक रविवार को मैं लगभग ग्यारह बजे पहुँच जाता था और लगभग एक घण्टा उनके पास बैठता था। बारह बजे मैं वापस चल पड़ता था और लगभग एक बजे होस्टल पहुँच जाता था। रविवार की दोपहर को होस्टल में पूड़ियाँ व रसगुल्ले बनते थे। मैं कसकर खाता था और फिर गहरी नींद सोता था। दुख इसी बात का रहता था कि रविवार की शाम को 'मेस'

बन्द रहता था और खाना नहीं मिलता था। उन दिनों मुझे भूख भी बहुत लगती थी। यह क्रम कोई साढ़े चार वर्ष तक चलता रहा।

'निराला' का जन्म सन् 1896 में बंगाल में हुआ था जहाँ उनके पिता 'महिषादल' राज्य में राजा के मुलाज़िम थे। उनकी मातृभाषा बँग्ला थी। उनका जन्म का नाम 'सूर्यकुमार' था जिसे बदलकर उन्होंने 'सूर्यकान्त' कर लिया था। उनकी माता उन्हें तीन वर्ष का अबोध बच्चा छोड़कर ही स्वर्गवासी हो गयी थीं। पन्द्रह वर्ष की आयु में उनका विवाह हुआ था और बाईस बर्ष की आयु में वे विधुर हो गये थे। उनकी पत्नी ने एक पुत्र व एक पुत्री को जन्म दिया। उनकी पत्नी सुन्दर थीं, सुशिक्षित थीं और संगीत से प्रेम रखती थीं। वे 'सरस्वती' की नियमित पाठिका थीं और 'निराला' ने हिन्दी जो सीखी वह 'सरस्वती' से ही सीखी। उनके पिता का देहान्त भी बहुत जल्दी ही हो गया था। राजा से कुछ मतभेद होने के कारण उन्होंने 'महिषादल' छोड़ दिया। इनकी प्रथम कविता 1919 में लिखी गयी जिसे आचार्य द्विवेद्वी ने 'सरस्वती' में नहीं छापा पर उन्होंने इनकी नौकरी कलकत्ता के 'समन्वय' नामक पत्र में लगवा दी जहाँ से वे मिर्ज़ापुर-निवासी महादेवप्रसाद सेठ के 'मतवाला' में चले गये और जहाँ 'मतवाला' की तुक पर उन्होंने अपना उपनाम 'निराला' रख लिया। 'मतवाला! में वे कविता, आलोचना व चित्र-संवाद का कॉलम देखते थे। उनके सहयोगियों में चुनार के निवासी 'उग्र' जी प्रमुख थे। 'सरस्वती' में अप्रकाशित कविता 'मतवाला' में छपी। निराला जी की शिक्षा मात्र नौवीं क्लास तक ही हुई थी। 'मतवाला' छोड़ने के बाद उन्होंने अनुवाद व जीवन-चरित इत्यादि लिखने का काम किया। सन् 1927 में वे अस्वस्थ हालत में काशी आये और प्रेमचन्द व प्रसाद का सम्पर्क पाया। एक वर्ष बाद वे लखनऊ चले आये और दुलारेलाल भार्गव के साथ काम करने लगे। वहीं उनका परिचय प्रख्यात मिश्रबन्धुओं से हुआ। लखनऊ के बाद वे दो वर्ष उन्नाव रहे। वहाँ से वे चित्रकूट गये। इसके बाद वे प्रयाग आ गये। प्रयाग में कई स्थानों पर रहने के बाद, वे अपने परिचित चित्रकार कमलाशंकर जी की बैठक में रहे। कमलाशंकर जी का मकान दारागंज में था। निराला जी अपने अन्त समय तक दारागंज के उसी मकान में रहे।

पन्त और 'निराला' दोनों में बहुत-सी बातें (कम या ज़्यादा मात्रा में) समान रूप से विद्यमान थीं। दोनों कवियों की मातृभाषा हिन्दी हर्गिज़ नहीं थी। दोनों की 'फ़ार्मल' शिक्षा बहुत कम थी। दोनों की माताएँ उनके बचपन में ही मर गयी थीं। दोनों कवि गृहस्थ-जीवन के सुख से वंचित ही रहे। दोनों कवि प्रकृति के अनुराग में बुरी तरह डूबे थे। यदि पन्तजी को वसन्त, धूप और शरद् ऋतु प्रिय थी तो 'निराला' को वर्षा-ऋतु से अनन्त अनुराग था। दोनों कवियों को साहित्य-साधना के अतिरिक्त और कोई काम नहीं आता था। आर्थिक दृष्टि से भी दोनों महान् कवि विपन्न ही रहे (पन्तजी की हालत बाद में सुधर गयी थी और दोनों महान् कलाकार ज़्यादातर

प्रयाग में ही रहे और वहीं दिवंगत हुए। दोनों ही का स्वभाव, एकदम सरल और पूर्णतः निश्छल था। यदि पन्तजी की सरलता उन्हें 'मूर्खता' की सीमा तक ले जाती थी तो 'निराला' की सरलता उन्हें 'गँवारूपन' की हद तक पहुँचा देती थी। और सबसे बड़ी बात तो यह है कि दोनों ही महान् कवि एक-दूसरे के काव्य के हृदय से प्रशंसक थे। दोनों ही महाकवि मूलतः सौन्दर्यवादी थे। दोनों ही कवि रूपवान व्यक्ति थे। दोनों ही जीवन में अकेले थे। मगर इन मोटी बातों को छोड़कर, दोनों महाकवि एक-दूसरे से एकदम अलग थे। एकदम अलग...।

जब मैं अगली बार 'निराला' जी के पास गया तो उन्हें और उनके कमरे को ज़्यादा ग़ौर से देख पाया। उनका एकमात्र वस्त्र एक फटी-सी लुंगी ही थी जो प्रायः घुटनों तक ही रहती थी। लुंगी भी मैली-कुचौली ही रहती थी। तख़्त के पट्टे आयु व जलवायु के प्रभाव से नीचे-ऊँचे हो गये थे। तख़्त के पीछे एक बिना पल्लों की अलमारी थी जिसमें कुछ दवा की शीशियाँ वग़ैरह रखी रहती थीं। उनका लिहाफ़ ठीक हाल में नहीं था। उनके पास जूते नहीं थे। छाता भी नहीं था। उनका स्वास्थ्य लगभग ठीक ही था। वे प्रायः एक मोटी पुस्तक पढ़ते रहते थे और जब ऊब जाते थे तो कमरे में चक्कर लगाने लगते थे। थोड़ा-बहुत स्वगत-भाषण ज़रूर चलता था। मैंने उन्हें पूरे वस्त्रों में शायद कभी नहीं देखा। काफ़ी लोग आते थे और प्रणाम वग़ैरह के बाद चले जाते थे। 'निराला' हँसते नहीं थे, मुस्कुराते ज़रूर थे। वे सड़क पर आते-जाते लोगों को देखते रहते थे और बाद में उसी मोटी किताब को तकिया बनाकर तख़्त पर आँखें मूँदकर लेट जाते थे। वे एकदम विरक्त थे, वीतरागी थे और कबीर की भाँति निःसंग थे। दुनिया उनके बारे में या उनके साहित्य के बारे में क्या कहती है, इसकी उन्हें कोई परवाह नहीं थी।

मनुष्य एक सामाजिक प्राणी है। 'निराला' जी भी तो आख़िरकार एक इंसान ही थे। कभी-कभी वे मुझसे बातचीत भी कर लेते थे जो नितान्त संक्षिप्त होती थी। मेरे परिवार के कष्टों का और मेरी आर्थिक विपन्नता का उन्हें आभास हो गया था और इन बातों से वे दुखी ही होते थे। संस्कृत-कवियों के बारे में भी कभी-कभी बात होती थी मगर वे मुझसे कोई वादविवाद नहीं करते थे क्योंकि मैं तो नौसिखिया व मूर्ख ही था। वे मेरी बातें सुनते थे और मुस्कुराते थे। एक दिन उन्होंने मुझ से मेरे जनपद के बारे में पूछा। मैंने बताया कि "मेरा ज़िला बहुत छोटा है। वह एक त्रिकोण की शक्ल का है। एक तरफ़ गंगा नदी है जिसके तट पर 'विदुर-कुटी' है। जनश्रुति के अनुसार कभी भगवान् कृष्ण दासी-पुत्र विदुर से मिलने वहाँ आये थे। दूसरी ओर गढ़वाल के पर्वत हैं और नीचे की दिशा में रुहेलखण्ड है। फ़ैज़ी का मकबरा व रुहेला सरदार नजीब खाँ का बसाया नजीबाबाद भी मेरे ज़िले में है। शकुन्तला नाटक में बतायी 'मालिनी' नदी अभी भी बहती है। पं. पद्मसिंह शर्मा व सुल्ताना डाकू मेरे ही ज़िले में हुए थे। सुल्ताना डाकू को 'शेरे-बिजनौर' भी पुकारा जाता है

और उसकी नौटंकी अभी भी खेली जाती है। सुल्ताना डाकू बहुत ज़ालिम आदमी था और जिम कार्बेट ने उसे 'भारत का राबिनहुड' बताकर ठीक नहीं किया।" मेरा 'भाषण' सुनने के बाद निराला जी ने पूछा कि "तुम्हारे ख़याल में पं. पद्मसिंह शर्मा बड़े हैं या सुल्ताना डाकू?" उनकी इस उक्ति पर मैं हँस पड़ा और वे भी मुस्कुराने लगे। कभी-कभी अनेक अन्य विषयों पर भी बात होती थी जैसे कि डॉ. अमरनाथ झा, महाकवि चिरकीन या बँग्ला के प्राचीन वैष्णव भक्त-कवि।

'निराला' जी के बारे में कहा जाता था कि वे विक्षिप्त हैं, अघोरी हैं और गँवारूपन तक उतर आते हैं। मैंने उनके स्वभाव में ऐसा कुछ नहीं देखा। हाँ, वे विरक्त ज़रूर थे, इसमें कोई सन्देह नहीं। वे अख़बार नहीं पढ़ते थे और अपनी पुस्तकों की भी कोई प्रति उनके पास नहीं थी। अपनी रचनाओं का वे कोई सम्पादन भी नहीं करते थे। मगर इस सारी विरक्ति के बावजूद, वे अन्तिम क्षण तक कविता लिखते रहे। गंगा प्रसाद पाण्डेय, पं. वाचस्पति पाठक, पं. श्रीनारायण चतुर्वेदी व 'उग्र' जी उनके विशेष कृपा-पात्र थे। वे 'मूडी' भी थे और कभी-कभी उनके मन में उचाटपन भी आता था। ("बँधी नाव हिलती है तट पर/कवि के अग्गिप्राण उकताये/लौटे तुम तरु तरु के साये।")

'मूडी' होने के कारण ही वे कभी-कभी हिन्दी बोलना भी छोड़ देते थे और सिर्फ़ अँग्रेज़ी या संस्कृत में ही बातें करते थे। संस्कृत पर उनका पूर्ण अधिकार था और वे घण्टों तक संस्कृत में धाराप्रवाह भाषण दे सकते थे। शास्त्रीय-संगीत व लोकगीतों से उन्हें अत्यन्त अनुराग था। वे गोस्वामी तुलसीदास के परम भक्त थे। उनका सर्वश्रेष्ठ काव्यग्रन्थ 'तुलसीदास' ही है। उन्होंने अत्यन्त श्रेष्ठ निबन्ध भी लिखे जो 'चाबुक' व 'प्रबन्ध-प्रतिमा' में संकलित हैं। वे अपने अतिथि-सत्कार के लिए प्रसिद्ध थे। वे करुणा की साक्षात् प्रतिमा थे। वे एकदम मौलिक थे। "नीचे पड़ी कोई चीज़ नहीं उठाना-चाहे वह कविता ही क्यों न हो।" उन्होंने चन्द ग़ज़लें भी लिखीं और होलियाँ भी रचीं। उन्होंने एक बार कहा था कि "ग्रामीण होलियों के सामने शेक्सपियर व मिल्टन भी मात खा जाते हैं।" होली के अवसर पर जब वे पन्तजी से मिलने कालाकाँकर गये तो उन्होंने लहँगा और ओढ़नी पहनकर स्टेज पर नृत्य भी पेश किया। बातें तो बहुत हैं पर जगह नहीं है। कितना अच्छा होता यदि विष्णु प्रभाकर जैसा प्रतिभावान व्यक्ति, 'निराला' जैसे महामानव की कथा लिखता। मेरे विचार में 'निराला' जी आस्तिक थे (जिधर देखिए, श्याम बिराजे) वे किसी से भी किसी सहानुभूति की इच्छा या आशा नहीं रखते थे। वे टूटना जानते थे, झुकना नहीं। उन्होंने देना ही सीखा था, लेना नहीं।

'निराला' को पास से देखकर मैंने जाना कि वे विरोधाभासों से भरे पड़े थे। मुक्त-छन्द के प्रवर्तक होने के बावजूद, जितने ज़्यादा व सुन्दर गीत उन्होंने लिखे उतने गीत तो महादेवी व बच्चन ने भी नहीं लिखे। जीवन के अन्तिम वर्षों में तो वे गीत

ही लिखते थे, और कुछ नहीं। उनके अन्तिम गीतों का संग्रह 'सान्ध्य-काकली' नाम से छपा जिसे पं. श्रीनारायण चतुर्वेदी ने सम्पादित किया। वे एक महान् सौन्दर्यवादी कवि थे पर उन्होंने 'कुकुरमुत्ता' जैसी व्यंग्य-कविताएँ भी लिखीं। वे परम्परा में भी विश्वास रखते थे और वे विद्रोही भी थे। एक तरफ़ वे एक घायल कुत्ते को लेकर बेहद दुखी होते थे और दूसरी ओर वे मांसाहारी भी थे। वे कालिदास को अपना गुरु मानते थे पर यह भी कहते थे कि "कालिदास में उतनी गहराई नहीं है जितनी कि श्रीहर्ष में है।" उन्होंने पन्तजी को खुले-आम 'चौर्य-कला' में निपुण बताया था और उनके साथ कई बार अभद्र व्यवहार भी किया था और दूसरी ओर वे उनसे मिलने को बुरी तरह तरसते भी थे। उनके सामने पन्तजी की निन्दा कोई और नहीं कर सकता था। उनका विरोधाभास क्या उनकी विक्षिप्तता का लक्षण था? और उनका सबसे बड़ा विरोधाभास तो यह था कि हिन्दी, बँग्ला व संस्कृत का प्रकाण्ड पण्डित होने के बाद भी, जीवन के अन्तिम दस वर्ष उन्होंने मात्र विलियम शेक्सपियर पढ़ने में ही गुज़ारे थे, और कुछ नहीं। उन्होंने मुझे एक बार बताया था कि "शेक्सपियर की महानता उसके ऐतिहासिक व दुखान्त नाटकों में ही छिपी है और उसके सुखान्त नाटक बहुत कमज़ोर हैं।"

'निराला' जी की तथाकथित विक्षिप्तता को लेकर विभिन्न लोगों के विभिन्न मत थे। पाठक जी के अनुसार 'निराला' को अपनी पत्नी की मृत्यु का बहुत बड़ा दुख था। 'निराला' यह भी अपराध-भावना रखते थे कि उनकी पुत्री की अकाल-मृत्यु का कारण वे स्वयं थे। यदि वे सम्पन्न व्यक्ति होते तो बढ़िया इलाज कराते और उनकी कन्या शायद बच जाती। इसके अतिरिक्त उन्हें समय पर उनका हक़ नहीं मिला। उनके मुक्तछन्द को बड़े-बड़े साहित्यिक महन्तों ने 'रबर छन्द' या 'केंचुआ छन्द' कहकर पुकारा। आचार्य द्विवेदी ने उनकी कविताएँ नहीं छापीं और 'हिन्दी-साहित्य-सम्मेलन' के सभापति पं. पद्मसिंह शर्मा ने अपने 'सभापति-सम्भाषण' में कहा कि "यदि निकृष्ट कविताओं के उत्कृष्ट उदाहरण देखने हों तो इन नये कवियों को पढ़ लो।" पाठक जी यह भी कहते थे कि स्वगत-भाषण की आदत 'निराला' को शुरू से ही थी। प्रकाशचन्द्र गुप्त कहा करते थे कि यदि नन्ददुलारे वाजपेयी जैसे विद्वान् और साहित्य-मर्मज्ञ समय पर हुए होते तो उनकी यह स्थिति नहीं होती। 'निराला' सारी उम्र ग़रीब ही रहे, उनकी कोई पुस्तक 'कामायनी' की भाँति कोर्स में नहीं लगी। बच्चन के अनुसार निराला जी अपने कवि-सम्मेलनी दिनों में कुछ ऐसा 'गुर' ज़रूर इस्तेमाल करते थे जिससे कि उनकी 'पब्लिसिटी' हो जाए। साही साहब कहते थे कि "बन्धु, शेक्सपियर की वाणी मत भूलो।" उसके अनुसार "कवि, प्रेमी, दार्शनिक व विक्षिप्त लोग लगभग एक-से ही होते हैं।" एम.ए. फ़ाइनल में, मैं अचानक बुरी तरह बीमार पड़ गया। मेरा 'इज़्नोफ़ीलिया' तीन प्रतिशत के स्थान पर साठ प्रतिशत पाया गया। उन दिनों के चिकित्सा-ज्ञान के अनुसार मुझे विशुद्ध संखिये के दस इंजेक्शन दिये

गये। मैं काफ़ी कमज़ोर भी हो गया और 'निराला' जी से मिलने काफ़ी दिनों तक नहीं जा सका। जब गया तो उस महान् कवि ने मेरे प्रति बहुत स्नेह दिखाया और मुझे पहली बार अपने पास तख़्त पर ही बिठाया। सारी बातें सुनने के बाद उन्होंने विवशता की एक लम्बी साँस भरी और फिर विनोदी ढंग से कहा कि "चलो, इस बीमारी की कृपा से तुम नीलकण्ठ तो हो ही गये...।" मैं खिलखिलाकर हँस पड़ा।

'निराला' जैसा कालजयी सौन्दर्यवादी कवि अपने रोज़मर्रा के जीवन को आर्थिक दृष्टि से निम्नतम स्तर पर जीता था। वे जीवन को दुख का पर्याय मानते थे। धन से उन्हें विरक्ति नहीं, वरन् घृणा तक हो गयी थी। अगर कहीं से रॉयल्टी वग़ैरह का पैसा आता था तो उन्हें उसे ख़र्च करने के बाद ही चैन आता था। अन्तिम वर्षों में वे ज़िद्दी भी हो गये थे। उन्हें देखकर तथागत की वाणी याद आती थी (जो कहीं नहीं जाता उसके पास सब जाना चाहते हैं, जो किसी से नहीं बोलता उससे सब बोलना चाहते हैं और जो कुछ नहीं माँगता उसे सब देना चाहते हैं) मेरे विचार में कभी-कभी वे मुझे 'धूर्त' या 'शरारती' भी समझते थे। इससे उनका स्नेह घटता नहीं था, बढ़ता ही था।

1954-55 में मैं प्रयाग से चला आया। दिल्ली के सेण्ट स्टीफ़ेंस कॉलेज में नौकरी मिली पर तब तक मैं सिविल-सर्विस में आ चुका था। सन् 1961 में मेरा तबादला प्रयाग को हो गया। समय मिलते ही मैं दारागंज भागा। निराला जी हर्निया से पीड़ित रहने के कारण एकदम वृद्ध व दुर्बल हो गये थे। वे शान्त थे। मुझे देखकर उनके होठों पर स्नेह की एक क्षीण मुस्कुराहट उभरी। कुछ ही दिनों बाद विश्व का वह महान् कवि सदा के लिए चला गया। उनके अन्तिम संस्कार के समय मैं उपस्थित था। उनका अन्तिम संस्कार भी बिना किसी राजकीय सम्मान के ही हुआ।

पन्त एक महान् कवि थे। 'निराला' विराट् थे। मेरी 'स्टडी' में ठीक मेरे सामने 'निराला' जी की एक सुन्दर पेण्टिंग मेज़ पर रखी है। वही भरी हुई दाढ़ी, वही स्तब्ध आँखें, वही विरक्त चेहरा। मैं रोज़ ही उन्हें देखता हूँ और उन्हीं की दो पंक्तियाँ याद करता हूँ :

ठाठ जीवन का वही जो ढह गया है
मैं अलक्षित हूँ यही कवि कह गया है

(अठारह)

सन् 1950 में श्रीमती महादेवी वर्मा प्रयाग का एक प्रमुख आकर्षण थीं। वे प्रयाग-महिला-विद्यापीठ की सर्वेसर्वा थीं और बाद में उन्होंने अशोकनगर में एक आलीशान बँगला भी बनवा लिया था। कुछ प्रशंसक उनको 'आधुनिक मीरा' कहते थे और वे स्वयं अपने आपको 'रहस्यवाद' का प्रवर्तक मानती थीं। पं. वाचस्पति पाठक व गंगाप्रसाद पाण्डेय उनके परम आत्मीय थे। 'निराला' पन्त और अमृतराय

उनके बहुत निकट थे। वे 'निराला' की राखी बाँधने वाली बहन थीं और अमृतराय की शादी उनकी मनपसन्द लड़की से उन्होंने ही करायी थी।

महादेवी जी का जन्म सन् 1907 में फ़र्रुखाबाद में हुआ था। उनका विवाह बचपन में ही हो गया था। वे 'चाँद' की सम्पादिका रहीं और 'साहित्यकार' नाम की मासिक पत्रिका भी उन्होंने निकाली। उन्होंने 'साहित्कार-संसद' की स्थापना की और भारत-सरकार ने उन्हें 'पद्‌म-भूषण' की उपाधि से अलंकृत भी किया। उन्हें पालतू पशु-पक्षी रखने का शौक़ था। उनका विवाहित जीवन सुखी नहीं रहा।

महादेवी जी ने बाद में अपने नाम के साथ 'वर्मा' लगाना छोड़ दिया था। कुछ दिनों बाद उनके भक्तों ने उनके नाम के पहले 'महीयसी' जोड़ना भी शुरू कर दिया था। वे किसी गोष्ठी वग़ैरह में बहुत कम आती-जाती थीं। युनिवर्सिटी में भी वे बहुत ही कम आती थीं। उनसे भेंट करना एक कठिन काम था। मेरा उनसे कोई विशेष सम्पर्क नहीं रहा। कुल मिलाकर उन्हें दो-तीन बार निकट से देखा और एक बार उनका भाषण भी सुना।

मुझे महादेवी जी में कोई आकर्षण कभी नहीं दीखा। वे साधारण वेशभूषा में रहती थीं और देखने-भालने में भी वे अत्यन्त साधारण ही थीं। नये साहित्यकारों को उन्होंने कभी कोई प्रोत्साहन नहीं दिया। मुझे उनके गीतों में भी कुछ ही गीत अच्छे लगते हैं, शेष नहीं। जब जैनेन्द्र कुमार को छोड़कर उन्हें 'भारतीय-ज्ञानपीठ' अवार्ड दिया गया तो मुझे भी और अनेक साहित्कारों की भाँति दुख ही हुआ।

मेरे विचार में महादेवी जी कवयित्री की अपेक्षा एक गद्यकार के रूप में कहीं ज़्यादा सशक्त थीं और भाषण देने की कला में तो वे सचमुच लाजवाब थीं। उनकी गम्भीर भावुकता व प्रखर बौद्धिकता एक ऐसा जादू पैदा करती थीं कि श्रोतागण मन्त्रमुग्ध रह जाते थे। वे जब हँसती थीं तो बहुत आकर्षक लगती थीं। वे अपने को 'कण्डक्ट' करना जानती थीं और हमारे गवर्नर श्री मुंशी जी के साथ भी वे एकदम बराबरी का ही व्यवहार करती थीं।

'साहित्यकार संसद' गंगा के रसूलाबाद घाट पर बना था। उसमें 'अश्क़' जी रहे और बाद में 'निराला' जी भी वहाँ रहे। दोनों लोग दुखी ही रहे। महादेवी जी के सिद्धान्त मेरी समझ में कभी नहीं आये। जब पन्तजी की मृत्यु की झूठी ख़बर रेडियो से प्रसारित हो गयी तो 'निराला' जी दारागंज से पैदल चलकर अशोकनगर आये। महादेवी जी ने दिल्ली फ़ोन करने की बहुत कोशिश की मगर लाइन व्यस्त ही मिली। ग्यारह बजे महादेवी जी के बँगले का मुख्य द्वार बन्द हो जाता था। 'निराला' जी को बाहर जाना पड़ा और वे रात भर अशोकनगर के सेण्ट्रल पार्क में ही ठण्ड में ठिठुरते रहे और जैसे ही सुबह हुई, वे फिर अपनी बहन महादेवी जी के पास पन्तजी की कुशल-क्षेम पूछने पहुँच गये। बातें और भी बहुत हैं मगर लिखने से फ़ायदा क्या?

गंगाप्रसाद पाण्डेय मुझसे बहुत स्नेह करते थे। वे एक बार मुझे खींचकर

महिला-विद्यापीठ ले गये जहाँ कोई आयोजन था। सूजी का हलवा बना था। एक प्लेट तो मैंने खुद ही उठा ली और दूसरी प्लेट पाण्डेय जी ने मुझे दी। इसके बाद जब महादेवी जी ने मुझे तीसरी प्लेट दी तो मैंने सारी सच्चाई उन्हें बता दी। वे बहुत हँसीं और तीसरी प्लेट देकर ही गयीं। उस हलवे का स्वाद व महादेवी जी की उस हँसी की सच्ची ताज़गी मैं कभी नहीं भूल सकता...।

महादेवी जी मुझे कभी भी अच्छी नहीं लगीं। मुझे उनके गीत व रहन-सहन एकदम कृत्रिम व आडम्बरपूर्ण लगते थे हालाँकि उनके प्रति मेरे मन में कोई दुराग्रह नहीं था। एक दिन मैंने अपनी यह वितृष्णा अमृतराय को बतायी और वे बहुत हँसे। उन्होंने मुझे बताया कि मैं कोई अकेला व्यक्ति नहीं हूँ जो ऐसा सोचता हूँ। बाद में मैंने देखा कि 'मानव' जी भी अपने भीतर वही भावना रखते थे जो मैं रखता था। पाठक जी ने मुझे बताया कि महादेवी जी बाहर से रूखी हैं पर उनका हृदय बहुत कोमल व करुणता से भरा है। ग़रीबों की जितनी मदद वे करती हैं उतनी मदद 'निराला' को छोड़कर और कोई साहित्याकर कभी नहीं करता। मैं चुप हो गया। बहरहाल महादेवी जी का अन्तिम संस्कार पूरे राजकीय सम्मान के साथ किया गया।

विश्वम्भर 'मानव' पश्चिमी उत्तर-प्रदेश के निवासी थे और मुरादाबाद के किसी कॉलेज में प्राध्यापक थे। वे कभी-कभी प्रयाग आते रहते थे और बाद में तो वे प्रयाग के ही निवासी हो गये थे। वे एक अत्यन्त विद्वान् व्यक्ति और तटस्थ आलोचक थे। उन्होंने 'हमारे प्रतिनिधि कवि', 'हमारे प्रतिनिधि लेखक' व 'काव्य का देवता : निराला' नामक तीन आलोचनात्मक पुस्तकें लिखीं जिनकी हस्ताक्षरित प्रतियाँ मेरी लाइब्रेरी में सुरक्षित रखी हैं। इन पुस्तकों के अतिरिक्त उन्होंने कविता व उपन्यास भी लिखे और उनका 'लेखकों की बस्ती' नामक उपन्यास तो सचमुच पढ़ने लायक़ है। कहते हैं कि उनकी एक प्रेमिका भी थी जो प्रयाग में ही रहती थी। मुझे उस तथाकथित प्रेमिका का नाम भी मालूम है पर मैं उसे बता नहीं सकता।

मानव जी मुझसे अत्यन्त स्नेह करते थे और उनकी विनोदप्रियता लाजवाब थी। वे आमतौर पर सूट ही पहनते थे और रोज़ शाम को कॉफ़ी हाउस आते थे। वे एक निश्चित मेज़ पर बैठते थे और एक कप काफ़ी के सहारे लगभग तीन घण्टे साहित्यिक चर्चा में गुज़ार देते थे। वे पन्त 'और 'निराला' दोनों के स्नेहभाजन थे और इस सबके बावजूद वे 'कामायनी' को एक कालजयी काव्य-ग्रन्थ स्वीकार करते थे। उन्होंने 'कामायनी' की टीका भी लिखी जिसे पन्तजी ने 'मानवीय टीका' कहकर पुकारा। उन्होंने 'शेखर : एक जीवनी' का फ़्लैप-मैटर लिखा और साथ ही साथ यह भी कहा कि "जिसने 'चन्द्रकान्ता' नहीं पढ़ी, उसने कुछ नहीं पढ़ा।"

पन्तजी वाले प्रसंग में मैंने कालाकाँकर की चर्चा की है। वहाँ के राजाओं ने हिन्दी के लिए सदा बहुत कुछ किया है। सर्वप्रथम हिन्दी दैनिक (हिन्दुस्थान) कालाकाँकर से ही उन्नीसवीं शताब्दी में निकला था। परेशानी की हालत में पन्तजी ने कुँवर

सुरेशसिंह का निमन्त्रण-स्वीकार किया और अपने जीवन के बेहतरीन वर्ष उन्होंने कालाकाँकर में ही गुज़ारे। उनको एक टीले पर बना बँगला रहने के लिए दिया गया जिसका नाम पन्तजी ने 'नक्षत्र' रखा। कुँवर सुरेशसिंह के एक भाई दिनेशसिंह थे जिन्हें श्रीमती इन्दिरा गाँधी ने अपना विदेश-मन्त्री बनाया था। उनके एक भाई ब्रजेश सिंह थे जिनके साथ स्तालिन की पुत्री स्वेतलाना ने शादी की।

कुँवर सुरेशसिंह मेरे पत्र-मित्र थे। उनका हास्य-संग्रह (असली मुर्गाछाप) कुँवर साहब के हस्ताक्षरों के साथ मेरे पास अभी तक है। बाद में (जब मैं केन्द्रीय सचिवालय में नियुक्त था) उन्होंने दिल्ली में मुझे मिलने के लिए बुलाया। वे अपने भाई विदेश-मन्त्री दिनेश सिंह के यहाँ ठहरे थे। मैं गया और उनके व रानी साहिबा के स्नेह से अभिभूत हो गया। वे एक स्नेही, दबंग और सादगी-पसन्द आदमी थे मगर उनकी रानी एकदम चित्रलिखित-सी सुन्दर थीं।

कुँवर सुरेशसिंह एक सधे हुए शिकारी और कुशल लेखक थे। पशु-पक्षियों के बारे में उन्होंने तीन विशद ग्रन्थ लिखे जिनके नाम हैं– 'हमारे नभचर', 'हमारे वनचर' तथा 'हमारे जलचर'। इनके अतिरिक्त उन्होंने अपने संस्मरण भी लिखे जो एक मोटे पर बेहद दिलचस्प ग्रन्थ में संकलित है। इस पुस्तक में पन्तजी के बेहद दुर्लभ चित्र भी शामिल हैं। अपने यौवन-काल में पन्तजी सचमुच एक बेहद रूपवान व्यक्ति थे। यह मेरा दुर्भाग्य है कि कुँवर सुरेशसिंह के जीवन-काल में मैं कभी भी कालाकाँकर नहीं जा पाया। उन्होंने वादा किया था कि वे मुझे अपने साथ आचार्य द्विवेदी के ग्राम दौलतपुर, मलिक मुहम्मद जायसी के क़स्बे जायस व 'निराला' जी के गाँव गढ़कोला ले जाएँगे। ज़ाहिर है कि मेरे भाग्य में यह सुख नहीं लिखा था...।

नरेन्द्र शर्मा से मेरी मुलाक़ात कुँवर सुरेशसिंह की मार्फ़त ही हुई। शर्मा जी बहुत ही मार्मिक कवि और संवेदनशील और सज्जन व्यक्ति थे हालाँकि उनका सांसारिक जीवन कुछ अनिश्चित ही रहा। वे पत्रकार रहे, पं. नेहरू के व्यक्तिगत सचिव रहे, रेडियो में रहे और काफ़ी वर्षों तक वे बम्बई की फ़िल्मी दुनिया में भी रहे। पन्तजी ने जितना स्नेह उन्हें दिया, उतना स्नेह वे शायद किसी दूसरे कवि को कभी नहीं दे पाये। दोनों लोग गणित-ज्योतिष के प्रगाढ़ पण्डित थे। भगवती बाबू को नियतिवादी बनाने में उनका बहुत योगदान था। भगवतीचरण वर्मा की भाँति वे भी हिन्दू-होस्टल में ही रहते थे। उनकी 'प्रवासी के गीत', 'पलाशवन' व 'कनक-शस्य' नामक काव्य-पुस्तकें सचमुच बहुत ही मार्मिक हैं। यह एक विचित्र संयोग रहा कि जब बम्बई की 'रंगायन' संस्था ने मुझे हास्य-व्यंग्य के लिए 'चकल्लस पुरस्कार' दिया तो उत्सव के मुख्य-अतिथि नरेन्द्र शर्मा ही थे। उन्होंने ही मुझे ड्राफ़्ट दिया। डॉ. धर्मवीर भारती, गुलाबराय ब्रोकर व शरद जोशी इस दुर्घटना के चश्मदीद गवाह रहे। नरेन्द्र शर्मा मुझे भुवनेश्वर के संस्मरण अक्सर सुनाया करते थे पर उनकी चर्चा कभी अलग से ही करूँगा।

(उन्नीस)

प्रयाग में मेरा प्रथम वर्ष (1950-51) बहुत ही संघर्ष का वर्ष था। उन्हीं दिनों मुझे चित्रकार तुंगनाथ श्रीवास्तव के यहाँ पाँच रुपया प्रति माह पर काम करने को मिला। वे बेचारे खुद ख़स्ता हालत में थे और काम क्या था, मुझे पाँच रुपया प्रतिमाह देने का एक बहाना था। उन्होंने गुरुदेव रवीन्द्रनाथ ठाकुर के चित्रों की एक प्रदर्शनी लगायी। गुरुदेव लिखते-लिखते जो काट-छाँट करते थे, वे कुछ ऐसे ढंग से करते थे कि वह काट-छाँट स्वयं में एक कलात्मक आकृति बन जाती थी। ('रेणु' जी के अनुसार, गुरुदेव के चित्रों की एक प्रदर्शनी कभी पेरिस में लगी थी जो बहुत सफल साबित हुई थी।) तुंगनाथजी ने इस काम के लिए युनिवर्सिटी की लाइब्रेरी की एक गैलरी को चुना और निमन्त्रण-पत्र भी छपवाये जो मैंने बाँटे। 'बच्चन' जी को भी कार्ड देना था और इसी सन्दर्भ में मेरी उनसे प्रथम भेंट हुई।

मैं 'बच्चन' से युनिवर्सिटी में ही मिला। क्लास ख़त्म हो चुकी थी और वे घर जाने के 'मूड' में थे। उन्होंने बहुत रूखेपन के साथ कार्ड लिया और मुझे धन्यवाद तक नहीं दिया। वे सूट पहने हुए थे और उनकी नीली गाड़ी बाहर खड़ी थी। 'बच्चन' क्लास में बहुत 'फ़ार्मल' रहते थे। वे परिश्रमी प्राध्यापक थे और घर से ही काफ़ी तैयारी करके आते थे। क्लास में कोई हँसी-मज़ाक़ नहीं हो सकती थी। हाँ, क्लास के अन्त में कुछ समय, शंका-समाधान के लिए ज़रूर रखा जाता था। छात्र-लोग उनकी क्लास की तुलना जेल से किया करते थे। अपने विभाग के अध्यापकों में भी वे कोई विशेष लोकप्रिय नहीं थे। मुझे उनका व्यवहार पसन्द नहीं आया और मैंने उन्हे हीनभावना से ग्रस्त एक दयनीरा व्यक्ति पाया।

कोई एक वर्ष बाद, मैं समय लेकर उनसे मिलने उनके घर गया जो 'क्लाइव रोड' पर स्थित था। घर पर वे कुछ कम 'फ़ार्मल' थे। उन्होंने मेरी रचनाएँ सुनीं और यह भी कहा कि "आज तो त्योहार का दिन है क्योंकि आज एक नया कवि घर पर आया है।" उन्होंने मुझे अपने साथ चाय भी पिलायी मगर इस सबके बावजूद, मैं उनमें कोई अपनत्व नहीं देख पाया।

'बच्चन' का जन्म सन् 1907 में प्रयाग में ही हुआ था। उनका प्रारम्भिक जीवन भयानक संघर्ष में बीता। उन्होंने ट्यूशन किये, छोटे-छोटे शिक्षा-संस्थानों में काम किया और उनकी पहली पत्नी की मृत्यु ने तो उन्हें तोड़ कर ही रख दिया। डॉ. अमरनाथ झा ने उन्हें युनिवर्सिटी में रखवाया और बाद में उन्होंने, मात्र अपने बल पर, कैम्ब्रिज जाकर आयरिश कवि येट्स पर डॉक्टरेट ली। बाद में वे पण्डित नेहरू के सम्पर्क में आये। युनिवर्सिटी ने उनको सही सम्मान नहीं दिया और वे भारत-सरकार के विदेश-मन्त्रालय में चले गये। शास्त्री जी ने उन्हें राज्य-सभा की सदस्यता दिलायी और उनकी दूसरी पत्नी, उनकी प्रेरणा का अनन्त स्रोत रही। उन्हें

बहुत सम्मान मिला और उन्होंने विदेश-यात्राएँ भी कीं। वे शालीन व नियमित ढंग से रहते थे पर उनकी बेबाकी पं. नेहरू व शास्त्री जी के साथ भी बराबर चली। कुल मिलाकर अपने व्यक्तिगत जीवन में, वे फक्कड़पन और शालीनता का समन्वय ही रहे। जिस हीनभावना की चर्चा मैंने शुरू में की है, वह उन्हें कभी भी पूरी तरह छोड़ नहीं पायी। यह भी हो सकता है कि मैं उन्हें ठीक तरह आँक नहीं पाया। किसी भी आदमी को समझना बहुत कठिन काम है और मेरे जैसा मूर्ख व्यक्ति, जो आज तक स्वयं को ही नहीं समझ पाया, वह किसी दूसरे को क्या समझेगा?

'बच्चन' की ख्याति उनकी 'मधुशाला' के कारण हुई जिसके बल पर वे लगभग पाँच सौ कवि-सम्मेलनों के राजकुमार बने। उन्हें सब कवियों के बाद ही सुना जाता था क्योंकि उनके काव्य-पाठ के बाद, कोई कवि ऐसा नहीं बचता था जिसके लिए श्रोताओं की भीड़ रुकती। जब गाँधी जी 'हिन्दी-साहित्य-सम्मेलन' के सभापति बने तो अधिवेशन में 'बच्चन' ने अपनी 'मधुशाला' सुनायी थी हालाँकि कुछ लोग सम्मेलन के इस सुझाव के ख़िलाफ़ थे। 'मधुशाला' पढ़ते हुए 'बच्चन' एक अजीब मस्ती में खो जाते थे, उनका चेहरा एक विचित्र आभा से आलोकित हो उठता था और उनके बिखरे हुए बाल व मधुर कण्ठ, कुछ ऐसा समाँ बाँधते थे कि जिसको शब्दों में नहीं बाँधा जा सकता। 'मधुशाला' एक श्रव्य-काव्य और एक दृष्य-काव्य-दोनों थी। 'बच्चन' की 'मधुशाला' आधुनिक हिन्दी की सबसे ज़्यादा बिकने वाली पुस्तकों में से एक रही। उसका अँग्रेज़ी अनुवाद 'हाउस ऑफ़ वाइन' के नाम से लन्दन से छपा जिसकी छोटी-सी भूमिका पं. नेहरू ने लिखी। एच.एम.वी. ने 'मधुशाला' के रिकॉर्ड बनाये। मगर दो बातें कहना ज़रूरी है। पहली बात तो यह है कि 'मधुशाला' का साहित्यिक मूल्य शून्य है और दूसरी बात यह है कि इस पुस्तक के कारण न जाने कितने पाठकों का ध्यान 'बच्चन' के उस श्रेष्ठ काव्य पर कभी नहीं गया जो सचमुच कालजयी है। मंच से उतरने के बाद 'बच्चन' फिर 'फ़ार्मल' हो जाते थे और उनका आटोग्राफ़ लेने से लोग घबराते थे।

प्रयाग में 'बच्चन' कभी-कभी 'परिमल' में आते थे। एक बार इतनी देर से आये कि हॉल भर चुका था और उन्हें वहाँ बैठना पड़ा जहाँ कि लोगों के जूते रखे थे। पन्तजी ने पूछा तो उन्हें खोजा गया। वे उस दिन बहुत ही विरक्त मुद्रा में थे। 'मिलन यामिनी' तभी 'आउट' हुई थी और जिस-जिस कविता की हम लोग फ़रमाइश करते गये, वे उसी-उसी कविता को सुनाते चले गये। कण्ठ मधुर था पर 'बच्चन' कुछ थके थे, कुछ उखड़े हुए थे। जो आनन्द अपेक्षित था, वह उस दिन नहीं आया। इतनी उखड़ी मुद्रा में मैंने उन्हें पहली बार उसी दिन देखा।

इसके बाद मैंने उन्हें एक बार नैनीताल में बस-स्टैण्ड पर देखा। मेरी पत्नी मेरे साथ थी। बस-स्टैण्ड पर वे टिकट ख़रीदने के लिए लाइन में लगे थे और उनके दोनों पुत्र (जो उस समय बच्चे ही थे सामान के पास खड़े थे। मैंने अपनी पत्नी को

उन्हें दूर से ही दिखाया, पास जाने की हिम्मत मुझे नहीं हुई। इसके बाद मैं फिर कई वर्षों तक उनके दर्शन नहीं कर पाया।

सन् 1963 में मैं रक्षा-सेवाओं का 'सहायक-वित्तीय-सलाहकार' बनकर वित्त-मन्त्रालय में नियुक्त हुआ। मेरा कमरा 'साउथ-ब्लॉक' में था और काम का 'प्रेशर' बहुत ज़्यादा था। एक दिन पता चला कि 'बच्चन' जी का दफ़्तर पास ही एक बैरक में है। मैंने डाइरेक्टरी में नम्बर ढूँढ़ा और डरते-डरते उन्हें फ़ोन किया। फ़ोन पर मैंने क्या कहा, यह अब मुझे याद नहीं रहा। 'बच्चन' जी ने कहा कि 'अभी चले आओ।' मैं थोड़ी देर बाद उनके पास पहुँच गया। नौकरी में आने के बाद, मैं भी ढंग के कपड़े पहनने लगा था। उन्होंने मुझे देखते ही कहा कि "अरे, तुम तो मेरी ही तरह एक अफ़सर हो, मैं तो समझा था कि गाँधी-आश्रम का झोला लटकाने वाला कोई कवि होगा।" मैं हँस पड़ा। बच्चन जी एकदम 'नार्मल' थे। उनका कमरा ढंग से सजा था और सारे कमरे में वे अकेले ही बैठते थे। मैं उनके ही बराबर रैंक का अफ़सर था पर मेरे कमरे में एक और अफ़सर भी बैठते थे। उन्होंने चाय पिलायी और बहुत बातें कीं। पाँच बजे श्रीमती तेज़ी बच्चन वह प्रयाग वाली नीली मोटर लेकर, उन्हें लेने आ गयी थीं। इसके बाद मैं नियमित रूप से उनसे मिलने जाता रहा। ख़ूब बातें होती थीं और 'बच्चन' जी बेहद आत्मीयता से मिलते थे। काम उनके पास काफ़ी था पर वे उसे तीन बजे तक ख़त्म कर देते थे। इलाहाबाद का ज़िक्र आते ही वे बदल जाते थे। उस शहर से उन्हें प्रेम भी था और नफ़रत भी थी...

एक दिन 'बच्चन' जी ने मुझे अपने घर आने का निमन्त्रण दिया क्योंकि उस दिन उनके घर पर एक कवि-गोष्ठी थी। वे 'विलिंग्डन-क्रिसेण्ट' के एक सुन्दर सरकारी बँगले में रहते थे। काफ़ी साहित्यकार आये थे हालाँकि मुझे मात्र 'अज्ञेय' जी भारतभूषण अग्रवाल की ही याद है। 'अज्ञेय' जी अपने साथ 'टेप-रिकॉर्डर' लाये थे ताकि सारा काव्य-पाठ रिकॉर्ड किया जा सके। 'अज्ञेय' ने दाढ़ी रखनी शुरू कर दी थी। 'बच्चन' ने 'अज्ञेय' की दाढ़ी अपने हाथ में पकड़कर हिलायी और कहा कि "अज्ञेय, तुम अपनी शक्ल इतनी जल्दी क्यों बदलते रहते हो?" सब लोग ख़ूब हँसे। 'अज्ञेय' जी ज़रूर चुप रहे और मुस्कुराते रहे।

गोष्ठी ख़ूब जमी। श्रीमती तेज़ी बच्चन ने जिस स्नेह और शालीनता से सब लोगों का अतिथि-सत्कार किया, उसे मैं कभी नहीं भूल सकता। मेरा दूसरा कविता-संग्रह छप कर ही आया था और अपनी बारी आने पर, मैंने उसमें से एक ऐसी कविता सुनानी शुरू की जो एक अत्यन्त करुण अवधी लोक-गीत का रूपान्तर थी। मैंने दो-चार पंक्तियाँ ही पढ़ी होंगी कि 'बच्चन' जी ने मुझे रोक दिया और सोफ़े से उतर कर वे कालीन पर आ गये और उस लोक-गीत को उसके मूल रूप में ही गाकर सुनाने लगे। उस गीत की करुणता ने और 'बच्चन' की मस्ती व उनके मधुर व दर्द भरे कण्ठ ने, सब श्रोताओं को मन्त्र-मुग्ध कर दिया और सबकी आँखों में आँसू

आ गये। 'बच्चन' को लोक-गीतों से गहरा लगाव था और उन्होंने लोकधुनों पर आधारित अनेक कविताएँ भी लिखीं जिन से कुछ 'त्रिभंगिमा' में संग्रहीत हैं। इस गोष्ठी के कुछ दिन बाद जब मैं उनसे मिलने गया तो उन्हें फिर उखड़ा हुआ पाया। उस दिन तो उन्होंने मुझे उस समय, सचमुच दुख और असमंजस में डाल दिया जब उन्होंने स्पष्ट कहा कि "गाना न आया बजाना न आया, दिलवर को अपने रिझाना न आया।" मैंने उन्हें अकेला छोड़ना ही मुनासिब समझा और मैं बिना चाय पिये ही वापिस चला आया।

काका हाथरसी मेरे प्रति बहुत स्नेह रखते थे। उनके अनुसार एक बार वे और बच्चन—दोनों एक साथ कोई कवि-सम्मेलन 'अटेण्ड' करने जा रहे थे कि उनकी गाड़ी लेट हो जाने के कारण उनकी अगली ट्रेन कहीं 'मिस' हो गयी। स्टेशन-मास्टर ने उसी दिशा में जाने वाली एक मालगाड़ी के गार्ड साहब के डिब्बे में उन्हें बिठाया जहाँ 'बच्चन' के कहने पर काका ने उन्हें दाढ़ी पर एक कुण्डली तुरन्त रच कर उन्हें सुनायी। रास्ते में एक स्टेशन पर काका के मित्र एक सेठ ने अपनी मोटर के साथ उन्हें 'रिसीव' किया। सेठजी के घर पर कोई आयोजन था। 'बच्चन' आराम से बैठ गये और ढोलक बजाने लगे।

एक दिन 'बच्चन' जी ने मुझसे पूछा कि "राजपाल एण्ड संस' की 'हिन्दी के लोकप्रिय कवि सिरीज़' में मैं अपनी चुनी हुई कविताओं का संग्रह दूँ या नहीं और यदि दूँ तो क्या इस काम में तुम मेरी मदद कर पाओगे?" मैंने कहा कि "आपकी श्रेष्ठ कविताओं का अभी कोई संग्रह कहीं से नहीं छपा है और यदि इस बहाने ऐसी पुस्तक निकल जाए तो ठीक ही रहेगा। जहाँ तक मेरा प्रश्न है, मैं तो पूरी तरह आपके अधिकार-क्षेत्र में आता हूँ और आप जो भी कहेंगे, वह मैं हमेशा करूँगा।" इसके बाद मैं जी. टी. रोड पर स्थित हिन्द-पाकेट-बुक्स' दफ़्तर में वहाँ के मालिक श्री विश्वनाथजी से मिला। वे एक अत्यन्त शिष्ट, कार्यकुशल व शान्त व्यक्ति थे जिन्होंने पुस्तक छापने के लिए अपनी रज़ामन्दी बता दी और रॉयल्टी व पुस्तक के साइज़ वग़ैरह के बारे में अपने नियम भी बता दिये। भूमिका लिखने से पहले मैंने 'बच्चन' जी की तब तक छपी सारी पुस्तकें इकट्ठी कीं और अपने हिसाब से उनकी श्रेष्ठ कविताओं की सूची बनायी। बच्चन का सारा साहित्य पढ़ने पर मुझे लगा कि डॉ. नगेन्द्र का यह कहना एकदम ठीक था कि "बच्चन का स्थान हमारी पीढ़ी के कवियों में बहुत ऊँचा है मगर इस बात में भी कोई सन्देह नहीं है कि गुण व परिमाण—दोनों में 'बच्चन' से अधिक खोखली कविताएँ भी किसी समर्थ कवि ने नहीं लिखीं।" बहरहाल मैंने सूची तैयार की और 'बच्चन' जी को उनके सुझावों के लिए दी। जब मैं अगली बार उनसे मिला तो मुझे यह जानकर अत्यन्त आश्चर्य हुआ कि 'बच्चन' को अपनी सर्वश्रेष्ठ कविताओं का पता ही नहीं था और उन्हें अपनी कुछ ऐसी कविताएँ बेहद प्रिय थीं जो मुझे ही नहीं, वरन् उनके और प्रशंसकों को

भी बेहद कमज़ोर लगती थीं। मेरे मित्र डॉ. श्याम परमार ने मुझे बताया कि "यह दिक्कत प्रायः प्रत्येक रचनाकार के साथ होती है और उसकी कुछ कमज़ोर रचनाएँ भी उसे बेहद पसन्द होती हैं क्योंकि उनके साथ उसकी कुछ स्मृतियाँ जुड़ी रहती हैं जिनका पता शेष लोगों को कभी नहीं चलता।" बहरहाल मैं वह पुस्तक सम्पादित नहीं कर सका। पुस्तक का सम्पादन मेरे परम आदरणीय मित्र चन्द्रगुप्त विद्यालंकार ने किया। 'बच्चन' जी के साथ मेरे जो भी सम्बन्ध थे, उन पर इस घटना का कोई असर हर्गिज़ नहीं पड़ा।

दिल्ली से मेरे तबादले के बाद मेरा पत्र-व्यवहार 'बच्चन' जी से नियमित रूप से चलता रहा। पत्रों का उत्तर देने में 'बच्चन' जी सदा आचार्य महावीरप्रसाद द्विवेदी की भाँति 'प्राम्प्ट' रहे, पं. प्रतापनारायण मिश्र की भाँति दीर्घसूत्री नहीं। मैंने अपना चौथा कविता-संग्रह नागार्जुन व 'बच्चन' को ही समर्पित किया। उन्होंने बदले में अपनी आत्म-कथा का तीसरा खण्ड तुरन्त भेजा और मेरे अगले कविता-संग्रह (सलीब से नाव तक के बारे में लिखा कि "यदि 'कितनी नावों में कितनी बार' पर 'अज्ञेय' को 'ज्ञानपीठ-अवार्ड' मिल सकता है तो वही अवार्ड इस पुस्तक पर आपको दो बार मिलना चाहिए था मगर मिला नहीं।" इस पत्र में कुछ अंश ऐसे भी हैं जो यदि कहीं छप जाते तो दो लोग 'बच्चन' पर फ़ौजदारी का मुक़दमा ज़रूर चला सकते थे। ऐसा पत्र हर लेखक कभी न कभी ज़रूर लिखता है और इसी कारण जब 'पन्त के दो सौ पत्र बच्चन के नाम' नामक पुस्तक 'बच्चन' जी ने छपायी तो मैंने उनके ख़िलाफ़ दो व्यंग्य-लेख लिखे जो मेरी पुस्तकों में बाक़ायदा संग्रहीत हैं।

'बच्चन' की आत्मकथा हिन्दी-गद्य की एक विशिष्ट उपलब्धि है। 'यहाँ उनका गद्य उनके पद्य के सामने स्वयं एक चुनौती बनकर खड़ा हुआ है।' डॉ. धर्मवीर भारती ने एकदम ठीक ही कहा है कि "अपने बारे में सब कुछ इतनी बेबाकी, साहस व सद्भावना से कह देना, हिन्दी के हज़ार वर्ष के इतिहास में पहली बार हुआ है।" यह ठीक ही हुआ कि उनकी आत्मकथा पर 'बिड़ला फाउण्डेशन' का 'शिखर-सम्मान' दिया गया।

बाद में 'बच्चन' जी बम्बई चले गये। उस समय के पत्र अमिताभ बच्चन के 'लेटर-हैड' पर हैं। फिर वे दिल्ली आये जहाँ 'सोपान' नाम का उनका घर बन चुका था। तब के पत्र भी मेरे पास हैं। उनका स्वास्थ्य अचानक गिरने लगा था और वे न चीनी ले सकते थे, न नमक। मजबूरी में उन्हें फिर बम्बई जाना पड़ा जहाँ अब वे और तेज़ी जी बच्चों के साथ रहते हैं।

प्रेम और वासना के कवि 'बच्चन' ने व्यंग्य-कविताएँ भी लिखीं और विद्रोही कविताएँ भी लिखीं। वे सदा एकदम मौलिक रहे और 'अज्ञेय' की भाँति उन्होंने न कभी कोई गुट बनाया और न कभी एक पंक्ति भी किसी दूसरे से ली। तुलसीदास और मुंशी प्रेमचन्द की भाँति वे उच्च कोटि के साहित्यकार भी बने और लोकप्रिय

भी रहे। मैं उनकी तीन पंक्तियाँ यहाँ देता हूँ और यह प्रसंग समाप्त करता हूँ :

मैं गाता हूँ यह ख़ास निशानी मेरी है
मैं गाता हूँ इसलिए रवानी मेरी है
मैं गाता हूँ इसलिए जवानी मेरी है...

(बीस)

बीसवीं सदी में उर्दू में तीन बहुत बड़े कवि हुए। एक थे 'जिगर', दूसरे थे 'जोश' और तीसरे थे 'फ़िराक़'! मुझे इन तीनों हस्तियों को देखने और उनका कलाम सुनने का सौभाग्य प्राप्त है। सन् 1950 में 'फ़िराक़' हमारी युनिवर्सिटी के अँग्रेज़ी विभाग में प्राध्यापक थे। वे बेहद दिलचस्प, दबंग और विवादास्पद व्यक्ति थे। उनको पास से देखने का और उनका स्नेह पाने का मुझे पर्याप्त अवसर मिला।

रघुपतिसहाय 'फ़िराक़' का जन्म गोरखपुर में सन् 1896 में हुआ। उनके पिता एक बहुत कामयाब वकील थे जो 'इबरत' उपनाम से शायरी भी करते थे। फ़ारसी और उर्दू की शुरुआती तालीम, उन्हें अपने पिता से ही मिली। बी.ए. पास करने के बाद, वे गवर्नर द्वारा डिप्टी-कलेक्टरी के लिए नामज़द कर दिये गये मगर वे उस पद को अस्वीकार करके, स्वाधीनता-आन्दोलन में कूद पड़े और उस दिशा में अपने क्षेत्र में उन्होंने बेहद ठोस काम किया। उन्हें जेल जाना पड़ा और 1927 तक वे कांग्रेस के अण्डर-सेक्रेटरी भी रहे। पं. नेहरू से उनका परिचय इन्हीं दिनों हुआ जो जीवन भर चला। मुंशी प्रेमचन्द से उनका परिचय गोरखपुर में ही हो चुका था। उनके मुताबिक "मुंशी प्रेमचन्द ग़रीबी के ख़िलाफ़ लड़ते थे, वह ख़ुद ग़रीब नहीं थे।" इसके बाद उन्होंने अँग्रेज़ी में एम.ए. किया और फिर वे सदा के लिए हमारी युनिवर्सिटी के अँग्रेज़ी विभाग से जुड़ गये।

'फ़िराक़' साहब का विवाह 1914 में हो गया था। उनका पारिवारिक जीवन सुखी नहीं था। 'फ़िराक़' की पत्नी उनकी निगाह में फूहड़, गँवार व मन्दबुद्धि थी और उसकी शिकायत वे अपने मिलने वालों से रोज़ करते थे। उनकी तीन सन्तानें थीं—दो कन्याएँ व एक पुत्र। गृहस्थ-जीवन सफल न रहने के कारण ही, उन्होंने अपनी कविता में सुखी घरेलू जीवन का चित्रण किया और वे उस व्यसन में भी फँस गये जिसके कारण एक लार्ड ने आस्कर वाइल्ड को कभी जेल भिजवाया था। बच्चन के शब्दों में "प्रतिभा प्रायः असन्तुलन और किसी न किसी प्रकार के विकार का शिकार होती है और 'फ़िराक़' उनसे मुक्त नहीं थे।" जनश्रुति के अनुसार उनके पुत्र ने उनकी इसी बदनामी से दुखी होकर आत्महत्या की थी। इस दुखद प्रसंग की और चर्चा न करना ही ठीक होगा।

'फ़िराक़' साहब को मैंने अनेक रूपों में देखा। मैं उनका छात्र तो नहीं था पर सुरतदास श्रीवास्तव के साथ उनकी क्लास मैं प्रायः अटेण्ड कर लेता था। उनकी

क्लास की ख़ास बातें तीन थीं। वे हाज़िरी नहीं लेते थे (वह छात्रों को खुद लगानी पड़ती थी उनके क्लास में लड़कियाँ नहीं होती थीं और उनकी क्लास में पाठ्यक्रम का कोई ध्यान नहीं रखा जाता था। फ़िराक़ साहब बढ़िया शेरवानी और चूड़ियों वाले चुस्त पाजामे में आते थे। सिर पर गाँधी टोपी होती थी, पैरों में मोज़े और बूट होते थे और हाथ में छड़ी रहती थी जिसे वे हवा में घुमाते रहते थे। वे लगातार सिगरेट पीने वाले व्यक्ति थे और यह क्रम क्लास-रूम में भी जारी रहता था। अँग्रेज़ी-साहित्य का उन्होंने गहन अध्ययन किया था और उनकी खुशमिज़ाजी, विनोदप्रियता, स्पष्टवादिता व उनके बहुश्रुत व्यक्तित्व के कारण, उनकी क्लास एक अद्भुत आकर्षण रखती थी। वे विभाग के अध्यक्ष (प्रो. सतीशचन्द्र देव तक की 'फूँक' निकाला करते थे क्योंकि देव साहब को कभी-कभी अपनी डींग मारने का 'मूड' आता रहता था। युनिवर्सिटी से लौटने के बाद, 'फ़िराक़' साहब खाना खाते थे, कुछ आराम फ़रमाते थे और फिर तीसरे पहर वे कॉफ़ी-हाउस चले जाते थे। बोलने के वे बहुत शौक़ीन थे और मिल्टन से शुरू कर मेंढकों की क़िस्में बताने या बैंगन का भुर्ता बनाने की प्रक्रिया समझाने तक में आ जाने में उन्हें कोई विशेष कठिनाई नहीं होती थी। वे बढ़िया लतीफ़े सुनाते थे, सुनते थे, हँसते थे और हँसाते थे। यह उनका एक रूप था। उनका दूसरा रूप शाम के लगभग सात बजे शुरू होता था, जिसके दौरान वही शख़्स अपना 'दरबार' लगाता था, लगातार शराब पीता था, अपनी डींग मारता था और सबको—ख़ासकर हिन्दी वालों को—फोश से फोश गालियाँ सुनाता था। उनका ढीला पाजामा प्रायः बिना नाड़े का 'और कुर्ता बग़ैर बटनों का होता था और जब ज़रूरत पड़ती थी तभी उठकर, वे बाहर बरामदे में ही मूत लिया करते थे। घर में एक नौकर के अलावा और कोई नहीं होता था। यह दरबार कोई रात के ग्यारह बजे तक चलता था जिसके बाद कबाब के पराँठे खाकर वह दरिन्दा और वहशी 'फ़िराक़' सुबह तक के लिए सो जाता था। यह उनका दूसरा रूप था। जब मैं झा होस्टल में आ गया था तो यह दरबार लगभग रोज़ ही 'अटैण्ड' करता था क्योंकि वहाँ से 'फ़िराक़' साहब का बँगला एकदम पास था। हाँ, मैं साढ़े नौ से पहले ही दरबार छोड़ देता था क्योंकि उसके बाद होस्टल का 'मेस' बन्द हो जाता था। वैसे मैंने 'फ़िराक़' साहब को कभी-कभी अकारण ही एक सामान्य व्यक्ति की भाँति हँसते और बातें करते भी देखा है। वे एक सुन्दर, शिष्ट, नम्र व दयालु व्यक्ति भी हो जाते थे। यह उनका तीसरा रूप था जिसमें वे बहुत ही अच्छे लगते थे। दुर्भाग्य यही था कि यह तीसरा स्वाभाविक रूप, बहुत कम देखने को मिलता था।

'फ़िराक़' साहब के व्यक्तित्व में बहुत विरोधाभास थे। वे एक अहंकारी, आत्मश्लाघा के प्रेमी व परनिन्दा में पारंगत व्यक्ति थे। ("आज इलाहाबाद है सूना शायर के उठ जाने से, गलियों गलियों ढूँढ़ोगे पर कहाँ 'फ़िराक़' को पाओगे?" या "आने वाली नस्लें तुम पर रश्क करेंगी हम असरो, जब मालूम ये होगा कि तुमने

फ़िराक़' को देखा था") और इस सबके साथ-साथ वे कबीर को खुदा और तुलसीदास को विलियम शेक्यपीयर से भी बड़ा कवि मानते थे। "मियाँ, एक लाख 'फ़िराक़' भी मिलकर तुलसीदास का मुक़ाबला नहीं कर सकते" या "मैं सूरदास, तुलसीदास, मीरा और कबीर के करोड़ मील दूर तक ग़ालिब, इकबाल और टैगोर को भी नहीं देखता, मेरी तो बिसात ही क्या है?" वे जहाँ एक तरफ़ नास्तिक, अघोरी, ज्ञान और विज्ञान के प्रेमी व पुरानी रूढ़ियों के दुश्मन थे, वहीं ये दूसरी तरफ़ सन्तों और दरवेशों के भक्त भी थे और अपनी प्राचीन संस्कृति व सभ्यता से बुरी तरह प्रेम भी करते थे। वे सुबह के वक़्त शिष्ट, विनोदी और विद्वान् लगते थे जब कि शाम को शराब में डूब कर वे अपनी गोल-गोल आँखें इस तरह घुमाते थे और अपना मुँह इस तरह खोलते थे– कि डर लगता था।

एक कवि की हैसियत से वे सौन्दर्यवादी भी थे और प्रगतिशील भी थे। "उन्होंने अपने ढंग से 'अध्यात्म' को समझा और घरेलू जीवन, प्रकृति-चित्रण, उदासी, अकेलेपन और रात–इन सबको लेकर उत्कृष्ट काव्य रचा। वे एक बहुत बड़े शायर थे पर वे मीर, ग़ालिब या इक़बाल की तरह महान् नहीं थे।" वे पन्त और 'निराला' के मित्र थे और जयशंकर 'प्रसाद' के जन्मजात शत्रु थे। कभी-कभी वे दूसरों की निन्दा उन कमियों को लेकर भी किया करते थे जो उनमें खुद में थीं। वे अपना कलाम बड़े दबंग होकर पढ़ते थे और वैसे भी वे अपनी कमियों को छिपाते नहीं थे। रिटायर होने पर भी उन्होंने युनिवर्सिटी का बंग्ला नहीं छोड़ा और मुक़दमेबाज़ी की। अन्तिम दिनों में उन्हें पक्षाघात हो गया था। उन्हें 'ज्ञानपीठ-अवार्ड' से सम्मानित किया गया। वे एकदम मुँहफट, हाज़िरजवाब व ईंट का जवाब पत्थर से देने वाले व्यक्ति थे। तकल्लुफ तो उन्हें प्रिय था पर खुशामद से उन्हें नफ़रत थी। वे एक दयालु व्यक्ति थे और नये साहित्यकारों से मिलकर उन्हें खुशी होती थी। बाक़ी साहित्यकारों की भाँति, वे भी बेहद 'मूडी' थे। कुछ लोग ऐसे भी थे जो उनसे भी ज़्यादा धाकड़ थे और 'फ़िराक़' साहब उनसे नहीं उलझते थे। डॉ. अमरनाथ झा से उनके सम्बन्ध अत्यन्त आत्मीयतापूर्ण थे। (डॉ. अमरनाथ झा के संस्मरण में मैंने 'फ़िराक़' साहब के 'ड्राप' करने की चर्चा की है। वह जनश्रुति एकदम सच्ची है पर वह हादसा तब हुआ था जब कि ये दोनों महापुरुष बी.ए. के विद्यार्थी थे, एम.ए. के नहीं) एक दिन शाम के 'दरबार' में 'फ़िराक़' साहब ने एक बड़ा दिलचस्प लतीफ़ा सुनाया। उन दिनों पं. नेहरू प्रयाग आये हुए थे और 'फ़िराक़' साहब उस दिन उनसे मिलने गये थे। जल्दी में उन्होंने पर्चे पर 'रघुपतिसहाय' न लिखकर मात्र 'सहाय' ही लिखा और उसे दरबान के हाथों भीतर भिजवा दिया। पण्डित जी ने नाम पहचान लिया और उन्हें तुरन्त भीतर बुलवा लिया। 'फ़िराक़' साहब के अन्दर पहुँचने पर, पं. नेहरू ने उनसे कहा कि "आइन्दा यदि तुम 'सहाय' की जगह मात्र 'हाय' ही लिखा करो तो ज़्यादा उपयुक्त रहेगा।" यह लतीफ़ा सुनकर, वहाँ बैठे हम सब लोग खिलखिलाकर

हँस पड़े। 'फ़िराक़' के बारे में अगर अश्लील लतीफ़े पढ़ने हों तो आप 'जोश' मलीहाबादी की आत्मकथा 'यादों की बारात' पढ़ें।

सन् 1954 के अन्त तक मैं प्रयाग रहा और 'फ़िराक़' साहब से बराबर मिलता रहा। बाद में मैं एक केन्द्रीय सिविल सर्विस के लिए चुन लिया गया और मैं सन् 1961 तक मेरठ व पटना में नियुक्त रहा। सन् 1961 में मेरी नियुक्ति प्रयाग में हुई। कुछ ही दिनों बाद मैं उनसे मिलने गया तो वे मुझे एकदम पहचान न सके क्योंकि आराम की ज़िन्दगी के कारण मैं अब काफ़ी मोटा हो गया था। नाम बताते ही वे पहचान गये और कहने लगे कि "देखो भाई, ईमानदारी का तकाज़ा यह है कि अब तुम अपना नाम 'त्यागी' की जगह 'गुप्ता' रख लो।" उनके इस कटाक्ष पर दरबार में बैठे सारे लोग हँस पड़े। थोड़ी देर बाद उन्होंने अपनी 'गुरुदक्षिणा' माँगी और सबके सामने माँगी। मैंने उनके लिए फ़ौज की कैण्टीन से 'रम' की छह बोतलें ख़रीदीं और उनको उन तक पहुँचाया। वे मेरा 'वैष्णवपन' जानते थे और बाद में उन्होंने मुझे किसी धर्म-संकट में कभी नहीं डाला। सन् 1962 में जब मेरा प्रथम कविता-संग्रह 'भारती-भण्डार' से छपा तो उन्होंने उसकी तुलना हिटमैन के कविता-संग्रह 'लीव्स ऑफ़ ग्रास' से की। मैं सचमुच ख़ुशी से गद्गद हो गया। उनकी सम्मति पुस्तक के फ़्लैप पर छपी।

प्रयाग से 1963 में मेरा तबादला केन्द्रीय-सचिवालय को हो गया। तीन वर्ष बाद मेरी तरक्की हो गयी और मैं तीन वर्ष के लिए फिर प्रयाग भेज दिया गया। 'फ़िराक़' साहब से अन्तिम भेंट 1969 में हुई जो मुझे हमेशा याद रहेगी और जिसकी चर्चा मैं अपनी एक पुस्तक में भी कर चुका हूँ। सन् 1969 में जब मेरा तबादला प्रयाग से बाहर हुआ तो मैंने यूँ ही महसूस किया कि शायद पन्तजी और फ़िराक़ साहब से 'अब भेंट नहीं होगी और इन महान् कवियों के दर्शन मैं अपनी पत्नी को भी करा ही दूँ। (इत्तफ़ाक की बात यह है कि मेरा यह भय सही साबित हुआ और मैं इन दोनों महान् कवियों से फिर नहीं मिल सका) मैंने 'फ़िराक़' साहब से बात की तो उन्हें बड़ी ख़ुशी हुई और वे बोले कि "तुम बिटिया को कल सुबह ले आना। तुम तो जानते ही हो कि शाम के वक़्त तो मैं एकदम जानवर बन जाता हूँ।" मैं अगले दिन सुबह कोई साढ़े आठ बजे अपनी पत्नी के साथ उनके यहाँ गया। घण्टी बजायी, दरवाज़ा खटखटाया पर कोई नहीं निकला। मैंने पत्नी को बाहर बरामदे में छोड़ा और दरवाज़ा खोलकर ख़ुद भीतर गया। सारा घर खुला पड़ा था और उसमें कोई नहीं था। बहुत तलाश करने पर पाया कि 'फ़िराक़' साहब नशे में धुत्त होकर एकदम नंगी हालत में बाथरूम में 'शावर' के नीचे पड़े थे और नौकर किसी काम से कहीं बाहर गया हुआ था। मैंने किसी तरह 'फ़िराक़' साहब को पलँग तक पहुँचाया और उनको ढकने के लिए जब कुछ और नहीं मिला तो एक कालीन ही उनके ऊपर डाल दिया। ग़लती मेरी थी, मैंने यह सोचा ही नहीं था कि आज तो इतवार है और

आज तो ये सुबह को भी पीना शुरू कर सकते हैं। महाकवि को भी थोड़ा-बहुत होश आ चुका था और वे सब कुछ समझ चुके थे। मैंने पत्नी को भीतर बुलाया। उसने प्रणाम किया और महाकवि ने बड़े संकोच के साथ उसे बहुत स्नेहपूर्ण आशीर्वाद दिया। थोड़ी देर बाद हम लोग चले आये। मैं जब तक उनके पास रहा, कालीन को पूरी शक्ति से दबाकर रखता रहा..

सन् 1982 में 'फ़िराक़' साहब की प्रयाग में मृत्यु हो गयी। उनकी मृत्यु का समाचार मिलने पर मैं सन्न रह गया। इतना बड़ा, इतना बहशी, इतना उदास, इतना खुशमिज़ाज और इतना आकर्षक आदमी रोज़-रोज़ पैदा नहीं होता। मैं उनके साथ गुज़रा हुआ वक़्त याद करने लगा और किसी शायर की ये पक्तियाँ अनायास ही मेरे ओठों पर आ गयीं :

जी रहे हो जिस कला का नाम लेकर
कुछ पता भी है कि वह कैसे बनी है?
तहज़ीब की तुम जिस इमारत पर खड़े हो
वह इन्हीं बदनाम लोगों ने चिनी है..?

दिल्ली-सल्तनत : कुछ नोट्स

मुग़ल-साम्राज्य से पहले हमारे देश में जो मुस्लिम प्रशासन रहा, उसे इतिहासकार 'सल्तनत' के नाम से पुकारते हैं। गुलाम वंश, खलजी वंश, तुग़लक वंश, सैयद वंश, व लोदी वंश के विभिन्न सुल्तानों ने सन् 1206 ईस्वी से लेकर सन् 1526 ईस्वी तक, इस देश पर हुकूमत की। उससे पहले भी कई मुसलमान योद्धा इस देश पर एक के बाद एक आक्रमण करते रहे पर उन हमलों का उद्देश्य मात्र लूट-मार करना ही होता था, यहाँ अपना राज्य या साम्राज्य स्थापित करने की बात उनके दिमाग़ में नहीं आयी थी। सल्तनत के युग के कुछ दिलचस्प प्रसंग मैं यहाँ देता हूँ। इनमें से कुछ प्रसंग सल्तनत से पहले के भी हैं। ये सारे प्रसंग ऐसे हैं जो अनेक देशी व विदेशी इतिहासकारों की खोजों पर आधारित हैं और इसी कारण उनकी प्रामाणिकता पर कोई शंका या लघुशंका करना शायद ठीक नहीं होगा।

(1) ईराक के सूबेदार हज्जाज ने सिन्ध पर अपना सब से सफल हमला एक ऐसी सेना से किया था जिसका नेतृत्व मुहम्मद-बिन-कासिम नाम का सेनापति कर रहा था और जिसकी उम्र उस समय लगभग मात्र 18 वर्ष ही थी। पैदल सेना के अतिरिक्त इस सेना में 6000 सीरियन घुड़सवार व 3000 सामान ढोने वाले ऊँट शामिल थे। तोपखाना ऐसा था कि उसकी तोपों से सिर्फ़ पत्थर ही फेंके जा सकते थे; बारूद का आविष्कार तब तक नहीं किया गया था। विजय के बाद उन सभी पुरुषों को क़त्ल कर दिया गया जो 17 वर्ष से ज़्यादा उम्र के थे और जो इस्लाम धर्म को स्वीकार करने को तैयार नहीं थे। बच्चों व स्त्रियों को गुलाम बना लिया गया। लगभग 75 रमणियाँ अत्यन्त रूपवती थीं। इन सुन्दरियों को, लूट के 'चार बटा पाँच' हिस्से के साथ, हज्जाज के पास भेज दिया गया और बाक़ी को सेना ने आपस में बाँट लिया।

(2) देवल के राजा की सारी सम्पत्ति, उसकी एक अदद पत्नी व दो अदद राजकुमारियाँ मुहम्मद-बिन-कासिम को प्राप्त हुईं। रानी से मुहम्मद ने स्वयं शादी कर ली और राजकुमारियों को ख़लीफ़ा की सेवा में भेज दिया गया। इन दोनों राजकुमारियों ने ख़लीफ़ा से कहा कि ख़लीफ़ा को भेजने से पहले मुहम्मद-बिन-कासिम

ने उन्हें अपने हरम में कई रात रखा था। इस शिकायत को सुनकर ख़लीफ़ा ने—जो उन दोनों लड़कियों के रूप पर मुग्ध हो चुका था—हुक्म दिया कि मुहम्मद को बैल की खाल में बन्द करके उसके सामने पेश किया जाए। इस आदेश को सुनकर सेनापति मुहम्मद ने आत्महत्या कर ली। ख़लीफ़ा को जब बाद में पता लगा कि दोनों राजकुमारियों ने जो शिकायत की थी वह झूठी थी तो ख़लीफ़ा ने उन दोनों रूपसियों को घोड़ों की पूँछ से बाँध दिया और घोड़ों को तब तक दौड़ाया गया जब तक कि उन दोनों हसीन लड़कियों के प्राण नहीं निकल गये।

(3) उतबी के अनुसार, "महमूद ग़ज़नवी ने अपने एक हमले में एक ऐसा नगर देखा था जो किसी को भी विस्मय में डाल सकता था। इस नगर के चारों ओर पत्थर के बने हुए हज़ारों दुर्ग थे जिनका प्रयोग मन्दिरों की भाँति किया जाता था। बीच में एक ऐसा भव्य और ऊँचा मन्दिर था जिसके सौन्दर्य व सजावट का वर्णन या चित्रण न कोई लेखक कर सकता था और न कोई चित्रकार।" यह मन्दिर सोना, चाँदी व हीरे-जवाहरातों से भरा पड़ा था। कुछ स्वर्ण-प्रतिमाएँ तो पाँच-पाँच हाथ ऊँची थीं और एक प्रतिमा में 50000 दीनारों के मूल्य की लाल मणियाँ भी जड़ी हुई थीं। महमूद ग़ज़नवी ने इस सुन्दर नगर (मथुरा) को बुरी तरह लूटा और यही स्थिति वृन्दावन व कन्नौज की हुई। महमूद ग़ज़नवी के बारे में कहा जाता था कि "वह सब कुछ ले गया और जो वह नहीं ले जा सका, उसे उसने नष्ट कर दिया।"

(4) सोमनाथ का मन्दिर बेहद अमीर था। लाखों लोग प्रतिदिन भेंट चढ़ाते थे और 10000 गाँव अलग से मन्दिर के नाम थे। मन्दिर बेहद ख़ूबसूरत था और उसमें अपार सम्पत्ति लगी हुई थी। शिवलिंग अधर में टँगा हुआ था और उसका छत्र हीरे-जवाहिरातों से बना था। मन्दिर इतना विशाल व अमीर था कि 200 मन वज़न की सोने की जंज़ीर से तो उसका घण्टा बजाया जाता था। पुजारियों की संख्या एक हज़ार थी और 350 नर्तक स्त्री व पुरुष थे। मन्दिर को जीतने में 50000 से ज़्यादा लोग मारे गये। शिव-लिंग के टुकड़ों को गज़नी की मस्जिद की सीढ़ियों में लगाया गया। लूट के माल में बहुमूल्य चीज़ें दो ही थीं। एक तो एक ऐसा अनमोल पत्थर का टुकड़ा था जिसके लगाने से कोई भी घाव ठीक हो जाता था और दूसरी चीज़ एक ऐसी विचित्र चिड़िया थी जो विषाक्त भोजन को देखते ही रोने लगती थी।

(5) महमूद ग़ज़नवी का सब से बड़ा दोष उसकी धन-लिप्सा था। इसके अतिरिक्त वह किसी भी दृष्टि से निन्दनीय नहीं था। मिस्टर हैवेल ने लिखा है कि "यदि बग़दाद में सोमनाथ जैसी सम्पत्ति होती तो वह उसे भी वैसी ही निर्दयता से लूटता जैसे कि उसने सोमनाथ को लूटा था।" अपनी मृत्यु के समय, वह इस बात से बेहद दुखी था कि उसकी मृत्यु के बाद यह सारी दौलत यहीं रह जाएगी, उसके साथ नहीं जाएगी। वह एक बेहद कुरूप व्यक्ति था और वह कभी भी अपना चेहरा शीशे में नहीं देख सकता था।

(6) जब उसे पता लगा कि उसका भतीजा किसी और व्यक्ति की पत्नी के साथ अनैतिक सम्बन्ध रखता है तो उसने उसे अपने हाथ से क़त्ल किया। एक अवसर पर, उसने अपने शहज़ादे को मजबूर किया कि वह अदालत जाए और एक व्यापारी का क़र्ज़ अदा करे। महमूद गज़नवी की न्याय-प्रियता प्रसिद्ध थी।

(7) सुदीन गोरी ने गज़नी जीत ली पर गोरी वंश का यह व्यक्ति ज़्यादा दिनों ज़िन्दा नहीं रहा। बहरामशाह अचानक गज़नी आया, उसने सैफुद्दीन का मुँह काला करके उसे गधे पर बिठा कर सब तरफ़ घुमाया और फिर उसे मार दिया। अलाउद्दीन हुसैन ने अपने भाई सैफुद्दीन के अपमान का बदला लिया। उसने गज़नी जीती, गज़नवी वंश के सुल्तानों की क़ब्रें खुदवायी और उनकी हड्डियों को हवा में फैला दिया। गज़नी में क़त्ले-आम किया गया और शहर को जला कर राख कर दिया गया जिसके कारण अलाउद्दीन को इतिहास में 'जहाँ-सोज़' कहकर पुकारा जाता है। अलाउद्दीन की मृत्यु के बाद, उसका चचेरा भाई गयासुद्दीन शासक बना। उसी का छोटा भाई मुहम्मद गोरी था जिसने भारत में मुस्लिम साम्राज्य की नींव डाली। उसने गज़नी जीती, उसका व भारत का स्वतन्त्र सुलतान बना पर फिर भी वह अपने भाई गयासुद्दीन को ही अपना सुलतान मानता रहा।

(8) मुहम्मद गोरी गोमल के लगभग अनजान दर्रे से होकर भारत पहुँचा और उसने सबसे पहले पंजाब का वह भाग जीता जो अभी भी गज़नी का उपनिवेश था। इसके बाद पृथ्वीराज चौहान के साथ उसके कई युद्ध हुए जिनमें गोरी ने व पृथ्वीराज के भाई ने एक-दूसरे को गहरे घाव पहुँचाये। अन्त में चलकर, उसने पृथ्वीराज को पराजित किया और उसे अपना बन्दी बना लिया। पृथ्वीराज मुहम्मद गोरी के साथ अजमेर गया और उसने गोरी की अधीनता स्वीकार कर ली। बाद में जब उसने विद्रोह का षड्यन्त्र किया तो गोरी ने उसे क़त्ल करा दिया और अजमेर का शासन उसके पुत्र को दे दिया। 'हमीर-महाकाव्य' व 'पृथ्वीराज-रासो' में दिये विवरण को, इतिहासकार सच नहीं मानते। बाद में मुहम्मद गोरी ने कन्नौज के राजा जयचन्द को हराया और बनारस को लूटा।

(9) मुहम्मद गोरी के एक साधारण-से सरदार ने—जिसे अपनी कुरूपता के कारण एक छोटी-सी नौकरी भी कहीं न मिल सकी थी—अपनी वीरता के कारण इतिहास में नाम पाया। इस व्यक्ति का नाम था इख़्तियारुदीन मुहम्मद बिन बख़्तियार खलजी। वह बंगाल में इस तेज़ी से घुसा कि उसकी सारी सेना पीछे छूट गयी। जब वह मात्र 18 घुड़सवारों के साथ नदिया नगर में घुसा और जब उसने राजमहल पर आक्रमण किया तो वहाँ के सिपाहियों ने उसे मात्र घोड़ों का एक व्यापारी ही समझा। राजा लक्ष्मणसेन—जो इस समय भोजन कर रहे थे—ने असली स्थिति समझ ली और वे परमवीर राजा महल के गुप्त द्वार से निकल भागे। इस मुस्लिम सेनापति ने तिब्बत को भी जीतने की कोशिश की थी पर उसमें उसे सफलता के स्थान पर मात्र मृत्यु

ही मिली। वह बीमार पड़ गया और एक सरदार ने उसका बध कर दिया। मुहम्मद गोरी भी धोखे से ही मारा गया। उसे कुछ व्यक्तियों ने उस समय क़त्ल कर दिया जब कि वह शाम की नमाज़ पढ़ रहा था।

(10) गुलाम वंश के सुल्लान न तो गुलाम थे और न वे किसी एक वंश के ही थे। कुतुबुद्दीन ऐबक—जिसे भारत में अपना वायसराय बना कर मुहम्मद गोरी गज़नवी वापस चला गया—एक गुलाम था जो काज़ी अब्दुल कूफी ने बाज़ार से ख़रीदा था। जैसा कि रिवाज़ था, ऐबक को भी साहित्य, कला व युद्ध की शिक्षा दी गयी थी। किसी प्रकार वह धीरे-धीरे मुहम्मद गोरी का स्नेह-भाजन बना और एक के बाद एक बड़ा ओहदा पाता चला गया। मुहम्मद गोरी अपने गुलामों को कभी आज़ाद नहीं करता था और इस कारण ऐबक को भी जो विधिवत् आज़ादी मिली वह तब मिली जब कि मुहम्मद गोरी की मृत्यु हो गयी। मुहम्मद गोरी के जीवनकाल में ऐबक एक स्वतन्त्र सुल्तान होते हुए भी अपने को उसका गुलाम ही मानता रहा। अपने अनेक शत्रुओं के कारण, कुतुबुद्दीन ऐबक अपना शासन-काल लाहौर में ही गुज़ारता रहा और दिल्ली में रहने का उसे कोई वक़्त नहीं मिला हालाँकि सरकारी विज्ञप्ति के अनुसार, राज्य की राजधानी दिल्ली ही थी और यहीं कुतुब-मीनार के निर्माण का कार्य शुरू किया गया था। "ऐबक में एक तुर्क का साहस था और एक ईरानी की उदारता व शिष्टता थी। वह बेहद दानशील व्यक्ति था और इसी कारण 'लाख-बख़्श' कहलाता था। उसने अजमेर में एक मस्जिद बनवायी जिसका नाम 'ढाई दिन का झोंपड़ा' रखा गया। उसने अपने जीवन में अनेक अच्छे और महान् कार्य किये।" (अबुल फ़ज़ल एक बार वह खो गया और इस अफ़सोस में मुहम्मद गोरी ने खाना-पीना छोड़ दिया।

(11) ऐबक के बाद इल्तुतमिश (अल्तमश) दिल्ली का प्रथम सच्चा व स्वतन्त्र सुलतान था जो सुन्दर, बुद्धिमान् और उदार विचारों का व्यक्ति था। जब वह बच्चा था तो प्रेमवश उसका पिता उसे घर से बाहर नहीं जाने देता था। उसके ईर्ष्यालु भाई उसे एक दिन धोखे से बाज़ार ले गये और वहाँ उसे गुलामों के एक व्यापारी को बेच दिया गया। व्यापारी जब गज़नी गया तो सुलतान मुहम्मद गोरी ने उसे ख़रीदना चाहा पर दाम ज़्यादा होने के कारण वह ख़रीदा न जा सका। गुस्से में आकर सुल्तान गोरी ने यह आदेश जारी कर दिया कि ग़ज़नी में अब गुलामों की ख़रीद और बिक्री नहीं होगी। इत्तफ़ाक से कुतुबुद्दीन ऐबक भी उन दिनों गज़नी में ही था; वह उस व्यापारी व अल्तमश को अपने साथ दिल्ली ले आया जहाँ उसने उसे विधिवत् ख़रीद लिया। उसके गुण देखकर ऐबक ने उसे अपना दामाद भी बना लिया। वह वीर भी बहुत था, उसका युद्ध-कौशल देखकर चंगेज़ खान तक ने कहा था कि "एक पिता को ऐसा ही पुत्र चाहिए।" वह वीर होने के साथ-साथ धार्मिक भी था और रात का काफ़ी समय प्रार्थना व चिन्तन में गुज़ारता था। उसकी धार्मिक उदारता से कुछ लोग

अप्रसन्न थे और ऐसे ही कट्टरपन्थी कुछ लोगों ने एक बार उसे मस्जिद में ही क़त्ल करने की कोशिश भी की थी। सल्तनत के युग के दो नये सिक्के भी अल्तमश ने ही जारी किये जिनके नाम थे 'टका' और 'जीतल'। गुलामवंश के शासकों में वही सबसे महान् था। उसका हुक्म था कि मुसीबतज़दा लोग रंगीन कपड़े पहनें ताकि उन पर अधिकारियों का ध्यान सबसे पहले जाए।

(12) अल्तमश के काल में गुलाम-सरदारों का एक शक्तिशाली गुट था जो 'चालीस सरदारों के गुट' के नाम से प्रसिद्ध था। ऐसे ही गुटों के कारण स्थिति इतनी बिगड़ गयी थी कि अल्तमश के मरने के बाद चार सुलतानों को क़त्ल किया गया और पाँचवें सुल्तान ने सरदारों के हाथ की कठपुतली बन कर शासन किया। अल्तमश की मृत्यु के बाद, अनेक वर्षों का दिल्ली सल्तनत का इतिहास, मात्र सुल्तानों और चालीस सरदारों के संघर्ष ही का इतिहास रहा।

(13) अल्तमश का लड़का फ़ीरोज़ एक आलसी व्यक्ति था और अल्तमश चाहता था कि उसके बाद उसकी बेटी रज़िया ही सुल्तान बने। जब वह ग्वालियर पर आक्रमण करने दिल्ली के बाहर गया तब वह सारा राज-काज रज़िया को ही सौंप गया और रज़िया ने सारा काम इतनी कुशलता से किया कि सुलतान ने उसे ही अपना उत्तराधिकारी घोषित किया और चाँदी के टकों पर उसका नाम अंकित करवाया। जब कुछ अमीरों ने एक स्त्री को सुल्तान बनाने पर कुछ आपत्ति उठायी तो उसने उन सबको यह कहकर शान्त कर दिया कि "मेरी मृत्यु के बाद यह पता लग जाएगा कि मेरी पुत्री के अतिरिक्त मेरी सन्तान में और कोई भी शासक बनने की योग्यता नहीं रखता।" नया सुल्तान (यानी कि अल्तमश का पुत्र फ़ीरोज़ एक विलासी व्यक्ति था और उसकी माँ क्रूर थी। जब अल्तमश का छोटा लड़का अन्धा करवाया गया और बाद में उसको क़त्ल करवाया गया तो सारे अमीर और सरदार फ़ीरोज़ व उसकी माता का खुला विरोध करने लगे। जब फ़ीरोज़ एक विद्रोह को कुचलने के लिए दिल्ली से बाहर गया तो रज़िया ने शुक्रवार की नमाज़ के लिए लाल रंग की पोशाक पहनी (जो न्याय माँगने वाला व्यक्ति पहना करता था और जनता के सामने अल्तमश की अन्तिम इच्छा प्रकट की और वादा किया कि "यदि वह अयोग्य शासक साबित हुई तो उसका सिर काट लिया जाए।" इस घटना का लोगों पर बहुत प्रभाव पड़ा और जनता जो थी वह रज़िया के साथ हो गयी। फ़ीरोज़ अभी दिल्ली आया भी नहीं था कि रज़िया को सुल्तान बना दिया गया। फ़ीरोज़ की माँ जेल में क़ैद कर ली गयी और फ़ीरोज़ का क़त्ल कर दिया गया। जैसा कि बाद में ज़ाहिर हुआ, "रज़िया सुल्ताना एक योग्य पिता की योग्य पुत्री थी।"

(14) जब पदों को नये सिरे से भरा गया तो एक अबीसीरियन—जिसका नाम मलिक जमालुद्दीन याकूत था—अश्वशाला का प्रधान बनाया गया। वह रज़िया का कृपापात्र था और घोड़े पर बैठने के समय सुल्ताना की अपने हाथों से मदद किया

करता था। इसी कारण कुछ लोगों का ख़याल है कि उसके रज़िया से प्रेम-सम्बन्ध थे। इस बारे में यह कहना असंगत न होगा कि अधिकांश इतिहासकार इस आरोप को ग़लत बताते हैं। बहरहाल, इस आरोप ने रज़िया को काफ़ी नुक़सान पहुँचाया।

(15) रज़िया सुल्ताना मर्दाने कपड़े पहन कर दरबार लगाती थी और वह शिकार व घुड़सवारी की शौक़ीन थी। भटिण्डा के सूबेदार अल्तुनिया ने विद्रोह किया तो रमज़ान के बावजूद, वह उसका सामना करने वहाँ गयी। भटिण्डा पहुँचने पर तुर्की सरदारों ने उसको धोखा दिया और याक़ूत को क़त्ल कर दिया। रज़िया क़िले में क़ैद कर ली गयी और बाद में उसने अल्तुनिया से शादी की। उनके सैनिक उनका साथ छोड़ गये और एक दिन जब वे कैथल के निकट एक पेड़ के नीचे विश्राम कर रहे थे तो कुछ हिन्दू डाकुओं ने उनकी हत्या कर दी। दिल्ली के नागरिक हमेशा उसके साथ रहे और इसी कारण उसकी हत्या दिल्ली के बाहर ही हुई, दिल्ली की चहारदीवारी के भीतर नहीं।

(16) नासिरुद्दीन के समय में सारी शक्ति बलबन के हाथों में थी। वह सुल्तान नासिरुद्दीन का श्वसुर था। नासिरुद्दीन की सादगी और मितव्ययता के बारे में जो कुछ कहा जाता है, वह अतिशयोक्ति से पूर्ण है। सुल्तान बनने के लिए उसे बहराइच से दिल्ली तक 'बुर्का' ओढ़ कर आना पड़ा था। बलबन ने सुल्तान से उसका 'छत्र' अपने लिए माँगा जो उसे दे दिया गया। कुतुबुद्दीन ने कुछ विरोध किया तो वह बलबन द्वारा मरवा दिया गया। बलबन ने अपने दामाद सुल्तान नासिरुद्दीन को भी ज़हर देकर मार डाला और खुद सुल्तान बन गया। कुछ विद्वानों के अनुसार, सुल्तान नासिरुद्दीन स्वाभाविक मृत्यु से मरा था और किसी और उपयुक्त उत्तराधिकारी के अभाव में बलबन को मजबूरन सुल्तान बनना पड़ा था।

(17) बलबन के जन्म इत्यादि के बारे में निश्चित रूप से कुछ नहीं कहा जा सकता। वह बचपन में मंगोलों द्वारा पकड़ा गया था जिन्होंने उसे गुलाम की तरह बेचा था। अल्तमश ने उसे 'अल्लाह के नाम पर' सन् 1233 में ख़रीदा और वह उसकी कार्य-क्षमता से प्रभावित हुआ। इसके बाद वह अपनी वीरता और चतुरता के कारण एक के बाद एक बड़ा ओहदा प्राप्त करता चला गया और अन्त में चलकर 'अपने कुचक्रों के कारण' दिल्ली का सुल्तान बना।

(18) जब वह सुल्तान बना तो राज्य में सुरक्षा की बहुत कमी थी। 'मेवों' के कारण दिल्ली के निकट तक आतंक फैला हुआ था और स्थिति यह थी कि शहर का पश्चिमी फाटक दोपहर के बाद बन्द कर दिया जाता था। बरनी के अनुसार 'मेव' लोग झील से पानी भरने वाली दासियों के वस्त्र तक उतार लिया करते थे और उन्हें नंगा छोड़ देते थे।

(19) बलबन का विश्वास था कि सुल्तान का पद ईश्वर द्वारा प्रदत्त किया होता है और सुल्तान के लिए निरंकुश होना अत्यन्त आवश्यक है। बलबन का सारा

शासन, भय और आतंक का शासन था। सुल्तान बनने के बाद वह और भी गम्भीर तथा एकान्तप्रिय हो गया, उसने शराब पीना बन्द कर दिया और बड़े-बड़े सरदारों के अतिरिक्त, किसी के भी साथ बैठना, गप मारना और हँसी-मज़ाक़ करना भी छोड़ दिया। उससे मुलाक़ात करना तो शायद एकदम असम्भव ही था। एक बहुत धनी व्यक्ति उससे भेंट करने के बदले अपनी सारी सम्पत्ति देने को तैयार था पर सुल्तान ने उसे भेंट करने की स्वीकृति नहीं दी। उसके चेहरे से उसके विषाद या हर्ष को नहीं जाना जा सकता था। जब उसके सर्वप्रिय शहज़ादे की मृत्यु का समाचार उसे दिया गया तब भी वह बिना विचलित हुए दरबार में राज-काज करता रहा और बाद में अपने निजी कक्ष में पहुँचकर फूट-फूट कर रोया। दरबार में वह हँसना तो क्या, मुस्कुराता तक नहीं था। वह हमेशा औपचारिक पोशाक में ही किसी से मिलता था। उसी ने 'सिजदा' और 'पैबोस' की प्रथाएँ शुरू कीं। इन प्रथाओं के अनुसार व्यक्ति को दरबार के निकट जाकर सुल्तान के चरणों को चूमना पड़ता था। ऊँचे और भयानक व्यक्ति नंगी तलवारों को लेकर और उसके पीछे खड़े होकर, अंग-रक्षक होने का काम करते थे। बहुत से बड़े व्यक्तियों को छोड़ कर, बाक़ी सारे सामन्त, सरदार और अधिकारी बराबर खड़े ही रहते थे। दरबारी लोग शराब नहीं पी सकते थे और दरबारियों को एक विशेष प्रकार के वस्त्र पहनने पड़ते थे। दरबार में कोई हँसना तो क्या, मुस्कुरा तक नहीं सकता था। "डर के मारे बलबन का नाम सुनते ही लोगों का पेशाब निकल जाता था।"

(20) बलबन का चेहरा लम्बा था, उसकी दाढ़ी लम्बी थी और उसका मुकुट भी लम्बा रहता था। कुल मिलाकर स्थिति यह थी कि उसकी दाढ़ी से लेकर राजमुकुट तक की लम्बाई लगभग एक गज़ होती थी। बाक़ी सुल्तानों की तरह वह "दरवेशों, रखैलों और नीचा काम करने वाले लोगों से कभी सलाह नहीं लेता था।"

(21) बदायूँ के सूबेदार मलिक बकबक को जन-साधारण के सामने इतने कोड़े लगाये गये कि वह मर गया। उसका कसूर यह था कि उसने भी कोड़े मार-मारकर एक निर्दोष व्यक्ति के प्राण लिये थे! अवध के सूबेदार हैवात खाँ को भी ऐसी ही सज़ा दी गयी थी पर उसने मृत व्यक्ति की विधवा को बहुत सम्पत्ति देकर चुप किया और वह कोड़े खाने से बच गया। मगर वह सूबेदार ऐसा लज्जित हुआ कि उसने अपने पद से त्यागपत्र दे दिया और इसके बाद वह जीवन भर अपने मकान से बाहर नहीं निकला।

(22) बलबन ने पुराने सुल्तानों द्वारा दी गयी जागीरों की जाँच करवायी और काफ़ी जागीरें अपने क़ब्ज़े में कर लीं क्योंकि जागीर के वे मालिक, फ़िलहाल राज्य की कोई सेवा नहीं कर रहे थे। विधवा स्त्रियों, बीमार और वृद्ध व्यक्ति दिल्ली के कोतवाल की शरण में गये और उसकी सिफ़ारिशों पर उनकी जागीरें वापस कर दी गयीं। एक अँग्रेज़ इतिहासकार के अनुसार "यह बात कभी किसी की समझ में नहीं

आयी कि सुल्तान बलबन जैसा दुर्दान्त व्यक्ति एक साधारण कोतवाल से इतनी मित्रता क्यों रखता था कि उसकी सिफ़ारिश को वह कभी भी अस्वीकार नहीं करता था।"

(23) बलबन सारे ऊँचे पद कुलीन लोगों को ही देता था। एक बार जब उसने देखा कि अमरोहे का एक अधिकारी "मात्र एक हिन्दुस्तानी मुसलमान था" तो वह बहुत नाराज़ हुआ। वह, सेनापति का पद कभी ऐसे व्यक्तियों को नहीं देता था जो ज़्यादा कायर या ज़्यादा बहादुर होते थे।

(24) इतिहासकार बरनी लिखता है कि विद्रोह के दबाने के सन्दर्भ में, सुल्तान ने लखनौती के मुख्य बाज़ार में दोनों ओर दो मील लम्बी लकड़ी की दीवार बनायी और सारे विद्रोहियों या उनके समर्थकों को उस पर ठोंक दिया गया। "इस दृश्य को देखकर लोग भय और घृणा से रोने-कलपने लगे या फिर मूर्च्छित हो गये।"

(25) बलबन की मृत्यु पर अमीर-उमरावों तक ने अपने वस्त्र फाड़ डाले 'और वे लोग उसके शव को क़ब्रिस्तान तक नंगे पैरों ही ले गये। कुछ ने तो अपने सिरों पर धूल फेंकी। चालीस दिन तक शोक मनाया गया और इस दौरान सब लोग ज़मीन पर ही सोये।

(26) बलबन चाहता था कि उसका बड़ा पुत्र उसका उत्तराधिकारी हो पर उसका परम मित्र कोतवाल यह नहीं चाहता था और इसी कारण शहज़ादा कैसुखख मुल्तान का सूबेदार बनकर वहाँ चला गया। बलबन का पौत्र सुल्तान बनाया गया जिसका नाम कैकुबाद था। वह स्वस्थ, सुन्दर व उदार व्यक्ति था। उसे इतने कड़े अनुशासन में पाला गया था कि सुल्तान बनने तक उसने किसी रूपवती युवती का मुँह तक नहीं देखा था। सुल्तान बनते ही वह मदिरा, संगीत और सुन्दर युवतियों के साथ विलास करने में बुरी तरह डूब गया और इस दिशा में कोतवाल के दामाद ने उसे ख़ूब उकसाया। लड़के की यह स्थिति सुनकर उसका पिता (बलबन का पुत्र और फ़िलहाल बंगाल का गवर्नर) दिल्ली आया और उसे भी दरबार की वे सारी प्रथाएँ निभानी पड़ीं जो एक साधारण व्यक्ति निभाता था। पुत्र और पिता बाद में बड़ी भावुकता से मिले और सुल्तान के पिता ने उसे सलाह दी कि ज़्यादा भोग-विलास उतना ही बुरा है जितना कि कोतवाल के दामाद का साथ। कोतवाल का दामाद ज़हर देकर मार दिया गया पर सुल्तान भोगविलास में फिर डूब गया। उसे लकवा हुआ और उसके तीन वर्ष के पुत्र को सुल्तान बनाया गया। तीन महीने के भीतर ही भीतर वह तीन वर्ष का सुल्तान और उसका पिता क़त्ल कर दिये गये और उन्हें चादर में लपेटकर यमुना नदी में फेंक दिया गया। यह सारा कार्य खलजियों द्वारा सम्पन्न किया गया।

(27) जलालुद्दीन खलजी 70 वर्ष की आयु में सुल्तान बना। वह एक दयालु व्यक्ति था जो ठगों और डाकुओं तक को भी माफ़ कर देता था। वह सुल्तान का पद पाने और सुल्तान के तख़्त पर बैठने में भी बेहद संकोच करता था। जब कड़ा

मनिकपुर के सूबेदार मलिक छज्जू खान ने विद्रोह किया तो उसने विद्रोह तो ख़त्म कर दिया पर छज्जू खान और उसके साथियों को फटे व गन्दे वस्त्रों में देखकर सुल्तान रो पड़ा और उसने इन सब लोगों को दावत पर बुलाया और उन्हें बढ़िया वस्त्र व बहुत दीनारें दीं।

(28) 'सीदी मौला' नाम का एक फ़क़ीर था जो दिल्ली में बस गया था। वह बहुत अमीर था और उसके भक्तों की संख्या 10000 तक हो गयी थी। वह कभी-कभी राजनीति में भी हस्तक्षेप करता था। अन्त में चलकर शहज़ादा अर्कली खान के हुक्म पर वह हाथी से कुचलवा दिया गया। बरनी का कहना है कि इस घटना के बाद ज़बर्दस्त आँधी आयी, बहुत वर्षा हुई और अकाल पड़ा। बहुत से लोगों का ख़याल था कि ये सारी विपत्तियाँ उस फ़क़ीर को फाँसी देने के कारण ही हुई थीं।

(29) जलालुद्दीन खलजी भाँड़ों से घिरा रहता था और कहा करता था कि उसका भतीजा उसने अपनी गोद में पाला था और वह उसके विरुद्ध कभी नहीं जा सकता था। उसका विश्वास ग़लत साबित हुआ। कड़ा में गंगा के तट पर अलाउद्दीन खलजी ने सुल्तान को छल और कपट द्वारा मारा और उसके सिर को आम जनता के सामने प्रदर्शित किया गया। इसके बाद अलाउद्दीन दिल्ली की ओर बढ़ा और रास्ते में वह जहाँ कहीं भी रुका, वहीं उसने पाँच मन सोने के सिक्के बिखेरे।

(30) अलाउद्दीन खलजी अपने पारिवारिक जीवन से बड़ा दुखी रहा। उसकी पत्नी एक सुल्तान की बेटी थी और वह बड़ी घमण्डी थी। उसकी सास भी पारिवारिक जीवन को कलहपूर्ण रखती थी। इतना बड़ा सुल्तान होकर भी अलाउद्दीन अपने व्यक्तिगत जीवन में ज़्यादा सुखी नहीं था। उसकी सन्तान भी उससे प्रेम नहीं करती थी। अलाउद्दीन का दोस्त कोई नहीं था। एक वफ़ादार कोतवाल था जो उससे खुलकर बात कर सकता था और जिसकी बात सुल्तान हमेशा मानता था। ठीक वही बात जो बलबन के साथ थी।

(31) अलाउद्दीन खलजी एक विश्व-विजेता बनना चाहता था और उसकी हार्दिक इच्छा थी कि वह एक नया धर्म चलाए। उसका दोस्त, वह कोतवाल, उसे इन सनकी इरादों से बचकर रखता रहा। उसने बयाना के प्रसिद्ध क़ाज़ी से भी विस्तृत विचार-विनिमय किया था मगर उसने उस क़ाज़ी की मात्र वे सलाहें ही मानी थीं जो उसके हित में थीं वह मदिरा-पान नहीं करता था और दिल्ली में मदिरा-पान निषिद्ध था। उसने सारी शराब फेंकवा दी और शराब पीने के बर्तन तोड़ डाले। फेंकी हुई शराब इतनी थी कि उसके फिंकने से काफ़ी बड़े इलाक़े में कीचड़ हो गयी थी। राज्य से सम्बधित सारे क्षेत्रों में उसने सुधार किये, राज्य का विस्तार किया और जनता की शिकायतों को दूर किया। रानी पद्मिनी की कहानी के कई रूप हैं और निश्चयपूर्वक यह नहीं कहा जा सकता कि यह कहानी कितनी सच्ची है।

(32) अलाउद्दीन खलजी के अन्तिम दिन बड़े कष्ट में गुज़रे। उसकी पत्नी व

पुत्र उसका ध्यान नहीं करते थे और इसी कारण उसने दक्षिण से अपने प्रिय दास मलिक काफ़ूर को बुलवाया। दिल्ली की हालत देखकर मलिक काफ़ूर की नीयत डाँवाडोल हो गयी और वह स्वयं ही सत्ता हथियाने की फ़िक्र में लग गया। उसने सुल्तान की बेग़म से अनैतिक सम्बन्ध क़ायम कर लिये और वह राज्य का सर्वेसर्वा हो गया और वृद्ध व बीमार सुल्तान कुछ भी नहीं कर सका। मलिक काफ़ूर के कहने पर सुल्तान ने अपने पुत्र शिहाउद्दीन को अपना उत्तराधिकारी बनाया हालाँकि उसकी उम्र लगभग पाँच वर्ष ही थी। अलाउद्दीन खिलजी की मृत्यु होते ही यह बच्चा सुल्तान बना दिया गया और मलिक काफ़ूर उसका अंग-रक्षक और अभिभावक बना। सारी शक्ति मलिक काफ़ूर के हाथों में आ गयी। मलिक काफ़ूर ने शिहाउद्दीन की माँ से विवाह कर लिया जो देवगिरि के शासक रामचन्द्रदेव की पुत्री थी। मलिक काफ़ूर ने उसकी सारी सम्पत्ति पर क़ब्ज़ा कर लिया और उसके बाद उसे क़ैदख़ाने में डाल दिया। बाक़ी शहज़ादे वग़ैरह ग्वालियर के क़िले में डाल दिये गये और उन्हें अन्धा करवा दिया गया। शायद मलिक काफ़ूर ख़ुद ही सुल्तान बनना चाहता था मगर उसकी धूर्तता व क्रूरता के कारण उसके अमीर और सरदार उससे घृणा करने लगे। उसने न जाने कितने निरपराध लोगों की हत्या करवायी। जब काफ़ूर ने कुछ सरदारों को अलाउद्दीन के तीसरे पुत्र मुबारक खाँ को अन्धा करने का हुक्म दिया तो उन्होंने मलिक काफ़ूर को ही क़त्ल कर दिया। मुबारक खाँ ने इन सरदारों को हीरों का एक बेशक़ीमती हार दिया और क़ैद से निकलकर वह छोटे-से बच्चे शिहाउद्दीन सुल्तान का संरक्षक हो गया। थोड़े दिनों बाद इसी मुबारक खाँ ने शिहाउद्दीन को अन्धा करवा दिया और उसे ग्वालियर के क़िले में क़ैद करवा दिया। इसके बाद वह कुतुबुद्दीन मुबारक नाम से सुल्तान बन गया। जिस दिन वह सिंहासन पर बैठा, उस दिन 18000 क़ैदियों को कारागारों से मुक्त किया गया।

(33) सुल्तान बनते ही मुबारक शाह भोग-विलास में बुरी तरह पड़ गया और नंगे लोगों की संगति पसन्द करने लगा। वह बेहद शराब पीने लगा और कभी-कभी एकदम नंगा होकर सरदारों के बीच में दौड़ने लगा। वह एक गुजराती लड़के का आशिक हो गया। ये दोनों एक-दूसरे को भोगते थे। दरबार की इज़्ज़त ख़त्म हो गयी। उसके चहेते उसी गुजराती लड़के (जो मुसलमान हो गया था) खुसरब खाँ ने उसे महल में ही क़त्ल करवा दिया और उसके सिर को काट कर उसे चौक में फिंकवा दिया। अब वह वज़ीर नासिरुद्दीन खुसवरशाह नाम से ख़ुद सुल्तान बना। उसकी हुकूमत ज़्यादा दिन नहीं चली। अपनी धूर्तता और विश्वासघात करने की प्रवृत्ति ने उसका साढ़े चार माह के अन्दर ही अन्त कर दिया और उसी के साथ खलजी वंश की हुकूमत ख़त्म हो गयी। इस वंश का अन्तिम शासक कुतुबुद्दीन खलजी था जिसे औरतों की भाँति चोटी रखने, घूँघट निकालने तथा काजल, बिन्दी और झूठी छातियाँ लगाने का शौक़ था।

(34) गियासुद्दीन तुग़लक के बारे में पूरी जानकारी प्राप्त नहीं है। प्रसिद्ध इतिहासकार फ़रिश्ता के अनुसार उसका पिता बलबन का गुलाम था और उसने एक हिन्दू जाटनी स्त्री के साथ शादी की थी। इस सुल्तान ने उस धन को वापस लेने की कोशिश की जो पिछले सुल्तान अपने प्रिय लोगों को बाँट चुके थे। शेख़ निज़ामुद्दीन औलिया के साथ उसके मतभेद शायद इसी कारण शुरू हुए। हिन्दुओं के बारे में उसका सिद्धान्त यह रहा कि "वे न तो इतने धनवान बनें कि विद्रोह करने को तत्पर हो जाएँ और न वे इतने ग़रीब ही रहें कि खेती करना छोड़कर भाग जाएँ।" उसका महल इतनी चमकीली ईंटों से बना था कि उसे टकटकी लगाकर देखना असम्भव था। किसानों की समस्याओं पर ध्यान देने वाला वह प्रथम मुस्लिम शासक था।

(35) गियासुद्दीन बंगाल से लौटा तो उसके पुत्र उलुग खाँ ने उसका स्वागत करने के लिए तुग़लकाबाद से तीन-चार मील दूर लकड़ी का एक महल बनवाया। पिता के साथ भोजन समाप्त कर लेने पर उसने सुल्तान से कहा कि अब वे अपने नये हाथियों का प्रदर्शन कराएँ। ऐसा ही किया गया मगर एक हाथी के धक्के से लकड़ी का महल ढह गया और गियासुद्दीन तुग़लक की मृत्यु हो गयी। उलुग खाँ इस समय महल के बाहर जा चुका था और इसी कारण उसके कोई चोट क्या, मोच तक नहीं आयी। प्रख्यात यात्री इब्न-बतूता के अनुसार गियासुद्दीन का हत्यारा उलुग खाँ के अलावा और कोई नहीं था। इसामी नामक इतिहासकार भी इसी मत की पुष्टि करता है। उनका प्रमुख तर्क यह है कि यदि ऐसा न होता तो नये सुल्तान ने मामले की कोई जाँच क्यों नहीं करवायी, महल बनाने वाले अधिकारियों के ख़िलाफ़ कोई कार्रवाई क्यों नहीं की और सन्दिग्ध लोगों को सज़ा की जगह ऊँचे ओहदे क्यों दिये गये?

(36) अपने पिता की मृत्यु के तीन दिन बाद, शहज़ादा उलुग खाँ गद्दी पर बैठा। वह एक असाधारण और विवादास्पद सुल्तान था। गद्दी पर बैठने के बाद वह मुहम्मद-बिन-तुग़लक कहलाया। वह एक विद्वान् व्यक्ति था और तर्कशास्त्री, बहुभाषाविद्, दार्शनिक और चिकित्सक इत्यादि होने के साथ-साथ वह कवि भी था। संगीत का वह प्रेमी था तथा बाक़ी कलाओं का भी उसे ज्ञान था। उसकी बुद्धि तीव्र थी और उसकी स्मरण-शक्ति लाजवाब थी। वह ग़रीबों के लिए सब कुछ करना चाहता था और इसी कारण लगभग 40000 लोग उसके भोजनालय से भोजन पाते थे। उसका स्वास्थ्य बहुत अच्छा था और उसका नैतिक जीवन एकदम पवित्र था। वह लिखता भी बढ़िया था और बातचीत की कला भी उसे ख़ूब आती थी। दिल्ली के सुल्तानों में किसी ने इतने विस्तृत साम्राज्य पर शासन नहीं किया मगर उसके जीवन-काल में ही वह साम्राज्य खण्डित हो गया जो उसे अपने पिता से मिला था। वह अपने समय से आगे था। उसके सनकी होने के कारण, एलफिन्सटन ने उसके किसी हद तक पागल होने का सन्देह किया। अपने सिक्कों पर उसने अपने पिता

का नाम अंकित करवाया (हालाँकि अपने पिता को उसने ही खुद मरवाया था) और अपनी माता का उसने सदा आदर किया। उसका विश्वास था कि सुल्तान ईश्वर की छाया है। इस तरह के वाक्य वह अपने सिक्कों पर भी खुदवाया करता था।

(37) सन् 1340 में मिस्र के ख़लीफ़ा का एक वंशज दिल्ली बुलाया गया और सुल्तान ने उसे इतना सम्मान दिया कि कुछ कहा नहीं जा सकता हालाँकि इस व्यक्ति की हैसियत एक भिखारी जैसी ही थी। सुल्तान ने इस व्यक्ति की टाँग को अपनी गर्दन पर रखवाया और उसे बहुमूल्य वस्तुएँ तथा जागीर दीं।

(38) इब्नबतूता के अनुसार दिल्ली के कुछ नागरिक सुल्तान को असम्मानजनक पत्र लिखा करते थे और उन्हीं को दण्ड देने के लिए उसने देवगिरि को राजधानी बनाने का निश्चय किया था। दिल्ली से दौलताबाद जाने का शाही हुक्म जारी हो गया और दिल्ली का ख़ूबसूरत शहर जलाकर बर्बाद कर दिया गया। बरनी नामक इतिहासकार ने लिखा है कि "सभी कुछ बर्बाद कर दिया गया। तबाही इतनी पूर्ण थी कि शहर में इमारतें टूट गयीं और महल खँडहर हो गये। सारी बस्ती में एक कुत्ता तक नहीं दिखाई पड़ता था।" रोमन सम्राट् नीरो की भाँति सुल्तान भी छत पर चढ़ा और जब उसने देखा कि शहर पूरी तरह बर्बाद हो गया है और कहीं धुआँ अथवा चिराग़ तक नहीं दिखाई देता है तो वह बहुत खुश हुआ और कहने लगा कि "अब मेरा हृदय प्रसन्न है और मेरी आत्मा को शान्ति है।"

(39) चाँदी के सिक्कों के स्थान पर फ़रिश्ता के अनुसार उसने ताँबे और पीतल के सिक्के बनवाये। पता नहीं किस कारण ये सिक्के नकली बनने लगे और "हर हिन्दू का घर एक टकसाल बन गया।"

(40) सुल्तान के फुफेरे भाई गुर्सास्प ने विद्रोह किया जो कुचल दिया गया। इस सन्दर्भ में सुल्तान ने बड़ी क्रूरता दिखायी। उसने गुर्सास्प की खाल में भूसा भरवाया और बाद में भूसा भरा वह शव सभी शहरों में प्रदर्शित किया गया। गुर्सास्प के शरीर के मांस को चावल के साथ पकाया गया और इस पुलाव को उसकी स्त्री व बच्चों के पास खाने को भेजा गया।

(41) शिक्षा, ज्ञान, ख़ज़ाना, नैतिक चरित्र व सैन्य-संचालन में अद्वितीय यह सुल्तान बेहद असफल शासक सिद्ध हुआ। सन् 1351 में उसकी मृत्यु हुई और 'सुल्तान को अपनी प्रजा से और प्रजा को अपने सुल्तान से मुक्ति मिल गयी।" उसकी सारी अच्छाइयाँ उसकी क्रूरता व उसकी सनकों के सामने फीकी पड़ गयीं।

(42) मुहम्मद तुग़लक के बाद फ़ीरोज़शाह तुग़लक सुल्तान बना। वह गियासुद्दीन तुग़लक का भतीजा था। उसके पिता का विवाह एक हिन्दू राजा की कन्या से ज़बर्दस्ती' किया गया था। फ़ीरोज़ किसी भी दिशा में सफल नहीं हुआ। न वह शिक्षा में रुचि रखता था और न सैन्य-अभियान में। इसी कारण उसके साथ ही साथ तुग़लक-वंश समाप्त हो गया। वह उस समय का 'सबसे धर्मान्ध शासक' था।

(43) फ़ीरोज़ शाह तुग़लक को गुलाम व पुरानी कला-कृतियाँ रखने का बहुत शौक़ था और उसके दासों की संख्या 180000 तक पहुँच गयी थी। उनकी देखभाल करने के लिए एक विभाग और एक उच्च अधिकारी अलग से नियुक्त किया गया था। उसने कोटला बनवाया और उसमें पंजाब से लायी गयी अशोक की लाट प्रतिष्ठित की। इस लाट को पंजाब से दिल्ली लाने के लिए चवालीस पहियों की एक विशेष गाड़ी बनवायी गयी थी।

(44) फ़ीरोज़ के आरम्भिक काल में उसकी बहन ने उसकी हत्या करने का षड्यन्त्र रचा था जो असफल रहा। रुहेलखण्ड के भयंकर विद्रोह का दमन करने वह स्वयं गया। विद्रोह कुचल दिया गया और विद्रोही सूबेदार खड़कू कुमायूँ की पहाड़ियों में भाग गया। सुल्तान ने उसका बदला प्रजा से लिया और लगभग 23000 हिन्दुओं को मुलसमान बनाया गया। उसने सूबे को हर वर्ष तबाह करने की आज्ञा दी और हर वर्ष वह यह देखने ख़ुद जाता था कि राज्य की राजधानी कटेहर बर्बाद की गयी या नहीं। उसके शासन काल में घूस बहुत चलती थी।

(45) सुल्तान फ़ीरोज़शाह के अन्तिम दिन कष्ट में गुज़रे। उसके दो योग्य पुत्र मर चुके थे और अपनी उम्र 80 वर्ष की हो जाने के कारण वह अपने वज़ीर खानेजहाँ के हाथ का खिलौना बन गया था। खानेजहाँ ख़ुद सुल्तान बनने के स्वप्न देख रहा था। उसने सुल्तान के सबसे छोटे पुत्र मुहम्मद को क़त्ल करने की साजिश की, जो सफल नहीं हुई। वज़ीर गिरफ़्तार किया गया और उसे फाँसी दी गयी। अब शहज़ादे मुहम्मद ने सुल्तान के साथ-साथ सरकारी काम करना शुरू किया मगर वह एक विलासी राजकुमार ही रहा, और कुछ नहीं। उन दिनों राज्य में विद्रोह हो रहे थे और दिल्ली तक में युद्ध हो रहा था पर वह अपने को शराब, कबाब व शबाब में ही डुबोता रहा। अन्त में उसे दिल्ली से भागना पड़ा। धीरे-धीरे सल्तनत ख़त्म होने लगी और तैमूर के आक्रमण ने बाक़ी काम पूरा कर दिया। तुग़लक वंश समाप्त हो गया। तैमूर ने जो अत्याचार किये उन्हें लिखने के लिए यहाँ जगह नहीं है।

(46) तुग़लकों के बाद सैयद आये जिन्होंने 37 वर्ष तक हुकूमत की। वे केवल उतने ही क्षेत्र के शासक रहे जो दो सौ मील के घेरे में दिल्ली के चारों तरफ़ आता था। अन्त में वे दिल्ली से दो सौ मील दूर तक के इस क्षेत्र में भी हुकूमत नहीं कर सके।

(47) सैयद राजवंश का संस्थापक खिज्र खाँ था जो अपने को पैगम्बर मुहम्मद का वंशज बतलाता था हालाँकि इस बात के सबूत में कोई प्रणाम नहीं मिलता। तैमूर के आक्रमण में वह उसके साथ हो गया और तैमूर ने उसे मुल्तान, लाहौर और दीपालपुर की सूबेदारी दी। खिज्र खाँ अपने को सुल्तान नहीं मानता था, वह मात्र 'रैयत-ए-आला' की उपाधि से ही सन्तुष्ट था। सोने-चाँदी की कमी के कारण उसने अपने नाम के सिक्के भी नहीं चलवाये और उसके शासन-काल में तुग़लकों के सिक्के ही चलते रहे।

(48) खिज्र खाँ के बाद उसका पुत्र मुबारकशाह गद्दी पर बैठा। उसने शाह की उपाधि ग्रहण की, अपने नाम से खुतबा पढ़वाया और अपने नाम के सिक्के चलवाये। बाद में उसके वज़ीर ने उसकी हत्या करवा डाली। इस वज़ीर का नाम था सखर-उल-मुल्क और वह सरूप नाम का एक हिन्दू था जो मुसलमान बन गया था। सैयद शासकों में मुबारकशाह कदाचित् सर्वश्रेष्ठ था। बाद के सैयद सुल्तान एकदम अयोग्य थे और उनमें से एक ने बहलोल लोदी को लिखा था कि "मैं बदायूँ के परगने से ही सन्तुष्ट हूँ और सारा साम्राज्य तुम्हारे लिए छोड़ता हूँ।"

(49) सैयद वंश के बाद लोदी वंश आया और बहलाल लोदी ने इसकी स्थापना की थी। लोदी सुल्तानों की बड़ी कठिनाई यह थी कि दिल्ली शहर उनके अधिकार में नहीं था। दिल्ली के अभाव में मुल्क का सुल्तान कहलाना कठिन था। दिल्ली प्राप्त करने के लिए उन्हें बड़ा संघर्ष करना पड़ा।

(50) पुराने सुल्तान वज़ीर हमीद खाँ थे जो बहलोल लोदी पर विश्वास नहीं रखते थे। वे बहलोल को क़िले में नहीं घुसने देते थे। बहलोल ने अपने सरदारों से कहा कि वे लोग जान-बूझकर असभ्यता और मूर्खता का व्यवहार करें। उन्होंने ऐसी-ऐसी बेवकूफ़ियाँ कीं कि कुछ कहा ही नहीं जा सकता। वे लोग जब महल में जाते थे तो अपने जूतों को अपनी बग़ल में दबाये रहते थे ताकि कोई व्यक्ति उन्हें चुरा न सके। वे इत्र को हथेली पर रखकर चाटा करते थे और पान को बकरियों की तरह खाते थे। कई बार उन्होंने बेशक़ीमती कालीनों के टुकड़े अपनी टोपियाँ बनवाने के लिए काट लिये थे। उनके ऐसे व्यवहार से हमीद खाँ को यक़ीन हो गया कि वे सब मूर्ख हैं और ऐसे मूर्ख लोग गद्दी पर बैठने की बात नहीं सोच सकते। उसने बहलोल लोदी और उसके सरदारों को दावतों पर बुलाना शुरू कर दिया। एक दिन बहलोल के साथ उसके सैनिक भी क़िले के भीतर घुस गये और हमीद खाँ से कहा गया कि अब वे 'कुछ दिनों तक विश्राम करें।' वज़ीर हमीद खाँ क़ैद कर लिया गया और उसको क़त्ल कर दिया गया। बहलोल लोदी बिना किसी संघर्ष के सुल्तान बन गया और उसने अपने नाम का खुतबा पढ़वाया।

(51) बहलोल लोदी परिश्रमी और कुशल व्यक्ति था। उसका पिता उसके बचपन में ही मर गया था और उसके चाचा ने उसे पाला था। उसका जीवन साधारण-सी स्थिति से शुरू हुआ और अपनी प्रतिभा के कारण ही वह सुल्तान बना। अपने चाचा को उसने सरहिन्द की सूबेदारी दी। दिल्ली के शासन-क्षेत्र को (जो फ़िलहाल पालम तक ही रह गया था) विस्तृत किया और सल्तनत की इज़्ज़त वापस की। युद्ध के समय वह बेहद चालाक रहता था। एक व्यक्ति की हैसियत से वह धार्मिक, उदार, साहसी, ईमानदार और परिश्रमी था। उसके पास गया कोई व्यक्ति खाली हाथ नहीं लौटता था। वह काफ़ी सादगी से रहता था। उसमें किसी प्रकार का कोई व्यक्तिगत दोष नहीं था। वह शिष्ट, स्नेही और बातचीत में कुशल था। वह एकदम धर्म-निरपेक्ष

सुल्तान था और, उसके शासनकाल में हिन्दुओं को बड़े-बड़े ओहदे मिले।

(52) हुसैनशाह की सुन्दर पत्नी को सुल्तान ने दो बार क़ैद किया परन्तु दोनों बार उसने उसे सारे सम्मान के साथ अपने पति के पास वापस भेज दिया हालाँकि वह जानता था कि उसके और हुसैनशाह के बीच जो शत्रुता थी वह इसी स्त्री के कारण थी।

(53) बहलोल ने अपनी मृत्यु से पहले अपने तीसरे पुत्र निज़ामखाँ को अपना उत्तराधिकारी नियुक्त किया था पर कुछ बहुत बड़े अमीरों और सरदारों को निज़ाम खाँ पसन्द नहीं था क्योंकि वह एक सुनार की लड़की से पैदा हुआ था। मगर निज़ाम खाँ के समर्थक बहुत थे और इस कारण वही सिकन्दर लोदी के नाम से सुल्तान बना।

(54) सिकन्दर लोदी परिश्रमी, उदार, न्यायप्रिय और अपनी प्रजा का भला चाहने वाला सुल्तान या। उसका गुप्तचर-विभाग तो इतना कार्यतत्पर था कि जन-साधारण का विश्वास था कि सुल्तान को सारी सूचनाओं का पता भूत और प्रेतों से लगता है।

(55) सिकन्दर सुन्दर, सुडौल व शक्तिशाली व्यक्ति था। वह अपने को और सुन्दर बनाने के लिए दाढ़ी नहीं रखता था। बचपन में तो इस कदर ख़ूबसूरत था कि उसे पढ़ाने वाले शेख़ मौलवी उससे इतना प्रेम करते थे कि शहज़ादे को उनका महल में आना ही पसन्द नहीं था। सिकन्दर लोदी एक विद्वान् पुरुष था, फ़ारसी का ज्ञाता था और वह कविताएँ भी लिखता था। प्रत्येक रात्रि को लगभग 70 विद्वान् उसके पास बैठकर विभिन्न विषयों पर बातचीत किया करते थे। उसका दरबार विद्व ान् लोगों का केन्द्र बन गया था। उसके आदेश से आयुर्वेद का एक ग्रन्थ फ़ारसी में अनूदित किया गया। वह ललित कलाओं का प्रेमी था और शहनाई सुनने का उसे ज़बर्दस्त शौक़ था। आगरा शहर को सिकन्दर लोदी ने ही बसाया था। उसका व्यक्तिगत शौक़ कोई नहीं था और वह दिन-रात प्रजा की भलाई के लिए सरकारी कामों में ही व्यस्त रहता था। "वह बेहद न्यायपूर्ण सुल्तान था और स्थिति यह थी कि एक व्यक्ति दूसरे व्यक्ति को बुरी आँख से देख तक नहीं सकता था।" (कुछ इतिहासकार उसे हिन्दुओं का विरोधी बताते हैं। उनके अनुसार हिन्दू लोग यमुना में स्नान नहीं कर सकते थे और वहाँ वे हजामत तक नहीं बनवा सकते थे।)

(56) सिकन्दर लोदी को लोग डर से नहीं वरन् प्रेम से अपना सुल्तान स्वीकार करते थे। सिकन्दर लोदी ने ख़ुद कहा था कि "यदि मैं अपने किसी गुलाम को भी पालकी में बिठा दूँ तो भी मेरे आदेश पर मेरे सब सरदार उसे कन्धा देंगे।"

(57) सुल्तान के मरने पर सर्वसम्मति से इब्राहीम लोदी गद्दी पर बिठाया गया जो सिकन्दर लोदी का सब से बड़ा पुत्र था। उसकी अपने भाई जलाल खाँ से नहीं बनती थी और उन दोनों में संघर्ष चलता रहा। युद्ध में हार कर जलाल खाँ ग्वालियर भाग गया और बाद में वह मालवा चला गया। वहाँ से भी वह भागा और उसने एक गोंड राजा की शरण ली। इस विश्वासघाती राजा ने उसे सुल्तान को सौंप दिया।

इब्राहीम लोदी ने उसे हाँसी के क़िले में क़ैद करने का हुक्म दिया मगर वह रास्ते में ही ज़हर देकर मरवा दिया गया।

(58) इब्राहीम लोदी ने अपने वज़ीर मियाँ भुआ को क़ैदख़ाने में डाल दिया हालाँकि वह पिछले 28 वर्षों से सुल्तान व उसके पिता का वफ़ादार और समझदार वज़ीर रह चुका था। उसका एकमात्र दोष यही था कि अब वह वृद्ध हो गया था और उसकी कार्यकुशलता घट गयी थी। वह शरीफ़ आदमी जेल ही में मरा।

(59) इब्राहीम लोदी की कुछ कमियों के कारण उसके दुश्मन काफ़ी थे हालाँकि वह एक योग्य, परिश्रमी, चरित्रवान्, न्यायप्रिय और प्रजा की भलाई करने वाला सुल्तान था। दौलत खाँ लोदी ने व महाराणा साँगा ने बाबर को दिल्ली पर हमला करने का निमन्त्रण दिया। सन् 1526 में पानीपत का प्रथम युद्ध लड़ा गया जिसमें बाबर की जीत हुई। इब्राहीम लोदी मारा गया और उसी के साथ ही 'सल्तनत' का युग समाप्त हो गया। इससे आगे का हाल जानने के लिए आप 'बाबरनामा' पढ़ें।

अठारह सौ सत्तावन : कुछ नोट्स

1857 के ग़दर को 'सिपाहियों का विद्रोह' या 'भारतीय स्वाधीनता का प्रथम युद्ध' कहकर पुकारा जाता है। हमारे गृह-मन्त्री भारत-रत्न पण्डित गोविन्दवल्लभ पन्त के लोकसभा में दिये गये वक्तव्य के अनुसार, ग़दर जो था वह ऊपर बतायी गयी दोनों चीज़ें था। इस महान् हादसे को लेकर ढाई-सौ से ज़्यादा किताबें लिखी गयीं। मैंने स्वयं इस विषय पर अपने जीवनकाल में पैंतालीस से ज़्यादा चुने हुए ग्रन्थ पढ़े हैं जिनमें से कुछ तो मुझ से भी ज़्यादा मोटे थे। कम-से-कम मैं तो उन व्यक्तियों में से ही हूँ जो यह मानते हैं कि उपर्युक्त ग़दर शुरू से आख़ीर तक एक ऐसी घटना थी जिसके कारण और कुछ भी रहे हों, वे राजनीतिक हर्गिज़ नहीं थे। मेरे विचार में ग़दर का प्रारम्भ मात्र धार्मिक कारणों से हुआ और उसने आगे चलकर जो आग पकड़ी वह मात्र व्यक्तिगत स्वार्थों के कारण पकड़ी। राष्ट्रीय हित को कभी ध्यान में नहीं रखा गया। आप यदि मुझसे नाराज़ होना चाहते हों तो ज़रूर हों मगर इस कालयजी रचना के पढ़ने के बाद हों। आपकी तबीयत खुश करने के लिए मैं इस विद्रोह की कुछ 'दिलचस्प' वारदातों की भी यहाँ चर्चा करूँगा।

सिपाहियों की धार्मिक भावनाओं पर पहली चोट तब लगी थी जब ईस्ट इण्डिया कम्पनी ने सन् 1806 में देसी सैनिकों की मूँछ को एक निश्चित अनुपात में काट-छाँट कर रखने का आदेश जारी किया था। पुरानी पगड़ी के स्थान पर, नयी तरह की पगड़ी भी दी गयी थी जिसमें चमड़े के झब्बे लगे थे। सिपाहियों को यह जिज्ञासा होनी स्वाभाविक थी कि यह चमड़ा किस जानवर का था। मुसलमानों को दाढ़ी साफ़ करवाने का हुक्म भी अच्छा नहीं लगा था क्योंकि आम मुस्लिम सैनिक, दाढ़ी को अपने धर्म का चिह्न समझता था। कुछ युद्धों को लड़ने के लिए सिपाहियों को विदेश जाना पड़ा जब कि हिन्दू लोग समुद्र-यात्रा को एक पाप समझते थे जिसका प्रायश्चित्त काफ़ी महँगा पड़ता था। वैसे भी सिपाही लोग अपना परलोक बिगाड़ना हर्गिज़ नहीं चाहते थे। अँग्रेज़ों ने पूजा और ध्यान वग़ैरह में दख़लन्दाज़ी की जो उनकी ग़लती थी। काफ़ी सिपाही समझते थे कि अँग्रेज़ सरकार उन्हें ईसाई बनाना चाहती थी। यह सब जानते थे कि पादरी लोग बहुत शक्ति रखते थे और ईसाई हो

जाने पर, सैनिकों को अनेक सुविधाएँ प्राप्त होने वाली थीं और अँग्रेज़ अफ़सर वैसे भी ईसाइयों पर विशेष कृपा-दृष्टि रखते थे। हिन्दू-समाज सती-प्रथा के बन्द होने से भी विशेष प्रसन्न नहीं था। विदेशी युद्धों में हिन्दू सिपाही, जो कुछ मिलता और जहाँ से भी मिलता, उसे खाने को विवश था। वह जानता था कि अब उसे अपनी बिरादरी से बाहर निकाल दिया जाएगा। हिन्दुओं को युद्ध में मरने पर लकड़ियों में नहीं जलाया जाता था, उनकी लाश को गीदड़ ही खाते थे। अफ़गान युद्ध में अनेक मुस्लिम सैनिकों ने अफ़गानों पर जान-बूझकर ठीक निशाना नहीं लगाया। स्थानीय अधिकारियों की सलाह के बावजूद, मिशनरी लोग बाइबिल बाँटते थे, हिन्दू व मुसलमान धर्मों की निन्दा करते थे और अनाथों को हर हालत में ईसाई बना लिया जाता था। सन् 1850 में एक विशेष कानून द्वारा यह निश्चित किया गया कि धर्म बदलने से पैतृक सम्पत्ति के मिलने में कोई बाधा नहीं होगी और इस कानून से सभी धर्मों के सिपाहियों ने यह समझा कि यह भी उनको ईसाई बनाने की ही एक चाल है। अस्पतालों में सैनिक लोग जाने से हिचकते थे क्योंकि वहाँ सभी जातियों के लोगों के सम्पर्क में आना पड़ता था। रेलगाड़ी के चलने पर तो गाँव के लोग बहुत दुखी हुए थे क्योंकि वहाँ उन्हें सभी जातियों और धर्मों के लोगों के साथ बैठना पड़ता था। यात्रा के दौरान ब्राह्मण लोग उपवास ही रखते थे और यात्रा की समाप्ति पर, प्रत्येक हिन्दू सैनिक प्रायश्चित्त करता था। काफ़ी भारतीय स्त्रियाँ अँग्रेज़ अफ़सरों की रखैल बनती जा रही थीं और उनकी सन्तान को समाज में क्या स्थान मिलेगा—इसे कोई नहीं जानता था। दूसरे शब्दों में सैनिकों में धार्मिक असन्तोष बढ़ता जा रहा था और कारतूस पर लगी चर्बी ने उस आग को एकदम प्रज्वलित कर दिया जो सारे सैनिकों के मन में धीरे-धीरे सुलग रही थी। इन धार्मिक कारणों का सबसे बड़ा प्रमाण यह है कि आचार्य भगवान देव द्वारा लिखी 'महर्षि दयानन्द : एक प्रामाणिक जीवनी' के अनुसार महर्षि दयानन्द, सन् 1856 में बिठूर में नाना साहब से मिले थे और बहुत से साधु-सन्तों ने देश भर की विभिन्न छावनियों में ग़दर की रोटी बाँटी थी और ग़दर का प्रचार किया था। अगर जनता व सैनिकों की धार्मिक भावनाओं को ध्यान में रखा जाता तो ग़दर उस रूप में कभी नहीं फैलता जिस रूप में वह फैला। अँग्रेज़ों की ऐय्याशी, रिश्वत का खुला रिवाज़ और हिन्दुस्तानियों को कुत्ता समझने का फ़ैशन, यह सब धार्मिक कारणों के बाद ही आता था, पहले नहीं।

ग़दर ने राष्ट्रीय आन्दोलन का रूप कभी धारण नहीं किया। झाँसी की रानी लक्ष्मीबाई, अवध की बेग़म हज़रतमहल, बिहार के बाबू कुँवर सिंह और कानपुर के नाना साहब इत्यादि महान् योद्धाओं ने अपनी चरम वीरता दिखायी पर उसका उद्देश्य मात्र यह था कि उनका अपना राज्य या अपनी जागीर बच जाए। देश के ज़्यादातर राजा (जिनके राज्य को कोई ख़तरा नहीं था)। ग़दर से या तो उदासीन रहे या फिर उन्होंने छिपे या खुले तौर पर अँग्रेज़ों की सहायता की। हिन्दी के पुराने

लेखक लक्ष्मण सिंह ने अँग्रेज़ों की खुली सहायता की थी और इस सेवा के लिए लार्ड कैनिंग ने उन्हें राजा की उपाधि, डिप्टी कलेक्टर का पद व बहुत बड़ी जागीर माफ़ी में दी थी। यह भी नहीं भूलना चाहिए कि ऊपर गिनाये महान् शूरवीरों ने युद्धों का नेतृत्व अक्सर विद्रोहियों के दबाव में आकर ही किया था।

(दो)

"यदि सभी स्थानों पर विद्रोह एक ही पूर्वनिश्चित तिथि पर फैलता तो शायद किसी हद तक अवश्य सफल हो जाता" पर मेरठ में वह पहले ही फूट पड़ा। बृजमोहन नामक आदमी पर, नये चर्बी लगे कारतूस के प्रयोग का मेरठ के सिपाहियों ने आरोप लगाया। यह व्यक्ति अच्छे चरित्र का नहीं था। वह एक नीच जाति के सूअर चराने वाले आदमी का पुत्र था और उसे पैदल सेना से चोरी करने के कारण नौकरी से निकाल दिया गया था। बाद में वह फिर रिसाले में भर्ती हो गया और कर्नल स्मिथ का विश्वास-पात्र बन कर उसी के बँगले में अपना समय गुज़ारने लगा। इस सैनिक ने खुल्लमखुल्ला बताया कि उसने इस शंकास्पद कारतूस को मुँह से खोला है और वह दिन दूर नहीं है जब कि प्रत्येक सिपाही को ऐसा ही करना पड़ेगा। इस पर सवारों ने भी गम्भीर प्रतिज्ञा ली कि वे इन कारतूसों का प्रयोग तब तक नहीं करेंगे जब तक शेष सेना उनका विरोध करेगी। कर्नल स्मिथ ने परेड करने का निश्चय किया जिसमें वह दिखाना चाहता था कि नये कारतूसों को बिना दाँत से काटे, बन्दूक में कैसे भरा जा सकता है। साथी अफ़सरों ने परेड बुलाने को मना किया। कर्नल स्मिथ एक हठी व्यक्ति था और वह सिपाहियों में लोकप्रिय भी नहीं था। परेड में 90 सिपाही आये और 5 को छोड़ कर, शेष ने नये कारतूस लेने से मना कर दिया। परेड ख़त्म हुई और 85 सिपाहियों का कोर्ट-मार्शल किया गया। नये कारतूस न लेने वाले 85 सैनिकों को दस-दस वर्ष की सख़्त क़ैद सुनायी गयी और जनरल हैविट ने सज़ा के हुक्म पर दस्तख़त कर दिये। जनरल हैविट एक आरामपसन्द आदमी थे और उन्होंने सारे काग़ज़ात देखने की या छावनी का वातावरण जानने की कोई कोशिश नहीं की। पूरी ब्रिगेड के सामने इन सज़ायाफ़्ता लोगों को बेड़ियाँ व हथकड़ियाँ पहनायी गयीं। लुहार ने अपना काम बहुत देर लगा कर किया और तब तक पूरी ब्रिगेड इन अपराधियों को अपमानित होते देखती रही। बूढ़े और पुराने अनुभवी सिपाही इस दृश्य को देखकर रो पड़े। सज़ायाफ़्ता 85 क़ैदी ज़िला जेल भेज दिये गये।

शाम को पाँच बजे मेरठ में एक बाबर्ची लड़के ने अफ़वाह उड़ा दी कि रेज़ीमेण्ट के हथियारों पर क़ब्ज़ा करने तोपचियों और बन्दूकधारी सिपाहियों के दस्ते आ रहे हैं। इस अफ़वाह को सुनते ही सिपाही बाग़ी हो गये और उन्होंने जेल से अपने साथी मुक्त कर दिये। दुकानें बन्द हो गयीं। कुछ घण्टों के बाद गुण्डे और आसपास रहने वाले गूज़र शहर में आ गये और लूटमार करने लगे। इस लूटमार का एक

प्रमुख कारण यह भी था कि मेरठ शहर का जो कोतवाल था वह ख़ुद गूजर था।

जैसे ही शहर का वातावरण बिगड़ा, वैसे ही कर्नल स्मिथ कमिश्नर व ब्रिगेडियर से मिलने के बाद, जनरल के निवास पर पहुँचे जहाँ तोपखाने से सुरक्षित वातावरण में उन्होंने अपनी वह रात बितायी। जनरल हैविट की उम्र 70 वर्ष थी और उसने इस समय मात्र अपनी कायरता ही दिखायी। उसके घुड़सवारों को घोड़े की सवारी करना नहीं आता था और जिन्हें घोड़ों की सवारी का अनुभव था, उनके पास घोड़े नहीं थे। कोई भी नहीं जानता था कि क्या किया जाए और इस कारण कुछ भी नहीं किया गया। बाग़ी सिपाहियों के जत्थे, किसी एक विशेष दिशा में नहीं गये थे। बहरहाल बहुत से भारतीय सिपाहियों ने अँग्रेज़ों के प्रति अभी भी बेहद वफ़ादारी दिखायी जिसका जनरल गफ़ पर अत्यधिक प्रभाव पड़ा। जनरल गफ़ की कोठी में ख़ाकसार कई वर्ष रहा।

श्रीमती चेम्बर्स जो गर्भवती थीं और जिनके पति दौरे पर मेरठ के बाहर गये थे, कसाईघर के जानवर की भाँति काट डाली गयीं। उनके हत्यारे को, जो सचमुच एक कसाई ही था, बाद में फाँसी दी गयी। ठीक इसके बरख़िलाफ़ कमिश्नर के जमादार गुलाम खाँ की वफ़ादारी हमेशा याद रखी जाएगी। यही काम बख़्तावर चौकीदार ने भी किया। मेकेंज़ी के अनुसार "ज़्यादातर बाग़ियों ने अँग्रेज़ परिवारों को कोई नुक़सान नहीं पहुँचाया मगर छावनी के सारे अँग्रेज़ बुरी तरह डर गये और वे सोचने लगे कि या तो उन्हें आज ही ज़हर दे दिया जाएगा या फिर किसी मुस्लिम त्योहार के उपलक्ष्य में कल काट दिये जाएँगे।"

(तीन)

दिल्ली में बादशाह रहता था। फ़िलहाल उसकी कोई ख़ास हैसियत नहीं थी (उसका गुज़ारा कम्पनी-सरकार द्वारा दी गयी पेंशन से होता था और लाल क़िले के बाहर उसका कोई शासन नहीं था। पर कानून और न्याय की दृष्टि से, वह अब भी सारे मुल्क का मालिक था और देश के काफ़ी राज्यों में, सिक्के उसी के नाम पर चलते थे।) अँग्रेज़ चाहते थे कि उसे गद्दी से उतार कर, कहीं और किसी महल में मोटी पेंशन पर रखा जाए पर लार्ड डलहौज़ी का यह प्रस्ताव न तो बादशाह को पसन्द था और न लन्दन में स्थित ईस्ट-इण्डिया-कम्पनी के डाइरेक्टरों को ही उचित लगता था। मेरठ के विद्रोही लाल क़िले के बाहर इकट्ठे हुए पर बादशाह उनसे बातचीत तक के लिए भी उत्सुक न था। बहादुरशाह के भीतर न तो अपने पूर्वजों का शौर्य था और न उनकी हिम्मत और बुद्धिमानी ही थी। वह मूलतः एक कवि था। फ़िलहाल जो मुसीबत सामने खड़ी थी, वह उसका मुक़ाबला नहीं कर सकता था और परिस्थितियों का गुलाम होने के अलावा, वह और कुछ भी न कर सका। उसका आध्यात्मिक गुरु हसन अस्करी एक बहुत बड़ा शैतान था और बादशाह का ख़ास सलाहकार

हकीम अहसानुल्ला एक ऐसा व्यक्ति था जिसे बादशाह को छोड़कर बाक़ी सब लोग विश्वासघाती समझते थे। मगर बादशाह ने अपनी सारी कमज़ोरियाँ जानते हुए भी अपनी ज़िम्मेदारी को पूरी तरह निभाया और निर्दोष अँग्रेज़ों और उनके परिवार को मौत से बचाने की उसने पूरी कोशिश की। वह एक शिष्ट, दयालु, एकान्तप्रिय व धर्म-निरपेक्ष व्यक्ति था जो अपनी वृद्धावस्था को कुतुबमीनार के पास या मक्का में गुज़ारना चाहता था। उनके अपने शब्दों में 'वे अपनी ज़िन्दगी के बाक़ी दिन कफ़न लपेट कर किसी बाग़ के एक कोने में बिता सकते थे।' उन्होंने विद्रोहियों के सामने अपना तख़्त छोड़ने की धमकी कई बार दी थी।

11 मई 1857 की सुबह, दिल्लीवालों को मेरठ के विद्रोह का पता लगा और यह सूचना भी मिली कि बाग़ी सिपाही अब दिल्ली ही आ रहे हैं। कमिश्नर साइमन फ्रेजर ने अभी अपना बिस्तर छोड़ा भी न था कि पता लगा कि विद्रोही सिपाही शहर के दरवाज़े तक आ गये हैं और उन्होंने चुंगी के मुंशी को मार कर उसके सरकारी घर में आग लगा दी है। इस अप्रत्याशित समाचार से कमिश्नर की ही भाँति, बादशाह भी स्तब्ध रह गया। बादशाह के महल के नीचे जाने वाली सड़क पर कोलाहल शुरू हुआ तो उसने ख़ुद जाने के बजाय कैप्टेन डगलस को वहाँ भेजा! मेरठ की घटनाओं की चर्चा सुनते ही नगर में अराजकता फैल गयी। लूटमार का प्रारम्भ भी होने लगा क्योंकि ऐसा करने वाले कबीले, दिल्ली में या उसके आसपास ही रहते थे। विद्रोहियों को लाल क़िले के सारे फाटक बन्द मिले पर पता नहीं कि वे कैसे राजघाट के द्वार से क़िले में घुस आये। बाद में पता लगा कि क़िले के पहरेदार अब विद्रोहियों से मिल गये थे। फ्रेज़र, डगलस और हचिन्सन जैसे बड़े लोगों को क़िले में ही ख़त्म कर दिया गया और यही व्यवहार पादरी जेनिंग्स व उसके परिवार के साथ किया गया। बादशाह ने बहुत बताया कि उसके पास तो उन्हें वेतन देने के लिए भी पैसा नहीं है मगर विद्रोही सैनिकों ने कहा कि : "हमें तो अपना धर्म बचाना है और वेतन जैसी छोटी-छोटी बातें, हमारे लिए कोई महत्त्व नहीं रखतीं।" बादशाह फिर भी टालमटोल करता रहा। उसने पहली बार क़िले की पवित्रता को इस तरह भंग होते देखा नहीं तो कभी गवर्नर-जनरल भी क़िले में घोड़े से उतर कर अन्दर आता था। वह हताश हो गया और फिर तख़्त पर बैठा। क़िले पर शाही झण्डा फहरा दिया गया।

दिल्ली में अँग्रेज़ी सेना बहुत कम थी। जो कुछ थी वह काफ़ी दूर थी और उसके तैयार होने में कुछ समय तो लगना ही था। वैसे भी दिल्ली के सैनिक, उस समय तक उदासीन थे। पैदल सेना कर्नल रिप्ले के साथ काश्मीरी-गेट तक आयी पर कमाण्डर के क़त्ल हो जाने और अफ़सरों को गोली से उड़ा देने के बाद, इन सिपाहियों ने लड़ने को मना कर दिया। इसी घटना ने दिल्ली के भाग्य का फ़ैसला कर दिया। दिल्ली के सारे ईसाई—चाहे वे भारतीय थे या यूरोपियन—क़त्ल कर दिये गये। दरियागंज का बैंक लूट लिया गया और मैनेजर के परिवार के साथ हत्या सम्पन्न

कर दी गयी। कुछ लोग बड़े नाटकीय ढंग से बच निकले और ज्वायण्ट मैजिस्ट्रेट सर मेटकाफ का बच निकलना सबसे अधिक आश्चर्यजनक था। गूजर, राँगड़ व मेवाती लोगों ने शहर लूटना प्रारम्भ कर दिया। शस्त्रागार की रक्षा में कुछ अँग्रेज़ सिपाही काम आये और कुछ बचे जिन्हें 'विक्टोरिया-क्रॉस' दिया गया। जेलर ने क़ैदियों को नहीं छोड़ा पर जब पहरेदार ही अनुशासन भंग करने लगे दो क़ैदियों को मुक्त कर दिया गया। शहर की स्थिति सचमुच नाज़ुक हो गयी और बूढ़े बादशाह ने दरबार किया जिसमें एक 'शासन-परिषद' बनायी गयी, जिसने कभी कोई काम नहीं किया। ख़ज़ाना खाली था और बाज़ार बन्द थे। शहर की सुरक्षा की व्यवस्था के लिए एक गवर्नर नियुक्त किया गया और शहज़ादे मिर्ज़ा मुग़ल को प्रधान सेनापति बनाया गया। बादशाह हाथी पर बैठे और उन्होंने दुकानदारों से दुकान खोलने की अपील की। सिपाही खुद लूट-मार पर उतर आये थे और बादशाह को स्थिति को सुधारने में सर्वथा असमर्थ पाया गया। फ़ौज को वेतन देने के लिए शहर के बैंकों ने एक लाख रुपया दिया पर वह ज़्यादा दिन नहीं चल सकता था। हैदराबाद के एक रईस को लूटा गया और सिपाहियों ने तय किया कि अँग्रेज़ों के मित्र सब अमीर लोगों से, उनका धन ज़बर्दस्ती से प्राप्त किया जाए। जून में विद्रोही सेना में फूट पड़ गयी और शहर की हालत और बदतर होती गयी।

अँग्रेज़ सेना के प्रधान सेनापति विश्राम करने के लिए पहाड़ पर गये हुए थे। जनरल एन्सन ने विद्रोहियों को दबाने के लिए कुछ बढ़िया योजनाएँ बनायीं क्योंकि वह जानता था कि "जब तक दिल्ली पर उनका कब्ज़ा है, तब तक कम्पनी का राज सुरक्षित है।" पंजाब के कमिश्नर सर जान लारेंस का भी यही मत था। अँग्रेज़ों का मनोबल गिरने लगा था और मेजर जनरल पेनी ने क्योंथल के राजा के उस महल में शरण ली जो देहात में था। भारतीय सिपाहियों का मनोबल ऊँचा था, वे समझते थे कि 1757 में हुए प्लासी के युद्ध का बदला, सौ साल बाद—यानी कि 1857 में—वे ज़रूर लेंगे। विद्रोही सैनिक प्राणों की बाज़ी लगाकर लड़ रहे थे। विद्रोह में मदद करने के लिए बरेली से टुकड़ियाँ आ पहुँची थीं और उनका कमाण्डर बख़्त खाँ था जो एक लम्बा, बेहद मोटा और गोल जाँघों वाला शेख़ीबाज़ था जो कभी हिन्दू से मुसलमान बना था। उसने बादशाह को गुप्त रूप से इतना प्रभावित किया कि बादशाह ने मिर्ज़ा मुग़ल को हटा कर उसे प्रधान सेनापति का पद दे दिया, जो ग़लत था। बादशाह का विद्राहियों की सेना पर कोई अधिकार नहीं था। शहर के साथ-साथ गाँवों की हालत और भी ख़राब थी। जनरल बरनार्ड एक दयालु व्यक्ति थे पर इस समय सेना सँभालने के लिए वे बूढ़ा होने के कारण अयोग्य थे। उनका बस एक ही गुण था कि वे किसी के काम में हस्तक्षेप कभी नहीं करते थे। उनकी जगह जनरल रीड को नियुक्त किया गया जो सारा दिन अपने बिस्तर पर पड़े रहने के अलावा और कुछ करने में सर्वथा अयोग्य थे। अब निराश होकर अँग्रेज़ सिपाही

भी निरपराध व्यक्तियों की हत्या करने लगे थे।

ईद का त्योहार आने वाला था और कुछ शरारती तत्त्वों ने विद्रोह कुचलने का विचित्र उपाय निकाला जो सफल नहीं हो सका। बादशाह ने गाय की कुरबानी पर प्रतिबन्ध लगा दिया और उन्होंने ख़ुद भी ईदगाह जाकर भेड़ की ही कुर्बानी दी। फ़ौज का सेनापति अब जनरल निकल्सन था जो एक योग्य सेना-संचालक था। उसमें अदम्य साहस था, अद्‌भुत बहादुरी थी और वह दया करे या न करे, क्रूरता अवश्य करता था। अगर उसका वश चलता तो न जाने कितने विद्रोहियों को फाँसी दे दी जाती। स्वयं उसके शब्दों में वह "संसार के ऐसे भाग में रहना चाहता था जहाँ कानून पूरी तरह उसी के हाथ में होता।" निकल्सन के आने से अँग्रेज़ सेना को नयी दिशा मिली। उधर बादशाह की हालत यह थी कि जब एक नवाब ने अपने यहाँ लूट होने की उससे शिकायत की तो बादशाह ने उससे तीन लाख रुपयों की और माँग की। चाँदनी चौक गन्दगी से भर गया था क्योंकि मेहतर लोग काम पर नहीं आते थे, तम्बू वाले नहीं मिलते थे और हलवाइयों ने मिठाई उधार देनी बन्द कर दी थीं। सिपाहियों की एक बड़ी शिकायत यह भी थी कि उन्हें पीने के लिए हुक्के नहीं दिये जा रहे थे। ग़रीब हिन्दुस्तानी, थोड़े से पैसों के लिए, बग़ैर फ़ायर हुए कारतूस इकट्ठा करते थे जिसमें उनकी जान तक चली जाती थी। रोटन के अनुसार "ग़रीबी और लालच आदमी से क्या नहीं करा सकते?" बहरहाल जनरल निकल्सन ने लड़ाई जीत ली और लाल क़िले के दीवाने-ख़ास में जश्न मनाया गया।

21 सितम्बर, 1857 को बादशाह ने हडसन के सामने आत्मसमर्पण कर दिया। अगले दिन हुमायूँ के मकबरे में छिपे शहज़ादों ने भी आत्म-समर्पण किया और बैलगाड़ी पर बिठा कर मेजर हडसन उन्हें शहर की तरफ़ ले चला। कुछ सशस्त्र आदमियों की भीड़ एकत्रित हो गयी पर हडसन ने उनसे हथियार रखवा लिये। दिल्ली गेट के पास भीड़ बहुत थी और हडसन ने शहज़ादों को कपड़े उतारने को कहा और उसके बाद उसने उन्हें गोलियों से भून दिया हालाँकि उन्हें प्राण-दान का वचन दिया जा चुका था। वह स्थान जहाँ यह नृशंस काण्ड हुआ, अब 'ख़ूनी दरवाज़े' के नाम से मशहूर है। यह दरवाज़ा शेरशाह ने सैकड़ों वर्ष पहले बनवाया था। मेजर हडसन ने बाद में बताया कि 'भीड़ बहुत ज़्यादा तेज़ी से बढ़ती जा रही थी और इसी कारण उसे शहज़ादों पर गोली चलानी पड़ी। उसने जो कुछ किया वह उसे अपनी व अपने साथियों की रक्षा के लिए विवश होकर करना पड़ा।"

इसके बाद बादशाह ग़लती के बाद ग़लती करता गया। अपने प्राण बचाने के लिए उसने समझौते का प्रस्ताव पेश किया। अँग्रेज़ों ने उसके साथ जो सलूक किया वह उस सलूक से भी बदतर था जो एक जघन्य और साधारण अपराधी के साथ किया जाता है। अँग्रेज़ लोग उसे खुलेआम बेइज़्ज़त करते थे। "बादशाह एक मामूली चारपाई पर पालथी मारकर बैठा रहता था और थक जाने पर लेट जाता

था। चारपाई पर एक मामूली-सा बिछौना बिछा था। उसका व्यक्तित्व साधारण लगता था और उसकी दाढ़ी सफ़ेद और लम्बी थी। बादशाह ने सफ़ेद कपड़े पहन रखे थे और उसके सिर पर तुर्राशाही टोपी थी। पीछे खड़े दो आदमी पंखा झल रहे थे।" ग्रिफिथ्स का उपरोक्त विवरण बादशाह की गिरफ़्तारी से अगले दिन का है। धीरे-धीरे उनकी सुविधाएँ घटती गयीं। वे अत्यन्त साधारण मकान में रखे गये थे और बादशाह सारा दिन चुपचाप बैठे, ज़मीन पर आँखें गड़ाये रहते थे। उनके पास की चारपाई पर, सुरक्षा-कर्मचारी बैठे रहते थे जिन्हें हुक्म दिया गया था कि "यदि बादशाह को क़ैद से निकालने का कोई प्रयत्न किया जाता है तो सुरक्षा-अधिकारी उन्हें अपने हाथ से गोली मार सकता है।" जब रैक्स बादशाह के पास गया तो वे बैठे हुए कुछ शेर गुनगुना रहे थे और बातचीत में उन्हें कोई दिलचस्पी नहीं थी। बेग़म की भी लगभग यही अपमानजनक स्थिति थी। श्रीमती कूपलैण्ड भी बादशाह को देखने गयीं और उन्होंने "मैले-कुचौले सफ़ेद कपड़े पहने एक वृद्ध व्यक्ति को देखा जो जाड़े से बचने के लिए रज़ाई लपेटे हुआ था। हमें देखते ही उसने अपना हुक़्क़ा एक तरफ़ रख दिया और वह बड़े दीन भाव से हमें सलाम करने लगा।" कुछ पतित फ़िरंगी, बादशाह की इस दीन स्थिति में, उन पर फोश फब्तियाँ भी कसते थे।

बादशाह पर बाक़ायदा मुक़दमा चला और यह सब कार्रवाई लाल क़िले के दीवाने-ख़ास में ही की गयी। "जिस जगह शाहजहाँ और औरंगज़ेब अपने बड़े से बड़े ओहदेदारों को बराबर खड़ा रखा करते थे, वहाँ आज उनका वंशज और उत्तराधिकारी एक क़ैदी के रूप में हाज़िर था और एक भिखारी की भाँति अपने व अपने परिवार के लोगों के प्राणों की भिक्षा माँग रहा था।" बादशाह के अँग्रेज़ वकील ने मुक़दमे को एकदम ग़लत व असंवैधानिक बताया पर कोर्ट-मार्शल ने उसे देश से निर्वासित करने की सज़ा दी। उसे होनोलूलू या अफ्रीका भेजना ग़लत समझा गया और उसे बर्मा ही भेजा गया। वह वहाँ भी दीवारों पर कोयले से कविता लिखता रहा और बड़े कष्ट में मरा।

कुछ अँग्रेज़ बादशाह को फाँसी देना चाहते थे पर उनकी हिम्मत ने साथ नहीं दिया। सेसिल बीडन ने लिखा था कि "यदि दिल्ली के बादशाह को किसी भी शर्त पर रिहा किया गया तो वह एक दुर्भाग्यपूर्ण घटना होगी। उसके साथ तो मुक़दमे के बाद वही सलूक करना चाहिए जो उसके शहज़ादों के साथ किया गया। मुझे पूरा विश्वास है कि वही विद्रोहियों का सच्चा नेता है और उसे तो सज़ा मिलनी ही चाहिए। यदि अब भी उसे मुक्त किया गया तो लोग हमें कायर समझेंगे। बादशाह को तो क़िले की दीवार पर खड़ा करके सबके सामने फ़ाँसी दे देनी चाहिए।"

(चार)

अन्तिम 'मराठा सम्राट्' सन् 1817 में अँग्रेज़ों के साथ अत्यन्त अपमानजनक शर्तों

पर समझौता करने को मजबूर हो गये थे। इन सम्राट का नाम था पेशवा बाजीराव (द्वितीय)। उन्हें महाराष्ट्र छोड़ना पड़ा और अँग्रेज़ों ने बहुत सोच-विचार के बाद उन्हें कानपुर के पास बिठूर में रखा जो गंगा के किनारे बसा होने के कारण, पेशवा को बुरा न लगा। उन्हें जागीर दी गयी, मुल्क की अदालतों से मुक्ति दी गयी और आठ लाख रुपया सालाना की पेंशन भी दी गयी। उनकी 'पन्त प्रधान' की पदवी छीन ली गयी और उन्हें मात्र 'महाराज' कहकर ही सम्बोधित किया जाने लगा और सबसे बड़ा दुख पेशवा को इसी बात से हुआ। मगर सबसे ज़्यादा अजीब बात यह रही कि कम्पनी-सरकार ने एक दिन उनकी जागीर के घसियारों पर टैक्स लगा दिया। पेशवा के पास अपना धन काफ़ी था और वे ठाठ से रहते थे और तीर्थ-यात्रा करते थे। पेशवाओं की उम्र ज़्यादा नहीं होती थी और यह पेशवा तो बीमार आदमी थे। अँग्रेज़ों का ख़याल था कि वे जल्दी ही मर जाएँगे। संयोग से यह पेशवा 70 वर्ष से भी ज़्यादा उम्र तक जीवित रहे। उन्होंने कई पुत्र गोद ले रखे थे जिनमें धोंधू पन्त सबसे बड़े थे और इसी कारण पेशवा ने अपनी वसीयत में, उन्हें ही अपना उत्तराधिकारी मनोनीत किया था। धोंधू पन्त इतिहास में नाना साहब के नाम से प्रसिद्ध हुए।

नाना साहब के बारे में अँग्रेज़ों की राय कोई अच्छी नहीं थी। "वह कोई योग्य व्यक्ति नहीं था पर वह मूर्ख भी नहीं था। बाक़ी भारतीयों की भाँति, वह भी स्वार्थी था और धर्म के मामले में वह कट्टर नहीं था (जान लैंग)" थामसन के अनुसार वह "मँझले क़द का बहुत मोटा और गेहुँए रंग का व्यक्ति था जो बाक़ी मरहठों की भाँति दाढ़ी, मूँछ और सिर घुटा हुआ रखता था। वह अँग्रेज़ी का एक भी शब्द नहीं बोल सकता था।" डॉ. त्रेसीद्दर के अनुसार "नाना साहब एक नीरस व्यक्ति था जो निरन्तर मोटा होता जाता था और उसकी उम्र तीस या चालीस के बीच में थी। बग़ैर पगड़ी के वह एक मामूली दुकानदार लगता था और पगड़ी भी वह ठीक तरह से नहीं बाँधता था।" नाना साहब के पास लगभग तीस लाख रुपये की कुल सम्पत्ति थी और नाना को सारा ठाठ-बाट और अपने आश्रितों का निर्वाह इसी सम्पत्ति से करना था। पेशवा की भाँति वे देश के कानून के बाहर नहीं थे और न उनको कोई पेंशन ही दी गयी थी। वे भूमिहीन थे और इसी कारण पेशवा की मृत्यु पर वे भूमि-दान नहीं कर सके जिसकी प्रथा बहुत पुरानी थी। जब कुछ कुलीन मराठा ज़मींदारों ने, अपनी भूमि दान करने की बात चलायी तो नाना साहब रो पड़े। उनकी पदवी भी घटा दी गयी और कम्पनी से निराश होकर उन्होंने अपना प्रतिनिधि लन्दन भेजा जिसका नाम अज़ीमुल्ला खाँ था।

अज़ीमुल्ला खाँ एक अद्‌भुत व्यक्ति था। वह एक बहुत छोटे ख़ानदान का आदमी था और कभी खिदमतगारी करके अपना गुज़ारा किया करता था। उसने स्वयं ही लिखना-पढ़ना सीखा, फ्रैंच और अँग्रेज़ी भाषाओं में गति प्राप्त की और उसके बाद वह कहीं मुदर्रिस रहा। वह एक रूपवान व्यक्ति था जो शिष्ट, सभ्य व

सुसंस्कृत था। लन्दन पहुँचते ही वह सभ्य लोगों से परिचित हो गया और ब्रिटेन की प्रौढ़ महिलाएँ और सुन्दर आवारा युवतियाँ, उसके प्रति आकृष्ट होने लगीं। कुछ लोग तो उसे किसी राज्य का राजा ही समझते थे। इन सारे गुणों के बावजूद, वह नाना साहब की कोई सहायता नहीं कर पाया।

सब प्रकार के अपमानों के बावजूद, नाना साहब अँग्रेज़ अधिकारियों से मित्रता रखते थे और उन्हें अपने घर दावतों पर बुलाया करते थे। वे ख़ुद किसी अँग्रेज़ के यहाँ कभी अतिथि नहीं बनते थे क्योंकि उनके यहाँ जाने पर, नाना साहब को सलामी देने की प्रथा अब लगभग समाप्त हो गयी थी। वे लखनऊ जाते थे और "घुड़दौड़ और खेलकूद के साथ-साथ ग़दर की योजना भी बनाते रहते थे'।" नाना साहब वैसे भी जानवरों के बेहद प्रेमी थे।

कानुपर में कम्पनी की सेना काफ़ी थी और जनरल सर डीलर वृद्ध होने के बावजूद, सर हेनरी लारेंस की सम्मति में, शक्ति के स्तम्भ थे। मेरठ और दिल्ली की घटनाओं की ख़बर कानपुर पहुँच गयी पर किसी भी तरफ़ से कोई क़दम नहीं उठाया गया। नाना साहब अपने घोड़ों, कुत्तों, हिरणों और खरगोश के बराबर दीर्घकाय गिलहरियों के साथ खेलते रहे और जनरल चिन्तित तो हुआ पर चुप रहा। सदा की भाँति हिन्दुस्तानी सैनिक शान्त थे पर भीतर ही भीतर एक अनिश्चितता स्थान लेती जा रही थी। एक अशान्त सिपाही ने अपने साथियों से बता ही दिया कि अँग्रेज़ उनके ख़िलाफ़ गम्भीर योजनाएँ बना रहे हैं। इस सिपाही को गिरफ़्तार किया गया, उस पर मुक़दमा चला और उसे फाँसी की सज़ा मिली। सिपाहियों को शान्त रखने के लिए सज़ा कार्यान्वित नहीं की गयी। इत्तफ़ाक से इन्हीं दिनों बाज़ार में घटिया क़िस्म का आटा आया जो सस्ते दामों पर बेचा जा रहा था। लोगों को सन्देह हुआ कि इस आटे में सूअर और गाय की हड्डियों का चूरा मिला है। गड़बड़ी की आशंकाएँ प्रबल हो उठीं पर जनरल व्हीलर "बुरी से बुरी स्थिति का सामना करने को तैयार था।"

शहर में तनाव आते ही, नाना साहब व अँग्रेज़ों ने आपस में बातचीत शुरू की। नाना साहब ने अपने को सरकार का वफ़ादार सेवक बताते हुए, अँग्रेज़ सैनिकों व सरकारी ख़ज़ाने की स्वयं सुरक्षा करने का प्रस्ताव रखा। अँग्रेज़ उन पर विश्वास रखते थे और उन्होंने प्रस्ताव मान लिया। ख़ज़ाने में कई लाख रुपये थे और मैजिस्ट्रेट को उनकी सुरक्षा की बड़ी चिन्ता थी। ह्वीलर ने नाना साहब को बुलाया और नाना बिठूर से उसके पास तुरन्त गये। उन्होंने ख़ज़ाने की रक्षा के लिए दो सौ घुड़सवार, चार सौ पैदल और दो तोपें देने का वचन दिया।

शराब के नशे में चूर, एक अँग्रेज़ अफ़सर की एक हरकत से चिनगारी भड़क उठी। नशे में उस मूर्ख ने एक रेज़ीमेण्ट की एक छोटी-सी टुकड़ी पर बिना बात गोली चला दी। उस अपराधी पर यह कहकर मुक़दमा नहीं चलाया गया कि उसने जो ग़लती की थी वह शराब के नशे में की थी। इस घटना से भारतीय सिपाहियों

का सन्देह और भी बढ़ गया कि अँग्रेज़ उनके साथ चालबाज़ी करना चाहते हैं। सिपाहियों ने यह भी सोचा कि अँग्रेज़ लोग एक 'सुरक्षित स्थान' में क्यों एकत्रित हो रहे हैं। यह सुरक्षित स्थान कुल दो बैरकों का नाम था जिनमें से एक की छत फूस की थी। अज़ीमुल्ला इसे 'नाउम्मीदी का किला' कहकर मज़ाक़ उड़ाने लगा। एक ओर अविश्वास और दूसरी ओर शान्त वातावरण के दिखावे ने विद्रोह की भूमि को तैयार किया। लखनऊ में ग़दर शुरू हो चुका था और कानपुर से कुछ सेना वहाँ भेजी गयी थी। उसी दिन जनरल ह्वीलर को महसूस हुआ कि कानपुर में विद्रोह शुरू होने वाला है और इसी कारण उसने असैनिक अँग्रेज़ों को सुरक्षित स्थान पर जाने का हुक्म दिया। एक महीने की रसद भी उनके साथ वहाँ जमा कर दी। ख़ज़ाने से एक लाख रुपया भी बाहर निकाला गया। यह ग़दर शुरू होने की सूचना थी।

विद्रोही सैनिक ख़ज़ाने की इमारत में गये और सारा ख़ज़ाना खुले-आम लूट लिया गया। जेलख़ाने पर हमला हुआ और सारे क़ैदी मुक्त कर दिये गये। इसके बाद विद्रोही सेना दिल्ली की दिशा में चली पर बाद में कानपुर वापस आ गयी। तात्या टोपे के अनुसार "विद्रोहियों ने नाना साहब पर बहुत ज़ोर डाला और वे विद्रोह का नेतृत्व करने के लिए तैयार हो गये।" विद्रोहियों ने कानपुर के अमीरों को लूटना प्रारम्भ कर दिया।

'सुरक्षित-स्थान' में ज़्यादातर स्त्रियाँ और बच्चे ही थे। सर जनरल व्हीलर बहुत बूढ़ा था और वह युद्ध का सारा भार उठाने में असमर्थ था। प्रतिरक्षा की ज़िम्मेदारी कप्तान मूर को दी गयी जो कि एक होशियार आदमी था। हथियारों या गोली-बारूद की कमी नहीं थी मगर हाँ, रसद ज़्यादा नहीं थी और जो थी, उसका वितरण ठीक तरह नहीं किया गया। धीरे-धीरे हालत बेहद नाज़ुक हो गयी। दुश्मन का कोई घोड़ा हाथ आ जाता तो उसे मार कर ही गुज़ारा किया जाता। एक बार एक 'ब्राह्मणी साँड़' चरता हुआ हाथ आ गया तो उसकी पवित्रता का ध्यान रखते हुए भी उसे खाने के काम में लाया गया। एक बार तो एक गन्दे कुत्ते को पकड़ा गया और उसके अधपके मांस से भूख शान्त की गयी। 'सुरक्षित स्थान' की दीवारें पतली थीं और बैरकें बेहद गर्म हो जाती थीं। बहुत से लोग गर्मी और लू से मर गये। धूप से तोपें इतनी ज़्यादा गर्म हो जाती थीं कि कभी-कभी बग़ैर चलाए ही गोले अपने-आप छूटने लगते थे। मुर्दा लोगों की लाशें गन्दगी पैदा करने तगीं क्योंकि उनके जलाने या उनको दफ़न करने का कोई प्रबन्ध नहीं था। पानी की तंगी ने तो कमर ही तोड़ दी और एक बाल्टी पानी भी कभी-कभी दस शिलिंग पर बेचा जाने लगा। बड़े-बड़े अफ़सरों के बच्चे, मुँह में नमी लाने के लिए भीगे हुए पुराने थैलों या चमड़े के टुकड़ों को चूसते रहते थे। जनरल ह्वीलर का पुत्र सारे परिवार के सामने विद्रोहियों की गोली से मरा। वफ़ादार हिन्दुस्तानी नौकर अपने अँग्रेज़ मालिकों के साथ बराबर रहे और भयंकर कष्ट झेलते रहे। यह एक भयंकर युद्ध था और बन्दियों तक को

मार दिया जाता था। कलकत्ता से कोई सम्पर्क करना असम्भव था और इस कारण जनरल व्हीलर ने लखनऊ से मदद माँगी मगर वहाँ तो अपनी स्थिति ही ख़राब थी।

अब तक नाना साहब औपचारिक रूप से प्रशासन को अपने हाथों में ले चुके थे और पुराने मराठी कानून फिर काम में आने लगे थे जिनके अनुसार अपराधी का ठीक वही अंग काट लिया जाता था जो उसने अपने प्रतिपक्षी के शरीर से काटा था। व्हीलर ने लखनऊ को अपना अन्तिम सन्देश 24 जून को भेजा था जिसमें उसने कहा था कि "केवल ब्रिटिश आत्मा जीवित है लेकिन वह ज़्यादा दिनों ज़िन्दा नहीं रह सकती।" व्हीलर नाना साहब के साथ कोई समझौता नहीं करना चाहता था और वह अभी भी मदद के लिए कलकत्ता की दिशा में आँख गड़ाये बैठा था। बहरहाल दोनों पक्षों में बातचीत हुई (जिनमें अज़ीमुल्ला शामिल था) और यह निश्चय किया गया कि "जो अँग्रेज़ इलाहाबाद जाना चाहते हैं वे नावों द्वारा वहाँ चले जाएँ।" सत्ती-चौरा घाट पर चालीस बड़ी नावें पहुँचायी गयीं और उन पर फूस डालने का काम शुरू हो गया ताकि स्त्रियाँ व बच्चे भयंकर गर्मी से बच सकें। सोलह हाथी और अस्सी पालकियाँ घाट तक गयीं और बूढ़ा जनरल ह्वीलर भी अपनी पत्नी और पुत्री के साथ नावों तक गया। दृश्य देखने के लिए हज़ारों आदमी किनारे पर खड़े थे। जैसे ही किसी तरह अँग्रेज़ लोग व उनके परिवार के लोग नावों पर बैठे, वैसे ही उनकी छतों के फूँस में आग लगा दी गयी और किनारे पर खड़े विद्रोही सिपाहियों ने नावों पर गोलियाँ चलानी शुरू कर दीं। इस हत्याकाण्ड में लगभग 870 अँग्रेज़ मारे गये और इस सारे हादसे की सारी ज़िम्मेदारी नाना साहब पर ही डाली जाती है क्योंकि उन्हें इस योजना का शायद पता था और नैतिक ज़िम्मेदारी तो उनकी थी ही। "नावें बचे-खुचे कुछ यात्रियों को लेकर मऊ पहुँची जहाँ उन्हें भोजन वग़ैरह दिया गया।" थामसन के शरीर पर मात्र एक कमीज़ थी, डेलाफ़ास की कमर से एक कपड़ा बँधा था और सल्लविन तथा मर्फ़ी एकदम नंगे थे। उनका स्वागत मऊ के ज़मींदार दिग्विजय सिंह ने किया था। कुछ लोगों ने इस हत्याकाण्ड की ज़िम्मेदारी जनरल नील पर डालने की कोशिश की है क्योंकि वह इलाहाबाद में विद्रोह को भयानक निर्दयता के साथ कुचल रहा था। इसी समय फ़तेहपुर, बनारस और फ़ैज़ाबाद में भी ग़दर फ़ैल गया। नील ने कानपुर की मदद करने के बजाय, बाक़ी स्थानों के विद्रोहियों को 'सबक सिखाने' का भयंकर और दुर्दान्त अभियान शुरू किया और अपराधी व निरपराधी स्त्री और पुरुष फाँसी पर लटका दिये गये और वे लोग भी अँग्रेज़ों के ख़िलाफ़ हो गये जो अब तक उनके साथ थे। लगभग इसी समय जनरल हैवलाक को कानपुर बचाने की ज़िम्मेदारी दे दी गयी। यह जनरल "पुराने ढंग का आदमी था और झगड़ालू व उबाऊ व्यक्ति था। मगर वह इतना चुस्त था कि लगता था जैसे कि वह फ़ौलाद का बना हो।" इस फ़ौलादी जनरल ने नील की क्रूरता को एकदम सीमित कर दिया।

सत्ती-चौरा घाट पर जो लोग बचे, वे क़ैदी बना लिये गये। पुरुषों को गोली मार दी गयी और स्त्रियाँ व बच्चे 'सवाडा हाउस' में रखे गये। अपनी विजय की आशा खोने पर, विद्रोहियों ने बाक़ी बन्दी भी क़त्ल कर दिये और उन्हें एक कुएँ में डाल दिया। जनरल नील ने फाँसी की सज़ा प्राप्त सारे विद्रोहियों से, इन क़त्ल किये गये लोगों का ख़ून चटवाया। निरीह लोगों को यह काम करना पड़ा हालाँकि उस हत्याकाण्ड के पीछे वे नहीं थे। "मौत की सज़ा पाने वाले लोग काफ़ी थे लेकिन वे धैर्य व शान्ति से मरे। कुछ लोगों ने तो मृत्यु को ऐसे समझा जैसे कि वे किसी यात्रा पर जा रहे हों।" सत्ती-चौरा घाट पर एक पत्थर लगा है जिस पर '1857' लिखा है और लाशों से भरा वह कुआँ 'मेमोरियल वैल' के नाम से, उन भयंकर दिनों की याद दिलाने के लिए कानपुर में अभी भी एक 'विवरण-पट्ट' के साथ कम्पनी-बाग़ में सुरक्षित है।

(पाँच)

मुग़ल-साम्राज्य के एक सूबे का नाम 'अवध' था। जैसे-जैसे वह साम्राज्य कमज़ोर होता गया वैसे-वैसे अवध एक स्वतन्त्र राज्य बनता गया। शुरू-शुरू में तो अवध का नवाब, केन्द्रीय सरकार का वज़ीरे-आज़म भी होता था और यह प्रथा वंशगत भी होने लगी थी। इस राज्य की राजधानी फ़ैज़ाबाद थी पर नवाब आसफ़ुद्दौला उसे लखनऊ ले आये। बक्सर के युद्ध के बाद, नवाब एकदम स्वतन्त्र हो गया और लार्ड क्लाइव ने उससे अलग सन्धि की। अँग्रेज़ लोग धीरे-धीरे अपना पंजा कसते गये और उनकी माँगें बढ़ती गयीं। अन्त में चलकर अवध का राज्य-क्षेत्र लगभग आधा रह गया और नवाब की हैसियत एक सामन्त जैसी रह गयी। अवध के नवाबों ने कम्पनी की बहुत मदद की और बदले में कम्पनी ने उन्हें बादशाह की उपाधि दी। वाजिदअली शाह अवध के अन्तिम नवाब थे। उन्होंने प्रशासन की सारी ज़िम्मेदारी उन कृपापात्रों पर छोड़ दी थी जो स्वार्थी व अवसरवादी थे। धीरे-धीरे स्थिति यह हो गयी कि अवध की नवाबी व भ्रष्टाचार एक-दूसरे के पर्याय बन गये। नवाब लोग ब्रिटिश रेज़ीडेण्ट की बेहद इज़्ज़त करते थे और इस कृपा के बदले में, रेज़ीडेण्ट जो था वह उनके रहन-सहन में कोई हस्तक्षेप नहीं करता था। वाजिदअली शाह भी कविता व संगीत में दख़ल रखता था। मगर सब से ज़्यादा भयानक बात यह थी कि वह नीचे घरानों के गवैयों और नर्तकों के साथ ज़्यादा रहता था। हालत यह थी कि उसका ख़ास वज़ीर भी, उससे महीने में दो-चार बार ही मिल पाता था और यह मुलाक़ात भी किसी ढोलची या तबलची के घर पर ही होती थी। ये निचले लोग नवाब की कृपा का ग़लत फ़ायदा उठाते थे और बदनामी नवाब की होती थी। रेज़ीडेण्ट स्लीमन ने 1849 में गवर्नर-जनरल को लिखा था कि "वस्तुतः अवध में अब कोई सरकार नहीं रह गयी। गवैयों और ज़नखों को छोड़कर, नवाब किसी और से नहीं मिलता। वह

प्रशासन की कोई परवाह नहीं करता और यह जानने की कोशिश भी नहीं करता कि उसकी सल्तनत में क्या हो रहा है।" नवाब दिन-रात भोग-मिलास में डूबा रहता था और उसे उसके परिणामों की कोई चिन्ता नहीं थी। "नवाब के दिन और रातें हरम में बीतती हैं। ऐसा लगता है कि वह विलासिता, फ़िज़ूलख़र्ची और नीच कर्मों के लिए ही जीता है।" लार्ड डलहौज़ी इस चिन्ता से परेशान था कि अवध का राज्य कैसे लिया जाए मगर वाजिदअली शाह ने रेडीडेण्ट को अपनी पगड़ी ख़ुद उतार कर दे दी और आत्म-समर्पण कर दिया। अवध जो था वह ब्रिटिश सरकार का एक सूबा बनकर रह गया। नये सूबे का प्रशासन चीफ़ कमिश्नर सर जेम्स ऊटरम को दिया गया जो एक योग्य व्यक्ति था।

नयी सरकार के आते ही प्रशासन चुस्त किया जाने लगा। नवाब की सेना में से 60000 सैनिकों की छँटनी कर दी गयी। अनेक कारीगर, कलाकार और शिल्पी, रातों-रात बेकार हो गये। सर ऊटरम छुट्टी गये तो नया चीफ़ कमिश्नर इतना मूर्ख निकला कि उसने छतर-मंज़िल (जिसमें अब तक सिर्फ़ शाही परिवार ही रहा करता था) में अपना निवास-स्थान बनाया जो उसे जल्दी ही खाली करना पड़ा। क़दम रसूल नामक स्थान को—जो मुसलमान लोगों के लिए एक पवित्र स्थान था—शस्त्रागार बनाया गया। नये कर लगाये गये और 'अफ़ीम' पर ज़्यादा कर लगने से नयी सरकार की बड़ी बदनामी हुई। कुछ अफ़ीमचियों ने तो आत्महत्या कर ली। पुराने कर्मचारी एकदम पूरी तरह नहीं बदले जा सकते थे और इसी कारण घूस व भ्रष्टाचार अब भी चलते रहे और उनकी ज़िम्मेदारी भी नयी सरकार ही पर डाली गयी। जिन जागीरदारों के पास काग़ज़ी सबूत नहीं थे, उनसे उनकी पैतृक जागीरें छीन ली गयीं। सन् 1857 में सर हेनरी चीफ़ कमिश्नर बने जो प्रजा के साथ सहानुभूति रखते थे पर जिनसे लार्ड डलहौज़ी ज़्यादा ख़ुश नहीं थे। बहरहाल रैयत में, जागीरदारों में, और नौकरी से निकाले गये सैनिकों में, अशान्त वातावरण जन्म लेने लगा।

एक फ़ौजी डॉक्टर ने अपनी बीमारी को ठीक करने के लिए एक दवा की बोतल को अपने मुँह से लगा लिया और जूठी बोतल की दवा पीने से बाक़ी सैनिकों ने मना कर दिया। डॉक्टर का बँगला जला दिया गया और उसकी जान मुश्किल से बची। इसी प्रकार एक दिन चीफ़ कमिश्नर की गाड़ी पर किसी ने कीचड़ फेंक दिया। उसने एक दरबार लगाया और कहा कि "कम्पनी-सरकार औरंगज़ेब व राना रणजीत सिंह के शासन से कहीं ज़्यादा दयालु है।" इस दरबार का कोई विशेष प्रभाव नहीं पड़ा।

मेरठ के विद्रोह की सूचना लखनऊ 14 मई को पहुँची पर दिल्ली के ग़दर की सूचना लखनऊ अगले ही दिन पहुँच गयी। गवर्नर-जनरल ने सर हेनरी को सेना का भी पूरा अधिकार दे दिया। सर हेनरी ने नगर के दो स्थानों को रक्षा का केन्द्र बनाया; एक स्थान था मच्छीमहल और दूसरा स्थान था रेज़ीडेंसी। वह जानता था कि अन्तिम रक्षा का स्थान, रेज़ीडेंसी ही रहेगी।

30 मई की रात को 'मुरिआँव' में विद्रोही सेना ने यूरोपियन सेना पर हमला बोल दिया। विद्रोही सैनिक क़ैद कर लिये गये। उनका कोर्ट-मार्शल हुआ और उनमें से बहुतों को फाँसी दे दी गयी। फाँसी का तख़्ता मच्छीमहल के सामने लगाया गया ताकि सब लोग उसे देख सकें। अठारह पौण्ड वाली एक तोप भी वहाँ लगायी ताकि बाक़ी पब्लिक और सैनिक भयभीत हो सकें। मगर भयभीत जो लोग हुए वे गोरी आबादी के ही लोग हुए क्योंकि देशी सेना विदेशी सेना से कहीं ज़्यादा थी। सर हेनरी प्रत्येक देशी सैनिक को विद्रोही नहीं मानता था और वह ठीक निकला। रेज़ीडेंसी की सुरक्षा करने वालों में 500 देशी सैनिक भी थे जो अपने भाइयों के ख़िलाफ़ अन्त तक लड़े। विद्रोह सीतापुर, आज़मगढ़, बनारस, फ़ैज़ाबाद और बहराइच में भी शुरू हो गया। फ़ैज़ाबाद में एक अद्‌भुत मौलवी था जिसके शिष्य सारे मुल्क में फैले हुए थे। उसने अँग्रेज़ों के ख़िलाफ़ 'जिहाद' बोल दिया। विद्रोह के समय यह मौलवी क़ैद में था। स्थानीय जागीरदार लोग अँग्रेज़ों को अब भी शरण देते थे और यह सब पुरानी परम्पराओं पर आधारित था कि मुसीबत में शरण माँगने वाले को शरण अवश्य दो। बहराइच का कमिश्नर तो विद्रोह होते ही शहर से भाग गया हालाँकि बाद में उसे तरक्की दी गयी। सर हेनरी अपना दफ़्तर रेज़ीडेंसी में ही ले आया। उसकी सेहत, काम और चिन्ता से बराबर गिरती जा रही थी मगर वह अपने कर्तव्य के सामने अपनी व्यक्तिगत तकलीफ़ों को भूल गया। वह वेश बदलकर उन भागों में भी रात को जाता रहा जहाँ देशी लोग रहते थे ताकि विद्रोह की सच्ची स्थिति का उसे पता रहे। वह थक कर तोपखाने के सामने सैनिकों के बीच में लेट जाता ताकि देसी सिपाहियों के अगले क़दम की उसे ख़बर मिल सके। चिनहाट के युद्ध में अँग्रेज़ी सेना पराजित हुई और इस हार से अँग्रेज़ घबरा गये। "रेज़ीडेंसी के क्षेत्र में भी अव्यवस्था फैल गयी और अँग्रेज़ स्त्री, पुरुष और बच्चे अपना सामान छोड़कर रेज़ीडेंसी में शरण लेने के लिए भागने लगे।" लावारिस पशु भी समस्या बन गये क्योंकि वे चारे की तलाश में हर जगह घूमने लगे, कुओं में गिर कर पानी को विषाक्त बनाने लगे और उनकी लाशों से बदबू फैलने लगी। कुछ पशुओं का मांस खाया गया और कुछ गायें व बकरियाँ बच्चों के लिए दूध मुहैया करने के लिए पकड़ ली गयीं। एक भूखे अँग्रेज़ ने एक अँग्रेज़ महिला की बकरी की चोरी की ताकि वह अपनी कई दिन की भूख मिटा सके। रेज़ीडेंसी में राशन व्यवस्था लागू करनी पड़ी जो दिन-ब-दिन और सख़्त होने लगी। स्त्रियों को बहुत काम करना पड़ता था क्योंकि नौकर चले गये थे। घेरे के भीतर, सब तरह के अँग्रेज़ थे जैसे क्लर्क, व्यापारी, असैनिक अधिकारी और पादरी लोग। अब सब को हथियार उठाने पड़े। एक योद्धा था डूप्रा जिसकी शराब की दुकान लूट ली गयी थी। उसने नाना साहब की सेना का कमाण्डर बनने से इनकार कर दिया था। मगर चूँकि वह एक 'मौजी' आदमी था और धार्मिक कट्टरता नहीं रखता था, रोमन कैथोलिक पादरी

ने उसे विधिवत् दफ़नाने से मना कर दिया। विद्रोहियों ने रेज़ीडेंसी घेर ली। घेरे में कुछ बड़े लोग भी थे जैसे नवाब वाजिदअली शाह के बड़े भाई मुस्तफ़ाअली शाह। इन्हें राजनीतिक कारणों से रेज़ीडेंसी में रोक लिया गया था। रेज़ीडेंसी का इस घेरे के कारण, नगर से सम्बन्ध टूट गया। अंगद तिवारी व मिसर कनौजीलाल अँग्रेज़ों के प्रमुख गुप्तचर थे। बहुत भयंकर और प्रलोभक परिस्थितियों में भी, इन दो जासूसों ने कभी विश्वासघात नहीं किया।

इसी बीच एक भयंकर बम-दुर्घटना में सर हेनरी का देहान्त हो गया। अन्तिम क्षण तक वे अपने उत्तराधिकारी को सलाह देते रहे और उनकी मृत्यु को गुप्त ही रखा गया। लार्ड डलहौज़ी ने सारे मतभेद होते हुए भी, उनकी मृत्यु के दुख में दो दिन तक खाना नहीं खाया। सारी परिस्थितियों को ध्यान में रखते हुए उनका शव बेहद साधारण आदमी की भाँति दफ़नाया गया। "सर हेनरी सचमुच एक महान् व्यक्ति था।"

घेरे के भीतर लोग मरने लगे थे। बाग़ी सिपाहियों में से कुछ तो सचमुच लाजवाब निशानेबाज़ थे और ऐसे ही किसी कुशल सिपाही ने सर हेनरी पर बम फेंका था। एक विद्रोही सैनिक की गोली विश्वकोश की जिल्द में घुसी और पृष्ठ 120 पर पहुँच कर रुक गयी। एक मोटी पुस्तक ने एक बम के गोले तक को बेकार किया था। श्रीमती जरमन एक तहखाने में रहती थीं और उन्होंने सूअर के बच्चे जैसा बड़ा एक चूहा देखा। ईंधन की स्थिति ख़राब हो गयी थी कि लोग मेज़ और कुर्सियाँ तोड़ने की बात सोचने लगे थे। हालत दिन-प्रतिदिन ख़राब होती जा रही थी और एक दिन कर्नल इंगलिस ने कहा था कि "अन्तिम समय आने पर, स्त्रियों को गोली से उड़ा दिया जाए।"

लम्बे घेरे के बाद विद्रोहियों ने रेज़ीडेंसी पर चार हमले किये पर वे कारगर नहीं हुए। इन्हीं दिनों कानपुर से गुप्त सूचना मिली कि "हमने नाना को परास्त कर दिया है और उसका बिठूर का महल नष्ट कर दिया गया है। कोई नहीं जानता कि उसकी सेना कहाँ ग़ायब हो गयी।" 30 जुलाई को कैप्टन एण्डरसन ने एक सुन्दर मोर देखा जो एक शुभ-शकुन समझा गया। घेरे में लोग बुरी तरह दुखी थे पर जनरल हैवलाक सुस्त नहीं बैठा था। कानपुर पहुँचते ही उसने सेना का एक भाग लखनऊ भेज दिया। घेरे में राशन की मात्रा और कम होती जा रही थी और अफ़सर लोग एक-दूसरे की सिगरेटें चुराने लगे थे। खाने के अभाव से कुछ लोग इतने दुखी नहीं थे जितने कि वे अफ़ीम की कमी से थे। अफ़ीम न मिलने के कारण कुछ लोग घेरे से बार चले गये और विद्रोहियों द्वारा मार दिये गये।

विद्रोहियों ने 6 अगस्त को बेग़म हज़रतमहल के नाबालिग बच्चे का राज्याभिषेक कर दिया और उसे नवाब घोषित कर दिया। सारा शासन हिन्दुओं व मुसलमानों में समान रूप से बाँटा गया और पुराने मन्त्री व अधिकारी भी काफ़ी हद तक बुलाये

गये। वास्तविक शासक बेग़म हज़रतमहल ही थीं जो अल्पवयस्क वली की माता थीं।

सितम्बर के महीने में बाहर से कम्पनी की सेनाएँ आ गयीं और इसी समय बाज़ार में चीज़ों के दाम बेहद बढ़ गये। लोगों ने तम्बाकू पीना छोड़-सा ही दिया। एक अँग्रेज़ अफ़सर ने तम्बाकू के स्थान पर नीम, अमरूद व चाय की पत्तियों की सिगरेट बनायी और उन्हें पीना शुरू किया क्योंकि एक सिगार की क़ीमत तीन रुपये हो गयी थी। साबुन का छोटा टुकड़ा सात रुपयों में मिलता था। बहरहाल मुसीबत के दिन ख़त्म होने लगे और जनरल ऊटरम व जनरल हैवलाक ने 25 तारीख़ को रेज़ीडेंसी में प्रवेश किया। अवध में लखनऊ ही एक ऐसी चौकी थी जिस पर अँग्रेज़ी अधिकार था और उसे बचाना बेहद ज़रूरी था। जनरल ऊटरम और लार्ड नेपियर ने कानपुर में गंगा के ऊपर तैरने वाला पुल बनाया और पुल बनते ही लखनऊ को मदद मिलनी शुरू हो गयी और लगभग 2800 यूरोपीय सैनिक व लगभग 350 सिख सिपाही लखनऊ के लिए रवाना हुए। स्थिति सुधरते ही अँग्रेज़ों ने शहर से बदला लेना शुरू किया। कुछ महल लूटे गये। एक दूरदर्शी व्यक्ति ने चाय, तम्बाकू और साबुन जैसी मामूली चीज़ें हासिल कीं और उन्हें बेच कर एक हज़ार पौण्ड का नफ़ा कमाया। इस वक़्त चीनी का दाम 25 रुपये प्रति सेर था और इस क़ीमत पर भी बहुतों को चीनी नहीं मिल सकी। कैवने नामक अँग्रेज़ ने अपना रूप ऐसा बनाया कि लार्ड नेपियर तक उसे नहीं पहचान सका। कैवने ने अपने चेहरे व हाथों को लैम्प की स्याही से काला किया था, रंगीन देसी पोशाक पहनी थी, लाल पगड़ी लगायी थी और चुस्त पाजामे के साथ देसी जूते पहने थे। अब वह लखनऊ का गुण्डा लगता था और अब वह जासूसी बखूबी कर सकता था। बेहद कड़ी परेशानियों के बावजूद वह सर कैम्पबेल से मिल सका। कैवने सैनिक नहीं था पर उसकी वीरता के कारण उसे 'विक्टोरिया-क्रॉस' दिया गया। उसे 20000 रुपयों का इनाम भी मिला और वह सहायक-कमिश्नर के पद पर नियुक्त किया गया। उसका मार्गदर्शक कनौजी लाल तहसीलदार बना। मुकर्रर खान ने अँग्रेज़ों की रक्षा में अपने दोनों हाथ कटवा दिये और उसे 'ऑर्डर ऑफ़ दी मैरिट' का पुरस्कार मिला क्योंकि एक भारतीय होने के कारण उसे 'विक्टोरिया-क्रॉस' नहीं दिया जा सकता था। यह नियम बाद में हटा लिया गया था। अन्त में लखनऊ का विद्रोह कुचल दिया गया और अँग्रेज़ों ने चैन की साँस ली। डबल-रोटी, ताज़ा मक्खन और रम को उन्होंने इस तरह खाया-पिया जैसे कि उन्होंने वे वस्तुएँ जीवन में प्रथम बार खायी थीं। अख़बारों के बण्डल आये जिनका सबने स्वागत किया। लोगों को एक ही दुख था और वह यह था कि जनरल हैवलाक मृत्यु-शय्या पर पड़ा था। उसकी मृत्यु के तीन दिन बाद, विक्टोरिया ने उसे 'बैरन' बनाया। हैवलाक सचमुच एक महान् सेनापति था। उसके अपने शब्दों में "उसने 40 वर्ष से अपने जीवन पर इस प्रकार शासन किया था कि मृत्यु का उसे कोई भी भय नहीं था।"

अन्य जीते हुए स्थानों की भाँति लखनऊ में ज़बर्दस्त लूट हुई। "लूट का दृश्य अवर्णनीय था। अनेक संग्रहालय तोड़ दिये गये थे और उनका सामान चौक में इकट्ठा कर दिया गया था। डिब्बे, कसीदे वाले कपड़े, सोने-चाँदी के गोटे, चाँदी के बर्तन, हथियार, भाँडे, ढोल, शाल, दर्पण, तस्वीरें, किताबें, शराब की बोतलें, भड़कीली पताकाएँ और क़ीमती फ़र्नीचर यूँ ही फैला हुआ पड़ा था। सिपाही और आम पब्लिक, इस बेशक़ीमती सामान के ऊपर चल रही थी। बहुत-सी चीज़ें तोड़ दी गयीं और उनमें लगा सोना या हीरे निकाल लिये गये। गोटे में से सोना और चाँदी निकालने के लिए उन्हें जलाया गया। पेण्टिंग तोड़ दी गयी। चीनी मिट्टी के कामदार बर्तन, शीशे की वस्तुएँ व हीरे-जवाहिरात तक चूर-चूर कर दिये गये। पीढ़ियों का इकट्ठा किया हुआ लखनऊ के नवाबों और अमीरों का वह सारा शानदार सामान तबाह कर दिया गया। (रिसेल)" मैंने एक संग्रहागार देखा तो पाया कि उसमें छत तक आलमारियाँ लगी हुई थीं। इन आलमारियों में बहुमूल्य सामान भरा पड़ा था। काश्मीरी शाल, रत्न-जड़ित कटारें, सोने और चाँदी की सन्दूकचियाँ प्रमुख चीज़ें थीं। ठोस सोने की एक सन्दूकची बहुमूल्य रत्नों से भरी पड़ी थी जिनमें नीलम, पन्ना, हीरे और लाल शामिल थे। रत्नों से जड़ी हुइ टोपियाँ भी थीं। जो कुछ मैंने देखा, उसकी क़ीमत का अन्दाज़ा मैं नहीं लगा सकता।" (गार्डन ग्ले-ज़ेण्डर) इस तमाम लूट के माल को सरकारी ख़ज़ाने में जमा किया गया मगर लूट का काफ़ी माल लुटेरों ने अपने पास भी रखा।

एक तरफ़ यह लूट चल रही थी तो दूसरी ओर ब्रिगेडियर होप ग्राण्ट को कानपुर और बिठूर भेजा गया क्योंकि विश्वस्त सूत्रों से पता लगा था कि "नाना साहब तो भाग गये हैं पर अपना सारा ख़ज़ाना वहीं छोड़ गये हैं।" कहा जाता था कि बिठूर के महल में जो कुआँ था, सारा ख़ज़ाना उसी में पड़ा था। कुएँ का पानी निकलवाया गया तो लकड़ी की भारी बल्लियाँ मिलीं। ज्यों ही इन लकड़ियों को निकाला गया, चाँदी की सिल्लियाँ मिलीं जो पानी व समय के कारण काली हो गयी थीं। भूतपूर्व पेशवा का चाँदी से बना हौदा भी बरामद हुआ। सोने की तश्तरियाँ और बाक़ी क़ीमती चीज़ें भी कुएँ में से निकलीं। गोला-बारूद के सन्दूक मिले जो सोने के सिक्कों से भरे हुए थे। अकेले इन सिक्कों की क़ीमत ही दो लाख पाउण्ड से ज़्यादा थी। सोना, चाँदी-हीरे और जवाहिरात अलग थे। "सारी सम्पत्ति दस लाख पौण्ड की थी या उससे भी ज़्यादा थी।" "सिक्कों को कम्पनी-सरकार ने अपने क़ब्ज़े में ले लिया और बाक़ी सम्पत्ति भी सरकार की हो गयी। ख़ज़ाना ढूँढ़ने वालों को एक छदाम भी नहीं मिला जब कि उन्हें इनाम देने का वादा किया गया था।"

कभी-कभी लूट से लुटेरों को दिक्कत भी पड़ती है और ठीक ऐसा ही हादसा यहाँ भी हुआ। लेफ़्टीनेण्ट मेनेण्डी के आदमी हर एक चीज़ की लूट को तैयार रहते थे। मुर्गे अपने गोश्त के कारण पकड़े जाते थे और यही स्थिति तोतों के बच्चों के

साथ थी। मगर एक दिन इन लोगों ने एक तेंदुआ पकड़ लिया जो सड़क के किनारे लेटा हुआ था। उसकी खाल पाने के लिए उसे गोली मार दी गयी और उसकी खाल पर सारी सेना ने दावा किया। कुछ भारवाही बैलों को भी तोपों के साथ पकड़ा गया पर वे कष्टप्रद साबित हुए। "संसार में शायद ही किसी युद्ध-बन्दी ने अपने पकड़ने वाले को इतना तंग किया होगा जितना कि इन बैलों ने किया। तर्क और खुशामद, दोनों बेकार गये। जब से वे हमारे हाथ पड़े, उन्होंने एकमत से तोपें ढोने को मना कर दिया।"

सर लारेंस को यह पता नहीं था कि वे भारत के अगले गवर्नर-जनरल बन गये हैं। जनरल हैवलाक को यह पता नहीं था कि उन्हें 'सर' का खिताब दे दिया गया था।

(छह)

बाजीराव प्रथम ने कभी राजा छत्रसाल की सच्ची सहायता की थी और बदले में राजा छत्रसाल ने अपने राज्य का एक तिहाई भाग पेशवा को दिया था। पेशवा ने इस क्षेत्र के तीन भाग किये और एक भाग रघुनाथ हरि नेवलकर को दे दिया जिसकी सूबेदारी करने का अधिकार पैतृक बना दिया गया। इसी भाग का नाम था झाँसी। कम्पनी ने इसका क्षेत्र कुछ बढ़ाया और उसे एक राज्य का रूप दे दिया। झाँसी के राजाओं में गंगाधर राव एक ऐसा राजा हुआ जिसने संस्कृत की हस्तलिखित पुस्तकों का विशाल संग्रहालय बनाया और झाँसी की उन्नति की। राजा गंगाधर राव के कोई सन्तान नहीं थी। अपनी मृत्यु से एक दिन पहले उन्होंने दरबार किया और अपने सामन्तों, कुलीन व्यक्तियों और पोलीटिकल एजेण्ट मेजर एलिस के सामने, अपने ही वंश के एक बालक को गोद लिया। उन्होंने मेजर एलिस को एक खरीता दिया जिसके अनुसार उन्होंने अपनी पत्नी व गोद लिये हुए पुत्र को सरकार की रक्षा में सौंप दिया। विधवा रानी ने गवर्नर-जनरल से अपील की कि कुछ और राज्यों की भाँति, उन्हें भी दत्तक पुत्र को झाँसी का राजा बनाने की अनुमति प्रदान की जाए। यह अपील रद कर दी गयी और मार्च 1854 में झाँसी का राज्य कम्पनी के राज्य में मिला लिया गया। रानी को जीवन भर के लिए साठ हज़ार रुपया प्रति वर्ष की पेंशन दी गयी। शहर के एक महल में रहने की अनुमति दी गयी और उन्हें ब्रिटिश न्यायालयों से मुक्त भी रखा गया। दत्तक पुत्र दामोदर राव को परिवार के ख़ज़ाने का वारिस बनाया गया और छह लाख रुपयों की इस राशि के लिए एक ट्रस्ट बनाया गया ताकि दत्तक पुत्र के बालिग हो जाने तक धन सुरक्षित रहे। नेवलकर परिवार के मन्दिर को दिये गये गाँव छीन लिये गये और गो-हत्या पर लगी निषेधाज्ञा को हटा लिया गया। रानी ने बच्चे के उपनयन संस्कार के लिए ट्रस्ट में से कुछ रुपया माँगा तो कम्पनी-सरकार ने ज़मानत माँगी। रानी ने अपने वकील लन्दन तक भेजे

मगर कोई लाभ नहीं निकला हालाँकि वकील भेजने और बाक़ी सरकारी कार्रवाई करने में 50000 रुपये ख़र्च हो गये।

मेजर माल्कम के अनुसार रानी एक 'उच्च चरित्र' की महिला थीं और झाँसी की जनता उनका बहुत आदर करती थी। रानी बनारस के एक साधारण परिवार की पुत्री थीं और उनका नाम मणिकर्णिका था जो विवाह के बाद 'लक्ष्मीबाई' रखा गया। उसके बचपन और आयु के बारे में कोई निश्चित सबूत नहीं मिलता। यह जनश्रुति कि उनका बचपन नाना साहब और तात्या टोपे के साथ गुज़रा था, ठीक नहीं मानी जाती। प्रसिद्ध वकील जान लैंग के अनुसार "रानी मँझले क़द की स्त्री थीं और वे कुछ मोटी थीं। उनका चेहरा आकर्षक था और गोल था। हावभाव अच्छे और बुद्धिमत्तापूर्ण थे। आँखें और नाक बहुत सुन्दर थीं। वे बहुत गोरी तो नहीं थीं मगर काली तो उन्हें कहा ही नहीं जा सकता था। वे कर्णफूल के अलावा और कोई आभूषण नहीं धारण करती थीं। वे सादी सफ़ेद मलमल ही धारण करती थीं जो इतनी महीन होती थी कि उनकी आकृति उसमें से साफ़ दिखाई पड़ती थी। रानी सचमुच बहुत सुन्दर थीं हालाँकि उनकी आवाज़ ख़राब थी।" राज्य को सरकार द्वारा ले लेने का आशापत्र पाकर उन्होंने गूँजती हुई आवाज़ में घोषणा की थी कि "मेरा झाँसी देगा नहीं।" मगर उन्हें क़िला छोड़कर नगर के महल में जाना पड़ा और वहाँ पर वे एक हिन्दू विधवा की भाँति रहने लगीं। उनकी सेना भंग कर दी गयी और क़िला ले लिया गया।

मई के महीने में मेरठ व दिल्ली के विप्लव की सूचनाएँ झाँसी पहुँच गयीं मगर उनका कोई प्रभाव किसी पर नहीं पड़ा। जून में सिपाही अमन खाँ ने शपथ खाकर कहा कि "कोई आदमी दिल्ली से एक सन्देश लाया है कि यदि झाँसी के सिपाही विद्रोह नहीं करेंगे तो उन्हें जातिच्युत धर्म-भ्रष्ट माना जाएगा।" अमन खाँ को फाँसी की सज़ा पहले ही सुना दी गयी थी (जिसका कारण विद्रोह नहीं था) पर सर राबर्ट हैमिल्टन उसे विश्वासयोग्य व्यक्ति ही समझते थे। इस सन्देश के मिलते ही झाँसी में ग़दर शुरू हो गया। बाग़ी सिपाहियों ने छावनी में खुला विद्रोह किया और सारा सरकारी ख़ज़ाना भी अपने अधिकार में ले लिया जिसमें साढे चार लाख रुपये थे। तोपखाने के लोग भी विद्रोहियों से मिल गये। अँग्रेज़ अफ़सर घबरा गये हालाँकि उन्होंने अभी किसी को सज़ा नहीं दी थी ताकि विद्रोह और न भड़के और उन्होंने आसपास के मित्र-राज्यों से तुरन्त मदद माँगी। झाँसी के अँग्रेज़ और सिपाही क़िले के भीतर चले गये। जेल का दरोग़ा भी अपने रक्षकों के सहित विद्रोहियों से मिल गया। दोपहर के बाद आश्वासन मिलने पर (या न मिलने पर) अँग्रेज़ लोग परिवार-सहित क़िले के बाहर निकले और इन सबको तलवार से मार दिया गया। लाशें 'जोखन-बाग़' में तीन दिन तक खुली पड़ी रहीं। इसके बाद उन्हें एक गड्ढे में दफ़ना दिया गया। जेल के दरोग़ा ने इस हत्याकाण्ड में प्रमुख भाग लिया था। केवल एक स्त्री और दो

बच्चे इस हादसे से बच निकले थे। "श्रीमती मुटलो इस कारण बचीं कि एक तो वे देसी पोशाक में थीं और दूसरे उनका रंग गोरा नहीं था।"

सैनिक-विद्रोह तथा हत्याकाण्ड के लिए रानी को दोषी ठहराया जाना ग़लत होगा हालाँकि कम्पनी-सरकार यही समझती रही। रानी के अपने शब्दों में वह "दुर्भाग्यपूर्ण परिस्थितियों का शिकार थीं।" एक महत्त्वपूर्ण गवाह के अनुसार "रानी को विद्रोही सैनिकों ने धमकी दी थी कि यदि वे विद्रोह का नेतृत्व नहीं करेंगी तो उनकी उसी वक़्त हत्या कर दी जाएगी। रानी ने विवश होकर अपनी सहमति प्रकट की और 1000 आदमियों की कुमुक भी दी। धरती में दबी दो तोपें भी निकाली गयीं और विद्रोहियों को दे दी गयीं।" सर राबर्ट हैमिल्टन ने रानी को षड्यन्त्र में होने का अभियोग कभी नहीं लगाया। उनके अनुसार "रानी ने अँग्रेज़ों को हर ख़तरे से सावधान किया और जहाँ तक सम्भव था, वहीं तक अपने को ग़दर से दूर रखा। उन्हें मजबूरी में विद्रोहियों का साथ देना पड़ा और वैसा करने के बाद उनके वापस लौटने का प्रश्न ही नहीं उठता था। वह अपनी अन्तिम साँस तक लड़ीं और एक वीर क्षत्राणी की भाँति मरीं।" सिपाही अमन खाँ के अनुसार भी "ग़दर से पूर्व विद्रोहियों ने रानी से कोई परामर्श नहीं किया था।" ग़द्दार सैनिकों का साथ देने से रानी को बहुत हानि उठानी पड़ी और काफ़ी जायदाद, ज़ेवर व नकद रुपया भी उन्हें देना पड़ा।

ग़दर से संयुक्त होते ही, रानी ने सारा प्रशासन अपने हाथ में ले लिया पर यह काम भी अँग्रेज़ अफ़सरों के कहने पर ही किया गया। रानी ने अँग्रेज़ों की हर तरह मदद की और उनकी विपत्ति का कोई फ़ायदा नहीं उठाया। इसी समय सदाशिवराव नामक एक सनकी व्यक्ति गद्दी का हक़दार निकल आया और उसने भी विद्रोही हरकतें कीं क्योंकि उसे यह भ्रम था कि झाँसी के स्वाधीन होने पर, वह उसका राजा बन सकता था। इस स्वार्थी व्यक्ति को गिरफ़्तार किया गया और क़िले में रखा गया। ओरछा के राजा ने भी झाँसी से अपना पुराना हिसाब ठीक करने के लिए, झाँसी पर हमला किया और 40000 सैनिक व 28 तोपों को लेकर मोर्चा सँभाला। रानी का साहस अदम्य था और वह इन सब ख़तरों से चतुरता-पूर्वक निबटती रहीं। रानी ने देख लिया था कि अँग्रेज़ उन्हें छोड़ेंगे नहीं और इसी कारण वे अपने पुराने सैनिकों को फिर से भर्ती करने लगीं। ठीक इसी समय पता लगा कि जनरल सर ह्यूरोज़ झाँसी के दमन के लिए कूच कर चुका है और वह उन सेनापतियों में से है जो झुकना तो जानते ही नहीं। जनरल रोज़ एक कुशल सेनापति होने के साथ-साथ एक चतुर कूटनीतिज्ञ भी था। रानी और चौकस हो गयीं और कालपी से भी सम्पर्क स्थापित करने लगीं जहाँ तात्या टोपे था जो "युद्ध से सम्बन्ध रखने वाले हर मामले में चतुरतम व्यक्ति था।" (तात्या टोपे का असली नाम रामचन्द्र पाण्डुरंग था और वह उन थोड़े से सैनिक नेताओं में से था जिन्हें ग़दर ने पैदा किया। वह एक देशस्थ ब्राह्मण था और उसका पिता बाजीराव पेशवा (द्वितीय) के आश्रितों में से एक था।

तात्या व्यक्तिगत रूप से नाना साहब को जानता था और उनके साथ स्वामिभक्ति, कृतज्ञता और मित्रता के बन्धनों से जुड़ा था।)

सर ह्यूरोज़ ने पहले झाँसी से ही निबटने का फ़ैसला किया। वह इस बात पर विश्वास करता था कि विद्रोह और हत्याकाण्ड—इन दोनों में रानी का गुप्त हाथ था। बहरहाल सर रोज़ तो बाद में ही कुछ करता, रानी तो उसके पूर्व ही दत्तक पुत्र और स्वामिभक्त अफ़ग़ान रक्षकों के एक दल के साथ, झाँसी छोड़ चुकी थीं। (रानी के पिता भी उसकी टुकड़ी के साथ थे। वे रास्ता भूल गये और दतिया जा पहुँचे। वे रक्त-स्राव के कारण बेहोश हो गये थे। उन्हें गिरफ़्तार करके अँग्रेज़ों को सौंप दिया गया जिन्होंने उन्हें जोखन-बाग़ में फाँसी पर लटका दिया)

रानी के जाने के बाद झाँसी में अँग्रेज़ों ने भयंकर लूट की। "अँग्रेज़ अफ़सर और सैनिकों ने पुस्तकागार को पूरी तरह नष्ट कर दिया और नगर को निर्दयतापूर्वक लूटा। मन्दिरों में लगी सुन्दर मूर्तियाँ तक उठा ली गयीं। कुछ मूर्तियाँ क़ीमती धातुओं की थीं और कुछ ने क़ीमती ज़ेवर पहन रखे थे। जवाहिरात लूटे गये और बड़ी कारीगरी वाली पत्थर की मूर्तियाँ भी उठा ली गयीं। प्रलोभन को ध्यान में रखते हुए यह कहना ही पड़ेगा कि उन कठिन और आवेशमय परिस्थितियों में, सिपाहियों ने चीज़ों के उठाने और चुराने से अपने हाथ बचाने का आज्ञा से अधिक पालन किया (सिल्वेस्टर तथा लो)।"

झाँसी का पतन हो गया। अँग्रेज़ों की निगाह अब कालपी पर थी जो विद्रोहियों का प्रमुख मिलन-केन्द्र था। पेशवा-परिवार के सबसे अधिक शक्तिशाली सदस्य दिनकर राव वहीं थे। बाँदा का राजा उनका रिश्तेदार था और तात्या-टोपे भी प्रायः कालपी में ही रहता था। कालपी पर हमला किया गया और वह कस्बा ले लिया गया। इसके बाद विद्रोही नेताओं ने बहुत विचार-विमर्श के बाद, ग्वालियर की ओर कूच किया। राव साहब पेशवा थे जो कभी सिन्धिया के सम्राट् होते थे। सिन्धिया अँग्रेज़ों की शक्ति से आतंकित था। बहरहाल अँग्रेज़ों की इच्छा के अनुसार, सिन्धिया ने विद्रोही सैनिकों को ग्वालियर में अपनी सेना में रहने दिया और वह ठीक समय पर उनका वेतन भी देता रहा मगर उसने विद्रोहियों की कोई और सहायता (या उनका नेतृत्व) करने के बारे में उनसे एक शब्द भी नहीं कहा। ग्वालियर तात्या का अड्डा था। उसका दामाद ग्लालियर का निवासी था और वहाँ का नायब कोतवाल बिठूर का निवासी था। इन सब बातों का पता सिन्धिया को नहीं था। ग्वालियर राव साहब ने ले लिया और सिन्धिया ने उसका कोई सामना नहीं किया। ग्वालियर में भी 'विद्रोह' हुआ और सिन्धिया अपने रनिवास की सलामती देखने चल दिया। उसका मन्त्री व सरदार भी उसके साथ हो गये। बैजाबाई के नेतृत्व में रानियों ने नरवर के गढ़ में शरण ली। शहर में कोई लूट नहीं हुई। ख़ज़ाना ज़रूर लूटा गया और राव साहब को वहाँ से लगभग 19 लाख रुपये प्राप्त हुए। राव साहब ने बैजाबाई को

पत्र लिखा। उस चतुर रानी ने कोई उत्तर नहीं दिया और उस ख़त को सर हैमिल्टन के पास भेज दिया।

सर ह्यूरोज़ ने विद्रोहियों का पीछा किया। उसने ग्वालियर जीत लिया और क़िले को क़ब्ज़े में कर लिया। "तेरह आदमी क़िले से आगरा की दिशा में जा रहे थे और उन्होंने यह शपथ ली थी कि वे लौट कर क़िले में ही मरेंगे। जो सैन्य-दल महाराज सिन्धिया के स्वागत के लिए क़िले पर आये थे, उन पर उन्होंने गोलियाँ चलायीं। लेफ़्टीनेण्ट रोज़ आगे बढ़ा। उन उन्मत्त तेरह आदमियों ने अपनी स्त्रियों और बच्चों को मार दिया। रोज़ ने दल के सात सदस्यों को मार दिया परन्तु इसके पूर्व कि बाक़ी सब मारे जाते, उनमें से एक ने रोज़ को ख़त्म कर दिया।"

झाँसी की रानी मारी गयी। उसकी मृत्यु की सूचना मिलते ही सरदारों और सिपाहियों की हिम्मत टूट गयी और वे बेचैन व भयभीत हो गये। रानी एक परम वीर क्षत्राणी की भाँति मरी। मगर क्या वह सचमुच ही मरीं? हर्गिज़ नहीं। उसके यश का गान लोक-गीतों और लोककथाओं में किया गया और वह सदा के लिए अमर हो गयी। झाँसी के हत्याकाण्ड का बदला लेने के लिए ही उसे मारा गया और उसकी मृत्यु का एकदम सही विवरण हमें प्राप्त नहीं होता। अँग्रेज़ों ने इस जीत की खुशियाँ प्रत्येक मुख्य सैनिक-स्थान में तोप दाग़कर मनायी। तात्या और राव साहब चम्बल को पार करके राजपूताना की ओर भाग गये। उन्होंने अभी पराजय स्वीकार नहीं की थी।

इतिहासकारों का मत है कि यदि ग्वालियर विद्रोह में अँग्रेज़ों के विरुद्ध हो जाता तो निज़ाम व सिक्खों के बावजूद, हिन्दुस्तान आज़ाद हो गया होता। गवर्नर-जनरल लार्ड कैनिंग ने इंग्लैण्ड में बादशाह को तार दिया था कि "यदि सिन्धिया बलवायियों में शामिल हो जाए तो मुझको कल ही अपना बिस्तरा-बोरिया बाँध कर यहाँ से चल देना पड़ेगा।"

(सात)

कलकत्ता व प्रयाग के नदी और थल मार्गों का नियन्त्रण पटना द्वारा होता था और इसी कारण उत्तर-पश्चिमी प्रान्तों के लिए, पटना एक कुंजी था। पटना से लगे हुए दानापुर में अँग्रेज़ों की बड़ी छावनी थी जिसका कमाण्डर था मेजर-जनरल लायड। इस जनरल ने सन्थालों का विद्रोह रोक कर लार्ड डलहौज़ी की प्रशंसा प्राप्त की थी। पटना का शासक विलियम टेलर था जो न कोई अव्यवस्था सहन कर सकता था और न वह किसी ज़िम्मेदारी से बचता ही था। वह उन बिरले लोगों में से था जो कभी ग़लती नहीं करते और जो दूसरों के निर्णय की अपेक्षा अपनी ही सहज-बुद्धि पर विश्वास करते हैं। वह जानता था कि पटना में विद्रोह की चिनगारी सुलग रही है क्योंकि वह 'वहाबी' लोगों का केन्द्र था और प्रत्येक वहाबी अच्छा-ख़ासा बगावती

होता था। टेलर की दृष्टि में हर एक मुसलमान विद्रोही था हालाँकि मौलाबख़्श और शाह कबीरुद्दीन उसके दायें हाथ थे। मगर उसकी राय में ये लोग शायद अपवाद थे।

7 जून को बनारस में विद्रोह होने की ख़बर जब पटना पहुँची तो वहाँ भी गड़बड़ी की आशंका हो गयी। मेरठ व दिल्ली में हुए ग़दर की ख़बरों ने पूरे बिहार में अशान्ति फैला दी और बहुत से अँग्रेज़ देहात छोड़कर पटना आ गये। नील की खेती के कारण, बिहार के गाँवों में अँग्रेज़ ज़्यादा रहते थे। टेलर पटना के सारे अँग्रेज़ों की रक्षा का ज़िम्मेदार स्वयं को ही समझता था और उसने अपने विशाल आवास में सबको शरण दी हालाँकि कोठी के सारे संरक्षक भारतीय ही थे। बड़े-बड़े ज़मींदार व जागीरदार भी सरकार-विरोधी होते जा रहे थे। 12 जून को एक नाजिब सिक्खों के बीच सरकार-विरोधी बातें फैलाता हुआ पकड़ा गया और उस पर मुक़दमा चला कर उसे फाँसी दे दी गयी। टेलर ने धूर्तता के साथ तीन मौलवियों को गिरफ़्तार कर लिया। इस घटना का परिणाम अच्छा नहीं हुआ। टेलर ने दो और आदेश जारी किये कि "पटना के सारे निवासी अपने हथियार सरकार के पास जमा कर दें और बिना आज्ञा के रात के नौ बजे के बाद 'अपने घरों से न निकले।" इन दोनों ग़ैरकानूनी आदेशों से उत्तेजना ही फैली। टेलर ने इन आदेशों को निकालने से पहले, लेफ़्टिनेण्ट गवर्नर तक को सूचित नहीं किया था। 3 जुलाई को मुसलमानों का एक जुलूस निकला जिसने एक अफ़ीम-एजेण्ट को क़त्ल कर दिया। वह एक अँग्रेज़ था। पीर अली नामक एक पुस्तक-विक्रेता गिरफ़्तार किया गया और कुल मिलाकर सारे उपद्रव के लिए 43 लोगों पर मुक़दमा चला। ये लोग सेशन-जज की अदालत में पेश नहीं किये गये। उन पर जो अभियोग चला वह कमिश्नर टेलर व मजिस्ट्रेट लोइस के सामने चला। अदालती परम्परा को छोड़ दिया गया और 19 लोगों को फाँसी दे दी गयी जो हर दृष्टि से ग़लत थी। टेलर के उत्तराधिकारी ने महसूस किया कि यह सारी प्रक्रिया ग़लत थी और उसने सारे काग़ज़ात बड़ी अदालत को भेज दिये। "इस अदालत ने उन मामलों पर ही विचार किया जिनमें फाँसी नहीं दी गयी थी क्योंकि जो लोग प्राणदण्ड पाने के कारण मर चुके थे, उनके मामलों की जाँच से कोई फ़ायदा नहीं होना था।" सारे मामलों में अदालत ने टेलर को दोषी पाया। बाद में यह भी पता चला कि सारे मुक़दमों में टेलर के सामने जो सरकारी गवाह पेश किये गये थे वे झूठे थे और उन्हें मौलाबख़्श ने दबाव डाल कर गवाह बनाया था। गवर्नर-जनरल ने स्वीकार किया कि "मैं समझता हूँ कि टेलर द्वारा किये गये मुक़दमे में बिना अपेक्षित प्रमाणों के लोगों को अपराधी ठहराया गया और इस मामले की 'सार्वजनिक जाँच' नहीं करवायी गयी।" टेलर ने और भी ज़्यादा गिरा हुआ काम यह किया कि उसने एक सन्दिग्ध व्यक्ति से यह कहा कि "मैं तुमसे सौदा करने को तैयार हूँ। तुम मुझे तीन जानें दो और मैं तुम्हारी जान तुम्हें लौटा दूँगा।" छावनी में देशी सिपाही काफ़ी सोच-विचार के बाद निःशस्त्र किये गये और वह उन्हें बहुत खला। सिपाही भी पूरी

ख़बर रखते थे और कभी-कभी उसका 'गुप्तचर-विभाग' सरकारी खुफ़िया पुलिस को भी मात देता था। आरा शहर पर हमला किया गया और विद्रोही सैनिक (जिनमें एक डिप्टी कलेक्टर-जो मुसलमान था—शामिल था) आरा में घुसे और अपने को बाबू कुँवर सिंह के नेतृत्व के सामने समर्पित कर दिया।

बाबू कुँवरसिंह की आयु लगभग 70 वर्ष की थी। उसका स्वास्थ्य अच्छा नहीं था और यह आशा नहीं की जाती थी कि अब वह ज़्यादा जिएगा। वह एक बड़ा जागीरदार था और उसकी वार्षिक आय तीन लाख रुपया थी। क़रीब डेढ़ लाख रुपये तो वह वार्षिक मालगुज़ारी के ही देता था। वह एक बेपढ़ा व्यक्ति था। इसी कारण उस पर भारी कर्ज़ा हो गया था जिसकी उसे बेहद चिन्ता रहती थी। टेलर जानता था कि उसके गुमाश्ते उसे धोखा देते थे। उन्होंने उससे हज़ारों रुपयों के बदले, लाखों रुपयों के पट्टे लिखवा लिये थे। विलियम टेलर ने उच्च-अधिकारियों को लिखा था कि "बाबू कुँवर सिंह एक बहुत कुलीन व्यक्ति हैं और वे बहुत बड़ी और क़ीमती जायदाद के मालिक हैं। उनका घराना बहुत पुराना है और उनकी प्रजा उनका बहुत आदर करती है। उनके ज़िलों के देसी व यूरोपियन अधिकरी भी उनका आदर करते हैं। वे बिलकुल अशिक्षित हैं और इसी कारण कुछ स्वार्थी गुमाश्तों ने उन्हें अपने हाथ की कठपुतली बना रखा है। अपनी उदार-वृत्ति व फ़िजूलख़र्ची की ख़ानदानी आदतों ने उन्हें क़र्ज़दार बना दिया है और उनका ज़्यादा ख़र्चा उन्हें और कर्ज़ों में दबाता जा रहा है।" कुँवर सिंह पर ग़दर के समय कोई तेरह लाख रुपयों का क़र्ज़ था और उनके ऋणदाता सरकार से कहते थे कि उनकी जायदाद का प्रबन्ध सरकार अपने हाथों में ले ले। सरकार यह सलाह मानने को तैयार थी पर कुँवरसिंह के ख़ून पर पलने वाले उनके साथी ऐसा नहीं होने देना चाहते थे। टेलर ने कुँवरसिंह की मुसीबतें हटाने की सचमुच सच्ची कोशिश की पर 'बोर्ड-ऑफ़-रेवेन्यू' ने उनकी सिफ़ारिशें नहीं स्वीकार कीं और अपनी जायदाद से बेहद प्रेम करने वाले कुँवरसिंह ने 1857 में अपने को दीवालिया पाया।

कुँवरसिंह अपनी पैतृक जायदाद को बचाने के लिए कुछ भी करने को तैयार हो गये हालाँकि वे अँग्रेज़ों के सच्चे मित्र थे, उनके साथ बड़ी शिष्टता से पेश आते थे और उनके लिए शिकार वग़ैरह का प्रबन्ध भी करते थे। विलियम टेलर उनका दिली दोस्त था और वह अन्त तक वैसा ही रहा। कुँवर सिंह का बड़े से बड़ा शत्रु भी यह कभी नहीं कह सकता था कि उन्होंने कभी किसी निरपराध व्यक्ति का रक्त बहाया मगर कुछ अँग्रेज़ उच्चाधिकारी बराबर यह समझते रहे कि बाबू साहब विद्रोहियों के साथ शुरू से ही मिले हुए थे। उनके अनुसार विद्रोही सैनिक उनकी सहायता के बिना सोन नदी कैसे पार कर सकते थे? कुँवरसिंह के एक घनिष्ठ मित्र ने बताया था कि "हिंसा की धमकी दिये जाने पर ही उन्होंने विद्रोहियों का साथ दिया था।" बादशाह बहादुरशाह और रानी लक्ष्मीबाई की भाँति बाबू कुँवर सिंह भी

परिस्थितियों के गुलाम हो गये। टेलर के बुलाने पर भी वे उसके पास नहीं गये।

कुँवर सिंह की रैयत उनके साथ हमेशा से थी। विद्रोही सिपाही आरा से आने शुरू हो गये और उन्होंने उनसे मदद व नेतृत्व माँगा। सारे राजपूत उनके साथ हो गये जिनमें शाहाबाद का एक वीर सरदार प्रमुख था। विद्रोह बाक़ायदा शुरू हो गया। ख़ज़ाना लूट लिया गया और क़ैदी जेलों से रिहा कर दिये गये। कुँवरसिंह के पास तोपें तो थीं पर गोला-बारूद नहीं था। यदि सिख सिपाही अँग्रेज़ों का साथ न देते तो "विद्रोहियों ने अँग्रेज़ों का नाश्ता बना लिया होता।" विद्रोहियों ने आरा जीत लिया मगर हाथ में पड़े अँग्रेज़ों को बाबू कुँवरसिंह ने शायद कोई कष्ट नहीं दिया।

आरा से कुँवरसिंह अपने जगदीशपुर में स्थित पैतृक क़िले में चले गये। उनका पीछा किया गया और उनके साथी कम्पनी की सेना के सामने नहीं टिक सके। सब विद्रोही पकड़े गये और सब को फाँसी दे दी गयी हालाँकि उनमें से कुछ काफ़ी घायल थे। कुँवरसिंह का बनवाया हुआ विशाल मन्दिर तोड़ दिया गया क्योंकि कुँवरसिंह को विद्रोही बनने के लिए शायद ब्राह्मणों ने ही उकसाया था। क़िला टूट गया, सेना हार गयी मगर वह 'बूढ़ा शेर' यानी कि बाबू कुँवरसिंह, फिर भी नहीं झुका। वह जंगलों और पहाड़ियों की दिशा में भाग गया जिसके कारण ग्रैण्ड-ट्रंक-रोड असुरक्षित हो गयी। यह एक बहुत बड़ा ख़तरा था क्योंकि विद्रोह का फ़ैसला उत्तरी भारत में ही होना था। बाबू साहब के साथी उन्हें छोड़ने लगे और उनके साथी मात्र 500 सैनिक ही रह गये। इसके बाद बाबू कुँवरसिंह ने बिहार छोड़ दिया और वे उन स्थानों में चले गये जहाँ विद्रोह हो चुका था। उनकी यह यात्रा बड़ी लम्बी थी और सरकार उन्हें पकड़ने के लिए बेचैन थी। अँग्रेज़ों के संयुक्त मोर्चे के ख़िलाफ़ कुँवरसिंह कुछ नहीं कर सकते थे और इस कारण वे फिर बिहार लौट आये। उन्होंने वीरतापूर्ण अनेक लड़ाइयाँ लड़ीं। अब बाबू साहब मरने के लिए अपने पैतृक गाँव लौट गये। गंगा में उनके एक हाथ में गोला लगा और बाबू साहब ने तलवार से उस हाथ को काट कर गंगा में ही फेंक दिया। ली ग्राण्ड की सेना से लड़ता हुआ कुँवरसिंह वीरगति को प्राप्त हुआ मगर वह इस युद्ध को जीत कर एक विजेता के रूप में ही मरा। उसकी मृत्यु के बाद उसकी सेना की कमान उसके छोटे भाई अमरसिंह ने सँभाली और विद्रोह को पूरी तरह कुचल देने में अँग्रेज़ों को काफ़ी वक़्त लगा। अमरसिंह ने बिहार के कुछ भाग पर शासन किया, अपने मैजिस्ट्रेट और जज नियुक्त किये और उसको पकड़ने के लिए सरकार ने काफ़ी बड़ा पुरस्कार भी घोषित किया। बिहार के कुछ बड़े भूमिपति सरकार के ही साथ रहे।

बाबू कुँवरसिंह क्या सचमुच मर गये? हर्गिज़ नहीं। झाँसी की रानी की भाँति उनका नाम भी हमारे इतिहास में हमेशा-हमेशा के लिए अमर हो गया। एक भोजपुरी लोकगीत में एक माँ अपने नन्हे पुत्र से कहती है कि "तू दूध क्यों नहीं पीता? दूध पी, जल्दी से जवान बन और बाबू कुँवरसिंह की फ़ौज में भर्ती हो। यदि तूने ऐसा

नहीं किया तो तू मेरा सच्चा पुत्र कैसे कहलाएगा?"

(आठ)

ग़दर समाप्त हो गया। छिटपुट वारदातें यहाँ-वहाँ होती रहीं। न जाने कितने और गाँवों, शहरों और क़स्बों' में ग़दर फैला और निर्दोष लोग फाँसी पर लटकाये गये। राजस्थान, मध्य भारत और पंजाब में भी क्रान्ति की लहरें उठीं पर वे दबा दी गयीं। यूँ तो विद्रोह सारे देश में ही फैला पर असली विद्रोह उसी प्रदेश में हुआ जो 'दोआबा' कहा जाता था और जिसे अब उत्तर-प्रदेश कहा जाता है। मेरठ, कानपुर, लखनऊ और झाँसी इसी प्रदेश में हैं और दिल्ली तथा जगदीशपुर भी इस इलाक़े से एकदम जुड़े हैं। इस इलाक़े के कुछ कायरों, गुण्डों और तथाकथित सरकार के पिट्ठुओं ने कुछ विद्रोहियों को महान् धोखे दिये। फ़ैज़ाबाद का वह महान् मौलवी—जिसका ज़िक्र ऊपर किया जा चुका है—एक हिन्दू राजा की कायरता व धोखेबाज़ी का शिकार हुआ। पोवाइन के क़िले के फाटक मौलवी के लिए नहीं खोले गये और मौलवी के सिर के बदले रुहेलखण्ड के इस नरेश को पचास हज़ार का इनाम मिला। मौलवी साहब का कटा हुआ सिर शाहजहाँपुर के मैजिस्ट्रेट के पास भेजा गया जिसने उसे कई दिन तक कोतवाली के सामने रखा। सर थामस सीटन के शब्दों में यह मौलवी "एक महान् योग्यता वाला पुरुष था। उसमें निर्भीक साहस था, -दृढ़ संकल्प था और वह विद्रोहियों में निश्चित रूप सें सर्वोत्तम सिपाही था।"

(नौ)

अभी-अभी 'रॉयल सोसायटी ऑफ़ हिस्ट्री' लन्दन में काम करने वाली एक नवयुवती ने एक फटी-पुरानी सरकारी विज्ञप्ति को खोज निकाला है जिसके अनुसार सन् 1860 में ब्रिटिश सम्राज्ञी ने ग़दर के फैलने व उसके विफल होने के सही-सही कारणों का पता लगाने के लिए, एक गुप्त 'जाँच कमीशन' बिठाया था। इस कमीशन के अध्यक्ष एक अँग्रेज़ सिविलियन थे और इसके सदस्यों में एक अँग्रेज़ मेजर-जनरल, एक ब्रिटिश घुड़सवार सैनिक, एक देसी सूबेदार-मेजर, एक अत्यन्त चतुर अँग्रेज़ स्त्री जासूस और वह मीर-बख़्शी शामिल था जो ग़दर के समय गवर्नर-जनरल लार्ड कैनिंग का ग़दर-सम्बन्धी मामलों का प्रमुख सलाहकार था। इस ग़दर-सचिव (जो एक हिन्दुस्तानी था) की सलाह लार्ड कैनिंग हमेशा मानते थे क्योंकि वह "बेहद ईमानदार, सैनिक मामलों में सयाना और एक अत्यन्त वफ़ादार अफ़सर था।" लार्ड कैनिंग कमीशन के संरक्षक थे। गुप्त कमीशन ने ग़दर के असफल होने के अनेक कारण बताये जो इस प्रकार हैं :

(एक) सारे देसी सैनिकों ने ग़दर में भाग नहीं लिया। तीस हज़ार सैनिक अन्त तक अँग्रेज़ों के वफ़ादार बने रहे और उन्हें इनाम दिये गये। लगभग इतने ही सिपाहियों के चतुर अधिकारियों ने समय रहते उनके हथियार रखवा लिये। विद्रोही

सिपाहियों की संख्या लगभग सत्तर हज़ार थी जिनमें सबसे ज़्यादा संख्या 'पुरबियों' (पूर्वी उत्तर प्रदेश के निवासी) की थी।

(दो) विद्रोह का सर्वमान्य नेता कोई नहीं था। बादशाह बहादुरशाह ही एक सर्वमान्य नेता बन सकते थे पर वे वृद्ध, विलासी और नेतृत्व के गुणों से सर्वथा विहीन थे। उनका सारा जीवन कविता और भोग-विलास में ही गुज़रा था। "वे निश्चय करने में बेहद देर लगाते थे और फिर उस निश्चय को क्षण भर में बदल डालते थे।" "ग़दर के सारे नेता विद्रोहियों के दबाव में आकर ही इस युद्ध में शामिल हुए हालाँकि बाद में उन्होंने ग़ज़ब की वीरता दिखायी।"

(तीन) शुरू-शुरू में 'आम जनता को 'ग़दर' में कोई रुचि नहीं थी। सम्राट् औरंगज़ेब के बाद कम्पनी-सरकार ने ही आम जनता को सुरक्षा प्रदान की थी और न्याय व लगान की व्यवस्था को ठीक किया था। सच्चाई तो यह थी कि काफ़ी जनता कम्पनी-सरकार का शासन पसन्द करती थी जिसने उन्हें अफ़गानी हमलावरों, रुहेलों, नवाबों और मराठों की 'लूट' से मुक्ति प्रदान की थी। पर जैसे-जैसे ग़दर बढ़ा, लोगों के हृदय में आज़ाद होने की तमन्ना बढ़ने लगी और ग़दर के अन्तिम दौर में लोगों ने जब अँग्रेज़ों की विद्रोही सिपाहियों के प्रति क्रूरता देखी तो वे सचमुच राष्ट्रीय प्रेम से व्याकुल हो उठे। जो आन्दोलन कुछ धार्मिक कारणों से शुरू हुआ था वही आन्दोलन धीरे-धीरे स्वतन्त्रता-आन्दोलन का प्रथम चरण बन गया। "ग़दर का वक़्त एक ऐसा वक़्त था जिसमें हिन्दू और मुसलमान तवारीख़ में पहली बार एक हुए थे।"

(चार) आर्थिक कठिनाइयाँ भी ग़दर की विफलता का प्रमुख कारण थीं। पैसा न होने पर विद्रोहियों ने जो लूटमार शुरू की उसके कारण दुकानदार, व्यापारी व अमीर लोग विद्रोहियों की मदद करने से हिचकिचाने लगे।

(पाँच) विद्रोह मात्र उत्तरी भारत में ही सीमित रहा। यदि नर्मदा के नीचे भी विद्रोह फैला होता तो दक्षिण की सेनाएँ उत्तर की ओर कभी नहीं भेजी जा सकती थीं।

(छह) विद्रोह यदि एक ही निश्चित तारीख़ को सब जगह शुरू हुआ होता तो उसका कुचलना एकदम असम्भव था। मेरठ में विद्रोह का निश्चित तारीख़ से पहले शुरू हो जाना अँग्रेज़ों के लिए अत्यन्त सौभाग्यशाली साबित हुआ। लार्ड कैनिंग के शब्दों में— "विद्रोह जब मेरठ में शुरू हुआ, वह तब ही विफलता के लिए निश्चित हो चुका था।"

(दस)

शेष इतिहास की भाँति, ग़दर का इतिहास भी सैकड़ों-हज़ारों मनोरंजक, हास्य व व्यंग्यात्मक पर करुण घटनाओं से भरा पड़ा है जिनको लेकर एक पृथक् ग्रन्थ लिखा जा सकता है। मथुरा के ज़िले में चौधरी देवीलाल नामक एक जागीरदार रातोंरात 'चौदह गाँवों के राजा' बन बैठे थे और उन्होंने अपने सिक्के तक ढलवाये थे। यदि

उनके 'राज्य' के अँग्रेज़ अफ़सर ज़नानी पोशाक में जान बचा कर भाग गये थे तो उन्हें राजा बनने की ज़िम्मेदारी से कौन रोक सकता था? ग़दर के बाद प्रतिहिंसा का जो अभियान चला, उसमें भी क्या नहीं हुआ? बारह निर्दोष व्यक्तियों को मात्र इस कारण फाँसी दे दी गयी क्योंकि "जब वे सड़क पर चल रहे थे तो उनकी गर्दनें ग़लत दिशा की ओर मुड़ी हुई थीं।" इसी प्रकार जब झाँसी की रानी विद्रोही होने को विवश हो गयीं तो उनकी सहायता के लिए बानपुर का राजा मर्दनसिंह अपनी सेना के साथ चन्देरी की ओर बढ़ा। चन्देरी अँग्रेज़ों के अधिकार में था और तब तक वहाँ कोई विद्रोही भी नहीं पहुँचा था। एक 'स्वामी-भक्त' नागरिक भागा-भागा कचहरी गया और वहीं के हाकिम-परगना से मिला। उसने उस अँग्रेज़ अफ़सर से हाँफते-हाँफते बताया कि "हुज़ूर, शहर में बलवा होने वाला है और शहर पर फ़ौज चढ़ी चली आ रही है।" उसकी 'शिकायत' सुनकर हाकिम-परगना-बहादुर ने फ़रमाया कि "आप अदालत के क़ायदे-कानून से नवाकिफ़ मालूम होते हैं। आपको जो कुछ कहना है वह अदालत के अर्ज़ीनवीस से लिखवा कर बतौर पेशकार के पेश करें क्योंकि ज़बानी बातचीत पर कम्पनी-सरकार कभी कोई कार्रवाई नहीं करती।" थोड़ी ही देर में राजा मर्दनसिंह शहर में आ घुसा और उसने बिना किसी क़िस्म की लिखा-पढ़ी के चन्देरी पर अपना अधिकार कर लिया। ग़दर की ऐसी न जाने कितनी सच्ची-अधसच्ची मगर बेहद दिलचस्प कहानियाँ विभिन्न क़ीमती किताबों में भरी पड़ी हैं जो उस महान् आन्दोलन की दुखभरी कथा कहती हैं। ज़िन्दा रहा तो ऐसी ही घटनाओं को लेकर एक लम्बा निबन्ध लिखूँगा। किसी करुण कथा के बीच में यदि कहीं हँसी की रेखा ओठों पर खिंच जाए तो बहुत अजीब-सा लगता है। किसी उर्दू-कवि ने ठीक ही कहा है :

उस शख़्स के ग़म का कोई अन्दाज़ लगाए
जिसको कभी रोता हुआ देखा न किसी ने

❑

शेष-अवशेष
(2011)

इस देश का यारो क्या कहना...

पतरस बुख़ारी ने लाहौर का जुगराफ़िया समझाते हुए लिखा था कि वहाँ के लोग पहले तो अपने मकान ईंट और चूने के बनाते हैं और इसके बाद उन्हें मज़बूत करने के लिए उन पर इश्तहारों का प्लास्तर चिपकाते हैं। किसी हद तक यह रिवाज़ हमारे मुल्क में भी पाया जाता है और इसका कारण यह है कि पुराने शिलालेखों के अनुसार लाहौर जो है, वह भी कभी हिन्दुस्तान का ही हिस्सा था। मकानों पर चिपकाये गये इन इश्तहारों में से सबसे बड़े साइज़ के इश्तहार वे होते हैं जिन पर बोधगया, ताज़महल और बनारस के घाटों के रंगीन चित्र अंकित होते हैं और जिन पर नीचे की दिशा में मोटे-मोटे अक्षरों में लिखा रहता है कि 'हिन्दुस्तान देखिए'। ख़ाकसार इन इश्तहारों को कभी नहीं समझ पाया। मेरे ख़याल में इन तमाम इश्तहारों के पीछे एक साजिश है जिसका मकसद यह है कि विदेशी लोग हमारे देश के असली स्थान जो हैं, उन्हें न देख सकें वरना जो मज़ा सारे जहाँ से अच्छे इस मुल्क की बुलबुलों में है, वह मज़ा इन इमारतों में कहाँ!

मेरे ख़याल में एक इश्तहार बनना चाहिए जिसमें एक अधेड़ नेता का चित्र हो जो एक हाथ से अपनी टोपी सँभाल रहा हो और दूसरे हाथ से अपनी धोती, ताकि विधानसभा तक वह सही तरह पहुँच जाए। वह कुर्सी पर चिपक कर बैठता है ताकि और सबकुछ छूट जाए पर कुर्सी न छूटे। तस्वीर में भी जब वह भागेगा तब कुर्सी से चिपका होगा। उसकी एक जेब में झूठे वादे होंगे और दूसरी जेब में जाली वोट। वह चुनाव जीतेगा और वज़ीर बनेगा। अगर वह वज़ीर नहीं बना तो वह दल बदलेगा और प्रशासन का पर्दाफ़ाश करेगा। वह देश का सबसे बड़ा सेवक है क्योंकि देश चाहे या न चाहे वह देश की सेवा किये बग़ैर कभी नहीं रह सकता। इसी कारण हमारे मुल्क में जो सबसे नायाब चीज़ होती है, वह नेता ही होता है।

नेता के बाद जो बाक़ी बुलबुले इस चमन को गुलज़ार करती हैं, वे 'अफ़सर' कहलाती हैं। अफ़सर 'भारत भाग्य विधाता' होने की महान् ज़िम्मेदारी सँभालता है। अफ़सर लोग बन्द गले का कोट पहनते हैं, चश्मा लगाते हैं और आमतौर पर पढ़े-लिखे होते हैं। ये लोग इतने बड़े कीमियागर होते हैं कि चाहें तो रात को दिन

और दिन को रात साबित कर दें। भयंकर भुखमरी की स्थिति में भी जो प्राणी यह साबित कर सकता है कि देश में अन्न की पैदावार कहीं ज़्यादा हुई है तथा लोग जो मर रहे हैं, वे ज़्यादा खाने से मर रहे हैं न कि कम खाने से– वह अफ़सर ही है। उसकी एक जेब में आँकड़े रहते हैं और दूसरी जेब में दौरे का प्रोग्राम। अफ़सर ही अलादीन का वह चिराग़ है जिसे नेता रगड़ता है और राजकुमारी को हासिल करता है। वे फ़ाइलों के पुलिन्दे बटोरते हैं, मन्त्रियों की स्पीच तैयार करते हैं और मन्त्रिमण्डल की बैठकें बुलाते हैं। जो वक़्त बाक़ी बचता है, उसमें एक-दूसरे की जड़ें खोदी जाती हैं। अफ़सर को पनपने के लिए सिर्फ़ तीन पदार्थों की दरकार होती है। पहला पदार्थ है रिश्वत का पैसा, दूसरा है किसी साथी अधिकारी का ताज़ा ख़ून और तीसरी चीज़ है एक हसीन स्टेनोग्राफ़र।

नेताओं और अफ़सरों के बाद रंगमंच जो है उस पर कलाकार प्रवेश करता है। कलाकार वह इंसान है जो इन दोनों की ख़ुशामद करता है, इनके सामने कला की स्वाधीनता के मुद्दे को लेकर कालीन की तरह बिछता है और अपने इस नैतिक व शारीरिक पतन के द्वारा देश की संस्कृति को ऊँचा उठाता है। इनका त्याग महान् है, देश के उत्थान के सामने ये अपने पतन की कोई चिन्ता नहीं करते। इनकी जेब में एक ऐसी ग़ज़ल का मसौदा हमेशा मौजूद रहता है जो सेहरे का काम भी दे सके और मरसिए का भी। इनकी दूसरी जेब में उस मन्त्री या सचिव का पता नोट होता है जिसका जूता आज पालिश करना है। इसी कला के बल पर लोग राष्ट्रकवि हो गये, संसद-सदस्य बन गये, लाखों की ग्राण्ट मार ली, न जाने कौन-कौन-से देश-विदेश का दौरा किया और न जाने किस-किसका नायिकाभेद सम्पन्न किया। 'रसात्मकं वाक्यं काव्यम्' में से रस इन्होंने ख़ुद रख लिया और काव्य देश के लिए छोड़ दिया। हज़ार कोशिशों के बावजूद क्योंकि मैं वैसा नहीं कर पाया, मैं इनसे ईर्ष्या करता हूँ। मैं बरामदे में बैठता हूँ, सिगरेट फूँकता हूँ और व्यंग्य लिखता हूँ। व्यंग्यकार हमेशा वह इंसान होता है जो उन लोगों का पर्दाफ़ाश करता है जिन लोगों जैसा वह बनना चाहता था पर तमाम कोशिशों के बावजूद बन नहीं पाया। जो कर सकते हैं, वे समर्थ हैं और जो असमर्थ हैं वे व्यंग्य लिखते हैं।

'हिन्दुस्तान देखिए' का एक पोस्टर ऐसा भी बनना चाहिए जिसमें एक अदद दुकानदार हो, एक अदद छात्र-नेता हो और एक अदद पुलिसमैन हो। चित्र कुछ ऐसा हो कि पुलिसमैन बिना किसी वारण्ट के किसी भद्र पुरुष को गिरफ़्तार कर रहा हो, दुकानदार उस भद्र पुरुष की जेब काट रहा हो और छात्र-नेता उसी भद्र पुरुष के कुरते में छेद कर रहा हो। इन तीन मूर्तियों के सामने लोग ऐलीफेण्टा की त्रिमूर्ति और दिल्ली के तीनमूर्ति भवन को भूल जाएँगे।

अन्त में चलकर एक इश्तहार भारत की जनता पर भी बनना चाहिए। देश की आबादी में से यदि नेता, अफ़सर, पुलिसमैन, दुकानदार, छात्र-नेता और कलाकार

को निकाल दें तो जो बाक़ी बचता है, वह जनता कहलाता है। यही वह विषपायी तबका है जो बाक़ी सबका ख़र्चा उठाता है, उसके अत्याचार सहता है, फिर भी सबके लिए आँसू बहाता है। जनता एकदम पत्थर की बनी होती है, बीवी के मकबरे की भाँति या फतेहपुर सीकरी के बुलन्द दरवाज़े की तरह। वह भुखमरी भी ख़ुशी-ख़ुशी बर्दाश्त करती है, बिना शोर मचाये बाढ़ में बहती है और बड़ी तबीयत के साथ पुलिस का लाठीचार्ज भी सहन करती है। कभी-कभी ये तीनों काम उसे एक साथ करने पड़ते हैं। राष्ट्र में जो कुछ भी किया जाता है, वह उसी के नाम पर किया जाता है, हालाँकि फ़ायदा जो है वह बाक़ी लोगों को पहुँचता है। जनता उस करोड़ों पब्लिक का नाम है जिसको बेवकूफ़ बनाने के लिए चन्द नेता और चन्द अफ़सर काफ़ी हैं। वह कान होते हुए भी कुछ नहीं सुनती, आँख होते हुए भी कुछ नहीं देखती और वाणी होते हुए भी कुछ नहीं कहती।

अब आप ही बतलाइए कि इतने असली माल को छिपा कर दार्जिलिंग या ताज़महल का फ़ोटो 'हिन्दुस्तान देखिए' के इश्तहार पर लगाना कहाँ तक वाजिब है? ज़िन्दा चीज़ को छोड़कर मुर्दा चीज़ का इश्तहार? कम-से-कम मेरी समझ में तो यह बात हर्गिज़ नहीं बैठती।

क्षमा कीजिएगा...

क्षमा कीजिएगा— मैं आपसे दो शब्द कहना चाहता हूँ। मैं जानता हूँ कि आप इस समय काफ़ी व्यस्त हैं, पर मुझे भी जो कहना है कम ज़रूरी या ग़ैर-दिलचस्प नहीं है। मैं यह बातचीत क्षमा माँगकर इसलिए भी प्रारम्भ कर रहा हूँ कि जो कुछ मुझे कहना है वह क्षमा माँगने से ही सम्बन्धित है। क्षमा कीजिएगा— इन दो शब्दों में कितनी शक्ति है और उसके बारे में आम जनता कितना कम जानती है, इस पर काफ़ी कहा जा चुका है और काफ़ी कहा जा सकता है। मेरे विचार से आज के युग में शायद ही कोई ऐसी स्थिति हो जिसे क्षमा-याचना के मन्त्र द्वारा न सँभाला जा सके।

क्षमा माँगकर आप कोई भी अप्रिय कार्य कर सकते हैं और कोई भी अप्रिय कार्य करके क्षमा माँग सकते हैं। इन दोनों क्रियाओं की यह विशेषता है कि इनमें से कोई भी एक-दूसरे से पहले सम्पन्न की जा सकती है। राजनीतिक नेता आम जनता को एक घण्टा धूप या सर्दी में खड़ा रख के आता है और सबसे पहला काम जो वह मंच पर प्रस्तुत होकर करता है, वह होता है— क्षमा माँगना। इसके बाद, वह इसके लिए क्षमा माँगता है कि उसने आज इतने लोगों को व्यर्थ ही कष्ट दिया, क्योंकि जिस समस्या पर उसे भाषण देना है उसमें सिवा जनसम्पर्क के अनुभव के उसे और कोई विशेष ज्ञान नहीं है। इतनी भूमिका के बाद वह लगभग दो घण्टे इसी सत्य को स्थापित करने के लिए धारा-प्रवाह भाषण देता है और आम जनता अफ़सोस करती रहती है कि शरीफ़ आदमी की बातों पर शुरू ही में यक़ीन क्यों नहीं कर लिया गया! इसी प्रकार, बस में या ट्रेन में कोई सम्भ्रान्त और सुशिक्षित महिला पहले आपसे माफ़ी माँगकर सामने की सीट पर अपने को चार बच्चों के साथ 'स्थापित' करती है, फिर माफ़ी माँगकर आपसे पुस्तक या पत्र-पत्रिकाएँ लेती है, फिर आपकी सुराही से पानी उड़ेला जाता है और फिर क्षमा-याचना और मधुर-मधुर मुस्कान के साथ आपसे प्रार्थना की जाती है कि ज़रा बच्चों को खिड़की के पास बैठने दें, क्योंकि वे ज़िद कर रहे हैं। थोड़ी देर बाद माफ़ी की दूसरी किस्त भी आपसे माँगी जाती है, क्योंकि तब तक या तो कोई कुल का दीपक आपका क़ीमती सूट ख़राब कर देता है या उनकी आँखों का तारा आपका फाउण्टेन पेन खिड़की के बाहर फेंक देता है।

यों, तो क्षमा माँगने पर किसी भी असम्भावित स्थिति को सँभाला जा सकता है—यहाँ तक कि यदि संसार का शासक-वर्ग क्षमा माँगने और क्षमा करने की परम्परा में विश्वास करने लगे तो सम्भवतः इतिहास की पुस्तकों में से युद्ध का अध्याय ही हटा दिया जाए, फिर भी इसकी सबसे ज़्यादा उपयोगिता तभी होती है जब आपके विपक्षी आपसे अधिक शक्तिशाली हों। इस सन्दर्भ में मुझे एक घटना याद आ रही है। मैं शायद किसी पहाड़ी स्थान पर बस में घूम रहा था। रास्ता चक्करदार था और बस में बैठे लोग लगातार एक-दूसरे के शरीर पर गुरुत्वाकर्षण के नये-नये प्रयोग कर रहे थे। इतने में कहीं बस रुकी और एक सज्जन जो डील-डॉल में भारत-माता के चार-पाँच सपूतों के बराबर अकेले ही थे, भीतर आये। ऐसा लगता था कि बस पकड़ने के लिए उन्हें कुछ भागना पड़ा था, क्योंकि बस में खड़ा रहने के कुछ क्षण बाद तक वे प्राणायाम-सा कुछ करते रहे। इसके बाद बस ने कहीं फिर एक घुमाव लिया और ये महाशय कवि-कुल-शिरोमणि-महाकवि कालिदास के शब्दों में एक विशाल मेघ खण्ड की भाँति सामने बैठी एक विरहिणी यक्षिणी-सी कृशकाय युवती पर इस प्रकार सांगोपांग गिरे जैसे कि मालगाड़ी से यार्ड में कोई भारी-भरकम सामान उतारा जा रहा हो। वो युवती तो उनकी विशाल देह के कारण तुरन्त अदृश्य-सी हो गयी, पास बैठे कुछ बच्चे भी सीट से इस तरह इधर-उधर बिखरे गोया कोई आँधी आ गयी हो और पेड़ पर के पके फल टूट रहे हों। उनके पति तो बस की खिड़की से अपने दाँतों को काफ़ी देर तक इस तरह बजाते रहे गोया कि यह उनका पुराना शौक़ हो जो मुद्दत के बाद आज पूरा हो रहा हो। ख़ैर, जैसे ही उन्होंने तथा उनके कुछ और साथियों ने इन महाशय के प्रति कुछ रचनात्मक कार्रवाई करने की चेष्टा की, इस महामानव ने इस उत्साह से 'क्षमा कीजिए' का कीर्तन शुरू किया कि बस में बैठे और कई भक्तजन भी भाव-विभोर होकर उसमें हिस्सा लेने लगे। कहने का अर्थ यह कि बात वहीं-की-वहीं रह गयी।

क्षमा के बारे में यह निश्चित रूप से कहा जा सकता है कि वह प्रायः तभी माँगी जाती है जब या तो कोई अप्रिय घटना हो गयी हो या होने वाली हो, क्योंकि बाक़ी वक़्त में तो देश की जनता कुछ और ही माँगती रहती है। एक बार मेरे एक मित्र को इसका बड़ा कटु-अनुभव हुआ। ये हज़रत रात की गाड़ी में कहीं जा रहे थे और फ़र्स्ट क्लास के डिब्बे में अकेले थे। रास्ते में किसी एक मुसाफ़िर ने माफ़ी माँग कर इनसे डिब्बे का दरवाज़ा खुलवाया। इसके बाद माफ़ी माँगकर सामने की सीट पर सामान रखा। फिर माफ़ी माँगकर सिगरेट ली और माफ़ी माँगकर दियासलाई वापस की। कोई घण्टे भर बार माफ़ी माँगकर उन्होंने बत्ती बुझायी और सो गये। रात के तीन बजे उन्हें फिर माफ़ी माँगने का 'मूड' आ गया और माफ़ी माँगकर वे उतर गये। एक कुली आया जो सामान उतारता रहा। सुबह मेरे मित्र की जब आँखें खुलीं तो देखा कि सिवा उस लुंगी के जो गर्मी के कारण मेरे मित्र पहन कर

सोये थे, वे सारा सामान माफ़ी के साथ-साथ उतरवा चुके थे, यहाँ तक कि टिकट और सुराही भी नहीं बची। ख़ैर, वह तो मेरे अज़ीज़ काफ़ी हाज़िर-जवाब थे, नहीं तो लेने-के-देने पड़ जाते। इन्होंने अपने गंजे सिर, हाथ-पैर, पेट और मस्तक सब पर एशट्रे की राख डटकर लगायी और प्रातः स्मरणीय श्री 1008 जगद्‌गुरु शंकराचार्य की तरह उस ठाट-बाट से उतरे और उसी बेतकल्लुफ़ी से स्टेशन के हर अफ़सर को 'बच्चा-बच्चा' कहा कि भक्त लोग दर्शन पाकर धन्य हो गये।

'क्षमा कीजिए' इन शब्दों का प्रयोग कभी-कभी क्षमा के अतिरिक्त, कुछ और माँगने के लिए भी होता है। कुछ लोग तो इसे केवल सांकेतिक भाषा की तरह ही प्रयोग करते हैं। जैसे अगर मेरे मित्र सान्याल साहब क्षमा माँगते हैं तो मैं समझ जाता हूँ कि इन्हें रुपयों की ज़रूरत है, वर्माजी अगर सन्ध्या समय आकर क्षमा-याचना करें तो समझ लीजिए कि ये गृह-युद्ध में सक्रिय भाग लेकर आ रहे हैं और साहब का शाम का खाना इधर ही होगा। इसी प्रकार, जिस दिन मेरी धर्मपत्नी सीता या सावित्री की तरह विनीत होकर क्षमा-याचना करती है तो मैं समझ जाता हूँ कि या तो दूध फट गया है और चाय के स्थान पर उस भगवान का स्मरण करना है जो सारे संसार को चलाते हैं और बिना जिनकी आज्ञा के मकान के सामने के नीम का एक पत्ता भी नहीं हिलता या किसी सब्ज़ी वग़ैरह में नमक ज़्यादा हो गया है। इसी प्रकार, जब ठाकुर जंगवीर सिंह क्षमा करने के लिए ज़िद करने लगते हैं तो मेरे जैसे अनुभवी मित्र को समझने में देर नहीं लगती कि यदि शरीर और आत्मा कुछ दिनों और साथ-साथ रखनी है तो ख़ैर इसी में है कि यहाँ से चला जाए।

ऊपर बताये दृष्टान्तों से यह प्रकट हो जाता है कि व्यवहार-शास्त्र में 'क्षमा' का कितना बड़ा स्थान है। अगर सारे लोग अपने फुटकर वक़्त में क्षमा माँगते रहें तो कोई कारण नहीं कि सामाजिक जीवन कहीं अधिक सुखी न हो। क्षमा-याचना को आप एक ऐसा तेल समझिए जो दैनिक जीवन की मशीनरी को ठीक तरह से चलाने में मदद देता है और साथ-ही-साथ आपके हाथों या वस्त्रों पर धब्बा तक नहीं छोड़ता। इसका दर्जा ख़ुशामद से ऊपर है, क्योंकि 'क्षमा कीजिएगा' से शुरू करके आप कुछ भी कह सकते हैं और बुरा मानने का प्रश्न ही नहीं उठता। अगर कभी कोई सज्जन इतने असभ्य मिल जाएँ कि क्षमा माँगने पर भी आपके छोटे-से अपराध को न भूलना चाहें तो उस स्थिति पर काबू पाने के लिए यह ज़रूरी है कि आप उनसे लगातार माफ़ी माँगते रहेंगे जब तक कि या तो वे माफ़ ही न कर दें या जब तक उनका या आपका बस स्टॉप न आ जाए।

इस प्रसंग में मैं दो बातें और आपको बताना चाहता हूँ। एक तो यह कि क्षमा करना भी बड़ा आसान है। ग्रामदान, भूदान, श्रमदान और कन्यादान इत्यादि जितने और दान देश में प्रचलित हैं, क्षमादान उन सबकी अपेक्षा कहीं अधिक सरल है। दूसरे यह कि क्षमा करने को आप उसी से कहें जो 'क्षमा' शब्द का अर्थ जानता हो।

एक बार किसी सभ्य पुरुष ने कनॉट प्लेस में रोहतक के एक जाट से क्षमा करने को कहा था और नतीजा यह हुआ कि वह चौधरी कन्धे पर चादर रख, लाठी ज़मीन पर बजा, वहीं खरी-खरी सुनाने लगा, "अरे बाबू, यह काम सबके सामने करने को तुम हमीं से कहते हो! अरे तुम होते कौन हो हमसे कहने वाले, हम करें या न करें– क्षमा करो तुम और तुम्हारे घर वाले– आइन्दा ऐसा कहा तो दाँत तोड़ दूँगा...।"

क्षमा कीजिए मैंने आपका काफ़ी समय लिया।

बैल-पत्र

प्रिय भाई चेतनजी,

पत्र के लिए आभार। बड़ी खुशी हुई कि आप बैलों पर विशेषांक निकाल रहे हैं। बैलों से अब तक गोबर निकला करता था पर आप जैसे सम्पादकों की कृपा से उन पर विशेषांक भी निकलने लगे। आशा है, विशेषांक में भी गोबर वाला मज़ा आएगा। इससे पहले आप शायद चूहा, कुत्ता और बिल्ली पर भी विशेषांक निकाल चुके हैं। इन जानवरों के अतिरिक्त अभी और बहुत-से पशु-पक्षी इस देश में बाक़ी हैं। लगता है 'रंग' का प्रकाशन कम-से-कम दस साल तो चलता ही रहेगा। इस अवधि से पूर्व सारे पशु-पक्षियों की सेवा करना कठिन होगा। यह अच्छा ही है कि अपने नाम के अनुसार आप चेतन पदार्थों पर ही विशेषांक निकालते हैं। मेरी बधाई स्वीकार करें।

बैल के बारे में आपको क्या लिखूँ! आप तो खुद ही समझदार हैं। जैसा कि आपको शायद पता हो, बैल के दो सींग होते हैं और एक पूँछ। सींग आगे होते हैं और पूँछ पीछे। इन दोनों के बीच जो कुछ होता है वह बैल कहलाता है। बैल बड़ा सेवावृत्ति वाला पशु है। कुछ बैल किसानों की सेवा करते हैं और कुछ बैल– जिन्हें साँड़ भी कहते हैं– वे गायों की सेवा करते हैं। बनारस के साँड़ वहाँ के ज़र्दे की तरह हमेशा-से मशहूर रहे हैं। राँड़, साँड़, सीढ़ी, संन्यासी, इनसे बचे तो सेवे काशी। साँड़ का दर्ज़ा राँड़ के बाद रक्खा गया है जो स्थिति को देखते हुए उचित ही प्रतीत होता है।

बैलों ने हमारे देश के शासन में बड़ा महत्त्वपूर्ण योगदान दिया है। अब तक की सरकार बैलों की जोड़ी के ही आधार पर चुनाव जीतती रही और देश प्रगति करता रहा। चुनाव के बैलों के अतिरिक्त वैसे भी सरकार में काफ़ी बैल हैं जो यथाशक्ति फ़ाइलों के खेत को जोतते रहते हैं। इनमें से कुछ ऐसे भी हैं जिनके गोबर में गन्ध तक नहीं आती।

साँड़ की सवारी का मज़ा शायद आपने कभी लिया हो। भगवान शिव तो बैल की ही सवारी किया करते थे। देहात की तरफ़ अभी भी बैलों पर सवारी की जाती

है। एक दफ़ा मैंने यह भी देखा है कि एक बैल दूसरे बैल की सवारी कर रहा था। सामूहिक विकास योजना में सब चलता है।

आपकी कृपा से बैल को साहित्य में भी स्थान मिल रहा है जिसके लिए आप प्रशंसा के पात्र हैं। भगवान ने चाहा तो आप जैसे सम्पादकों की कृपा से बैल ही क्या, गधे और घोड़े भी साहित्य में अपना स्थान बना लेंगे। सम्पादक की बड़ी महिमा है। वह बैल से भी बड़ा है।

फ़िलहाल इतना ही।

एक ख़बरदार लेख

पिछले दिनों दस्यु सुन्दरी फूलन देवी की निर्मम हत्या ने अख़बारों में इतना स्थान ले लिया कि बाक़ी घटनाओं को लोग भूल गये। कुछ अख़बारवालों ने दिलचस्प घटनाएँ फिर भी छापीं और इस लेख में मैं उन्हीं की चर्चा करूँगा। सुप्रीम कोर्ट ने यह आदेश दिया है कि भूतपूर्व प्रधानमन्त्री चन्द्रशेखर ने हरियाणा में जो छोटा-सा आश्रम बनाया था, उसमें से मात्र 500 एकड़ भूमि वापस ले ली जाए और राज्य सरकार इस पवित्र काम को एक निश्चित तिथि तक ज़रूर कार्यान्वित करे। कलकत्ते की रेलों के सामने कूदकर जो आत्म-हत्याएँ हो रही थीं, उनको रोकने के लिए यह निर्णय लिया गया है कि स्टेशनों पर शास्त्रीय संगीत सुनवाने की व्यवस्था की जाए। हमारे प्रधानमन्त्री वाजपेयी को अगले जन्म दिवस पर एक ऐसा ग्रीटिंग कार्ड भेजा जाएगा जो दो फ़ीट चौड़ा व एक किलोमीटर लम्बा होगा। उत्तर-प्रदेश की सरकार में जो बयासी मन्त्री हैं उनके बच्चों की संख्या 300 से ऊपर है। पुत्र की प्राप्ति के लिए एक मन्त्री ने दस बच्चे पैदा किये। छत्तीसगढ़ में बयासी वर्ष की कन्या ने बहत्तर वर्ष के किशोर से विवाह किया। दिलचस्प ख़बरें ख़त्म हो गयीं। अब मैं उन ख़बरों की चर्चा करूँगा जो बेहद गम्भीर हैं और जिनसे हमें ख़बरदार रहना है। मेरा यह निश्चित मत है कि देश में मुद्रास्फीति के जहाँ और कारण हैं (सरकार का अपव्यय या उद्योगपतियों का भ्रष्टाचार) वहाँ दो प्रमुख कारण और भी हैं— नकली नोट छापना और रिज़र्व बैंक के बताये पुराने नोटों को नष्ट करना। नकली नोट पाकिस्तान भी छापता है और हमारे देश के होनहार नागरिक भी छापते हैं। अभी-अभी दिल्ली में 21 वर्ष का एक नवयुवक गिरफ़्तार किया गया है जिसने 70 हज़ार की मशीनरी व कम्प्यूटर के सहारे लाखों रुपये के नोट छापे हैं। छह लाख के नकली नोट तो मकान की तलाशी में ही प्राप्त हुए हैं। पूछताछ के दौरान अभियुक्त ने बताया कि यदि वह चाहे तो एक ही दिन में एक लाख रुपयों के नकली नोट छाप सकता है। वह सौ रुपये का नोट छापता है, क्योंकि पाँच सौ रुपये के नोट छापने में ख़तरा है। उत्तर प्रदेश के बदायूँ नगर में भी यह धन्धा किया जा रहा है और यह सारा काम तीन लोग कर रहे हैं। नकली नोट इतनी चतुरता से बनाये जा

रहे हैं कि असली और नकली नोटों में अन्तर पकड़ना अत्यन्त कठिन है। आपको शायद पता होगा कि दूसरे विश्वयुद्ध में हिटलर भी नकली पाउण्ड छापा करता था ताकि ब्रिटेन की अर्थव्यवस्था को ख़त्म किया जा सके। रेल दुर्घटनाएँ बढ़ती जा रही हैं। लोगों ने वापसी के टिकट ख़रीदने कम कर दिये हैं। पिछले 10 वर्षों में 30 दुर्घटनाएँ तो ऐसी हो चुकी हैं कि जिन्हें बहुत गम्भीर कहा जा सकता है। हर वर्ष रेल दुर्घटनाओं में इतने लोग मारे जाते हैं जितने कारगिल के युद्ध में भी नहीं मारे गये थे। दुर्घटनाओं का एक प्रमुख कारण है पुलों की मरम्मत न करवाना या उनकी जगह नये पुल न बनवाना। रेल के सारे पुलों की संख्या लगभग सवा लाख है और इनमें से 260 पुल तो ऐसे हैं जिन्हें विशेषज्ञों की कमेटी ने 'बीमार' घोषित कर रखा है। कमेटियाँ बनती हैं, अपनी रिपोर्ट देती हैं और काम ख़त्म मान लिया जाता है। न कोई अफ़सर सज़ा पाता है और न कोई नेता। रेल मन्त्री त्यागपत्र देते हैं और प्रधानमन्त्री उसे अस्वीकार कर देते हैं। जो लोग ज़्यादा जानना चाहते हों, वे 25.6.2001 के 'इण्डियन एक्सप्रेस' का सम्पादकीय पढ़ें। ऊपर वर्णित दो गम्भीर मुद्दों ने मेरी तरह आपको भी चिन्तित कर दिया होगा। आपका मूड ठीक करने के लिए मैं उस बन्दर बने आदमी या आदमी बने बन्दर की चर्चा करूँगा जिसने दिल्ली की जनता और पुलिस तक को परेशान कर दिया। पुलिस ने लगभग 400 बार फ़ोन पर रिपोर्ट सुनने के बाद, पहले तो इस विचित्र जीव के पकड़ने पर पुरस्कार घोषित किया और फिर एक आयोग का गठन किया। आयोग ने बताया है कि सारी परेशानी महज़ अफ़वाहों पर आधारित है। मैं उस आदमी को बधाई देता हूँ जिसने मात्र बन्दर की खाल ओढ़ने पर इतनी शोहरत हासिल कर ली, जितनी मैं 40 वर्ष तक साहित्य सेवा करने के बावजूद नहीं कर सका। अकबर इलाहाबादी को कहना चाहिए था :

'वे आह भी भरते हैं तो हो जाते हैं बदनाम
हम क़त्ल भी करते हैं तो चर्चा नहीं होती।'

गर गधी के कान में कह दूँ कि हूँ तुझ पर फ़िदा

मुझे कविता से बड़ा गहरा प्रेम है। संस्कृत, हिन्दी और अँग्रेज़ी– इन तीन भाषाओं का काव्य तो मैंने पढ़ा ही है, स्थिति यह है कि संसार की जितनी शेष भाषाएँ हैं, उनका काव्य भी किसी-न-किसी तरह मैंने पढ़ने की बराबर कोशिश की है।

कविता से बड़ी चीज़ शायद कोई और नहीं। कवि जो है, वह भी कविता से नीचे ही ठहरता है। शास्त्रों में कहा गया है कि जो लोग मूर्ख होते हैं, वे अपना समय व्यसन, निद्रा और कलह– इन तीन वस्तुओं में बर्बाद करते हैं जबकि मतिमान लोग अपना समय काव्य, शास्त्र और विनोद– इन तीन वस्तुओं से मनोरंजन करने में व्यतीत करते हैं।

कहते हैं कि प्राचीन काल में मूर्ख और बुद्धिमान लोगों की पहचान इसी फ़ार्मूले के अनुसार हो जाया करती थी। यहाँ मैं कुछ ऐसे काव्यांशों की चर्चा करूँगा जिन्होंने मेरे मर्म को छुआ है और मेरे जीवन-दर्शन को प्रभावित किया है। अच्छी चीज़ों को दूसरों तक पहुँचाने में मुझे हमेशा हर्ष होता आया है।

मंगलाचरण

इस काव्य-चर्चा का प्रारम्भ मैं भगवान की भक्ति से करूँगा। सारे अच्छे काव्य मंगलाचरण से ही प्रारम्भ होते हैं। भगवान की भक्ति का काव्य कालिदास, सूर, तुलसी और रसखान इत्यादि सभी कवियों ने लिखा है। रीतिकाल में तो कवि इतने ईमानदार हो गये थे कि घोर श्रृंगार की कविता भी भगवान को ही नायक बनाकर लिखते थे; जिसकी जैसी भावना हो, वह वैसा ही प्रभु की मूर्ति देख ले। सूरदास की 'चरन कमल बन्दौ हरि राई' वाली पंक्ति तो मुझे बराबर याद रहती है। इस पद में आगे चलकर एक ऐसे लँगड़े व्यक्ति की कहानी कही गयी है जो किसी ग़लतफ़हमी में एक पहाड़ पार कर गया था। पहाड़ से वापस वह कैसे आया था, यह जानने के लिए मैं आज तक बेक़रार हूँ! इन सबके बावजूद जिन पंक्तियों ने मुझे बार-बार झकझोरा है, वे इस प्रकार हैं :

जब ख़ुदा मेहरबान होता है
तो गधा पहलवान होता है।

(अज्ञात)

कितनी सादगी और बुलन्दख़याली है! साथ-ही-साथ भाषा की चुस्ती और कसावट जो है, वह भी देखते ही बनती है। और चीज़ों के साथ-साथ इसमें यह भी बताया गया है कि 'पहलवान' जो होता है वह अक्सर गधा होता है। मुझ पर जब भी विपत्ति पड़ती है, मैं इस पद को याद करता हूँ। जब कोई गधा दिखाई पड़ता है, तब भी यही शेर याद आता है। इधर तो काफ़ी गधे आदमियों के कपड़े पहिनने लगे हैं और एक गधे ने तो अपनी आत्मकथा तक लिख मारी है, जो कृशनचन्दर ने अपने नाम से छपा ली है। ख़ैर, गधे का ज़िक्र क्या छिड़ा कि एक शेर और याद आ गया:

गर गधी के कान में कह दूँ
कि हूँ तुझ पर फ़िदा
है यकीं कामिल कि वह भी
घास खाना छोड़ दे।

(अज्ञात)

इस शेर में सांसारिक प्रेम के कितने नाज़ुक पहलू पर निगाह डाली गयी है! काव्य में गधे का स्थान काफ़ी महत्त्वपूर्ण हो गया है। नयी कविता से भी इसको काफ़ी प्रोत्साहन मिला है।

हाँ, तो बात शृंगार रस की हो रही थी और गधा बीच में आ गया। शृंगार रस पर कवियों ने काफ़ी जमकर लिखा है। कालिदास ने इस दिशा में कई नये प्रयोग किये। बतौर उदाहरण के 'मालविकाग्निमित्र' में राजा को नायिका से मिलाती हुई रानी कहती है कि जिस प्रकार नदियाँ समुद्र के पास जाते-जाते दो-चार और नदियों को भी ले जाती हैं, ठीक उसी प्रकार पतिव्रता स्त्रियाँ अपने पतियों को सुखी रखने के लिए उन्हें शेष स्त्रियों से भी मिलाती रहती हैं।

कितना ऊँचा आदर्श है! एक आजकल की क्षुद्रबुद्धि स्त्रियाँ हैं कि जहाँ पति ने किसी और रूपसी पर एक या दो अदद निगाहें डालीं, वहीं जूता-चप्पल सम्मेलन शुरू हो गया। इस सम्मेलन को संचालित करने के लिए सभापति की भी ज़रूरत नहीं। ख़ैर, जो कुछ भी हो, स्त्रियों का वर्तमान दृष्टिकोण हमारी आर्य संस्कृति के विपरीत है।

शृंगार रस का श्रीगणेश नखशिख वर्णन से प्रारम्भ होता है। इस दिशा में एक शेर अर्ज़ है, जिसमें नायिका के साथ-साथ कवि के प्रकृत्ति-प्रेम पर भी पूरा प्रकाश पड़ता है:

तुम वह फूल हो जिसमें ख़ुशबू नहीं
तुम मेरी जान, गोभी का फूल हो

(अज्ञात)

लड़कियों के साथ ख़ूबसूरती की इल्लत हमेशा से रही है। ख़ूबसूरती पर कभी-कभी

सन्तान का काफ़ी प्रभाव पड़ता था। इस स्थिति पर प्रकाश डालते हुए कवि कहता है:

औलाद ने लीद बना दी उसकी
लड़की वरना वह ख़ूबसूरत थी

(अज्ञात)

और बातों के साथ-साथ अनुप्रास की छटा कितनी निखर कर आयी है– औलाद ने लीद बना दी उसकी। अनुप्रास के लिहाज़ से यह शेर भी कुछ कम नहीं :

सुना है कि मेरठ में उल्लू के पट्ठे
रगेगुल से बुलबुल के पर बाँधते हैं

(अज्ञात)

नायिका को औलाद से बचाने के लिए कुछ लोग काफ़ी कोशिश करते थे। एक हज़रत ने तो इस दिशा में कुछ खोज भी की मगर स्थिति यह रही कि :

जब तक उसे पता लगा सारे सुराग़ का
घर में चन्द आ गये और तब तक

(अज्ञात)

संयोगश्रृंगार पर मुझे चिरकीन की याद बराबर सताती रहती है। मिलन का कितना सजीव चित्र है :

वो आगे-आगे वस्ल का वादा किये हुए
हम पीछे-पीछे हाथ में खटिया लिये हुए

मुझे इतिवृत्तात्मक काव्य भी बेहद पसन्द है। संसार के जितने भी क्लासिक हैं, वे प्रायः सभी इतिवृत्तात्मक ही हैं। एक बार एक कवित्त मेरी निगाह से ही गुज़रा था जिसके जवाब का दूसरा फिर कभी नहीं मिला। इस कवित्त में एक सेठजी की धोती में चूहा घुसने की कथा कही गयी थी। बड़ी मार्मिक कथा थी। जिन लोगों की धोती में कभी चूहा घुसा है, वे इस कथा की पीड़ा समझ सकते हैं। प्रायः ऐसा होता है कि चूहे से मुक्ति पाने के लिए आप सारे-के-सारे कपड़े उतार देते हैं, पर चूहा है कि फिर भी नहीं निकलता।

जैसा कि ऊपर दिये गये उद्धरणों से प्रकट होगा, इनमें से काफ़ी कवि श्री अज्ञातजी के काव्य से लिये गये हैं। कवि अज्ञात ने और भी अनेक भाषाओं में कविता लिखी है। इनके जन्म, स्थान और शेष परिचय जानने की दिशा में अभी तक पूरा प्रयत्न किया ही नहीं गया। आशा है सहृदय काव्यप्रेमी इस दिशा में उचित क़दम उठाएँगे। सरकार को भी उचित होगा कि इस शुभकार्य के लिए अनुदान दे।

मुसाफ़िर जाएगा कहाँ?

मुझे हिन्दी में लिखते हुए क़रीब चालीस वर्ष हो गये। मैंने हिन्दी को उत्कृष्ट काव्य दिया, उत्कृष्ट गद्य दिया, यश और प्रतिष्ठा प्राप्त की पर आर्थिक दृष्टि से तो मैं विपन्न ही रहा। पत्र-पत्रिकाएँ बन्द हो गयी हैं और जो हैं, वे बेहद कम 'मज़दूरी' देती हैं और उसमें से भी अपना वार्षिक चन्दा ज़रूर काट लेती हैं।

प्रकाशक ऐसे हैं कि एक अपवाद को छोड़कर, सबके सब ग़लत हिसाब देते हैं। और पुरस्कारों का तो कहना ही क्या, वे कुछ अपवादों को छोड़कर, विशुद्ध गुटबन्दी पर आधारित हैं। कम-से-कम मुझे तो न अकादमी का अवार्ड मिला और न कोई और बड़ा 'अवार्ड' ही, जबकि मेरे एक समानधर्मा– जो बढ़िया लिखते हैं– पिछले दस वर्षों में दस लाख के पुरस्कार बटोर गये। उन्हें लिखने पर भी अवार्ड मिलता है और कुछ न लिखने पर भी अवार्ड मिलता है। दुख की बात तो यह है कि काफ़ी बड़े अवार्ड ऐसे साहित्यकारों को भी मिले जिनकी पुस्तक के आप पचास पृष्ठ भी नहीं पढ़ सकते। वे मात्र इस कारण अवार्ड-ववार्ड प्राप्त कर रहे हैं, क्योंकि वे एक ऐसे साहित्यिक मठाधीश के सम्बन्धी हैं जो प्रथम श्रेणी के धूर्त हैं और जो पुस्तकों की ख़रीद को लेकर घोटालों में फँसे हैं। ऐसी स्थिति में लिखने से यदि विरक्ति न हो तो और क्या हो? ऐसी विरक्ति में आपका पत्र पाकर बड़ी ख़ुशी हुई, क्योंकि आप मुझे एक शब्द का एक रुपया देंगे। बल्लाल ने 'भोज प्रबन्ध' में लिखा है कि राजा भोज प्रत्येक अक्षर के लिए एक लाख मुद्रा देते थे और इसी कारण संस्कृत के सारे कवि उनके दरबार में हाज़िरी देते थे। प्रत्यक्षर लक्षं ददौ।

मेरी विरक्ति बरकरार है, क्योंकि मात्र आपके यहाँ कॉलम लिखने से मेरी परेशानियाँ कम नहीं होंगी। धन्धा बदलना ही पड़ेगा, परन्तु उसके स्थान पर मैं और क्या करूँगा, यह समझ में नहीं आता। मैं गणेशजी जैसा चतुर नहीं हूँ कि जिन्होंने कुछ वर्ष पूर्व मोदक छोड़कर दूध पीना शुरू कर दिया था। एक ही दिन में उनकी मूर्तियों और चित्रों ने लाखों या करोड़ों रुपयों का दूध पी लिया था। मुझे इस घटना में पूरा विश्वास है। बाइबिल के अनुसार ईसा मसीह ने केवल अपने स्पर्श से ही न जाने कितने अन्धे और कोढ़ी ठीक कर दिये थे। पवित्र कुरान के अनुसार जब मूसा

की कौम को पानी का संकट पड़ा तो खुदा ने उसे पत्थर पर डण्डा मारने को कहा। डण्डा मारते ही पानी की धाराएँ निकल पड़ीं। लंका जीतने के बाद राम, सीता और लक्ष्मण हवाई जहाज़ से अयोध्या आये थे। दूरदर्शन न होने के बावजूद, कुरुक्षेत्र के युद्ध का सारा आँखों देखा हाल, संजय ने धृतराष्ट्र को सुना दिया था। सूरदास अन्धे नहीं थे क्योंकि ईश्वर ने उनकी आँखें ठीक कर दी थीं। 'बहिरो सुने, मूक पुनि बोले, अन्धे को सब कुछ दरसाई।' अगर यह सब हो सकता है तो गणेशजी दुग्धपान क्यों नहीं कर सकते?

सोचता हूँ कि चन्द्रमुखी मृगलोचनी से विवाह कर लूँ जो काफ़ी अमीर हो। मगर ऐसा करने में भी कई दिक्क़तें हैं। पहली दिक्क़त तो यह है कि 'केशव केसन अस करी' के कारण मुझे कौन सुन्दरी घास डालेगी? दूसरी दिक्क़त यह है कि जिन चन्द्रमुखी मृगलोचनी युवतियों पर कभी मेरी निगाह थी, वे सबकी सब अब वृद्ध हो चुकी हैं और उन्हें 'भाभी' कहने के स्थान पर 'दादी' कहने की तबीयत होती है। तीसरी दिक्क़त यह है कि मेरी वर्तमान पत्नी अभी तक सीन पर मौजूद है और इतनी हृष्ट-पुष्ट है कि यदि उसे मेरी इच्छा का पता लग गया तो मेरी कमर के नीचे ऐसा लात मारेगी कि मेरा पायजामा फट जाएगा। कमर की मुझे इतनी फ़िक्र नहीं है जितनी पायजामे की है।

कुल मिलाकर स्थिति यह है कि समझ में नहीं आता कि क्या करूँ। जो पाठक या पाठिका मेरा मार्गदर्शन करना चाहें, वे वैसा कर सकते हैं। मैं उनका हार्दिक व शारीरिक आभार मानूँगा। मुझे तो यही लगता है कि मैं तो लेखक ही रहूँगा। यही मेरी नियति है। चालीस वर्ष की आदत अब छूटनी मुश्किल है। इसके अलावा और कहीं भी जाऊँगा तो वहाँ परेशानियाँ ही मिलेंगी, और कुछ नहीं। वहाँ कौन है तेरा, मुसाफ़िर जाएगा कहाँ?'

क़िस्सा चार दरवेश का

बीसवीं शताब्दी के प्रारम्भ में, मेरे जनपद में, मिडिल स्कूल के एक हेडमास्टर ने चार प्रतिभाशाली पुत्र-रत्नों को जन्म दिया। लड़कों को यथासम्भव शिक्षा दी गयी जो बहुत ज़्यादा नहीं थी। आज मैं उन्हीं चार पुत्रों की कथा लिखता हूँ और आशा करता हूँ कि इस कथा के पढ़ने से बहुतों का भला होगा।

पहले पुत्र ने विवाह नहीं किया और वह गाँधीजी के असहयोग-आन्दोलन में कूद पड़ा। वह जेल गया, पुलिसवालों से पीटा गया और वह कितनी ही बार अनशन पर भी बैठा। आज़ादी मिलने के बाद, वह राज्य में मन्त्री बना, नेता कहलाया और अपनी कर्मठता और ईमानदारी के कारण पूजा गया। अन्त समय तक वह चरखे पर सूत कातता रहा। उसके मरने पर, उसकी प्रतिमा चौराहे पर लगायी गयी। मरने के बाद उसकी सम्पत्ति को आँका गया तो पता चला कि न जाने कैसे, वह लगभग पचास करोड़ थी।

दूसरे लड़के ने भी विवाह नहीं किया और वह एक क्रान्तिकारी बना। उसने अपना एक अलग दल क़ायम किया और सरकारी ख़ज़ाना लूटा। वह कभी भी पुलिस द्वारा नहीं पकड़ा गया। अन्त में, वह एक युवती के साथ नेपाल चला गया। वह युवती भी एक क्रान्तिकारी थी। उसके अड्डे पर पुलिस ने करोड़ों की सम्पत्ति प्राप्त की जो रूस या चीन से उसे मिली थी।

तीसरे पुत्र ने भी विवाह नहीं किया और वह एक धार्मिक व्यक्ति बना। कुछ वर्ष तो वह सन्त रहा पर बाद में वह महन्त हो गया। उसने एक आश्रम खोला और बड़े बड़े सेठों से चन्दा लेकर एक मन्दिर बनवाया। वह स्वस्थ, तेजस्वी व आकर्षक व्यक्ति था और इसी कारण सुन्दर व निःसन्तान युवतियाँ दूर-दूर से आती थीं और सन्तान प्राप्त किया करती थीं। मन्त्र में बड़ी शक्ति होती है, बशर्ते कि आपको उसमें विश्वास हो। महन्तजी सुन्दर विधवाओं पर विशेष ध्यान देते थे और उन्हें हर समय रोते हुए सीने से लगाते थे। ग्राम-प्रधान से लेकर मुख्य-मन्त्री तक सारे नेता उनके चरण छूते थे। जब एक दिन वे एक सड़क-दुर्घटना में निर्वाण को प्राप्त हो गये तो एक नास्तिक कप्तान-पुलिस ने

आश्रम की खुदाई शुरू करवा दी। करोड़ों रुपयों की सोने की ईंटें बरामद हुईं और कुछ स्त्रियों के कंकाल भी मिले।

चौथा लड़का अभी जीवित है। वह एक सामान्य व्यक्ति है और खेती करता है। उसकी पत्नी है और बच्चे हैं। सब खुश और सन्तुष्ट हैं। चारों भाइयों में एक वही है जो सुखी है।

यह सब सच है

प्रत्येक धर्मग्रन्थों में कहीं-न-कहीं, ऐसी बातें अवश्य कही गयी हैं जो मेरे जैसे मन्दबुद्धि व्यक्ति को असंगत लगती हैं। हमारे आदि कवि वाल्मीकि एक डाकू थे और वे राम-नाम तक नहीं जप सकते थे और 'राम' के स्थान पर 'मरा' कहते थे। 'उल्टा नाम जपत जग जाना, वाल्मीकि भये ब्रह्म समाना'।

विष्णु भगवान क्षीर सागर में रहते थे और शेषनाग के फन पर सोते थे। शेषनाग जब करवट लेते हैं तो भूचाल आता है। लक्ष्मी का वाहन उल्लू है और शिवजी के तीन नेत्र थे। इसी तीसरे नेत्र से उन्होंने कामदेव को भस्म कर दिया था। रति-विलाप सुनकर उन्होंने उसे जीवन तो दे दिया, पर शरीर नहीं दिया और तभी से मदन देवता 'अनंग' कहलाने लगे। भगवान शिव साँप को पेटी की तरह इस्तेमाल करते थे और सिर पर चन्द्रमा धारण करते थे। उनके सुपुत्र गणेशजी ने हाथी की सूँड़ को नासिका की जगह लगवाया था। समुद्र-मन्थन की कथा भी असम्भव ही लगती है। रामायण में वर्णित अनेक बातें विचित्र लगती हैं। राजा जनक ने खेत में हल चलाते हुए, सीता को खेत में से उठाया था और लक्ष्मणजी की चिकित्सा के लिए हनुमानजी पूरा पहाड़ ही उठा लाये थे। एक हाथ में गदा और दूसरे पर पहाड़। लंका जाने के लिए नल और नील ने प्रत्येक पत्थर पर राम लिखा और राम-नाम के प्रभाव से ही पुल बन सका।

रावण के दस सिर थे और उसका भाई कुम्भकरण लगातार छः महीने सोता था। लंका जीतने के बाद राम, लक्ष्मण और सीता पुष्पक नामक वायुयान से अयोध्या लौटे थे। परित्यक्ता सीता की प्रार्थना सुनकर धरती एकदम फट गयी थी और सीताजी को समा लेने के बाद वह फिर से समतल हो गयी। महाभारत में तो और भी विचित्र बातें लिखी गयी हैं। कुन्ती ने 'सोलर एनर्जी' से पुत्र प्राप्त किया था जो दानवीर कर्ण के नाम से प्रसिद्ध हुआ।

अभिमन्यु को गर्भ में ही चक्रव्यूह में प्रवेश करने के ढंग का पता लग गया था, मगर वह बेचारा उसमें से निकलने का रास्ता नहीं जान सका, क्योंकि जब तक अर्जुन सारी बात समझाते तब तक उनकी पत्नी सुभद्रा को नींद आ गयी थी। युद्ध

में अभिमन्यु चक्रव्यूह में घुस तो गया मगर बाहर नहीं निकल सका और जयद्रथ के हाथों मारा गया। पूरे युद्ध का हाल संजय ने धृतराष्ट्र को इस तरह बताया जैसे कि वह दूरदर्शन देख रहा हो। कृष्णजी का तो कहना ही क्या, एक ओर अर्जुन को गीता का ज्ञान समझाते रहे और दूसरी ओर समय मिला तो पूरे गोवर्धन पर्वत को एक उँगली पर उठा लिया।

शंकराचार्य की कथा भी अलौकिक है। मण्डन मिश्र की पत्नी के प्रश्न का उत्तर देने के लिए उन्हें थोड़ी देर पहले मरे, कश्मीर के राजा अमरुक के शव में प्रवेश करना पड़ा। एक माह की अवधि में 'अमरुक-शतक' नामक शृंगारी पुस्तक की रचना की। एक माह के बाद वे फिर अपने पुराने चोले में आ गये। मण्डन मिश्र की पत्नी को शास्त्रार्थ में हराया और अमरुक-शतक की आध्यात्मिक व्याख्या भी की। जैन धर्म के तीर्थंकरों में से अनेक ने बेहद विशाल शरीर और लाखों वर्षों की आयु पायी। बाइबिल में ऐसे अनेक प्रसंग हैं जहाँ यह बताया गया है कि न जाने कितने अन्धे और कोढ़ी भगवान् यीशु के स्पर्श मात्र से ही ठीक हो गये थे।

जो लोग ज़्यादा जानना चाहते हों, वे महर्षि दयानन्द सरस्वती द्वारा रचित 'सत्यार्थ प्रकाश' और हरिमोहन झा द्वारा रचित 'खट्टर काका' पढ़ें। अभी हाल ही में अख़बार में एक ख़बर पढ़ी तो मैं दंग रह गया। नासा (अमेरिका) ने अन्तरिक्ष से जो चित्र लिये उनसे पता लगा कि लंका और भारत के बीच जो जलडमरू है, उस पर कभी मानव-निर्मित पुल था जो लगभग सत्रह लाख वर्ष पूर्व बनाया गया था। अर्थात् त्रेतायुग में रामचन्द्रजी की आज्ञा से लंका तक जो पुल बनवाया गया था, वह सच्चा था। अगर यह सच है तो विभिन्न धर्मग्रन्थों में जो कुछ भी विचित्र बातें लिखी गयी हैं, वे भी पूरी तरह सच हैं। जो भक्त लोग इन्हें सच्चा मानते हैं, वे सब समझदार हैं और जो लोग संशय करते हैं वे मूर्ख हैं और व्यंग्यकार हैं। सच्ची बात यह है कि सृष्टि के सारे रहस्यों को कोई नहीं जानता।

जो ख़ुद दीवानी है

पिछले दिनों गुजरात में कुछ ऐसी वारदात हो गयी, जो वाक़ई सनसनीख़ेज़ व हैरतअंगेज़ कही जा सकती है। अहमदाबाद के मेट्रोपोलिटन मैजिस्ट्रेट ने एक शरारती वकील से मात्र चालीस हज़ार रुपये लेने के बाद चार ऐसे वारण्ट जारी कर दिये जिनके तहत भारत के राष्ट्रपति, सुप्रीम कोर्ट के प्रधान न्यायाधीश, सुप्रीम कोर्ट के एक जज और एक वरिष्ठ बैरिस्टर गिरफ़्तार किये जा सकते थे। अहमदाबाद के उपर्युक्त मैजिस्ट्रट को निलम्बित किया जा चुका है और वे गिरफ़्तार भी कर लिये गये हैं। खेद की बात है कि अहमदाबाद के वकीलों ने इस घटना की भर्त्सना नहीं की और उन पत्रकारों के साथ हाथापाई की, उनके कैमरे भी तोड़ दिये जो बेचारे घटना का पूरा विवरण जानने के लिए घटनास्थल पर इकट्ठे हुए थे। सुप्रीम कोर्ट के प्रधान न्यायाधीश ने कहा है कि देश की न्यायपालिका का शुद्धीकरण अब और नहीं टाला जा सकता।

हमारे देश के एक भूतपूर्व चीफ़ जस्टिस ने कहा था कि न्यायपालिका की प्रतिष्ठा बराबर गिरती जा रही है और पतन में सबसे ज़्यादा योगदान माननीय जज लोग स्वयं ही दे रहे हैं। न्यायपालिका अट्ठारहवीं सदी की प्रणाली पर काम कर रही है, जबकि ज़माना बहुत आगे निकल चुका है।

एक और चीफ़ जस्टिस के अनुसार, बीस प्रतिशत जज भ्रष्ट हैं और वकीलों में तो भ्रष्टाचार से मुक्त शायद ही कोई हो।

न्याय मिलने में जो देरी होती है वह भी गहरी चिन्ता का विषय है। फ़ौजदारी के मुक़दमे तक तय होने में कभी-कभी बीस साल लग जाते हैं। सुप्रीम कोर्ट के पास पड़े हुए मुक़दमों की संख्या बीस लाख के ऊपर है। अगर निचली अदालतों को भी लिया जाए तो सारे देश में कुल मिलाकर लगभग एक करोड़ मुक़दमे विचाराधीन हैं। एक स्वतन्त्र देश के लिए यह स्थिति शर्मनाक नहीं है, तो और क्या है!

अब मैं हल्के-फुल्के मूड में आता हूँ और तीन बातें अर्ज़ करता हूँ। पहली बात तो यह है कि अदालतों में भी हँसी-मज़ाक़ ख़ूब चलता है। एक लक्कड़ शाह नाम के सेठ थे, जो अन्धे थे। किसी सन्दर्भ में उनके नाम सम्मन आया। वह नौकर के

साथ अदालत पहुँचे। मैजिस्ट्रेट मज़ाक़ पसन्द अधिकारी था। बात-बात पर अदालत में मज़ाक़ किया करता था। पक्ष-विपक्ष को अपनी टिप्पणियों से हँसाया करता था। उसने सेठजी का नाम सुना और हँसकर कहा, 'लक्कड़ शाह' नाम बढ़िया है। नाम-का-नाम और ईंधन-का-ईंधन।

सेठजी ने नौकर के सिर पर चपत मारा और कहा, "भाँड़ों की मजलिस में क्यों ले आया? तू मुझे हाकिम की अदालत में ले चल।"

दूसरी बात यह है कि मैं भी जेल जाना चाहता हूँ ताकि मैं ओ. हेनरी, ऑस्कर वाइल्ड, वालेयर व दोस्तोवस्की जैसे महान् लेखकों के समकक्ष बैठ सकूँ।

तीसरी बात यह है कि जब महाकवि अकबर इलाहाबादी सिविल जज थे, तब उनके पास किसी दोस्त की सिफ़ारिशी चिट्ठी आयी। उन्होंने फ़ौरन जवाब लिखा, जो इस प्रकार है—

"उन्होंने की है सिफ़ारिश, यह कैसी बियाबानी है।
मैं तो हाकिम हूँ उस अदालत का, जो खुद 'दीवानी' हैं।"

राजा और प्रजा

पिछले दिनों देश में शिक्षक-दिवस मनाया गया। देश के काफ़ी शिक्षकों को महामहिम राष्ट्रपतिजी ने अवार्ड दिये। राजधानी की सड़कों पर अनेक शिक्षकों ने जुलूस निकाले। महाराष्ट्र और बिहार के अनेक ऐसे शिक्षकों ने जुलूस में भाग लिया, जिन्हें महीनों से वेतन नहीं मिला था। उत्तर प्रदेश के शिक्षकों ने हाथ में कटोरा लिया और वेतन की भिक्षा माँगी।

92 वर्ष के वृद्ध एक हेडमास्टर ने प्रेस को बताया कि वे पिछले तैंतीस वर्षों से अपनी पेंशन ठीक करवाने के लिए संघर्ष कर रहे हैं और अदालती आदेश के बावजूद उनकी पेंशन नहीं बढ़ायी गयी। उन्होंने पिछले प्रधानमन्त्री और राष्ट्रपति तक को पत्र लिखे मगर कुछ नहीं हुआ। सीनियर सिटीजंस फोरम के सेक्रेटरी श्री रंगनाथन का कहना है कि उपर्युक्त स्थिति में 5 सितम्बर को शिक्षक-दिवस मनाना कोई मायने नहीं रखता। अँग्रेज़ी हुकूमत में ऐसी धाँधलेगर्दी काफ़ी कम चलती थी। दिल्ली के एक बाबू थे जो एकाउण्टेण्ट जनरल के दफ़्तर में काम करते थे। रिटायरमेण्ट के कुछ ही समय पहले उन्हें नौकरी से निकाल दिया गया और इस हादसे का कारण यह बताया गया कि उन्हें काम में कोई दिलचस्पी नहीं रह गयी थी और तैंतीस वर्ष की नौकरी कर लेने के बावजूद, वे सरकारी नौकरी की क्षमता नहीं रखते थे। उस बाबू ने वह सबकुछ किया जो वह कर सकता था, पर नतीजा कुछ नहीं निकला। सब तरफ़ से बुरी तरह निराश होकर उन्होंने एक आख़िरी अपील लिखी और इण्डिया गेट के लॉन पर खड़े हो गये। शाम के समय तत्कालील वायसराय जब अपने सुरक्षा-कर्मचारियों के साथ राजपथ पर घूमने निकले तो लॉन पर खड़े उस बाबू ने अपना अर्जी वाला हाथ उठाया। वायसराय ने अपने एडीसी को इशारा दिया और उसने बाबू की अर्जी ले ली। वायसराय ने अर्जी ध्यान से पढ़ी। उन्होंने उस पर अपने हाथ से लिखा कि— मैं नहीं जानता कि यह बाबू अक्षम है या वे सारे अफ़सर अक्षम हैं जिन्हें इस निरीह बाबू की अक्षमता जानने में मात्र तैंतीस वर्ष लगे। बहरहाल इसे तुरन्त बहाल किया जाए। बाबू को बहाल किया गया और इस बात की इत्तला वायसराय के दफ़्तर को दी गयी। ऐसे ही सहकारिता-विभाग के एक

कर्मचारी को कारण बताओ नोटिस, वग़ैरह दिये बिना ही नौकरी से निकाल दिया गया। उसने बहाल होने की अत्यन्त कोशिश की मगर किसी ने भी उसकी मदद नहीं की। अन्त में चलकर उसने अपने महकमे के सबसे बड़े अफ़सर को अपील की, और उनकी लिखित राय माँगी। उस योग्य अधिकारी की सलाह यह निकली कि यह तो निश्चित है कि इस कर्मचारी को ग़ैर-कानूनी ढंग से निकाला गया, पर यह भी सच है कि इसे बहाल करना भी ग़ैर-कानूनी ही होगा, क्योंकि इसकी अपील निश्चित अवधि से कुछ दिन बाद आयी है। रजिस्ट्रार ने फ़ाइल पर टिप्पणी लिखी कि यदि इस कर्मचारी को ग़ैर-कानूनी ढंग से निकाला जा सकता है, तो इसे ग़ैर-कानूनी ढंग से बहाल भी किया जा सकता है। वह कर्मचारी बहाल कर दिया गया।

प्रजा की चर्चा हो गयी। अब कुछ चर्चा राजा लोगों की करूँगा। राजा से मेरा अभिप्राय जनता द्वारा चुने गये विधायकों, सांसदों, मन्त्रियों और उप-मन्त्रियों से है जो अपना वेतन, भत्ता व शेष सुविधाओं को अपने ही आप बढ़ा सकते हैं। जिस दिन इन चीज़ों से सम्बन्धित बिल पेश होता है, उस दिन सभी पार्टियाँ सारे मतभेद भुलाकर एकमत हो जाती हैं। आमीन! चार सितम्बर के हिन्दुस्तान टाइम्स के अनुसार अकेले उत्तर प्रदेश के मन्त्रियों ने मई से अब तक लगभग सात लाख रुपयों की चाय पी, नाश्ता किया और सवा पाँच लाख रुपया जेबख़र्च के लिए सरकारी ख़ज़ाने से निकाला। मुख्यमन्त्री ने सदन को बताया कि जेबख़र्च के लिए 15 हज़ार प्रतिमाह की सीमा निश्चित की जा चुकी है। विभिन्न राज्यों की स्थिति यही है या बदतर है? टेलीफ़ोन, बिजली, स्टॉफ, कार वग़ैरह के ख़र्चे को जोड़ा जाए तो करोड़ों में बैठेगा।

हरि अनन्त, हरि कथा अनन्ता।

केन्द्रीय सरकार के नये स्वास्थ्य मन्त्री ने अपने दफ़्तरी कमरे को सजाने में मात्र दस लाख रुपये ख़र्च किये हैं।

क़िस्मत हमारे साथ है
जलने वाले जला करें....।

जूते से लेकर पिस्तौल तक

युद्धों की परम्परा बहुत पुरानी है और जैसा कि जेम्स थर्बर ने अपनी विश्वप्रसिद्ध पुस्तक 'दी लास्ट फ्लावर' में बताया है, यह परम्परा इसी तरह चलती रहेगी। प्रत्येक देश के इतिहास में, तीन ही काल होते हैं और वे हैं युद्ध के पहले का काल, युद्ध का काल और युद्ध के बाद का काल। युद्धों में पराजित शक्ति विजेता शक्ति को सदा से भूमि, सम्पत्ति और रूपवती रमणियाँ भेंट करती आयी। नादिरशाह ने अपने हमले के बाद मात्र सत्तर करोड़ की राशि अपने साथ ली और अपने बेटे का विवाह मुग़ल वंश की एक ऐसी शहज़ादी के साथ कराया जो सचमुच सच्चरित्र होने के साथ-साथ ग़ज़ब की हसीन थी।

मराठा-साम्राज्य के दिनों में, बड़े-बड़े राजा और सामन्त, पेशवा के पुराने जूते उतार कर उन्हें नये जूते पहनाया करते थे। यह काम दरबार में सबके सामने सम्पन्न किया जाता था। पुराने जूतों का क्या किया जाता था– यह रहस्य सरदेसाई तक ने भी अपने महान् इतिहास में नहीं खोला। अगर सेल्यूकस ने युद्ध में पराजित होकर अपनी रूपवती कन्या का विवाह सम्राट् चन्द्रगुप्त मौर्य के साथ किया था तो मिस्र की महारानी क्लियोपेट्रा ने युद्ध में पराजित होकर, रोमन सम्राट् जूलियस सीज़र के साथ अपना विवाह ख़ुशी-ख़ुशी सम्पन्न किया था, हालाँकि सीज़र की उम्र क्लियोपेट्रा की उम्र से लगभग चालीस वर्ष ज़्यादा थी। सीज़र की हत्या के बाद, महारानी क्लियोपेट्रा ने एन्थनी के सामने आत्मसमर्पण किया और दुश्मनों से घिर जाने के बाद एक साथ आत्महत्या की। हमारे देश में आज़ादी मिल जाने से पहले राजा, महाराजा और रईस लोग गवर्नर, वायसराय और बड़े अफ़सरों की सेवा में डाली पेश किया करते थे। आज़ादी मिल जाने के बाद ये मज़े ख़त्म हो गये।

आज़ादी मिलने के बाद, नेता लोग पार्टी के लिए चन्दा लेते हैं, अफ़सर लोग कमीशन लेते हैं, बाबू लोग दस्तूर माँगते हैं और चपरासी वग़ैरह भी बख़्शीश ही माँगते हैं। दूसरे शब्दों में रिश्वत जो थी, वह ख़त्म हो गयी। एक महिला मुख्यमन्त्री ने अपने दत्तक पुत्र की शादी में करोड़ों रुपये ख़र्च किये। प्रत्येक अतिथि को चाँदी का थाल व काँजीवरम् की साड़ी दी गयी। इसी महिला ने चुनाव जीतने के बाद, एक

पवित्र मन्दिर को अनेक हाथी भेंट किये। विधायक व सांसद करोड़ों में बिकने लगे।

ऊपर बतायी पृष्ठभूमि में, बिहार के एक ख़ुशमिज़ाज नवयुवक ने महामहिम राष्ट्रपति को एक पिस्तौल डाक से भेज दिया तो क्या हो गया? खाली पिस्तौल तो अहिंसा का प्रतीक है। पता नहीं क्यों, इस नवयुवक को गिरफ़्तार कर लिया गया और उसे मनोचिकित्सक के पास भेज दिया गया है। एक पिस्तौल की क़ीमत एक लाख रुपयों से ज़्यादा होती है। पता नहीं कि यह परम ऐतिहासिक पिस्तौल इस वक़्त कहाँ है और उसका क्या किया जा रहा है। मुझे आशा है कि भविष्य में यह लड़का पिस्तौल की जगह एक तोप या टैंक भेजेगा। हिम्मते मरदाँ, मददे ख़ुदा। मेरे विचार में इस होनहार नवयुवक को 'परमवीर-चक्र' मिलना चाहिए ताकि वह भी गणतन्त्र-दिवस की शोभायात्रा में अपने बनाये टैंक के ऊपर खड़ा होकर अपनी पिस्तौल से हवाई फ़ायर कर सके। साथ में वह मनोचिकित्सक भी दिखाया जाएगा जो इस नवयुवक का इलाज करते-करते ख़ुद पागल हो गया। उस बहादुर डॉक्टर को भी 'परमवीर-चक्र' मिलना चाहिए।

मैंने ऊपर जूते की चर्चा की है और यह ठीक ही होगा कि इस आलेख का अन्त जूते की चर्चा के साथ ही हो। इस सन्दर्भ में मैं उर्दू के दो महान् शायरों का कलाम पेश करता हूँ :

ऐ 'दाग़' जो बताए मये-इश्क़ को हराम
ऐसे को दो लगाओ भिगो कर शराब में

दाग़ देहलवी

बूट डासन ने बनाया, मैंने एक मजमूँ लिखा
मुल्क में मज़मूँ न फैला और जूता चल गया

अकबर इलाहाबादी

मूँछों के बारे में

प्राचीन काल में हमारे जो ऋषि और मुनि होते थे, वे दाढ़ी व मूँछ दोनों रखते थे। राजा लोग प्रायः मूँछ ही रखते थे और यह परम्परा सम्राट पृथ्वीराज चौहान और महाराणा प्रताप तक चलती आयी। छत्रपति शिवाजी दाढ़ी और मूँछ दोनों ही रखते थे। राम, कृष्ण, महावीर, बुद्ध आदि महापुरुषों व देवताओं के ज़ितने भी चित्र या मूर्तियाँ पायी जाती हैं, उनमें किसी में भी दाढ़ी या मूँछ नहीं पायी जाती। वनवास के दिनों में भी राम और लक्ष्मण पूरी हजामत बनाते थे। उनके पास उस्तरे जैसा कोई औज़ार ज़रूर होता था, नहीं तो चिरंजीव लक्ष्मण, कुमारी शूपर्णखा का नासिका छेदन संस्कार कैसे सम्पन्न करते! नासिका का यह संस्कार वहाँ सम्पन्न किया गया था जहाँ अब नासिक नाम का नगर स्थित है। जहाँ कभी लड़कियों की नाक काटी जाती थी, वहाँ अब नोट छपते हैं।

हमारे देश में मुस्लिम शासकों में रज़िया सुल्ताना को छोड़कर, बाक़ी सारे सुल्तान व सम्राट या तो दाढ़ी और मूँछ दोनों रखते थे या फिर मूँछ ही पालते थे। बीसवीं सदी में हिटलर आधी मूँछ ही रखता था और जोसेफ स्टालिन पूरी मूँछें रखता था और उनसे बहुत प्यार करता था। सैमसन की शक्ति यदि उसके बालों में छिपी थी तो स्टालिन की शक्ति उसकी मूँछों में छिपी थी। गाँधीजी, गोखले व लोकमान्य तिलक मूँछें रखते थे और बाक़ी बड़े नेता लोग पूरी हजामत बनाते थे, चाहे वे जिन्ना साहब हों या सुभाषचन्द्र बोस हों। मौलाना आज़ाद ज़रूर एक अपवाद थे। साहित्य के क्षेत्र में भी गुरुदेव रवीन्द्रनाथ ठाकुर व निराला का चेहरा दाढ़ी व मूँछों से ढँका रहता था। प्रेमचन्द मूँछें रखते थे और शरत्‌चन्द्र और सुमित्रानन्दन पन्त पूरी हजामत बनाते थे। अँग्रेज़ी हुकूमत में कितने ही लोग इस कारण मूँछें रखते थे क्योंकि जो बड़ा अँग्रेज़ अफ़सर था, वह मूँछें रखता था। सैयद ज़मीर जाफ़री के शब्दों में—स्थिति यह थी कि इक ज़रा अफ़सर ने मूँछें छोड़ दीं, महकमा पूरा मुछन्दर हो गया। साहित्य और मूँछों की चर्चा क्या चली कि मुझे एक पुरानी घटना याद आ गयी। लखनऊ के प्रकाशक व साहित्यकार दुलारेलाल भार्गव ने दुलारे दोहावली लिखी और एक संकल्प किया कि विद्वान् लोग उसकी तुलना बिहारी सतसई से करें। गोष्ठी का

प्रबन्ध किया गया और गयाप्रसाद शुल्क 'सनेही' को कानपुर से गोष्ठी के सभापतित्व के लिए बुलाया गया। सनेहीजी सच्चे साहित्य-मर्मज्ञ और ऊँचे दर्ज़े के हँसोड़ व्यक्ति थे। उन्होंने गोष्ठी अटैण्ड की, कचौड़ियाँ और मिठाइयाँ खायीं, किमाम का पान खाया और टमटम पर बैठ कर एक दोहा पढ़ा। दोहा था—

एक बिहारी लाल थे एक दुलारेलाल
एक मूँछ के बाल थे एक पूँछ के बाल।

अँग्रेज़ी ज़माने में एक जागीरदार गवर्नर से मिलने गये। उन्होंने बढ़िया कपड़े पहने, पगड़ी बाँधी, तमगे लगाये और मूँछ के दोनों सिरों को मोम लगाकर खड़ा किया। घबराहट और पसीने के प्रभाव से एक मूँछ के एक सिरे का मोम पिघल गया। गवर्नर से मिलते समय एक सिरा ऊपर उठा था और दूसरा नीचे गिरा था। गवर्नर ने कुछ नहीं कहा, वह सिर्फ़ मुस्कराया। आपको जानकर ख़ुशी होगी कि गिनीज बुक ऑव वर्ल्ड रिकॉर्ड के अनुसार फ़िलहाल दुनिया में सबसे लम्बी मूँछों वाला व्यक्ति भारत का ही है। वे उत्तर प्रदेश के प्रतापगढ़ ज़िले के निवासी हैं। उनका नाम पण्डित मसूरिया दीन है और उनकी मूँछों की लम्बाई 259 सेण्टीमीटर है। उपर्युक्त पुस्तक में स्त्रियों के बारे में कुछ नहीं कहा गया है। हालाँकि मैंने स्वयं ऐसी देवियों को देखा है जो अपने चन्द्रमा समान मुख पर तबीयत के साथ वन महोत्सव मनाती थीं। क्लीन शेव रहने का फ़ैशन भारत के वायसराय लार्ड कर्ज़न ने शुरू किया।

कहते हैं कि एक रात जब वे अपनी पत्नी से प्यार कर रहे थे तो पत्नी ने मज़ाक़ में कहा कि— डार्लिंग आप मुझे चूम रहे हैं या आप मेरे चेहरे पर ब्रश कर रहे हैं? लार्ड कर्ज़न ने मज़ाक़ को गम्भीरता से लिया और सुबह होते ही अपनी दाढ़ी और मूँछें साफ़ करा दीं। वायसराय को इस स्थिति में देखकर बाक़ी अफ़सर व शिक्षित लोग भी वैसा ही करने लगे।

ये ज़िन्दगी के मेले दुनिया में कम न होंगे
अफ़सोस हम न होंगे ये ज़िन्दगी के मेले।
इक दिन पड़ेगा जाना क्या वक़्त क्या ज़माना
कोई न साथ देगा सबकुछ यहीं रहेगा
जाएँगे हम अकेले ये ज़िन्दगी के मेले?
होंगी यही बहारें, उल्फ़त की यादगारें
बिगड़ेगी और बनेगी दुनिया यहीं रहेगी
होंगे यही झमेले ये ज़िन्दगी के मेले।

इस छोटे-से लेख में शकील बदायूँनी की ग़ज़ल को पूरी तरह उतारते हुए संकोच तो बहुत हुआ मगर यह मजबूरी आ पड़ी कि कोई भी पंक्ति ऐसी नहीं थी जिसे

छोड़ा जा सके। अब इस ग़ज़ल को जीवन में किस तरह अपनाया जाए यह फ़ैसला हर आदमी को अलग-अलग करना है। कालिदास श्रृंगार रस के कवि थे। 'रघुवंश' में वसन्त आ जाने पर कोयलों ने कुलवधुओं को सलाह दी कि अब संकोच या (गृह-युद्ध) करने का समय नहीं है क्योंकि यौवन बार-बार नहीं आता। कोयलों के इस निवेदन को बार-बार सुनने पर रूपवती रमणियाँ प्रेम करने के लिए पतियों की दिशा में चरण बढ़ाने लगीं। इसके विपरीत भर्तृहरि ने 'वैराग्यशतक' में जीवन को निरर्थक व संसार को असार बताते हुए कहा कि 'वह सुन्दर राजधानी, वह महान् सम्राट, सामन्तों का वह चक्र, सयाने सलाहकारों की वह परिषद् चन्द्रमा को लज्जित करने वाली वे रूपवती युवतियाँ, युद्ध के लिए उत्सुक वे राजकुमार, वे चारण और उनकी वे प्रशस्तियाँ जिसके कारण वह रसातल को चली गयीं, उस काल को मैं प्रणाम करता हूँ।' दारा रहा-न-रहा, सिकन्दर-सा बादशाह, तख़्ते-ज़मीं पे सैकड़ों आये, चले गये। मेरे इस नगर में दो ऐसे सगे भाई रहते हैं जिनका जीवन-दर्शन एकदम अलग-अलग है। एक भाई सन्त है तो दूसरा भाई शैतान है। पहला भाई अपना सारा समय मन्दिर में गुज़ारता है, ग़रीबों की सहायता करता है और न जाने कितने विधवाश्रमों, अनाथालयों और पाठशालाओं की देख-रेख करता है तो दूसरा भाई ठेकेदारी करता है, मदिरा पीता है और ऐसे सारे काम करता है जो किसी भी दृष्टि से करने योग्य नहीं हैं। दोनों भाई जानते हैं कि जीवन नश्वर है, मगर इसी बात को जानने के कारण एक भाई है जो संसार से एकदम विरक्त है, जबकि जो दूसरा भाई है वह इतना धन बटोरना चाहता है जितना कि सम्भव है। 'राम नाम की लूट है लूट सके तो लूट, पल में परलय होएगी सब जाएगा छूट।' (दीन दयाल गिरी)

एक भाई किसी भी ज़रूरतमन्द की मदद के लिए सारा दिन पैदल चलता है, जबकि दूसरा भाई पहले भाई को मूर्ख समझता है, उसकी खिल्लियाँ उड़ाता है और उसके मकान को नीलाम कराना चाहता है। दुनिया के ये झमेले कभी भी ख़त्म नहीं होंगे। सृष्टि जैसे भी चलती आयी है, वैसे ही चलती रहेगी। जिस क़स्बे में मेरा जन्म हुआ वहाँ छोटे-मोटे एक या दो मेले लगा करते थे, मगर पास ही के एक दूसरे क़स्बे में दोयज का मेला लगता था जो काफ़ी बड़ा होता था और कई दिन चलता था। बचपन में यह मेला देखने के लिए मैं भी जाता था। पाँच मील दूर बसे इस क़स्बे में कभी-कभी नौटंकी, छोटा-मोटा सरकस और उठाईगीर सिनेमा भी आ जाते थे। मेला देखने हमारी बच्चा-पार्टी पैदल ही जाती-आती थी। मेरी अम्मा मुझे आठ आना जेबख़र्च देती थी, जिसमें से मैं अपनी छोटी बहिन के लिए कोई बेहद सस्ता खिलौना भी ख़रीद लाता था। खाने के लिए पराँठे या नमक की रोटी हम साथ ही ले जाते थे। रात को महल और पोखर के किनारे हम लोग नंगी धरती पर सो जाते थे। उस देहाती मेले को मैं कभी नहीं भूल सकता।

कुछ प्रणय गाथाएँ

पोथी पढ़ि-पढ़ि जग मुआ, पण्डित भया न कोय,
ढाई आखर प्रेम का पढ़ै सो पण्डित होय।

एक बेल्जियन युवती इटली में इस कारण गिरफ़्तार हो गयी, क्योंकि वह अपने प्रेमी को सूटकेस में रखकर इटली में प्रवेश करने की मधुर कोशिश कर रही थी। बन्दरगाह पर कस्टम अधिकारियों को सूटकेस के भार को देखकर कुछ सन्देह हुआ और उन्होंने युवती के बार-बार मना करने पर भी उस सूटकेस को खोल ही डाला। सूटकेस के खोले जाने पर, उसमें से छब्बीस वर्ष का एक रूपवान नवयुवक बाहर निकला जो उस रूपवती रमणी का प्रेमी था। बिना पासपोर्ट के इटली में प्रवेश करने के जुर्म में, वह भी अपनी प्रेयसी के साथ गिरफ़्तार कर लिया गया। अब उन दोनों को क्या सज़ा मिलेगी, यह कोई नहीं जानता। इस पार प्रिये तुम हो, उस पार न जाने क्या होगा?

अमन देश में एक नवयुवक को अपनी सुहागरात पुलिस की हिरासत में गुज़ारनी पड़ी, क्योंकि अपनी शादी के अवसर पर उसने जो बन्दूक चलायी थी, उससे दो व्यक्ति तो मारे गये और दो किशोर घायल हो गये। ऊपर बताये गये इटली के दो प्रेमी तो सन्दूक के कारण विपत्ति में पड़े और इस केस में जो विपत्ति आयी वह बन्दूक के कारण आयी। सन्दूक और बन्दूक का हमवज़न शब्द और कोई है ही नहीं और इसी कारण कोई भी कवि 'एक नार चीन से सन्दूक में बन्दूक चली' वाली पंक्ति का दूसरा मिसरा कभी नहीं उठा सका। विदेश को छोड़ता हूँ और, सारे जहाँ से अच्छा हिन्दोस्ताँ हमारा, को पकड़ता हूँ। महाराष्ट्र की सरकार प्रेम के तो ख़िलाफ़ नहीं है, पर शादी के ख़िलाफ़ ज़रूर है। यदि ऐसा नहीं होता तो वह शादी को रजिस्टर्ड कराने की फ़ीस को पाँच रुपये के स्थान पर एक सौ पचास रुपये तक क्यों बढ़ाती? जो युगल मन्दिर या किसी और जगह शादी रचाते हैं, उन्हें तीस रुपये की जगह एक हज़ार रुपये देने पड़ेंगे। महाराष्ट्र सरकार का कहना है कि यदि एक नवयुवक और नवयुवती साथ-साथ सिनेमा देखने या किसी शानदार होटल में खाना

खाने पर पाँच सौ रुपये ख़र्च कर सकते हैं तो जीवनसाथी बनने के लिए मात्र पाँच सौ रुपये क्यों नहीं ख़र्च कर सकते? शादी की क़ीमत बहुत सालों से नहीं बढ़ायी गयी है, जबकि ज़मीन ख़रीदने में स्टाम्प-ड्यूटी और इसी तरह की बाक़ी और ड्यूटी बुरी तरह बढ़ायी जा चुकी हैं। वे दिन गये जब शादी की रजिस्ट्री एक रुपये में हुआ करती थी। अब तो शादी रजिस्टर्ड करने के लिए जो सरकारी फ़ार्म भरना पड़ेगा, वह भी मात्र सौ रुपये में ही मिला करेगा। मेरे विचार से सरकार के उपर्युक्त फ़ैसले का शादियों के होने पर कोई ख़ास प्रभाव नहीं पड़ेगा। समझदार लोग दूसरे राज्यों में जाएँगे और शादी के बाद फिर महाराष्ट्र लौट आएँगे। 'इश्क़ पर ज़ोर नहीं, है ये वो आतिश ग़ालिब, कि लगाये न लगे, और बुझाये न बुझे।'

एक राज्य की राजधानी में दो पुलिसकर्मी आये और सरकारी अस्पताल की कुछ नर्सों और रोगी युवतियों की प्राकृतिक चिकित्सा करके भाग गये। दोनों ने कसकर मदिरा पी रखी थी। राजस्थान के एक प्रमुख नगर में एक सहृदय व्यक्ति ने अपनी पत्नी का मुँह काला स्वयं ही सम्पन्न करवाया ताकि वह उसे चरित्रहीन साबित कर सके और उससे तलाक़ हासिल कर सके। एक महानगर में पुलिस के एडीशनल कमिश्नर ने अपने नौकर की पत्नी का मुँह काला किया और मुम्बई में चलती हुई लोकल ट्रेन में एक युवती का शील भंग किया। मुम्बई की पुलिस ने एक ऐसे होनहार व्यक्ति को हिरासत में लिया है जिसने पिछले दस वर्षों में सोलह पत्नियों को प्राप्त किया है। वह आदमी शादी करता था और उसके बाद अपनी पत्नी को अरब के अमीरों के हाथ बेच देता था। वह व्यक्ति स्वार्थी नहीं था और अपने साथ-साथ यह दूसरों के मनोरंजन का भी पूरा ध्यान रखता था। परोपकाराय सतां विभूतयः। इस असार संसार में जो भी विपत्तियाँ हैं, वे मात्र रूपवती युवतियों के कारण ही हैं। भर्तृहरि के अनुसार यदि सुन्दर युवतियाँ न होतीं तो भवसागर को काफ़ी सरलता के साथ पार किया जा सकता था। महाकवि केशवदास को तब बहुत दुख हुआ था जब कुछ चन्द्रवदनी और मृगलोचनी युवतियों ने महाकवि के श्वेत केशों के कारण उन्हें बाबा कहकर पुकार दिया था। ठीक यही स्थिति मेरे साथ भी है, मगर भगवान् है कि एक से बढ़कर एक सुन्दर युवतियों को जन्म देता जा रहा है। अकबर इलाहाबादी ने इसी नाज़ुक स्थिति को देखकर छियासी वर्ष की अवस्था में यह शेर कहा था—

इलाही कैसी-कैसी सूरतें तूने बनायी हैं
कि हर सूरत कलेजे से लगा लेने के क़ाबिल है?

विज्ञापन कविता

हिन्दी कविता और विज्ञापन का बड़ा पुराना सम्बन्ध है। सुमित्रानन्दन पन्त अपने काव्यग्रन्थों की भूमिका को विज्ञापन के नाम से ही लिखा करते थे। उनके द्वारा लिखे विज्ञापनों में 'कला और बूढ़ा चाँद' का विज्ञापन सर्वथा प्रखर और अमर है और इस परम रहस्य का कारण यह है कि यह विज्ञापन मात्र एक पंक्ति का है। पन्तजी के अतिरिक्त कुछ शहरों के टैक्सी या स्कूटर-चालक भी कविता और विज्ञापन का पारस्परिक सम्बन्ध काफ़ी खुले तौर पर प्रकट करते हैं जो कि हिन्दी के हित में है। दिल्ली में एक भाड़े के स्कूटर पर लिखा था : 'ख़ुश रहो अहले वतन, हम तो सफ़र करते हैं।' इसी प्रकार जहाँ काफ़ी लोग 'बुरी नज़र वाले, तेरा मुँह काला' का भरत-काव्य लिखते हैं, वहाँ ऐसे काव्य-प्रेमी स्कूटर वाले भी हैं जो कवि की पूरी कविता को ही आपके लिए लिख डालते हैं। एक टैक्सी पर लिखा था 'लाई हयात आये कजा ले चली चले। अपनी ख़ुशी न आये न अपनी ख़ुशी चले।' इसी प्रकार एक और टैक्सी पर लिखा था : 'हमें खो के क्या आप कुछ पाइएगा, कमी एक महसूस फ़रमाइएगा। हमीं जब न होंगे तो क्या रंगे-महफ़िल, किसे देखकर आप शरमाइएगा।'

मुझे आपको यह सूचना देते हुए हर्ष होता है कि विज्ञापनों में हिन्दी कविता का प्रयोग इधर काफ़ी ज़ोर पकड़ रहा है। जिस भाँति विदेशों में स्थित हमारे दूतावासों को हिन्दी की प्रगति के लिए दिये गये अनुदानों का सही इस्तेमाल देखने के लिए काफ़ी संसद सदस्य व आला अफ़सर विदेश गये, ठीक उसी प्रकार विज्ञापनों में कविता का प्रयोग भी हिन्दी के हित में एक ठोस क़दम होगा। विदेशों में स्थित हमारे दूतावासों को लगभग तीन लाख रुपयों की राशि प्रतिवर्ष दी जाती है, ताकि वे हिन्दी की प्रगति कर सकें, जब कि ऊपर बताये गये शिष्टमण्डल ने अपने दौरों पर केवल पचहत्तर लाख रुपये ही ख़र्च किये। अब आप ही बताइए कि हिन्दी की प्रगति के लिए सरकार और विपक्षी दल इससे ज़्यादा और क्या कर सकता है! तीन लाख रुपये का सही इस्तेमाल देखने के लिए सिर्फ़ पचहत्तर लाख का ख़र्चा?

जब सरकारी क्षेत्र हिन्दी में इतनी रुचि ले रहा है तो ग़ैर-सरकारी क्षेत्र क्यों पीछे रहे? उसने विज्ञापनों में कविता का प्रयोग शुरू कर दिया, जिसके कुछ गिने-चुने उदाहरण मैं नीचे प्रस्तुत करता हूँ। इन उदाहरणों से प्रकट होगा कि छायावादी

कविता, रहस्यवादी कविता, प्रयोगवादी कविता, नयी कविता और अ-कविता के बाद अब जो नयी कविता लिखी जाएगी वह विज्ञापन-कविता होगी।

एक बैंक ने अपने विज्ञापन में लिखा है : 'एक ने कही दूजे ने मानी। दोनों का लाभ, दोनों ज्ञानी। दोनों ने अब बचत की ठानी।' एक बस की बॉडी पर लिखा था: 'कुदरत की बनायी चीज़ नहीं, इंसानी अक्ल पर ऐतबार न कर। गर हो जाए कहीं लेट गाड़ी, नाराज़ न हो, तक़रार न कर।' एक बिस्किट कम्पनी के विज्ञापन में छपा है: 'कोई कहे मीठे हैं कोई कहे नमकीन। क्रैक जैक के स्वाद में खो जाएँ सब लेकिन!'

माथे पर लगाने की बिन्दी के विज्ञापन में दो हसीन लड़कियाँ खड़ी हैं और एक जो अनुभव वाली है वह दूसरी अज्ञात यौवना को बता रही है : 'जब मन हो शोख़ अदाओं से लुभाने का। तभी वक़्त है ये मासूम बिन्दी लगाने का।' खादी ग्रामोद्योग कमीशन द्वारा मान्यता प्राप्त एक पापड़ की फ़ैक्ट्री ने नरेन्द्र शर्मा की 'गीतमेघ' नाम की पूरी कविता उनके नाम के साथ उद्धृत की है, जो पापड़ों से भी शायद ज़्यादा स्वादिष्ट है। नरेन्द्र शर्मा का नाम देखकर लगता है कि भविष्य में बाक़ी कवि भी विज्ञापन-कविता लिखेंगे जिससे आन्दोलन जड़ पकड़ेगा। इसी प्रकार राजस्थान सरकार के एक विज्ञापन में छपा है : 'उतर धरा पर इन्द्रधनुष जब आता है सतरंगी। कृष्ण-नयन नारियाँ नाचतीं होकर निपट मलंगी।' इस पंक्ति के तुरन्त बाद लिखा है कि जो लोग ज़्यादा जानकारी चाहते हों, वे राजस्थान टूरिज़्म विभाग से निकट सम्पर्क स्थापित करें।

मेरा विचार है कि हिन्दी कविता का विज्ञापन के क्षेत्र में अभी बहुत उपयोग होना है। शराब की दुकानें बच्चन की 'मधुशाला' का और पाँच सितारों वाले होटल बच्चन की 'मधुबाला' का खुलकर इस्तेमाल कर सकते हैं। ऐसा करने से शायद बच्चनजी भी काफ़ी ख़ुश हों। मोमबत्ती की फ़ैक्टरियाँ महादेवी की 'मदिर-मदिर मेरे दीपक जल। प्रियतम का पथ आलोकित कर' वाली कविता का उपयोग कर सकती हैं। छाता या बरसाती बेचने वालों के लिए तो अज्ञेय लिख ही गये हैं : 'कल मैंने बसन्त में वर्षा को देखा। छाता एक, एक बरसाती। साथ-साथ जाते बतियाते।' आँखों के डॉक्टर भी धर्मवीर भारती के 'अन्धायुग' से प्रेरणा ले सकते हैं; क्योंकि 'वह कथा ज्योति की है अन्धों के माध्यम से।' खाद बेचने वाली कम्पनियाँ तो जगदीश गुप्त पर ज़रूर ध्यान देंगी– ख़ासकर उस गीत पर जहाँ उन्होंने कछार के खेतों का वर्णन किया है। 'हरे खेत कछार के। कुछ धार के इस पार के, कुछ धार के उस पार के। हरे खेत कछार के।' मिल्क फूड वाले जगदीश गुप्त का चित्र भी छाप सकते हैं और कह सकते हैं कि हमारा मिल्क फूड खाइए और जगदीशजी जैसे तगड़े कवि बनिए। कुछ देर हो गयी वरना 'पीयर्स सोप' और 'विक्स इनहेलर' वाले पन्तजी का चित्र भी छाप सकते थे और कह सकते थे कि पन्तजी के काव्य-सौन्दर्य

का रहस्य उनके साबुन और इनहेलर में छिपा है। जैसे ही उन्होंने पीयर्स सोप छोड़ा वैसे ही वे 'लोकायतन' लिखने बैठ गये।

मेरा निश्चित मत है कि 'विज्ञापन-कविता' चलेगी और ख़ूब चलेगी। वैसे भी विज्ञापन और कविता में जो अन्तर था, वह भी धीरे-धीरे मिटता ही जा रहा है। यह उचित ही होगा कि इस शोध-प्रबन्ध का अन्त मैं एक विज्ञापन-कविता से ही करूँ। यह विज्ञापन रंग बनाने वाले एक कारख़ाने ने दिया है और 'हर ऋतु के रंग, इमल्शन के संग' का नारा बुलन्द करते हुए यह कहता है :

खेल-खेल में पूछ बैठी राधा
हमारे मिलन में बनती है जो बाधा
वो कितनी सुन्दर है? एक सवाल सादा
जिसमें ईर्ष्या थी आधी और विश्वास आधा
फेर लिया मुँह लाल-पीला हो उठा श्याम
युग समान दिन तपता गया और तपी शाम
झुलस रहे थे दोनों लिये मन में संग्राम
युगों-युगों से चलता आया ग्रीष्म जिसका नाम
बात-बात में रूठे हैं श्याम कहो या राम
विश्वास है मेरा फिर बरसेगा घनश्याम

मौसमों से मिलिए

हमारे देश में ऋतु-वर्णन की परम्परा हमारी ऋतुओं की तरह काफ़ी पुरानी है। वेदों को लेकर अकविता तक ऋतुओं का वर्णन किसी-न-किसी रूप में अवश्य होता आया है। संस्कृत के लौकिक साहित्य व हिन्दी के मध्ययुगीन साहित्य में तो ऋतु-वर्णन ने ऐसा विकराल रूप धारण कर लिया था कि किसी और अच्छी चीज़ का वर्णन सम्भव ही नहीं था। ऐसा लगता था कि कवियों के पास और सामान जहाँ कम हुआ, वहाँ उन्होंने ऋतुओं का वर्णन शुरू कर दिया और यह वर्णन तब तक जारी रखा जब तक कथा का अगला सूत्र हाथ न आया। साहित्य में ऋतु-वर्णन की इस उपयोगिता को हमें कभी नहीं भूलना चाहिए।

हमारे देश की ऋतुएँ अनेक प्रकार की हैं और इनके नाम काफ़ी ईमानदारी से रखे गये हैं। वर्षा ऋतु में वर्षा होती है, शरद ऋतु में सर्दी पड़ती है और पतझड़ में पत्ते झड़ते हैं। अगर हमारे पूर्वज चाहते तो पतझड़ की ऋतु का नाम वर्षा रख सकते थे, मगर उन्होंने ऐसा नहीं किया। इससे उनके चरित्र पर प्रकाश पड़ता है। पुरानी परम्परा को ध्यान में रखकर मैं भी ऋतुओं का वर्णन करूँगा। ऐसा करने में मेरी अगली कृति ईमानदारी के साथ ऋतुमति कही जा सकेगी।

यह निश्चय करना कठिन है कि इस देश में कौन-सी ऋतु सबसे पहले आयी है। बनारस के पंचांग चैत्र से शुरू होते हैं और मशहूर शाह आलम जन्त्री साल की शुरुआत जनवरी से मानती है।

हैदराबाद निज़ाम का साल एक और महीने से शुरू होता था। और भी प्रकार के वर्ष हमारे यहाँ एक साथ इस्तेमाल किये जाते हैं। इतनी विभिन्नता होते हुए भी देश की ग्रामीण जनता में चैत्र से शुरू होने वाले वर्ष का ही ज़्यादा चलन है।

चैत्र का मास कुछ-कुछ वसन्त और कुछ-कुछ ग्रीष्म का होता है। शुरू के कुछ दिन वसन्त को 'एलॉट' किये जाते हैं और बाक़ी ग्रीष्म को। जो कोई फूल खिलने से रह गया था, अब खिलता है। सुन्दरियों के मुख (और शेष अंगों पर) पसीना आने लगता है जिससे उनकी सुन्दरता में चार के क़रीब चाँद लग जाते हैं। लड़के जीन की ड्रेन पाइप पर आ जाते हैं, लड़कियाँ दुशाले उतार देती हैं। इन दिनों उनकी

ओढ़नी तेज़ हवा में अनायास उड़ने लगती है जिसके कारण साथ पढ़ने वाले लड़कों को सेवा करने का अवसर मिलता है। अमीर लोग और सरकारी अफ़सर पहाड़ों पर दौरे का कार्यक्रम बनाने लगते हैं और देहाती क्षेत्रों में शादियों की तैयारी शुरू हो जाती है। नाई और ब्राह्मण नाम की वस्तु की माँग धीरे-धीरे बढ़ने लगती है। चैत्र के बाद वैशाख आता है। कहा जाता है गधे का जन्म इसी माह में हुआ था। इसी कारण उसे वैशाखनन्दन भी कहा जाता है। वैसे भी गधा गर्मियों में ख़ूब मोटा हो जाता है। इस क़िस्म के कुछ आदमी इस ऋतु में तगड़े होते देखे जाते हैं। वैशाख और ज्येष्ठ में लू चलती है, लोग गर्मी और धूप के मार्ग से स्वर्गलोक को जाते हैं। शादियाँ होती हैं, गाँव के क्षेत्र में फूस के मकानों में आग लगती है और कॉलेज के लड़के और लड़कियाँ आत्महत्या करते हैं। इधर परीक्षा का परिणाम निकला, उधर आत्महत्या की।

आषाढ़ से सरकारी तौर पर वर्षा-ऋतु शुरू होती है। वास्तविक रूप से बरसात इस देश में अब कम होती जाती है। वर्षा के स्थान पर अक्सर सूखा पड़ता है, जिससे देश में अकाल पड़ने में काफ़ी सहायता मिलती है। अकाल पड़ने से संसार के शेष देश काफ़ी प्रसन्नता का अनुभव करते हैं और हमें यथाशक्ति 'सहायता' देकर अपने स्नेह का परिचय देते हैं। वर्षा-ऋतु में जब वर्षा होती है तो इतनी होती है कि गाँव-के-गाँव बह जाते हैं। इस प्रकार नयी रेल की पटरियाँ बिछती हैं। नये मकान बनते हैं और जनसंख्या जो कम होती है सो अलग। इन्हीं कारणों से बीस वर्ष स्वाधीन रहने के बाद भी सरकार ने बाढ़ रोकने के लिए कोई स्थाई क़दम नहीं उठाया। बाढ़ देश के नवनिर्माण में हाथ बँटाती है न!

तुलसीदासजी ने वर्षा-ऋतु का काफ़ी वर्णन किया है। वनवास के समय श्री रामचन्द्रजी लक्ष्मणजी को इसी तरह भूगोल पढ़ाया करते थे। उन्होंने कहा है कि वर्षा-ऋतु में मेंढक इस तरह बोलते हैं जैसे कोई वेद पढ़ता है और छोटी नदियाँ इस तरह इतरा कर चलती हैं जैसे किसी को और व्यक्ति का पड़ा धन मिल गया हो। कालिदास के यक्ष ने भी बरसात में ही अपनी प्रिया के पास सन्देश भेजा था। यह उन दिनों की बात है जब डाक-तार विभाग भारत में नहीं खुला था। अगर डाक-तार की व्यवस्था होती तो यक्ष बादल से कुछ नहीं कहता और विश्व-साहित्य मेघदूत जैसी कृति से वंचित रह जाता। विज्ञान के विकास से साहित्य का ह्रास जिस प्रकार होता है वह इस घटना से स्पष्ट हो जाता है।

वर्षा-ऋतु में जहाँ और इतनी बातें हैं वहाँ एक बात यह भी है कि इस ऋतु में फिसलने की बड़ी सुविधा होती है। कोई आम की गुठली पर फिसल रहा है तो कोई छिलके पर। कुछ स्वावलम्बी क़िस्म के लोग बिना किसी बाहरी सहायता के स्वयं ही फिसलते रहते हैं। किसी-किसी सड़क या गली में तो इस क्रिया को राष्ट्रीय खेल-प्रतियोगिता की तरह सम्पादित किया जाता है जिसमें छोटे-बड़े सभी समान रूप

से भाग ले सकते हैं। वर्षा के आरम्भ होते ही स्कूल और कॉलेज फिर खुल जाते हैं। जो लड़के आत्महत्या करने से रह गये थे, वे फिर इन स्थानों पर प्रकट होने लगते हैं। कॉपियों और किताबों की बिक्री शुरू हो जाती है। इन चीज़ों के दाम बढ़ जाते हैं। सारे नये ग्रेजुएट अध्यापक के पद के लिए उम्मीदवार रहते हैं और कुछ की उम्मीद तो वर्षों तक चलती रहती है।

वर्षा के बाद जाड़ा आता है। यदि वर्षा की ऋतु गठिया के लिए प्रसिद्ध है तो शीत-ऋतु सन्निपात के लिए। अमीर लोग अब पहाड़ से लौट आते हैं और अधिकारी अक्सर इन दिनों दक्षिण का दौरा करते हैं। जिन नवयुवकों की शादी गर्मियों में हुई थी, उनके अब बच्चे पैदा होने शुरू हो जाते हैं। तुलसीदासजी तथा अन्य कवियों ने वर्षा-ऋतु से होने वाले विरह का बहुत बढ़ा-चढ़ा कर वर्णन किया है, पर सच्चाई यह है कि जाड़ों का विरह और भी अधिक कष्टदायी होता है क्योंकि इसमें और कष्टों के साथ जाड़ा भी लगता है। इन्हीं कारणों से इस ऋतु में पतिव्रता नारियाँ भी परपुरुषों को देखने लगती हैं। जाड़े की ऋतु में जीवन बड़ा स्वस्थ रहता है। चाहे जितना खाइए चाहे जितना सोइए और चाहे जितना कम स्नान कीजिए।

सर्दियों के बाद फिर वसन्त आता है। वर्षा का यहीं बस अन्त होता है। इन दिनों फूल खिलते हैं, भौंरे अपने पुश्तैनी धन्धे पर आकर जुट जाते हैं और मधुमक्खी परिवार-नियोजन स्थगित कर देती हैं। कम्पनीबाग़ में फूल खिलते हैं, होटलों पर रात भर बत्तियाँ जलती हैं और क्लबों में लोग पद्माकर के पद्य याद करते हैं। जिन-जिन खेतों में सरसों बोयी जाती है, वे पीले हो जाते हैं और जिनमें सरसों नहीं बोयी जाती, वे वैसे ही रहते हैं। होली का त्योहार अपनी मस्ती और हुड़दंग के लिए मशहूर है। चाहे जिसे पालने में बिठाइए और चाहे जिसके मुँह पर तेल-स्याही मलिए। एक बार हमने अपने एक पड़ोसी का मुँह इतना काला किया था कि पूरे एक सीज़न तक अगर हम चाहते तो उससे हम काले तख़्ते का काम ले सकते थे।

गाँधीवाद के विकास में रूपवती स्त्रियों का योगदान

पिछली गाँधी जयन्ती के अवसर पर नगर की एक प्रमुख संस्था ने गाँधीजी की स्मृति में एक सांस्कृतिक सन्ध्या मनाने का निश्चय किया। इस सन्दर्भ में दो ग़लतियाँ हुईं। संस्था ने तो यह ग़लती की कि समारोह में मुझे भी निमन्त्रित कर डाला और मैंने ग़लती यह की कि वह शानदार निमन्त्रण स्वीकार कर लिया।

समारोह का आयोजन नगर के एक प्रख्यात क्लब में किया गया था, जो विलियर्ड टेबुल, शोख़ लड़कियों, तहज़ीबयाफ़्ता बैरों और विलायती शराब के कारण काफ़ी उपयुक्त स्थान था। स्थान को चुनते समय इस बात का पूरा-पूरा ध्यान रखा गया था कि यदि किसी को गाँधीजी की याद से किसी तरह का कोई ग़म पैदा हो, तो उसे ग़लत करने की सामग्री भी वहाँ तत्परता के साथ उपलब्ध हो। मैंने देखा कि तेल की क़ीमत बढ़ जाने के बावजूद, ज़्यादातर लोग गाड़ियों से ही आये थे। क्लब के बरामदे में गाँधीजी के तीन बन्दर बाक़ायदा ज़मीन पर बैठे थे और अपने-अपने धन्धे में जुटे थे। एक सज्जन चरखा चला रहे थे, दूसरे सज्जन हथकरघे पर जुटे थे और तीसरे सज्जन जो थे, वे गीता का पाठ कर रहे थे। तीनों व्यक्ति खादी पहने थे। उन तीन व्यक्तियों के ठीक सामने बरामदे के दूसरे छोर पर कुछ युवतियाँ रामधुन का कार्यक्रम प्रस्तुत कर रही थीं। उन युवतियों में से मैंने एक को काफ़ी घूरकर देखा, क्योंकि वह ज़रूरत से ज़्यादा ख़ूबसूरत थी। किसी तरह मैंने अपने दिल को काबू में किया और उसके बाद मैं क्लब के भीतर चला गया। कुल मिलाकर सब लोग गाँधीजी की स्मृति में काफ़ी ख़ुश दिखाई पड़ते थे।

क्लब के भीतर मैंने एक सोफ़े पर स्थान ग्रहण किया और अपने चारों तरफ़ देखना शुरू किया। काफ़ी बड़े-बड़े आदमी आये हुए थे और उनकी पत्नियाँ जो थीं, वे भी इतनी सजी-धजी थीं कि लगता था कि वे गाँधी जयन्ती समारोह भी उतनी ही लगन से मनाना चाहती थीं, जितनी कि किसी सौन्दर्य प्रदर्शनी या किसी कुत्तों की नुमाइश देखने के लिए अपेक्षित थी। क्या स्त्री और क्या पुरुष– सभी खादी में थे और वह भी इतनी क़ीमती खादी में, जिसका अनुमान महात्मा गाँधी स्वप्न में भी नहीं कर सकते थे। महात्माजी ने तो अपनी सारी उम्र छोटे ही लोगों के बीच

रह कर गुज़ारी थी और इस कारण उनके लिए तो यह कल्पना करना भी कठिन था कि खादी बेचने के लिए इतने शानदार और वातानुकूलित खादी ग्रामोद्योग भवन खुलेंगे और उनमें इतनी शोख़ और हसीन लड़कियाँ काम करेंगी।

कुछ देर बैठने के बाद शरबत और शराब के गिलास सामने आने लगे। किसी ने छोटा पैग लिया तो किसी ने बड़ा। स्त्रियाँ भी मदिरापान में अपने समान अधिकार का प्रयोग करने लगीं। गाँधीजी के प्रति अपना स्नेह दिखाने के लिए शराब देसी ही रखी गयी थी। उधर सोडे की बोतल का कॉर्क खुलता था और इधर मुझे लगता था कि जैसे किसी ने गाँधीजी पर एक गोली और चला दी हो। मैं शरबत पीता रहा, नमकीन काजू खाता रहा और अपने चारों ओर देखता रहा। एक राजनीतिक नेता दिखाई पड़े, जिन पर पिछली सरकार ने एक जाँच कमीशन बिठाया था और बाद में दूसरी सरकार ने उन्हें वज़ीर बना दिया था। इन नेताजी को और एक ठेकेदार को शराब कुछ ज़्यादा चढ़ गयी और स्थिति यह हो गयी कि नशे के दौरान वे गाँधीजी को ही गन्दी-गन्दी गालियाँ देने लगे। क्लब के जो खादीधारी बैरे थे, उन्होंने उन दोनों को वहाँ से बटोरा और एक ऐसे कक्ष में बन्द कर दिया, जहाँ खादी के बेशक़ीमती परदे टँगे हुए थे और जहाँ विदेशी मदिरा व देसी लड़की इत्मीनान के साथ मिल सकती थीं।

बहरहाल एक कोने में विदेशी संगीत चलता रहा तो दूसरी ओर नाच का देसी कार्यक्रम भी काफ़ी सफल रहा। इस नृत्य के बीच में बस एक छोटा-सा हादसा हो गया और वह यह था कि एक सामाजिक कार्यकर्ता की धोती किसी अफ़सर की पतलून में ऐसी फँसी कि उनको अलग करने के लिए बत्ती बन्द करनी पड़ी।

मेरे जैसे शाकाहारी वैष्णव के लिए वहाँ चपातियाँ और शीतल जल के अतिरिक्त शायद और कुछ नहीं था। मैंने दही और अचार के सहारे कुछ रोटियाँ खायीं, दो गिलास पानी पिया और बाद में कुछ फल खाये। बाक़ी लोग पता नहीं कौन-कौन से गोश्त का मज़ा लेते रहे और गाँधीजी के साथ-साथ मुझ पर भी तरस खाते रहे। डिनर के बाद कॉफ़ी का प्याला आया और उसके साथ ही साथ संस्था की वार्षिक रिपोर्ट भी पढ़कर सुनायी गयी। रिपोर्ट में बताया गया था कि गाँधी जयन्ती के पवित्र अवसर पर एक बड़े व्यापारी ने ग़रीबों में आठ कम्बल बाँटे थे जब कि एक दूसरे सेठ ने विधवाश्रम की 20 स्त्रियों को खादी की मोटी धोतियाँ बाँटी थीं। एक दयावान पुरुष थे, जिन्होंने उस पवित्र दिन को और पवित्र बनाने के लिए बीस अन्धों को गर्म-गर्म दूध पिलवाया था। सादा जीवन उच्च विचार! लखपति लोग भी ग़रीब हो सकते हैं, इस सत्य का पता मुझे उसी दिन लगा। दीवार पर टँगी हुई गाँधीजी की बुलन्द तस्वीर हम सब को देखती रही।

रात के लगभग 12 बजे हम लोग वापस लौटे। बरामदे में बैठे गाँधीजी के तीन बन्दर अब भी अपने कार्य में उसी तरह व्यस्त थे। एक आदमी चरखे के सहारे रूई

को सूत का रूप दे रहा था, दूसरे सज्जन हथ-करघे के सहारे सूत को कपड़े की शक्ल दे रहे थे और तीसरे महानुभाव गीता को इस तरह पढ़कर सुना रहे थे कि कृशनचन्दर पहलवान की नौटंकी का मज़ा आता था। जैसा कि बाद में पता लगा, वे तीनों गाँधीजी के भक्त वहाँ भाड़े पर बिठाये गये थे और व्यक्तिगत जीवन में वे इतने होनहार थे कि भारतीय दण्ड संहिता के पता नहीं कौन-कौन से अनुच्छेदों के भीतर काफ़ी दिनों की जेल भी काट चुके थे। गाँधीजी के प्रति उनका प्रेम जेल की दीवारों के भीतर ही विकसित हुआ था। और हाँ वे लड़कियाँ बरामदे में बैठी रामधुन अभी भी बराबर गा रही थीं और इस तरह गा रही थीं कि कव्वाली का आनन्द आ रहा था। वह युवती जो पहले मुझे ख़ूबसूरत लगी थी, मेरे एक साथी ने कहा कि यदि यह लड़की यहाँ रोज़ रामधुन गाये तो वे रोज़ गाँधी जयन्ती मनाने को तैयार हैं। मैं चुप रहा और गाँधीवाद के विकास में रूपवती युवतियों के योगदान के बारे में मैं और ज़्यादा गहराई से सोचने लगा।

महाभारत का कर्मयोग और भारत के कर्मयोगी

भगवान एक है, मगर उसकी प्राप्ति के साधन अनेक हैं। हठयोग, भक्तियोग, प्रेमयोग, ज्ञानयोग और अन्त में चलकर कर्मयोग। हमारी एक प्राचीन पुस्तक (शायद 'योगवाशिष्ठ') में तो 'ओषधि' को भी मोक्षमार्ग स्वीकृत किया गया है, जिसका अर्थ यह है कि भाँग, धतूरा और अफ़ीम जैसी नशीली वनस्पतियों को खाकर भी वही आनन्द मिल सकता है, जो परमात्मा की प्राप्ति से होता है। परमात्मा और आत्मा की चर्चा करते हुए मुझे आपको यह सूचना देते हुए हर्ष होता है कि आत्मा का भार मात्र इक्कीस ग्राम होता है। अमेरिका के एक चिकित्सक ने हज़ारों व्यक्तियों के मरने से तुरन्त पहले और मरने के तुरन्त बाद वज़न लेकर यह सनसनीख़ेज़ ख़बर दी है, वैसे ही नहीं।

ऊपर बताये गये जितने योग हैं, उनमें कर्मयोग ही ऐसा योग है, जिसे आम आदमी भी कर सकता है। इस योग के लिए न तपस्या करने की ज़रूरत है और न वन जाने की। कर्मयोग की सूचना सबसे पहले गीता में दी गयी। गीता मेरी प्रिय पुस्तक है क्योंकि उसमें 'त्यागी' लोगों की बड़ी प्रशंसा की गयी है। गीता को लेकर न जाने कितनी किताबें लिखी गयी हैं, जिनमें लोकमान्य तिलक की लिखी 'गीता रहस्य' सर्वश्रेष्ठ स्वीकार की जाती है। यह पुस्तक तिलक ने माण्डले की जेल में लिखी थी। कन्हैयालाल माणिकलाल मुंशी ने 'गीता एण्ड माडर्न लाइफ़' नाम की एक पुस्तक लिखी और बाद में चलकर बच्चन ने 'जनगीता' एवं 'नागर गीता' लिखी, जिन्हें पढ़कर ठीक 'मधुशाला' जैसा ही आनन्द प्राप्त हुआ।

मैंने एक साधारण पाठक की हैसियत से गीता अनेक बार पढ़ी है। मुझे इस पुस्तक को पढ़कर अनेक शंकाएँ हुई हैं, जिनमें से यहाँ मैं मात्र दो का ही ज़िक्र करूँगा। पहली शंका तो यह है कि एक ओर तो यह लिखा है कि मनुष्य कर्म करने के लिए स्वतन्त्र है, जबकि दूसरी ओर यह भी लिखा है कि भगवान जो है, वह सारे संसार को एक मशीन की भाँति (यन्त्रवत् सर्व भूतेषु) चलाता है। दूसरे शब्दों में हम कर्म करने में भी स्वतन्त्र नहीं हैं, हम ठीक वही करते हैं जो ईश्वर चाहता है। दूसरी शंका यह है कि एक ओर तो भगवान कृष्ण निष्काम कर्म का उपदेश देते हैं

और दूसरी ओर अर्जुन को फल का लालच देते हुए कहते हैं कि हे पार्थ, तू युद्ध लड़। यदि तू जीत गया तो तू पृथ्वी का स्वामी होगा और यदि मारा गया तो स्वर्ग भोगेगा। अरे मूर्ख, तेरे तो दोनों हाथों में लड्डू हैं, फिर यह संकोच क्यों?

अभी-अभी गीता का एक विज्ञापन निकला है। लिखा है कि इस नयी पोथी को पढ़कर आपको पता भी नहीं लगेगा कि आप गीता पढ़ रहे हैं या कोई उपन्यास। इस विज्ञापन को पढ़कर हिन्दू धर्म के ठेकेदार मुक़दमा क्यों नहीं चलाते?

यह देखकर बड़ा हर्ष होता है कि हमारे देश के कर्णधार कर्मयोग को भूले नहीं। एक रेलमन्त्री थे, जिन्होंने रेलवे बोर्ड के चेयरमैन की बोगी एक स्टेशन पर कटवा दी थी। वे चेयरमैन भी चरित्रवान व्यक्ति थे, बिना बिजली और पानी के भी उन्होंने बोगी नहीं छोड़ी। यह धर्मयुद्ध कई दिन चला, अन्त में चलकर दोनों विभूतियों को अपना पद छोड़ना पड़ा। एक और भूतपूर्व रेलवे मन्त्री जनता के दुख से इतना द्रवीभूत हुए कि एक सरकारी बैंक के भीतर घुस गये और वहाँ काफ़ी 'कर्मयोग' सम्पन्न किया ताकि बैंक के सूट पहनने वाले और घूस खाने वाले अधिकारी और कर्मचारी समझ सकें कि प्राकृतिक विपत्ति से ग्रस्त ग़रीब लोगों को समय पर ऋण देने के परिणाम क्या हो सकते हैं! एक और भूतपूर्व मन्त्री ने दिल्ली के टेलीफ़ोन एक्सचेंज में खुद जाकर यह पता लगाने की कोशिश की कि उन्हें एक ज़रूरी ट्रंककाल क्यों नहीं मिल रही थी! वहाँ जाना तो ठीक रहा! (क्योंकि वैसे टेलीफ़ोन विभाग दूसरों की मुसीबत को कभी नहीं समझता) मगर वहाँ जाकर उन देशसेवक को जो क्रोध आ गया, वह शायद ज़रूरत से ज़्यादा था। जैसी कि आशा थी, अगले दिन सारी राजधानी बिना टेलीफ़ोन के शान्तिपूर्वक रही। एक अँग्रेज़ी पत्रिका ने मौके का फ़ायदा उठाया और बताया कि ये नेता वैसे भी काफ़ी दिलचस्प क़िस्म के इंसान हैं। इन्होंने कभी अपने साथियों से कहा था कि यदि मैं सिगार पीता हूँ तो समझो कि मैं चर्चिल हूँ, यदि मैं छाता लेकर निकलूँ तो समझो कि मैं चेम्बरलेन हूँ और यदि कभी मेरे हाथ में छोटा-सा डण्डा दिखाई पड़े तो समझो कि मैं स्वयं पण्डित जवाहरलाल नेहरू हूँ। अख़बार में यह भी बताया गया कि ये भूतपूर्व मन्त्री एक बार तीन पीस का सूट धारण किये-किये और सिगार पीते-पीते एक ऐसे 'स्वीमिंग पूल' में कूद गये थे, जिनमें कुछ देवियाँ स्नान कर रही थीं।

वैसे यह सब अपने-अपने दृष्टिकोण पर आधारित है। विद्यासागर मिश्र हैं, जो कालिदास की कविता में और खजुराहो की कला में वासना के स्थान पर शुद्ध अध्यात्म का सुख पाते हैं। संस्कृत का अमर ग्रन्थ 'अमरु शतक' न जाने कितनी शताब्दियों तक अश्लील माना जाता रहा, मगर बाद में जब पता चला कि इसके वास्तविक लेखक शंकराचार्य थे तो पुस्तक जो थी, वह रातोंरात 'अश्लील' से 'सौन्दर्यवादी' या 'शृंगार प्रधान' हो गयी। कला के नापने के मापदण्ड सदा से लेखक के नाम से प्रभावित होते आये हैं। गीता यदि भगवान की वाणी न होती तो उसे कौन पूछता?

मैं सोचता हूँ कि और सब तो ठीक है, पर क्या वास्तव में कोई और ऐसा रास्ता नहीं है, जिससे हम लोग अपना कोई आक्रोश प्रकट कर सकें? क्या ये सारा 'कर्मयोग' जिसकी ऊपर चर्चा की गयी, शालीनता और विनोद के साथ नहीं सम्पन्न किया जा सकता था? आपको याद होगा कि एक बार श्री श्रीपाद अमृत डाँगे एक इतनी बड़ी याचिका लेकर संसद भवन में आये थे, जिसको भार के कारण बैलगाड़ी पर लाना पड़ा था।

इसी प्रकार एक बार श्री फ़िरोज़ गाँधी ने 'स्पीकर' से पूछा था कि यह क्या बात है कि जहाँ भी कुछ 'अफेयर' होता है, वहीं स्त्रियों को मन्त्री बनाया जाता है? यह बात उन दिनों की है, जब इत्तफ़ाक से 'होम अफेयर्स', 'एक्सटर्नल अफेयर्स' और 'इकॉनामिक अफेयर्स' के विभाग तीन महिला-मन्त्रियों ने सँभाल रखे थे। इसी प्रकार एक बार पण्डितजी ने लोकसभा में कुछ इस तरह की बात की, जिससे लगता था कि हमें उस प्रदेश के बारे में ज़्यादा चिन्ता नहीं करनी चाहिए जो कि चीन ने ले लिया है, क्योंकि वहाँ कुछ पैदा तो होता ही नहीं है। उनकी बात सुनते ही महावीर त्यागी ने अपना बड़ा सिर सामने पेश किया और कहा कि क्या इस सिर की कोई क़ीमत नहीं है, क्योंकि यह गंजा है और इस पर कुछ भी पैदा नहीं होता?

गीता में काफ़ी साफ़-साफ़ कहा गया है कि हम सबको एक न एक दिन तो मरना ही है और इसी कारण हम यदि आज ही मर जाएँ तो क्या वह ठीक नहीं होगा? एक ओर कहा जाता है जयद्रथ जो मारा गया था, वह काफ़ी छल और कपट के साथ मारा गया था। आत्मा यदि अमर है तो इतना प्रपंच रचने की क्या ज़रूरत थी? और जब उनका उपदेश अर्जुन की बुद्धि में नहीं आया तो भगवान कृष्ण ने उसे अपना विकराल रूप दिखला कर भयभीत कर दिया। मैथिली के व्यंग्यकार खट्टर काका (हरिमोहन झा) के अनुसार 'निष्काम' कर्म का जो मन्त्र है, वह मात्र परिवार-नियोजन के काम आ सकता है, जीवन के बाक़ी क्षेत्रों में नहीं।

इधर काफ़ी दिनों से सेना से निवृत्त अधिकारियों के निष्काम कर्मों के काफ़ी चर्चे सुनायी पड़ रहे हैं। कुछ दिनों पूर्व एक एयर मार्शल और एक मेजर जनरल पर मुक़दमा चलाया गया था, क्योंकि वे दोनों सेवानिवृत्त भाई हमारी सेना के रहस्यों को विदेश पहुँचा रहे थे। एक सेवानिवृत ब्रिगेडियर ने काफ़ी घटिया माल बमों में लगाने दिया, जिसके युद्ध के समय भयंकर परिणाम हो सकते थे। फलों की तरह गीता की भी कई क़िस्में हैं। मैंने ऊपर जो चर्चा की है, वह मात्र 'भगवद्गीता' की है, 'रामगीता' या 'शिवगीता' की नहीं। 'भगवद्गीता' जो है, वही वास्तविक गीता है। हाँ, अलबत्ता इस बात को समझ पाना कठिन है कि युद्ध के क्षणों में इतनी बड़ी पोथी को सुनाने का और सुनने का समय कृष्ण और अर्जुन को कैसे मिल पाया था!

प्लेटफॉर्म पर ज्ञान वार्ता

मेरे विभाग के एक बहुत वरिष्ठ अधिकारी थे, जिन्होंने कैम्ब्रिज से शिक्षा प्राप्त की थी। एक बार उन्होंने हमें बताया कि अपने छात्र जीवन के दौरान एक दिन वे कैम्ब्रिज से लन्दन गये। वे सड़क के किनारे फ़ुटपाथ पर चले जा रहे थे कि अचानक स्कूलों के काफ़ी बच्चे, जो उन्हीं की भाँति सड़क के किनारे चले आ रहे थे, सहसा चिल्लाने लगे कि 'लांग लिव किंग'। नायर साहब इस शोर से चौंक गये और आँखें उठाने पर उन्होंने देखा कि पास की ही खुली गाड़ी में इंग्लैण्ड के सम्राट और उनकी महारानी बैठी थीं, जो कि प्राइवेट विज़िट पर कहीं जा रही थीं। ट्रैफिक की बत्ती लाल हो गयी थी और शेष लोगों की भाँति बादशाह की गाड़ी भी रुक गयी थी। जब तक बत्ती हरी नहीं हुई तब तक सम्राट की गाड़ी रुकी रही और अपने हैट से स्कूल के बच्चों का अभिवादन करते रहे। अपने देश की क्या स्थिति है, यह जानने के लिए आप छब्बीस फ़रवरी का 'सण्डे' पढ़िए। अख़बार में लिखा है कि हमारे प्रधानमन्त्री कहीं जा रहे थे और जब वे निकले तब तक दूर-दूर तक यातायात बन्द कर दिया गया था। एक युवती टैक्सी में थी और उसके किसी भी समय बच्चा हो सकता था। उनकी बार-बार की गयी करबद्ध प्रार्थना से भी ट्रैफिक पुलिस का हृदय नहीं पिघला हालाँकि जनाना अस्पताल सिर्फ़ दस गज़ की दूरी पर ही था। अन्त में वही हुआ जो होना था। उस युवती ने कार में ही बच्चा दे दिया और दर्द के मारे तड़फड़ाती रही। प्रधानमन्त्री को यह कभी नहीं लगेगा कि उनके नाम पर नीचे अधिकारी क्या गुल खिलाते हैं! यह ऐसा ही सरकारी अमला है जो वरिष्ठ नेताओं की छवि बिगाड़ता है। मेरे विचार में आता है कि मैं यह सलाह दूँ कि ऐसे 'कर्त्तव्यपरायण' पुलिस कर्मचारियों का 'जुलूस' सरे बाज़ार निकाला जाना चाहिए। मगर ऐसा होगा नहीं। बहुत सम्भव तो यह है कि सम्बन्धित पुलिस कर्मचारी को 'विशिष्ट सेवा पदक' दे दिया जाए।

दुखी होकर मैंने एक बच्चे से अख़बार ख़रीदा और पढ़ने लगा। दूसरे पृष्ठ पर छपा था कि इतिहास पुरुष पण्डित जवाहरलाल नेहरू के शताब्दी के सन्दर्भ में जो राष्ट्रीय दौड़ सम्पन्न हुई उसमें तीन लड़कियों के साथ बलात्कार किया गया।

बलात्कार के लिए इससे ज़्यादा उपयुक्त बेला और कौन-सी हो सकती थी? बहरलाल रिपोर्ट लिखवाने पर भी सारे कार्यक्रम में पुलिस ने कोई दख़ल-अन्दाज़ी नहीं की। हमारी पुलिस एकदम गाँधीवादी होती जा रही है। न बुरा कहो, न बुरा सुनो और न बुरा देखो। और पुलिस एक्शन लेती भी तो क्या होता? केस पहले सेशन कोर्ट में लटकता जहाँ कि लड़कियों से अश्लील प्रश्न पूछे जाते और फिर मामला हाई कोर्ट और फिर सुप्रीम कोर्ट जाता। अन्त में क्या होता यह तो शायद श्री जेठमलानी भी नहीं कह सकते!

ट्रेन चलने में अभी देर थी। पहले कोई चने बेचने आया और उसके बाद कोई सज्जन आँखों का सुरमा बेचने आये। उसके बाद एक मरियल-सा व्यक्ति ताक़त की दवा बेचने आया। उसने दवा के गुण इतने विस्तार में बताये कि डिब्बे में बैठे लड़के लोग हँसने लगे और लड़कियों ने गर्दन झुका ली। एक पुस्तक विक्रेता आये जो दो रुपये की एक सामान्य ज्ञान की पुस्तक मुझे एक रुपये में ही दे गये। मैंने पोथी को खोला तो काफ़ी ज्ञान की बातें पढ़ीं। पोथी से पता लगा कि फ्रांस में मच्छर नहीं होते। जार्डन नदी में मछली नहीं पायी जाती और स्पेन में अख़बार कपड़े पर छपते हैं। श्री हावोडान अपनी दाढ़ी में शहद की मक्खियाँ पालते हैं। शुद्ध और ताज़ा शहद प्राप्त करने की ऐसी विधि मुझे पहले नहीं मालूम थी। स्टर लेमसेट की दाढ़ी की लम्बाई साढ़े पाँच मीटर है। आम आदमी के दिमाग़ का भार लगभग तीन पाउण्ड होता है। अफ्रीका में ऐसे तोते पाये जाते हैं जो कि इस संसार में रहने वाली स्त्रियों से भी ज़्यादा बोलते हैं और पतंगबाज़ी की शुरुआत भी काफ़ी और चीज़ों की भाँति चीन से ही हुई। फ्रांस के एक राष्ट्रपति इतने होनहार थे कि उनकी पत्नी को एक वनमानुष उनके सामने से उठाकर ले गया था। विश्व की सबसे लम्बी स्त्री चीन में है और सबसे संक्षिप्त स्त्री इंग्लैण्ड की है। फ्रांस की रानी कैथराइन की कमर मात्र तेरह इंच थी। महाराष्ट्र में अभी भी ऐसे गाँव हैं जहाँ घरों में ताले नहीं लगाये जाते। पीटर दि ग्रेट उन लोगों से टैक्स लेता था जो कि तम्बाकू नहीं पीते थे। फ्रांस के जनरल माण्ट मारीना को पाँच बार मृत घोषित किया गया हालाँकि पाँचों बार दफ़नाने के वक़्त उसने खुद बताया था कि वह ज़िन्दा है। सीतापुर में एक ऐसा बकरा है जो रोज़ दो सौ ग्राम दूध देता है। सबसे ज़्यादा काम की सूचना यह थी कि गर्भवती स्त्री को चुकन्दर की पत्ती रगड़कर सुँघानी चाहिए। यदि इस क्रियाकलाप के बाद उसे छींक न आए तो निश्चित रूप से जान लीजिए कि वह लड़के की माँ बनेगी, लड़की की नहीं।

मैं उकता रहा था कि प्लेटफॉर्म पर एक बन्दर नचाने वाला आ गया। बन्दर और उसकी पत्नी दोनों पहुँचे हुए कलाकार थे। पहले कत्थक पेश किया गया और फिर कुचिपुडि। इसके बाद जब पॉप म्यूज़िक को पेश किया गया तो पता नहीं क्यों बन्दर को कुछ कारणों से गुस्सा आ गया। उसने विद्रोह कर दिया और उसने

आक्रोश में एक साहब की धोती खोल दी। वह पुस्तक विक्रेता रोने लगा। उसने बताया कि सारे दिन परिश्रम करके वह कोई पाँच रुपये रोज़ कमाता था पर आज तो लेने के देने पड़ गये। घर में शायद आज चूल्हा नहीं जलेगा।

इतना बताने के बाद वह फिर रोने लगा। एक हसीन बाई ने उसकी हिम्मत बँधायी और पाँच रुपये का नोट उसकी तरफ़ निकाला। पुस्तक विक्रेता ने भिक्षा स्वीकार नहीं की और बताना शुरू किया कि देश के विभाजन के पूर्व उसकी कितनी बड़ी हस्ती थी। मेरे पास बैठी धूप का चश्मा लगाये हुए एक देसी मेम साहिबा ने उस आदमी की ओर कोई ध्यान नहीं दिया और वह उस नरपुंगव को देख-देखकर हँसती रही जिसकी बन्दर ने धोती खोल दी थी।

गाड़ी चल पड़ी। मैं विरक्त भाव से सबकुछ देखता रहा और शायर का कलाम याद करता रहा, "कैसे-कैसे ऐसे-वैसे हो गये। ऐसे-वैसे कैसे-कैसे हो गये।"

गुर्दामेव जयते

शरीर का क्रय-विक्रय संसार में सबसे पुराना धन्धा माना जाता है। हमारे देश में अब पूरे शरीर के क्रय-विक्रय के स्थान पर मात्र गुर्दे की तिजारत ही की जाती है। इस धन्धे में करोड़ों का नफ़ा है, क्योंकि एक गुर्दे की क़ीमत तीन लाख रुपये तक की जाती है। ज़्यादातर लोग ग़रीबी के कारण दलाल की मार्फ़त अपनी मर्ज़ी से अपना गुर्दा बेचते हैं, पर गाहे-बगाहे गुर्दे की चोरी भी सम्पन्न की जाती है। स्थिति यह है कि जिन अस्पतालों में अब तक हसीन नर्सें एवं युवा डॉक्टरनियाँ पहले मात्र दिल और बाद में आँखें ही चुराया करती थीं, वहाँ अब सर्जन लोग चोरी-चोरी गुर्दे चुराते हैं। बेंगलूर व बम्बई ने इस धन्धे में विशेष प्रतिष्ठा अर्जित की है। गुर्दे के ख़रीददार ज़्यादातर तुर्की, अरब, ग्रीस, यमन व जर्मनी के निवासी हैं, जिन्हें भारत की कन्याएँ व भारत के गुर्दे एकदम फ़िट बैठते हैं। दिल्ली में एक शरीफ़ डॉक्टर बिना किसी कसूर के गुर्दे चुराने के झूठे जुर्म में फँस गया और अट्ठाईस दिन जेल में रहा। यह धन्धा अब शायद ज़्यादा दिनों नहीं चलेगा। 'ह्यूमन आर्गन ट्रांसपोर्टेशन एक्ट' तथा यह नयी खोज कि मुर्दों के गुर्दे भी काम में लाये जा सकते हैं– इस धन्धे को चौपट कर देंगे।

मैं समझता था कि मेरी आर्थिक स्थिति ज़्यादा सुदृढ़ नहीं है, पर अब मैं इस हीनभावना से निकल आया। मुझे भगवान ने दो गुर्दे दिये हैं, जिनमें से एक गुर्दा तो मैं लाखों रुपयों में जब चाहूँ तब खुलेआम बेच सकता हूँ। 'अभिनन्दन ग्रन्थ' भी छप जाएगा और 'रचनावली' भी छप जाएगी। गुर्दा मेरा बिकेगा और रॉयल्टी प्रकाशक खाएगा। और यह भी सम्भव है कि प्रकाशक भी मैं स्वयं ही बन जाऊँ और नये लेखकों का शोषण शुरू कर दूँ। जो कवि अपना गुर्दा बेचने को तैयार होगा, उसका काव्यग्रन्थ सबसे पहले छापूँगा।

अब समय आ गया है कि देश की आम जनता अपने गुर्दे की सुरक्षा की ओर ध्यान दे। बीमा कम्पनियाँ गुर्दे की बीमा योजना शुरू करें। प्रत्येक स्त्री और पुरुष गुर्दे की हिफ़ाज़त के लिए मेरे जैसा सतर्क व्यक्ति अपना चौकीदार बना कर रखें। प्रत्येक हर आधे घण्टे के बाद यह चेक करें कि उसका गुर्दा सही-सलामत है या

नहीं। शादी के पहले इस बात की जाँच करवायी जाए कि वर और वधू– दोनों के गुर्दे स्वस्थ हैं या नहीं। दहेज में मोटर और गहनों के स्थान पर गुर्दों की माँग की जाए और तलाक़ के समय पत्नी को पति का कम-से-कम एक गुर्दा तो अवश्य दिया जाए। गुर्दे का छायाचित्र या प्रतिमा पूजागृह में प्रतिष्ठित की जाए। चुनाव में केवल वही व्यक्ति खड़ा हो और बड़ी सरकारी सेवाओं में मात्र वही व्यक्ति चुना जाए जिसके गुर्दे पूरे हों और सही हालत में हों। सब सार्वजनिक स्थानों पर 'गुर्दामेव जयते' लिखा जाए। मुद्रक लोग पूरा-पूरा ध्यान रखें कि 'गुर्दा' शब्द ठीक तरह ही छपे। ऊपरवाला आधा 'र' छूटना एक कानूनी जुर्म होगा।

'जिगर' मुरादाबादी आज़ादी के बाद एक बार पाकिस्तान गये। उनके सम्मान में लाहौर के एक प्रख्यात भवन के लॉन पर उनका स्वागत और सम्मान किया गया। सारे बड़े-छोटे अदीब उनसे मिले। सदा के बेबाक और मुँहफट सआदत हसन मण्टो ने अपना परिचय स्वयं देते हुए फ़रमाया कि 'बन्दापरवर, अगर आप मुरादाबाद के जिगर हैं तो यह ख़ाकसार लाहौर का गुर्दा है।' उनकी वाणी श्रवण करने पर सदा के हँसमुख 'जिगर' साहब ने मण्टो को अपने गले से लगा लिया। आप इस एकदम सच्ची घटना पर ज़रूर हँसें, पर किसी के गुर्दे को गले से हर्गिज़ न लगाएँ।

गधे को बचाइए

आज मैं कुछ उदास हूँ। यों तो भगवान ने सूरत ही कुछ ऐसी दी है कि सदा यही लगता है जैसे कि मैं किसी शव-यात्रा से लौटा हूँ। ठीक वही ठोस उदासी जिसमें यक्षिणी के विरह में 'मेघदूत' का यक्ष डूबा रहता था। या जिसे लेकर नरेन्द्र शर्मा 'साँझ होते ही न जाने, छा गयी कैसी उदासी' जैसे 'प्रवासी के गीत' लिखा करते थे। इस उदासी का कारण यह है कि विशेषज्ञों के अनुसार 'सरदार-सरोवर योजना' से उस क्षेत्र के गधों के एकदम नष्ट होने का ख़तरा है और जब अपने भाई-बिरादर ही ख़तरे में हों तो कौन ऐसा परमहंस है कि वह उदास न हो? और मैं परमहंस क्या, हंस भी नहीं हूँ। यदि 'कक्ष के रन' में विचरण करने वाले गधे ही न रहें तो फिर इस क्षणभंगुर जीवन में रह ही क्या जाता है?

गधा सदा से मेरा प्रिय प्राणी रहा है। गधा ही एक ऐसा प्राणी है जो कभी भी ईर्ष्या, द्वेष, अहंकार, धूर्तता, प्रतिहिंसा, आलस्य, क्रोध, मोह, लोभ और भय इत्यादि अवगुणों के चक्कर में नहीं फँसता। घास खाता है, तेज़ धूप में रेत पर लेटता है। और वातानुकूलित कक्षों में बैठने वाले भद्र पुरुषों की अपेक्षा कहीं ज़्यादा खुश रहता है। सादा जीवन, सादे विचार, गधा करता है इसका प्रचार। गधा अपनी तिकड़मों से चुटकुले प्रधान उपन्यास लिखकर लखटकिया पुरस्कार नहीं बटोरता और वह सारी उम्र शराब, कबाब और शबाब का यथाशक्ति सेवन करने के बाद चिन्तक या मनीषी नहीं कहलाता। वह अपने समानधर्माओं का उपहास नहीं करता, पर-स्त्री पर निगाह नहीं डालता और वह आयकर की चोरी व प्राचीन मूर्तियों की तस्करी भी नहीं करता। वह प्रेम भी करता है तो उसके लिए निश्चित ऋतु के अलावा बाक़ी समय को बर्बाद नहीं करता। बाक़ी वक़्त तो वह गधी पर निगाह भी नहीं डालता, भले ही वह षोडशी होने के कारण अप्सरा ही क्यों न लगती हो! प्राप्ते तु षोडशे वर्षे गर्दभीश्चाप्सरायते। मैं तो इतने गुणवाले किसी व्यक्ति को कभी देखने का सौभाग्य पाता हूँ तो उसे गधा ही समझता हूँ। काश, मैं भी इतना वीतरागी व मुक्त जीवन बिता सकता...! हाँ ऋतु आने पर गधा भी गधी से प्रेम करता है क्योंकि यदि वह ऐसा न करे तो उसका वंश वृक्ष कैसे चले? न वेश्या सती न गदहा जती।

मैं सोचता हूँ कि यदि गधा न रहा तो विधानसभाओं में कौन बैठेगा, बढ़िया अख़बारों का सम्पादक बनकर बिना बात विदेश यात्रा कौन करेगा, और ठाकुर प्रसाद सिंह जैसे गीतकार, अन्नपूर्णानन्द वर्मा जैसे महान् हास्यकार और रांगेय राघव व पदुमलाल पुन्नालाल बख़्शी जैसे कालजयी साहित्यकारों की उपेक्षा करने वाला हिन्दी का आलोचक कौन बनेगा? मेहतर, धोबी व कुम्हार गधा पालना छोड़ रहे हैं और उसके कारण गधों का उत्पादन वैसे ही गिरता जा रहा है। यदि 'सरदार सरोवर' के कारण गधा पूरी तरह समाप्त हो गया तो उज्जैन में लगने वाले गधों के सालाना मेले में कौन जाएगा? मैं हमेशा जाने को तैयार हूँ पर मात्र एक गधे से तो मेला नहीं जुड़ता...।

प्रत्येक रमणी चाहती है कि उसका पति अमीर हो, रूपवान हो और समर्थ हो। पर इसके साथ-ही-साथ वह गधा भी हो। यदि गधे न रहे तो ऐसी रूपसियाँ विवाह कैसे करेंगी, धोखा किसे देंगी और अपना विरह कैसे मिटाएँगी? मैं अकेला हूँ और अधेड़ हूँ, मैं तो देश की सारी रूपवती रमणियों की सेवा नहीं कर सकता, चाहे वैसा करने की मेरी इच्छा कितनी ही बलवती क्यों न हो! यह काम तो देश के शेष गधों को ही करना था। यदि वे न रहे तो इस देश का क्या होगा? गधे जैसा तपस्वी, ब्रह्मचारी, निस्वार्थ, परिश्रमी और समर्थ प्राणी इस संसार में और कौन है?

गधे का स्थान इतिहास में सुरक्षित है। बहलोल लोदी सुल्तान होने से पहले गधों का सौदागर था, मुल्ला नसरुद्दीन वज़ीर होते हुए भी गधे की ही सवारी करते थे और एक बार युद्ध के दौरान नेपोलियन बोनापार्ट को भी एक खच्चर (जो गधे का ही 'लाइब्रेरी संस्करण' होता है) की सवारी करनी पड़ी थी। महान् साहित्यकार राबर्ट लुई स्टीवेंसन ने गधे पर सवार होकर पूरे यूरोप की यात्रा की थी जिसको अमर रखने के लिए उसने 'ट्रैवेल विद ए डंकी' नामक पोथी लिखी। चाणक्य तक ने कहा है कि कुछ विशिष्ट गुण ऐसे हैं जो मनुष्य को गधे से ही सीखने चाहिए। बंकिम बाबू जैसे महान् उपन्यासकार ने 'गर्दभ स्तोत्र' की रचना की और हिन्दी के किसी कवि ने 'गधा पचीसी' लिखी। अज्ञेय तक ने गदहे को एक कविता में 'धैर्यधन' कहकर पुकारा। अज्ञेयजी के कारण काफ़ी गधे साहित्य में आये और उनमें से कुछ ने तो जम जानेके बाद उन्हें दुलत्ती भी लगायी। जब खुदा मेहरबान होता है, तो गधा पहलवान होता है।

प्रवचन समाप्त करता हूँ। भगवान से प्रार्थना करता हूँ कि वह मुझे अगले जन्म में सच्चा गधा बनाए और मुझे इतनी प्रतिभा दे कि महामहिम राष्ट्रपतिजी स्वयं मुझे 'गदर्भ रत्न' की उपाधि दें। मैं सरकार से भी प्रार्थना करता हूँ कि इण्डिया गेट पर अँग्रेज़ सम्राट की मूर्ति हटाने से जो स्थान पिछले पैंतीस वर्षों से खाली पड़ा है, वहाँ मेरी या किसी और गधे की ही प्रतिमा स्थापित कर दें। वैसे मुझे सरकार पर पूरा भरोसा है, वह उस स्थान पर ज़ब भी किसी की मूर्ति लगाएगी, वह किसी गधे की ही मूर्ति होगी, किसी और की नहीं...।

नया बजट और हिन्दी साहित्य

जब से नया बजट आया है तब से मेरा मन काफ़ी उदास चल रहा है। आयकर बढ़ गया मगर सम्पादकों ने पारिश्रमिक नहीं बढ़ाया। मैं अपनी आय का विवरण बड़ी ईमानदारी और तत्परता से दाखिल करता हूँ। आय क्योंकि ज़्यादा नहीं है, ईमानदारी बरतने में कोई विशेष असुविधा भी नहीं होती। मेकअप के दाम बढ़ाये गये हैं और स्थिति यह है कि कई युवतियाँ, जिन्हें देखकर पिछले वसन्त तक विरह गीत लिखने की प्रेरणा मिला करती थी, वे अब सच्चे अर्थों में अपनी सगी माता लगती हैं। मेरे विचार में सौन्दर्य के प्रसाधनों में कर यदि इसी तरह बढ़ते गये तो साहित्य से श्रृंगार रस हमेशा के लिए समाप्त हो जाएगा। भवभूति की 'एकोरसः करुणा एव' वाली उक्ति सच्ची साबित हो जाएगी। तेल के दाम बढ़ गये, इस कारण मोटर से घूमना-फिरना भी बन्द-सा हो रहा है।

कुल मिलाकर नये बजट का हिन्दी साहित्य पर काफ़ी प्रभाव पड़ा है। यह ज़ाहिर है और इस पर शोध करने की कोई ख़ास गुंजाइश नहीं रह गयी है। इस पर तुर्रा यह है कि अभी प्रदेश की सरकार और कर लगाने की धमकी दे रही है। जब केन्द्र और प्रदेश सरकार दोनों का स्वास्थ्य ठीक चल रहा है तो नगरपालिका भी पीछे रहने वाली नहीं। पानी का दाम बढ़ेगा जिसका सीधा असर शुद्ध दूध के दामों पर पड़ेगा, बिजली महँगी होगी और रात को शमा पर परवानों का जान देना बन्द हो जाएगा। काव्य के क्षेत्र में परवानों ने जो सहयोग दिया है, वह हमेशा के लिए अमर है। कुल मिलाकर उदासी इतनी बढ़ गयी है कि हास्यकार रहना अब कठिन ही दिख पड़ता है।

निराशा के इन भयंकर क्षणों में मेरा चरित्र बदलता है। सोचता हूँ कि शायद सब ठीक हो रहा है। सारे कर समाजवाद के लिए ही तो लगाये जा रहे हैं और समाजवाद साहित्य से निश्चय ही कोई बड़ी चीज़ है। और फिर हमारा समाजवाद तो एकदम देसी क़िस्म का होगा। एक बारात में डेढ़ लाख व्यक्तियों ने भोजन किया, चार कारें दहेज में दी गयीं, आसपास का बिजली-पानी बन्द कर दिया गया। मगर सिद्धान्त की बात देखिए कि वरयात्रा में हाथी का प्रयोग नहीं किया गया, क्योंकि

हाथी सामन्तवाद का प्रतीक है, मेरा तो सुझाव है कि सरकार को उचित होगा कि वह देश के सारे हाथी-घोड़ों को मरवा दे, क्योंकि वे सामन्तवाद और मध्ययुगीन संस्कृति के प्रतीक हैं। हाथी का स्थान अब गधे को मिलना चाहिए। हमारे प्रगतिशील लेखक कृशनचन्दर उसे साहित्य में प्रतिष्ठित कर ही चुके हैं। बाक़ी दिशाओं में भी गधे काफ़ी तेज़ी से आगे बढ़ रहे हैं, जो समाजवाद के एकदम अनुकूल है।

ईश्वर की कृपा से अभी तक अख़बार के दाम नहीं बढ़े हैं। और इस कारण आजकल मैं अख़बार ही पढ़ता हूँ। मगर वहाँ भी कोई चीज़ हासिल नहीं होती, जिससे कि चित्त को शान्ति प्राप्त हो। स्टेट बैंक से साठ लाख रुपये निकाल लिये गये और दुर्भाग्य देखिए कि हिन्दी लेखकों को उनमें से कुछ भी नहीं मिला। सिडनी की एक सम्भ्रान्त महिला ने नौ बच्चों को एक साथ जन्म दिया, मगर दुर्भाग्य कि बन्दा फिर भी निःसन्तान ही रहा। यों कहने को तो दो बच्चे हैं मगर वे तो पत्नी के हैं।

एक साहब की गाड़ी में से पाँच सौ बोतल शराब बरामद हुई। एक छापे में पुलिस को सोने के सैकड़ों बिस्कुट मिले और मेरी बदनसीबी देखिए कि मैं पुलिस के महकमे में नहीं गया और दुर्भाग्य यह कि मेरे एक बड़े अफ़सर, जो वहाँ गये थे, इस दुर्घटना से पहले ही सही-सलामत लौट आये। थोड़ा और विलम्ब कर लेते तो शायद मेरी तरक्की में कुछ फ़र्क़ पड़ जाता, हाई कोर्टों में लाखों मुक़दमे पड़े हैं और अपना एक भी नहीं। किसी नगर में एक स्वामीजी ने स्वीकार किया कि उनके कोई पचास युवतियों से अनैतिक सम्बन्ध हैं। मैं शर्म से गर्दन झुका लेता हूँ कि मैं न तो वह स्वामी ही हूँ और न उन युवतियों में से एक।

अख़बार में छपा है कि एक महानगर में बड़े लोगों की कन्याएँ वेश्यावृत्ति कर रही हैं। यह समाजवाद के अनुकूल है। नायिका भेद तो सामन्तवादी युग की चीज़ थी। अब तो सब औरतों को बराबर अधिकार प्राप्त हैं। इण्डिया गेट पर पुलिस प्रेमियों को पकड़ रही है जो एकदम उचित है। प्रेम करना निजी क्षेत्र में आता है, इस धन्धे का अभी राष्ट्रीयकरण नहीं हुआ। उसे सार्वजनिक स्थान में सम्पन्न करना सार्वजनिक सम्पत्ति का दुरुपयोग करना है। कानून बड़ी चीज़ है, वह इण्डिया गेट से भी ऊँची है। हमें उसकी इज़्ज़त करनी चाहिए अच्छे नागरिकों को यही शोभा देता है।

वर्षा की ऋतु है, बादल बरस रहे हैं, सोचता हूँ कि लगे हाथों भींग ही लूँ। क्या पता कि अगले बजट में बारिश में भींगने और वसन्त में गुलमुहर के देखने पर भी टैक्स लग जाए, मगर यहाँ भी तबीयत साथ नहीं देती। बांग्लादेश के लाखों शरणार्थी पता नहीं कहाँ भींग रहे होंगे! एक लोकगीत याद आ रहा है जिसमें अयोध्यावासी सोचते हैं कि पता नहीं राम और सीता इस समय किस वृक्ष की छाया में खड़े भींग रहे होंगे, मैं फिर उदास हो जाता हूँ अचानक सोचता हूँ कि मौके का फ़ायदा उठा लूँ, पता नहीं अगले साल उदासी पर ही कोई कर लग जाए। पहले टैक्स ख़ज़ाने में जमा करवाइए और फिर सरकारी अफ़सर के सामने उदास होइए ताकि आप उसी

अनुपात में उदास हों, जिसमें कि टैक्स का भुगतान किया गया है, सारे परिवार के एक साथ उदास होने पर विशेष छूट मिलेगी।

अख़बार कहता है कि गंगाजी में नाव डूब गयी और सत्तर आदमी मर गये। कितने भाग्यवान लोग थे कि गंगा में डूबे, किसी मामूली नाले में नहीं। कई जगह रेल गाड़ियों ने स्नेहपूर्वक एक-दूसरे का आलिंगन किया जिसके कारण कई आत्माएँ शरीर के बन्धनों से मुक्त हो गयीं। उस नाव वाले और इन रेल चालकों को परिवारों नियोजन वालों की तरफ़ से विशेष पुरस्कार मिलने चाहिए। सरकार को उचित है कि देश भर की नावों, बसों और रेल की पटरियों की मरम्मत पर कानूनी रोक लगा दे। अगर निरोध ने काम नहीं किया तो सिवा विरोध के चारा ही क्या!

सोचता हूँ कि विदेश चला जाऊँ, क्या पता सात समन्दर पार कोई सब्जपरी मेरा इन्तज़ार कर रही हो, क्या पता वहाँ कोई मेरी प्रतिभा का पारखी मिल ही जाए। यूगोस्लाविया में लोग चिन्तित हैं कि मार्शल टीटो के बाद कौन राष्ट्रपति होगा! हो सकता है, मैं उन्हीं के कुछ काम आ सकूँ। मगर रेल और जहाज़ के भाड़े इस क़दर बढ़ गये हैं कि कहीं जाने की हिम्मत नहीं पड़ती। रजिस्ट्री का ख़र्चा भी बढ़ गया है, नहीं तो डाक से ही चले जाते। अन्त में चलकर नहाने की तबीयत होती है, पर साबुन भी महँगा हो गया है और इस महत्त्वाकांक्षा पर भी काबू करना पड़ता ही है।

कुल मिलाकर हालत काफ़ी खस्ता है। मैं पूछता हूँ कि पार्टनर इस वातावरण में कोई हास्यकार कब तक हास्य लेख लिखता रहेगा?

शिक्षण संस्थानों के लिए नया कानून

प्रस्तावना

पिछले काफ़ी दिनों से देख रहा हूँ कि शिक्षण संस्थानों को लेकर समाचार पत्रों में काफ़ी समाचार और काफ़ी पत्र छापे जा रहे हैं। कभी किसी राज्य में दी गयी डिग्रियाँ वापस ली जा रही हैं तो कहीं लड़के राजकीय बसों की मदद से अश्वमेध यज्ञ करने में संलग्न हैं। एक प्रदेश तो इतना विकासशील निकला कि वहाँ कॉपियाँ देखें बग़ैर ही छात्रों को पास कर दिया गया। कॉपियाँ लेने कोई स्टेशन गया ही नहीं। स्थिति यह रही कि एक ओर तो रेलवे विभाग उन सारी उत्तर पुस्तिकाओं को बतौर रद्दी नीलाम करता रहा और दूसरी ओर विद्यार्थी लोग उन कॉपियों की जाँच के बिना ही उत्तीर्ण या अनुत्तीर्ण होते रहे। मेरा सुझाव है कि समाज की बदलती हुई मान्यताओं को ध्यान में रखते हुए शिक्षण संस्थानों के प्रति अपना दृष्टिकोण अब हमें बदलना ही होगा। सरकार को उचित होगा कि वह वास्तविकता को स्वीकार करे और शिक्षण संस्थानों के जीर्ण-शीर्ण मन्दिरों को पुनर्जीवित करने के लिए कानून बनाए। सरकार की सुविधा के नये इस कानून की मोटी रूपरेखा इस प्रकार प्रस्तुत की जाती है :

राज्य इस बात पर गम्भीरतापूर्वक विचार करेगा कि कपास की मिलों, जूतों की फ़ैक्टरियों और सिनेमाघरों के राष्ट्रीयकरण के बाद वह शिक्षण संस्थानों का भी राष्ट्रीयकरण करेगा या नहीं। जैसा कि ज़ाहिर है, इन वस्तुओं में वैसे भी कोई विशेष अन्तर अब रह नहीं गया है।

कानून इसको स्पष्ट करेगा कि शिक्षण संस्थान उनको दिये गये अनुदान का लेखा विवरण किसी को पेश नहीं करेंगे और न उनके आय-व्यय का ऑडिट ही होगा। शिक्षण संस्थानों के आय-व्यय का ऑडिट करना, ऑडिट का अपमान होगा।

सरकारी व ग़ैरसरकारी दोनों प्रकार के शिक्षण संस्थान इस बात का पूरा-पूरा ध्यान रखेंगे कि भाई-भतीजावाद के विकास को पूरा-पूरा अवसर प्रदान किया जाए। इस लक्ष्य को ध्यान में रखते हुए कोई शिक्षक या पदाधिकारी नियुक्त नहीं किया जाएगा जिसके भाई-भतीजे न हों।

ग़ैरसरकारी शिक्षण संस्थानों में मैनेजर व शिक्षक का सम्बन्ध ठीक वही होगा जो कि मालिक और कुत्ते का होता है।

व्यक्ति या संस्था को ऐसा कॉलेज या स्कूल खोलने का पूरा अधिकार होगा जिसमें न तो शिक्षक हों और न ब्लैकबोर्ड। किसी-किसी स्थिति में छात्रों का होना भी ज़रूरी नहीं समझा जाएगा।

सरकार के शिक्षा विभाग के अधिकारियों को यह निश्चित आदेश दिया जाएगा कि वे शिक्षकों के जीते-जी उन पर कोई ध्यान नहीं देंगे। निष्पक्ष और न्यायपूर्ण निर्णय देने के लिए यह आवश्यक होगा कि ऐसी सारी फ़ाइलें शिक्षकों की मृत्यु के बाद ही निबटायी जाएँ।

शिक्षकों की नियुक्ति के समय उनकी योग्यता, जाति, पहुँच और स्वास्थ्य का विशेष ध्यान दिया जाएगा। ज़रूरत इस बात की है कि और बातों के साथ-साथ शिक्षक ऐसा व्यक्ति हो जो शेष सारी दिशाओं में पूरी तरह असफल हो चुका हो और जिसका स्वास्थ्य भी औसत सेहतमन्द व्यक्ति के स्वास्थ्य से कम हो। ऐसे शिक्षक मात्र स्थाई ही नहीं साबित होंगे वरन् साथ-ही-साथ स्थिति यह भी होगी कि ऐसे दुर्बल अध्यापक को पीटने से छात्र लोग भी घबराएँगे। शिक्षण संस्थानों में शान्ति स्थापना के लिए यह एक मज़बूत क्रान्तिकारी क़दम होगा। ग़ैरसरकारी संस्थानों के शिक्षक अपना शेष समय कार्यकारिणी के सदस्यों की जी हुज़ूरी में गुज़ारेंगे। उनकी लड़की की शादी में नौकर का काम करेंगे और वक़्त ज़रूरत सेहरा भी पढ़ेंगे।

छात्रों की परीक्षाएँ पुस्तकों के साथ होंगी। ऐसा करना नक़ल करना नहीं माना जाएगा क्योंकि अन्ततोगत्वा संसार में मौलिक तो कुछ भी नहीं है। तुलसीदास तक ने आर्यासप्तशती से सामग्री आयात की है। कार्यकारिणी के सदस्यों के बच्चों को परीक्षा में बिना बैठे ही उत्तीर्ण किया जा सकेगा और इस स्थिति पर सरकार को कोई आपत्ति नहीं होगी।

छात्रों की उपस्थिति प्रतिदिन नहीं चेक की जाएगी। उन्हें जेल के बन्दियों की भाँति गिनना क़ैदियों का अपमान करना है। जब तक छात्रों की फ़ीस पहुँचती रहेगी तब तक वह स्वतः ही उपस्थित स्वीकार किया जाएगा।

फ़ीस माफ़ करते समय यह हर्गिज़ नहीं देखा जाएगा कि लड़का ग़रीब है या अमीर। कानून इस बात को स्पष्ट करेगा कि दरिद्र और असहाय विद्यार्थियों की कोई सहायता नहीं की जाएगी। जिसे भगवान ने ही दरिद्र बनाया है उसकी दरिद्रता को दूर करना परमपिता परमात्मा के कार्य में हस्तक्षेप करना माना जाएगा। इस हस्तक्षेप का हमें क्या हक़ है?

छात्र और छात्राओं का पूरा-पूरा अधिकार होगा कि वे अपने भावी जीवन के लिए अपने को हर प्रकार से तैयार करें। सफल विवाहित जीवन के लिए आवश्यक है कि छात्र और छात्राएँ शिक्षण संस्थानों में ही पूरी तैयारी के साथ मिल-जुल सकें।

इस अभियान में शिक्षकगण भी चाहें तो भाग ले सकते हैं। इस प्रकार के प्रयोगों से यदि किसी युवती का शीलभंग भी हो जाए तो उसे शिव के धनुषभंग की भाँति एक पवित्र क्रिया ही स्वीकार किया जाना कहीं ज़्यादा उचित होगा।

छात्रों को पूरा-पूरा अधिकार होगा कि वे शिक्षकों को किसी भी साइज़ का चाकू दिखाएँ, रेल में बग़ैर टिकट सफ़र करें, राजनीति में भाग भी लें। इन सब कार्यों को रचनात्मक कार्यक्रम के रूप में स्वीकार किया जाएगा और उन पर कोई आपत्ति नहीं उठायी जाएगी।

छात्रों-छात्राओं और शिक्षकों को यह पूरा अधिकार होगा कि वे नशीली वस्तुओं का खुलेआम प्रयोग कर सकें। ज़्यादा उचित तो यह होगा कि प्रत्येक शिक्षण संस्थान वस्तुओं का विक्रय स्वयं अपने हाथों में ही ले ले ताकि छात्र और छात्राओं को विशुद्ध माल हर समय उचित मूल्य पर उपलब्ध हो सके।

शिक्षण संस्थानों के किसी गृहयुद्ध में पुलिस हस्तक्षेप नहीं करेगी। शिक्षण संस्थानों की चहारदीवार के बाहर सम्पन्न की गयी हत्या को स्वाभाविक मृत्यु स्वीकार किया जाएगा।

अन्त में चलकर कानून इस बात को भी तय करेगा कि राजनीतिक पार्टियों को इस बात का पूरा अधिकार होगा कि वे शिक्षण संस्थानों की बिगड़ती स्थिति का पूरा-पूरा फ़ायदा उठाएँ। कानून यह भी कार्य करेगा कि जिस किसी संस्थान में पाँच वर्ष की अवधि तक कोई झगड़ा, उत्पात, मारपीट, हत्या या हड़ताल नहीं होती तो उसे मृत घोषित कर दिया जाएगा, उसका अनुदान बन्द कर दिया जाएगा और कोशिश यह भी की जाएगी कि वह शिक्षण संस्थान भी बन्द कर दिया जाए। जो संस्था या व्यक्ति युग के साथ नहीं बदलता तो उसे जीवित रहने का क्या हक़ है?

उपसंहार

मैंने जो कुछ ऊपर कहा है वह तो संकोच मात्र है। ये तो वे बातें हैं जो सरे राह चलते-चलते मेरे दिमाग़ से टकरा गयीं। सयाने लोग जब इस काम को करेंगे तो वह आला चीज़ होगी। हाँ अलबत्ता, अपने देशवासियों की ओर से यह अपील मैं ज़रूर करूँगा कि ऐसा कानून जितनी जल्दी बनाया जा सके, वह उतना ही श्रेयस्कर होगा। छात्र लोग बड़ी गति से आगे बढ़ रहे हैं। पहले वे रजिस्टर जलाया करते थे, अब वे रजिस्ट्रार को ही जलाना चाहते हैं। ऐसी तीव्र प्रगति के क्षणों में अगर वक़्त पर कुछ नहीं किया गया तो छात्र आगे निकल जाएँगे और कानून पीछे छूट जाएगा।

मैं पिटने के लिए पीड़ित हूँ

कभी-कभी मुझे हीन-भावना का दौरा-सा पड़ता है। इस दौरे के दौरान मुझे संसार की सारी वस्तुएँ हीन प्रतीत होने लगती हैं। साहित्य, समाज, कला, सरकार, युवतियाँ और मित्र– ये सभी अपने से हीन लगने लगते हैं। शास्त्रों की उक्ति याद आने लगती है कि संसार में जो कुछ भी है, उसमें मनुष्य सर्वश्रेष्ठ है। शास्त्रों में थोड़ा-सा संशोधन मैं ख़ुद कर लेता हूँ और सोचता हूँ कि मनुष्यों में जो सर्वश्रेष्ठ है, वह शायद यह ख़ाकसार ही है। हीनभावना की यह अनुभूति मनोवैज्ञानिकों की बतायी हीनभावना के विपरीत है। पर कभी-कभी ऐसे क्षण भी आते हैं कि मैं फ़्रायड की बतायी हुई दूसरी हीनभावना से ग्रस्त भी हो जाता हूँ और सोचने लगता हूँ कि मैं और लोगों से किसी क़दर हीन हूँ। जब से हरिशंकर परसाई के पिटने का समाचार मिला है तब से मुझे यही हीन भावना (नम्बर दो) सता रही है।

परसाईजी के पिटने से मुझे बड़ा दुख हुआ। दुख तो परसाईजी को भी हुआ पर मेरा दुख उनसे कहीं ज़्यादा है। पहला दुःख तो यही रहा कि परसाईजी जैसे सज्जन और प्रतिभावान व्यक्ति को बिना बात क्यों इस तरह पीड़ित किया गया? साहित्यिक व्यक्ति की और वह भी व्यंग्यकार की आत्मा तो सदा पीड़ित रहती है और क्या यह वाक़ई ज़रूरी है कि आत्मा के साथ उसकी देह को भी पीड़ा दी जाए? दूसरा दुख यह है कि यदि परसाईजी के साथ यह व्यवहार किया गया तो इसे वहीं क्यों रोक दिया गया है? हिन्दी की शेष विभूतियों पर यह कृपा क्यों नहीं दिखायी गयी? इनमें से कुछ तो ऐसे भी हैं जो क्या कानून और नैतिक मूल्य– सभी दृष्टि से चौराहे पर पिटने लायक़ हैं। इनमें से कुछ तो ऐसे भी हैं जिन्हें पीटने का यदि सामूहिक कार्यक्रम बनाया जाए तो मैं भी शायद भाग लेने को तैयार हो सकूँ। पुलिस से बचने के लिए नकली दाढ़ी-मूँछ लगायी जा सकती है जिससे किसी को ऐतराज़ नहीं होना चाहिए। तीसरा दुख यह है कि यदि बन्धुवर परसाईजी को यह पीड़ा दी गयी तो शेष व्यंग्यकारों को क्यों नहीं पीटा गया? ज़ाहिर है इसका मतलब यह हुआ कि हमलोग उतना अच्छा नहीं लिखते जितना परसाईजी लिखते हैं। हीन भावना यहीं ज़ोर पकड़ने लगती है। दुख यही है कि अपनी इस हीनता को तो हम

वैसे ही जानते थे। ओ पीटने वाले भाई, तूने परसाईजी पर चोट पहुँचाकर हमारे लिए यथार्थ क्यों ज़्यादा उजागर कर दिया? उत्तर दो, सुनो कैरा सुनो, क्या मेरी आवाज़ तुम तक पहुँचती है?

परसाई पहले व्यक्ति नहीं हैं जिन्हें पीटा गया हो। उनसे पहले न जाने कितने महान् लेखकों को यातनाएँ भोगनी पड़ी हैं। फ्लाबर्ट पर सालों तक फ़ौजदारी का मुक़दमा चला, ओ हेनरी और ऑस्कर वाइल्ड को जेल भुगतनी पड़ी। वाल्टेयर एक क़ैदख़ाने की तंग कोठरी में न जाने कितने वर्षों तक रहा और स्थिति यह रही कि जब वह प्रकाश में आया तो स्वयं सम्राट ने उसका स्वागत किया। दोस्तोएवस्की को साइबेरिया में क़ैद रहना पड़ा और अपने देश के कबीर को सिकन्दर लोदी के सिपाहियों और उस वक़्त के अन्ध-विश्वासियों ने अनेक बार खुलेआम पीटा। एक बार तो वे मूर्च्छित हो गये और कोई शैव उन्हें दयापूर्वक मन्दिर में ले गया। होश में आने पर जब कबीर को पता लगा कि वे शिवालय में हैं तो वे वहीं मूर्तिपूजा को गालियाँ देने लगे और इस स्पष्टवादिता का तात्कालिक परिणाम यह हुआ कि पुजारियों ने उन्हें शिवालय से उठाकर फिर वहीं फेंक दिया जहाँ से वे उन्हें लाये थे। कबीर ने अपनी स्थिति नहीं छोड़ी। डैनियल डिफो को खुलेआम यन्त्रणा दी गयी और वह बेचारा उन पर तरस खाता रहा। ईसा को फाँसी दी गयी और सुकरात को ज़हर। सच्ची बात कहने वालों की यही नियति रही। आगे भी यही रहेगी। दयानन्द सरस्वती जब-जब होंगे, उन्हें विष ही दिया जाएगा।

मैं कहाँ से कहाँ बहक गया! मैं यह भूल ही गया कि मैं हीन भावना से ग्रस्त नहीं हूँ, मैं तो वास्तव में ही हीन हूँ। मेरा ऐसा सौभाग्य कहाँ कि परसाईजी की भाँति कोई मुझे पीटे। मैं तो जन्मजात कायर हूँ। सुदर्शन चोपड़ा के शब्दों में जो कुछ लिखता हूँ वह जान-बूझकर ऐसा होता है कि किसी को चोट न पहुँचे। जब मैं ही किसी को चोट पहुँचाने की हिम्मत नहीं रखता, मुझे भला कोई क्यों चोट पहुँचाएगा? मेरे से और भी ज़्यादा जो प्रतिभावान साहित्यकार हैं, वे नेताओं और प्रशासकों की प्रत्यक्ष जी-हुज़ूरी करते हैं, कोई पागल है जो उन्हें पीटेगा?

ख़ैर असलियत यह है कि मैं पिटना चाहता हूँ। यह भेदभाव है कि परसाईजी पिटें और शेष व्यंग्यकार न पिटें। मुझे पता है कि पिटने पर कभी-कभी शरीर पर चोट लगती है। पिटने का अनुभव मुझे काफ़ी है हालाँकि उनके सन्दर्भ रीतिकालीन हैं। पिटने में जान चली जाए तो कोई फ़िक्र नहीं। पत्नी को चिन्ता थी, मगर जब मैंने नयी जीवन बीमा पॉलिसी लेने की बात सुझायी तो वह भी मान गयी। आर्यावर्त की पत्नियाँ कभी पति के कहने से बाहर नहीं गयीं। अगर पिटने से मैं परसाईजी के समकक्ष बैठने का हक़दार हो सकता हूँ तो इसमें किसी को कोई एतराज़ नहीं होना चाहिए।

तो भाइयो और बहिनो, मैं पिटने के लिए पीड़ित हूँ। कितनी शर्म की बात है

कि हमारा एक साथी पिट जाए और हम यों ही बैठे रहें। अगर हम पीटने वालों को पीट नहीं सकते हैं तो कम-से-कम उनसे या किसी दूसरे से पिट तो सकते हैं। मैं अपने को इस पुनीत कार्य के लिए पेश करता हूँ। ओ पीटने वाले बन्दुओ, आओ, चले आओ। संकोच मत करो। मेरे और तुम्हारे पास भी काम ज़्यादा और वक़्त कम है। मेरे पैरों की छाप पर छाप रखते चले आओ। जो स्थान और समय तुम्हें उपयुक्त हो, वह मुझे बता देना। मैं यथा समय वहीं पहुँच जाऊँगा। परेशानी हो तो पीटने के लिए लाठी भी मैं ही लेता आऊँगा। मेरे पिटने के बाद मेरा कल्याण ही होगा। तुम्हारा क्या हश्र होगा, यह मैं नहीं कह सकता। हो सकता है मेरे कुछ तथाकथित मित्र तुम्हें कोई तोहफ़ा दें और यह भी हो सकता है कि तुम्हें सज़ा भुगतनी पड़े। ख़ैर यह सब तुम्हारा भाग्य है। अज्ञेय के शब्दों में मेरा तो उद्यम तुम्हें सागर तक पहुँचाने का है। फिर वहाँ जो लहर हो, तारा हो, सोनतरी हो, अरुण सवेरा हो, वह सब हे मेरे वर्य, तुम्हारा हो, तुम्हारा हो, तुम्हारा हो...।

मध्यस्थ नहीं बनूँगा

प्राचीन काल में यदि किसी व्यक्ति को कोई वस्तु प्राप्त करनी होती थी तो उसके लिए तप करता था, यज्ञ करता था और अन्य पुण्य कर्मों में रुचि लेता था। राजा रघु ने इन्द्र से धन की प्राप्ति के लिए यज्ञ किया था और शिव को पति के रूप में पाने के लिए दक्ष की कन्या पार्वती ने हिमालय पर तपस्या की थी।

इसके बाद हालात कुछ बदल गये। जो काम पहले तप आदि से होते थे, वे अब बाहुबल से होने लगे। राजकुमारियों से विवाह करने के लिए स्वयंवर में भाग लेना ज़रूरी होता और राज्य प्राप्त करने के लिए युद्ध करना। स्वयंवर कभी-कभी इतने कठिन होते थे कि कुछ भोली राजकुमारियाँ तो अविवाहित ही रह जाती थीं और जहाँ तक युद्ध का प्रश्न है, उसमें कुछ नहीं तो कम-से-कम प्राण जाने का ख़तरा तो रहता ही था। इसी ख़तरे को ध्यान में रखते हुए सन्धि की प्रथा प्रारम्भ हुई। जैसे ही सन्धि की प्रथा आयी, वैसे ही उसे सम्पन्न कराने के लिए मध्यस्थ भी प्रकट हो गये।

अब मैं भाषा से परिभाषा पर उतरता हूँ। पार्किन्सन होता तो इस प्रक्रिया को 'डैफिनोलौजी' कहकर पुकारता। मध्यस्थ की परिभाषा के अनुसार वह व्यक्ति जो मध्य में रहता है, मध्यस्थ कहलाता है। वह न वामपन्थी होता है, न दक्षिणपन्थी, वह केवल मध्यस्थ होता है।

यों तो मध्यस्थ बनने की प्रथा काफ़ी पुरातन रही है पर जो आयाम इसे पिछले कुछ वर्षों में प्राप्त हुए, वे शायद पहले नहीं थे। पुरानी बात अलग थी। कृष्ण ने कौरवों और पाण्डवों के मध्य शान्ति स्थापित करने की पूरी चेष्टा की मगर स्थिति नहीं सँभली तब अर्जुन को युद्ध के लिए प्रेरित भी किया। ये सुख इन दिनों नहीं रहे। इन दिनों तो जो बीच में पड़ता है, वह दो पाटों के बीच चने के दानों वाली स्थिति को प्राप्त होता है। कलकत्ता के नगर सेठ अमीचन्द ने क्लाइव और मीरजाफ़र के बीच मध्यस्थ का जो पार्ट अदा किया था, उसकी गाथा हमें ज्ञात है। कुल मिलाकर स्थिति यह है कि मैं तो धनी और सुन्दर विधवाओं को छोड़कर और किसी के लिए भी मध्यस्थ नहीं बनना चाहता।

मगर इस संसार में मैं अकेला तो नहीं हूँ। परिवार-नियोजन के प्रचार के पूर्व की काफ़ी पैदावार देश में खड़ी है और मध्यस्थ बनने को उत्सुक है। कवि और कलाकार तक इसके अपवाद नहीं हैं। वे अभी भी महाकवि केशवदास का पार्ट अदा करना चाहते हैं जिन्होंने टोडरमल की सहायता से बीस करोड़ का वह ज़ुर्माना माफ़ करवाया था जो अकबर ने राजा इन्द्रजीत पर लगाया था क्योंकि अबुलफ़ज़ल की हत्या की साजिश में जहाँगीर के साथ वह भी शामिल था। मध्यस्थ बनने के लिए कवि केशवदास को क्या मिला था, यह पता नहीं। 'रामचन्द्रिका' से लेकर 'जहाँगीर जसचन्द्रिका' तक की सारी कृतियाँ इस विषय पर मौन हैं। ख़ैर, उन दिनों उन्हें जो मिला हो वह मिला हो, पर यदि वह ऐसे नाज़ुक मामले में इन दिनों हाथ डालते तो जेल जाते। आगे होते राजा टोडरमल, बीच में केशवदास और सबसे पीछे राजा इन्द्रजीत। तीनों का शानदारन चित्र खिंचता और अख़बारों के प्रथम पृष्ठ पर छपता।

मेरे अनेक मित्रों में से एक मित्र की जीवनगाथा यह स्पष्ट करती है कि आजकल मध्यस्थ बनने वालों की स्थिति इतनी दर्दनाक हो गयी है कि उसे शब्दातीत कहना कहीं अधिक उपयुक्त होगा। मेरे ये मित्ररत्न कहानियों को जन्म देते हैं। ऐसा करने में इन्हें कोई विशेष प्रसव-पीड़ा नहीं होती। स्थिति यह है कि प्रायः रोज़ ही एक या दो अदद कहानियाँ लिख लेते हैं। इनकी प्रेरणा के स्रोत अनन्त हैं। चौराहे तक निकले कि इतने प्लॉट उठा लिये कि महीने भर का काम निकल आये। एक बार तो एक ही औरत को लेकर इन्होंने पच्चीस कहानियाँ लिखी थीं। वह तो उस स्त्री विशेष का पति इन्हें पीटने की तैयारियाँ करने लगा नहीं तो ये उस नारी रत्न को लेकर एक महान् उपन्यास की सृष्टि कर डालते। दुर्भाग्यवश यही रहा कि उसके पति को उपन्यास की विधा में इतनी दिलचस्पी नहीं थी जितनी कि हाथापाई करने में। उसके असहयोग के कारण हमारा साहित्य एक विशिष्ट उपन्यास से वंचित रह गया।

जैसा कि होना था, एक दिन ऐसा भी आया कि इन कहानीकार के पास कोई पाँच सौ के क़रीब कहानियाँ एकत्र हो गयीं। इनका पूरा घर कहानियों से लद गया। ड्राइंगरूम में यथार्थवादी कथाएँ रखी थीं तो बाथरूम में ऐतिहासिक कथाएँ। रसोईघर में पारिवारिक जीवन की कहानियों का बण्डल पड़ा था और सोने के कमरे में दुखान्त प्रेम की कथाओं का। ख़ैर यों तो सारी ही कहानियाँ विश्व-साहित्य की अमरनिधि थीं, फिर भी हमलोगों ने उनके प्रथम संग्रह को प्रकाश में लाने के लिए कोई पच्चीस अदद कहानियाँ छाँटीं। मेरे कहने से एक प्रकाशक ने उन्हें छाप भी दिया। यहाँ तक तो सब ठीक रहा मगर इसके बाद जो कुछ गुज़रा, वह प्लासी की लड़ाई से ज़्यादा दर्दनाक रहा। प्रकाशक को सहसा पता लगा कि कोई भी कहानी मौलिक नहीं थी। वे या तो विदेशी कहानियों के अनुवाद थे या अन्य क्षेत्रीय भाषाओं की कथाओं के। उसका कहना था कि पुस्तक की भूमिका तक जेम्स व्यायस से चोरी की गयी थी। फ़्लैप पर जो मैटर था, वह बालजाक का था। कहीं-कहीं ऐसा

किया गया था कि कहानी का प्रारम्भ वुडहाउस का था, मध्यभाग गोर्की का और अन्तिम भाग प्रेमचन्द का। अपने ढंग की अनोखी कृति थी जो एक ही साथ न जाने कितने लेखकों का मज़ा देती थी।

ख़ैर, एक दिन इस सूचना को कहानीकार तक पहुँचाया गया। यह कष्टप्रद क्रिया मुझे ही सम्पन्न करनी पड़ी। कहानीकार ने सारी दास्तान बड़ी शान्ति और संयम के साथ सुनी। उसके बाद सिगरेट सुलगाकर कहने लगे कि वत्स तुम मेरी कहानियों की बात छोड़ो और विश्व के शेष साहित्य पर ध्यान दो। तब तुम्हें पता चलेगा कि सबकुछ अनुवाद-ही-अनुवाद है, मौलिक तो शायद बस लेखक ही होता है। साहित्य के हित में चोरी की परम्परा को उतनी गम्भीरता से नहीं लेना चाहिए।

मैंने उनकी वाणी सुनी और गद्गद हो लेने के बाद मैंने निश्चय किया कि जीवन में कुछ भी बनना पड़े बनूँगा, पर मध्यस्थ नहीं बनूँगा। वैसे मैं जानता हूँ कि कभी-कभी मध्यस्थ जो होता है वह इतना चतुर होता है कि सारा-का-सारा माल लेकर ख़ुद ही ग़ायब हो जाता है, पर मेरे लिए वह शायद कठिन हो। यहाँ मुझे मलिक मुहम्मद जायसी की याद सताती है जिसके नायक राजा रत्नसेन ने अपने और अपनी प्रेमिका रानी पद्मावती के बीच जो मध्यस्थ रखा था, वह इंसान न होकर हीरामन नाम का एक सुग्गा था। राजा रत्नसेन कितने दूरदर्शी थे! पद्मावती कहीं थी और वे कहीं, ऐसी स्थिति में यदि ऊपर वर्णित कहानीकार जैसा होनहार कोई मध्यस्थ होता तो राजा की प्रेमिका के साथ सिंहल द्वीप से ऐसा अन्तर्धान होता कि पता भी नहीं चलता।

रमणी-वर्णन

इन दिनों के अख़बार देवियों और श्रीदेवियों के चित्रों और समाचारों से भरे पड़े हैं। जब चुनाव होने जा रहे थे तब श्रीमती सोनिया गाँधी, कुमारी जयललिता, सुश्री ममता बनर्जी, कुमारी मायावती व श्रीमती सुषमा स्वराज की चर्चा ज़ोरों पर थी। टेलीविज़न पर तो प्रत्येक विज्ञापन के साथ किसी रूपवती रमणी को अभी भी अवश्य ही दिखाया जाता है, गोया यदि आप वह विज्ञापित वस्तु ख़रीद लें तो वह रमणी जो है वह आपको तो मुफ़्त ही मिल जाएगी! अख़बारों के सम्पादकीय भी नारियों के समाचारों से भरे पड़े हैं। मुद्दा चाहे संसद में उनके लिए सीटों के संरक्षण का हो या फिर उनकी हत्या, बलात्कार या अपहरण का। चुनावों के बाद भी इस स्थिति में कोई अन्तर नहीं आया।

इधर विदेशों में भी स्त्रियाँ समाचार-पत्रों में छायी जा रही हैं। हाल ही में कैलिफोर्निया में एक चोर एक घर में घुसा तो घर की मालकिन ने उसके सारे कपड़े उतार लिये और जूते तक नहीं छोड़े। दिन निकलने पर पुलिस ने हेलिकॉप्टर से देखा कि चोर महोदय जो थे, वे एकदम दिगम्बर की मुद्रा में एक पेड़ पर बैठे थे और उनकी साइकिल जो थी, वह पास के एक खेत में विश्राम कर रही थी। फिलीपीन के भूतपूर्व राष्ट्रपति श्री मार्कोस की पत्नी ने पति के पदच्युत होने के बाद तीन हज़ार जोड़ी जूते फिर इकट्ठे कर लिये। पेरिस में एक नया फ़ैशन शुरू हो गया जो धीरे-धीरे अमेरिका और इंग्लैण्ड में भी तेज़ी से फैलता जा रहा है। यह फ़ैशन है युवतियों का अपने पर्स में साँप रखने का। ये विषहीन साँप ज़िन्दा होते हैं, मुर्दा नहीं। साँपों की माँग व उनके दाम बढ़ते जा रहे हैं। फ़ैशन ने कन्या को विषकन्या बना दिया। और सबसे बड़ा हादसा तो सऊदी अरब में हुआ। वहाँ के अमीरों ने तो विलासिता में इतना पैसा उड़ाया कि अब वे अपने शानदार महल बेच रहे हैं। उन्होंने अपने दस हज़ार गुलाम नौकरी से निकाल दिये। वहाँ की लगभग पन्द्रह हज़ार राजकुमारियाँ महल छोड़कर सड़कों पर आनेवाली हैं। इससे ज़्यादा दुखद ख़बर और क्या होगी? ख़ुशी की ख़बर तो एक ही पढ़ी और वह यह थी कि इतिहास में पहली बार एक चन्द्रमुखी अन्तरिक्ष यान द्वारा चन्द्रमा तक पहुँची।

अमेरिका एक अमीर देश है। वहाँ कोई न कोई खोज चलती ही रहती है। एक मनीषी ने दस वर्षों की निरन्तर खोज के बाद यह बताया कि जो पति अपनी पत्नियों को पीटते रहते हैं, वे ही सबसे ज़्यादा ईमानदार प्रेमी होते हैं। जो पति अपनी पत्नियों को कोई कष्ट नहीं पहुँचाते, वे प्रायः धूर्त और आवारा होते हैं। इस निष्कर्ष पर पहुँचने के लिए इस शोधकर्ता ने पचास हज़ार दम्पतियों से विस्तार से बातचीत की। 'ढोल गँवार शूद्र पशु नारी, ये सब ताड़न के अधिकारी।'

एक और खोज एक ऐसे आयोग ने की जिसके सारे सदस्य पुरुष ही थे। इस आयोग की रिपोर्ट के अनुसार पुरुष ही ज़्यादा बेवफ़ा, लालची, नास्तिक व विलासी होते हैं, स्त्रियाँ नहीं। स्त्रियाँ बच्चों से ज़्यादा प्रेम करती हैं, ज़्यादा किफ़ायती होती हैं, ज़्यादा दानशील व धार्मिक होती हैं और यदि वे फ़ैशन भी करती हैं तो मात्र इस कारण कि पुरुष उनका वैसा करना पसन्द करते हैं। जितने भी पाप व अपराध किये जाते हैं, वे ज़्यादातर पुरुषों द्वारा ही किये जाते हैं, स्त्रियों द्वारा नहीं। स्त्रियों का शोषण प्रायः पुरुष ही करता है, झूठी गवाही पुरुष ही ज़्यादा देता है, विश्वासघात पुरुष ही ज़्यादा करता है और शराबी व जुआरी भी ज़्यादातर पुरुष ही होते हैं, स्त्रियाँ नहीं। पुरुषों की अपेक्षा स्त्रियाँ कहीं ज़्यादा कला-प्रेमी व साहित्य-मर्मज्ञ होती हैं और सड़क दुर्घटनाएँ भी ज़्यादातर पुरुष ही करते हैं न कि स्त्रियाँ। आयोग के अनुसार स्त्रियाँ परनिन्दा, आलस्य, भय व ईर्ष्या के अतिरिक्त और कोई दुर्गुण प्रायः कभी नहीं रखतीं। वे पुरुषों से आगे नहीं बढ़ना चाहतीं, यह उनकी सबसे बड़ी कमज़ोरी पायी गयी।

गोपनीयता की दृष्टि से भी स्त्रियाँ पुरुषों की अपेक्षा कहीं ज़्यादा विश्वसनीय होती हैं। स्कॉटलैण्ड यार्ड के भूतपूर्व महानिदेशक सर जार्ज स्मिथ के अनुसार, जासूसी करने के क्षेत्र में भी पुरुष कभी स्त्री का मुक़ाबला कर नहीं सकता। जाली नोट छापने वाले गिरोह का पता एक बहुत ही रूपवती स्त्री-जासूस ने लगाया था और वह भी इतनी चतुराई से कि कुछ कहा ही नहीं जा सकता। और बड़ी बात तो यह थी कि उस युवती ने उन भयानक लोगों के बीच में भी अपनी पवित्रता को कोई आँच नहीं आने दी थी। सात अपराधियों को उम्रक़ैद की सज़ा दी गयी थी जो अपील करने के कारण चालीस वर्ष की क़ैद में बदल दी गयी। प्रिवी काउंसिल के इस फ़ैसले से लोग बेहद हँसे थे, क्योंकि सारे अपराधियों की उम्र वैसे भी पैंसठ वर्ष से ज़्यादा ही थी। पशु-पक्षियों के प्रति प्रेम रखने के क्षेत्र में भी स्त्रियाँ सदा पुरुषों की अपेक्षा कहीं अधिक दयालु रहीं। मैं हिन्दी की एक बहुत बड़ी कवयित्री को जानता हूँ जो फालतू ग़रीब लोगों की अपेक्षा अपने फालतू पशु-पक्षियों का ज़्यादा ध्यान रखती थीं। इसी प्रकार हमारी एक राजनेत्री ने सरकस में शेर के करतब और सड़कों पर भालू और बन्दर का नाच दिखाने पर भी पाबन्दी लगा दी थी, जिसके कारण सरकस के कर्मचारी व पशुओं का नाच दिखाने वाले लोग भयंकर विपत्ति में पड़ गये। हमारी

एक रसायनशाला में कैंसर की सस्ती दवा बनाने का प्रयोग चल रहा था, जिसका परीक्षण बन्दरों पर किया जाता था। यह परीक्षण रोक दिया गया क्योंकि इससे बन्दरों को कष्ट पहुँचता था। रसायनशाला ने करोड़ों रुपयों का हरज़ाना माँगा और मामला हाईकोर्ट तक गया। हाईकोर्ट ने फ़ैसला होने तक बन्दरों पर परीक्षण करने की अनुमति दे दी। अमेरिका के ही एक और आयोग ने विश्व के सारे ही देशों के अनगिनत दम्पतियों से पूरी जाँच-पड़ताल की और वह इस निष्कर्ष पर पहुँचा कि प्रेम-विवाहों की अपेक्षा दक़ियानूसी विवाह कहीं ज़्यादा स्थाई होते हैं। सबसे ज़्यादा प्रेमविवाह अमेरिका में ही होते हैं और तलाक़ों की तादाद भी वहीं सबसे अधिक है। सन् 1985 में वहाँ 7 लाख 87 हज़ार तलाक़ हुए जो उस वर्ष हुए विवाहों की संख्या के 48 प्रतिशत थे। बाद में तो हालत और भी ख़राब हो गयी और फ़िलहाल स्थिति यह है कि शादियाँ कम हो रही हैं और तलाक़ ज़्यादा। यह स्थिति ज़्यादा दिनों तक नहीं चल सकती क्योंकि यदि शादियाँ ही नहीं होंगी तो तलाक़ कैसे होंगे? आयोग के अनुसार जिन धर्मों में एक से ज़्यादा पत्नियाँ रखने का प्रावधान है, वहाँ लगभग 98 प्रतिशत लोग एक ही पत्नी रखते हैं। ज़्यादा नहीं। तलाक़ों के कारण बच्चों का भविष्य बिगड़ रहा है, जिसकी चिन्ता वैटिकन के पोप तक को है। ज़्यादातर अपराधी वे ही नवयुवक हैं, जिनके माता-पिता के बीच प्रेम और वफ़ादारी नहीं थी। वेश्यावृत्ति अपनाने वाली युवतियाँ भी इसी कारण पतित हुईं क्योंकि उनके माता और पिता के आपसी सम्बन्ध ठीक नहीं थे। आर्थिक कारणों से पतित होने वाली युवतियाँ भी कम नहीं हैं। हालाँकि काफ़ी युवतियाँ मात्र एक 'थ्रिल' पाने के लिए 'कॉल गर्ल' बनती हैं। दुख की बात यह है कि ऐसी युवतियों की संख्या बढ़ती जा रही है। हालाँकि वे सब बड़े लोगों की स्त्रियाँ या पुत्रियाँ हैं। मानसिक रोगों के चिकित्सकों के अनुसार वे सब युवतियाँ बीमार हैं और इनका कोई भी इलाज सम्भव नहीं है। एक पादरी ने ऐसी कुछ युवतियों को सही मार्ग पर लाने की कोशिश की पर नतीजा यह निकला कि वे युवतियाँ तो ठीक नहीं हुईं पर वह पवित्र पादरी ज़रूर पथभ्रष्ट हो गया।

प्रेम-विवाहों के असफल होने का कारण वही है, जो अकबर इलाहाबादी ने बहुत पहले ही पकड़ लिया था। उनका कलाम इम प्रकार है—

तअल्लुक आशिक-ओ-माशूक का जो लुत्फ़ रखता था,
मज़े वे फिर कहाँ बाक़ी रहे बीवी-मियाँ होकर।

इक्कीसवीं सदी की नारी

इक्कीसवीं सदी के आने में अब ज़्यादा समय नहीं बचा। अगली सदी में नारी की स्थिति क्या होगी— इस मुद्दे पर 'स्त्री-प्रेमी' होने के कारण मैं भी यथाशक्ति चिन्तन-अनुचिन्तन करता रहता हूँ। इस निबन्ध में मैं इसी प्रश्न पर विचार करूँगा। भगवान मुझे सद्बुद्धि दे।

वैदिक काल में स्त्री व पुरुष, लगभग बराबर अधिकार रखते थे। हाँ, विधवा-विवाह की व्यवस्था शायद तब भी नहीं थी। हमारे दैनिक जीवन में सबसे ज़्यादा प्रभाव रखने वाले दोनों महाकाव्य स्त्री के प्रति अन्याय ही करते हैं। कैकेयी कोहकाफ की अप्सरा थी और इसी कारण राजा दशरथ ने 'रघुकुल की रीति' निभायी और रामचन्द्रजी को सीता के साथ वनवास जाना पड़ा। रावण ने सीता का अपहरण किया और रामचन्द्रजी ने राजा बालि को धोखे से मारकर उसकी पत्नी राजा सुग्रीव को दे दी। रावण मारा गया और रामचन्द्रजी सीता के साथ वायुयान के द्वारा अयोध्या लौटे और राजा बनने के बाद उन्होंने एक धोबी के कहने पर अग्नि-परीक्षा के बावजूद, सीता का परित्याग किया और स्वयं 'मर्यादा पुरुषोत्तम' कहलाए। महाभारत में अम्बा, अम्बिका और अम्बालिका— सबके पुरुषों ने धोखा दिया। कुन्ती व माद्री ने 'नियोग' की प्रथा से सन्तान प्राप्त की और द्रौपदी का चीरहरण भीष्म पितामह तक की उपस्थिति में सम्पन्न किया गया। यदि गान्धारी अपनी आँखों पर पट्टी नहीं बाँधती तो शायद महाभारत में इतना सर्वनाश नहीं होता। हमारी जितनी भी धार्मिक व पौराणिक कथाएँ हैं प्रायः उन सबमें स्त्री को देवी माना गया और फिर उसका पूरा शोषण किया गया। उर्वशी, मेनका व तिलोत्तमा की पवित्र करतूतों का हमें पता है। अहिल्या का क्या हाल हुआ, यह भी हम जानते ही हैं। भगवान श्रीकृष्ण 16108 गोपियों के साथ रास रचाते थे। तिष्यरक्षिता की कथा हम जानते ही हैं। मनु ने एक ओर तो यह कहा कि जहाँ स्त्रियों की पूजा की जाती है, वहाँ देवता रमण करते हैं, (पूजा आप कीजिए और रमण देवता करेंगे) वहीं दूसरी ओर यह भी कहा कि स्त्री को सदा पिता, पति व पुत्र की निगरानी में ही रहना चाहिए। मनु ने यह भी कहा कि देश का शासन कभी भी स्त्रियों के हाथों में नहीं देना चाहिए।

चाणक्य ने फ़रमाया है कि स्त्री के चरित्र को मनुष्य तो क्या स्वयं ब्रह्मा भी नहीं जानते। चाणक्य ने 'विषकन्या' का प्रावधान किया और यह भी कहा कि स्त्री वैसे ठीक है तो उसे निचले कुल से भी उठा लिया जाना चाहिए। कालिदास के अनुसार स्त्री यदि सुन्दर है तो शेष गुणों की चिन्ता करना अप्रासंगिक है।

यत्राकृतिः तत्र गुणाः वसन्ति। ज़्यादा रूप के कारण आम्रपाली को नगरवधू बनना पड़ा। बुद्ध के अनुसार दुःख पाना तो स्त्री के लिए एक अनिवार्यता है। दुःख से वे कभी भी मुक्त नहीं हो सकतीं। इसी असहाय वृत्ति के कारण वेश्यावृत्ति की परम्परा भी संसार में बहुत ही प्राचीन काल से चलती आयी। तमाम ज्ञान व अध्यात्म के बावजूद हमारा देश भी इस प्रथा से मुक्त नहीं रहा। धर्म के केन्द्रों में तो देवदासियों का और भी ज़्यादा शोषण हुआ। बाद में चलकर बौद्ध विहारों में काफ़ी दुराचार पनपा, जिसकी सारी ज़िम्मेदारी सुन्दर व सुडौल भिक्षुणियों पर ही डाली गयी। भिक्षुक लोगों का कोई दोष कभी नहीं बताया गया।

बाद के इतिहास में भी रज़िया बेग़म, नूरजहाँ, रानी रूपमती– इनको कोई विशेष सफलता नहीं मिली। रानी दुर्गावती, रानी अहिल्याबाई, झाँसी की रानी लक्ष्मीबाई व बेग़म हज़रतमहल ने बहुत वीरता व चतुराई दिखायी, पर इन सबके राज्य बहुत छोटे थे। हमारे राजाओं, नवाबों व बादशाहों के हरमों में सैकड़ों से लेकर हज़ारों तक परम रूपवती स्त्रियाँ रहती थीं, जिनकी बाक़ायदा 'स्टॉक-टेकिंग' तक होता था। 'हरम' की स्त्रियों की सन्तान 'हरामी' कहलाती थी। बाद में चलकर कम्पनी सरकार के अनेक सेनापति भी हरम रखने लगे। बंगाल में हिन्दू स्त्रियों की स्थिति इतनी ख़राब हो गयी थी कि यदि 'ब्रह्मसमाज' जैसे सम्प्रदाय व शरत् बाबू जैसे लोग जन्म न लेते, तो उनका उद्धार कभी भी न होता। विदेशों में भी स्थिति लगभग उतनी ही दुखान्त रही। क्लियोपेट्रा ने अपने छोटे से जीवनकाल में मात्र दस हज़ार प्रेमियों का ही उद्धार किया, जिसमें महान् रोमन सम्राट जूलियस सीज़र भी शामिल था। ट्राय नगर का नाश मात्र हेलेन नामक सुन्दरी के कारण किया गया। प्लेटो ने पत्नियों के 'समाजवादीकरण' की सलाह दी। कुल मिलाकर स्थिति यह रही कि सम्राज्ञी एलिज़ाबेथ (प्रथम) के अतिरिक्त और कोई भी स्त्री अपने राज्य को नहीं सँभाल सकी। महारानी एलिज़ाबेथ (प्रथम) ने मात्र दो पुरुषों से प्रेम किया, जिनमें से एक को उसे फाँसी की सज़ा देनी पड़ी। वह अविवाहित रही, निर्विवाद व उदार रही और 'ईस्ट इण्डिया कम्पनी' की स्थापना का चार्टर भी उसी के दस्तख़तों पर जारी हुआ। ब्रिटिश साम्राज्य की नींव उसी ने डाली। विश्व के समस्त इतिहास में उसके जैसी कुशल व चतुर रानी दूसरी कोई नहीं हुई। प्रत्येक देश का इतिहास सुन्दर युवतियों के भूगोल ने ही निर्मित किया। सारे धर्मों ने उसे आदर दिया, सारा साहित्य व संगीत उन्हीं को लेकर रचा गया, फिर भी जितना दुःख पुरुष के हाथों स्त्री को उठाना पड़ा, उसका कोई जवाब नहीं। तुलसीदास ने उन्हें 'ताड़न का अधिकारी'

घोषित किया और कबीर ने उन्हें 'नरक का द्वार' कहकर पुकारा। सभ्यता व संस्कृति के विकास के साथ-साथ स्थिति बदली। हमारे देश में ही स्त्रियाँ गर्वनर, मुख्यमन्त्री व प्रधानमन्त्री बनीं। एक स्त्री-गवर्नर भ्रष्टाचार के कारण पद से हटीं और अदालत ने उन पर मात्र दस लाख जुर्माना ठोंका। एक भूतपूर्व स्त्री-मुख्यमन्त्री 'केन्द्रीय जाँच ब्यूरो' की गिरफ़्त में हैं। एक सांसदा हैं जो शताब्दी एक्सप्रेस को जहाँ चाहें, वहाँ रुकवा सकती हैं। एक सांसद ने अपनी पत्नी के कारण गार्ड से झगड़ा किया और ट्रेन रुकवायी। एक और सांसद ने किसी और स्त्री को अदालत में पेश करके उससे तलाक़ ले लिया। असली पत्नी हाईकोर्ट गयीं जहाँ एक स्त्री-जज ने उस तलाक़ को ख़ारिज किया और निचली अदालत को डाँट पिलायी। मगर इन गिनी-चुनी स्त्रियों को छोड़ कर, हालत वही है, जो पहले थी। लगभग सारे विधवाश्रम, सारे नारी निकेतन और सारे ऐसे शेष संस्थान भ्रष्टाचार से भरे पड़े हैं। पुलिस की हवालात तक में स्त्री यदि सुरक्षित नहीं है तो फिर वह और कहाँ सुरक्षित रहेगी?

'स्त्री-मुक्ति' के आन्दोलन 'मुक्त स्त्री' के आन्दोलन मात्र हैं और कुछ नहीं। दूरदर्शन पर जो नये चित्र व विज्ञापन दिखाये जा रहे हैं, वे इतने निर्वसन और अश्लील हैं कि दिलीप कुमार जैसे कलाकार तक उनसे दु खी हैं। फ़िल्म अभिनेत्रियाँ या तो उन लोगों से शादी करती हैं जो पहले से ही शादीशुदा हैं या फिर विवाह के पूर्व ही वे सन्तान को जन्म दे रही हैं। विज्ञापित सामग्री की बिक्री बढ़ती जा रही है क्योंकि आम आदमी समझता है कि विज्ञापन में दिखायी गयी सुन्दरी उसे सामान के साथ मुफ़्त मिलेगी। एक ओर कन्याएँ जन्म लेते ही मारी जा रही हैं, अपनी मर्ज़ी के ख़िलाफ़ सती की जा रही हैं, दहेज के लिए जलायी जा रही हैं या फिर दलालों के द्वारा विक्रय के लिए विदेश भेजी जा रही हैं और दूसरी ओर विश्व-सुन्दरी की प्रतियोगिता आयोजित की जा रही है और सौन्दर्य की प्रदर्शनियाँ लगायी जा रही हैं। एक मत संग्रह के अनुसार, आज की लड़की आगे चलकर सुष्मिता सेन या ऐश्वर्या राय ही बनना चाहती है, मैडम क्यूरी या मदर टेरेसा नहीं। यह ठीक ही हो रहा है कि संसद में एक तिहाई स्थान स्त्रियों के लिए आरिक्षत किया जा रहा है। फ़िलहाल काफ़ी सांसद तो मात्र हिजड़े ही हैं, और कुछ नहीं। इस बार ज्ञानपीठ एवार्ड महाश्वेता देवी को मिला है, जो एक स्त्री ही हैं। पुराने ज़माने में तो काफ़ी स्त्री साहित्यकारों की इतिहास-लेखकों ने चर्चा ही नहीं की। कालिदास की नायिकाएँ भी प्राकृत ही बोल सकती हैं, संस्कृत नहीं। आकार, प्रकार व बलात्कार— ये केवल स्त्रियों के साथ ही होते हैं, पुरुषों के साथ नहीं। पुरुषों का पंचांग देखा जाता है जब कि कन्या के पाँचों अंग देखे जाते हैं। यह भेदभाव कब तक चलता रहेगा?

प्रकृति ने स्त्री को पुरुष से शारीरिक रूप से कम शक्तिशाली व हृदय से ज़्यादा संवेदनशील बनाया और सारे दुःख यहीं से शुरू हुए। जितनी दया, करुणा व ममता स्त्रियों के मन में होती है, उतनी आम आदमी के हृदय में कभी नहीं होती। स्त्रियाँ

ही पुत्री, बहन, पत्नी व माता बनती हैं पर फिर भी 'अर्धनारीश्वर' पुरुष उनका शोषण ही करता रहा। सारे आर्थिक, सामाजिक व नैतिक बन्धन पुरुषों ने मात्र स्त्रियों के लिए ही बनाये। यह बात भी पुरुषों ने ही कही कि पुरुषों के गुण प्राप्त करने पर स्त्री राक्षस बन जाती है, जब कि पुरुष जो है, वह स्त्री के गुण प्राप्त करने के बाद देवता बन जाता है। चूँकि स्त्रियाँ सदा ज़्यादा संवेदनशील और भावुक रहेंगी, पुरुष उनका शोषण सदा करता रहेगा। आशापूर्णा देवी के तीन उपन्यासों की कड़ी स्त्री की यही कथा कहती है। सारे संसार में यही स्थिति रही और यही रहेगी। मार्लिन मुनरो जैसी महान् रूपसी सारी उम्र सच्चा प्रेम ढूँढ़ती रही और अन्त में उसने आत्महत्या की। जैकी केनैडी इतनी अमीर और दुःखी थी कि उसका ख़र्चा प्रति मिनट तीन हज़ार डालर था। एलिज़ाबेथ टेलर का ख़र्चा प्रति सेकेण्ड एक हज़ार डालर रहा, पर उसे 'भूखी मादा भेड़िया' के अतिरिक्त और कुछ नहीं कहा गया। विलियम शेक्सपियर के शब्दों में 'ओ दुर्बलता तेरा ही नाम औरत है' (हेमलेट)। ऐसी स्थिति में स्त्री को कभी कुछ भी नहीं मिलने वाला। उसकी स्थिति 'आँचल में है दूध और आँखों में पानी' वाली रही, रहेगी और कुछ नहीं। अब मैं आपको दो सिद्ध कवियों की वाणी सुनाता हूँ और इस कालजयी निबन्ध को समाप्त करता हूँ। मौनात् सत्यं विशिष्यते।

हुस्न देखिए बुताने-काशी का
चेहरा कि चाँद पूर्णमासी का
चश्मे-तर देखकर वो मिस बोलीं
महकता है ये आबपाशी का

—अकबर इलाहाबादी

पढ़िए गीता
बनिए सीता
फिर इस सबमें लगा पलीता
किसी मूर्ख की हो परिणीता
निज घर-बार बसाइए
होंय कँटीली
आँखें गीली
लकड़ी सीली तबीयत ढीली
घर की सबसे बड़ी पतीली
भर कर भात पसाइए

—रघुवीर सहाय

अपनी जाति के प्रति

मुझे हिन्दी में लिखते-लिखते लगभग पन्द्रह वर्ष हो गये, मगर स्थिति क़रीब-क़रीब वही है जो पन्द्रह वर्ष पहले थी। जिसे अपनी कविता सुनाता हूँ वे कहते हैं कि ठीक है, मगर तुम्हारा गद्य कहीं ज़्यादा मार्मिक है और जिसे अपना गद्य सुनाता हूँ उनका भरत वाक्य होता है कि यों तो सब चलता है मगर असलियत यह है कि आपका काव्य कहीं अधिक कलापूर्ण है। मैं हूँ कि वहीं का वहीं हूँ और कुछ और साथी हैं, जो पता नहीं कहाँ से कहाँ पहुँच गये। कोई सम्पादक है तो कोई प्रकाशक, कोई सरकार का साहित्यिक सलाहकार है तो कोई विदेश में इस बात की खोज कर रहा है कि हिन्दी के लेखक विदेश जो जाते हैं, वे क्यों जाते हैं! आज मैं इन विशिष्ट क़िस्म के साहित्यिकारों की कुछ चर्चा करूँगा।

सफल साहित्यकारों में सबसे पहले वे आते हैं, जो विदेशी रचनाओं का अनुवाद बिना किसी हिचक के अपने नाम से छपवाते हैं। विदेशी सामग्री का ये इतना ज़्यादा आयात करते हैं और वह भी बिना सीमा कर दिये या शासन से बिना आज्ञा प्राप्त किये हुए कि आप उन्हें निःसंकोच हिन्दी का हाजी मस्तान कह सकते हैं। उन्होंने आलीशान इमारतें खड़ी कर लीं, जबकि सच्चे साहित्यकार वहीं बेचारे चौराहों पर भीगते रहे। इनमें से जो लेखकप्रवर प्रकाशक हो गये उनका तो कहना ही क्या! जो जो ज़ुल्म कभी किसी प्रकाशक ने इस पर ढाया था, उसे ये अब बाक़ी लेखकों पर ढाते हैं। नतीजा ज़ाहिर है– करुण रस साहित्य में ज़ोर पकड़ रहा है। लेखक को ऐसी स्थिति में रखना कि वह करुण रस की ही सृष्टि करता रहे, सिर्फ़ प्रकाशक की ज़िम्मेदारी है। कितने सन्तोष का विषय है कि आधे से ज़्यादा प्रकाशक अपनी इस ज़िम्मेदारी से कभी पीछे नहीं हटे। लेखक के परिवार को रोते देखकर इन्हें भी दुख होता है पर ये मजबूर हैं। साहित्य के हित में ऐसे दुखों पर क़ाबू रखना ज़रूरी जो ठहरा।

कुछ लेखक मित्र हैं, जो सेक्स और अपराध को लेकर हर हफ़्ते एक किताब निकाल रहे हैं। इन पुस्तकों का मुखपृष्ठ काफ़ी ईमानदारी के साथ अन्दर के माल की ख़बर देता है। ये किताबें लाखों में बिकती हैं। इन लेखकों में से कुछ को तो

मैं जानता भी हूँ वे बेचारे इतने भोले हैं कि सेक्स या अपराध का कोई व्यक्तिगत अनुभव तक नहीं रखते। प्रकाशक जो माँगता है, वे दे देते हैं। उनकी सारी कृतियाँ मौलिक हैं। अगर प्रकाशक कल को भगवान चैतन्य के जीवन पर एक पुस्तक चाहे तो उसे भी ये उतनी ही ईमानदारी से उतने ही समय में प्रस्तुत कर सकते हैं। इनकी प्रतिभा सर्वतोमुखी है और इनकी गति अनन्त।

इस सन्दर्भ में मुझे कुछ ऐसे साहित्यकारों की याद भी आ रही है, जो अपना अभिनन्दन स्वयं ही जुटाते रहते हैं। किसी दिन आपको सहसा पता लगेगा कि अमुक लेखक साठ वर्ष के हो गये। इसके बाद ये चिट्ठियाँ लिख-लिख कर लेख मँगवाते हैं, छपवाते हैं और अभिनन्दन ग्रन्थ की जिल्द बँधवाते हैं। यह ग्रन्थ कभी-कभी इतना स्वस्थ होता है जितना कि ये लेखक भी कभी नहीं थे। इसके बाद हॉल बुक होता है, देश की किसी महान् हस्ती को बुलाया जाता है जो इनकी एक अदद गर्दन में चन्द अदद हार डाल सके। यह सब होता है और इस सबका पूरा ख़र्चा लेखक स्वयं उठाता है। साहित्य के लिए कितना बड़ा त्याग है! ज़्यादा सोचने पर महसूस होता है कि त्याग ही त्याग है, साहित्य तो कहीं दूर-दूर तक नहीं है।

इसी सिलसिले में एक और रिवाज़ याद आ गया, जो कुछ साल पहले ही निकला है। कुछ होनहार लोग हैं, जो अख़बार निकालते हैं, जिसका वर्ष-भर में एक ही अंक छपता है। इस अंक का शास्त्रीय नाम है– वार्षिकी। इसमें एक तरफ़ विज्ञापन होते हैं और एक ओर रचनाएँ। थोड़ा और आगे बढ़ने पर सिर्फ़ विज्ञापन ही विज्ञापन रह जाते हैं। मेरा ख़याल है कि ऐसी वार्षिकी एक ही वर्ष में सहस्त्रों का मुनाफ़ा दे जाती है। पुराने नीतिकार गधे थे जो कहते थे कि विद्वान् भूखा रहता है। वे दिन अब गये। अब तो कलाकार पाँच सितारों वाले होटल में ठहरता है। आठ सितारों वाली फ़िल्मों के लिए गाने या पटकथा लिखता है और सलमे सितारों वाली लड़की के साथ घूमता है।

कुछ कवि हैं जो 'बहुजन हिताय' वाले नारे में इतनी आस्था रखते हैं कि काव्य-पाठ करने आज ग्वालियर जा रहे हैं तो कल जैसलमेर। दिन को सोते हैं और रात-रात भर मंच पर खड़े होकर काव्य-पाठ करते हैं, चुटकुले सुनाते हैं, मदिरापान करते हैं और आपको याद दिलाते हैं कि पारसी थिएटर का विदूषक जो होता था वह कैसा होता था!

इन सबके ऊपर साहित्य के वे ठेकेदार हैं, जो मन्त्रियों और सन्त्रियों से जान-पहचान पैदा करते हैं, अनुदान लेते हैं और बिना कुछ लिखे-पढ़े लेखकों का नेता बनने का भार स्वीकार करते हैं। उनके पास सेहरा भी तैयार रहता है और मरसिया भी। कोई बड़ा आदमी मरा है तो अख़बार में उसका फ़ोटो कम जगह लेता है और इनका ज़्यादा। ये साहित्य के पण्डे हैं, द्वारपाल हैं, और उसके शव को जलाते भी हैं। इनकी गति वाक़ई अनन्त है। राजा भोज को किसी भी कवि की

कविता अच्छी लगे, पर वह जो 'प्रत्यक्षरं लक्षं ददौ' वाला इनाम है, वह इन्हें मिलता है और मिलता रहेगा।

बात यह है कि मैं कितना भी व्यंग्य क्यों न लिखता रहूँ, कितना भी अच्छा क्यों न लिखता रहूँ, प्रतिष्ठा और ऐश्वर्य का जो रंग है वह इन्हीं साहित्यकारों को मिलता रहेगा। इस स्थिति से बचना असम्भव है। बस यही जानकर सन्तोष होता है कि ऐसी परम्परा इतिहास में शायद हमेशा रही है।

एक सलाह केवल शिकारी कथाकारों के लिए

कवि, कथाकार और इससे पूर्व व्यंग्यकार। व्यंग्य सामयिक भी लिखे हैं और शाश्वत भी। सारे कथाकारों से मैं कहना चाहता हूँ कि शिकार की कहानियाँ लिखना साहित्य की और विधाओं से कहीं कठिन काम है। इसका प्रमुख कारण यह है कि जिस तरह आजकल युद्धों का इतिहास सुनहरे फ्रेम का चश्मा लगाने वाले उन प्रोफ़ेसरों द्वारा लिखा जाता है जिन्होंने अजायबघर के बाहर कभी नंगी तलवार तक नहीं देखी, उसी तरह शिकार की कहानियाँ भी आमतौर पर वे लोग लिखते हैं जिन्होंने कभी शिकार नहीं किया। क़रीब आधा दर्जन जिम कार्बेटों को छोड़कर सारे संसार के शेष शिकारी प्रायः बे-पढ़े होते हैं और वे स्वयं कुछ नहीं लिख सकते। ऐसी स्थिति में यदि शाकाहारी लेखक कल्पना के सहारे शिकार-साहित्य की सृष्टि की ज़िम्मेदारी से बचना चाहे तो शायद शिकार-साहित्य समाप्त ही हो जाए। यहाँ यह भी बताना ज़रूरी है कि जैसे आजकल शिकार और इतिहास जैसे यथार्थमूलक विषय कल्पना के आधार पर लिखे जाते हैं वैसे पिछली शताब्दी तक कविता और उपन्यास इत्यादि कल्पना के सहारे लिखे जाया करते थे। इन दिनों यह चलन छूट गया है और कल्पना का प्रयोग केवल शिकार और इतिहास के सन्दर्भ में ही किया जाता है।

यद्यपि इतिहास और शिकार दोनों में ही कल्पना को आधार मानकर चलना पड़ता है, फिर भी इतिहास को लिखना शिकार की अपेक्षा सरल है। इसका कारण यह है कि 'कैनवास' के बड़ा होने के कारण इतिहास में कल्पना की उड़ान के लिए स्कोप ज़्यादा रहता है। अगर कोई विद्वान् यह लिखते हैं कि पानीपत की पहली लड़ाई में 20,000 योद्धा खेत रहे थे जबकि दूसरी में 80,000 तो हमें किंचित् मात्र भी सन्देह नहीं होगा क्योंकि यह तर्क किया जा सकता है कि दोनों युद्धों के बीच पानीपत के इलाक़े की जनसंख्या ज़रूर इतनी बढ़ गयी होगी और जंगलों वग़ैरह के कट जाने से खेतों का विस्तार होना भी स्वाभाविक है। परन्तु कोई लेखक इसी तरह यह कह दे कि रुद्रप्रयाग के नरभक्षी की पाँच टाँगें या दो पूँछ थीं तो सम्भव है कि बुद्धिमान पाठकों में से कुछ को थोड़ी देर के लिए संशय-सा हो। इन सभी कारणों से शिकार की कहानियाँ लिखना काफ़ी कठिन काम माना जाता है। सच बात तो

यह है कि बिना शेर के शिकारी की कहानी पढ़े शेर का शिकार किसी-किसी स्थिति में ज़्यादा सरल काम है बनिस्बत इसके कि बिना शेर का शिकार किये आपसे उसके शिकार की कहानी लिखने का आग्रह किया जाए।

शिकार की कहानियों के सन्दर्भ में कुछ आवश्यक बातें ध्यान में रखना लेखकों के लिए आवश्यक है। पहली बात तो यह है कि जिस इलाक़े में शिकार किया जा रहा हो, उसका भौगोलिक ज्ञान होना किसी हद तक ज़रूरी है। गढ़वाल के जंगलों में दरियाई घोड़ों का शिकार नहीं किया जा सकता और न ही बंगाल की खाड़ी में हिरनों के पीछे भागा जाता है। थोड़ा-बहुत ज्ञान उस इलाक़े की ऋतुओं, वन-वनस्पतियों और वहाँ के निवासियों का होना ज़रूरी है। इस प्रकार का ज्ञान कहानी को यथार्थवादिता का पुट देता है। वैसे इस प्रकार की स्थिति से वचा जा सकता है जैसा कि एक भारतीय लेखक की कहानी में हाल ही में किया गया है। ये सज्जन रात को जीप पर नदी तक जाते हैं और फिर एक पेड़ पर बन्दूक लेकर रात-भर के लिए जम जाते हैं। रात होने के कारण न तो इन्हें यह पता है कि किस प्रकार के जंगल, जानवर और रास्ते इस इलाक़े में हैं और न इस बात का ही अन्दाज़ है कि किस जानवर का इन्हें शिकार करना है। इन बातों का पता आपको सुबह होने पर अलबत्ता ज़रूर लग सकता है पर इनकी कहानी पाँच बजे ख़त्म हो जाती है जब ये थककर पेड़ पर सो जाते हैं और बन्दूक खिसककर नीचे गिर जाती है। अब आप इन्तज़ार करते रहिए कि कब सुबह हो, कब लेखक महोदय सोकर उठें और कब अगला क़िस्सा शुरू हो।

शिकार की कहानियों में शिकारी का प्रयत्नशील और अध्यवसायी होना ज़रूरी होता है। शिकार हाथ से निकल जाने पर भी वह उसका पीछा करता है, एक जंगल से दूसरे जंगल में जाता है, एक पेड़ पर से दूसरे पेड़ पर चढ़ता है, नदियाँ पार करता है, मचान बाँधता है, मादा शेर की बोली बोलता है, कुत्ते को लेकर भयंकर गहराइयों में उतरता है (और यदि कुत्ता ऐसे अवसरों पर नहीं उतरता तो वह फिर वापस जाकर कुत्ते को लेकर नीचे उतरता है) वग़ैरह-वग़ैरह। अन्य प्रकार के गल्प-साहित्य में हीरो अगर अपने शिकार यानी हीरोइन का इतना पीछा करते रहे तो वह बेशर्म और चरित्रहीन कहलाएगा पर शिकार के सन्दर्भ में ठीक उल्टा ही कॉम्प्लेक्स करता है। इस वर्णन से दो लाभ होते हैं– एक तो आपके नायक का चरित्र-चित्रण होता है और दूसरे कहानी का कलेवर भी बढ़ता जाता है। नायक का चरित्र विस्तार में जताना इसलिए भी आवश्यक होता है कि आमतौर पर शिकारी की कहानियों में तीन ही पात्र होते हैं– शिकारी, एक बकरी और शेर। और इनमें केवल शिकारी ही ऐसा होता है जिसका चरित्र-चित्रण विस्तार में किया जा सके। जहाँ तक बकरी और शेर का प्रश्न है, उन सबके चरित्र प्रायः दूसरी बकरियों और शेरों जैसे ही होते हैं और उनमें विश्लेषण की ज़्यादा सम्भावना नहीं रहती। आमतौर पर बकरी के मारे

जाने से पूर्वकालीन स्थिति में बकरी और शेर दोनों थोड़ा-बहुत शोर करते हैं, दोनों की नसों में तनाव रहता है, दोनों के अवचेतन मस्तिष्क किसी घनीभूत पीड़ा के कारण आकुल रहते हैं और बकरी के खाये जाने पर प्रायः दोनों जानवर शान्त हो जाते हैं। जहाँ तक कलेवर बढ़ाने का प्रश्न है, मुझे हिन्दी के एक हास्य लेखक की याद आती है जिन्होंने आधा तीतर के शिकार पर लगभग पन्द्रह पेज दबाकर लिखे हैं। इधर सुना है, ये सज्जन शेर-बब्बर के शिकार पर एक ग्रन्थ की सृष्टि कर रहे हैं। मेरे विचार से पुस्तक कई खण्डों में विभक्त होगी, खण्ड एक शिकार पूँछ का, खण्ड दो शिकार बायें भाग का, खण्ड तीन शिकार तीन पसलियों का, वग़ैरह-वग़ैरह। शेर कहीं आख़िरी खण्ड में जाकर दम तोड़ेगा और तब तक पाठकों में से कुछ उसी स्थिति को पहुँच चुके होंगे।

कभी-कभी शिकार की कहानियों में एक ऐसा भी व्यक्ति स्थान पाता है जो 'गाइड' कहलाता है और जो शिकार के बारे में अपने अनुभवों से हमारे हीरो की यथासम्भव सहायता करता है। ऐसा व्यक्ति प्रायः पुराना सधा हुआ घाघ शिकारी होता है। इस सन्दर्भ में मुझे अपने मित्र ठाकुर जंगवीर के चाचाजी की याद आना स्वाभाविक है। इन सज्जन की तीन चौथाई उम्र शिकार ही में व्यतीत हुई। सात दिन पूरे तामझाम के साथ ये जंगल-दर-जंगल घूमते और शाम को झुटपुटा होते-होते बिना एक गोली ख़र्च किये घर लौटते। इधर इनकी सेहत काफ़ी गिर गयी है पर शिकार की दिलचस्पी उतनी ही है। अगर कोई साहब गन्दी पतलून पहने, बन्दूक उठाये मालागढ़ के पहाड़ या मतवाली के जंगलों की ओर जाते दिख जाए तो ये उसे रोककर बड़े रौब से पूछते हैं "वाह! तो शिकार पर निकले हैं बरख़ुरदार?"

"जी, इरादा तो ऐसा ही है।"

"हूँ शेर का शिकार करोगे?"

"जी हिम्मत बढ़ाएँगे तो कोशिश ज़रूर करेंगे। वैसे शेर का शिकार तो बड़े दिलेर और तक़दीर वाले को मिलता है।"

इतना कहने के बाद वह नवसिखिया शिकारी चाचा साहब के मुँह की ओर देखने लगता है कि शायद ये भी साथ चल रहे हों या कोई गुर की बात बताने वाले हों। इतने में सीना फुलाकर, बुश्शर्ट का बटन बन्द करते हुए चाचा साहब बुलन्द आवाज़ में एक जन्मजात शिकारी के स्वाभाविक रौब के साथ पूछते हैं, "हाँ तो शेर का शिकार करोगे?"

"जी कर लेंगे।"

चाचाजी (थोड़ा रुककर) "अच्छा तो जाओ, करो!" और इतना कहकर वे दूसरी ओर देखने लगते हैं।

शिकार की कहानियों के सन्दर्भ में एक और विशेष और अन्तिम बात यह है कि उनमें शिकार की तैयारियों का वर्णन बड़े ज़ोर-शोर से किया जाता है। शिकार

का नब्बे फ़ीसदी मज़ा तैयारी में ही होता है। गाय मदलून ने बीस-बीस पेजों में अटैचियाँ बाँधने, जीप में पेट्रोल भरने और टायर बदलने और फॉरिस्ट-रेंजर से मिलने का वर्णन किया है। इस विशद वर्णन का वास्तविक शिकार से क्या सम्बन्ध है, यह जानने के लिए आप उसकी दूसरी कहानी पढ़ते हैं और कभी-कभी लेखक से मिलना भी चाहते हैं। इस प्रकार इससे लेखक की लोकप्रियता भी बढ़ती है। वास्तव में तैयारी के अतिरिक्त और शिकार है ही क्या? यदि शिकार पर कोई एकांकी नाटक लिखा जाए तो पहले दो दृश्य तो तैयारी से ही सम्बन्धित होंगे। अन्तिम दृश्य कुछ-कुछ इस प्रकार होगा :

परदा उठता है।

(वन का दृश्य : रात का समय : वर्षा की ऋतु : लगभग 1 बजकर 41 मिनट: अँधेरे के कारण सही समय घड़ी से बता सकना कठिन)

इसके बाद रात और अँधेरा का वर्णन किया जाएगा ताकि अन्तिम दृश्य और दृश्यों की अपेक्षा छोटा न हो जाए। एकांकी में अंक एक ही होता है, पूरे नाटक के पृष्ठों की संख्या बराबर रखी जाती है।

तीसरे दर्ज़े का डिब्बा, मूँगफली व रोमाँस

उस तीसरे दर्ज़े के डिब्बे में जैसे ही हम लोगों को बैठने की जगह मिली, वैसे ही मेरी बग़ल में कुहनी मारकर वर्माजी ने कहा, "यार सुनो, उस सामने की सीट वाली औरत के बारे में तुम्हारा क्या ख़याल है?"

"कौन-सी सामने वाली सीट?"

"अरे यार, वह बाथरूम के पास वाली।"

"अरे कौन-सी औरत?"

"अरे वही जो बैठी है।"

"ठीक है। अच्छी-ख़ासी औरत है। मेरे ख़याल से काफ़ी अच्छी सेहत की है। हालाँकि उमर अस्सी से कम नहीं है, पर फिर भी सामने के दाँत..."

"यू ईडियट, अरे वह नहीं, वह कोई औरत है? वह तो बूढ़ी है।" मैंने नोट किया कि बूढ़ी होने पर औरत औरत नहीं रहती। इतना नोट करने के बाद मैं बोला, "सारी माई फ्रेण्ड...मैं ग़लत समझ गया। मैं नहीं समझा कि तुम्हारा इशारा उस बराबर वाली लड़की से है। ठीक है। मेरा उसके बारे में कोई ख़ास ख़याल नहीं। उस उमर में बच्चों को पढ़ने-लिखने पर उतना ही ध्यान देना चाहिए जितना कि सेहत पर। हिन्दुस्तान में बच्चों को या तो पढ़ाते ही नहीं हैं और फिर पढ़ाते हैं तो इस ज़ोर-शोर से कि वह बचपन में ज्ञानी पुरुष हो जाए। देखिए, क्या उमर है इसकी और बस्ता देखिए बेचारी का। मेरे ख़याल से छुट्टियाँ हो गयी हैं कॉन्वेण्ट की। इधर के कॉलेजों में यह बात अच्छी है कि वे छुट्टियों में बन्द रहते हैं। मेरे ख़याल से दो-चार साल बाद जब यह लड़की दस-बारह साल की हो जाएगी तो शायद पढ़ने के लिए कहीं दूर जाए।"

"यू फूल!" वर्माजी ने गुर्राकर कहा, "मैं उस नादान बच्ची का ज़िक्र नहीं कर रहा हूँ जिसका आप नख-शिख वर्णन करने पर तुले हैं। श्रीमानजी, मेरा मासूम इशारा उस काली शॉल वाली नौजवान लड़की से है जो खिड़की में से सर निकाले 'माया' पढ़ रही है। क्या ग़ज़ब की मासूमियत है! देखा कुछ, दोस्त? अब बताओ, क्या ख़याल है तुम्हारा..." इतना कहने के साथ थोड़ा-सा रुक गये और फिर बिना

मेरे ख़यालों का इन्तज़ार किये धीरे-धीरे कोई विरह-गीत गुनगुनाने लगे।

वर्माजी की आदत से हम वाकिफ़ थे। वे राष्ट्र के उन होनहार युवकों में से थे जो हर नवयुवती की सेवा के लिए चौबीस घण्टे कलेजा निकाले फिरते हैं। जैसे ही कोई ख़ास नाक-नक्श वाली लड़की इनकी दृष्टिपथ पर उतरी कि इनके मन-मन्दिर में प्रेम के घण्टे बजने लगे। वह तो परमपिता परमात्मा की कृपा से इस वक़्त वे गाँधी आश्रम के पट्टू की मोटी वास्कट पहने हुए थे, नहीं तो भरे डिब्बे में उनका दिल निकलकर सामने की सीट पर जा पहुँचता। मैं उनकी इस आदत को ज़्यादा पसन्द नहीं करता था, क्योंकि इन्हीं कारणों से कई बार काफ़ी परेशानियों में पड़ चुका था। उसी पुराने इतिहास को ध्यान में रखते हुए जैसे ही मैं उनके प्रति कोई रचनात्मक कार्रवाई करने जा रहा था, एक भारी-भरकम नौजवान डिब्बे के भीतर आये और अपनी बड़ी-बड़ी मूँछों पर बल देते हुए हमारी सीट पर मुस्कराकर देखने लगे।

इन सज्जन की मूँछें वाक़ई काफ़ी बड़ी थीं। उन्हें देखकर यह आसानी से कहा जा सकता था कि मूँछें उगाना उनका पुश्तैनी धन्धा था, क्योंकि एक पीढ़ी में पूँछों का इतना उग आना कठिन काम है। ध्यान से देखने पर हमें पता लगा कि वे काफ़ी खिलखिलाकर हँस रहे थे। पर मूँछों के कारण हम उसे उनकी मुस्कराहट ही समझ रहे थे। वर्माजी ने अपने को किसी तरह सँभालते हुए पहले तो उनसे कुछ प्राथमिक जानकारी प्राप्त की जैसे कि कहाँ से आ रहे हैं, कहाँ तक जा रहे हैं, मूँछें कहाँ तक जा रही हैं और इसके बाद उसने उन्हें इंजन के पास वाले डिब्बे में बैठने की सलाह दी। सान्याल जो पास ही बैठा था, बोला कि इंजन के पास वाले डिब्बे में इतनी जगह है कि अगर हम लोगों को अकेले बैठने से डर न लगता होता तो हम हर्गिज़ इस ज़लील डिब्बे में क़दम नहीं रखते। ये सज्जन फिर भी मुस्कराते हुए मूँछों पर हाथ फेरते रहे। इसके बाद सान्याल ने नये ख़रीदे टाइम टेबिल में से पढ़कर दूसरी गाड़ियों का वक़्त और किराया बताया। ठाकुर साहब जो अब तक ऊपर की सीट पर अपना आसन ग्रहण कर चुके थे, बोले कि मालगाड़ी का वक़्त भी बताया जाए। मगर इन सज्जन पर इन हल्की-फुल्की बातों का कोई प्रभाव नहीं हुआ। धीरे-धीरे गाड़ी चल पड़ी और जैसे ही वर्माजी उन्हें उतारने की सुविधा के लिए जंज़ीर खींचने को बढ़े, इन सज्जन ने हँसते हुए कहा कि दरअसल इस सीट पर वे कानपुर से सोते आ रहे हैं। इस स्टेशन पर वे ज़रा मुँह धोने और मूँगफलियाँ ख़रीदने उतरे थे। खिड़की के पास बैठते हुए उन्होंने यह भी बताया कि जिस गद्दे वाले होल्डॉल पर हम लोग बैठे हैं वह उन्हीं का है। चूँकि उस बिस्तर का कोई और हक़दार हमें वहाँ नज़र नहीं आया, ठाकुर साहब ने कहा कि हम उनकी बात पर यक़ीन करें।

यह तो पता हमें लग ही चुका था कि वे सज्जन काफ़ी ख़ुशमिज़ाज हैं। अगर कोई और होता तो वर्माजी की हरकतों पर पंजाबी सूबे का फ़ैसला हो जाता। इधर, ये सज्जन थे कि इन्होंने न केवल हमें बैठने की ही जगह दी, वरन् तौलिए में से

मूँगफलियाँ भी खाने को दीं। जैसा कि प्रत्येक ख़ुशमिज़ाज व्यक्ति के साथ होता है, ये सज्जन भी बातों के धनी थे। जैसा कि बातों से पता लगा कि वे कहीं तराई में खेतीबारी करते थे और फ़िलहाल एक शादी में शरीक होकर कानपुर से लौट रहे थे। बातचीत का सिलसिला मूँगफली से शुरू हुआ। ऐसा लगता था कि जिस फ़ार्म पर ये महाशय काम करते थे, वहाँ मूँगफली बहुतायत से होती थी और इस कारण उन्हें इसके बारे में ज़रूरत से ज़्यादा ज्ञान था। इसे मैं उनकी सहृदयता ही कहूँगा कि इस ज्ञान व अनुभव को वे दूसरों तक निःसंकोच पहुँचाना चाहते थे। वर्माजी उनकी बातें सुनते जाते थे और कहते जाते थे कि यदि वे अपनी आदत और हैसियत के अनुसार, आज भी पहले दर्ज़े में सफ़र करते होते तो ऐसी ज्ञानवर्धक वाणी कैसे श्रवण करते! इस प्रशंसा से इन सज्जन की सरस्वती कुछ और प्रोत्साहित हुई और फिर जो मूँगफली पर जमकर बातें हुईं तो ऐसा लगने लगा कि सारा जग 'मूँगफलीमय' ही है। मूँगफली के जन्म, बचपन, यौवन और जीवन के अन्य विविध अंगों पर पूरा प्रकाश डाला गया। देश में साहित्यिक, राजनीतिक और आर्थिक जीवन पर मूँगफली खाने, कम खाने और ज़्यादा खाने के जो प्रभाव पड़े हैं, पड़ रहे हैं या पड़ सकते हैं, उन पर विशद विवेचनात्मक व्याख्या प्रस्तुत की गयी। कोई एक घण्टा मूँगफली का सांगोपांग वर्णन करने के उपरान्त इन महाशय ने कुछ ध्यान उसके छिलके पर भी दिया।

गप्प मारने का शौक़ तो वर्माजी को भी बहुत है, मगर इस शर्त पर कि कभी-कभी गेंद उनके कोर्ट में भी आए। यहाँ पिछले दो घण्टे से सारी बातचीत ये सज्जन ही किये जा रहे थे और वह भी मूँगफली के बारे में। वर्माजी सोचने लगे कि जब मूँगफली जैसी अदना-सी चीज़ पर यह शख़्स दो घण्टे धाराप्रवाह बोल सकता है तो अगर कहीं खरबूज़े या तरबूजे जैसी बड़ी चीज़ पर ज़िक्र छिड़ गया, तो क्या होगा! एक शरारत-भरा गुस्सा उन्हें धीरे-धीरे आने लगा था। पाचनशक्ति पर मूँगफली के प्रभावों की चर्चा उठते ही उन्हें मौक़ा मिल गया। अगर ये सज्जन मूँगफली के पण्डित थे तो वर्माजी को भी जुलाब का पूरा ज्ञान था। वे अक्सर छुट्टी के दिन जुलाब लिया करते थे और गाहे-बगाहे दोस्तों को भी इस दिशा में प्रोत्साहित किया करते थे। उनके विचार में आत्मा की पवित्रता के लिए आमाशय की शुद्धता से अच्छी कोई और विधि नहीं थी। हाँ, तो जैसे ही उन्होंने जुलाब की देशी और विदेशी प्रणालियों की और उनके मौलिक प्रभावों की विस्तृत व्याख्या करनी शुरू की, डिब्बे में आसपास की सीटों के लोग भी गरदन बढ़ाकर उनकी बातें सुनने लगे। विरेचन की पद्धति में जैसे ही वर्माजी यथार्थवादिता का कुछ पुट देना चाहते थे, डिब्बे में एक दुर्घटना हो गयी।

बात यह हुई कि जैसे ही वर्माजी ने विस्तार में यह बताना शुरू किया कि जुलाब से व्यक्तित्व कभी-कभी कितना पतला हो जाता है, डिब्बे में टिकट-चेकर आ गया।

हम लोगों ने टिकट ख़रीदे तो थे, पर वे किसके पास थे, इसका पता ठाकुर साहब को गहरी नींद से जगाने पर ही लग सकता था। ठाकुर साहब की निद्रा भंग करना कुम्भकर्ण को छेड़ने से कुछ थोड़ा ही अधिक था। वर्माजी ने कहा कि शरीफ़ आदमी कभी बग़ैर टिकट नहीं चलते और हम लोग शरीफ़ आदमी हैं। और फिर टिकट कोई ऐसी चीज़ नहीं कि जिसे टी.टी. साहब ने कभी न देखा हो। उन मूँछों वाले सज्जन का टिकट दिखाते हुए वर्माजी ने कहा कि ठीक ऐसे ही रंग और साइज़ का टिकट उन लोगों का भी है और अब वे जा सकते हैं। सान्याल ने टाइम टेबिल पेश करते हुए कहा कि उनको किसी जगह की दूरी या किराया मालूम करना हो तो उनकी सेवाएँ हाज़िर हैं। उसने फिर बड़े अन्तरंग ढंग से यह भी बताया कि अगले स्टेशन के नाम के सामने टाइम टेबिल में एक चिह्न बना है जिसका अर्थ है वहाँ टी-स्टाल है।

ऐसा लगा कि यह टिकट-चेकर महोदय उस विशेष तबके के थे, जहाँ पकौड़ी और दालमोठ की अपेक्षा पुराने और इस्तेमाल किये गये रेल के टिकटों को तरजीह दी जाती है। इन्होंने थोड़ी-बहुत चहलकदमी की और फिर आ गये और इन मूँछों वाले सज्जन की ओर ग़ौर से देखने लगे गोया कि पूछ रहे हों कि इन्हें ब्रेक में क्यों नहीं लगाया। अन्त में कोई चारा न देखकर वर्माजी ने सोते हुए ठाकुर की ओर इशारा किया। इशारा पाने पर टिकट-चेकर ने ठाकुर साहब की टाँग पकड़ी और हिलाने की कोशिश की। ठाकुर की टाँगें जब हिलनी शुरू हो जाती हैं तो काफ़ी देर तक हिलती रहती हैं। टाँगें हिलीं और ख़ूब हिलीं। पहले एक टाँग हिली जो दायीं थी और फिर दूसरी हिली जो बायीं थी। टाँगें इतने ज़ोर से हिलीं कि एक-दो साहबान की अटैचियाँ नीचे आ गिरीं और किन्हीं मौलबी साहब का टट्टूदार लोटा मय पानी के मूँछों वाले सज्जन के ऊपरी क्षेत्र पर पड़ा। सुषुप्ति की दशा में इतनी क्रियाएँ सम्पन्न करने के उपरान्त ठाकुर साहब ने कसकर कोई आधा दर्जन अँगड़ाइयाँ लीं और इसके बाद, करवट बदल कर फिर सो गये। टिकट-चेकर ने अबकी बार उनकी बग़ल में हाथ डाला और वह शायद कहीं फँस गया। झटका देकर उसे निकालने की कोशिश में जैसे ही वर्माजी के सिर से टकराये, वर्माजी ने उनके कान के पास मुँह ले जाकर धीरे-से पूछा कि सामने की सीट वाली औरत के बारे में उनका क्या ख़याल है!

अन्ततोगत्वा, ठाकुर साहब की निद्रा भंग हुई और वे जागे। पहले तो वे बैठे-बैठे ऊँघते रहे और 'बोल बच्चा, तेरी क्या मन्नत है?' की स्टाइल में टिकट बाबू से कुछ कहते रहे। टिकट बाबू ने जब टिकट माँगा तो उन्होंने आँखें बन्द किये ही 'क्यों नहीं, क्यों नहीं' कहकर अपना सिगरेट का डिब्बा मय माचिस के उन्हें दे दिया। धीरे-धीरे आँखें खुलने के बाद ठाकुर साहब ने टिकट निकाला और बाबू को दिखाया। जैसे ही टिकट-चेकर टिकट देखकर आगे बढ़ा, हमारे मूँछों वाले शेर ने मूँगफली के अवशिष्ट अंगों पर अपनी ज्ञानपूर्ण वक्तव्य फिर शुरू कर दिया। जैसे ही उन्होंने कहना शुरू किया कि सर्दी से मूँगफली की फ़सल जाड़ों में ख़राब हो जाती है, वैसे ही वर्माजी

ने सान्याल को इशारा किया कि वे इस इलाक़े के मौसम पर कुछ रोशनी डालें।

मूँगफली स्मारक व्याख्यान माला से सान्याल भी तंग आ गया था। उसने किसी कारण इलाक़े के ऋतु-वर्णन में बड़ा उत्साह दिखाया। सबसे पहले उसने इन मूँछाधिपति को बताया कि जाड़ों के मौसम में जो सबसे विशेष बात इस प्रदेश में होती है वह यह है कि उन दिनों यहाँ बड़ी सर्दी पड़ती है और बरसात के दिनों में कसकर पानी पड़ता है। इस इलाक़े के लोग काफ़ी ईमानदार हैं और मौसमों के नामों के बारे में उन्होंने सच्चाई से ही काम लिया है। पतझड़ में पत्ते झरते हैं और मौसमे बहार में फल निकलते हैं।

सान्याल की बातें सुनकर ये मूँछों वाले सज्जन ख़ूब हँसे। इतना हँसे कि उनके मुँह में से मूँगफली के दो दाने सामने बैठे एक रोते हुए बच्चे के मुँह में गिरते-गिरते बचे जिसका इन सज्जन व उस बच्चे, दोनों को काफ़ी अफ़सोस रहा। थोड़ी देर बाद ये सज्जन एकाएक चुप हो गये और फिर उन्होंने अपना सामान इकट्ठा करना शुरू कर दिया। जब उन्होंने जूते पहनने शुरू कर दिये तो वर्माजी ने बड़ी हमदर्दी और आत्मीयता से उनको बग़ल में कुहनी गड़ाकर कहा, "छोड़ो यार। नाराज़ हो गये सान्याल के मज़ाक़ पर? अरे, तुम ज़िन्दाबाद, तुम्हारी मूँछें ज़िन्दाबाद और तुम्हारी मूँगफली ज़िन्दाबाद! तुम्हारे जैसे खेती में दिलचस्पी लेने वाले चन्द नौजवान अगर इस इलाक़े में और हो जाएँ तो देखना खेतीबारी में मुल्क कहाँ-से-कहाँ पहुँचता है! जब तुम्हारी मूँछों का ही यह हाल है तो फ़ार्म में किस तरह फ़सल लहलहाती होगी, इसका अन्दाज़ा हम लोग लगा सकते हैं। हाँ, तो यार छोड़ो भी यह चक्कर। एक बात बताओ, वह जो सामने नौजवान लड़की बैठी है खिड़की में सिर किये, उसके बारे में तुम्हारी निजी राय क्या है?" जैसे ही मुझे मालूम हुआ कि वर्माजी अभी भी उस युवती के बारे में जनमत-संग्रह कर रहे हैं, मैंने भी इन मूँछों वाले सज्जन की ओर आँखें बढ़ायीं। सान्याल और ठाकुर भी दबी नज़रों से उसी दिशा में देखने लगे। एक मिनट रुकने के बाद वर्माजी ने फिर प्रश्न दोहराया और उनकी ओर मुस्करा कर एक आँख भी मारी।

ये मूँछ बहादुर फिर भी चुप ही रहे। ऐसा लगा जैसे इनकी बैटरी एकदम ख़त्म हो गयी हो। स्टेशन के आते ही उन्होंने अपना होल्डॉल सँभाला, मूँगफलियाँ बटोरीं और चुपचाप उतर गये। वह खिड़की वाली युवती उनके साथ ही उतरी। वह शायद उनकी बीवी थी।

विवाह की ये विचित्र प्रथाएँ

जैसा कि हम सभी लोग जानते हैं भारत एक खेतिहर देश है। यह बात भी सबको ज्ञात ही है कि खेतिहर होने के साथ देश पिछड़ा हुआ भी है। पिछड़ा हुआ होने के कारण यहाँ खेती का धन्धा भी पिछड़े ढंग से किया जाता है। इस ढंग से खेती करने में कम-से-कम दो अदद बैल, एक अदद हल और एक अदद किसान की ज़रूरत पड़ती है। किसानों की मात्रा में कमी न आने पाए इसी उद्देश्य से जितना भी समय गेहूँ, चना, तिलहन वग़ैरह की फ़सल उगाने के बाद बचता है, वह सन्तान बढ़ाने की ओर लगाया जाता है। पिछड़ा हुआ देश होने के कारण हमारे यहाँ बच्चे आमतौर पर शादी के बाद ही होते हैं, और इसी कारण देहात के क्षेत्र में शादी-विवाह की प्रथा ख़ूब ज़ोर-शोर से पायी जाती है।

कुछ लोग कभी कुछ और व्यक्तिगत कारणों से भी विवाह करते देखे जाते हैं। कुछ लोग शादी इसलिए करते हैं कि उनके परिवार में ऐसा सदा से होता आया है और पिता व पितामहों द्वारा निश्चित की गयी पुस्तैनी प्रथा को एकदम तोड़ना सम्भव नहीं है। कभी-कभी कुछ और लोग मिलकर किसी व्यक्ति की शादी यों ही करा देते हैं। देहात के क्षेत्र में जब लड़के लगातार इम्तिहान में फ़ेल होने लगते हैं, या वे रात को भाग-भागकर पास के गाँव में नौटंकी देखने जाने लगते हैं तो बड़े-बूढ़े मिल-जुलकर उस लड़के की शादी करा डालते हैं। किसी-किसी स्थिति में यह इसलिए भी की जाती है कि लड़का या लड़की वैसा करने के लिए ज़िद करने लगते हैं। पर ऐसी वारदातें हमारे यहाँ बहुत कम ही होती हैं। ज़्यादातर शादियाँ लड़का और लड़की, इन दोनों के अतिरिक्त और ही लोगों की ख़ुशी के लिए की जाती है, जैसे— माँ-बाप, दादी, नाना वग़ैरह।

देहात में ऐसे लोग काफ़ी होते हैं जिनकी शादी कभी नहीं होती, हालाँकि काफ़ी लड़के रात-रात भर कड़वा तेल-जलाकर सिर्फ़ इसलिए पढ़ते हैं कि शायद मिडिल पास होने पर शादी आसानी से हो जाए। कुछ लोग झूठी नौकरी की शान ज़माने के लिए इसी कारण घर से ख़र्चा माँगकर शहर में भी रहते हैं। फिर भी सबके हाथ तो पीले नहीं होते। जहाँ एक ओर इस प्रकार के अविवाहित लोग होते हैं वहाँ दूसरी

तरफ़ ऐसे भी कितने लोग होते हैं जो हर दूसरे या तीसरे साल शादी रचाते रहते हैं। औरत को पैर की जूती समझा जाता है और फ़सल अच्छी होने पर एक से ज़्यादा जूतियाँ भी रखी जा सकती हैं। दुबारा या तिबारा ब्याह होने की स्थिति में पहली पत्नियाँ या तो मैके चली जाती हैं या आत्म-हत्या कर लेती हैं। पिछड़ा हुआ देश होने के कारण आत्म-हत्या में भी काफ़ी दक़ियानूसी ढंग का ही प्रयोग किया जाता है। स्त्रियाँ या तो कुएँ में डूब जाती हैं या तो अपने को जला लेती हैं। कभी-कभी कोई पढ़ी-लिखी औरत ज़हर भी खा लेती है। तेज़ मोटर के नीचे दबने या तिमंज़िली इमारत के नीचे गिरने की सुविधाएँ देहाती क्षेत्र में अभी कहाँ! उसके लिए हमें अभी कई पंचवर्षीय योजनाओं की प्रतीक्षा करनी पड़ेगी। हाँ, जो लोग अविवाहित रह जाते हैं उनका जीवन काफ़ी शान्तिमय हो जाता है। कुछ तो इनमें से गाहे-बगाहे नौटंकी कराते रहते हैं और कुछ गण्डा-ताबीज़ वग़ैरह बाँटने लगते हैं। सन्तान होने की अचूक दवा भी देहाती क्षेत्र में इन्हीं लोगों के पास मिलती है।

शादी की प्रथाएँ

पुराने ज़माने में स्वयंवर की प्रथा थी। आजकल यह प्रथा केवल शहरों में पायी जाती है। दहेज को बुरा मानने वाले माता-पिता अपनी लड़कियों को अपने-आप किसी लड़के से शादी करने के लिए काफ़ी उकसाते रहते हैं। इस प्रकार का स्वयंवर कॉलेज की चहारदीवारी के अन्दर और गर्ल्स हॉस्टल के आस-पास होता रहता है। कभी-कभी अध्यापक वर्ग भी इसमें भाग लेता देखा जाता है। गन्धर्व-विवाह और राक्षस-विवाह की सनातन प्रथाएँ भी शहरों में बदस्तूर पायी जाती हैं। हाँ, अलबत्ता देहाती क्षेत्र में इन प्रथाओं का ज़्यादा विकास अभी नहीं हो पाया। उदाहरण के लिए मेरी जन्मभूमि पश्चिमी उत्तर प्रदेश में इस समय तीन प्रथाएँ हैं, जिनके द्वारा शादियाँ सम्पन्न होती हैं। पर ये तीनों ही प्रथाएँ नगर की प्रथाओं से कुछ भिन्न हैं।

सबसे पहली प्रथा तो मेरी तरफ़ यह है कि शादी-विवाह नाई या ब्राह्मण लोग करवाते हैं। इस प्रकार की शादियाँ पिछले जन्म के कर्मों के आधार पर देवताओं द्वारा निश्चित की जाती हैं, जिसका अर्थ यह है कि लड़के या लड़की में यदि कोई कमी भी पायी जाए तो भी नाई और ब्राह्मण दोनों के जीवन और सम्पत्ति को कोई ख़तरा नहीं होता। शादियों में नाई और ब्राह्मणों का प्रयोग दिन- ब-दिन घटता जा रहा है और अब तो काफ़ी ऐसे नाई-ब्राह्मण नज़र आने लगे हैं जिनकी खुद की भी कभी शादी नहीं हुई। इस प्रकार की शादियाँ वैसे भी शालीन व सभ्य घरानों में ही होती हैं। बाक़ी अदल-बदल का अर्थ होता है अपनी लड़की की शादी के बदले में अपने लड़के की शादी कहीं तय करना। इस प्रथा में तीन पार्टियाँ होनी ज़रूरी हैं। अदल-बदल का ढंग बहुत पुराना है, और उन दिनों की याद दिलाता है जबकि मुद्रा

का आविष्कार नहीं हुआ था। समझदार लोग इन दिनों मुद्रा का प्रयोग ख़ूब खुलकर करते हैं। औरतों के बाज़ार कई जगह हैं और वहाँ हर तरह का माल मिलता है। देहात की तरफ़ ऐसे परोपकारी कई लोग हैं जो अपनी कन्याओं को ख़ुशी से बेचते हैं और उस रुपये से अपना पुराना क़र्ज़ अदा करते हैं या नयी भैंस ख़रीदते हैं। उसके बाद ये लोग नया क़र्ज़ ले लेते हैं और भगवान से प्रार्थना करते हैं कि इस बार फिर लड़की हो। यदि पुरानी बीवी की उम्र ज़्यादा होती है तो वे लड़की पैदा करने के लिए नयी शादी भी कर लेते हैं। आख़िर क़र्ज़ उतारना ही ठहरा! इन्हीं कारणों से भारत का किसान ईमानदार और मेहनती कहा जाता है। इसके अतिरिक्त, पहाड़ी इलाक़े में लड़कियों की काफ़ी ख़रीदा-फ़रोख़्त होती है। ये लड़कियाँ अक्सर गर्मियाँ आते ही किसी शाम को फिर अपने मैके खिसक जाती हैं, जहाँ उनकी शादी किसी और से कर दी जाती है। अनाथालय, विधवाश्रम, नारी-निकेतन इत्यादि अन्य भी अनेक सामाजिक संस्थाएँ हैं जहाँ हर उम्र की औरत उचित दाम पर मिल जाती हैं। कुछ संस्थाएँ हैं कि उनके यहाँ सामान के नापसन्द आने पर अदल-बदल करने की भी समुचित व्यवस्था होती है।

शादी के लिए जो यात्रा वर की तरफ़ से की जाती है, वह वरयात्रा या बारात कही जाती है। देहाती क्षेत्र में शादियाँ काफ़ी रंगीन होती हैं। बच्चे और औरतें काफ़ी रंगीन कपड़े पहनते हैं। घर-बार पर रंगीन मिट्टी पोती जाती है और बैलों के सींग, पूँछ व बरातियों की मूँछ के बाल हल्दी से रँगे जाते हैं। बारात आमतौर पर काफ़ी बड़ी होती है और सफ़र बैल-ताँगों पर किया जाता है। रास्ते में ताँगों की दौड़ का पूरा-पूरा इन्तज़ाम किया जाता है। आसपास के गाँव वाले भी इस दौड़ को देखने रास्तों पर जमा हो जाते हैं। जिस दिन बारात चढ़ती है उस दिन क़ाफ़ी धूम-धड़क्का होता है। सारे बाराती नये कपड़ों में लड़की वाले के घर तक जाते हैं। किसी कारणवश यदि वस्त्र न भी बदले जा सकें तो भी सिर की टोपियाँ सबकी नयी सिली हुई होती हैं। आतिशबाज़ी का समुचित प्रबन्ध रखा जाता है, कभी-कभी इसी वजह से गाँव के छप्परों में आग भी लग जाती है जो जाड़े के मौसम में सर्वसाधारण को काफ़ी आराम पहुँचाती है। कभी-कभी बारात में हाथी भी जाते हैं। अगर किसी बारात में हाथी नहीं भी हों तो कम-से-कम एक अदद कोई मोटा ज़रूर होता है जो हाथी का बच्चा लगे और जिससे गाँव के बच्चों का मन बहल सके। बारात के शुरू के दिन काफ़ी लोग खाना खाते हैं और कुछ तो शराब पीकर धुत्त भी हो जाते हैं। रात को कहीं-कहीं नौटंकी भी चलती है जो रात के पिछले पहर जाकर ख़त्म होती है। इस बीच गाँव में चोरी होने का प्रोग्राम रहता है। फेरे भी रात को ही पड़ते हैं।

फूहड़ हँसी-मज़ाक़

प्रातःकाल के नाश्ते के लिए वर को वधू के घर जाना पड़ता है जिसे बसौड़ कहते

हैं। वधू पक्ष की स्त्रियों से वर की मुलाक़ात का यह प्रथम अवसर होता है। आमतौर पर मुहल्ले की लड़कियाँ इस अवसर पर वर के जूते चुरा लेती हैं और उससे हँसी-मज़ाक़ भी करती हैं। यह मज़ाक़ जितना भी फूहड़, भोंडा और फोश होता है, उतना ही अच्छा समझा जाता है। गाँव की बड़ी-बूढ़ियाँ तक इसमें खुलकर हिस्सा लेती हैं और वर की माता वग़ैरह के लिए अपमानजनक शब्द कहती हैं। कहा जाता है, यह प्रथा हमारे यहाँ बहुत पुरानी है और इसी कारण हमारी सभ्यता की प्रतीक है। आल्हा-ऊदल के ज़माने में तो डोला देने से पहले वर व बारात के अन्य लोगों को अन्धे कुएँ में रखा जाता था और उन पर ख़ूनी हाथी तक छुड़वाया जाता था। 'आल्हा खण्ड' व मेरठ के मटरूमल अत्तार की 'बावन लड़ाइयों में' इस प्रथा की विशद चर्चा की गयी है।

दोपहर का खाना आमतौर पर कच्चा होता है। काफ़ी बड़ी बारात के लिए गाँव की स्त्रियाँ हाथ से फुलके या रोटियाँ बनाती हैं जो थोड़ी-बहुत कच्ची रह जाती हैं। इसी कारण इस खाने को कच्चा खाना कहा जाता है। तीसरे पहर के आसपास विदा का कार्यक्रम शुरू होता है। बारात के काफ़ी आदमी लड़की वाले के घर आते हैं और दहेज देखते हैं। बाक़ी बारातियों का पेट ज़्यादा खाने से अब तक ख़राब हो चुका होता है और वे जंगल में जलाशयों के आसपास दृष्टिगोचर होने लगते हैं। दहेज के वक़्त काफ़ी मज़ा आता है। वे सारे लोग जो अपनी लड़कियों के विवाह में आर्यसमाजी थे और जो रात को 'भारत में वेदों का डंका बजवा दिया ऋषि दयानन्द ने' वाली आरती गाया करते थे, इस समय यानी लड़के के विवाह में पक्के सनातनी हो जाते हैं और माँग-माँग कर लेते हैं। लड़के के जन्म (प्रसव) पालन-पोषण और शिक्षा का पूरा ख़र्च वसूल करने की कोशिश की जाती है। कभी-कभी दहेज पर मनमुटाव भी हो जाता है और बारात बिना बहू के लौट जाती है। उस समय यह प्रकट हो जाता है कि वर पक्ष के लोग दहेज लेने आये थे न कि बहूँ कम दहेज वाली लड़कियाँ यदि ससुराल चली भी जाती हैं तो सास-ननदें, जिठानियाँ वग़ैरह उनका समुचित 'स्वागत' करती हैं। किसी-किसी स्थिति में इतने सुख के कारण बहू अपनी आत्मा को शरीर से अलग करने की भी कोशिश करती है।

दहेज देने के बाद विदा की रस्म होती है। इस अवसर पर बारातियों को मुद्रा देकर उनसे विदा माँगी जाती है। गाँव के स्कूल के बच्चे इस अवसर पर अन्त्याक्षरी सुनाते हैं और कभी-कभी ग्रामीण नेता या उपदेशक छोटा-मोटा भाषण भी दे डालते हैं। कभी-कभी गाली-गलौच और फ़ौजदारी से भी मनोरंजन किया जाता है।

बारात सुबह जाती है। सुबह लोग काफ़ी व्यस्त रहते हैं। कोई किसी की खाट की रस्सी निकालता है तो कोई किसी के पलँग का निवार। बिस्तरों की भी चोरियाँ होती हैं। एक बार तो बाराती लोग नौटंकी की लड़की ही ले आये थे और उसे बरामद करने के लिए पुलिस से मदद लेनी पड़ी थी।

कम-से-कम मुझे इस प्रकार की शादियों में बड़ी दिलचस्पी रहती है। कारण यह कि ऐसे अवसरों पर कभी-कभी बड़े अच्छे-अच्छे ग्राम-गीत सुनने को मिलते हैं। यद्यपि खड़ी बोली के ग्रामगीत भोजपुरी गीतों की तरह कर्णप्रिय नहीं होते, फिर भी उनकी मार्मिकता में सन्देह नहीं किया जा सकता। इधर यह मज़ा भी ख़त्म हो गया है और अब देहात में भी फ़िल्मी गाने और लाउडस्पीकर चलते हैं। वैसे अभी हाल ही में मैं एक शादी में गया और वहाँ विदा के अवसर पर मैंने एक ऐसा मार्मिक गीत सुना कि आँखों में आँसू आ गये। यह गीत मैंने पहले भी कई बार सुना था, पर पहले इतना मार्मिक कभी नहीं लगा था। वास्तव में गीत करुण नहीं था पर वह गाया इस तरह जा रहा था कि सुनकर किसी भी सहृदय व्यक्ति को रोना आ सकता था।

अपनी सुहागरात की कथा

'मनोरमा' नाम की मनोरम पत्रिका जब भी मुझे मिलती है, तो उसके तीन स्तम्भों में छपा मैटर ज़रूर ही पढ़ता हूँ। ये तीन स्तम्भ—'फ़ुरसतनामा', 'छींटे और बौछार' तथा 'रैना भूले ना'। 'फ़ुरसतनामा' में कोई उम्दा हास्य रचना होती है, 'छींटे और बौछार' में चुटकुले होते हैं, जिनमें से कुछ सचमुच लाजवाब होते हैं और 'रैना भूले ना' में किसी रमणी-रत्न की सुहागरात के संस्मरण होते हैं, जो प्रायः बेहद दिलचस्प, सुखान्त और यथार्थ के क़रीब होते हैं। सुहागरात का वर्णन प्रायः वे ही युवतियाँ करती हैं, जो विवाहिता होती हैं, हालाँकि एक संस्मरण का मुझे पक्का पता है, जो एक सुन्दर, शरारती व अविवाहिता कन्या ने एक शर्त जीतने को लिखा था और जो चित्र के साथ उपर्युक्त पत्रिका में बाक़ायदा छपा था। संस्मरण की सारी सामग्री उस कन्या ने अपनी उन ननदों व भाभियों से एकत्रित की थी, जो समयसिद्ध विवाहिता थीं और चित्र जो था, वह भी मुहल्ले की किसी ऐसी वधू का था, जो इत्तफ़ाक से विवाहिता ही थी, कुमारी या विधवा नहीं।

सुहागरात में क्या होता है, यह मैं नहीं जानता। अपनी सुहागरात की कथा मैं आज पहली बार लिख रहा हूँ जो अक्षरशः सत्य है। मगर अपनी कथा लिखने से पहले मैं दो कथाएँ और लिखूँगा, जो लगभग सच्ची ही हैं। पहली कथा तो यह है, कि एक रईसजादे का विवाह हुआ और लड़की की मर्ज़ी के ख़िलाफ़ हुआ। लड़की ससुराल आयी तो एक शानदार मोटर में आयी। लड़की सुन्दर थी, मोटर और भी सुन्दर थी और शोफ़र जो था, वह सबसे सुन्दर था। वधू का शानदार स्वागत हुआ, उसकी सास ने उसे बेशक़ीमती ज़ेवर पहनाये और मंगलगान के साथ-साथ आतिशबाज़ी भी हुई। दूल्हे मियाँ एक दुबले-पतले, मरियल और शराबी व्यक्ति थे। वे दोस्तों के साथ मदिरा पीते रहे और उसके बाद सुहागकक्ष में गये और बिस्तर पर लुढ़क गये। वधू कहाँ है, इसका पता उन्हें कभी नहीं चला। सुबह होने पर वधू की खोज शुरू हुई। बहुत खोज के बाद पता चला कि वधू अपनी सारी चल सम्पत्ति के साथ, अपनी शानदार मोटर में, अपने उसी परम-सुन्दर शोफ़र के साथ ससुराल छोड़ चुकी थी। वह युवा शोफ़र उस लड़की का प्रेमी था। उसका कानूनी पति मदिरापान

करता रहा और वधू के वृद्ध पिता ने आत्महत्या कर ली। पुलिस ने बहुत कोशिश की, मगर वधू व ड्राइवर में से किसी का कोई पता कभी नहीं चला। रत्न जो था, वह स्वर्ण के साथ कहीं चला गया। 'रत्न समागच्छतुकांचनेन' (कालिदास)।

दूसरी कथा ज़्यादा दुखान्त व ज़्यादा सुखान्त है। मेरे जनपद में एक नवयुवक जागीरदार थे। बड़े स्नेही बड़े शालीन व अत्यन्त रूपवान। पिता का स्वर्गवास हो चुका था और वृद्धा माता पुत्रवधू व पौत्र देखने को बुरी तरह तरस रही थीं। मेरे इस मित्र जागीरदार की बस एक ही इच्छा थी और वह यह थी कि वधू ऐसी हो जो परम रूपवती होने के साथ-साथ बेहद अमीर घर की हो और साथ में इतनी सम्पत्ति लाए कि वह सात पुश्तों तक चले। एक दूसरे जनपद में एक और भी बड़े जागीरदार थे, जिनकी एक मात्र सन्तान एक कन्या ही थी। मेरे मित्र की माता कन्या देखने गयीं। उन्होंने दो कन्याएँ देखीं, जिनमें एक तो परम रूपवती थी और दूसरी एकदम सुरसा से टक्कर लेती थी। माता ने कन्या पसन्द कर ली और उसकी सखी को भी कुछ आभूषण व आशीष दिये। विवाह सम्पन्न हो गया और वधू व उसकी बदसूरत दासी मेरे मित्र की विशाल हवेली में आयीं। मेरे मित्र की मूर्ख माता को अब पता चला कि वधू वह थी, जो सुरसा से टक्कर लेती थी और दासी वह थी, जो 'चन्द्रवदन मृगलोचनी' थी। सुहागरात में मेरे मित्र ने जब अपनी जीवन-संगिनी को देखा तो माथा पकड़ लिया। वधू का रंग गहरा काला था, चेहरा चेचक के धब्बों से बुरी तरह भरा था, दाँत निकले हुए थे और गले की हड्डी भी बाहर निकली हुई थी। लड़की बोलने में हकलाती थी और चलने में लँगड़ाती थी। ऐसी सर्वांगसुन्दरी के दर्शन कर के, मेरे मित्र ने पहले तो आत्म-हत्या करने की सोची और फिर संन्यास लेने का निश्चय किया। अन्त में चलकर वही हुआ, जो होना था। दासी को पत्नी का स्थान दिया गया और वधू की वह दुर्गति हुई, कि वह एक रात नदी में डूब कर मर गयी। उसके पिताश्री भी इस बीच स्वर्गवासी हो चुके थे और उनकी सारी जागीर मेरे मित्र को ही मिली। पत्नी की मृत्यु के बाद, मेरे उस डबल-जागीरदार मित्र ने उस दासी से विधिवत् विवाह किया और वह दूधों नहायी और पूतों फली। मेरी वर्तमान सूचना के अनुसार, वह रमणी अब सात पुत्रों की और तीन पुत्रियों की माता है और बच्चों का यह सिलसिला अभी बक़ायदा जारी है। जैसे उसके दिन सँवरे, वैसे सबके सँवरें।

अब मैं अपनी कथा सुनाता हूँ। मैं जब इलाहाबाद यूनिवर्सिटी में पढ़ता था, तभी मेरी सगाई हो गयी थी। कन्या के मामा इलाहाबाद के 'सीनियर-सुपरिण्टेण्डेण्ट ऑव पुलिस' थे। जो कुछ हुआ, उन्हीं के माध्यम से सम्पन्न हुआ। कन्या के दादा सात गाँवों के ज़मींदार थे। गाँव तो नयी हुकूमत के आते ही क़ब्ज़े से निकल गये, पर बागान बच गये। वे नयी रोशनी के आदमी थे और अपनी पौत्री का विवाह किसी साधारण घर के लड़के से करना चाहते थे, बशर्ते कि वह शरीफ़ और होनहार हो।

मेरी शादी जून उन्नीस सौ पचपन की किसी शुभ तारीख़ को हुई थी, जो मुझे कभी याद नहीं रही। शादी दिल्ली से हुई थी, जहाँ कि मेरे श्वसुर केन्द्रीय सचिवालय के अधिकारी होने के कारण रहते थे। मेरे क़स्बे के दो बड़े आदमी बारात में गये थे, एक थे डिप्टी नन्दकिशोर जैन और दूसरे थे, रायबहादुर डॉ. कल्याण सिंह त्यागी। ठहरने व खाने का इन्तज़ाम एक डाक बँगले में किया गया था, जो ठीक ही था। विवाह के बाद मैं और मेरी पत्नी रेल के प्रथम श्रेणी के डिब्बे में बैठे और गजरौला जक्शन से एक पैसेंजर गाड़ी में सवार हुए, जिसमें हम हल्दौर तक बैठे रहे। रेणुजी के शब्दों में उस स्टेशन पर रेल बड़ी अनिच्छा से, क्षण या दो क्षण के लिए ही रुकती थी। स्टेशन पर प्लेटफॉर्म भी नहीं था और बत्ती भी नहीं थी। घूँघट को सँभालती पत्नी, मेरे और शेष बारातियों के साथ, रेल से सकुशल उतर गयी और उसके उतरते ही ट्रेन चल पड़ी। साँझ हो चुकी थी और स्टेशन के पास ही बनी एक विशाल धर्मशाला में हम लोग ठहरे। एक कमरा मुझे और मेरी पत्नी को मिला। सारे कमरे में एक मामूली खाट के अलावा और कुछ नहीं था। कपड़े बदलने और खाने के बाद, जब हम दोनों उस खटिया पर बैठे, तो वह एकदम टूट गयी। हम दोनों लोग ख़ूब हँसे। पत्नी को मैं विवाह से पहले देख चुका था, मगर इस खटिया के टूटने से हम दोनों एक आत्मीय हो गये और सारी रात बतियाते रहे। उस सुनसान जंगल में बनी धर्मशाला में डाकुओं का भी भय लगता ही रहा। बहरहाल सुबह हुई और इक्कों द्वारा हम लोग अपने क़स्बे की ओर चले। मेरा क़स्बा स्टेशन से लगभग पाँच मील दूर था। सुहागरात की कथा समाप्त हुई। 'नामूलं लिख्यते किंचित् नापेक्षितमुच्यते' (मल्लीनाथ)। इस कथा से कुछ लोग निराश हुए होंगे, मगर उनको ख़ुश करने के लिए न तो मैं झूठ बोल सकता हूँ और न अश्लील ही हो सकता हूँ। सुहागरात तो थोड़ी-सी ज़रूर रही, पर मेरा विवाहित जीवन तैंतालिस वर्ष बीत जाने पर भी, सबकुछ ठीक ही चल रहा है। अगर तेरह रुपयों की राशि के लिए दक्षिण का एक राज्य चौदह वर्ष तक मुक़दमेबाज़ी कर सकता है, तो हमारा विवाहित जीवन तैंतालिस वर्ष क्यों नहीं चल सकता! उपर्युक्त तेरह रुपये और उनसठ पैसे का मुक़दमा जब हाईकोर्ट गया, तो जज साहब ने सरकार को डाँटा और पाँच सौ रुपयों का जुर्माना भी किया। आप को जानकर आश्चर्य होगा, कि सरकार से ज़्यादा मुक़दमेबाज़ पार्टी देश में और कोई नहीं है। देश की विभिन्न अदालतों के सामने सिर्फ़ चार करोड़ मुक़दमे विचाराधीन पड़े हैं, जिनमें से आधे मुक़दमे ऐसे हैं, जिनमें देश की कोई न कोई सरकार ज़रूर एक पार्टी है।

मेरे विवाहित जीवन का प्रमुख रहस्य यह है कि मेरी धर्मपत्नी ने कभी मेरे ऊपर आसन नहीं जमाया। यदि वैसा किया होता तो वही होता, जो कि अख़बार के मुताबिक मिश्र देश में सम्पन्न हुआ। काहिरा के एक निवासी ने जब अपने वसीयतनामे में अपनी स्वर्गीय पत्नी के बच्चों को कुछ ज़्यादा सम्पत्ति दे दी, तो उसकी

दूसरी पत्नी (जो जीवित ही रही होगी) उसके ऊपर बैठ गयी। पत्नी का भार था मात्र 160 किलोग्राम, जब कि बेचारे पति महोदय का भार था, मात्र 55 किलोग्राम। इस योगासन का तात्कालिक प्रभाव यह पड़ा कि 85 वर्ष के उस ग़रीब पति-रत्न के प्राण जो थे, वे उसकी देह से निकल गये। मेरी अपने सारे पाठक-पाठिकाओं को सलाह है कि यदि पति-पत्नी कोई गृहयुद्ध करें, तो वैसा करने से पहले वे एक-दूसरे का वज़न ज़रूर देख लें। कभी-कभी वीरगाथा-काल जो होता है, वह भक्तिकाल व रीतिकाल की अपेक्षा ज़्यादा दुःखदायी होता है। अगर ऐसा न होता तो हिन्दी साहित्य में से वीरगाथा-काल समाप्त न हुआ होता।

रचना समाप्त करने से पहले दो बातें और कहूँगा। पहली बात तो यह है, कि इधर कुछ वर्षों से कुछ ऐसा चलन निकला है कि सुहागरात विवाह के पहले ही मना ली जाती है। दो सिने अभिनेत्रियाँ तो ऐसी बहादुर हैं, कि विवाह किये बिना ही वे मातृत्व का सुख प्राप्त कर चुकी हैं। दूसरी बात यह है कि इस पत्रिका के माननीय सम्पादकों को 'रैना भूले ना' स्तम्भ में कभी-कभी पुरुषों के संस्मरण भी छापने चाहिए। मैं दावे के साथ कहता हूँ कि यदि मेरा सुझाव मान लिया गया तो पत्रिका में चार चाँद लग जाएँगे।

पत्नी की फ़रमाइशें

यह फ़रमाइशों का चक्कर भी बहुत बुरी चीज़ है। इस चक्कर में फँसकर इंसान ऐसी-ऐसी बेहूदा और अजीब हरक़तें करता है, जिन्हें देखकर जाले में फँसी मकड़ी भी शायद शर्मिन्दा हो जाए और फ़रमाइशों में भी पत्नी की जो फ़रमाइशें हैं, उनसे तो बस ख़ुदा ही बचाए! हालत यह है कि यह तो मुमकिन है कि फ़रमाइशें हों और पत्नी न हो, परन्तु यह शायद सम्भव नहीं है कि पत्नी हो और फ़रमाइशें न हों। ऐसी पत्नी का निर्माण, अभी होना बाक़ी है, जो फ़रमाइशें न करती हो। प्राइवेट सेक्टर तो ऐसे काम कर नहीं सकता, हाँ अलबत्ता पब्लिक सेक्टर ऐसा माल शायद ज़रूर तैयार कर सके। इंशाअल्लाह अगर ऐसा होने लगा तो अर्जी देने वालों का क्यू इतना लम्बा लगेगा कि बहुतों की शादी तो शायद पचास वर्ष की आयु में ही सम्पन्न होगी। ऐसी पत्नी के इन्तज़ार में लोग कविता लिखेंगे, विरह काव्य रचेंगे और इस प्रकार यह क़दम साहित्य की दृष्टि से भी ठीक ही रहेगा।

पत्नियों का उत्पादन किस क्षेत्र में

ख़ैर, अब तक मैंने जो कुछ कहा, वह तो मन बहलाने की बात थी। असलियत तो यही है कि पत्नियों का उत्पादन अभी काफ़ी दिनों तक निजी क्षेत्र में ही चालू रहेगा और परिणाम यही होगा, जो फ़िलहाल की स्थिति है। विवाह के पहले तो लड़की को मात्र एक अदद पति की ही फ़रमाइश रहती है, पर शादी की गाँठ बँधते ही फ़रमाइशों का पुल इस तरह टूटता है कि उनके सामने बाढ़ में टूटे हुए सड़कों के पुलों की याद भी फीकी पड़ जाती है। शादी के तुरन्त बाद जो फ़रमाइश पेश की जाती है, वह यह होती है कि थोड़े दिनों के लिए या तो मसूरी चला जाए या कन्याकुमारी। दक्षिणावर्त की पत्नियाँ हिमालय देखना चाहती हैं तो उत्तरावर्त की आर्य ललनाएँ समुद्र। अगर आप इन दोनों स्थानों पर नहीं जा सकते तो उनकी अगली फ़रमाइश होती है अपने पिता के घर जाने की। नतीजा यह होता है कि आप एक या दो अदद ठण्डी साँसें खींचते हैं, प्रोविडेण्ट फण्ड से कर्ज़ा लेते हैं और पहाड़ या समुद्र की दिशा में प्रस्थान करते हैं। आपकी पत्नी बर्फ़ की चोटियाँ देखती है, और

आप पहाड़ से कूदकर आत्महत्या करने की सोचते हैं। वह समुद्र पर पाल उड़ाती नावों का फ़ोटो लेती है और आप हमेशा के लिए कालापानी जाने का संकल्प करते हैं। होता वही है जो होना था। वह पहाड़ या समुद्र देखती है और आप मशीन पर अपना वज़न देखते हैं। जितना आपका वज़न घटता है, उतना ही पत्नी का वज़न बढ़ता हुआ पाया जाता है। कवि के शब्दों में घर का माल घर में ही रहता है।

हनीमून से लौटने के बाद

हनीमून से लौटने के बाद दूसरी फ़रमाइश होती है कि आपके माता-पिता अगर किसी और जगह रहने लगें तो कहीं ज़्यादा अच्छा हो। पहले यह बात सांकेतिक भाषा में कही जाती है और बाद में पाणिनि की व्याकरण-सम्मत भाषा में। अन्त में चलकर फिर वही होता है जो होना था। धीरे-धीरे आपका घर पानीपत का मैदान बनता जाता है जहाँ तीन से भी ज़्यादा लड़ाइयाँ बखूबी लड़ी जाती हैं। कुछ दिनों बाद रचनात्मक कार्यक्रम शुरू हो जाता है। चाय के प्याले और प्लेट फूटने लगते हैं और पत्नी कोपभवन में पड़ी मिलती है— एकदम उसी तरह सुरक्षित जिस तरह स्टेशन के क्लॉक-रूम में सामान मिलता है। थोड़े दिनों बाद आपके माता-पिता आपके पास से खुद ही चले जाते हैं और तब आप चारपाई के सामने 'त्वमेव माता च पिता त्वमेव' वाला श्लोक पढ़ते हैं। अपनी पत्नी अपनी ही माता का दर्जा पा जाती है। यह स्थिति मनु से भी एक क़दम आगे होती है, उस ग़रीब ने तो परायी स्त्री को ही माता समान मानने की सलाह दी थी, पर यहाँ तो हालत यह है कि निज पत्नी ही माता के तुल्य दिखाई देने लगती है। भगवान ऐसी पतिव्रता पत्नियों को लम्बा जीवन दें।

धीरे-धीरे गृहस्थ जीवन की भैंसा गाड़ी कविवर भगवती चरण वर्मा की सूचना के अनुसार चूँ-चूँ चरर-मरर करती हुई चलने लगती है। इस गाड़ी को चलती रखने के लिए ज़रूरी है कि आप फ़रमाइशों का ग्रीस गाड़ी के पहियों में लगातार घिसते रहें। आज साड़ी की फ़रमाइश है तो कल गहनों की। कल सिनेमा जाना है तो परसों किसी सखी के यहाँ। आज फलाँ टूथपेस्ट आना है तो कल फलाँ शैम्पू। भला हो इन विज्ञापन वालों का जो सुन्दरता का सारा रहस्य अख़बारों में रोज़ छापते रहते हैं। अगर पत्नियाँ न हों तो सिर्फ़ फ़र्नीचर की नीलामी के नोटिस ही छपा करें। बाक़ी सबकी छुट्टी!

विवाह रूपी वृक्ष और...

इसके बाद विवाह रूपी वृक्ष पर सन्तान रूपी फल लगते हैं। पत्नी की फ़रमाइश पर उनके नाम रोज़ बदले जाते हैं। लड़की का नाम आज शमा रखा जाता है तो कल परवाना। उनकी ड्रेस, उनके स्कूल, उनके 'बर्थडे' में इन सबको लेकर जो कुछ

किया जाता है, उसके सामने प्लासी का युद्ध भी फ़ीका पड़ जाता है। और इन ऐतिहासिक युद्धों को बल मिलता है चित्र-पट से। हर पिक्चर में कपड़ों का स्टाइल बदलता है। कमरे के फ़र्नीचर बदलते हैं और केश सँवारने का ढंग बदलता है। नतीज़ा यह होता है कि लड़की लड़के के कपड़े पहनती है और लड़का अपनी मम्मी के। शाम को आप थके-मादे घर लौटते हैं तो अपने ही बीवी-बच्चों को पहिचानने में परेशानी होने लगती है। कल तक जिस बीवी ने बालों में फूलदान रखकर जूड़ा बाँधा था वह आज केश कटाकर तपस्विनी की भाँति आश्रम में विचरण करती हुई दृष्टिगोचर होती है। कल तक जो वस्त्र साड़ी के स्थान पर प्रयुक्त होता आया था, वह आज लुंगी का रूप धारण किये मिलता है। और इस पर भी तुर्रा यह कि यह सब होता है आपको ही खुश करने के लिए। पत्नियों का निश्चित ख़याल है कि यदि उन्होंने फ़िल्म अभिनेत्रियों जैसा अभिनय नहीं किया तो आप ज़रूर कहीं और चले जाएँगे। नतीज़ा यह होता है कि थोड़े दिनों में अपना ही ग़रीबखाना स्टूडियो का मज़ा देने लगता है। हिरोइन पत्नी होती है, बच्चे आर्केस्ट्रा बजाते हैं और मुहल्ले वाले तमाशा देखते हैं। आप हैं, जो कभी हीरो का पार्ट अदा करते हैं तो कभी विदूषक का। कहानी सुखान्त हो या दुखान्त– चलती पूरे तीन घण्टे तक है। इस बीच इण्टरवल का भी प्रबन्ध रखा जाता है, जिसमें आपकी पत्नी अटैची समेट कर टैक्सी वाले को बुलाने चली जाती है। आप रोकते हैं, मिन्नतें करते हैं और नतीज़ा यह होता है कि पिक्चर का शेष भाग फिर शुरू हो जाता है। इतवार के दिन मैटिनी शो का भी इन्तज़ाम रहता है। बताइए फ़रमाइशें न होतीं तो ये मज़े कहाँ मयस्सर होते! अर्थात् कहीं भी नहीं।

भगवान का लाख-लाख शुक्र है कि इस देश की पत्नियाँ फिर भी कुछ इनी-गिनी चीज़ों की ही फ़रमाइश करती हैं। पश्चिमी देशों में तो पत्नी नया पति लाने तक की भी फ़रमाइश करती है। हमारा देश अभी पिछड़ा हुआ है न! थोड़े दिनों में देखना, ये चन्द्रमुखी यदि चाँद पर जाने की फ़रमाइश न करने लगें तो आप मेरा नाम रवीन्द्रनाथ त्यागी से बदल कर रवीन्द्रनाथ ठाकुर रख देना!

राधाकृष्ण की प्रेमकथा

प्रथम अध्याय : प्रयोग वर्णन

बहुत समय व्यतीत हुआ जब आंग्ल देश में महारानी एलिज़ाबेथ (द्वितीय) शासन करती थीं। उन्हीं दिनों आर्यावर्त्त की पवित्र भूमि पर परमपुनीत पुण्य सलिला भगवती भागीरथी के तट पर प्रयाग नामक एक विशाल नगर था। उस महान् वैभवशाली नगर में चौड़े-चौड़े राजपथ थे और बड़े-बड़े सेठों के प्रासाद थे। वहाँ उच्च न्यायालय था, महालेखाकार व महासैन्य लेखा नियन्त्रक के कार्यालय थे, जिनमें सहस्रों नर-नारी द्विचक्रियों पर चढ़कर नित्यप्रति जीविकोपार्जन के हेतु जाते थे। सूतजी का कहना है कि सज्जनो, उसी काल में संवत् 2019 के आषाढ़ मास की शुक्ल पक्ष की द्वितीया को विजयनगर के श्री राधाकृष्णजी ने तीर्थराज प्रयाग की भूमि पर पदार्पण किया।

श्री राधाकृष्णजी ने जिस समय इस नगरी में प्रवेश किया, उस समय आने-जाने के लिए रेलयन्त्रिका नामक वाहन का उपयोग किया जाता था। यह वाहन वाष्प द्वारा परिचालित होता था। धनी और पूर्वजन्मों में पुण्य करने वाले श्रेष्ठी लोग मोटर का भी उपयोग करते थे। लोग पैदल भी चलते थे और रिक्शा नामक वाहन का भी प्रयोग किया जाता था। अभी-अभी टाटानगर की खुदाई में इस वाहन के कुछ खण्ड प्राप्त हुए हैं। यह तीन पहियों से चलता था। भाग्यशाली लोग इसमें सवारी लेते थे और भाग्यहीन लोग इस वाहन को परिचालित करते थे। इसके चलाने से मानव देह जल से परिपूर्ण होती थी और इसी कारण पुराणों में वरुण भगवान ही इसके जन्मदाता माने गये हैं।

श्रीयुत् राधाकृष्ण श्रीवास्तव ने इन्हीं वाहनों द्वारा नगर में पश्चिम की ओर से प्रवेश किया। इतने बड़े नगर में इस पवित्र आत्मा के चरण रखते ही धरती चहुँओर से पुलकित हो उठी। सूतजी कहते हैं कि श्रीवास्तवजी के इस नगरी में प्रवेश करने का उद्देश्य था विद्या का उपार्जन करना। विद्या को धर्म का मूल माना गया है। बिना ज्ञान के धर्म और बिना धर्म के मोक्ष पाना कठिन है।

द्वितीय अध्याय : मित्र सम्प्राप्ति

सज्जनो, राधाकृष्णजी के दिन इस नगर में इस प्रकार व्यतीत होने लगे जैसे देह में प्राणों के होते हैं। श्रीवास्तवजी की गाथा विस्तारपूर्वक वर्णन करने से पूर्व यह बताना आवश्यक है कि वास्तव में वे थे श्रीविहीन ही। गृह पर किंचित-किंचित भूमिधर का कार्य सम्पन्न होता था और यदाकदा आदान-प्रदान या लेन-देन का व्यवसाय भी होता था। श्रीविहीन होने पर भी श्री राधाकृष्णजी स्वयं को एक धनाद्य व्यक्ति सिद्ध करने पर तुले हुए थे। छात्रावास में उनका कक्ष सजाया गया, सोफ़ासेट किराये पर लिया गया, पर्दे रँगवाये गये और कक्ष के धरातल का वक्ष कालीन से ढँक गया। इन समस्त कार्यों के सम्पादन हेतु गृह से पुस्तकों की निमित्त आयी धनराशि का प्रचुर उपयोग किया गया। सत्यासत्य बहानों पर और धन भी मँगवाया गया, सम्बन्धियों और परिचित मित्रों को भी सहायता करने का अवसर दिया गया। एक धनीमानी व्यक्ति की नाईं उन्हें कुछ स्नेही व अन्तरंग मित्रों की भी आवश्यकता प्रतीत हुई और सूतजी कहते हैं कि आस-पास के कमरों के दो छात्र उनकी सेवा में इस भाँति तत्पर हो गये जैसे मर्यादा पुरुषोत्तम श्रीराम की सेवा में हनुमान व जामवन्त हुए थे।

इन दो छात्रों में से, देवियो, एक का नाम था प्रेमशंकर और दूसरे का सज्जनो, नाम था दयानिधान। ये दोनों मित्र श्रीवास्तवजी के पास इस प्रकार से रहने लगे जैसे क्वार के साथ भाद्रपद और कार्तिक, रविवार के साथ शनिवार व सोमवार रहते हैं। इन दोनों महानुभावों में से प्रेमशंकरजी एक साहित्य प्रेमी जीव थे और दयानिधानजी एक क्रीड़ाप्रेमी। दयानिधानजी को समस्त प्रकार के खेलों पर उतना ही समान अधिकार था जितना उन्हें अपने शरीर की प्रत्येक पेशी पर। कृष्ण वर्ण के प्रेत जैसा वर्ण, लम्बी नाक वाले मनुष्यों जैसी नाक और विशाल नेत्र वाले व्यक्तियों के जैसे नेत्र। इन्हीं प्रभावों के कारण उन्हें भक्त लोग नाना प्रकार के नाम से पुकारते थे। विशाल नेत्र होने के कारण उन्हें दीर्घलोचन कहा जाता था। मेस के सेवकों का ताड़न करने के हेतु उन्हें दुःखभंजन कहा जाता था तथा छात्रावास के निरीक्षक की क्रूर दृष्टि से अन्य छात्रों की रक्षा करने के कारण वे संकटमोचन भी कहलाते थे। उनकी बुद्धि के विषय में उस समय की प्रजा में मतभेद था। एक मत तो यह था कि उनकी बुद्धि विधाता की कृपा से उनके चरणों में है और दूसरा मत था कि उनके बुद्धि है ही नहीं। अधिकांश जनता इस अन्तिम मत की अनुयायी थी। छात्रावास के सेवक और भृत्य, समीप ही शासन लगाने वाले ताम्बूल धूम्रवर्तिका व दीपशलाका के विक्रेता इसी मत का अनुसरण करते थे।

प्रेमशंकरजी थे एक साहित्यिक प्राणी। वे अपनी प्रसाद गुण-सम्पन्न प्रवाहमयी भाषा में यदा-कदा कहते थे कि दयानिधानजी के मस्तिष्क में पेशियाँ हैं। प्रेमशंकरजी ने हिन्दी के सारे कालों का अध्ययन किया था और यह अध्ययन प्रत्येक काल जारी

रहता था। बात-बात पर उनके मुखारविन्द से कवित्त व सवैया निःसृत होते रहते थे। प्रत्येक तर्क की पुष्टि करने के लिए बिहारी या केशव की गवाही दी जाती थी। स्वयं भी वे कविता करने में कुशल थे। उनका विशिष्ट क्रियाक्षेत्र था शोधकार्य या पुनर्खोज। इस क्रिया को म्लेच्छ भाषा में रिसर्च कहते थे। परमपुनीत वेंकटेश्वर भगवान की कृपा से उनकी शोधक्रिया का उन दिनों दसवाँ वर्ष चल रहा था। यह खोज कार्य, इतिहास की साक्षियों के अनुसार तब तक चलता रहा जब तक उनके पथ प्रदर्शक प्राध्यापक पंचतत्त्व में विलीन नहीं हुए। उन प्राध्यापक महोदय की अज्ञ सहधर्मिणी का यह भ्रमपूर्ण विचार था कि उनके पति प्रेमशंकरजी के निरन्तर शोधकार्य के कारण ही दिवंगत हुए। इस बात की चर्चा हम अलग से करेंगे क्योंकि मूल कथा में क्षेपकों का होना ठीक माना नहीं जाता। प्रेमशंकरजी के खोज का विषय था 'देवकी नन्दन खत्री और हिन्दी काव्य में रहस्य की भावना'। उनके विचारों में हिन्दी काव्य में रहस्य की भावना खत्रीजी के उपन्यासों से आयी थी, जिनमें तिलिस्म व लखलखा का वर्णन किया गया है। क्योंकि प्रसादजी व खत्रीजी दोनों ही वाराणसी के निवासी थे, यह प्रभाव पड़ना स्वाभाविक था।

इन दोनों मित्रों की संगति में राधाकृष्ण की कथा का विकास होता गया। सूतजी कहते हैं कि ये तीनों मित्र त्रिकुटा, त्रिफला, त्रिजटा, त्रिमूर्ति, त्रिलोक, त्रिकाल, त्रिवेणी और त्रिशूल की भाँति साथ-साथ ही याद किये जाते थे।

तृतीय अध्याय : प्रथम दर्शन

छात्रावास के जिस कक्ष में श्रीवास्तवजी का निवास था, उसकी पृष्ठभूमि में ग्वालों की बस्ती थी। ग्वाला लोगों के यहाँ धेनुएँ थीं, गोवत्स थे, नारियाँ थीं, पुत्र थे और पुत्रियाँ थीं। यह अन्तिम वस्तु ही वह विशेष वस्तु थी जिसने श्रीवास्तवजी का ध्यान सहज ही अपनी ओर आकृष्ट कर लिया। एक ग्वाल तनया नित्य प्रति अपने गोवत्स को रोटी खिलाने श्रीवास्तवजी के कक्ष के पीछे भूमि के आँगन में चरण रखती। जैसे ही उस गोवत्स की ग्रीवा में बँधे घुँघुरुओं की मधुर ध्वनि श्रीवास्तवजी के कर्ण विवरों में पड़ती, वे दूसरी मंज़िल पर खड़े-खड़े उस ग्वाल पुत्री की रूप-छवि का अपलक नेत्रों से पान करते। यदि वह ग्वाले की लड़की अपने प्रिय गोवत्स को कुछ कहती तो उस ध्वनि को श्रीवास्तवजी संसार की मधुरतम ध्वनि मानते। घण्टों वे खिड़की के पास खड़े रहते उसी की प्रतीक्षा में। उनकी एक मात्र इच्छा यही थी कि नित्य प्रति वह बालिका वहाँ आए और वे उसे अपने दृष्टिपथ पर उतारें—बस। परन्तु भाग्य की इच्छा प्रबल होती है। एक दिवस ऐसा संयोग हुआ कि जब वह अपने प्रिय गोवत्स का देह-मर्दन कर रही थी, और जब चोरी-चोरी श्रीवास्तवजी उसकी रूप-सुधा का पान कर रहे थे, तभी छात्रावास की छत पर मार्जार-द्वय के मल्ल-युद्ध की ध्वनि आयी। इस ध्वनि से सारी दिशाएँ हिल गयीं। समुद्रों में तूफ़ान

आ गये। कूर्मांचल अपने स्थान से हिल उठा। इस हृदय-विदारक नाद को सुनकर उस बालिका के नेत्र स्वतः ऊपर की दिशा में उठ गये। उन नेत्रों ने उठकर दो अदद बिल्लियाँ ही नहीं देखीं वरन् एक अदद श्रीवास्तवजी भी देखे गये। वे तन्मय दृष्टि से उसी की ओर देख रहे थे। श्रीवास्तवजी की दृष्टि देखकर वह सहमी और बिल्लियों को देखकर वह मुस्करायी। इस स्थिति को अवलोकन कर, जो कि भय के कारण किंचित् लज्जायुक्त थी, श्रीवास्तवजी ने अपने प्रति किया गया इंगित समझा और ऐसा लगा कि दुष्ट पंचशर ने पाँचों बाण उन्हीं पर छोड़ दिये। उसी क्षण से उन्हें प्रेम ज्वर हो गया क्योंकि पाँचों बाण पुष्पधन्वा ने इन्हीं पर छोड़ दिये थे, वह उस बालिका का कुछ न बिगाड़ सका। वह थोड़ी देर वहाँ रुकने के उपरान्त बिना किसी विशेष स्मृति के वापस चली गयी।

चतुर्थ अध्याय : प्रेम-पीड़ा

शौनक मुनि कहते हैं कि सज्जनो, उस प्रेम-पीड़ा में उनका खान-पान, उठना-बैठना, चित्रपट-गमन इत्यादि सबकुछ छूट गया। अब तो वहीं गवाक्ष में बैठे रहते और बाहर को देखते रहते, उस मंगलदाता क्षण की प्रतीक्षा में, जब रति की प्रतीक वह गोप-बाला उन्हें दृष्टिगोचर हो। यदि किसी दिन उसे कुछ विलम्ब हो जाता या किसी कारणवश वह न आती तो उन्हें निद्रा भी न आती। संसार असार लगता था, मित्र छूट गये थे और युवावस्था में ही वैराग्य की स्थिति का अनुभव होता था।

श्रीवास्तवजी मित्रों को भले ही छोड़ दें पर मित्र लोग उन्हें छोड़ने वाले न थे। सूतजी कहते हैं कि दयानिधान व प्रेमशंकरजी ने उनसे उनके नैराश्य व वैराग्य का कारण पूछा। यह पूछा गया कि क्या कोई हस्ति घर पर मृत्यु को प्राप्त हो गया है या वे कोई अभियोग उच्चतम न्यायालय में हार गये हैं इत्यादि। ये प्रश्न भी इस कारण पूछे गये क्योंकि श्रीवास्तवजी के कथनानुसार उनके घर पर अनेक हाथी थे जिनमें से कोई-न-कोई हमेशा दिवंगत होता रहता था। उनके सारे आर्थिक मामले भी इतने विशाल होते थे कि उनका अन्तिम निर्णय उच्चतम न्यायालय ही कर सकता था। परन्तु इन प्रिय प्रश्नों के पूछने के उपरान्त भी श्रीवास्तवजी न तो बोले और न डोले, बस गवाक्ष के बाहर ही देखते रहे। इस प्रकार की स्थिति का अवलोकन कर, सज्जनो, उन दोनों परम मित्रों ने भी उधर ही देखना आरम्भ कर दिया। इतने ही में नेत्रों में आँसू भरकर कातर वाणी में श्रीवास्तवजी ने इस प्रकार अपनी आत्मा के दुःखों को वाणी दी :

"मित्रो, ऐसा प्रतीत होता है कि संसार असार है, जीवन क्षणभंगुर हैं, दिन-रात का यह चक्र व्यर्थ है..."

प्रेमशंकर बीच में कुशल चिकित्सक की भाँति लक्षण पहचानकर बोले, "ठीक-ठीक... खोलती इधर जन्म लोचन मुँदती उधर मृत्यु क्षण-क्षण...यही है वह मानसिक

स्थिति जिसमें विश्व के महान् साहित्य की सृष्टि हुई है। ठीक-ठीक... क्रौंचवध और वाल्मीकि का वृत्तान्त भी इसी प्रकार है। आप कुछ लिखा करो मित्र। कथा सुनोगे? कहते हैं प्राचीन काल में एक क्रौंच था और एक था वाल्मीकि..."

"क्रौंच किसे कहते हैं?" दयानिधानजी ने कहा।

"क्रौंच के बारे में कल बताऊँगा। वैसे इतना पता ज़रूर है कि उसे जब भी तीर से बिंधा पाया जाता था तभी वाल्मीकीजी रामायण लिखने लगते थे... उन दिनों इस तरह के क्रौंच बहुत पाये जाते थे और इसी कारण रामायण जैसी विशाल पुस्तक लिखी गयी। वह इस काम के लिए शायद एक बहेलिया भी रखते थे।" इससे पूर्व कि बात आगे बढ़े, नीचे से नुपूर ध्वनि सुनायी पड़ी और श्रीवास्तवजी के अधरपुट एक कई गज़ लम्बी आह को मार्ग देने के लिए खुल गये। नीचे वह बालिका खड़ी थी।

मित्रों को स्थिति अवगत होने में, देवियो, कुछ अधिक समय न लगा। कुछ व्यंग्य-विनोद का प्रसंग चला, परन्तु जब श्रीवास्तवजी के दोनों नेत्र अग्निशामक-यन्त्र की भाँति पानी देने लगे तो दोनों मित्रों के हृदय-द्वय द्रवित हो गये। वे उन्हें सान्त्वना देने लगे— हीर-राँझा, शीरी-फ़रहाद, सारंगा-सदाब्रज इत्यादि प्रेम कथानकों की विशद रूप से चर्चा की गयी। प्रेमियों को कितने कष्ट पड़े। एक उर्दू भाषा के कवि की उक्ति भी दुहरायी गयी जिसमें कहा गया है कि प्रेम करने के लिए तैरना आवश्यक है क्योंकि प्रेम एक अग्नि का नद है जिसमें प्रेमी को तैर कर ही पार जाना पड़ता है। कहते हैं इस जलराशि पर अभी तक यातायात के अन्य साधनों का विकास नहीं हुआ है। इधर श्रीवास्तवजी की आँखों से जल-निष्क्रमण इस तीव्र गति से जारी था कि कोई अधिशासी अभियन्ता वहाँ विद्युत गृह निर्माण की योजना बनाता। दोनों मित्रों ने उन्हें आश्वासन दिया कि डरो मत। उद्योगिनं पुरुषसिंहमुपैति लक्ष्मी। कुछ-न-कुछ अवश्य ही किया जाएगा। दयानिधानजी ने श्रीवास्तवजी की हस्तरेखाएँ भी देखीं। उनके अनुसार भय करने के लिए कोई स्थान नहीं था, क्योंकि यद्यपि अकाल मृत्यु का योग तो हाथ में था पर वह किसी और दुर्घटना के कारण सम्भव था, प्रेम के कारण नहीं।

पंचम अध्याय : पत्र-लेखन

सूतजी कहते हैं कि सर्वसम्मति से यह निश्चित किया गया कि श्रीवास्तवजी की ओर से उस बालिका को एक प्रेम-पत्र प्रेषित किया जाए। पत्र भेजने की परम्परा का नल-दमयन्ती से लेकर अब तक किसी-न-किसी प्रकार निर्वाह किया जा रहा है। पत्र लिखने की तैयारियाँ की गयीं; क्योंकि प्रेमशंकरजी के विचारों में एक आदर्श प्रेमी के नाते श्रीवास्तवजी को पत्र लिखना अनिवार्य था। अतः खाना खाने के उपरान्त कक्ष के द्वार बन्द किये गये, तीनों मित्रों ने आसन ग्रहण कर लिये और प्रेमपत्र का लेखन प्रारम्भ हो गया।

श्रीवास्तवजी स्वयं पत्र-लेखन के पक्ष में न थे, पता नहीं वह किशोरी कहाँ तक पढ़ी है! यदि निरक्षर भट्टाचारिणी रही तो वह सम्भवतः पत्र किसी और से पढ़वाए। और फिर पत्र यदि किसी अनुचित स्थान पर पहुँच गया तो! फिर पत्र में लिखा जाए तो क्या लिखा जाए? सारी भावनाएँ पत्र में लिखी नहीं जा सकती थीं। और भावशून्य पत्र ही क्या! वैसे श्रीवास्तवजी स्वयं संक्षिप्त पत्रों के पक्ष में थे। कभी-कभी वे इस विषय में तो इतनी संक्षिप्तता बरतते थे कि पत्र में पता तक लिखना ही भूल जाते थे। ख़ैर, मित्रों का आग्रह : पत्र लिखना ही था। प्रश्न केवल यही था कि पत्र कितना दीर्घ हो और उसमें क्या-क्या अंकित किया जाए।

प्रेमशंकरजी संक्षिप्तता के पक्ष में थे। सन्त कबीर ने कहा है कि प्रेम में ढाई अक्षर होता है और जो पढ़ता है वह पण्डित हो जाता है। प्रेम-पत्र में अधिक प्रलाप से क्या लाभ? अरे लिखिए कि मैं तुमसे प्रेम करता हूँ आशा है तुम भी करती होगी। यदि नहीं करतीं तो शुरू कर दो। शुभस्य शीघ्रम्। इधर सब कुशल है और तुम्हारी ओर भगवान से चाहते हैं। थोड़े लिखे को बहुत समझना। इत्यादि-इत्यादि। दयानिधानजी का मत दूसरा था। वे कहते थे कि यह भी कोई प्रेम-पत्र है! अरे लम्बे पत्र लिखिए नख-शिख वर्णन दीजिए, आहें भरिए तब कहीं होता है प्रेमपत्र। बात इनकी भी ठीक थी। बचपन में इन्हें अपने पिता के पत्र पत्नी के नाम कहीं से हाथ लग गये थे, और उनका उन्होंने गहरा अध्ययन किया था। सज्जनो! जैसा कि सूतजी ने पहले बताया, दयानिधानजी देह से बलिष्ठ थे और इसी कारण मानसिक भावनाएँ बहुत शीघ्र ही शारीरिक क्रियाओं के रूप में मूर्त हो उठती थीं। पत्र उसी तरह लिखा गया जैसा कि वे चाहते थे। नख-शिख वर्णन, प्रथम दर्शन, प्रेम की पीड़ा इत्यादि की पूरी चर्चा की गयी। ऋतुवर्णन भी थोड़ा-बहुत किया गया। अनुभाव-विभावों का भी ध्यान रखा गया। प्रेमशंकरजी की साहित्यिक प्रतिभा को पर्याप्त अवसर मिला। केशव, बिहारी और पद्माकर को भी कष्ट दिया गया। 'तेरे मुख देखौं सखी कमलौं न चन्दरी' से शुरू कर के 'तुम्हारी आँखों का आकाश, खो गया खग का मन अनजान' (या मन का खग अनजान-कुछ इसी तरह था) तक सारी पंक्तियाँ उद्धृत की गयीं। इस साहित्यिकता को दयानिधानजी एक सीमा से अधिक सहन नहीं कर सकते थे। वे थे सर्वहारा क्लास के प्रतिनिधि और वे इस पूँजीवादी साहित्य से घृणा करते थे। पत्र का पूर्वार्ध तो जैसा हो गया था, वैसा ही रहा, पर उत्तरार्ध को बिगड़ने से उन्होंने सँभाला। 'मार कटारी मर जाना' ...से शुरू करके 'जो कुछ भी हो खुदा की कसम ला-जवाब हो' तक का सम्पूर्ण जन साहित्य उसमें सुचारु रूप से सम्मिलित किया गया। कुल मिलाकर पत्र ऐसा हो गया था कि स्वयं श्रीवास्तवजी को उसकी सफलता में सन्देह होने लगा।

पत्र भेजने का भार सौंपा गया ब्लॉक के नववयस्क भृत्य भगवती को। भगवती प्रथम श्रेणी का मूर्ख था और नया-नया देहात से आया था। उसी के किसी प्रपितामह

को देखकर भर्तृहरि ने 'ज्ञानलवं दुर्विदग्धं ब्रह्मापि तं नरं न रंजयति' वाली पंक्ति लिखी थी। देवियो, उसे हाथ और पैर का अन्तर अवगत करने में पाँच मिनट लगते थे और दायाँ और बायाँ समझने में दस मिनट। उसने पत्र लिया और अपने काम में इस तत्परता से चला जैसे यक्ष के लिए मेघ और रामचन्द्रजी के लिए महावीर हनुमान चले थे।

छठा अध्याय : विरह-वर्णन

प्रथम पत्र का उत्तर न आने पर दूसरा प्रेम-पत्र लिखा गया। प्रेमशंकरजी ने इस पत्र के लिखने में 'भ्रमरगीत' व 'पवनदूत' पुस्तकों से काफ़ी सहायता ली। दयानिधान जी भी अपनी ओर से यथाशक्ति प्रयास करते रहे। इधर श्रीवास्तवजी की पीड़ा इतनी उग्र होती चली गयी कि भगवती जैसे मनुष्य रूपी मृग उसे पहचानने लगे। जब भी सज्जनो, राधाकृष्णजी रासलीला के लिए कोई नया निमन्त्रण उसे देते और उसकी गोपनीयता की आवश्यकता पर यथोचित प्रकाश डालने की चेष्टा करते, तभी भगवती दाँत निपोर कर भृत्योचित भाषा में कहता...'हमहूँ सब समझत हैं सरकार...तुम बिफिकिर रहौ...।' मगर इस ज्ञान की एक और प्रतिक्रिया हुई। जीवन में प्रथम बार उसे प्रेम के अस्तित्व की अनुभूति हुई। उसे स्वयं भी उस बालिका के प्रति अनुराग उत्पन्न हो गया। वह थी भी उसी की जाति की और वह स्वयं भी तब तक अविवाहित ही थी। उसे बालिका के परिवार से घनिष्ठता बढ़ाते समय न लगा। श्रीवास्तवजी के पत्र वह अपने पास ही रखता गया और झूठ-मूठ बोलकर बालिका के नाम पर वह राधाकृष्णजी से यदा-कदा मुद्रा लाभ भी करने लगा। प्रेम की अनुभूति ने उसके विवेक के चक्षु खोल दिये।

इधर श्रीवास्तवजी का हाल अवर्णनीय था। अर्धवार्षिक परीक्षा में उन्हें वह शून्य प्राप्त हुआ जिससे महामना मनु ने सृष्टि का प्रारम्भ स्वीकार किया है। गृह पर भी स्थिति दृढ़ नहीं थी। प्रेम के ज्वर का तापमान बढ़ता ही जा रहा था। दोनों परममित्र भी यथाशक्ति उन्हें प्रेम की अलौकिक शक्ति के विषय में अपनी सम्मति देते रहे। परिणाम यह हुआ कि श्री राधाकृष्णजी की स्थिति दिन-प्रतिदिन दयनीय होती गयी। संसार के प्रति तो वे पहले ही विरक्त हो गये थे, अब मित्रों से भी बचने लगे। फिर एक दिन उनके आत्मबल की भावना ने ज़ोर मारा और उन्होंने स्वयं अपने पैरों पर खड़े होने की सोची। जैसे ही वह बालिका आती वे अपने हाव-भाव से प्रेम और उसकी पीड़ा तथा उसकी शान्ति के उपायों का काफ़ी विस्तृत प्रदर्शन करने लगे। एक दिन विरह की स्थिति की सच्ची स्थिति दिखाने के लिए कपड़े भी उतारे। इस मौलिक प्रणाली का प्रभाव तुरन्त हुआ। सन्ध्या समय उस बालिका ने अपना सारा समाचार अपने भाई को दिया। रामदीन सारे कर्नलगज के मुहल्ले में (नयी बस्ती सम्मिलित करके भी) सबसे अधिक धूर्त व्यक्ति था। होलिका के शुद्ध पर्व पर अनेक बार विशुद्ध जल की सुराही उसने थानेदार के सिर पर स्वयं विसर्जित की थी। उसे

स्थिति अवगत करने में समय न लगा। उसने भगवती से भी परामर्श किया। दोनों ने स्थिति पूरी तरह भाँप ली। दोनों एक ही निष्कर्ष पर पहुँचे।

सातवाँ अध्याय : चिर मिलन

दोपहर का समय था। वैशाख के दिन थे। पतझड़ के कारण पत्ते पेड़ों से विदा ले रहे थे। राजमार्ग जनहीन था। ऐसी ही बेला में राधाकृष्णजी विश्वविद्यालय की दिशा में प्रयाण कर रहे थे कि तभी उनकी पृष्ठभूमि पर किसी ने अचानक हाथ रखा। उन्होंने मुड़कर देखा स्वयं भगवती ही था।

भगवती ने श्रीवास्तवजी को राजमार्ग के एक ओर ले जाकर प्रेमिका का सन्देश सुनाया। उसी दिवस सन्ध्या समय सामने वाले चर्च के पीछे मिलन का स्थान निश्चित था। इस सन्देश का सज्जनो, श्रीवास्तवजी के प्रेमपीड़ित अन्तर पर जो प्रभाव हुआ उसका आप स्वतः ही अनुमान लगा सकते हैं। वहीं से वह छात्रावास को लौट आये। भगवती को सूट प्रेस कराने के लिए भेजा गया। दस रुपये उसे पारितोषिक भी दिया गया। इसके उपरान्त वे स्नान में संलग्न हो गये। स्नान की क्रिया विधिवत् सम्पादित करने के उपरान्त दैनिक पत्र में उन्होंने अपना राशिफल पढ़ा और फिर मिलन की बेला की योजना विस्तारपूर्वक बननी प्रारम्भ हो गयी। दिन का उत्तरार्ध उस दिन का अनायास ही बहुत बढ़ गया था। समय काटे न कटता था जैसे फ़ौलाद का ही बना हो। वे कैसे देश हैं जहाँ के लिए कवि ने कहा है 'दिवस का अवसान समीप था'! यहाँ तो दिन ही दिन है। शाम होने में नहीं आती। ख़ैर! किसी प्रकार राम-राम करके सन्ध्या के चिह्न प्रकट होने प्रारम्भ हुए और श्रीवास्तवजी ने रासलीला के लिए चरण उठाये।

छात्रावास के बहिर्देश में एक राजपथ है, उसके उस तट पर चर्च है। सूतजी कहते हैं यह वही गिरजाघर है जिसका वर्णन तुलसीदास ने रामचरितमानस में 'सर समीप गिरजाघर सोहा' कहकर किया है। जिस सान्ध्यवेला का यह वर्णन है, उसमें सड़क पर बड़ा यातायात था। मोटर, रिक्शे, बैलगाड़ियों इत्यादि वाहनों ने अभिसार पथ को काफ़ी क्लिष्ट बना दिया था। जितनी देर सड़क के इस तट पर होती थी उतनी ही दूसरे तट के प्रति श्रीवास्तवजी की उत्सुकता बढ़ती जाती थी। 'उस पार न जाने क्या होगा' सोचते किसी प्रकार से चर्च के गेट पर पहुँचे और उसके पीछे वाले अहाते में पहुँचने के लिए एक अँधेरी और सँकरी गली की शरण ली।

देवियो यह वही गली थी जिसका वर्णन सन्त कबीर ने बार-बार किया है.. .'प्रेमगली अति साँकरी ता में दो न समाय...।' इस गली में तो एक व्यक्ति भी समाना कठिन था। किसी प्रकार राधाकृष्णजी सघन कुंजों से ढँकी, खग-कूजन से परिपूरित, रहस्य व रोमांच उत्पन्न करने वाली उस गली में चलते रहे। कुछ दूर चलने पर अनायास ही उन्हें यह आभास हुआ कि गली की भूमि सुविधा के लिए

कुत्तों के रूप वाले कालीनों से ढँकी है। किसी एक श्वान के खुले मुख प्रदेश में उनका जूता उलझ गया था। जैसे ही उन्होंने उस पशु विशेष से अपनी जूता रूपी सम्पत्ति वापिस लेनी चाही, ऐसा लगा कि चारों दिशाएँ कुत्तों की वर्षा करने लगीं। नीचे, ऊपर, बायें-दायें चारों और कुत्ते-ही-कुत्ते थे। ये कुत्ते वे नहीं थे जो भौंकते ज़्यादा और काटते कम हैं। ये तो भौंकते भी थे और काटते भी। जब एक भौंकता था तो दूसरा काटता था। यदि दो भौंकते थे तो काटते भी दो ही थे। कुत्तों की देह अँधियारी गली में दृष्टिगोचर तो नहीं होती थी फिर भी ऐसा लगता था कि उस सँकरी गली में कुछ दुर्बल कुत्ते ही अधिक उपयुक्त रहते। ये सारे कुत्ते वस्त्र-भक्षी थे। एक ने पतलून सँभाली दूसरे ने उनके कोट पर हाथ मारा। तीसरे ने टाई पर ही सन्तोष किया। इस दसों दशाओं में से एक ही साथ हुई कुत्तों की आकस्मिक वर्षा के कारण श्रीवास्तवजी की मानसिक और शारीरिक स्थिति ऐसी हो गयी कि वे किसी भी प्रकार की प्रेम क्रीड़ा के लिए एकदम विरक्त हो उठे। पर इस गली से पीछे हटना भी कठिन था। किसी प्रकार आगे बढ़े। किसी प्रकार गली की इति श्री हुई और आँगन आया। 'नभ के नीले आँगन में शारदहासिनी' की भाँति बैठी एक स्त्री की ओर उनका ध्यान एकदम चला गया। कोई शतपदम् पर एक मूर्ति दीवार के सहारे स्थिर थी। यद्यपि उसका मुखचन्द्र दीवार की ओर था, फिर भी श्रीवास्तवजी उसके सौन्दर्य में एकदम परिप्लावित हो उठे। तन्वंगी यौवन-युक्त वह रमणी-सघन कुंजों से ढँका यह गिरजाघर-शान्त दिशाएँ-मस्त समीरण-ऊपर अम्बर-नीचे वे और वह सुन्दरी...।

सज्जनो! श्रीवास्तवजी ने जैसे ही वह सुन्दरी रमणी देखी, उनके सारे दुःख समाप्त हो गये। उस कोमलांगी के पीठ के एक दर्शनमात्र ने उन पर वह प्रभाव किया जो भगवान के दर्शन से भक्त पर होता है। उन्होंने अपनी फटी पतलून ठीक की और फिर धीरे-धीरे आगे बढ़े। काफ़ी देर उस मूर्ति के पीछे ही वह खड़े रहे और रूप-सुधा का पान करते रहे। इसके उपरान्त उन्होंने प्रणयपुलकित होकर उसकी पृष्ठभूमि पर हाथ रखा।

शौनक मुनि कहते हैं कि विवेकी प्राणी कभी एकान्त में युवतियों की पीठ पर हाथ से स्पर्श नहीं करते। कभी-कभी हाथ रखते ही युवतियाँ युवकों के रूप में परिवर्तित हो उठती हैं। इस समय भी ऐसा ही हुआ। हाथ रखते ही उस मूर्ति ने सहसा उस बालिका के भाई का रूप धारण कर लिया। रामदीन ने झीनी-झीनी चदरिया ज्यों-की-त्यों एक ओर रख दीनी, और श्रीवास्तवजी को श्रीविहीन करना प्रारम्भ कर दिया। ख़ूब पिटाई की। शरीर का कोई अंग ऐसा न छोड़ा जिस पर दस बीस घूँसे न पड़े हों। अकेले नासिका प्रान्त पर ही पच्चीस बार किये गये। फिर उसने उनके वस्त्र उतारे, घड़ी उतारी, पेन लिया, चश्मा लिया, जूते लिये और उसके उपरान्त श्रीविहीन 'वास्तव' के रूप में राधाकृष्णजी को त्यागकर-प्रेमियों के

काम में विघ्न डालने वाला-तारकासुर के वंश में उत्पन्न, धूर्तों में राजा के तुल्य वह रामदीन उन सघन वन कुंजों में उसी प्रकार विलीन हो गया जिस प्रकार मेघों से ढँके आकाश में बिजली होती है।

आठवाँ अध्याय : गृहगमन

श्रोतावृन्द, सूतजी का कहना है कि श्रीवास्तवजी जब छात्रावास वापस आये तो उनकी गति दर्शनीय थी। भगवती ने उनसे कुछ न पूछा, वह उन्हें देखकर केवल 'ही-ही' मन्त्र का पाठ करता रहा। रात भर मालिश की गयी, सिंकाई की गयी। उसी रात एक और विपत्ति की छोटी-सी पहाड़ी भी टूट गयी। इस मल्लयुद्ध का समाचार छात्रावास के प्रमुख अधिकारी तक भी पहुँच गया था। रामदीन ने भी उनसे कुछ शिकायत की। इन सबका प्रभाव यह हुआ कि सत्र की समाप्ति के पूर्व ही श्रीवास्तवजी को छात्रावास छोड़ना पड़ा। संवत् 2018 के वैशाख के शुक्लपक्ष की द्वितीया को राधाकृष्णजी अपने देश को चले गये।

अर्थ-अनर्थ : काग़ज़ी घोड़ों की दुर्घटनाएँ

"इस अंक से हम आपकी शेवा में हिन्दी के कुछ पृष्ठ प्रस्तुत करते हैं। डस बार केवल आधुनिक समाचारों पर ही ध्यान दिया गया है। पाटक लोग कृपा करके इस कॉलम का अच्छी तरह अध्यन करें और अगर कोई त्रटि नज़र आए तो हमें लिखें ताकि अगले अंक में उसका सुधार किया जा सके। यदि आप कुछ परिव्रतन चाहें तो उन्हें जानकर हमें प्रसन्नता होगी। हिन्दी की उन्ननि के लिए हम सभी को ध्यान देना है। इस पत्र का हमेशा यही ध्येय रहेगा कि इस कॉलम द्वारा राष्ट्रभाषा के बेहतरीन नमूने पेश किये जा सकें।"

ऊपर दिया उद्धरण दिल्ली से छपने वाले एक साधारण मासिक के सम्पादकीय से लिया गया है। यह मासिक पत्र अब तक उर्दू में ही छपता था। हाल ही में उसमें कुछ पृष्ठ हिन्दी के भी जोड़े जाने लगे हैं और इसी बात की चर्चा सम्पादकजी ने ऊपर दिये गये उद्धरण में भी की है। जैसा कि मान्य सम्पादकजी ने बताया है, वे इस पत्र के द्वारा हिन्दी के बेहतरीन नमूने पेश करना चाहते हैं। मेरे ख़याल से जो नमूना ऊपर दिया गया है, वह भी अपने क़िस्म का बेहतरीन ही है। सच्ची बात तो यह है कि हिन्दी के ग़लत प्रयोग के लिए किसी एक व्यक्ति, संस्था या पत्र को दोष देना ग़लत है क्योंकि इस भाषा की हत्या लाखों लोगों द्वारा पिछले कई वर्षों से सार्वजनिक तौर पर की जा रही है और स्थिति यह है कि बड़े से बड़ा हिन्दी प्रेमी इस दृश्य को देखने का आदी हो गया है। क्या रेलवे स्टेशन (जहाँ टिकट लेने के बाद रेज़गारी गिनना ज़रूरी है) और क्या पार्क (जहाँ बिना इजाज़त फूल तोड़ना मना है) सब जगह। आश्चर्य तब होता है जब कि हिन्दी ठीक-ठाक लिखी हुई मिल जाए।

भाषा की कई ग़लतियाँ कई कारणों से और कई परिस्थितियों में हो सकती हैं—जैसे अनुवाद की ग़लतियाँ, बातचीत और उच्चारण की ग़लतियाँ। इन सब प्रकार की ग़लतियों की चर्चा मैं आगे करूँगा।

अनुवाद की ग़लतियाँ

किसी भी भाषा के साथ अन्याय का जितना क्षेत्र अनुवाद में है उतना और किसी

माध्यम में नहीं। सन्तोष की बात है कि पिछले कुछ वर्षों में अनुवाद का जो विशाल कार्य किया गया है, उसमें इस सुविधा का पूरा-पूरा उपयोग किया गया है। कहीं-कहीं तो अनुवाद इतने मज़ेदार हो जाते हैं कि मूल रचना से ज़्यादा मज़ा देते हैं–

Mrs. Indira Gandhi shot the bull's eye...

श्रीमती इन्दिरा गाँधी ने बैल की आँख में गोली मारी...

Here lies the point.

बिन्दु यहाँ विश्राम करता है।

A bird in hand is better than two in the bush.

हाथ की एक चिड़िया झाड़ी की दो चिड़िया से श्रेष्ठतर है।

His wits are gone a wool-gathering.

उसकी बुद्धि ऊन इकट्ठी करने गयी है।

He lives from hand to mouth.

वह हाथ से मुँह तक रहता है।

ऊपर दिये गये उदाहरणों से प्रकट होगा कि अनुवादक ने अपना काम कितनी सूझ-बूझ और ज़िम्मेदारी के साथ किया है और तारीफ़ की बात यह है कि ऐसा कुछ नहीं कहा गया जो कि 'मूल' में नहीं था : ठीक वही स्थिति जो मल्लिनाथ की थी– ना मूलं लिख्यते किंचिन्नापेक्षितमुच्यते। कितना स्वामिभक्त (!) अनुवाद है! अँग्रेज़ी में फिट्ज़राल्ड का नाम साहित्य में केवल इसी कारण है कि उसने ख़ैयाम की रूबाइयों का अँग्रेज़ी में अनुवाद किया और इतनी अच्छी तरह किया कि ख़ैयाम को वास्तविक ख्याति उस अनुवाद से ही मिली। हमारे देशी लेखक भी फिट्ज़राल्ड से पीछे नहीं हैं। इल्लत यह है कि हम अपनी चीज़ों का क़द्र नहीं करते। भवभूति के शब्दों में एक समय आएगा जब इन लोगों की भी क़द्र होगी।

छोटे-छोटे शब्दों के रूपान्तर में भी उसी सूझ-बूझ और ज़िम्मेदारी से काम लिया जाता है, जिससे की बड़े-बड़े अनुवाद सम्पन्न किये जाते हैं। नीचे लिखे शब्दों से प्रकट होगा कि हमारे विद्वान् इस क्षेत्र में कितना आगे बढ़े हैं :

नेक टाई	कण्ठ लँगोट
लेटर बॉक्स	पत्र प्रवेश
जलेबी	मधुवर्तिका
रसगुल्ला	रस कन्दुक
रिसेप्शनिस्ट	स्वागती
सिगलन	रेलयन्त्रिका गमनागमन सूचक यन्त्र
स्त्री राजदूत	राजदूती

काम करने वाली पत्नी (कमाने वाली)	कर्मपत्नी (धर्मपत्नी अलग तरह की क़िस्म है– लेखक)
पाजामा	पादजामा
चश्मा	चक्ष्मा
शिकायत	शिक्षायत्न
चप्पल	चर्म पादुका

ऊपर लिखे उदाहरणों से शायद यह भम्र उत्पन्न हो कि इस प्रकार के हादसे तभी होते हैं जब कि अँग्रेज़ी से हिन्दी में अनुवाद किया जा रहा हो। वास्तविक स्थिति यह है कि महामति लोग अगर हिन्दी से अँग्रेज़ी में अनुवाद करेंगे तो भी वही मज़ा आएगा। भर्तृहरि ने कहा है कि जो श्रेष्ठ पुरुष होते हैं वे तो जो भी काम हाथ में लेते हैं, उसे पूरी तरह ही सम्पन्न करके साँस लेते हैं। इस प्रकार अनुवाद की छटा देखिए:

हमारा दिल बाग़-बाग़ हो गया।

Our heart became garden&garden.

उसने तुम्हारे सौ रुपये मार लिये।

He kills your hundred ruppes.

मेरा सिर चक्कर खा रहा है।

My head is eating circles.

तुम्हें बुख़ार चढ़ रहा है।

Fever is climbing upon you.

मेरे मित्र का नाम सुन्दर लाल सिंह है।

My friend's name is Beautiful Red Lion

सर समीप गिरिजाघर सोहा।

There was a church near the pond.

ऊपर दिये गये उदाहरणों में से अन्तिम पंक्ति गोस्वामी तुलसीदास की है। तुलसीदास की कविता के अनुवाद में जितनी भयंकर भूलें हो सकती हैं उसका तो आप अन्दाज़ा भी नहीं लगा सकते। इस प्रकार की स्थिति के दो प्रमुख कारण हैं। पहला कारण तो यह है कि कवि को अपने ननिहाल से बहुत प्रेम था और दूसरा कारण यह कि वे गणित के मामले में कुछ ज़्यादा दत्तचित्त नहीं थे। ननिहाल के प्रति अपने प्रेम का प्रकाशन उन्होंने स्थान-स्थान पर 'नाना' शब्द के प्रयोग से किया है। 'नानापुराणनिगमागम सम्मत' से शुरू कर के अन्त तक 'नाना' जी की चर्चा बराबर की गयी है। गिनती के मामले में तो उन्हें पता ही नहीं था कि वे कह क्या रहे हैं। मिसाल के तौर पर 'कोटि' शब्द को ले लीजिए। अगर कहीं थोड़ी-सी भीड़ इकट्ठी

हो गयी तो वे उसे 'कोटि-कोटि नर-नारी' कहेंगे। अगर कहीं लक्ष्मणजी ने परशुराम को देखकर हाथ जोड़ लिया तो गोस्वामीजी तुरन्त कहेंगे– 'कोटि-कोटि फिर किये प्रनामा।' फ़ारसी के लेखक इस सन्दर्भ में नितान्त मितव्ययी व सही होते थे। अगर किसी क़िस्से में साढ़े तीन यार या साढ़े तीन परियों का प्रयोग होना था तो मज़ाल है कि आप को वहाँ पौने चार यार या परी देखने को मिल जाएँ।

बातचीत की ग़लतियाँ

बोला हुआ साहित्य लिखे हुए से हमेशा अधिक प्रभावशाली होता है। प्रयोग में नयी पीढ़ी के ऐसे कितने ही कवि हैं जिनकी कविता चाहे समझ में आए या न आए पर जिनके गद्य का प्रभाव तात्कालिक होता है। रिक्शेवाले से जो गाली-गलौज़ होती है, उसमें आंचलिक गद्य इस धाराप्रवाहिक रूप से निःसृत होता है कि यथार्थ के प्रति साहित्यकार की आस्था जैसे मूर्त ही हो उठती है।

ख़ैर, मैं यहाँ प्रयाग के कवियों की चर्चा नहीं करूँगा क्योंकि यहाँ मुझे अभी कई वर्ष रहना है। हाँ, इस सन्दर्भ में कुछ विदेशियों की बातें मुझे ख़ूब याद हैं। मेरे एक जापानी मित्र थे जिनको जब भी मैं कोई कविता सुनाता था, उन्हें लघुशंका होती थी। काव्य के अन्य प्रभावों से मैं परिचित हूँ पर इसका प्रभाव मसाने पर भी पड़ता है यह मुझे ज्ञात नहीं था। बाद में पता चला कि लघुशंका से उनका अभिप्राय छोटी-सी शंका से था, बाथरूम से नहीं। कविता सुनकर उन्हें कुछ सन्देह हुआ, शंका हुई जिसका वे निराकरण चाहते थे। शंका का स्वभाव जानकर स्वाभाविक है कि मैं बड़ा निवृत्त हुआ। इसी प्रकार मेरे एक और मित्र हैं जिन्होंने इधर हिन्दी मुहावरों और कहावतों को अप-टु-डेट करना शुरू किया है। 'सेर पर सवा सेर' के स्थान पर ये 'किलो पर सवा किलो' का प्रयोग करते हैं। इनका विचार है कि नयी कहावत से ज़्यादा वज़न पड़ेगा क्योंकि सेर से किलो कुछ बड़ा होता है। अपने ज़िले के एक ग्रामीण की चर्चा भी मैं यहाँ ज़रूर करूँगा, जिन्हें भाषा की कमी से भाषण देने में किसी प्रकार की कोई असुविधा कभी नहीं हुई। इनके भाषणों में हमेशा संस्कृत के शब्दों और श्लोकों का प्रयोग रहता हालाँकि इन्हें इतना पता नहीं था कि 'पाणिनि' और 'अष्टाध्यायी' में से पुस्तक कौन है और लेखक कौन! हाँ, तो एक बार गंगा स्नान के पवित्र अवसर पर ये जनता जनार्दन के सामने देश की समस्याओं पर विचार प्रकट करने खड़े हुए थे। भाषण के पहले ही वाक्य का जनता पर इतना गहरा प्रभाव पड़ा कि बड़े-बड़े सिद्धहस्त नेता दंग रह जाएँ। बात यह हुई कि भाषण के प्रारम्भ में यह कहना चाहते थे कि माताओं और बहनो मैं आपके साथ आज इस विषय पर कुछ विचार करना चाहता हूँ। भगवान जाने क्या कारण रहा कि जो इन्होंने कहा वह मूल पाठ से हट कर था। इन्होंने बिना किसी संकोच के कहा 'माताओं और बहनो, मैं आपके साथ विषय करना चाहता हूँ।' स्थिति की गम्भीरता भाँपते

हुए मैं तो पण्डाल से खिसक आया; पता नहीं बाद में क्या हुआ। इसी प्रकार एक सभा में जहाँ एक विशिष्ट क़िस्म की महिला चेयरमैन का पार्ट हँस-हँस कर अदा कर रही थीं, वहाँ एक वक्ता ने उन्हें 'सभापत्नी' कहकर सम्बोधित किया। जब आदमी सभापति कहला सकता है तो स्त्री सभापत्नी क्यों रहीं कहलाएगी? स्त्रियों के अधिकारों को आख़िर हम कब तक छीनते रहेंगे?

उच्चारण

उच्चारण के क्षेत्र में कभी-कभी बड़ी सूक्ष्म ग़लतियाँ होती हैं। इस सिलसिले में ज़्यादा न कहकर मैं केवल उस बंगाली डॉक्टर की चर्चा करूँगा जो हर औरत से ज़रा 'टंग' (Tongue) दिखाने को कहता था तो वह बेचारी शरमाते-शरमाते अपनी 'टाँग' दिखाती थी। अनुभव पाकर डॉक्टर ने 'टंग' की जगह हिन्दी में ज़ुबान कहना शुरू किया, पर भगवान साक्षी है कि इसका उच्चारण वे 'जुबोन' या 'जोबोन' करते थे। अन्त में वे इलाका छोड़कर चले ही गये जिसका उस क्षेत्र की महिलाओं को बड़ा अफ़सोस रहा।

ग़लत प्रयोग

कभी-कभी कुछ भूलें शब्दों के ग़लत स्थान पर प्रयोग करने से होती हैं। कुछ स्थितियों में इस प्रकार की भूलों का पता भी सरलता से नहीं चलता :

1. मैंने जीप पर बैठे हुए शेर का शिकार किया।
   (यहाँ पता लगाना कठिन है कि जीप पर कौन बैठा था- शेर या लेखक)।
2. रामचन्द्रजी ने माता जानकी के विरह में बड़ा रुदन किया।
   (रामचन्द्रजी के सन्दर्भ में जानकी शब्द के साथ माता का प्रयोग करना असंगत है)।

मुद्रण या लिखाई की ग़लतियाँ

इस प्रकार की ग़लतियों की विशद रूप से चर्चा करना अनावश्यक ही होगा क्योंकि इनसे हम सभी परिचित हैं। यह आम रिवाज़ है कि पुस्तक के शुरू में भूमिका होनी चाहिए और अन्त में शुद्धिपत्र। शुद्धिपत्र की ग़लतियाँ अगले संस्करण में ठीक की जाती हैं। वैसे, मुद्रण या लिखाई की ग़लतियाँ कभी-कभी दिलचस्प भी होती हैं। प्रयाग में दो सड़कों के नाम इस प्रकार लिखे हैं।

खुशरू बाग़ रोड।
सर सैयद अहमद ख़ाक रोड।

आख़िर इलाहाबाद क्यों नहीं

जब भी मैं रेलवे स्टेशन पर जाता हूँ तो 'हिन्दुस्तान देखिए' के लम्बे-चौड़े पोस्टरों को बड़े ध्यान से देखता हूँ। इन पोस्टरों में गया, नैनीताल, मथुरा, बनारस, आगरा और कश्मीर इत्यादि सभी स्थानों के दृश्य दिखाये जाते है। मैं अक्सर सोचता हूँ कि प्रयाग पर कभी कोई पोस्टर क्यों नहीं बनता? यहाँ विश्वविद्यालय है, हाई कोर्ट है, घाट है, नदियाँ हैं, पण्डे हैं, अमरूद हैं, लेखक हैं, लघुमानव हैं, आचार्य हैं, हनुमान मन्दिर हैं– क्या इन में से कोई भी चीज़ ऐसी नहीं है जो इन पोस्टरों में दिखाई जा सके?

मैं वर्षों तक प्रयाग में रहा हूँ। इस बात के कहने से आप मुझे हिक़ारत की निगाहों से मत देखिए। मुझसे कहीं बड़े-बड़े लेखक, नेता और विद्वान् इस नगर में मुझसे कहीं ज़्यादा अवधि तक रहे हैं। अपने अनुभव के आधार पर मैं कह सकता हूँ कि जिस प्रकार काव्यों में नाटक और नाटकों में शकुन्तला और उसमें भी चार विशिष्ट श्लोक सर्वश्रेष्ठ हैं, उसी प्रकार उत्तर-प्रदेश के पाँच प्रमुख नगरों में प्रयाग के मज़े अपने कुछ अलग ही हैं। सच बात तो यह है कि अमरूद का मज़ा तो सिर्फ़ मौसमी और सतही क़िस्म का होता है, जो यहाँ के सच्चे मज़े हैं वे कुछ दूसरे ही हैं। खुसरो बाग़ हो या कि कॉफ़ी हाउस, प्रयाग की विशुद्ध मौलिकता के दर्शन हर जगह बराबर ही होते हैं।

आइए सबसे पहले ख़ुसरो बाग़ की ओर चलें। ख़ुसरो बाग़ के मकबरे मशहूर हैं। उमर ख़ैयाम ने एक रूबाई में कहा है कि जहाँ सीज़र के सिर का रक्त बहा था, वहाँ बड़ा लाल गुलाब खिला। शायद इसी सिद्धान्त के आधार पर इस बाग़ में भी अमरूद बहुत अच्छे हुए। ख़ुसरो बाग़ में कई मक़बरे हैं और यहाँ की सफ़ाई और प्रबन्ध देखकर अपनी भी इच्छा मरने की ही होती है। शहज़ादा ख़ुसरो अपने जीवन-काल में ही अन्धा कर दिया गया था और मरहूम की उस याद को बरकरार रखने के लिए बाग़ में रोशनी अभी तक गुल रखी जाती है। बरसात में यहाँ काफ़ी शालीन क़िस्म की फिसलन रहती है जिससे एक मक़बरे से दूसरे तक जाने में दर्शकों को सुविधा रहे। मकबरों पर तरह-तरह की हिदायतें कई भाषाओं में लिखी हैं, हाँ अलबत्ता जिन लोगों के मकबरे हैं उन के बारे में कुछ नहीं बताया गया। काफ़ी दिनों तक तो मैं यही समझता रहा कि यह उस खुसरो का मक़बरा है जो पहेलियाँ बुझाया करते थे। मगर जब बाग़ के बाहर निकल कर पढ़ा कि सड़क का नाम 'खुसरो बाग़

रोड' है तो सत्यता का पता लगा। ख़ुसरो बाग़ के पास वाला इलाका सचमुच ऐसा है कि वहाँ जाकर देवकीनन्दन खत्री की याद अपने आप सताने लगती है। रात को यदि वहाँ से आप गुज़रें तो पता नहीं कहाँ से कोई भूतनाथ सहसा निकल आएगा जो आप को आपकी घड़ी, पर्स, पेन, चश्मा और कपड़े उतारने में मदद देगा। ख़ुसरो बाग़ के उधर यदि आपकी धजा श्वेताम्बरी थी, इधर आते-आते दिगम्बरी हो जाएगी।

प्रयाग में कई पार्क हैं। इन पार्कों में जाकर न जाने क्यों छोटा-बड़ा गुनाह करने की बड़ी तबीयत होती है। वैसे भी शायद ही कोई ऐसे क़िस्म का गड्ढा संसार में होगा जो इन पार्कों में न मिलता हो। इन गड्ढों को यहाँ बड़ी हिफ़ाज़त से रखा जाता है। कुछ गड्ढे तो वर्षों के निरन्तर परिश्रम से बने हैं। इन गड्ढों में गिरने से जो कष्ट होता है वह नैतिक पतन से भी ज़्यादा है। गड्ढों के अतिरिक्त और भी कई तरह से आपको ख़ुश करने की कोशिश की जाती है। बेंच पर बैठेंगे तो पता लगेगा कि पेण्ट नया-नया हुआ है। दूसरी बेंच पर बैठेंगे तो अनुभव होगा कि अन्तरिक्ष यात्रा पर निकले हैं। उठने पर यह छोटा-सा रहस्य आपके लिए खुलेगा कि बात और कुछ नहीं, सिर्फ़ बेंच की पिछली दो टाँगें ग़ायब हैं। फूल देखने निकलेंगे तो देखेंगे कि क्यारियों में प्राकृत्तिक खाद जमा करने में इलाक़े के कुत्तों ने कितना हार्दिक सहयोग दिया है। कुछ पार्कों में गाहे-बगाहे लाश बरामद होती रहती है, जिससे जलवायु साफ़ रहती है। पार्क में जाने वाली सड़कें मोटरों के लिए बन्द कर दी गयी हैं ताकि उनके पहिये और आप की सेहत— दोनों ठीक हालत में रहें। पार्क में अजायबघर एक बड़ी दिलचस्प जगह है; जब तक वह आपसे बोले नहीं, आप पहचान नहीं सकते कि यह लौहकाल की कोई मूर्ति है या दरबान है जो कि सीढ़ियों पर खड़ा है।

संगम तीर्थों का राजा है। त्रिवेणी के गाय के खुर बराबर जल में भी यदि कोई स्नान कर लेता है तो वह सीधा स्वर्ग जाता है। पिछले कुम्भ में गाय के खुर द्वारा तो नहीं परन्तु आदमियों के खुरों से कुचल कर काफ़ी लोग स्वर्ग पहुँच गये थे। संगम का प्रताप कई मील पहले से शुरू हो जाता है क्योंकि नाव वाले काफ़ी दूर से आपका 'घेराव' करने लगते हैं। त्रिवेणी स्नान का सच्चा आनन्द यही है। नाव वाले सच्चे गंगापुत्र होते हैं और इनके आचरण भी नितान्त पवित्र होते हैं। ये लोग यात्रियों को इस तरह घेरना शुरू करते हैं जैसे जीव को माया घेरती है। कहते हैं, शास्त्रों में ऐसा भी करने को कहा है। नाव वाले कभी-कभी आपको सौ-पचास दफ़ा चिल्लाने के बाद छोड़ भी देते हैं और उस स्थिति में एक और सम्मानित व्यक्ति आपसे आगे बढ़ कर कहता है कि जिजमान यदि स्नान नहीं करना तो एकाध-मुर्दा ही फुँकवा लो; आज साइत बड़ी अच्छी है।

गंगा-तट पर प्रसिद्ध हनुमान मन्दिर है। जो मुक़दमेबाज़ मोटे हैं और इतनी दूर तक नहीं चल सकते, उनकी सुविधा के लिए हाईकोर्ट के पास ही एक छोटी-सी शाखा खुली है! इस छोटे-से मन्दिर में मैंने एक बार एक ऐसे विशालकाय व्यक्ति को प्रसाद

चढ़ाते देखा है कि यदि हनुमानजी उसे देखते तो खुद ही प्रसाद चढ़ाने की सोचते। मगर हनुमानजी ने उसे नहीं देखा; जैसा कि पुजारी ने बताया कि वह उनके सोने का वक़्त था।

कटरे का तो कहना ही क्या! सुविधा के लिए यहाँ दो कटरे हैं– एक नया, एक पुराना। पुराना कटरा तो एकदम पुरातत्त्व की चीज़ है! यहाँ के बाज़ार में ठीक वह वातावरण रहता है जो शायद पानीपत की पहली लड़ाई के काल में दिल्ली के बाज़ारों में रहता होगा। छुट्टी के दिनों बिना अंग-भंग के इस तरफ़ से उस तरफ़ आप निकल नहीं सकते। सामान्य स्थिति यह होती है कि रिक्शे, हथठेले, गाय, भैंस, कार, साइकिल, आदमी– हर तरह की जड़ और चेतन वस्तुएँ आपको अपने गन्तव्य स्थान तक पहुँचने से इस प्रकार रोकती हैं जैसे गौतम को ज्ञान प्राप्ति से प्रेत और डाकनियाँ रोका करती थीं। जब तक आप अपना पाजामा किसी साइकिल की चेन से निकालते हैं तब तक आप की कमीज़ किसी गधे के सींग में उलझ जाती है! आप कहेंगे कि गधे के सींग तो होते ही नहीं, तो चलिए ठीक है बकरी ही रही होगी। यह तो स्थिति है दायें-बायें की। जहाँ तक ऊपर और नीचे का प्रश्न है वहाँ तो आनन्द-ही-आनन्द है। एक दफ़ा एक वयोवृद्ध सज्जन की दाढ़ी में किसी ने पका टमाटर इस सफ़ाई से फेंक मारा था कि दाढ़ी में बाल के तत्त्व कम रह गये थे और टमाटर के ज़्यादा। कुल मिला कर दाढ़ी इतनी रक्तसिक्त हो गयी थी कि हफ़्तों तक टमाटर की जगह प्रयोग की जा सकती थी। केले के छिलके का तो कहना ही क्या? कटरे के क्षेत्र में सामाजिक सेवा का यही सर्वश्रेष्ठ साधन स्वीकार किया जाता है। ऊपर की मंज़िल वाले इस फल को अकेला नहीं खाते, वे केला अपने पास रखते हैं और छिलका इतनी दक्षता से आपकी नाक पर मारते हैं जितनी वर्षों के अभ्यास से आती है। जब तक आप ऊपर की दिशा में देखेंगे, तब तक साथ चल रही महिला उसी छोटे-से छिलके पर दो दफ़ा फिसल चुकी होती है और तीसरी दफ़ा की तैयारी करती होती है।

यहाँ की यूनिवर्सिटी भी कमाल की चीज़ है। दुनिया में शायद यह पहली यूनिवर्सिटी है जो साल में सबसे ज़्यादा बन्द रहती है। जहाँ और विश्वविद्यालयों में केवल छात्र या अध्यापक आन्दोलन करते हैं, वहाँ इस विशिष्ट संस्थान में माली और चौकीदार भी अपने अधिकारों के प्रति इतने जागरूक हैं कि उनके कारण भी कभी-कभी यूनिवर्सिटी को बन्द करना पड़ता है। लड़के या तो बेचारे सिनेमा देखते हैं या कहानी लिखते हैं। अध्यापक लोग खाली समय में कसरत देखते हैं क्योंकि पता नहीं कार्यकारिणी की आगामी बैठक में कब किस दल को शक्ति दिखाने की ज़रूरत पड़े। शहर की लड़कियाँ बड़ी उदास रहती हैं, कहती हैं– यहाँ के लड़के बड़े भोले हैं!

प्रयाग का कॉफ़ी हाउस एक ऐसी संस्था है जिसकी तुलना जीमखाना क्लब भी नहीं कर सकता। जो सिद्ध लोग हैं, वे कॉफ़ी का पैसा स्वयं नहीं देते। ऐसे कितने ही वरिष्ठ लोग हैं जो बाहर आपको पहचानेंगे भी नहीं पर इस मकान का जादू देखिए कि अन्दर आते ही वे आपके आत्मीय हो जाते हैं। जब तक कॉफ़ी चलती रहती है

तब तक आत्मीयता भी चलती रहती है। बड़े-बड़े मूर्ख लोग कॉफ़ी का घूँट भरते ही ज्ञान के ख़ज़ाने उगलने लगते हैं। हाथी के दाँत बाहर दिखाने के अलग होते हैं और डोसा खाने के अलग। इधर कॉफ़ी हाउस में कुछ नवयुवक लोग दाढ़ी लगा कर आने लगे हैं जिनसे मेज़ें साफ़ रखने में काफ़ी मदद मिलती है। एक साहब जिस रंग का सूट पहनते हैं, उसी रंग की दाढ़ी रखते हैं। सूट के साथ-साथ दाढ़ी पर भी बाक़ायदा इस्त्री होती है। साल भर में एक बार सूट धुलता है तभी दाढ़ी धुलती है। बरसात में दाढ़ी में फिनायल की गोलियाँ रखते हैं ताकि कीड़ा न लगे। कॉफ़ी हाउस में एक बोर्ड लगा है— 'थूकिए मत' एक और सज्जन हैं जो हमेशा इसी बोर्ड के नीचे थूकते हैं।

इलाहाबाद के सिनेमाघर बड़े मशहूर हैं। जो चित्र 1935 में अमेरिका में रेड इण्डियन के लिए बना था, वह यहाँ 1965 में पूरे दाम पर दिखाया जाता है। गेटकीपर कुश्ती का शौक़ करते हैं और दर्शकगण इतने मिलनसार हैं कि जेब काटते हैं। कुल मिला कर हाल में बड़ा घरेलू वातावरण रहता है। कोई खाना खा रहा है, कोई चम्पी करवा रहा है, और कोई आपको अगली स्टोरी सुना रहा है।

शहर के बाथरूमों का तो कहना ही क्या! एक जगह 'मूत्रालय' की जगह 'मन्त्रालय' लिखा था। अन्दर ऐसी हालत थी, कि आप सुनना तो चाहेंगे पर मैं कहना नहीं चाहूँगा।

बाथरूमों के बाद यहाँ के साहित्यिकों का याद आना स्वाभाविक ही होगा। प्रयाग के साहित्यिकों का मोटे तौर पर तीन श्रेणियों में वर्गीकरण किया जा सकता है; एक चन्द्रकान्ता टाइप के लेखक हैं, दूसरे मन्दाक्रान्ता टाइप के लेखक हैं और तीसरे लक्ष्मीकान्ता टाइप के लेखक हैं। चन्द्रकान्ता वर्ग के लेखक रहस्यवादी हैं; ये एकाध भूतनाथ ज़रूर पाले रहते हैं जो प्रायः रिसर्च करता हुआ होता है। ये लोग अपनी 'सन्तति' का बड़ा ख़याल रखते हैं। इनमें ऐयार बड़े चतुर होते हैं। ऐसे कुछ लेखकों के हाथ में जादू होता है— वे चाहें तो रातोंरात आपका नाम साहित्य के इतिहास में दर्ज़ करवा दें और चाहें तो रातोंरात आलीशान मकान खड़े कर लें। इनमें से कुछ तो अब भी तिलस्मों में ही रहते हैं। मन्दाक्रान्ता वर्ग के लेखक सारा काम धीरे-धीरे करते हैं। गजगामिनी-नायिका वाली चाल, मधुर-मधुर वाणी और अर्द्धनिमीलित आँखें। जिस प्रकार जीवन बीमा आयोग का मोटो है 'योगक्षेमं वहाम्यहम्' उसी प्रकार मन्दाक्रान्ता वादी कलाकारों का मोटो है 'को विहातुं समर्थः?' जो लोग ऊपर लिखी दो श्रणियों में नहीं आते, वे लक्ष्मीकान्ता टाइप कहलाते हैं। इनका साहित्य कभी-कभी इतना क्लिष्ट होता है कि दीमक भी उसे खाते हुए घबराती है।

और मैं आप से ईमानदारी से पूछता हूँ कि क्या सचमुच इनमें से कोई भी चीज़ ऐसी नहीं है जिस पर 'हिन्दुस्तान देखिए' का पोस्टर बनाया जा सके?

रहिमन पानी राखिए...

सारे संसार में जितना भी पानी है, उसका मात्र दो प्रतिशत पानी ही ऐसा है जिसका उपयोग मनुष्य जाति कर सकती है; शेष पानी या तो समुद्रों में है या पर्वतों की विभिन्न चोटियों पर अनन्त काल से जमा पड़ा है और उसके पिघलने की कोई आशा नहीं है। जनसंख्या बढ़ती जा रही है, पर पानी की मात्रा में वृद्धि की कोई आशा नहीं है। स्थिति इतनी नाज़ुक होती जा रही है कि कुछ विशेषज्ञों के अनुसार, अगला विश्वयुद्ध जो होगा वह मात्र पानी के लिए ही होगा। शायद इसी कारण श्री मुरारजी देसाई पानी नहीं पीते थे। जल की रक्षा हर हालत में करनी चाहिए क्योंकि वह उन पाँच तत्त्वों में से एक है जिनसे सृष्टि का निर्माण हुआ।

प्राचीन काल में सारे महत्त्वपूर्ण नगर नदियों के तट पर बसते थे और हमारे यहाँ तो नदियों की पूजा तक की जाती थी। 'तीर्थ' शब्द का जन्म 'तीरस्थ' शब्द से हुआ। सारे तीर्थ नदियों के किनारे ही बसे और हमारे लोकगीतों में उनकी महिमा बराबर बखानी गयी (ओ गंगा मइया, तोहे चुनरी चढइबो मैं; जब सैंया लइबो गवनवाँ)। यदि वर्षा-ऋतु न होती तो कालिदास, गुरुदेव रवीन्द्रनाथ ठाकुर व 'निराला'-'मेघदूत' ऋतुसंहार 'वर्षा मंगल' व 'बादलराग' कैसे लिखते? जयदेव का 'गीतगोविन्द' कैसे लिखा जाता यदि कृष्ण और राधा यमुना के तट पर खड़े तमाल-वृक्षों में विहार न करते? 'राधामाधवयोः जयन्ति यमुना कूले रहः केलयः।' वर्षामंगल गाते हुए, गुरुदेव तो नृत्य तक किया करते थे। सूरदास, विद्यापति, गोविन्ददास, चण्डीदास और बांग्ला के प्राचीन वैष्णव-भक्त कवियों ने भी यमुना के तट की रासलीला की चर्चा इतने विशद रूप से की है कि वह लिखने लायक़ कम और एकान्त में पढ़ने लायक़ ज़्यादा है। चण्डीदास एक होनहार व्यक्ति थे क्योंकि वे कविता लिखने के साथ-साथ एक धोबिन के साथ प्रेम भी किया करते थे।

पुराने ज़माने में राजा लोग नदियाँ खुदवाया करते थे। राजा सगर ने अपने साठ हज़ार पुत्रों (जो उसके राज्य की कुल जन-संख्या रही होगी) की प्यास बुझाने के लिए पवित्र पुण्य सलिला भगवती भागीरथी को स्वर्ग से उतारा था। स्वर्ग से उतरकर गंगा भगवान शिव के सिर पर गिरी। वहाँ से वह हिमालय पर उतरी और

फिर मैदानों में आयी और अन्त में जाकर वह समुद्र में गिरी। भर्तृहरि के अनुसार बड़े-से-बड़े व्यक्ति का भी, जब पतन शुरू हो जाता है तो वह फिर गिरता ही जाता है। अन्त की कोई सीमा नहीं होती।

प्राचीन काल में लोग यदि किसी के साथ नेकी करते थे तो बाद में उस व्यक्ति को नदी में ही डाल देते थे। नेकी कर और दरिया में डाल– इस कहावत का शाब्दिक अर्थ यही है। 'नदी नाव संयोग' और हंस का 'नीर-क्षीर विवेक' पानी के बिना सम्भव नहीं था। पानी को लेकर सैकड़ों कहावतें बनीं। चुल्लू भर पानी में डूब मरना, पानी का सिर के ऊपर उतर जाना, न नाम लेवा न पानी देवा, नाव डुबोना, पानी में आग लगाना, पानी पड़ना, पानी ढलना, पानी भरना, पानी पानी होना, पानी उतारना– उदाहरण के लिए प्रस्तुत हैं।

नदियों के बाद मैं तालाबों में उतरता हूँ। कश्मीर की डल लेक, नैनीताल और माउण्ट आबू की झीलें, पुष्कर व अमृतसर के स्वर्णमन्दिर के पवित्र सरोवर, भोपाल का जग-प्रसिद्ध तालाब (तालों में भोपाल ताल बाक़ी सब तलैय्या हैं, नारों में पद्मावत नार बाक़ी सब गधैय्या हैं), दक्षिण भारत के प्राचीन व विशाल मन्दिरों के तालाब– जिसने नहीं देखे, उसका यह जीवन व्यर्थ ही गया। महाभारत में अज्ञातवास की अवधि में पाण्डव लोग अपनी प्यास बुझाने एक तालाब पर गये जिसकी रक्षा एक यक्ष करता था, और जो सिर्फ़ उस व्यक्ति को पानी पीने देता था जो उसके प्रश्नों का सही उत्तर देता था। पाण्डवों में से एक-एक करके चार भाई गये और उनमें से कोई नहीं लौटा। अन्त में चलकर महामति युधिष्ठिर गये जिन्होंने यक्ष के प्रश्नों का सही उत्तर दिया और अपने और मूर्च्छित पड़े चारों भाइयों की प्यास बुझायी। उन्होंने ठीक वही किया जो हमारा उच्चतम न्यायालय तामिलनाडु और कर्नाटक के जल-विवाद को लेकर वर्षों से कर रहा है। तेल के स्थान पर जल को लेकर विश्वयुद्ध तो अभी दूर है, पर हमारा गृहयुद्ध तो शुरू हो गया।

बुन्देलखण्ड में भयानक सूखा पड़ता है। गुजरात और राजस्थान की भाँति, वहाँ की स्त्रियाँ भी पीने का पानी लाने के लिए मीलों पैदल चलती हैं। बाँदा के एक डिस्ट्रिक्ट जज मुझे बता रहे थे कि जितने भी फ़ौजदारी के मामले उनकी अदालत में आये, उनमें से आधे मामले पानी को लेकर ही थे। जजों की बात क्या चली कि मुझे एक लतीफ़ा याद आ गया। अकबर इलाहाबादी (जो खुद एक डिस्ट्रिक जज थे और अगर वे 'दिल्ली दरबार' नामक विस्फोटक कविता न लिखते तो हाईकोर्ट के जज ज़रूर बनाये जाते) डॉ. सर मुहम्मद इकबाल से मिल कर डाक गाड़ी से वापस लौट रहे थे। मेरे जनपद में नगीना नाम का एक बड़ा क़स्बा है जो आबनूस के काम के लिए विश्व प्रसिद्ध है। महाकवि को ज़बर्दस्त प्यास लगी थी। वे पानी की तलाश में गाड़ी से उतरे मगर पानी मिलने से पहले ही डाकगाड़ी ने सीटी दे दी। वैसे भी डाकगाड़ी उस छोटे स्टेशन पर एक या दो मिनिट ही रुकती थी। महाकवि को

प्यासा ही लौटना पड़ा। डिब्बे में बैठते ही उन्होंने डायरी निकाली और यह मिसरा लिखा कि यह पहला 'नगीना' जिस पर 'आब' नहीं...

पूर्वी उत्तर प्रदेश की भाँति हमारे देश में अनेक ऐसे क्षेत्र हैं जहाँ बाढ़ भी आती है और सूखा भी पड़ता है। क्या ऐसा सचमुच नहीं हो सकता कि बाढ़ के पानी को संचित किया जाए और सूखे के समय उसका उपयोग किया जाए? यदि मार्शल स्तालिन होते तो ऐसा ज़रूर किया जा सकता था मगर हमारे यहाँ प्रजातन्त्र है और गठबन्धन की सरकारें हैं जहाँ विधायक और सांसद करोड़ों रुपयों में ख़रीदे और बेचे जाते हैं। ऐसे में क्या सम्भव है? पहला प्रश्न तो यही उठेगा कि मामला केन्द्रीय सरकार के क्षेत्र में आता है या कि राज्य सरकारों के क्षेत्र में आता है? फिर सब पार्टियों के प्रतिनिधियों की कमेटी बनेगी जो मामले पर विचार करने के बाद सिफ़ारिश करेगी कि मामले को योजना आयोग को सौंप दिया जाए। योजना आयोग अपनी सिफ़ारिश पाँच वर्ष बाद देगा जिस पर सरकार फिर विचार करेगी। लोग बाढ़ और सूखे से मरते रहेंगे और सरकार मामले पर विचार ही करती रहेगी। राहत के लिए करोड़ों रुपये स्वीकृत किये जाते रहेंगे और उसका पिच्चानबे प्रतिशत भाग जननेता, नौकरशाह और ग्राम-प्रधान खाते रहेंगे। गंगा के शुद्धिकरण के लिए दिया करोड़ों रुपया पानी में ही गया।

पानी का सब तरफ़ अपव्यय हो रहा है। स्टेशनों के नलों से और चौरास्तों पर लगे सार्वजनिक हाईड्रेंटों से चौबीस घण्टे पानी बहता रहता है, क्योंकि उनकी टोंटी रोज़ चुरायी जाती है। और भी अनेक उदाहरण हैं जिनसे आप परिचित हैं। अगर यही हाल रहा तो वह दिन दूर नहीं है जब कि आँसुओं के अलावा, पानी दूर-दूर तक देखने को न मिलेगा। राष्ट्रकवि के शब्दों में स्थिति यह होगी कि—

अबला जीवन हाय तुम्हारी यही कहानी
आँचल में है दूध और आँखों में पानी..

नन्दन : एक आर-पारदर्शी व्यक्तित्व

"मैं डॉ. कन्हैयालाल नन्दन, वल्द यदुनन्दन, साकिन मौजा जंगपुरा विस्तार, नयी दिल्ली का हूँ और अपने स्नेही मित्र, रवीन्द्रनाथ त्यागी, देहरादून वाले को यह वादा देना चाहता हूँ कि उनकी रचना, जो उन्होंने बाबत छपने 'सण्डे मेल' को भेजी है, उसे बन्दाए-नाचीज़ ने शिड्यूल करना मई-जून में ही क़ुबूल किया है। लिखित भेजा ताकि यार को तसल्ली हो और मेरे पढ़े-लिखे होने का यक़ीन भी हो।"

ऊपर उद्धृत अंश उस पत्र से है जो 'सण्डे मेल' के प्रधान-सम्पादक की हैसियत से नन्दनजी ने मुझे 6.5.92 को भेजा था। अपने लम्बे लेखकीय जीवन में, रचनाओं को स्वीकृतियाँ तो बहुत मिलीं पर ऐसी पुरलुत्फ़ स्वीकृति मात्र एक ही मिली और इसी कारण यह मेरी फ़ाइलों में सुरक्षित है। इस पत्रांश से आप कुछ अन्दाज़ा तो लगा ही सकते हैं कि नन्दन नाम का यह इंसान कितना ख़ुशमिज़ाज और कितना निश्छल आदमी होगा! आज मैं खुद, अपने से ही मजबूर होकर, यह महसूस कर रहा हूँ कि नन्दनजी के बारे में कुछ लिखूँ ताकि आप लोगों को भी मेरे पढ़े-लिखे होने पर यक़ीन हो और सनद रहे जो वक़्त-ज़रूरत काम आए।

उत्तर-प्रदेश के फतेहपुर जनपद में जनमे नन्दनजी उम्र में मुझसे कुछ कम हैं। जहाँ ख़ाकसार ने पढ़ा और जो कभी 'पूरब का ऑक्सफ़ोर्ड' कहलाने के बाद, अब एक काँजी हाउस का मज़ा दे रही है। नन्दनजी ने एमए करने के बाद बम्बई के बड़े-बड़े कॉलेजों में प्रोफ़ेसरी की, 'धर्मयुग' के वे सहायक-सम्पादक रहे और बाद में वे 'पराग', 'सारिका' व 'दिनमान' के सम्पादक व 'नवभारत टाइम्स' के फीचर सम्पादक रहे। टाइम्स ऑव इण्डिया ग्रुप को छोड़ने के बाद, उन्होंने शोध कार्य किया और डॉक्टरेट ली। इसके बाद वे 'सण्डे-मेल' के प्रधान सम्पादक रहे, दुनिया का चक्कर लगाया और अमरीश पुरी से लेकर विश्वनाथ प्रताप सिंह तक से दोस्ती की। आजकल भी वे सरकार की एक विशुद्ध साहित्यिक पत्रिका के सम्पादक हैं। जैसा कि मैं मज़ाक़ में उनसे प्रायः कहता हूँ, जितने अख़बार उन्होंने बन्द करवाये उतने अख़बार हिन्दी का कोई और सम्पादक बन्दा अभी तक बन्द नहीं करवा पाया। पत्रकार के रूप में भी वे आचार्य महावीरप्रसाद द्विवेदी व डॉ. धर्मवीर भारती की भाँति

एक साहित्यकार ही रहे और कुछ नहीं। मैं पत्रकारिता को साहित्य का ही एक अंग मानता हूँ और इसी कारण जब रघुवीर सहाय को अपनी 'अख़बारी कविताओं' पर अकादमी एवार्ड मिला तो मैंने उनके विरोधियों के ख़िलाफ़ एक व्यंग्य लेख लिखा। ऑस्कर वाइल्ड का मत कुछ भिन्न था, उनके अनुसार "पत्रकारिता वह है जो पढ़ने लायक़ होती ही नहीं, और साहित्य वह है जिसे कोई पढ़ता ही नहीं।"

सन् 1962 में राजकमल प्रकाशन से प्रकाशित मेरे एक व्यंग्य-संग्रह पर, नन्दनजी ने एक समीक्षा लिखी थी जो बेबाक होने के साथ एकदम सर्जनात्मक थी। यह मेरा उनसे प्रथम परिचय था। इसके बाद हम लोग मिले, मित्र बने और समय के साथ मित्रता आत्मीयता में बदल गयी। आर.एल. स्टीवेंसन के अनुसार प्रत्येक व्यक्ति के कम-से-कम तीन चरित्र होते हैं। पहला चरित्र तो वह होता है जो वह दूसरों को दिखाता है, दूसरा चरित्र वह होता है जो वह अपने बारे में स्वयं सोचता है और तीसरा चरित्र वह होता है जो उसका असली चरित्र होता है और जिसका पता आदमी को खुद भी नहीं होता। हर नियम के अपवाद होते हैं। भाई नन्दनजी के पास तो मात्र एक ही चरित्र है, वे मनसा-वाचा-कर्मणा एक ही हैं। ऐसा पारदर्शी व्यक्तित्व आजकल बेहद दुर्लभ है, बेहद दुर्लभ। कभी मैं भी कई चरित्र रखता था पर महँगाई के कारण आजकल एक ही चरित्र से काम चला रहा हूँ, बाक़ी चरित्र बेच दिये।

पत्रकार होने के साथ-साथ नन्दनजी एक सफल साहित्यकार हैं और चित्रकला व रंगमंच से भी जुड़े हैं। उनकी डेढ़ दर्जन पुस्तकें छप चुकी हैं और कुछ तो विदेशी भाषाओं में अनूदित भी हो चुकी हैं और उन पर पुरस्कार भी मिल चुके हैं। पारदर्शी होने के बावजूद, वे एक बहुआयामी व्यक्ति हैं। आजकल भी वे एक ग़ैरसरकारी टेलीविज़न के निदेशक हैं, पद्मश्री से अलंकृत हैं और मोहन राकेश के बाद वे दूसरे ऐसे हिन्दी लेखक हैं जिन्हें 'नेहरू फैलोशिप' दी गयी है। वे राष्ट्रीय एकता परिषद और न जाने कितने संस्थानों से जुड़े हैं, देशी-विदेशी मंचों पर काव्य-पाठ करते हैं और देशी-विदेशी दूरदर्शनों पर नियमित टिप्पणीकार भी हैं। 'जहाँ साँस टूट जाए, वहीं मेरा घर है' उनका जीवन दर्शन है और गुर्दों की बीमारी के बावजूद वे आधुनिक जीवन की 'रैट रेस' में इतने व्यस्त हैं कि 'अजगर करे न चाकरी' वाले जीवन दर्शन में विश्वास करने वाले मुझ जैसे भाग्यवादी व्यक्ति को उन पर दया आती है। उनके अपने शब्दों और अपने सुखों में भी सुखी होने की फुरसत न पाना कहाँ तक ठीक है? गुरुदेव के शब्दों में "लगातार कुछ न कुछ करते रहना, कर्त्तव्य नहीं माना जा सकता। कभी-कभी तो कुछ भी न करना ही सर्व श्रेष्ठ कर्म होता है।"

इन दिनों नन्दनजी उन लोगों के संस्मरण लिख रहे हैं, जिनकी गुस्ताख़ियाँ वे माफ़ नहीं कर सके या जिसके साथ उन्होंने गुस्ताख़ियाँ की हैं पर हिसाब होना अभी बाक़ी है। एक ऐसी ही किताब मैं भी लिखना चाहता हूँ पर मैं एक कायर व्यक्ति हूँ। मेरा निश्चित मत है कि कायर होने के लिए भी बहादुरी की ज़रूरत पड़ती है,

प्रत्येक व्यक्ति कायर नहीं बन सकता। बहुभाषाविद् नन्दनजी का नवीनतम काव्यग्रन्थ 'समय की दहलीज' मेरे सामने है। पुस्तक के प्रारम्भ में कुछ सूत्र लिखे हैं जो 'डी प्रोफेण्डीस' की याद दिलाते हैं। पुस्तक के फ़्लैप पर नन्दनजी को एक बौद्धिक कवि बताया गया है हालाँकि पुस्तक की ज़्यादातर कविताएँ 'वाक्यं रसात्मकं काव्यम्' की शर्त को शत-प्रतिशत पूरा करती हैं। हाँ, गीतों का पुस्तक में बिल्कुल न देना मुझे खटकता है। मैं, अज्ञेय की भाँति, गीत को साहित्य की गौण विधा नहीं मानता। बच्चन, महादेवी व निराला के गीत हमारे साहित्य की स्थाई निधि हैं। यह खेद की बात है कि ठाकुर प्रसाद सिंह का नवगीत आन्दोलन शम्भूनाथ सिंह, देवेन्द्र कुमार, ओम प्रभाकर, नईम, माहेश्वर तिवारी व हरीश निगम तक ही सीमित होकर रह गया।

नन्दनजी किसी बड़े समालोचक के साहित्यिक इतिहास में इन्दराज़ होने के लिए कविताएँ नहीं लिखते, उनकी चाहत तो मात्र इतनी है कि वे लोगों के दिलों में उतर सकें। मगर मुझे पक्का विश्वास है कि नन्दनजी लोगों के दिलों में भी उतरेंगे और साहित्य के इतिहास में भी इन्दराज़ होंगे। हाँ, उन्हें इतना ज़रूर करना पड़ेगा कि बेकार की व्यस्तता अब बन्द करें और मात्र साहित्य को ही समर्पित हो जाएँ। अब उन्हें थोड़ा रुकना चाहिए और ठीक वही करना चाहिए जो उन्होंने स्वयं लिखा है :

मैं बाँध देना चाहता हूँ
तुम्हारे आँचल में
आकाशगंगा का समूचा उजास
सितारों की चाँद से
लिपट जाने की प्यास
ओस भीगी रातरानी का
थोड़ा-सा उन्माद
निस्पन्द झील की नीली
गहराइयों की हल्की-सी याद
इन्द्र के उपवन से चुराये हुए
पुष्प रंगों का नन्हा-सा इन्द्रधनुष
थोड़ा-सा नाद का रणन
और शब्द के ब्रह्म
आवर्तों में फँसा हुआ
प्यार के दूर्वादलों का पवित्र चुम्बन
ठहरो अभी थोड़ी देर और
जहाँ हो आकाश में..
उसी ठौर

भारतीय भाषाओं में हास्य-व्यंग्य

भारत की भाषाओं में हास्य की स्थिति आँकने से पूर्व हमें संसार की अन्य भाषाओं के साहित्य पर भी ध्यान देना चाहिए। अँग्रेज़ी में तो हास्य का इतना विकास हो चुका है कि कुछ कहा नहीं जा सकता। चार्ल्स डिकेन्स से लेकर आज तक अनेक ऐसे लेखक हो चुके हैं जिनकी कृतियों को पढ़कर करोड़ों आदमी हँस चुके हैं। जेरोम के जेरोम (एक नाव पर तीन आदमी) व मार्क ट्वेन (टॉम सायर व हैकलबरी फिन) अँग्रेज़ी के शीर्षस्थ हास्यकारों में से हैं। लीकाक, गार्डन, सिसील, जोड, माइक्स, क्लैरंस डे, फ्राय, बर्नाड शॉ और वुडहाउस, न जाने कितने लेखक-लेखिकाओं ने हास्य व व्यंग्य की अछूती रचनाओं से अँग्रेज़ी साहित्य में श्रेष्ठतम सीन रखते हैं। गार्डन ने डॉक्टरों पर हँसी-मज़ाक़ के उपन्यास लिखे तो सिसील ने कानून पर। पार्किन्सन ने शासन व समाज का जो विश्लेषण किया है उसका तो कोई जवाब ही नहीं मिलता। वुडहाउस ने अँग्रेज़ी सरमायदारी की जो कलई खोली है वह तो देखते ही बनती है। अँग्रेज़ी के अतिरिक्त अन्य यूरोपीय भाषाओं में भी हास्य की श्रेष्ठ रचनाओं की कमी नहीं है। स्पेन के सर्वान्तेस का लिखा डान क्विग्जोट संसार के व्यंग्य साहित्य में चोटी का स्थान रखता है। रूसी भाषा अन्य भाषाओं की भाँति हास्य में भी काफ़ी धनी है। इधर हास्य व व्यंग्यपूर्ण जो नयी पुस्तकें रूसी भाषा में छपी हैं उनमें ओलेश की 'तीन मोटे' तथा अलेक्सोन्द्र रास्किन की 'पापा जब बच्चे थे' काफ़ी दिलचस्प है। पोलैण्ड के स्लावेमिर मरोजेक ने 'हाथी' नामक हास्य व्यंग्यपूर्ण अपनी महान् कृति में साम्यवाद शासन पर जो चुटकियाँ ली हैं, वे सदैव स्मरणीय हैं। अमेरिका के हास्यकार जेम्स थर्बर ने 'औरत आदमी और कुत्ता' तथा 'अन्तिम फूल' में जो रेखाचित्र खींचे हैं, वे हास्य व कला दोनों के क्षेत्र में अद्वितीय हैं। इसी तरह इटैलियन भाषा की 'कामरेड डान कामिलो' एक बहुत ही दिलचस्प व मार्मिक कृति है। बाल्जाक की 'ड्राल स्टोरीज' भी फ्रैंच व्यंग्य साहित्य में क्लासिक मानी जाती है।

जहाँ तक हमारे देश की भाषाओं का प्रश्न है, वे हास्य की दिशा में कम समृद्ध नहीं हैं। उर्दू में तो हास्य की ऐसी धनाढ्य और शानदार परम्परा रही है जो बेजोड़ है। फ़ारसी में भी हँसी की मशहूर किताबें हैं जिनमें 'मुल्ला नसरुद्दीन के लतीफ़े'

का तो अनेक भाषाओं में अनुवाद भी हो चुका है। उर्दू के मशहूर हास्यकारों में सरशाह (फ़सानये आज़ाद), अज़ीमबेग चुगताई (यही, फ़क़ीर व न जाने कितनी और हँसोड़ कहानियाँ), फरहत बेग, शौक़त थानवी (स्वदेशी रेल, क्रिकेट मैच), मण्टो (प्रगतिशील क़ब्रिस्तान), शफ़ीकुर्रहमान (रिव्यू, कमान के तीर), कन्हैया लाल कपूर (ट्यूशन, जान पहिचान, आधुनिक कवियों की मजलिस में मिर्ज़ा ग़ालिब) सलमा सिद्दीकी (सिकन्दरनामा) गुलाम अब्बास (वंशवृक्ष), फ़िक्र तौंसवी, कृशनचन्दर (गधे की आत्मकथा) वग़ैरह के नाम उर्दू क्या भारतीय भाषाओं के हास्य साहित्य में हमेशा के लिए अमर हो गये हैं। इम्तियाज़ अली ताज अपने 'चचा छक्कन ने सबके लिए केले ख़रीदे' के लिए हमेशा याद किये जाएँगे और जहाँ तक पतरस अहमद शाह बुख़ारी का प्रश्न है, उनका तो स्थान शायद समस्त उर्दू के व्यंग्यकारों में सर्वश्रेष्ठ ही ठहरता है। कथन वैशिष्ट्य के हास्य का बेहतरीन नमूना उनके हास्य में हमें प्राप्त होता है। 'लाहौर का जुगराफ़िया', 'कुत्ते', 'मुरीदपुर का पीर' और 'मरहूम की याद में' ऐसी श्रेष्ठ रचनाएँ हैं जिन्हें पढ़कर कोई भूल ही नहीं सकता। ऊपर दिये गये नामों के अतिरिक्त मुल्ला रमूजी, ख्वाजा हसानिज़ामी, नियाज़ फतेहपुरी, राज़िन्दर सिंह बेदी, सज्जाद हैदर यल्दरम्, इस्मत चुगताई, ए हमीद, इब्राहीम जलीस, अंजुम मानपुरी, गुलाम अहमद फुरकत, वजाहत अली संदेलवी, शीन मुज़फ़्फ़रपुरी व इकबाल जाफ़री ने भी हास्य व व्यंग्य की रचनाओं द्वारा उर्दू भाषा को समृद्ध किया है। कुर्रतुलैन हैदर ने भी हास्य की कुछ श्रेष्ठ रचनाएँ लिखी हैं।

उर्दू के अतिरिक्त बांग्ला में हास्य काफ़ी विकसित व समृद्ध है। बंकिमचन्द्र, रवीन्द्रनाथ ठाकुर (चिरकुमार सभा, क्षणिका, हास्य कौतुक) प्रमथनाथ चौधरी (फ़रमायशी कहानी), प्रमथनाथ बिशी (सिख), प्रभात मुखर्जी, विभूतिभूषण (आइन्सटाइन व इन्द्रवाला), ताराशंकर, बनफूल, विमल मित्र और परिमल गोस्वामी इत्यादि नाम ऐसे हैं जिन्होंने साहित्य की अन्य विधाओं के साथ-साथ हास्य व व्यंग्य की श्रेष्ठ रचनाएँ लिखी हैं। प्रेमेन्द्र मित्र काफ़ी दिनों तक 'धना दा' नाम से कौतुकभरी कथाएँ बांग्ला में लिखते रहे। परशुराम, सैयद मुज़्तबा अली, सुकुमार राय, नारायण गंगोपाध्याय, त्रिलोचन कवि राज, प्रेमाकुमार आतर्थी, शिवाराम चक्रवर्ती व वीरेन्द्र भद्र उन लोगों में से हैं जिन्होंने हास्य व्यंग्य को विशेष रूप से समृद्ध किया है। इनमें परशुराम का नाम सर्वोपरि है। धार्मिक व पौराणिक आख्यानों के सहारे उन्होंने जिस प्रकार सामाजिक कुरीतियों व कुण्ठाओं का मज़ाक़ उड़ाया है, वह देखने के क़ाबिल है। 'पाद टीका' सैयद मुज्तबा अली की एक नितान्त कलापूर्ण रचना है जो बार-बार पढ़ने पर भी कभी पुरानी नहीं होती। 'शंकर की पात्र पात्री' और 'आदमी और घोड़े' ऊँचे दर्ज़े की व्यंग्य रचनाएँ हैं। मराठी के प्रह्लाद केशव अत्रे, पु.ल. देशपाण्डे, शाम राव ओक व जयवन्त दलवी, असामी के नवकान्त बरुआ, सैयद अब्दुल मलिक, वीरेन्द्र भट्टाचार्य और उड़ीसा के गोदावरीश महापात्र, मैथिली

के हरिमोहन झा, आन्ध्र के भानुमति रामकृष्ण भमिडिपाटी, राधाकृष्ण व बोनेश्वर राव, टी. गोपीचन्द, कन्नड़ के एन. कस्तूरी, तमिल के नाडौडी, का.ना. सुब्रह्मण्यम्, मलयालम के मुहम्मद वसीर की भी हास्य व व्यंग्य की श्रेष्ठ रचनाएँ कम नहीं हैं। पंजाबी में प्यार सिंह दाता 'जाट कभी शेष नहीं हो सकते' और गुरदयाल सिंह की 'गथीवाला' बड़ी मार्मिक रचनाएँ हैं।

हिन्दी में हास्य व व्यंग्य की चर्चा करने से पूर्व संस्कृत के हास्य के बारे में कुछ कहना शायद उपयुक्त होगा। संस्कृत साहित्य में शेष विधाओं की अपेक्षा हास्य काफ़ी पिछड़ा हुआ है। शूद्रक (मृच्छकटिकम्), राजशेखर (कर्पूरमंजरी), वत्सराज (हास्य चूड़ामणि), जगदीश्वर (हास्यार्णव प्रहसन), विष्णु शर्मा (पंचतन्त्र) व नारायण पण्डित (हितोपदेश) की कृतियों में हास्य व व्यंग्य का अच्छा परिपाक हुआ है। जल्लाल के भोजप्रबन्ध में तथा नामी कवियों के फुटकर कूटपदों में भी हँसी-मज़ाक़ के सामान मौजूद हैं। नाटकों में विदूषक रखने की शास्त्रसम्मत परम्परा को सभी काव्यकारों ने निभाया है। प्राकृत के लेखक हरिभद्र सूरी का 'धूर्ताख्यान' अपने समय की प्रख्यात कृति थी।

हिन्दी में हास्य व व्यंग्य की परम्परा काफ़ी पुरानी है। कबीर की बानी कहीं-कहीं काफ़ी गहरा व्यंग्य करती है। तुलसीदास की रामायण में शिव विवाह, परशुराम-लक्ष्मण संवाद व रावण-अंगद संवाद ऐसे स्थल हैं जो उनके विनोदी स्वभाव पर प्रकाश डालते हैं। सूरदास का 'भ्रमरगीत' व रीतिकालीन कवियों की अतिशयोक्तियाँ काफ़ी गुदगुदाती हैं। भारतेन्दु हरिश्चन्द्र की 'अँधेर नगरी' हिन्दी हास्य-व्यंग्य की नितान्त उत्कृष्ट कृति है जो तत्कालीन समय का सही चित्र प्रस्तुत करती है। प्रतापनारायण मिश्र, बालमुकुन्द गुप्त (शिवशम्भु का चिट्ठा) ने अनेक मनोरंजक निबन्ध लिखे हैं। जी.पी. श्रीवास्तव (दिल की आग, लतखोरी लाल) भी अपने ज़माने में ख़ासे मशहूर थे हालाँकि हास्य स्थाई क़िस्म का नहीं था। जहूरबख़्श (दवाई) गुलाब राय (मेरी असफलताएँ), विशम्भर नाथ कौशिक (दूबेजी की चिट्ठी), हरिशंकर शर्मा, अमृतलाल नागर (डॉ. भोगाराम) भगवती चरण वर्मा (मुग़लों ने सल्लनत बख़्श दी, दो बाँके), प्रभाकर माचवे, भारत भूषण अग्रवाल (मीत की खोज), उपेन्द्रनाथ अश्क़ (पर्दा उठाओ पर्दा गिराओ), प्रेमचन्द (सत्याग्रह) व अज्ञेय ने भी हास्य रचनाओं की सृष्टि की। प्रेमचन्द ने फ़सानाये आज़ाद का अनुवाद भी हिन्दी में प्रस्तुत किया। यशपाल व अमृत राय ने भी हास्य की रचनाएँ लिखीं। जहाँ तक राधाकृष्ण व अन्नपूर्णानन्द का प्रश्न है, वे अपने युग के सर्वाधिक लोकप्रिय हास्यकार थे। स्वाधीनता के बाद हिन्दी में हास्य-व्यंग्य लेखक को विशेष प्रतिष्ठा मिली। केशव चन्द्र वर्मा (मुर्ग छाप हीरो), श्रीलाल शुक्ल (राग दरबारी), हरिशंकर परसाई (निठल्ले की डायरी, रानी नागफनी की कहानी, पगड़ियों का ज़माना), शरद जोशी (अमरता के अहसास की भयावनी रात), रवीन्द्रनाथ त्यागी (भक्ति पन्थ की परम्परा) ने सैकड़ों हास्य प्रबन्ध कहानियाँ

लिखीं। पत्र-पत्रिकाओं में हास्य के निरन्तर कॉलम शुरू हुए। रंग और ठिठोली वग़ैरह अख़बार भी निकले। गम्भीर लेखकों ने भी हास्य की ओर थोड़ा-बहुत ध्यान दिया और धर्मवीर की 'गुलीवर की तीसरी यात्रा रेणु' का 'अतिथि सत्कार' इस दिशा में उत्कृष्ट रचनाएँ हैं जो हमेशा याद रखी जाएँगी। इनके अलावा जो लोग हास्य-व्यंग्य लिख रहे हैं, उनमें शान्ति मेहरोत्रा, इन्द्रनाथ मदान, विद्यानिवास मिश्र, डॉ. संसार चन्द, लक्ष्मी कान्त वैष्णव, कृष्ण चराटे वर्मा का नाम लिया जा सकता है। हिन्दी हास्य में काव्य की स्थिति अलबत्ता अब भी उतनी ही दयनीय है। बेढब बनारसी व काका हाथरसी को छोड़कर बाक़ी लोग ज़्यादातर फूहड़ और कवि सम्मेलनी स्तर के हैं। नागार्जुन और निराला ने अलबत्ता ज़रूर कुछ ऐसा व्यंग्य काव्य लिखा है जिस पर प्रत्येक हिन्दी प्रेमी गर्व कर सकता है। यों कुछ और लोग भी हैं जो व्यंग्य काव्य लिख रहे हैं। मुद्राराक्षस की कुछ कविताएँ इस दिशा में काफ़ी मार्मिक हैं।

हमारी लोककथाओं और लोकगीतों में भी हास्य की कमी नहीं है। कजली, अबीर और होली वग़ैरह विधाओं में हास्य व्यंग्य का अनन्त ख़ज़ाना छिपा पड़ा है। इस ख़ज़ाने के कुछ मोती काफ़ी अश्लील भी हैं। डॉक्टर ग्रियर्सन ने भारतीय बोलियों की जो कहानियाँ एकत्रित की हैं, उनसे हमारे जन-मानस की विनोदप्रियता का पूरा-पूरा पता लगता है। लोक साहित्य में हास्य पर खोज होनी चाहिए और श्रेष्ठ तथा उत्कृष्ट लोक साहित्य को क्रमपूर्वक लिपिबद्ध करना चाहिए ताकि समय के साथ-साथ वह लुप्त न हो सके।

होली का रूपवान पर्व : एक काव्य-यात्रा

ऋतुओं की दृष्टि से हमारा देश जितना सुन्दर है, उतना सुन्दर देश सारे संसार में शायद कोई दूसरा नहीं है। कालिदास जैसे महानतम सौन्दर्यवादी कवि ने 'ऋतुसंहार' जैसे काव्यग्रन्थ की रचना की और गाँवों के ग़रीब, पीड़ित व शोषित लोककवि भी 'बारहमासा' लिखते ही रहे। होली का पवित्र पर्व, वसन्त-ऋतु का स्वागत-गान ही है और कुछ नहीं। होली का त्योहार कितना प्राचीन है यह कोई नहीं जानता। इसकी चर्चा पुराणों में भी है और ईसा से लगभग चार सौ वर्ष पहले हुए महाकवि भास के नाटक 'चारुदत्त' में भी है। उससे भी पुराने पालि-ग्रन्थों में इस पर्व की चर्चा बराबर मिलती है। कहीं 'मदनोत्सव' कहकर और कहीं 'कामदेवानुयान' कहकर साहित्यकारों ने होली का वर्णन बराबर किया है। कालिदास, हर्षवर्धन दण्डी और वाणभट्ट होली और वसन्त का वर्णन इस प्रकार करते हैं कि उसका जवाब नहीं मिलता। 'कुमार-सम्भव' व 'रघुवंश' में कालिदास ने वसन्त का वर्णन इतनी मार्मिकता के साथ किया है कि गुरुदेव तक विस्मय से अभिभूत हो उठते हैं। कुछ विद्वानों के अनुसार इस पर्व की चर्चा 'कौटिल्य के अर्थशास्त्र' तक में है। 'भागवत-पुराण' में होली का प्रसंग है जिसका प्रत्यक्ष प्रभाव सूरदास पद्माकर, विद्यापति और बांग्ला के वैष्णव भक्त कवियों पर पड़ा। वात्स्यायन के 'कामसूत्र' में भी इस पर्व की चर्चा की गयी और शूद्रक ने तो अपने 'मृच्छकटिकम्' में नायिका का नाम 'वसन्त-सेना' ही रखा। अपने इस प्रबन्ध में मैं होली को लेकर लिखे कुछ कालजयी काव्यांशों की चर्चा करूँगा, जो शायद आपके भी मर्म को छुएँ। वैसे मैं यह लेख 'स्वान्तः सुखाय' ही लिख रहा हूँ 'परजनदुखाय' नहीं।

फाग के भीर अभीरन तें गहि, गोविन्द लै गयी भीतर गोरी
भाई करी मन की 'पद्माकर' ऊपर नाईं अबीर की झोरी
छीन पीताम्बर कम्भर तें सुनविदा दई मीड़ि कपोलन रोरी
नैन नचाय, कह्यौ मुस्काय 'लाला फिर आइयौ खेलन होरी।'

—पद्माकर

एकै संग धाय नन्दलाल औ दोऊ, दृगनि गये जु भरि आनन्द मढ़ौ नहीं

धोई धोई हारी 'पद्माकर' तिहारी सौंह, अब तो उपाय एक चित्र पै चढ़ै नहीं
कैसी करौं, कहाँ जाउ, कासो कहैं, कौन सुने, काऊ तो निकासौं जासो दरद बढ़ै नहीं।

—पद्माकर

आयी खेलि होरि घरैं नवल किसोरी कहूँ, बोरी गयी रंग में सुगन्धन झरोरै है
कहै 'पद्माकर' इकंत चलि चौकी चढ़ी, हारन के बारन के फन्द-फन्द छोरै है
घाघरे की घूमन सुऊरून दुबीचैं पारि, माँगी हू उतरि सुकुमारी मुख मौरे है
दन्तनि अधर दाबि दूनर भई सी चापि, चौसर-पचौसर के चूनर निचौरे है।

—पद्माकर

घुमड़्यो गुलाल अबीर की धमक छाई, सुन्दर सहेली हियो अंग-अंग सरसैं
नन्द को कुमार ग्वाल-बालन सौं सैन मारै, केसरि-पिचक छूटैं मानो नैन दरसैं
वृन्दावन रसिक चकोर सब ब्रजलाल, सुन नर मुनि सब-देखिबे को तरसैं
होरी अंक झोरी में मयूख अमनी पै आजु, राधा मुख चन्द पै झलाझल ही बरसैं।

—ब्रजलाल

प्रान झुकामकि भेष कै, गागर लै घर तैं निकरी ती
जानि परी न कितीक अबार है, जाय परी जहँ हारी धरी ती
ठकुर दौरि परे मोहिं देख कै, भागि बची री बड़ी सुधरी ती
बीर की सौं जु किबार न देऊँ, तौ हुरिहारिन कै हाथ परी ती।

—ठाकुर

केसरि सुगन्धि ही के रंग सों रँगेंगे हम, और लोगन की लाज ही पहेलिबौ
गाइबौ जू हँसाइबौ जू, रसबस ह्वै कै सब सुख हू को रेलिबौ
ठाकुर कहत लाल होनी तो करेंगे सब, एक अनहोनी कहौ कोन विधि झेलिबौ
कर कुच पेलिबौ गरे में भुज मेलिबौ जू, ऐसी होरी खेलिबौजू हम तौ न खेलिबौ।

—ठाकुर

आजु हरि खेलत रस भरि, संग बृजभान किसोरी
चाँदिन में गुलाल की चमकनि अरु बुक्कन की झोरी
जमुना रु तीर स्वेत बारु मघि अति सोभत भई होरी
इत सब सखा खेल बौराने उत मदमाती गोरी
अद्भुत छवि हरिचन्द देखि कै रह्योहर्ष तृन तोरी।

—भारतेन्दु हरिश्चन्द्र

मैं तो मलूँगी अबीर तेरे गालन में
मलि गुलाल आँखें आँजौंगी, चोट गुहौंगी बालन में
आज कसक सब ही की निकसै, बेंदी दै तेरे भालन में
हरिचन्द तोहिं पकरि नचाँऊ, मीर बनूँ ब्रज-बालन में।

—भारतेन्दु हरिश्चन्द्र

फागुन समीर चली, ग्वालन की भीर चली
गोरी मन चीर चली, नैन मटकाय कै।
अंग अंग में उमंग, उड़त गुलाल रंग
देखि रहै सब दंग, मन मुस्काय कै।
पीरी सरसों कू देखि थक-थक गये नैन
डार्यो है बसन्ती रंग, गोरी नै रिझाय कै।
स्याम खेलें होरी, नाचै गोकुल की छोरी
आज भीजु गयी गोरी, ख़ूब खड़ी सरमाय के।

—कौशल

गले मुझको लगा लो ऐ मेरे दिलदार होली में
बुझे दिल की लगी मेरी भी तो दिलदार होली में
है रंगत जाफ़रानी रुख़ अबीरी कुमकुमे कुच हैं
बने हो ख़ुद ही होली तुम तो ऐ दिलदार होली में
रसा गर जाने मैं ग़ैरों को देते हो तो मुझको भी
नशीली आँख दिखला कर करो सरशार होली में।

—भारतेन्दु हरिश्चन्द्र

फगुनाई ऐसी चली, टूटन लागी देह, दिल दरपन टुकड़े भया,
नैनन बरसत मेह
शाख-शाख फूलों लदी, फूल फूल में रंग, हवा बजावै बाँसुरी,
मेघ बजावै चंग
मौसम यह कैसा हुआ, पात मचावैं शोर, लता करै शैतानियाँ,
भोर नचावै मोर
देवरिया आँगन खड़ा, गोरी भरे गुलाल, रस-भीगी कोई खड़ी,
हिरदय करै मलाल
फागुन घर-घर बाँटता रंग-बिरंगे फूल, पिय जिनके परदेस में,
उन्हें चुभावै शूल
हर बस्ती हर गाँव के बौराए सब लोग, हर आँगन गीला मिलै,
लिपे-पुते सब लोग
राधा हर गोरी लगै, स्याम लगै हर बाँक, हँसती लागै पाँखुरी,
मुस्काती हर आँख
चंग बजै, काँगन बजै, पत्ते देवैं ताल, मदमाते रंगों सजें,
गदराये सब गाल

नयनों के डोरे लाल गुलाल-भरे खेली होली,

जागी रात सेज प्रिय पति संग, रति सनेह रंग घोली
प्रिय-कर कठिन उरोज़ परस, कस कसक मसक गयी चोली,
एक वसन रह गयी मन्द हँस, अधर-दशन अनबोली,
कली-सी काँटे की तोली, खेली होली

यह एक विचित्र संयोग है कि जैसे-जैसे हम दक्षिण व पूर्व की दिशा में बढ़ते जाते हैं, भाषा वैसे मधुर होती चली जाती है। हरियाणवी की अपेक्षा पश्चिमी उत्तर प्रदेश की भाषा कुछ कम कर्ण-कटु है फिर भी ब्रज-भाषा का लालित्य उसमें हर्गिज़ नहीं है। पश्चिमी उत्तर प्रदेश में भटीपुर वासी घासीराम व दबथुआ वासी कालीचरन ने अनेक होलियाँ लिखीं, जिनमें सती सुलोचना, राजा काकर व कँवर निहालदे की होलियाँ अमर हैं। हालाँकि तीनों होलियाँ बेहद दुखान्त हैं। थोड़ा दक्षिण में चलकर ब्रज की भूमि आती है, जिसकी मधुरता आप जानते ही हैं। पद्माकर का तो वाक़ई कोई जवाब नहीं, वे तो हिन्दी के जयदेव हैं। डॉ. ग्रियर्सन ने ठीक ही कहा था कि यदि हिन्दी-कविता खड़ी बोली में लिखी जाने लगी तो वह समाप्त हो जाएगी। मिश्र बन्धुओं के अनुसार सारे विश्व-साहित्य में ऐसा कौन-सा कवि है जिसने पद्माकर की भाँति इतना कम लिखकर इतनी प्रतिष्ठा प्राप्त की हो? पद्माकर को पढ़ने के लिए गुरुदेव ने ब्रजभाषा सीखी थी। ब्रज के बाद अवधी आती है जिसके लोकगीत बेहद करुण हैं। बुन्देलखण्ड के महान् लोककवि ईसुरी के फाग भी अत्यन्त मधुर हैं। अवधी के बाद भोजपुरी आती है जो और भी मधुर है और उसके बाद मैथिली आती है, जिसमें विद्यापति जैसे कालजयी कवि पैदा हुए। आगे चलकर बांग्ला आती है, जिसके प्राचीन भक्त-कवियों की मधुरता आज भी उतनी ही आकर्षक है जितनी वह सैकड़ों वर्ष पहले थी। 'निराला' के शब्दों में गुरुदेव तक ने बांग्ला के प्राचीन वैष्णव भक्त-कवियों से बेहद प्रेरणा पायी। अब इन्हीं कवियों की होली पर लिखी कुछ चुनी हुई कविताएँ प्रस्तुत हैं—

मो पै रंगा ने डारो साँवलिया
मैं तो ऊँसई अतर में डूबी लला। मो पै रंगा...
केसर डार रस गंगा बनायी हरे बाँस पिचकारी लला।
भर पिचकारी मोरे सन्मुख मारी, भींज गयी तन सारी लला।
जो सुन पाहें ससुरा हमारे आउन न देहैं बखरियों लला।
जो सुन पाहें सैयाँ हमारे, आउन न देहैं सिजरियों लला।

—गायक : राधाचरण चौबे

आइऊँ पिताजी की चोरी, भला केउ रंग न छाँड़ै।
पहिलन होरी ससुर जी से खेल्यों धुँधटवा की ओट। भला..

दुसरिन होरी जेठ जी से खेल्यों, खेल्यों बरोटवाँ की ओट। भला...
तीसर होरी देवर जी से खेल्यों, खेल्यों नयनवा की ओट। भला...
चौथी होरी बलमजी से खेल्यों, खेल्यों जोबनवा की ओट। भला...

(कविता-कौमुदी : रामनरेश त्रिपाठी)

अंग अंग मोरा फड़के, हाय रे, मत डारो अबीर गुलाल।
अबीर गुलाल के बादल छाये, रंगवा के पड़त फुहार। हाय रे...
सब सखियाँ पिचकारी मारत, बह चले रंगवा के धार। हाय रे...
बाजत ढोलक चंग, मजीरा, नाचत मिल-मिल चार। हाय रे...
छोड़-छोड़ काँधा बहियाँ मोरी, नाहिं त करब गुहार। हाय रे...

(राहगीर)

बिसरल सुधि उपरावे हो रामा,
चढ़ते चइतवा
बँसवरिया में चहके मइनिया,
लचर-लचर करे बाँस के कइनियाँ
सुतल सनेह जगावे हो रामा
चढ़त चइतवा
गेहुआँ के खेतवा में लगली कटरिया,
सोनवा के सिलिया से झाँकेली सजनिया
प्रितिया के पवन ओसावे हो रामा
चढ़ते चइतवा
अलसल तन-मन बहे पुरवइयाँ,
सुनसान लागे रामा दिन दुपहरिया
देह के थपकिया सुलावे हो रामा
चढ़ते चइतवा
सुख-दुख दुनों जइसे, लागे धुप-छँहिया,
जिनगी के राहगीर सुझे नाहिं रहिया
झुठही सपन भरमावे हो रामा
चढ़ते चइतवा....

ऊपर जो लोकगीत दिये गये हैं, वे उस ग्रामीण जनता के कवियों के हैं जो सदियों से भुखमरी और क़र्ज़ से दबे हुए रहे हैं। राजाओं की बात अलग है। विदेशी शासन जाने के बाद, देसी राजाओं की संख्या दिन-ब-दिन बढ़ती जा रही है।

मेरी कश्मीर यात्रा

पाँच अक्तूबर की सुबह को जब कश्मीर मेल पठानकोट के स्टेशन पर जाकर रुक गयी, तो मेरा दिल उमंग से धड़कने लगा। कश्मीर को देखने का स्वप्न बचपन से लगा था। क्लास में स्वर्ग के उस कोने के बारे में हम लोग कितना सोचा करते थे! जब नीले पहाड़ों की श्रेणियाँ प्लेटफॉर्म पर से दिखाई दीं तो आभास हुआ कि वास्तव में हम परियों के देश में ही आ गये।

पठानकोट से आगे रेल का रास्ता नहीं है। कश्मीर टूरिस्ट बस सर्विस की शानदार मोटरें 268 मील की लम्बी यात्रा को पूरा करती हैं। पठानकोट से हम आठ बजे चले और रावी नदी पार करने से पहले ही पासपोर्ट दिखाना पड़ा। जम्मू ग्यारह बजे दोपहर और कुछ देर डाकबँगले में आराम करने के बाद, 200 मील का सफ़र शुरू हो गया।

जम्मू तक कोई विशेष दृश्य नहीं दिखाई देता। जम्मू से निकलते ही हिमालय की नंगी श्रेणियाँ आँखों के सामने नाचने लगती हैं। नीले, भूरे, सफ़ेद बर्फ़ से लदी चोटियों वाले और चीड़ के जंगलों से लदे ऊँचे-ऊँचे पहाड़, जिनके बीच भयंकर ऊँचाई और विस्तृत गहराई से घिरी साँप जैसी टेढ़ी सड़क पर मोटर चक्कर काटती ऊपर चढ़ती है, किसी को भी मन्त्रमुग्ध करने की क्षमता रखते हैं। कहीं पर प्रपात और नदियाँ मिलती हैं और कहीं पर घाटियों में भेड़ चुगाती गाँव की बालाएँ!

चिनाब नदी के पुल पर पहुँचते-पहुँचते शाम हो गयी। वहीं से ख़तरनाक रास्ता भी शुरू हुआ। शाम का झुटपुटा, सूखे और ऊँचे पहाड़, तंग रास्ता और भयंकर गहराई में तारे जैसी चमकती चिनाब नदी की तेज़ धारा– जो मीलों तक साथ-ही-साथ चलती रही, यात्रा को एक विचित्र विस्मय से रँगे देती थी। हमारा ड्राइवर था एक नौजवान और सुन्दर सरदार जो चालीस मील प्रति घण्टा से कम बात ही नहीं करता था, मगर था बहुत ही कुशल और साहसी। कई बार सामने से आती मिलिट्री के ट्रक से उसने बाल-बाल बस को बचाया। शाम के आठ बजे तक हम लोग इसी प्रकार चक्करदार रास्ते पर चलते गये। रात हो गयी। रात की चादर में पहाड़ छिप गये, नदी दिखनी बन्द हो गयी, पेड़ों को पहचानना मुश्किल हो गया पर मोटर

चलती गयी। कोई नौ बजे हम बनीहाल पहुँच गये। यहीं हमें रात-भर ठहरना था।

बनीहाल लगभग 6,000 फ़ीट की ऊँचाई पर बसा एक छोटा-सा क़स्बा है। कुछ विस्थापित सरदारों की चाय की दुकानें, एक होटल और डिस्पेंसरी तथा कुछ होटलनुमा मकान जो एक पहाड़ी नदी के किनारे पर बने हैं– सारी बस्ती को एक नये-से वातावरण में रख देते हैं। हम लोग 'भारत-निवास' में रुके। यहाँ पर से सफ़ेदे और कुरु के पेड़ दिखाई देने लगे और बड़े बालों वाले कुत्ते बड़े अजीब लगे। कश्मीरी भाषा, पहाड़ी या डोगरी जो कुछ भी रही हो, हम लोग समझ नहीं सकते थे पर सुनने में बड़ी अच्छी लगती थी।

सुबह को बनीहाल से फिर चढ़ाई शुरू हो गयी। चढ़ाई बढ़ती गयी और बढ़ती ही गयी। मोटर का रास्ता बादलों ने बन्द कर लिया। कालिदास के मेघ ने बस के अन्दर हम सभी को सन्देश सुनाना शुरू कर दिया। कुछ देर बाद हम लोग फिर आगे बढ़े और 8,686 फ़ीट की ऊँचाई पर, जो इस यात्रा का उच्चतम पाइण्ट है, काजीकुण्ड की टनेल पार की। वहाँ से उतार शुरू हुआ और श्रीनगर की सुरम्य व विस्तृत घाटी दिखाई देनी शुरू हो गयी। रास्ते से ज़रा हटकर हम लोग बेरीनाग गये। यह झेलम नदी का स्रोत है। 54 फ़ीट गहरा एक गहरे नीले पानी का मछलियों से भरा चश्मा, जिसके चारों और शहंशाह जहाँगीर की बनायी इमारत है, दर्शकों की सारी थकावट दूर कर देता है। चारों तरफ़ फूलों से लदी पहाड़ियाँ, चिनार के सायेदार पेड़ और नूरजहाँ व जहाँगीर के विलास-भवन के टूटे खँडहर एक विचित्र कम्पन उत्पन्न करने लगे। मेरी आँखों के सामने चार सौ वर्ष पूर्व का वह दृश्य नाचने लगा जब सम्राट जहाँगीर नूरजहाँ के साथ यहाँ घोड़ों और पालकियों पर आते थे। मशालें आगे-आगे चलती थीं और सेना पीछे-पीछे। और यहाँ के निवासियों का एकान्त व सन्तोषपूर्ण जीवन, जिसमें वे मैदान सिनेमा या रेल की कल्पना ही नहीं करते, बड़ा विचित्र लगा! ऊँचे और रंगीन पहाड़ों से घिरी छोटी-सी दुनिया, कुछ खेत और भेड़ें और सादा जीवन-खाना-पीना-संघर्ष-विवाह और मृत्यु! मुझे बड़ा अजीब-सा महसूस हुआ।

आगे समतल सड़क थी। श्रीनगर तक ऐसी ही सड़क चलती है। दोनों ओर सफ़ेदे के ऊँचे-ऊँचे एक-से पेड़ों की पंक्तियाँ जिनमें से पीछे के नीले पर्वतों की श्रेणियाँ साफ़ चमकती हैं– खुशी के मारे यात्रियों को पागल बना देती हैं। कश्मीर की सुषमा अवर्णनीय है; उसे शब्दों में नहीं बाँधा जा सकता। सफ़ेदे के पेड़ों की छाया में थके कश्मीरी किसान आराम करते बड़े भले लगते हैं। भेड़ हाँकते बच्चे और भी अधिक मासूम और प्यारे मालूम होते हैं।

झेलम नदी पार करके हम लोग श्रीनगर पहुँचे। कोई बारह बजे थे दिन के। डल पर एक हाउसबोट किराये पर ली। बोटों के नाम बड़े आकर्षक होते हैं। हमारी बोट थी 'जाज'। डल का वातावरण विचित्र है, पीछे नंगे और नीले पहाड़, सफ़ेदे के पेड़ों की घनी पंक्ति और दस वर्ग मील में फैली गहरे नीले पानी की वह झील

जिस पर शिकारा तैरता है, सौन्दर्य में अनुपम है। डल के साथ चलनेवाले होटलों से घिरी सड़क, जिस पर आगे चलकर राज्य-भवन और मुग़ल गार्डन हैं, एक अनुपम आकर्षण रखती है। रात को बिजली की रोशनी में घूमना वहाँ बहुत प्यारा लगता है।

श्रीनगर में डल के अतिरिक्त मुग़ल गार्डन विशेष आकर्षण रखते हैं। शेष स्थान श्रीनगर के बाहर ही हैं। टूरिस्ट वहाँ टट्टू, पर या मोटर द्वारा जाते हैं। मुग़ल गार्डन की शोभा वर्णित नहीं की जा सकती। चश्माशाही, नसीम, निशात व शालीमार—सभी डल के तट पर, नंगी पहाड़ियों के सहारे धीरे-धीरे ऊँचे उठते गये हैं। जहाँगीर के ये विलास-उपवन आज भी यात्रियों के मनों को मुग्ध करने की क्षमता रखते हैं। शालीमार तो फूलों का सागर है। यहीं सम्राट अपनी प्रेयसी के साथ विहार करते थे! निशात से डल का व्यू बड़ा साफ़ नज़र आता है। नेहरू-पार्क तक सबकुछ आप एक ही नज़र में देख सकते हैं। सबसे अधिक आकर्षक है डल पर घूमना। कुछ-कुछ चाँद निकलना शुरू हो गया था और 'कुछ उजाला कुछ अँधेरा' वाला वह समाँ बड़ा प्यारा मालूम होता था।

घूमने लायक़ स्थान कश्मीर में बहुत हैं पर गुलमर्ग, खिलनमर्ग, पहलगाम, चन्दनवारी, कोकरनाग, सोनमार्ग तथा बुलरलेक उनमें अधिक प्रसिद्ध हैं। गुलमर्ग तक का रास्ता बड़ा मनोरम है। कुछ दूर तक बस और फिर टट्टू। मैं तो पैदल ही चढ़ता गया। रास्ता बड़ा तंग, एक ओर घने चीड़ के वनों से भरपूर पहाड़ और दूसरी और कई हज़ार फ़ीट गहरी घाटी और फिर उसके पार चमकतीं बर्फीली चोटियाँ। बड़ी मेहनत के बाद गुलमर्ग पहुँचे। गुलमर्ग एक छोटा-सा क़स्बा है, एक सुन्दर घाटी में बसा। गुलमर्ग-होटल में चाय पी और गोल्फ का मैदान देखने गये। यहाँ का गोल्फ ग्राउण्ड संसार में सर्व श्रेष्ठ है। गुलमर्ग अपने सौन्दर्य में अद्वितीय है। चारों ओर उठे हुए पहाड़ और जंगल, बीच में छोटी-सी घाटी जिसमें बसे पत्थर के मकान धूप में बड़े भले लगते हैं।

गुलमर्ग से फिर चढ़ाई शुरू की और खिलनमर्ग पहुँचे। यह स्थान लगभग 11000 फ़ीट ऊँचा है। वहाँ से बर्फ़ से लदे पहाड़ शुरू हो जाते हैं और ये सभी पहाड़ डल पर से साफ़-साफ़ चमकते भी हैं। हमने बर्फ़ खायी और उस पर बहुत देर तक चलते रहे। यहाँ से एक ओर नंगा पर्वत दिखाई देता है और दूसरी और गुलमर्ग और श्रीनगर की घाटियाँ।

सोनमर्ग मुझे गुलमर्ग से भी अधिक अच्छा लगा। सिन्ध नदी के किनारे-किनारे कोई 60 मील तक चलना पड़ा। रास्ते में सिन्ध के प्रपात देखने को हम लोग कई जगह रुके। दोनों तरफ़ उठे पहाड़ों का सौन्दर्य, जिनके बीच में सिन्ध नदी तेज़ी से चट्टानों से टकराती हुई तेज़ी से बहती है, शब्दों में नहीं बताया जा सकता। सोनमर्ग से तिब्बत की सीमा पास ही है। मिलिट्री के एक अफ़सर ने हमें आगे बढ़ने से रोक दिया। हम लोग वहीं रुके और सारा दिन वहीं बिताया। पहलगाम बहुत ही सुन्दर

स्थान है और रास्ते में लीदर की घाटी बड़े मनोरम दृश्य उपस्थित करती है। यहाँ से होकर लोग अमरनाथ के ग्लेशियर तक जाते हैं। बुलर कश्मीर की सबसे बड़ी झील है और इसका क्षेत्रफल 14 वर्ग मील है।

श्रीनगर शहर कोई विशेष सुन्दर नहीं लगा। सरकारी भवन और होटलों को छोड़कर शेष नगर बहुत साफ़ नहीं है। लकड़ी और पत्थर के मकान बड़े विचित्र लगते हैं। शहर के बीचोंबीच झेलम नदी बहती है। और नगर के दोनों भाग, सात पुलों द्वारा, जिन्हें 'कदल' कहते हैं, मिला दिये गये हैं। इसी से श्रीनगर को सात पुलों का नगर भी कहते हैं। शिकारे पर बैठकर सातों पुल घूमने पर सारे शहर का पूरा व्यू प्राप्त हो जाता है। पहला ब्रिज व्यवसाय का केन्द्र है और असेम्बली भी वहीं है। शहर में म्यूज़ियम और एम्पोरियम प्रधान रूप से देखने योग्य स्थान हैं। आर्ट एम्पोरियम में कला के उत्कृष्ट नमूने रखे हैं। कश्मीर का क़िला जो अकबर ने बनवाया था, हरि पर्वत पर है और नगर के प्रायः हर स्थान से दिखाई देने वाली ऊँचाई पर यह स्थित है और वहाँ से श्रीनगर का पूरा व्यू प्राप्त हो जाता है। श्रीनगर में इतिहास की दृष्टि से कई इमारतें बहुत महत्त्वपूर्ण हैं। जामा मस्जिद सन् 1400 के लगभग की है और शाहेहमदान मस्जिद तथा मार्तण्ड मन्दिर तो बहुत प्राचीन माने जाते हैं। स्थापत्यकला की दृष्टि से भी ये इमारतें महत्त्वपूर्ण हैं। श्रीनगर में यात्रियों की मदद के लिए भारत सरकार व स्टेट की ओर से कई ब्यूरो हैं। यहाँ का रेडियो स्टेशन भी हम लोगों ने देखा और हम उससे बहुत प्रभावित भी हुए।

कश्मीर का सौन्दर्य वहाँ के निवासियों की नस-नस में समाया है और उनकी कला के रूप में प्रकट होता है। उनकी कला के उत्कृष्ट नमूने एम्पोरियम व सेण्ट्रल मार्केट में सुसज्जित दिखाई देते हैं। रेशमी कपड़े, ऊनी कपड़े और उन पर कारीगरी, लकड़ी का सामान और उस पर ख़ुदाई का काम, काग़ज़ का सामान और सोने व चाँदी के बर्तन, पत्थर का सामान सभी तो अद्वितीय लगा। लेकिन कलाकारों की दशा बड़ी शोचनीय है। उनकी समृद्धि टूरिस्टों पर है जो इधर काफ़ी कम हो गये हैं। उनका कौशल इतना सूक्ष्मतापूर्ण और मार्मिक है कि कुछ कहा नहीं जा सकता।

कश्मीर की कहानियों व लोकगीतों में राजा-रानी के प्रेम कथाओं के अतिरिक्त समुद्री जीवन की बड़ी चर्चा है। यहाँ के लोगों का जीवन नदी और झीलों से बहुत सम्बन्धित है। कुछ लोग तो नावों में ही घर बनाकर रहते हैं और इसी कारण ऐसा होना स्वाभाविक भी है। समुद्र की कल्पना करना उनके लिए कठिन नहीं। वहाँ के गीत सुनने में बड़े प्यारे लगते हैं। मैं अपने माँझी से कभी-कभी विरह गीत सुनता था। उसकी आवाज़ में भी कुछ दर्द था और डल पर चाँदनी रात– बस एक स्वप्न साकार-सा हो उठता था!

कश्मीर की आर्थिक दशा बड़ी ख़राब है। लोगों की दरिद्रता अनिर्वचनीय है। गन्दे कपड़े, छोटे मकान और आधे पेट भोजन। बच्चे प्रायः भीख माँगते मिले।

स्वर्ग के उस कोने में दरिद्रता का नरक हमेशा नहीं रह सकता। हालत बदल रही है। ग़रीबी का कारण है सरमायेदारी और जाड़ा। छः माह तक लोग घरों में ही बैठे रहते हैं और आग तापते रहते हैं, चारों ओर बर्फ़ जम जाता है। सदर-ए-रियासत श्री करनसिंह ने, जो मुझे बहुत अध्ययनशील व सभ्य व्यक्ति प्रतीत हुए, बातचीत में बताया कि नेशनल कांफ्रेंस का प्रोग्राम इस समस्या को बहुत दूर तक हल कर देगा। बख़्शीजी की सरकार ने कुछ शुरुआत भी की है। जिन उद्योगों की उन्नति हो रही है उनमें लकड़ी, काग़ज़, ऊन और टूरिस्टों का धन्धा—ये चार ही उद्योग प्रमुख हैं। फल व अनाज की खेती में भी सुधार किया जा रहा है।

कश्मीर की राजनीति के विषय में मैं सबकुछ बताना उचित नहीं समझता। शेख़ साहब से अब भी लोग प्रेम रखते हैं। बख़्शी जनता में काफ़ी लोकप्रिय हैं। असेम्बली भी मैं गया और वहाँ की सभ्य व शानदार बहस से प्रभावित भी हुआ। वह जेल भी हम लोगों ने देखी जिसमें शेख़ साहब बन्द हैं।

कश्मीर के लोग युवक, युवतियाँ और बच्चे सभी बहुत सुन्दर, सीधे, मासूम और प्यारे हैं। बच्चे तो बहुत ही सुन्दर हैं और उनकी ग़रीबी देखकर बड़ा तरस आता है। निश्छल, निष्कपट और स्नेही कश्मीरी जनता अपने अतिथियों के आने पर बहुत प्रसन्न होती है। स्त्रियाँ गहनों से बहुत प्रेम करती हैं और पर्दा रखती हैं। खेतों में काम करते हुए युवतियाँ ज़रूर दिखाई पड़ती थीं। गाँव के बच्चे और बूढ़े हमें देखकर दूर से सामान उठाने दौड़े चले आते थे। यात्रियों को देखकर उन्हें बहुत आनन्द होता है क्योंकि वे ही उनकी आय के प्रमुख साधन हैं। श्रीनगर के कश्मीरी लोग जो यात्रियों से ज़्यादा सम्पर्क रखते हैं, बड़े कुशल, व्यावहारिक व तेज़ मालूम पड़े पर शेष कश्मीरी जनता बहुत स्नेही व निश्छल है। सबसे बड़ी बात तो यह है कि सभी लोग बहुत सुन्दर हैं। इतने सुन्दर व्यक्ति एक साथ देखना कम-से-कम मुझे तो बड़ा विस्मयकारी लगा!

लोग कश्मीर शिकार के लिए और खेल-कूद या छुट्टियाँ मनाने के लिए बहुत दूर-दूर से जाते हैं। कितने ही लोग झील में मछलियाँ पकड़ते हैं और कितने ही पहाड़ों पर चढ़ाई करते हैं। मुझे तो सबसे ज़्यादा डल पर नाव में घूमना अच्छा लगता था। अपनी हाउसबोट की छत पर आरामकुर्सी पर धूप में सिगरेट पीना मुझे उम्र भर याद रहेगा। सामने कितनी ही नावें और नीले पहाड़। लगभग 15 दिन उस स्वर्ग के कोने में गुज़ारने के बाद मैं उसी रास्ते से वापस आया। दूसरे साथी तो सीधे प्रयाग चले आये पर मैं आगरा और फतेहपुर सीकरी देखने के लिए रुक गया। यहाँ भी मेरी आँखों के सामने वह नदी, झरने और जंगल व झीलों वाला देश बराबर घूमता रहा और शायद उम्र भर घूमता रहेगा।

मेरी शिलांग यात्रा

सन् 1960 में मेरी नियुक्ति पटना के दफ़्तर में हुई। उन दिनों पटना का दफ़्तर ज्वायण्ट-कण्ट्रोलर का दफ़्तर था और वह बिहार, बंगाल व आसाम में स्थित सारी थल-सेना का काम देखता था। मेरे ज्वायण्ट-कण्ट्रोलर एक अजीब आदमी थे और उनकी व मेरी बिल्कुल नहीं बनती थी। एक बार ऐसा हुआ कि शिलांग में एक गैरीज़न-इंजीनियर के दफ़्तर में कुछ 'इन्क्वायरी' होनी थी और वहाँ 'सबोर्डिनेट-एकाउण्ट्स-सर्विस' की परीक्षा भी करवानी थी। इन दोनों कामों के लिए मुझे शिलांग दौरे पर भेजा गया जिसकी मुझे बहुत प्रतीक्षा थी। मेरे ज्वायण्ट-कण्ट्रोलर ने मुझे दार्जिलिंग जाने की भी अनुमति दे दी। मैं बहुत ख़ुश हुआ और पत्नी के साथ दौरे पर निकल पड़ा। उन दिनों मैं डिपुटी-कण्ट्रोलर था।

पटना के महेन्द्रु घाट से मैंने 'स्टीमर-कम-रेल-कम-रोड-टिकट' ख़रीदे और निश्चित् तिथि पर मैं और मेरी पत्नी पटना के महेन्द्रु घाट से सोनपुर के लिए चले। स्टीमर से गंगा पार की और पहलेजा घाट पहुँचे। वहाँ से सोनपुर पहुँचने के लिए रेल मिली और हम दोनों सोनपुर पहुँचे। सोनपुर का रेलवे-प्लेटफ़ार्म दुनिया का सबसे बड़ा प्लेटफ़ार्म माना जाता है क्योंकि वहाँ हरिहरनाथ के क्षेत्र में जो मेला लगता है वह बहुत बड़ा होता है और उसमें बिकने के लिए हाथी तक आते हैं। हरिहरनाथ का विशाल मन्दिर ठीक उसी स्थान पर लगता है जहाँ कि पुराणों में वर्णित गज़ और ग्राह का युद्ध हुआ था।

सोनपुर से आसाम जाने वाली 'अवध-तिरहुत मेल' लखनऊ से चलकर कोई नौ बजे रात को सोनपुर पहुँची। हमारी दो सीटें प्रथम–श्रेणी के डिब्बे में सुरक्षित थीं। सारा रास्ता मीटर-गेज से ही तय करना था। आज के चले हम तीसरे दिन सुबह आमिनगाँव पहुँचे। आसाम सचमुच एक अत्यन्त सुन्दर प्रदेश है। इतनी हरियाली और इतना सूनापन, जीवन में पहली बार देखने को मिला। आमिनगाँव पर रेल ख़त्म हो जाती थी और ब्रह्मपुत्र पार करने के लिए हम फिर स्टीमर पर बैठे और उधर के तट पर स्थित पाण्डु स्टेशन पहुँचे। पाण्डु से शिलांग तक की यात्रा एक बढ़िया कार में की। रेल विभाग प्रथम श्रेणी के यात्रियों को कार देता था, द्वितीय श्रेणी के

यात्रियों को स्टेशन बैगन मिलते थे और तीसरे दर्ज़े में यात्रियों को बस में बैठना होता था जो बढ़िया व आरामदेह होती थीं। मैं और मेरी पत्नी कार में पिछली सीट पर बैठे और एक सेठजी थे जो ड्राइवर के साथ अगली सीट पर बैठे। बहुत ही शरीफ़ आदमी थे। रास्ते में जब मेरी पत्नी को चक्कर आने लगे तो बेचारों ने गाड़ी रुकवा कर ढेर सारे सन्तरे और जंगली केले ख़रीदे। दोनों ही फल बेहद सस्ते थे। कुछ घण्टों की मनोरम यात्रा के बाद हमलोग शिलांग पहुँच गये।

मैं सेना के डाक-बँगले में ठहरा था। सब तरह की सुविधा थी। खाना ज़रूर ख़राब था क्योंकि हम दो प्राणियों के अतिरिक्त, बाक़ी सारे लोग मांसाहारी थे और मदिरा पीते थे। मेरे विभाग के जो स्थानीय अधिकारी थे वे आन्ध्र प्रदेश के थे और उनके यहाँ जो खाना मिला उसमें मिर्च बहुत ही ज़्यादा पड़ी थीं। हम दोनों लगभग भूखे ही रहते थे और डबल-रोटी व मक्खन ही खाते थे। अगले दिन मैं 'सब एरिया कमाण्डर' ब्रिगेडियर विल्सन से मिला जो ऐंग्लो इण्डियन थे। बहुत ही बढ़िया, स्नेही व बेबाक आदमी थे। मुझे घूमने-फिरने के लिए स्टाफ़-कार मिली और अगले ही दिन मैंने फ़ौज के इंजीनियर के ख़िलाफ़ जाँच-पड़ताल व एस.ए.एस. की परीक्षा की तैयारी शुरू कर दी। रविवार आया तो हम लोग झील व पार्क देखने गये और अपर-वैली की यात्रा की। शिलांग सचमुच एक बेहद ख़ूबसूरत पहाड़ी शहर है और वहाँ जो समय हमने बिताया, वह दोनों को सदा याद रहेगा। इंजीनियर के ख़िलाफ़ जो जाँच चली, उसके काग़ज़ मैं दफ़्तर की अलमारी में ही छोड़ आता था पर एस.ए.एस. के प्रश्न-पत्रों के सील-बन्द लिफ़ाफ़े मैंने अपने पास डाक-बँगले ही में रहने दिये।

एक रात हम दोनों भरपेट भोजन खाने के लिए 'मारवाड़ी होटल' गये, जहाँ खाना सचमुच बढ़िया और काफ़ी सस्ता था। वहाँ रोटी को 'टुकड़ा' कहते थे। हम लोगों ने जब रोटी माँगी तब भी वहाँ के लोगों ने बैरे से कहा, "साहब टुकड़ा कह रहे हैं, इन्हें टुकड़ा दो।" हम लोग सुनते रहे और हँसते रहे। हमने ख़ुशी-ख़ुशी खाना खाया और रात को लगभग दस बजे हम लोग डाक-बँगला लौटे तो पाया कि हमारे कक्ष में चोरी हो गयी थी। चोर कोई दिलचस्प आदमी था, वह पीछे से बाथरूम के मार्ग से भीतर आया और उसने हम दोनों के क़ीमती कपड़ों को नहीं चुराया। उसने मात्र मेरा बीस रुपये क़ीमत का कोडक का बॉक्स-कैमरा, ब्रिलक्रीम की एक शीशी और एक-एक रुपये के नये सौ रुपये का बण्डल चोरी किया। हाँ, उसने एस.ए.एस. के प्रश्नपत्रों का लिफ़ाफ़ा ज़रूर फाड़ा जिसे देखकर मेरे प्राण सूख गये। सी.जी.डी.ए. (श्री फूलचन्द) अपनी शक्ति के लिए प्रसिद्ध थे और मैंने सोचा कि नौकरी गयी। संयोग कुछ ऐसा हुआ कि अगले ही दिन मुझे दिल्ली से आया एक तार मिला जिसमें सी.जी.डी.ए. के दफ़्तर ने बताया था कि वह प्रश्न-पत्र, जिसका लिफ़ाफ़ा चोर ने फाड़ा था कैंसिल हो गया है। इस तार को पाकर जो ख़ुशी हुई वह शब्दों में बताना कठिन है। पटना जाकर पता लगा कि वह पेपर पूना में आउट हो

गया था और इसी कारण वह कैंसिल किया गया था। अगले दिन ब्रिगेडियर गुलशन आये और हम लोगों ने थाने में चोरी की रिपोर्ट दर्ज़ करायी। चोर पकड़ा गया और सौ रुपयों को छोड़कर सारा सामान बरामद भी हो गया। यह सारी वारदात उस इंजीनियर ने करवायी थी जिसके ख़िलाफ़ मैं जाँच-पड़ताल कर रहा था।

लगभग एक सप्ताह रुकने के बाद, हम लोग शिलांग से वापस लौटे। जब पाण्डु पहुँचे तो पाया कि स्टीमर लगने में अभी बहुत देर है और बहुत से यात्री नाव से ब्रह्मपुत्र पार कर रहे हैं। हम लोग भी एक नाव में बैठ गये। नाव जब बुरी तरह भर गयी तो एक बालक ने उसे खेना शुरू किया। बीच में जाकर पानी भरने लगा और सब यात्री घबराने लगे। इसी बीच एक स्टीमर भी नदी में आ गया और नदी का पानी और ज़्यादा उथल-पुथल करने लगा। ईश्वर के कृपा से हम लोग किसी तरह उस पार पहुँचे और गाड़ी में अपनी सीट ढूँढ़कर आराम की मुद्रा में आ गये। आसाम की राजधानी शिलांग की यात्रा आधी समाप्त हो गयी थी।

आमिनगाँव से हमारी अवध-तिरहुत मेल रात को चली और अगले दिन हम सिलीगुड़ी पहुँचे। सिलीगुड़ी से दार्जिलिंग जाने के लिए हमने छोटी लाइन की गाड़ी पकड़ी और कोर्स्यांग व तिनधरिया जैसी सुन्दर बस्तियों को पार करके हम दोनों 'घूम' नामक स्टेशन पर उतरे क्योंकि हमारा डाक-बँगला वहाँ से पास पड़ता था। वहाँ मेरे यूनिट-एकाउण्टेण्ट ने बताया कि घूम सारे संसार का सबसे ज़्यादा ऊँचाई पर बना रेलवे स्टेशन है। हमारा डाक-बँगला जलपहाड़ नामक स्थान पर बना था और वह काफ़ी ठण्डा था। बोलचाल में इस स्थान को जलापाहार कहा जाता था।

दार्जिलिंग हम लोग कोई पाँच दिन रुके। यह सचमुच एक अत्यन्त रूपवान स्थान है। सबसे बड़ा आकर्षण है बर्फ़ से लदी कंचनजंघा जो नगर के प्रायः प्रत्येक स्थान से दिखाई पड़ती है और जो सचमुच बहुत सुन्दर है। एक दिन हम बहुत जल्दी उठे और जीप पर बैठ कर टाइगर हिल गये। आसमान साफ़ था और हम लोग माउण्ट-एवरेस्ट को लगभग डेढ़ घण्टे तक देखते रहे। टाइगर हिल पर हमने चाय पी। हम तीन लोग थे मगर सिर्फ़ एक कप चाय पीने में हमारे पन्द्रह रुपये लगे। यह न भूलिए कि मैं सन् 1960 की बात कर रहा हूँ जब चीनी का दाम बयालीस पैसे प्रति किलोग्राम था।

दार्जिलिंग से लौटने के कुछ ही दिनों बाद, मेरा तबादला पटना से प्रयाग को हो गया। सन् 1962 में शिलांग की किसी अदालत से मेरे नाम सम्मन आया। चोरी का मुक़दमा शुरू हो गया था और मुझे अपने सामान की जाँच करने तथा बाक़ी गवाही देने के लिए शिलांग बुलाया गया था जब कि मैं कहीं भी जाने की स्थिति में नहीं था क्योंकि मेरी पत्नी का मेजर-ऑपरेशन होने वाला था। मैंने अपने वकील मित्रों से सलाह ली और मैंने शिलांग की अदालत से कमीशन की नियुक्ति माँगी और मेरी यह याचिका स्वीकृत भी हो गयी। कुछ दिनों बाद इलाहाबाद की ही एक अदालत

ने एक निर्धारित तिथि पर मुझे पेश होने को कहा। मैं निर्धारित तिथि पर अदालत पहुँच गया और सम्बन्धित मजिस्ट्रेट से मिला जो अत्यन्त शिष्टता व स्नेह के साथ मुझसे मिले। उन्होंने मुझे शिलांग की अदालत द्वारा भेजी प्रश्नों की एक सूची दी और उनका उत्तर देने को कहा। सबसे पहला प्रश्न था कि क्या आप संलग्न कैमरे को पहचानते हैं, और क्या यह वही कैमरा है जिसकी चोरी की रिपोर्ट आपने फलाँ तारीख़ को फलाँ थाने में दर्ज़ करायी थी? मैंने मैजिस्ट्रेट से कैमरा दिखाने को कहा ताकि मैं सवाल का जवाब दे सकूँ। मजिस्ट्रेट ने पेशकार को बुलाया और पेशकार सारे काग़ज़ लेकर अदालत के मालख़ाने के दारोग़ा के पास गया। थोड़ी देर बाद वह आया और उसने मजिस्ट्रेट को सारी स्थिति समझायी। मजिस्ट्रेट ने मुझसे माफ़ी माँगी और कहा कि कैमरा मिलते ही मुझे दूसरा सम्मन भेजा जाएगा। आज इस घटना को लगभग पैंतीस-छत्तीस वर्ष हो चुके हैं और वह दूसरा सम्मन अभी आना है। जो कैमरा पुलिस ने चोर के पास से बरामद किया था वह शिलांग या इलाहाबाद की अदालत के मालख़ाने से गुम हो गया...।

अब आप आराम से सिगरेट सुलगाइए और ईमानदारी से सोचिए कि क्या मेरा यह यात्रा-संस्मरण किसी व्यंग्य-रचना से कम दिलचस्प है? क्या कभी-कभी कोई सच्ची घटना किसी कल्पित घटना की अपेक्षा ज़्यादा रोमांचकारी नहीं होती?

ये लखनऊ की सरजमीं

ये लखनऊ की सरज़मीं! शकील बदायूँनी की यह लाइन जैसे लखनऊ की तस्वीर आपके सामने खड़ी कर देती है। यदि आपने लखनऊ देखा है, और लखनऊ देखने के लिए आपको उकसाती है, यदि आपने लखनऊ नहीं देखा है। लखनऊ जहाँ बाँके हैं, जहाँ नवाब हैं, जहाँ शोहदे हैं, जहाँ हज़रतगंज में लड़के-लड़कियाँ कॉफ़ी के एक प्याले पर सारी शाम गुज़ार देते हैं। लखनऊ, सभ्यता व संस्कृति का केन्द्र... मीर तकी मीर का स्थान। सत्ता का केन्द्र लखनऊ!

पिछले दशहरे की छुट्टियों में मैं और मेरी पत्नी लखनऊ देखने को रवाना हुए। रात को इलाहाबाद से एक गाड़ी लखनऊ को चलती है और हम लोग उसी से चले। प्रयाग स्टेशन से गाड़ी पकड़ी और एक सेकण्ड क्लास के डिब्बे में जगह ली। गाड़ी पैसेंजर थी और इसलिए इसके बारे में इतना मुझे मालूम था कि यह हर स्टेशन पर रुकती है– एक बार आउटर सिग्नल पर, फिर स्टेशन पर और फिर अगले सिग्नल पर। बात यह कि हर गाड़ी को रास्ता देने के लिए इसे ही रुकना पड़ता है और अगली बात यह है कि बिना स्टेशन के भी यह इधर-उधर ख़ूब रुकती है। इन बड़ी बातों के अलावा, कुछ छोटी-छोटी और बातों का भी पता चला, जैसे इसमें चोरियाँ बहुत होती हैं, वग़ैरह-वग़ैरह!

गाड़ी में बैठे-बैठे दिल उकता गया। डिब्बे में अच्छी ख़ासी भीड़ थी। किसी देहाती कॉलेज के लड़के इलाहाबाद घूम कर वापस जा रहे थे और तीसरे दर्ज़े के टिकट से या बग़ैर टिकट ही हमारे डिब्बे में थे, उनकी बातें बड़ी दिलचस्प थीं। एलेक्शन, शिक्षा-प्रणाली, आजकल की पढ़ी-लिखी लड़कियाँ यानी सारे रोचक विषयों का बड़े मौलिक ढंग से प्रतिपादन किया जा रहा था। फिर भी इतना-सा सफ़र और इतनी लचर ट्रेन। मेरा मन उकता गया और मैं बाहर देखने लगा।

बाहर चाँदनी रात थी। बरसात ख़त्म हो रही थी पर फिर भी बादलों ने आसमान पर अधिकार न छोड़ा था। धीरे-धीरे उन्होंने चाँद को ढँक लिया। हवा की गति तीव्र हो गयी और नन्ही बूँदों ने मुझे भिगोना शुरू कर दिया। मैंने खिड़की खोल रखी थी। दूर कहीं प्रकाश-बादल, हल्का-हल्का अन्धकार मुझे जयदेव की 'मेघैर्मूदुम्बरम्'

वाली पंक्तियाँ याद आने लगीं और ग़लती से मैं उन्हें गुनगुनाने भी लगा। ग़लती यों कि मेरी आवाज़ सुनते ही डिब्बे के लड़के को किसी नये सिनेमा के सारे-के-सारे गाने याद आ गये और बाक़ी रात डिब्बे में अच्छी ख़ासी म्यूज़िक कान्फ्रेंस चली।

ख़ैर, यह भी अच्छा ही हुआ। कुछ वक़्त कटा। कुछ चाय पी, कुछ सिगरेट पी और हालाँकि रेलवे का हर अफ़सर शायद यही कोशिश करता रहा कि गाड़ी लखनऊ न पहुँचने पाये, पर गाड़ी लखनऊ पहुँच ही गयी।

लखनऊ मैंने पहले देखा था। मैं दौरे पर आया था उन दिनों। जनरल थिमय्या वहाँ लेफ़्टीनेण्ट जनरल थे। पर मेरी पत्नी ने कभी पहले इस शहर में क़दम न रखे थे। हम लोगों ने रिटायरिंग रूम किराये पर लिया, अन्नपूर्णा में खाना खाया और फिर घूमने बाहर निकले। हमें देखना था बड़ा इमामबाड़ा, कैसरबाड़ा, पेण्टिंग गैलरी, ज़ू वग़ैरह वग़ैरह। ख़ैर, हम लोगों ने एक इक्का किया। इक्का ठेके पर लिया ताकि वही सारा शहर दिखा दे। इक्के के मालिक निकले एक नवाब साहब। कोई साठ साल की उमर। गोरा रंग, सफ़ेद दाढ़ी, सिर गंजा और तनी झुर्रियाँ कि वह जुता हुआ खेत लगे। कमाल की शराफ़त और अदब। इक्का ख़ासी खस्ता हालत में था। सीट कहीं-कहीं से फटी हुई, छत आधी नदारद और घोड़ा ऐसा कि गधे से बड़ा और घोड़े से छोटा।

इक्का चला। बाज़ारों में से होता हुआ इक्का आगे बढ़ा। भीड़ और नवाब साहब की आवाज़ सुनकर अमृतसर की उस गली की याद आयी जिसका ज़िक्र गुलेरीजी ने 'उसने कहा था' में किया है। पहले हम मेडिकल कॉलेज गये और उसके बाद इमामबाड़ा। इमामबाड़ा पहुँचते ही हमें गाइड ने दबोच लिया, टूटी-फूटी अँग्रेज़ी में उसने अपना ज्ञान प्रदर्शित करना प्रारम्भ कर दिया। सर, यहाँ से पहले सुरंग फ़ैज़ाबाद तक जाती थी, यहाँ का हॉल 162 फीट लम्बा है और दुनिया की एक ही इमारत है जहाँ इतने बड़े हॉल की छत बिना किसी सहारे के खड़ी है, न खम्भे, न लिंटर, और न मेहरबान। और हुज़ूर यहाँ पहले हीरे और जवाहरात लगे थे, वहाँ सोना लगा था।

"अजी छोड़िए इनकी बातों को आप देख लीजिए और बाक़ी किताब में पढ़िए।" पीछे से नवाब साहब ने फ़रमाया जो इक्का छोड़कर हमारे पीछे-पीछे अनजाने ही चले आये थे। "यह इबादतगाह नवाब ने बनवाया था। वे हमारे बाबा के बाबा लगते थे। क्या दिन थे सरकार...!"

और इतना सुनते ही मैंने उन्हें बात पूरा करने का मौक़ा दिये बिना ही उन पर एक नज़र कस कर डाली। मैंने देखा तो था मज़ाक़ के मूड में, जिसे देखिए लखनऊ में वही नवाब बनता है। पर बूढ़े के चेहरे की शान और रोब देखकर मैं सिटपिटा गया। वह वाक़ई में नवाबों के वंश का लगता था। देखते ही मेरा मज़ाक़ करुणा में बदल गया। ग़रीब बूढ़ा, अपाहिज़ और कंगाल। एक मामूली ताँगेवाला मगर उसकी नसों में रक्त वही है, इतिहास वही है और पुराना गौरव अभी तक

धमनियों में जीवित है। बस, इसके बाद मैंने नवाब साहब के अलावा किसी और गाइड से सहायता नहीं ली। वे ही हमें सारी इमारतें दिखाते और समझाते चले गये।

"सरकार, यह तस्वीर सफदरजंग की है जिनका मकबरा दिल्ली में है। एक ज़माना था कि दिल्ली का शहंशाह उँगलियों पर नाचता था और ये हैं आसफुद्दौला जिन्होंने हिन्दुओं की भाषा सीखी और जो दान देने में सारे जहान में मशहूर थे। और सरकार ये हैं वे नवाब साहब जिनकी मौत 22 साल की उम्र में हो गयी थी। उनकी चहेती एक नाचीज़ नौकरानी ने उनकी शादी की ख़बर सुनकर जलन में उन्हें ज़हर दे दिया था। यहाँ बन्दापरवर पिछले साल पानी आया था, क्या ग़ज़ब का सैलाब था हुज़ूर। हमारी तो दुकान ही बह गयी, दो सौ रुपये का सामान था, कपड़े बह गये हुज़ूर, मैं तो तबाह ही हो गया। ग़ज़ब का पानी था। और सरकार रात को आया पानी जब हम लोग कुछ कर भी नहीं सकते थे। मेरी बीवी बीमार थी, उसे तपेदिक था। हुज़ूर वह तो मर ही गयी इस सदमे में।"

"अरे छोड़िये इन बातों को– यह किसी तस्वीर है? यह घण्टाघर कब का है? यह तो नवाबी ज़माने का नहीं मालूम पड़ता है।" किसी एक साहब ने पीछे से फ़रमाया। बात यह थी कि कुछ और सैलानी भी नवाब साहब को गाइड समझ कर हमारे साथ हो लिये थे। नवाब साहब झल्लाकर बोले, "देखिए जनाब, मैं कोई यहाँ नौकर नहीं हूँ। आप गाइड को पैसे दीजिए और जो कहानी सुननी हो, सुनिए– मैं तो साहब के साथ हूँ आपसे कोई वास्ता नहीं। माफ़ करना हुज़ूर– एक ज़माना था, यहाँ परिन्दा भी पर नहीं मार सकता था। मशालें जलती थीं और पहरा रहता था। सरकार अँग्रेज़ अफ़सर तक बिना सलाम किये अन्दर नहीं आते थे, मुहर्रम पर मिठाई बँटती थी और अब सरकार जिसे देखिए वही अन्दर बीड़ी पीता फिरता है। इससे तो अच्छा होता सरकार कि हमारे पुरखे इन्हें जीते जी ही विस्मार करा देते। कम-से-कम उनकी औलाद को तो ये दिन न देखना पड़ता। सरकार, उन लोगों की दरियादिली का क्या कहना! इमामबाड़ा सिर्फ़ इसलिए बनवाया था कि भुखमरी से न मरें। दिन में मज़दूर इसे चिनते थे और रात को शरीफ़ आदमी इसे गिराते थे। तब लोगों की रोज़ी चली और सरकार अब आप बेलोगारद चलिए। वहाँ फ़िरंगी रेज़ीडेण्ट रहता था। तीन हज़ार औरतें और मर्द महीनों तक अन्दर ही तहखानों में बन्द रहे और ग़दर के हिन्दुस्तानी सिपाही उन पर गोलाबारी करते रहे। तीन हज़ार में सिर्फ़ कुछ सैकड़ा आदमी बाक़ी बचे। क्या बहादुरी थी सरकार उनमें, अगर वाजिदअली शाह की जगह कोई और नवाब होता और ग़दर का सिपहसालार कोई उम्दा सरदार होता तो लखनऊ अँग्रेज़ों के हाथ जाता थोड़े ही सरकार! और सरकार छतर मंज़िल ज़रूर चलिए। लंच के बाद कैसरबाग़ चलेंगे, वहाँ 360 बेग़मात रहती थीं, नवाब वाजिदअली शाह की। क्या ऐश के ज़माने थे सरकार– और हाँ सरकार यहाँ का सूरमा, इत्र और चिकन की साड़ी ले जाना न भूलिए। मैं जानता हूँ एक दुकानदार

को जो ये सारी चीज़ें ठीक दाम पर देगा। हम दोनों मिडिल में साथ-साथ पढ़ते थे। परदादा हमारे बुज़ुर्गों की अर्दली में थे पर अब तो सरकार वक़्त ही और आ गया।"

रेज़ीडेंसी में हमने लंच किया। हमारे पास कुछ नाश्ते का सामान था। लंच के बाद हम लोग चिड़ियाघर गये। वहाँ नवाब साहब ने मुझसे चार आने पैसे माँगे। उनमें से उसने कुछ का गुड़ और चना लिया और कुछ की चाय पी। मुझे रह-रहकर इस शरीफ़ बुज़ुर्ग पर रहम आता रहा।

चिड़ियाघर के बाद हम लोग हज़रतगंज में खो गये। ताँगा हमने एक जगह रुकवा दिया और फिर हम लोग घूमने लगे। घूमे और बहुत घूमे। घूमते-घूमते पैर थक गये। एक-एक दुकान पर कितनी बार गये। दिन छिप गया और हमने अपना इक्का फिर पकड़ा। नवाब साहब घोड़े को घास देकर अन्दर सो गये थे।

"अरे बन्दापरवर ग़ज़ब हो गया। नींद से बड़ा दुश्मन कोई नहीं। सल्तनतें तबाह हो गयीं, इसी की वजह से। सरकार मेरी बत्ती ग़ायब है, और पुलिस वाला छोड़ेगा नहीं। आप रिक्शा कर लीजिए छः आने में स्टेशन पहुँचा देगा..."

"नहीं नवाब साहब।" मैंने बात काट कर कहा, "आप फ़िक्र न कीजिए। हम समझ लेंगे पुलिस वाले को। आख़िर, हम भी अफ़सर हैं। ज़माना ख़राब है। रात के वक़्त में एक नये शहर में किसी अनजान आदमी के रिक्शे पर जाना ठीक नहीं और फिर मेरे साथ जनानी सवारी।"

"जो हुकुम जनाब! अच्छा तो जल्दी कीजिए। मुझे भी घर जाना है, सात मील पड़ेगा स्टेशन से। यहाँ से जाऊँगा। बड़ी लड़की सरकार बीमार रहती है। बलरामपुर अस्पताल में पड़ी है। बच्चा हुआ है सरकार। अजी ओ साइकिल वाले साहब बहादुर... ज़रा बच के....बायें को अब्बाजान....तो हाँ सरकार, मेरी लड़की के बच्चा हुआ है। उसके शौहर ने उसे छोड़ दिया, वह पिछले महीने में आसनसोल चला गया। बड़ा लड़का पाकिस्तान भाग गया– पेट के लिए इक्का चलाना पड़ता है सरकार, नहीं तो तबीयत आज घर में पड़ी है। मुझे बायीं ओर से कम दिखता है, मोतियाबिन्द उतर आया है... आपरेशन तो मुफ़्त होता है ख़ैराती अस्पताल में पर पाँच दिन बिना इक्के के तो घर में फाके पड़ जाएँगे सरकार... और कहते हैं कि आपरेशन का मौसम सर्दी ही है गर्मी में नहीं हो सकता।"

मैं बैठा-बैठा सुनता रहा। जी में आया कि जो कुछ भी जेब में है, वह इसे ही दे दूँ। नहीं जाऊँगा सेकेण्ड क्लास, क्या हुआ थर्ड में चलेंगे। पर ख़याल आया कि अभी तो स्टेशन पर क्लाक रूम से सामान छुड़ाना है और... और... और..

"और हाँ सरकार!" नवाब साहब कहते जा रहे थे, "मैं हमेशा से यह गन्दा काम नहीं करता। पहले मैं दुकान पर बैठता था। अपनी ही दुकान थी। मेरे छोटे भाई कुश्ती लड़ते थे और मेरे तीतर सारे अमीनाबाद में एक थे। पर सरकार वालिद की बीमारी ने तबाह कर दिया और मेरे भाई ने मेरे साथ बड़ी बेमुरब्बती दिखायी। सगे भाई ने

मुझे...” पता नहीं नवाब साहब क्या-क्या कहते रहे! मैंने देखा कि मेरी बीवी थकान और झंझटों से सो गयी है। पता नहीं कब स्टेशन आया और कब पुलिस वाले ने ताँगे वाले को पकड़ लिया।

“अच्छा, आज फिर बिना बत्ती के। पैसे नहीं हैं तो इक्का काहे चलाते हैं जनाब।”

“आज तो...”

“नहीं इनका कोई कुसूर नहीं...” मैं बोला, “इन्हें मैंने यहाँ आने को कहा था। ये सुबह से मुझे शहर घुमा रहे हैं। मेहरबानी करके इनका नम्बर नोट न कीजिए। मेहरबानी करके...”

“साहेब, मैं छोड़ूँगा, तो सामने डी.एस.पी. पकड़ेगा। आगे वे ख़ुद चेकिंग कर रहे हैं। बड़े सख़्त अफ़सर हैं जनाब। मगर इन इक्के वालों को भी तो शर्म आनी चाहिए पैसेंजरों को तंग करते हैं। आप जाइए जनाब, आप क्यों परेशान होते हैं। कुली, ओ कुली के बच्चे...ले साहब का टिफिन कैरियर और यह बण्डल और आप नवाब साहब, इक्का पीछे हटाकर खड़ा कीजिए.. सड़क से बचाकर।”

“मेहरबानी करके।” मैंने फिर दरख़्वास्त की, “कसूर सब मेरा है, दारोग़ा जी।”

ये ग़रीब...इक्केवाला अब तक चुपचाप सुन रहा था। उसकी आँखें आसमान की ओर उठी थीं। शायद वह सोच रहा था कि अब वह कैसे घर जाएगा...सात मील दूर...कैसे अस्पताल...कैसे बनिए की दुकान... अचानक ही वह बोल उठा, “सरकार, मैं पहले ही कहता था कि यह लखनऊ की पुलिस है। और ये हैं दरोग़ा गयासुद्दीन— कफ़न तक नहीं छोड़ते। वैसे सरकार इनके और हमारे बुज़ुर्ग जौनपुर में सैकड़ों साल पहले साथ-ही-साथ खेले हुए थे...मगर सरकार अब वक़्त कुछ और है। अच्छा हुज़ूर, आप चलें.. गाड़ी का वक़्त हो रहा है— प्लेटफॉर्म नं. 3 से छूटती है। मेम साहब को खिड़की से बचा कर बिठाइए, आँख में कोयला गिर जाता है, अच्छा सरकार...ख़ुदा हाफ़िज...”

मैंने जल्दी-जल्दी सामान उठाया और लम्बे-लम्बे क़दम रख कर स्टेशन पर आया। बीवी ने क्लाक रूम से सामान लिया। फिर हम लोगों ने पुल पार किया और जो भी डिब्बा सामने आया उसी में घुस गये। गाड़ी चलने ही वाली थी और टिकट ख़रीदने का वक़्त नहीं था। एक बाबू टिकट वाले सामने से गुज़र रहे थे, उन्हें सारा हाल जल्दी से समझा दिया।

रास्ते भर गाड़ी उसी तरह चलती रही जिस तरह पहली रात चली थी। इतना फ़र्क़ था कि आज की रात बादल नहीं थे और चाँद निकला हुआ था। चाँदनी रात में बरसाती पानी से भरे गड्ढे बड़े प्यारे लगते थे। रास्ते भर मेरे दिमाग़ में वही बातें घूमती रहीं...वे इमामबाड़े— वे मीनारें और गुम्बद— वे लड़ाइयाँ— वे ठाट और फिर वह इक्के वाला— उसकी बीवी, लड़की-दुकान और सलाम...

रायबरेली में तबीयत बहलाने के लिए हम दोनों ने दो प्याले चाय ली। चाय के पैसे देने के लिए जब पैसे निकाले तो ख़याल आया कि पुलिस वाले की बातचीत और गाड़ी पकड़ने की हड़बड़ाहट में मैं इक्के वाले को पैसे देना भूल गया हूँ।

पेंशन का दफ़्तर : कुछ संस्मरण

मेरा बचपन भयंकर ग़रीबी में गुज़रा। मैं चौथी कक्षा के बाद स्कूल नहीं जा पाया और पाँच वर्ष तक विभिन्न पाठशालाओं में संस्कृत ही पढ़ता रहा। बाद में मैं किसी तरह स्कूल के दर्ज़ा आठ में दाखिल हुआ और उसके बाद मैं ट्यूशन व वज़ीफ़े वग़ैरह की सहायता से इण्टरमीडिएट पास कर पाया। इण्टर में मैं सारे प्रान्त में सातवीं पोजिशन रखता था। मैं मात्र सौ रुपया लेकर प्रयाग गया और वहाँ के विश्वविद्यालय से एम.ए. (अर्थशास्त्र) में 'टॉप' करके ही लौटा। एम.ए. की परीक्षा सन् 1954 में पास की। बड़ा संघर्ष करना पड़ा मगर भगवान ने सहायता की। प्रयाग से छपने वाली 'गंगा यमुना' नामक साप्ताहिक पत्रिका में पिछले चौदह महीने से बराबर लिख रहा हूँ। महीने में एक ही किश्त भेज पाता हूँ। यूनिवर्सिटी में मुझे नौकरी नहीं मिली और घर की आर्थिक स्थिति के कारण मैं वकालत भी नहीं कर सका। निराशा की स्थिति में मुझे सिविल सर्विस की प्रतियोगिता-परीक्षा में बैठना पड़ा और इत्तफ़ाक से 'इण्डियन-रेवेन्यू सर्विस' (आय कर) के लिए मैं चुन भी लिया गया। कुछ बड़े लोगों के कहने पर मैं उस सर्विस के स्थान पर 'इण्डियन डिफेंस एकाउण्ट्स सर्विस' में चला गया और मेरठ में ट्रेनिंग के बाद, सारे भारत में विभिन्न स्थानों पर स्थित अपने विभाग के बाक़ी दफ़्तरों में ट्रेनिंग लेने के लिए मैं अपने चार साथियों के साथ 1954 में ट्रेनिंग के लिए प्रयाग गया, जहाँ हम लोग दस दिन रुके।

प्रयाग से मुझे अनन्त प्रेम है। यूनिवर्सिटी शानदार हालत में थी और प्रत्येक विभाग में एक से एक बड़े धुरन्धर विद्वान् भरे पड़े थे। प्रयाग धर्म का केन्द्र तो सदा से रहा, पर उन दिनों वह साहित्य का गढ़ भी था। पन्त, निराला, महादेवी, बच्चन और फ़िराक़ साहिब के अलावा न जाने कितने साहित्यकार बराबर आगे बढ़ने की कोशिश में लगे थे। प्रयाग प्रान्त की दूसरी राजधानी भी थी और बोर्ड ऑफ़ रेवेन्यू उत्तर प्रदेश सर्विस पब्लिक कमीशन, इन्स्पेक्टर जनरल पुलिस, एकाउण्टेण्ट-जनरल और डायरेक्टर ऑफ़ एजुकेशन का विशाल दफ़्तर प्रयाग में ही था। सारा शहर प्रोफ़ेसरों, धर्म के विद्वानों, साहित्यकारों, सरकार के उच्च अफ़सरों व बैरिस्टरों से भरा पड़ा था। इमारतें ख़ूबसूरत थीं और सिविल लाइन्स व यूनिवर्सिटी वग़ैरह का

क्षेत्र बहुत शान्त और साफ़ सुथरा रहता था। ऐसे नगर से किसी का भी अनुराग होना एकदम स्वाभाविक था। मैं तो वहाँ पाँच वर्ष पहले ही रह चुका था, मेरे लिए तो हर मुहल्ला, हर चौराहा व बिजली का हर एक खम्भा बराबर प्यारा था। उसी प्रयाग में मेरे विभाग का भी एक बड़ा दफ़्तर है, यह जान कर जो ख़ुशी मुझे हुई, वह शब्दों में प्रकट नहीं की जा सकती।

जबकि हम पाँच 'प्रोबेशनर' सी.डी.ए. पेन्शन में पहुँचे तो सबसे पहले हम लोगों ने कण्ट्रोलर के व्यक्तिगत-सहायक श्री सोमनाथ से भेंट की। वे बहुत मोटे व्यक्ति थे। वे हमें कण्ट्रोलर के पास ले गये जो उनसे भी ज़्यादा मोटे थे। श्री वी.एन. सुकुल एक कर्मकाण्डी ब्राह्मण थे जो तिलक लगाते थे और अपने काम में सचमुच दक्ष थे। वे बाद में रक्षा-सेवाओं के वित्तीय-सलाहकार बने। उन्होंने चाय पिलायी, हमारे रहने-सहने के प्रबन्ध को देखा और फिर हमें 'जी-1 सिविल' के लेखाधिकारी श्री सेठी के सुपुर्द किया। इत्तफ़ाक से श्री सेठी और भी ज़्यादा मोटे थे। उन्हें देखकर हम ख़ूब डरे और ख़ूब हँसे। धीरे-धीरे 'ग्राण्ट्स' व 'आडिट' की पूरी ट्रेनिंग ली और फिर सुकुल साहिब ने हमारी परीक्षा भी ली जिसमें हम सभी लोग पास हो गये। कोई दस दिन बाद हम प्रयाग से देहरादून चले गये जहाँ हमें सी.डी.ए. (एअर फ़ोर्स) की ट्रेनिंग लेनी थी। कई लोग हमें स्टेशन छोड़ने गये। इन दस दिनों में मैं प्रयाग में ख़ूब घूमा और अपने प्रोफ़ेसरों व मित्रों से मिला।

मेरठ के सी.डी.ए. (ईस्टर्न कमाण्ड) में चार वर्ष बिताने के बाद मेरा तबादला पटना हो गया। वहाँ मैं लगभग एक वर्ष रहा। इसी बीच सरकार ने सारे फ़ौजियों की पेन्सन में 'अस्थायी वृद्धि' कर दी और सारा काम पूरा कराने की अवधि भी घोषित कर दी। मेरे मेरठ के कण्ट्रोलर, श्री बढेरा अब एडीशनल-कण्ट्रोलर-जनरल बन चुके थे। उन्होंने इस कठिन काम के लिए मुझे ही चुना क्योंकि उनके विचार में मैं एक परिश्रमी, ईमानदार व 'सख़्त' अफ़सर था। सन् 1961 में मैं डिपुटी-कण्ट्रोलर (रिवीजन) बनकर प्रयाग आ गया। श्री प्रीतम सिंह वर्मा व श्री हज़ारा सिंह मेरे प्रमुख सहायक थे। प्रयाग में आते ही 'निराला' के स्वर्गवास की सूचना मिली और उनके अन्तिम संस्कार को मैंने भी देखा।

मेरे कण्ट्रोलर श्री बजरंग लाल जैन बहुत ख़ुश थे कि रिवीजन का काम समय से पहले ही पूरा हो गया। श्री जैन एक सज्जन व्यक्ति थे और वे कभी-कभी पन्तजी व महादेवीजी से मिलते रहते थे। सन् 1963 में मेरा तबादला दिल्ली हो गया। अब मैं असिस्टेण्ट-कण्ट्रोलर-जनरल बन चुका था। मैं इतना ख़ुश हुआ कि मैंने अपनी साइकिल बेच दी।

इसी बीच एक और दिलचस्प वारदात हुई। मेरी प्रथम पुस्तक (जो एक कविता-संग्रह थी) 'भारती-भण्डार' ने छापने के लिए स्वीकृत कर ली। यह बड़ी घटना थी क्योंकि 'भारती भण्डार' तो 'प्रसाद', 'निराला'; 'पन्त' व 'महादेवी' जी

की ही पुस्तकें छापता था। मैंने कण्डक्ट रूल्स को ध्यान में रखते हुए 'सी.जी.डी.ए.' की अनुमति माँगी। अनुमति के स्थान पर बड़े दफ़्तर ने पुस्तक की पाण्डुलिपि माँगी 'ताकि वह उसे विधि मन्त्रालय को दिखा सके और अनुमति के बारे में अपना निर्णय दे सके'। मैंने पुस्तक छापने को दे दी और बड़े दफ़्तर को लिख दिया कि 'पुस्तक विशुद्ध, कलात्मक या वैज्ञानिक काम के लिए किसी की अनुमति नहीं चाहिए। मैंने तो मात्र आपको पुस्तक छपने की सूचना दी थी और 'अनुमति' का अर्थ मात्र यही था।' पुस्तक छपी और बड़े दफ़्तर ने कुछ नहीं किया। इसके बाद मेरी पुस्तक के बाद पुस्तक छपती चली गयी और कभी किसी ने कुछ नहीं पूछा।

'सी.जी.डी.ए.' के दफ़्तर में कुछ ही महीने रहा और उसके बाद रक्षा सेवाओं का 'सहायक वित्तीय-सलाहकार' बन कर केन्द्रीय-सचिवालय गया। वहाँ मुझे अत्यन्त कठिन सीट पर तीन वर्ष काम करना पड़ा। ख़ुशी इसी बात की थी कि अतिरिक्त-वित्तीय-सलाहकार (श्री जी.के. अभ्यंकर) मेरे काम से असन्तुष्ट नहीं थे। सन् 1966 में मैं ज्वाइण्ट-कण्ट्रोलर बना और श्री बढेरा ने (जो अब सी.जी.डी.ए. हो गये थे) मुझे फिर प्रयाग के पेंशन ऑफ़िस में ही नियुक्त किया। मैं इस पोस्टिंग से इतना ख़ुश हुआ कि कुछ कह नहीं सकता।

मेरा बँगला लाकहॉर्ट रोड पर स्थित था। चौकीदार दीवानसिंह ही घर चलाता था। मक्खन जमादार था। नौकरों के क्वार्टरों में चौकीदार रतिपाल, माता प्रसाद व मेरे चपरासी तिवारीजी रहते थे। मकान पुराना था और साँप बहुत थे। मकान में कोई पन्द्रह कमरे थे। दफ़्तर में श्री प्रीतम सिंह वर्मा, श्री कैलाश चन्द्र, श्री तेजराम नैयर, श्री मनोहर लालपुरी 'ग्रुप ऑफ़ीसर' थे। बाक़ी लोगों में भी दोस्त ही दोस्त भरे पड़े थे। सर्वश्री एस.बी. बहल, जी.आर. बाली, एल.एन. वर्मा, भूपेशबिहारी माथुर, सुरेन्द्र पाल, ठाकुर प्रसाद गुप्ता, जी.के. बहल, राजेन्द्र दत्ता, जाफ़र रज़ा, नरवीर सिंह वग़ैरह को मैं कैसे भूल सकता हूँ!

मेरी किताबें लगातार छपती जा रही थीं और रेडियो-स्टेशन भी पास ही था। दफ़्तर में काम था पर सचिवालय वाला तनाव वहाँ हर्गिज़ नहीं था। प्रयाग से ही मैं 'एडमिनिस्ट्रेटिव स्टाफ-कालिज-ऑव इण्डिया' में तीन महीने के लम्बे कोर्स के लिए हैदराबाद भेजा गया। कलकत्ते के दौरे भट्टाचार्य साहिब ख़ुद करते थे और मद्रास, बंगलौर, त्रिवेन्द्रम व जयपुर वग़ैरह मैं जाता था।

सन् 1968 ई. में मेरी नयी मोटर आयी, मुन्नीलाल ने मेरी गाड़ी सँभाली। मुझे मोटर चलानी उसी ने सिखायी और उसी के साथ हम लोगों ने अयोध्या, बनारस, लखनऊ, कानपुर, कौशाम्बी, चित्रकूट, विन्ध्याचल, अष्टभुजा, चुनार, खजूरी डन, चचई, टाँडा और विंढम के मनोहर झरने, रींवा व गोविन्दगढ़ की यात्राएँ कीं। मेरी पत्नी के सगे मौसेरे भाई प्रयाग में सेशन जज थे। अनेक यात्राओं में हम दोनों के परिवार साथ-साथ ही गये। आप को जानकर ख़ुशी होगी कि मेरी वही गाड़ी और

वही पत्नी अभी तक मेरे पास हैं और ठीक हालत में हैं।

प्रयाग में मैंने शानदार शिक्षा पायी, वहीं मैं सिविल-सर्विस में लिया गया और वहीं मेरी एक सर्वगुणसम्पन्न कन्या से सगाई हुई। पुत्र भी वहीं हुआ और साहित्यकार भी मैं वहीं बना। प्रयाग से मुझे अनन्त प्रेम है, पर वहाँ जाने से अब डर लगता है क्योंकि वहाँ के सारे आकर्षण मेरे लिए अब समाप्त ही हो चुके हैं। पन्त, निराला, फ़िराक़ और अश्क़ अब नहीं रहे, पं. वाचस्पति पाठक, मिट्ठू बाबू, प्रकाशचन्द्र गुप्त और पी.सी. जैन भी समाप्त हो गये और सुरेन्द्र पाल जैसे अभिन्न मित्र भी अब नहीं रहे। दफ़्तर की नयी इमारत देखने की बड़ी इच्छा है पर मेरा चपरासी पाठक व ड्राइवर मुन्नी लाल तो इस दुनिया में अब नहीं हैं। दीवान सिंह अपने गाँव चला गया और बाक़ी लोग भी अब बिखर गये होंगे। जाऊँगा तो शायद कोई पहचानेगा भी नहीं। हाँ यदि मेरा चपरासी अमरनाथ वहाँ होगा तो वह मुझे ज़रूर पहचान लेगा। यूनिवर्सिटी अब काँजीहाउस हो गयी है, ख़ुसरो बाग़ काफ़ी उजड़ गया है और कम्पनी-बाग़ पर मेडिकल कॉलेज ने हमला कर दिया है। पुराना राज-भवन तोड़ दिया गया है और फाफामऊ पर नया पुल बनाया गया है। ये सारी तब्दीलियाँ देखने की हिम्मत अब मुझमें नहीं रही...।

प्रयाग और उसके आसपास की परिधि

जहाँ भारत के इतिहास ने करवट ली, जहाँ सन्तों की वाणी गूँजी और जहाँ साहित्य पनपा, वह प्रयाग भारतवर्ष के प्राचीनतम नगरों में से एक है। हमारी पुरानी से पुरानी पोथियों में प्रयाग की चर्चा की गयी है। रामायण के अनुसार रामचन्द्र वनवास को जाते समय यहाँ भारद्वाज मुनि के आश्रम में ठहरे थे। विदेशी यात्रियों ने भी अपने यात्रा-विवरणों में इस नगर का विशेष वर्णन किया है। हर्षवर्धन (606-647 ई.) प्रयाग में प्रति पाँचवें वर्ष एक सभा किया करते थे। उसमें वह अपनी सारी सम्पत्ति दान कर देते थे। बारी-बारी से बुद्ध, सूर्य और शिव की पूजा की जाती थी, क्योंकि हर्ष किसी विशेष धर्म के अनुयायी नहीं थे। मुस्लिम काल में भी प्रयाग का महत्त्व बराबर बना रहा और सन् 1575 में अकबर ने यहाँ अपना क़िला बनवाया, जो अभी तक ठीक हालत में विद्यमान है। क़िले के अन्दर प्रसिद्ध अक्षवट, सरस्वती कुण्ड, जोधाबाई का महल और अशोक की लाट देखने लायक़ है। इस लाट की यह विशेषता है कि इस पर अशोक और समुद्रगुप्त से लेकर जहाँगीर तक के समय के विभिन्न शासकों के आज्ञापत्र अंकित हैं।

1857 के विद्रोह में भी प्रयाग ने काफ़ी भाग लिया और जनरल नील ने यहाँ के निवासियों के साथ काफ़ी बर्बरता दिखायी। चौक बाज़ार के नीम के पेड़ों पर कितने ही लोगों को लटका कर फाँसी दे दी गयी। ग़दर के बाद पहली नवम्बर, 1859 को लार्ड कैंनिंग ने कम्पनी की समाप्ति का जो घोषणा-पत्र पढ़ा था वह भी प्रयाग में ही यमुना के किनारे पढ़ा था। देश के सारे अमीर और जागीरदार आदि उपस्थित थे। अभी तक यह स्थान मिण्टो पार्क के नाम से विद्यमान है। जहाँगीर ने अबुल फ़ज़ल का जो कत्ल करवाया था, वह भी तभी करवाया था, जब वह इलाहाबाद का गवर्नर था। यह पाशविक घटना ओरछा के राजा की सहायता से सन् 1602 ई. में घटित हुई थी।

उत्तर की सांस्कृतिक राजधानी

त्रिवेणी के कारण प्रयाग धार्मिक स्थान तो है ही, पर इतिहास की कुछ ऐसी कृपा रही कि धार्मिक नगर होने के साथ-साथ सैकड़ों वर्षों से यह उत्तरी भारत की सांस्कृतिक राजधानी भी रहा। ब्रिटिश काल में यह उत्तर प्रदेश की राजधानी भी रहा और

सरकार के बड़े-बड़े दफ़्तर और हाईकोर्ट वग़ैरह अभी भी यहीं हैं। यहाँ का हाईकोर्ट देश में सबसे बड़ा है। यहाँ की यूनिवर्सिटी देश की प्रमुख़तम यूनिवर्सिटियों में से है और इसकी स्थापना 1774 ई. में म्योर कॉलेज के रूप में हुई थी। मदन मोहन मालवीय, नेहरू परिवार तथा टण्डनजी इत्यादि महान् राष्ट्रसेवक यहीं रहे। दर्शनीय स्थानों में विश्वविद्यालय, भारद्वाज आश्रम, द्रौपदी घाट, आनन्द-भवन, ख़ुसरो बाग़ और संगम विशिष्ट हैं। कम्पनी बाग़ में चन्द्रशेखर आज़ाद मारे गये थे और वहाँ उनकी प्रतिमा लगी है। एक अजायबघर भी खुल गया है, जो कुछ मामलों में काफ़ी विशिष्ट है। साहित्य की दृष्टि से प्रयाग शायद उत्तर भारत की राजधानी है। श्रीधर पाठक और महावीर प्रसाद द्विवेदी भी यहीं रहे, साहित्य-सम्मेलन भी यहीं है, पन्त, निराला और फ़िराक़ भी यहीं की धरती पर पनपे और आज भी हिन्दी के अनेक यशस्वी कलाकार प्रयाग की भूमि को ही पवित्र कर रहे हैं। प्रयाग के पास नैनी में ऐतिहासिक जेल है, जहाँ नेहरूजी भी क़ैद रहे थे।'

डेढ़ सौ मील की परिधि : कितने ही स्थान

प्रयाग के आसपास लगभग सौ डेढ़ सौ मील की परिधि में ऐसे कितने ही स्थान हैं जो विभिन्न दृष्टियों से दर्शनीय हैं। लगभग 90 मील पर हमारा महानगर वाराणसी है। भारतेन्दु हरिश्चन्द्र, प्रसाद और प्रेमचन्द इसी नगर की देन हैं। राजा हरिश्चन्द्र यहीं बिके थे। यहाँ के घाटी की शोभा विश्व में अपना एक विशिष्ट स्थान रखती है। यहाँ से थोड़ी दूर मगहर है, जहाँ सन्त कबीर की मृत्यु हुई थी। बनारस में पाँच मील पर सारनाथ की पवित्र भूमि है, जहाँ प्रसिद्ध बौद्धकालीन स्तूप है। बनारस के रास्ते में लाक्षागृह भी पड़ता है, संगम के उस पार जो खँडहर हैं, वे उर्वशी के रोमांस से सम्बन्धित हैं। प्रयाग से 120 मील की दूरी पर अयोध्या है, जहाँ सरयू नदी का पानी अभी भी रामचन्द्रजी के दिनों की याद दिलाता है। अयोध्या नगर में बड़े मन्दिर हैं और यहाँ के पण्डे यात्रियों को तंग नहीं करते। प्रयाग से लगभग 80 मील की दूरी पर जौनपुर का शाही नगर है, जहाँ शेरशाह ने अपना बचपन गुज़ारा था। इस राज्य की स्थापना सन् 1374 के लगभग की गयी थी। बहलाल लोदी के समय तक यह एक स्वतन्त्र राज्य रहा और तुर्की सुलतानों ने इस शहर को बड़ी ख़ूबसूरती दी। कभी यह पूरब का शीराज कहलाता था। अटाला मस्जिद, लाल मस्जिद, क़िला और शाही पुल अभी तक देखने लायक़ चीज़ें हैं। शाहीपुल मुग़ल काल में बनाया गया था। प्रयाग से कुछ ही दूर कड़ा नामक वह स्थान है, जहाँ 1724 में अलाउद्दीन ख़िलज़ी ने अपने चाचा का सिर काटकर उसे सारे लश्कर में घुमाया था। इसके बाद वह दिल्ली का सुलतान बना।

प्रयाग से लगभग 120 मील दूर कानपुर है जहाँ सत्तीचौरा घाट और ममोरियल वैल ग़दर की दृष्टि से अत्यन्त महत्त्वपूर्ण स्थान हैं। कानपुर के पास ही बिठूर है जहाँ नाना साहब रहते थे। उनका घर अभी तक विद्यमान है। प्रयाग से लगभग

34 मील पर कौशाम्बी का परम ऐतिहासिक नगर है, जो ईसा से सैकड़ों वर्ष पुराना है। 'मेघदूत' में चर्चित राजा उदयन यहीं राज्य करते थे। गौतम बुद्ध भी इस नगर में आये थे। यहाँ खुदाई का काम जारी है और एक सुन्दर डाकबँगला भी बना है। यमुना नदी कोई सौ गज़ की दूरी पर ही बहती है।

जहाँ तुलसी चन्दन घिसते थे

प्रयाग से यदि बाँदा ज़िला चला जाए, तो कोई लगभग 80 मील की दूरी पर चित्रकूट है, जहाँ राम और भरत का मिलाप हुआ था और जहाँ के घाटी पर तुलसीदास चन्दन घिसते थे। पयस्विनी नदी के तट पर बसा यह छोटा क़स्बा है। नदी पर बैठकर नाव की यात्रा करना और फिर हनुमान-धारा इत्यादि स्थलों पर जाना एक ऐसा अनुभव है, जो कभी भुलाया नहीं जा सकता। बाँदा में ही तुलसीदासजी की जन्मभूमि राजापुर है। जहाँ से चचईका प्रसिद्ध प्रपात कोई बीस मील है। बीहर नदी का यह प्रपात सौन्दर्य में अद्वितीय है। रीवा के पास ही गोविन्दगढ़ है, जहाँ महाराजा रीवा का एक झीलों से घिरा महल है, जिसके अन्दर सफ़ेद शेर रहते हैं। गोविन्दगढ़ जैसा सुन्दर स्थान बुन्देलखण्ड में शायद ही कोई दूसरा हो। प्रयाग से मानिकपुर होते हुए यदि आप महोबा जाएँ तो खजुराहो के प्रसिद्ध मन्दिर भी देख सकते हैं जिन्हें चन्देल राजाओं ने बनवाया था।

चुनार का वह किला

प्रयाग से सटा हुआ ज़िला है मिर्ज़ापुर। यह पहाड़ी इलाका है, जो झरनों और झीलों के लिए प्रसिद्ध है। टाँडा फाल, विंढम फाल, सरसी फाल, खजूरी नदी के बाँध, रिहन्द के बाँध आदि सभी नितान्त मनोरम स्थान हैं। विन्ध्याचल में अष्टभुजा और विन्ध्येश्वरी देवी के प्रख्यात मन्दिर हैं जो सर्वथा दर्शनीय हैं। अष्टभुजा के मन्दिर से गंगा नदी का जो दृश्य दिखाई देता है, वह शब्दों से बाहर है। मिर्ज़ापुर से कोई बीस मील आगे चुनार है, जहाँ का प्रसिद्ध ऐतिहासिक क़िला अभी तक सही हालत में है। यह स्थान प्रयाग से कोई 70 मील होगा। क़िला राजा विक्रमादित्य का बनवाया हुआ है और इसमें इब्राहीम लोदी, बाबर और शेरशाह से लेकर वारेन हैस्टिंग्ज तक अनेक महान् शासक रहे हैं। वे कमरे अभी तक विद्यमान हैं जहाँ बनारस से भाग कर वारेन हैस्टिंग्ज रुका था। उस समय की एक धूपघड़ी भी क़िले में लगी है। क़िले के अन्दर राजा भर्तृहरि की समाधि है और आल्हा-ऊदल के विवाह का मण्डप भी है। चुनार का क़िला कभी ओरछा के राजा चम्पतराय के अधीन भी था, जिसकी चर्चा मुंशी प्रेमचन्द ने अपनी कहानी 'रानी सारन्धा' में की है। चम्पतराय ने कभी औरंगज़ेब की मदद की थी, मगर बाद में मनमुटाव हो जाने के कारण पति-पत्नी दोनों को अपने प्राणदेनेपड़े।

लखटिया पुरस्कार : कुछ संस्मरण

मुझे लिखते हुए लगभग पैंतालीस वर्ष हो गये। मूलतः मैं एक कवि हूँ और सात कविता संग्रह छप चुके हैं। मेधा बुक्स ने पिछले वर्ष चुनी हुई कविताओं का मोटा संग्रह छापा है। मैं भावुक व संवेदनशील होने के साथ-साथ एक बेहद ख़ुशमिज़ाज आदमी हूँ और डिप्रेशन का मरीज़ होने के बावजूद, मुझे हास्य-व्यंग्य लिखने में कोई विशेष परेशानी नहीं हुई। अब तक मैंने हास्य-व्यंग्य लिखने से लगभग पौने सात लाख रुपये कमाये। इस राशि में ढाई लाख के पुरस्कार भी शामिल हैं। हरिशंकर परसाई 'कल्पना' के माध्यम से प्रसिद्ध हुए और मैं व शरद जोशी, डॉ. धर्मवीर भारती के 'धर्मयुग' द्वारा प्रतिष्ठित हुए। मेरी कविताओं के अनुवाद बँग्ला और आदिवासी भाषाओं से लेकर मराठी व चेक भाषा तक में छपे। मुझे इस बात का दुख है कि हास्य-व्यंग्य के क्षेत्र में मुझे जो यश व प्रतिष्ठा मिली, उसके सामने मेरी उत्कृष्ट कविताएँ पर्दे के पीछे ही रह गयीं। मुझे पूर्ण विश्वास है कि एक दिन वे भी रंगमंच पर आएँगी। भवभूति के शब्दों में 'उत्पस्यते हि मम कोपि समान धर्मा, कालो ह्ययं निरवधिः, विपुला च पृथिवी'।

जो पुरस्कार हास्य-व्यंग्य को लेकर मुझे अब तक मिले उनमें बम्बई का 'चकल्लस पुरस्कार', उत्तर प्रदेश सरकार का 'श्रीनारायण चतुर्वदी पुरस्कार', दिल्ली के हिन्दी भवन का 'गोपाल प्रसाद व्यास सम्मान पुरस्कार', हरदा का 'हरिशंकर परसाई पुरस्कार', मध्य प्रदेश सरकार का 'पदुमलाल पुन्नालाल बाग़ी पुरस्कार, लखनऊ का 'अट्टहास शिखर सम्मान पुरस्कार' व मध्य प्रदेश सरकार का 'शरद जोशी राष्ट्रीय सम्मान पुरस्कार' विशेष रूप से उल्लेखनीय हैं। और जब देश का सबसे बड़ा व्यंग्य पुरस्कार (स्नेहलता व्यंग्य भूषण पुरस्कार) शुरू किया गया तो वह सबसे पहले मुझे ही मिला।

यह पुरस्कार श्री श्याम सुन्दर गोइनका ने अपनी रूपवती पत्नी स्वर्गीय श्रीमती स्नेहलता गोइनका की याद में शुरू किया। गोइनकाजी ख़ुद भी व्यंग्यकार हैं। उनके कई व्यंग्य संग्रह छप चुके हैं और उन्होंने आध्यात्मिक पुस्तकें भी लिखी हैं। गोइनका साहिब सचमुच धन्य हैं क्योंकि वे सरस्वती और लक्ष्मी—दोनों के कृपा-पात्र हैं।

लगभग दो वर्ष पहले, एक शाम अचानक गोइनकाजी का फ़ोन आया कि

सम्मान-समिति द्वारा यह निश्चित किया गया है कि एक लाख का यह पुरस्कार आपको दिया जाएगा। सबसे पहले मैं उछल पड़ा और मैंने ज्ञान चतुर्वेदी व अन्य मित्रों व रिश्तेदारों को यह ख़बर सुनायी। सब बेहद प्रसन्न हुए। मैं और मेरी पत्नी हवाई जहाज़ द्वारा दिल्ली से बम्बई गये। हवाई अड्डे पर मेरे भतीजे की पत्नी लता, कैलाश जाटवाला व 'नवनीत' के सम्पादक डॉ. गिरिजाशंकर त्रिवेदी स्वागत के लिए खड़े थे। उत्सव एक शिक्षा संस्थान के विशाल प्रांगण में था जो खचाखच भरा था। मेरा अनन्य मित्र बुद्धि (अनूपेन्द्रनाथ चतुर्वेदी) भी समारोह में आया था। शरद जोशी की पुत्री भी मिली। सेठजी ने सबके सामने एक लाख रुपयों का ड्राफ़्ट व एक सुन्दर स्मृति-प्रतीक मुझे भेंट किये। मैंने दो रचनाओं का पाठ भी किया। आने-जाने का हवाई जहाज़ का किराया भी श्री गोइनकाजी ने ही दिया। अगले दिन सेठजी ने हम दोनों को लंच पर बुलाया। वहीं मैंने यह देखा कि सादा जीवन और उच्च विचार किसे कहते हैं...

इस पुरस्कार के मिलने से पहले मैं सोचा करता था कि एक लाख का पुरस्कार मिलने के बाद, मैं और किसी सम्मान या पुरस्कार की कामना नहीं करूँगा। मगर मैं ग़लत था। यश और धन की इच्छा कभी ख़त्म नहीं होती। इधर मैं सोचता हूँ कि मेरे गद्य व काव्य को ध्यान में रखते हुए यदि ज्ञानपीठ पुरस्कार भी मिल जाए तो क्या आश्चर्य है! ज्ञानपीठ पुरस्कार मिलने के बाद पद्‌म-भूषण का अलंकार व राज्यसभा की सदस्यता भी निश्चित हो ही जाएगी। अमृता प्रीतम ने हमेशा जो कुछ भी लिखा सबकुछ प्राप्त हुआ; दारासिंह यदि राज्य-सभा के सदस्य हो सकते हैं, तो मैं क्यों नहीं हो सकता! स्त्री के चरित्र व पुरुष के भाग्य को ब्रह्मा तक नहीं जानते, मनुष्य की तो बिसात ही क्या है! महाराष्ट्र के मुख्यमन्त्री श्री शिन्दे कभी चपरासी थे। हमारे उपराष्ट्रपति श्री शेख़ावत कभी पुलिस में हवलदार थे। अब्राहम लिंकन, हिटलर और स्तालिन बेहद ग़रीबी में पैदा हुए थे। विधि और विधाता के सामने कुछ भी असम्भव नहीं है। जाकि कृपा पंगु गिरि लंघै, रंक चलै सिर छत्र धराई...

बहरहाल यश और धन की तृष्णा कभी भी ख़त्म नहीं होती। कवि कहता है:

भोगाः न भुक्ताः वयमेव भुक्ताः
तपाः न तप्ताः वयमेव तप्ताः
तृष्णा न जीर्णाः वयमेव जीर्णाः
कालो न यातः वयमेव यातः
(भर्तृहरि)

नयी पीढ़ी और मैं दक़ियानूस

मैं एक निम्न-मध्यमवर्गीय परिवार में पैदा हुआ, जो मेरे पिता की घोर अकर्मण्यता के कारण भयंकर ग़रीब था। मेरी प्रारम्भिक शिक्षा संस्कृत में हुई। किसी तरह मैं अपने क़स्बे के हाईस्कूल में भरती हुआ, जिसका सारा श्रेय एक परम दयालु हेडमास्टर को जाता है, जिन्होंने मेरी फ़ीस माफ़ करवायी और कोर्स की किताबें स्कूल की लाइब्रेरी से दिलवायी। मैं क्लास में हमेशा प्रथम आता था और इसी कारण मुझे छात्रवृत्ति हमेशा मिलती थी। ट्यूशन करके सौ रुपये जमा किये और उन्हीं के बल पर मैं प्रयाग विश्वविद्यालय गया और वहाँ से एमए की परीक्षा में टॉप करके लौटा। वहाँ भी मैंने पाँच रु. मासिक की नौकरी की। छात्रवृत्ति पायी, प्रूफ़ पढ़े, डिस्पैचर का काम किया और सुन्दर व अमीर लड़कियों के ट्यूशन भी किये। प्रयाग उन दिनों साहित्य का गढ़ था और पन्त, निराला, महादेवी वर्मा, फ़िराक़ और बच्चन वहीं रहते थे। अगर मैं प्रयाग न जाता तो साहित्यकार कभी नहीं बनता।

प्रयाग में ही मैंने देश की सर्वोच्च सिविल सर्विसेज़ की प्रतियोगिता परीक्षा पास की और 'इण्डियन डिफेन्स एकाउण्ट्स सर्विस' के लिए चुन लिया गया। मैं रातोंरात एक 'बड़ा आदमी' बन गया; नौकरी के सात वर्ष मैंने विभिन्न महत्त्वपूर्ण पदों पर केन्द्रीय सचिवालय में गुज़ारे। जब चौधरी बंसीलाल रक्षा मन्त्री बने तो उन्होंने पहला ख़ास काम यह किया कि बिना किसी ठोस कारण के मुझे मुअत्तल कर दिया। मैं उन दिनों रक्षा मन्त्रालय में उप-सचिव था। मुअत्तली का ग़लत ऑर्डर उन्हें पिछली तारीख़ में वापस लेना पड़ा। कुछ परेशानियों को छोड़कर मेरा सारा सेवा काल शान्ति से गुज़रा। मैं बहुत भाग्यशाली था।

मैं तो फ़िलहाल देहरादून जैसे रमणीक और महत्त्वपूर्ण नगर में एक बड़े बँगले में रहता हूँ जिसमें (रोमन कानून के विधाता सिसरो के कथनानुसार) लाइब्रेरी व उपवन दोनों हैं। घूमना, लिखना, पढ़ना और निद्रा लाभ– इनको छोड़कर और कोई काम नहीं करता। डिप्रेशन, डायबिटीज और रिश्वत न लेने के दुख ज़रूर सालते हैं पर इस असार संसार में ऐसा कौन है, जो पूर्णतया सुखी हो? नानक दुखिया सब संसार।

मगर असली बात यह है कि इतना सबकुछ पाने के बाद भी, मेरी नीयत नहीं

बदली। कुली तभी करता हूँ जब सामान रेल में रखने के लिए वैसा करना अनिवार्य हो और कुली कर भी लिया तो उससे मज़दूरी देने पर जो बहस चलती है, वह तभी ख़त्म होती है जबकि रेल चलने लगती है। प्रतिदिन पाँच सिगरेट पीता हूँ और प्रत्येक सिगरेट की क़ीमत चालीस पैसे होती है। जूते ख़ुद पालिश करता हूँ, किताबों की जिल्दें ख़ुद बाँधता हूँ और अपनी हज़ामत भी ख़ुद ही बनाता हूँ। कपड़ों को तब तक पहनता हूँ जब तक वे इतने न फट जाएँ कि मेरे गुप्ताँग ही दिखने लगें। मैं एक गंजा व्यक्ति हूँ और जो थोड़े-से बाल हैं वे सिर के पिछले हिस्से पर ही हैं। इन बालों को प्रायः मैं पत्नी से कटवा लेता हूँ या ख़ुद ही काट लेता हूँ। श्री महावीर त्यागी और श्री मोरारजी देसाई भी ऐसा ही करते थे। कार वही है जो पैंतीस वर्ष पहले ख़रीदी थी। उन दिनों नयी फिएट कार मात्र 18,000 रु. में मिलती थी और पैट्रोल का दाम निन्यानबे पैसे प्रति लीटर था। गाड़ी ख़रीदने के लिए मैंने बारह हज़ार का कर्ज़ा तो सरकार से लिया और बाक़ी पैसा पुत्र के मुण्डन संस्कार के नाम पर अपने प्रोविडेण्ट फण्ड से निकाला। टेलीविज़न 'ब्लैक एण्ड व्हाइट' ही रहा। रंगीन नहीं। पत्नी भी वही है जिसे मैंने लगभग अड़तालीस वर्ष पहले प्राप्त किया था। सभी चीज़ें आज भी लगभग उतनी ही नयी हैं जितनी वे प्राप्ति के समय थीं। मैं अब भी उतना ही दक़ियानूसी, किफ़ायती हूँ जितना पचास वर्ष पहले था। सादा जीवन व सादे विचार।

मगर नयी पीढ़ी ने मुझ पर जो हमला बोला है, उसका अन्त नज़र नहीं आता। मेरा पुत्र एक अमेरिकन मल्टीनेशनल में ऊँचे पद पर है। उसका सही वेतन तो मैं नहीं जानता मगर इतना ज़रूर जानता हूँ कि उसको जो वेतन, बोनस व अतिरिक्त सुविधाएँ मिलती हैं उन पर उसे साढ़े बाइस लाख आय कर प्रत्येक वर्ष देना पड़ता है। उसकी सुन्दर पत्नी भी केन्द्रीय सरकार के टेलीफ़ोन विभाग में एक बहुत ऊँचे पद पर है। दोनों की अलग-अलग गाड़ियाँ हैं और दोनों ने विश्व के लगभग सभी देशों का दौरा किया है। दोनों इतने व्यस्त हैं कि उनके दो बच्चे आया पालती है। दो ड्राइवर हैं, एक कम्पनी का दिया पहरेदार है और बाक़ी घरेलू नौकर अलग हैं। सबकुछ है पर बच्चों को कहानियाँ सुनाने का समय उनके पास नहीं है। मेरी पुत्री और दामाद बिहार के एक मुफ़स्सिल नगर में एक शानदार कॉन्वेण्ट चलाते हैं और इतने ठाठ से रहते हैं कि दामाद जो हैं, वह लगभग एक हज़ार रुपये की तो टाई ही लगाते हैं। कॉन्वेण्ट में छुट्टी होते ही अपनी-अपनी गाड़ियों में अपनी सुन्दर बच्ची के साथ वे दोनों भारत दर्शन को निकल पड़ते हैं। उन्होंने सारे दर्शनीय स्थान देखे हैं और अपनी मोटरों के सहारे ही देखे हैं। इन दर्शनीय स्थानों में देहरादून भी शामिल है, जहाँ वर्ष में एक या दो बार, वे ज़रूर ही आते हैं। वे पाँच सितारों वाले होटलों में ठहरते हैं और वहाँ के बैरों को इतना 'टिप' देते हैं कि मुझे किसी बड़े होटल का बैरा बनने की इच्छा सालने लगती है। महाकवि मिल्टन की वह पंक्ति

याद आने लगती है जिसमें उसने कहा है कि दे ऑलसो सर्व, हू स्टैण्ड एण्ड वेट।

दोनों बच्चे फ़िजूलख़र्च होने के साथ-साथ दयालु भी बहुत हैं। कुली, मज़दूर व भिखारी तबके के लोगों को वे खुले हाथ देते हैं। यो न ददाति न भुंक्ते, तस्य तृतीया गतिः भवति (भर्तृहरि)।

मेरे दोनों बच्चे जब भी आते हैं तभी उन्हें मेरे रहन-सहन में खामियाँ-ही-खामियाँ नज़र आती हैं। पिछले कुछ वर्षों में उन दोनों ने मेरे मकान में कपड़े धोने की मशीन, मकान के सारे परदे, क़ीमती किताबें, दो कूलर, एक एअरकण्डीशनर, एक कॉर्डलेस, दो रंगीन टेलीविज़न, एक वीडियो, एक मोबाइल टेलीफ़ोन, एक इन्वर्टर और विदेश से लायी विभिन्न वस्तुएँ इस तरह लगायी हैं कि मेरा मकान अब एक अजायबघर लगता है जिसका मैं चपरासी लगता हूँ। अपने ही घर में अब मैं प्रवासी हो गया। वह अपने घर में प्रवासिनी (पन्त)। मेरा पुत्र और मेरा दामाद मेरी सुविधा के लिए एक-एक मोटर यहाँ भी छोड़ना चाहते हैं। अगर ऐसा हो गया तो मेरा घर एक गैराज लगेगा और आयकर विभाग की एक टीम मेरे घर की तलाशी लेगी। पता नहीं कि मैं उन्हें कैसे सन्तुष्ट करूँगा कि छापे में डेढ़ लाख की अतिरिक्त सम्पत्ति जो मिली है, यह कहाँ से आयी है और कब आयी। उन्होंने एक ड्राइवर भी लगा दिया है और मेरे जूतों की पॉलिश व हजामत बनाने का काम उस व्यक्ति को सौंप दिया है, जो अब तक सिर्फ़ मेरा माली ही था। यह व्यक्ति एक कलाकार है जिसके लिखे और गाये गये पहाड़ी गीत उत्तरांचल के रेडियो पर प्रसारित होते हैं। मैं हजामत बनवाते समय उसकी कला को इस तरह दबाये रहता हूँ ताकि मेरा गला सुरक्षित रहे।

आज सारे बच्चे हमें 'हाय' कहकर किसी बड़े होटल में खाना खाने गये हैं। मैं और मेरी निजी और एकमात्र पत्नी बँगले के पिछले बरामदे में चाय पी रहे हैं और वर्षा का आनन्द ले रहे हैं। मैं सिगरेट सुलगाता हूँ और अपने प्रियतम कवि अकबर इलाहाबादी का एक शेर याद करता हूँ :

'हम ऐसी सब किताबें क़ाबिले-ज़ब्ती समझते हैं,
कि जिनको पढ़कर बच्चे बाप को ख़ब्ती समझते हैं।'

❑❑

परिशिष्ट

(अ) जीवन-वृत्त : रवीन्द्रनाथ त्यागी

1.	जन्म	:	9 मई, 1930 (क़स्बा : नहटौर, ज़िला-बिजनौर, उत्तर प्रदेश)।
2.	देहावसान	:	4 सितम्बर, 2004 (देहरादून, उत्तराखण्ड)।
3.	शिक्षा	:	एम.ए. (अर्थशास्त्र), प्रयाग विश्वविद्यालय (गोल्ड मेडलिस्ट), 1954।
4.	विवाह	:	सुश्री शारदाजी से, 24 जून, 1955।
5.	आजीविका	:	12 दिसम्बर, 1955 को 'इण्डियन डिफेंस एकाउण्ट्स सर्विस' में नौकरी आरम्भ की और 1 सितम्बर, 1989 को 'कण्ट्रोलर ऑफ़ एकाउण्ट्स' के पद से सेवानिवृत्त हुए।
6.	परिवार	:	पिता : पं. मुरारीदत्त शर्मा, माता : श्रीमती चमेली देवी, पत्नी : श्रीमती शारदा त्यागी, पुत्र : अशोक (जन्म : 17 अगस्त, 1962), पुत्री : इन्दु (जन्म : 9 जुलाई, 1966), पुत्र-वधू : दीपा, पौत्री : पल्लवी, पौत्र : प्रणव, दामाद : राजय, दौहित्री : कोपल राजे।

(आ) पुरस्कार-सम्मान

1. उत्तर प्रदेश हिन्दी संस्थान, लखनऊ : 1977-1978-1979 में प्रति वर्ष तीन अलग-अलग पुस्तकों पर पुरस्कृत।
2. सरस्वती सम्मान, सहारनपुर।
3. नागरिक सम्मान, मेरठ।
4. चकल्लस पुरस्कार, मुम्बई, 1985।

5. टेपा पुरस्कार, उज्जैन, 1988।
6. श्रीनारायण चतुर्वेदी पुरस्कार, उत्तर प्रदेश।
7. पदुमलाल पुन्नालाल बख्शी पुरस्कार, मध्य प्रदेश।
8. अट्टहास शिखर सम्मान, 1997।
9. व्यंग्यश्री पुरस्कार, दिल्ली, 1998।
10. लीलावती स्मृति पुरस्कार, 1999।
11. शरद जोशी सम्मान, 1999।
12. हरिशंकर परसाई पुरस्कार, हरदा, 2001।
13. स्नेहलता गोइन्का व्यंग्य-भूषण पुरस्कार, 2002।

(इ) रवीन्द्रनाथ त्यागी का साहित्य

(क) हास्य-व्यंग्य संग्रह (मौलिक)

	पुस्तक	प्रकाशक	प्रकाशन-वर्ष
1.	खुली धूप में नाव पर	लोकभारती प्रकाशन, इलाहाबाद	1963
2.	भित्ति-चित्र	राजकमल प्रकाशन, नयी दिल्ली	1966
3.	मल्लिनाथ की परम्परा	लोकभारती प्रकाशन, इलाहाबाद	1968
4.	कृष्णवाहन की कथा	नेशनल पब्लि. हाउस, नयी दिल्ली	1971
5.	देवदार के पेड़	नेशनल पब्लि. हाउस, नयी दिल्ली	1973
6.	शोक-सभा	नेशनल पब्लि. हाउस, नयी दिल्ली	1974
7.	अतिथि-कक्ष	राजपाल एण्ड संस, दिल्ली	1977
8.	सुन्दरकली	सम्भावना प्रकाशन, हापुड़	1978
9.	फूलों वाले कैक्टस	पराग प्रकाशन, दिल्ली	1979
10.	ऋतु-वर्णन	नेशनल पब्लि. हाउस, नयी दिल्ली	1988
11.	भद्र-पुरुष	पराग प्रकाशन, दिल्ली	1980
12.	इस देश के लोग	पराग प्रकाशन, दिल्ली	1982
13.	पदयात्रा	नेशनल पब्लि. हाउस, नयी दिल्ली	1985
14.	पराजित पीढ़ी के नाम	पराग प्रकाशन, दिल्ली	1988
15.	प्रसंगवश	पराग प्रकाशन, दिल्ली	1988
16.	आत्मलेख	नेशनल पब्लि. हाउस, नयी दिल्ली	1988
17.	विष-कन्या	भारतीय ज्ञानपीठ, नयी दिल्ली	1990
18.	गणतन्त्र दिवस की शोभा-यात्रा	नेशनल पब्लि. हाउस, नयी दिल्ली	1991

19.	चम्पाकली	किताब घर, नयी दिल्ली	1992
20.	इतिहास का शव	राजकमल प्रकाशन, नयी दिल्ली	1993
21.	देश-विदेश की कथा	किताब घर, नयी दिल्ली	1994
22.	भाद्रपद की साँझ	राजकमल प्रकाशन, नयी दिल्ली	1996
23.	लाल पीले फूल	किताब घर, नयी दिल्ली	1997
24.	बादलों का गाँव	अभिरुचि प्रकाशन, दिल्ली	1999
25.	शेष-अवशेष	भारतीय ज्ञानपीठ, नयी दिल्ली	2011

(ख) हास्य-व्यंग्य संकलन (पूर्व प्रकाशित निबन्धों के संकलन)

1.	उर्दू-हिन्दी हास्य-व्यंग्य	पराग प्रकाशन, दिल्ली	1978
		दूसरा संस्करण : राजकमल प्रकाशन, नयी दिल्ली	1991
2.	फुटकर	सम्भावना प्रकाशन, हापुड़	1979
3.	मेरी श्रेष्ठ व्यंग्य रचनाएँ	नेशनल पब्लि. हाउस, नयी दिल्ली	1979
4.	प्रतिनिधि रचनाएँ (सम्पादक : कमल किशोर गोयनका)	पराग प्रकाशन, दिल्ली	1988
5.	पूरब खिले पलाश	भारतीय ज्ञानपीठ, नयी दिल्ली	1998
6.	कबूतर, कौए और तोते	भारतीय ज्ञानपीठ, नयी दिल्ली	2001
7.	एक चिरन्तन कथा	मेधा बुक्स, दिल्ली	2004
8.	यक्ष-प्रश्न	मेधा बुक्स, दिल्ली	2005
9.	वसन्त से पतझर तक	भारतीय ज्ञानपीठ, नयी दिल्ली	2005
10.	सिन्दबाद की अन्तिम यात्रा (सम्पादक : कमल किशोर गोयनका)	प्रभात प्रकाशन, नयी दिल्ली	2008
11.	ग़रीब होने के फ़ायदे (सम्पादक : कमल किशोर गोयनका)	प्रभात प्रकाशन, नयी दिल्ली	2008
12.	51 व्यंग्य रचनाएँ (सम्पादक : कमल किशोर गोयनका)	डायमण्ड बुक्स, नयी दिल्ली	2011

(ग) कविता-संग्रह

1.	सूखे और हरे पत्ते	भारती भण्डार, प्रयाग	1962
2.	कल्प-वृक्ष	राजकमल प्रकाशन, नयी दिल्ली	1965
3.	आदिम राग	राधाकृष्ण प्रकाशन, नयी दिल्ली	1967
4.	आख़िरकार	नेशनल पब्लि. हाउस, नयी दिल्ली	1978
5.	सलीब से नाव तक	पराग प्रकाशन, दिल्ली	1983
6.	अन्तिम वसन्त	पराग प्रकाशन, दिल्ली	1988
7.	कृष्ण-पक्ष की पूर्णिमा	किताब घर, नयी दिल्ली	1996

(घ) कविता-संकलन (पूर्व प्रकाशित कविताओं का संकलन)

1.	पीले पाल वाली बूढ़ी नाव (श्रेष्ठ कविताएँ)	मेधा बुक्स, दिल्ली	2003

(ङ) उपन्यास-कहानी

1.	अपूर्ण कथा	सम्भावना प्रकाशन, हापुड़	1980
2.	अपूर्ण कथा (पेपरबैक)	राजपाल एण्ड संस, दिल्ली	1985

(च) पत्र-संग्रह

1.	मेघदूत उवाच	गीतांजलि प्रकाशन, देहरादून	2008

(छ) बाल-साहित्य

1.	मास्टर भोलाराम	पराग प्रकाशन, दिल्ली	1979
2.	हमारे मास्टर साहब	जनप्रिय प्रकाशन, दिल्ली	1987
3.	खेल गाँव	अभिरुचि प्रकाशन, दिल्ली	1991
4.	सुन्दर वन	अभिरुचि प्रकाशन, दिल्ली	1995

(ई) अप्रकाशित-असंकलित रचनाएँ

रवीन्द्रनाथ त्यागी के दिवंगत होने के बाद उनकी पत्नी श्रीमती शारदा त्यागी को

निम्नलिखित ऐसी रचनाएँ मिलीं जो अप्रकाशित एवं असंकलित थीं। ये रचनाएँ निम्नलिखित हैं—

1. आठ कविताएँ : झंडे के प्रति, पनघट, कवि से...., शाम हो गयी..., बेला, मेरा देश और साँझ।

   शारदाजी के अनुसार इनका रचना-काल 1948-52 के बीच का है। इनमें कुछ 'सरस्वती' (प्रयाग) पत्रिका में छपी थीं। उनकी एक पाँच पंक्ति की कविता उनकी डायरी में मिली, वह भी प्रस्तुत है। यह सम्भवतः उनकी अन्तिम कविता है।

2. उनके तीन असंकलित लेख भी संकलित हैं। पहला लेख तो उन्होंने मुझ पर लिखा था, दूसरा 'कुछ व्यंग्य संस्मरण' उन्होंने देहावसान के दिन ही 'उमर उजाला' को प्रकाशनार्थ भेजा था, जो उनके देहान्त के तीन दिन बाद श्रद्धांजलि के रूप में 'अमर उजाला' ने प्रकाशित किया। तीसरा लेख 'नयी पीढ़ी' फ़ाइल में दबा रखा था जो 'इण्डिया टुडे' ने उनकी पहली पुण्य-तिथि को प्रकाशित किया था।

आठ कविताएँ

(1) झंडे के प्रति

जय भारत के प्राण तिरंगे,

बिखर रही थी भारत सुषमा
सदियों से था कितना जर्जर
रही नीरसा धरा उर्वरा
रोता सा रहता था पतझर
सूने से उस ही उपवन में
मचवादी पिकतान तिरंगे!
जय भारत के प्राण तिरंगे।

स्वतन्त्रता की बलिवेदी पर
प्राणों से था खेल निरन्तर
आज सत्य हैं जिनके सपने
अमर हुए जाने वे कितने
भगत सिंह जैसे अनेक उन
वीरों के अभिमान तिरंगे।

जय भारत के प्राण तिरंगे।

जहाँ रही कल सन्ध्या काली
खिली चाँदनी है उजियाली।
वर्षों से अभिशप्त पुनीता,
पुष्प धरा पर है हरियाली
लूटी हुई भारतमाता के
हो सुहाग की शान तिरंगे।
जय भारत के प्राण तिरंगे।

(2) पनघट

ग्राम अलका अप्सराएँ
पनघट पर नीर भरे।

सुन्दर सजीले अंग,—
अचल हिले, खुले पंख,
वस्त्र कसे, कसे व्यंग
अधर रस बूँद झरे!

अंचल हिलाता मरुत्,
धीरे धीरे बजे नूपुर,
उर उर में मधुर मधुर,
अंग में उमंग भरे!

मधुर हास स्नेह सने,
खींच वारि कर थमे,
घूँघट तूणीर, तने—
नयनों के वाण चले!

आर्द्र-द्रुम छाया सघन,
नभ नील - उज्ज्वल घन,
हँसती सी मलयज पवन,
पुष्पों के पंख हिले!

उच्च नील शैल झलक
देता; था घट में छलक
होती फिर हास किलक
काम कल चाप धर!

विहँस उड़ी विहग वधू—
नीड़, चली ग्राम वधू,
प्राणों की वीणा में
जीवन का राग भरे!

(3) कवि से...

ओ शब्दों के चित्रकार तुम,
मृत वर्णों में भर देते हो
अपने प्राणों के जीवित कण!

जीवन की इस मौन डगर पर
तुम काँटों की कुंचित छाया
में भी जाने सुलग रहे हो—
कैसे अपनी कोमल काया!

सोये स्वर में प्राण जगा कर,
शुष्क शब्द से गान बना कर,
तुम जाने कैसे ले आते,
शापों से वरदान बना कर!

तुम जाने कैसे भर देते
स्वप्नों से जीवन का प्याला!
तुम कैसे मूर्च्छित कर देते
जीवित भावों से यह अन्तर!

कैसे जाने देव तुम्हारी
पीड़ा हो जाती है हाला
कैसे जाने सज जाती रे
अनजाने भावों की माला!

तुमने जीवन के क्रन्दन को
मधुर स्वरों के पात्रों में भर
पिला दिया रे अनायास ही
कैसे तुमने अपना अन्तर?

तुमने वर्णों की रेखा में
बाँध दिया सन्ध्या प्रभात को
तुमने पद लय के बन्धन में
बाँध दिया नश्वर जीवन को!

देव, तुम्हारे कल्पित जग की
अजर अमर सुन्दर कुटिया में
मैं भी आकर देख सकूँगा
क्या वे सारे संचित सपने?

(4) शाम हो गयी...

शाम हो गयी,
छिप गये पेड़,
जंगल से लौट आये
बैल, बकरी, भेड़!
पीपल पर लाल लाल
परियाँ रहीं नहीं,
दूर उधर वन में ही
छिप गयीं कहीं!

शब्द एक आता था
किसी के गाने का,
बन्द हो गया; दीप
मन्दिर पर जल गया,
पोखरों से होकर के
घेरों के पास तक
अँधेरा बढ़ आया
चुपके लपक!

डगरों से धूल भरे
बच्चे गये,
क़स्बे के व्यापारी
वापस गये,
पेड़ों के डैनों में
पंछी सोये,
तारों की छाया में
पेड़ सो गये!

सरिता के आसपास
तीर सो गया,
रात की उन बातों में
तम खो गया,
अधरों के बिस्तर पर
गान सो गये।

(5) बेला

आधी रात, जगे तुम बेला,
किसको देख रहे हो पथ पर?
सोया तम भी, सोया नभ भी
और सो गयी वह श्रान्त डगर!
ओ, कवि से तुम भी खिलते हो
गाते शैशव सा मृदु गाना।
सो जाता संसार सभी जब
एकाकी केवल मनमाना।
कौन खिला जाता है जाने
आकर तुमको धीर-धीरे;
नीरव तम में मधुर मौन वह
पंखुरियों पर मृदु स्पर्श दे!
तुम फूलों के राजा, वह भी
होगी रे परियों की रानी।
सबसे छिपकर आ जाती जो
तुम्हें सुनाने प्रेम कहानी।
तुमने यामा के विषाद में
ढूँढ़ा कैसे अमर हास रे?
तुमने कैसे जान लिया प्रिय,
आधी ठीक हुई रात रे?
बोलो, मेरे प्रिय बेला तुम,
मुझे सिखा दी खिलते रहना;
यामा के नीरव विषाद में भी
वृन्तों पर हँसते रहना।
आधी रात हो गयी बेला,
मैं जाता हूँ; तुम हो योगी!

प्रिय-माला-हित लेने कोई
जगी रात भर, आती होगी!

(6) मेरा देश

मेरा देश
मेरा देश
मेरा देश
नदियों का देश
कवियों का देश
छवियों का देश
यह देश—
कि वन-वन गाती-फिरती परियों का
खेतों का देश
गीतों का देश
दीपों का देश
यह देश—
कि शत-शत ऋतुओं का—उन रंगों का
पर्वत का देश
झीलों का देश
सागर का देश
यह देश—
पाल बर्फ़ के : माँझी के सन्देशों का
मेघों का देश
हंसों का देश
कमलों का देश
यह देश—
कि रंग-बिरंगे पंखों उड़ते पाखी का
सोने का देश
चाँदी का देश
मिट्टी का देश
यह देश—
कि लम्बे-लम्बे दिन औ गहरी रातों का

गीता का देश
अयोध्या का देश
मुग़लों का देश

यह देश—
राम, कृष्ण औ गाँधी, बुद्ध, जवाहर का

सन्तों का देश
महन्तों का देश
तीर्थों का देश

यह देश—
मन्दिर, मस्जिद, और शिवाले, गिरजे का

यौवन का देश
जीवन का देश
चिरन्तन देश

यह देश—
आशाओं का, विश्वासों का, आदर्शों का

मेरा देश
मेरा देश
मेरा देश

यह देश—
कि नाम एक बस केवल मेरे प्राणों का

(7) साँझ

धीरे-धीरे साँझ हो गयी!
अब बेला के फूल हिल गये,
नभ में कितने दीप जल गये,
मन में जगा भाव वह नये,
जग भर को मृदु-स्वप्न दे गयी!
ग्राम-डगर पर खिसका अंचल,
स्वर्ण विहग ले सोता पीपल,
उठ जल से यह रेखा चंचल
अभी-अभी नभ में खो गयी।
उधर सो गया धीरे, सविता

नभ में फैला कोमल कविता
जो बिखरे बादल की सन्ध्या
नीरव पग धर मुझे दे गयी!

(8) अन्तिम अप्रकाशित कविता

जो करता हो प्रतीक्षा पावस की
जिसके गीत से उगते हों बादल
जिसके कण्ठ से निकलता हो वसन्त
ऐसा रूपवान शव क्या
आपने कहीं देखा है?

तीन लेख

(1) कमल किशोर गोयनका : एक निश्छल व परिश्रमी प्राण

कुछ लोग ऐसे होते हैं कि आप उन्हें कतई नहीं जानते पर पहिली ही मुलाक़ात में कुछ ऐसा लगता है कि हम दोनों न जाने एक-दूसरे को कितने वर्षों से जानते हैं। डॉ. गोयनका इसी प्रकार के व्यक्ति हैं। मैं उनसे देहरादून में कोई सात वर्ष पहिले पहिली बार मिला था और उस एक भेंट में ही मैं उनका मुरीद हो गया, उनका भक्त हो गया। इतना सरल, निष्कपट, सात्विक और स्नेही बन्धु पाकर मैं वास्तव में भगवान के प्रति हृदय से आभारी हूँ। इस 'दुर्घटना' के बाद वे मेरे यहाँ जम्मू आये और मेरी 'प्रतिनिधि रचनाओं' के सम्पादन के सम्बन्ध में कोई सप्ताह भर रुके। तब मैंने उनका समीक्षक व शोधकर्म वाला व्यक्तित्व देखा, जो मेरे लिए पहला अनुभव था। वे इतने 'सिस्टैमैटिक' हैं, इतने परिश्रमी हैं और इतने पारखी हैं कि बड़े से बड़े प्रोजेक्ट को भी वे कम समय में समाप्त कर सकते हैं। उनके पास बैठ कर लगता है कि रामचन्द्र शुक्ल, हज़ारी प्रसाद द्विवेदी व बाबू श्यामसुन्दर दास किस प्रकार के व्यक्ति रहे होंगे। मैं अतिशयोक्ति कर रहा हूँ पर ज़्यादा नहीं।

डॉ. गोयनका ने मुंशी प्रेमचन्द पर काम किया और बड़ी निष्ठा व लगन के साथ किया। 'प्रेमचन्द विश्वकोश' एक ऐसा विशद ग्रन्थ है कि उसके कारण गोयनका जी की प्रसिद्धि देश में ही नहीं वरन् विदेशों में भी हुई। उन्हें कई पुरस्कार भी मिले। उन्होंने प्रेमचन्द की ऐसी रचनाओं को भी ढूँढ़ा जिनका किसी को पता भी नहीं था। प्रेमचन्द के जीवन के ऐसे प्रसंगों और घटनाओं का विवरण भी तैयार

किया जिन्हें कोई नहीं जानता था। हालाँकि इन प्रसंगों में कुछ ऐसे पहलू भी आये जिन्हें प्रेमचन्द के 'अन्ध-भक्तों' ने पसन्द नहीं किया। बात यह है कि तुलसीदास की भाँति प्रेमचन्द भी करोड़ों पाठकों के लिए मात्र लेखक ही नहीं हैं वरन् उनके परिवार के सदस्य हैं, उनके अपने हैं। ऐसे लोग ऐसी कोई बात नहीं जानना चाहते जो उस चित्र पर नया प्रकाश डाले जिसे वे वर्षों से अपने हृदय पर अंकित किये हुए हैं। मैं खुद इन अन्ध-भक्तों में से एक हूँ। मगर इस सब से गोयनका जी के शोध-कार्य पर कोई अन्तर नहीं पड़ता।

प्रेमचन्द पर किये गये काम से जैसे ही कुछ अवकाश मिला, वैसे ही वे उन चर्चित साहित्यकारों की प्रतिनिधि रचनाओं के संकलन में लग गये, जिन्होंने एक से ज़्यादा विधाओं में काम किया था। यह काम उन्होंने उसी निष्पक्षता, कुशलता और लगन के साथ किया जो उन्होंने प्रेमचन्द के सन्दर्भ में दिखाई थी। वे एक ऐसे समीक्षक हैं जो भावुक तो हैं पर निष्पक्ष भी हैं, स्नेही तो हैं पर स्पष्ट वक्ता भी हैं, प्रशंसक तो हैं पर कमियों पर प्रकाश डाले बिना रह नहीं पाते।

गोयनका जी की निश्छलता कभी-कभी ऐसे कमाल दिखाती है कि आप परेशानी में पड़ सकते हैं। उन्होंने मेरी एक अच्छी-ख़ासी किताब एक ऐसे प्रकाशक को दिलवा दी कि उसने मुझे अभी तक एक पैसा भी रॉयल्टी के रूप में नहीं दिया। यदि मेरा यह नुक़सान न हुआ होता तो मैं उनकी और ज़्यादा प्रशंसा करता।

(11 फ़रवरी, 1989)

(2) कुछ व्यंग्य-संस्मरण

मेरी शादी जून 1955 में हुई। उस समय मेरी आयु 25 वर्ष की थी और पत्नी की आयु 16 वर्ष की थी। उसी वर्ष, मैं केन्द्रीय सरकार की एक बड़ी नौकरी के लिए चुन लिया गया। दफ़्तर जाने पर मैंने साइकिल ख़रीदने के लिए एडवांस की अर्ज़ी दी जो अस्वीकृत कर दी गयी, क्योंकि मैं प्रथम श्रेणी का अधिकारी था और मुझे मोटर ख़रीदने का एडवांस तो मिल सकता था, पर साइकिल का नहीं। एक मित्र अधिकारी ने मुझे दस रुपये प्रति माह के किराये पर एक नयी साइकिल दिलवा दी। कोई डेढ़ वर्ष बाद मैंने अपनी साइकिल ख़रीदी, जिसकी क़ीमत डेढ़ सौ रुपया थी। साइकिल शानदार थी; उसमें घण्टी थी, चेन कवर था, स्टैण्ड था, आगे की तरफ़ बेंत की टोकरी थी और पिछली तरफ़ सामान रखने का क्लिप था। मैंने कोई बारह वर्ष बाद नयी मोटर ख़रीदी, जिसकी सारी क़ीमत साढ़े अठारह हज़ार थी। पत्नी गोरी थी और इसी कारण मोटर मैंने काले रंग की ली। अब तक वही मोटर है और वही पत्नी है। मोटर ख़रीदने के बाद मैंने अपनी साइकिल सौ रुपयों में बेच दी। अब तो हालत यह है कि मेरे निजी परिवार में छह मोटर हैं जिनमें मेरी मोटर सबसे पुरानी

है। मोटर उतनी ही चमकती है जितनी कि वह सैंतीस वर्ष पहले चमकती थी। चार दुर्घटनाएँ हो चुकी हैं, जिनमें एक दुर्घटना भयंकर थी और मेरी जान कैसे बच गयी, यह मैं ख़ुद नहीं जानता। यह दुर्घटना मेरी अपनी लापरवाही के कारण हुई थी।

मुन्नीलाल ने मुझे मोटर चलाना सिखाया। वह मेरे ही दफ़्तर में चतुर्थ श्रेणी का कर्मचारी था। उसके साथ मेरा परिवार सारनाथ, वाराणसी, कौशाम्बी, चित्रकूट, चुनार, मिर्ज़ापुर, विन्ध्याचल, लोअर खज़ूरी डाम, अपर खज़ूरी डाम, चचई फ़ाल, टाँडा फ़ाल, विंढम फ़ाल, रीवाँ, गोविन्द गढ़, कानपुर व लखनऊ गये। मुन्नीलाल शराब बहुत पीता था और इसी कारण वह तीस-पैंतीस वर्ष की आयु में ही मर गया। कौशाम्बी में कभी राजा उदयन राज करते थे और उनकी चर्चा कालिदास ने 'मेघदूत' में की।

1950 में जब मैं इलाहाबाद युनिवर्सिटी गया तो मैंने देखा कि लगभग सारे बड़े प्रोफ़ेसर या तो रिक्शे से चलते थे या फिर साइकिल चलाते थे। कुछ बड़े लोग (जैसे डॉ. ईश्वरीप्रसाद और रघुपतिसहाय 'फ़िराक़') युनिवर्सिटी पैदल ही आते थे, क्योंकि उनके बँगले युनिवर्सिटी के पास ही थे। हिन्दी-विभाग में केवल डॉ. रामकुमार वर्मा ही एक ऐसे अध्यापक थे जो मोटर रखते थे। बाद में चलकर डॉ. धर्मवीर भारती ने एक ऐसी फटीचर मोटर ख़रीदी थी जिसके भोंपू को छोड़कर, सारे पुर्ज़े आवाज़ निकालते थे। भोंपू की ज़रूरत कभी नहीं पड़ती थी, क्योंकि उनकी मोटर की आवाज़ इतनी बुलन्द थी कि वह दूर तक पहुँचती थी। उनकी उस मोटर को स्टार्ट करने के लिए क़रीब छह विद्यार्थी धक्का लगाते थे। कभी-कभी वह मोटर एकदम चल पड़ती थी और पीछे से धक्का लगाने वाले छात्र धराशायी हो जाते थे, जबकि उनकी वह शानदार मोटर प्रायः रोज़ ही काफ़ी धक्के लगाने के बाद ही गतिशील हो पाती थी। कॉमर्स विभाग के प्रोफ़ेसर घोष और अँग्रेज़ी विभाग के प्रोफ़ेसर सतीशचन्द्र देव ताँगे में बैठकर युनिवर्सिटी आते थे, जबकि अर्थशास्त्र के प्रोफ़ेसर रुद्रा साइकिल से ही युनिवर्सिटी आते थे। प्रोफ़ेसर देव एक दिलचस्प आदमी थे। उनके बारे में बच्चन ने लिखा है–

प्रोफ़ेसर देव थे गोलमटोल
मानो विश्व-ज्ञान के ढोल,
विनम्रता के थे अवतार
और विनम्रतर बन जाने में
उन्हें नहीं लगती थी बार,
कर सकते थे वे हाफ़िज़ का
सेनोलूल का, हलवे का
एक साँस में शंखोच्चार।

(3) नयी पीढ़ी

मैं एक निम्न मध्यवर्गीय परिवार में पैदा हुआ, जो मेरे पिता की घोर अकर्मण्यता के कारण भयंकर ग़रीब था। मेरी प्रारम्भिक शिक्षा संस्कृत में हुई। किसी तरह मैं अपने क़स्बे के हाई स्कूल में भर्ती हुआ जिसका सारा श्रेय एक परम दयालु हैडमास्टर को जाता है, जिन्होंने मेरी फीस माफ करवाई और कोर्स की किताबें स्कूल की लाइब्रेरी से दिलवाईं। मैं क्लास में हमेशा प्रथम आता था और इसी कारण मुझे छात्रवृत्ति हमेशा मिलती थी। ट्यूशन करके सौ रुपये जमा किये और उन्हीं के बल पर मैं प्रयाग विश्वविद्यालय गया और वहाँ से एम.ए. की परीक्षा में टॉप करके लौटा। वहाँ भी मैंने पाँच रुपये मासिक की नौकरी की, छात्रवृत्ति पायी, प्रूफ़ पढ़े, डिस्पैच का काम किया और सुन्दर व अमीर लड़कियों के ट्यूशन भी किये। प्रयाग उन दिनों साहित्य का गढ़ था और पन्त, निराला, महादेवी वर्मा, फ़िराक़ और बच्चन वहीं रहते थे। अगर मैं प्रयाग न जाता तो साहित्यकार कभी नहीं बनता। प्रयाग में ही मैंने देश की सर्वोच्च सिविल सर्विसेज़ की प्रतियोगिता-परीक्षा पास की और 'इण्डियन डिफेंस एकाउण्ट्स सर्विस' के लिए चुन लिया गया। मैं रातों-रात एक बड़ा आदमी बन गया। नौकरी के सात वर्ष मैंने विभिन्न महत्त्वपूर्ण पदों पर केन्द्रीय सचिवालय में गुज़ारे। जब चौधरी बंसीलाल रक्षा मन्त्री बने, तो उन्होंने पहला ख़ास काम यह किया कि बिना किसी ठोस कारण के मुझे मुअत्तिल कर दिया। मैं उन दिनों रक्षा-मन्त्रालय में उपसचिव था। मुअत्तिली का ग़लत ऑर्डर उन्हें पिछली तारीख़ से वापस लेना पड़ा। कुछ परेशानियों को छोड़कर, मेरा सारा सेवा-काल शान्ति से गुज़रा। मैं बहुत भाग्यशाली था। यदि मैं इन दिनों 'भारतीय प्रशासन सेवा' या 'भारतीय पुलिस सेवा' में होता तो कुमारी मायावती, श्रीमती राबड़ी देवी या कुमारी जयललिता द्वारा, पता नहीं कब और कहाँ फेंक दिया गया होता। कुमारी मायावती की माया अनन्त है। यह कुमारी तो जब भी चाहे तभी चीफ़ सेक्रेटरी या डाइरेक्टर जनरल (पुलिस) को मुअत्तिल कर दें या उनका ट्रांसफर कन्याकुमारी को कर दें, हालाँकि कन्याकुमारी इनके राज्य के बाहर है। हरि अनन्त, हरि कथा अनन्ता...।

मैं तो फ़िलहाल देहरादून जैसे रमणीक और महत्त्वपूर्ण नगर में एक बड़े बँगले में रहता हूँ जिसमें (रोमन क़ानून के विधाता सिसरो के कथनानुसार) लाइब्रेरी व उपवन दोनों हैं। घूमना, लिखना, पढ़ना और निद्रा लाभ—इनको छोड़कर और कोई काम नहीं करता। डिप्रेशन, डायबिटीज और रिश्वत न लेने के दुःख ज़रूर सालते हैं, पर इस असार संसार में ऐसा कौन है जो पूर्णतया सुखी हो? नानक दुखिया सब संसार। मगर असली बात यह है कि इतना सब कुछ पाने के बाद भी मेरी नीयत नहीं बदली। कुली तभी करता हूँ जबकि, सामान रेल में रखने के लिए, वैसा करना अनिवार्य हो और कुली कर भी लिया तो उससे मज़दूरी देने पर जो बहस चलती है,

वह तभी ख़त्म होती है जबकि रेल चलने लगती है। प्रतिदिन पाँच सिगरेट पीता हूँ, और प्रत्येक सिगरेट की क़ीमत चालीस पैसे होती है। जूते खुद पालिश करता हूँ, किताबों की जिल्दें खुद बाँधता हूँ और अपनी हजामत खुद ही बनाता हूँ। कपड़ों को तब तक पहनता हूँ जब तक वे इतने न फट जायें कि मेरे गुप्तांग ही दिखने लगें। मैं एक गंजा व्यक्ति हूँ और जो थोड़े से बाल हैं, वे सिर के पिछले हिस्से पर ही हैं। इन बालों को प्रायः मैं पत्नी से कटवा लेता हूँ या खुद ही काट लेता हूँ। श्री महावीर त्यागी और श्री मुरारजी देसाई भी ऐसा ही करते थे। कार वही है जो पैंतीस वर्ष पहले ख़रीदी थी। उन दिनों नयी फिएट कार मात्र अठारह हज़ार में मिली थी और पेट्रोल का दाम निन्यान्वे पैसे प्रति लीटर था। गाड़ी ख़रीदने के लिए मैंने बारह हज़ार का कर्ज़ा तो सरकार से लिया और बाक़ी पैसा पुत्र के मुंडन-संस्कार के नाम पर अपने प्रोविडेण्ट फण्ड से निकाला। टेलीविज़न 'ब्लैक एण्ड ह्वाइट' ही रहा, रंगीन नहीं। पत्नी भी वही है जिसे मैंने लगभग अड़तालीस वर्ष पहले प्राप्त किया था। सभी चीज़ें आज भी लगभग उतनी ही नयी हैं जितनी कि वे प्राप्ति के समय थीं। मैं अब भी उतना ही दक़ियानूसी और किफ़ायती हूँ, जितना पचास वर्ष पहले था। सादा जीवन व सादे विचार। मगर नयी पीढ़ी ने मुझ पर जो हमला बोला है, उसका अन्त नज़र नहीं आता।

मेरा पुत्र एक अमेरिकन मल्टीनेशनल में ऊँचे पद पर है। उसका सही वेतन तो मैं नहीं जानता, मगर इतना ज़रूर जानता हूँ कि उसको जो वेतन, बोनस व अतिरिक्त सुविधाएँ मिलती हैं, उन पर उसे साढ़े बाईस लाख आय कर प्रत्येक वर्ष देना पड़ता है। उसकी सुन्दर पत्नी भी केन्द्रीय सरकार के टेलीफ़ोन विभाग में एक बहुत ऊँचे पद पर है। दोनों की अपनी अलग गाड़ियाँ हैं और दोनों ने विश्व के लगभग सभी देशों का दौरा किया है। दोनों इतने व्यस्त हैं कि उनके दो बच्चे आया पालती है। दो ड्राइवर हैं, एक कम्पनी का दिया पहरेदार है और बाक़ी घरेलू नौकर अलग हैं। सब कुछ है, पर बच्चों को कहानियाँ सुनाने का समय उनके पास नहीं है। मेरी पुत्री और दामाद बिहार के एक मुफ़स्सिल नगर में एक शानदार कान्वेंट चलाते हैं और इतने ठाठ से रहते हैं कि दामाद जो है वह लगभग एक हज़ार रुपयों की तो टाई ही लगाता है। कान्वेंट में छुट्टी होते ही अपनी-अपनी गाड़ियों में अपनी सुन्दर बच्ची के साथ वे दोनों भारत-दर्शन को निकल पड़ते हैं। उन्होंने सारे दर्शनीय स्थान देखे हैं और अपनी मोटरों के सहारे ही देखे हैं। इन दर्शनीय स्थानों में देहरादून भी शामिल है जहाँ वर्ष में एक या दो बार वे ज़रूर आते हैं। वे पाँच सितारों वाले होटलों में ठहरते हैं और वहाँ के बैरों को इतना 'टिप' देते हैं कि मुझे किसी बड़े होटल के बैरा बनने की इच्छा सालने लगती है। महाकवि मिल्टन की यह पंक्ति याद

आने लगती है जिसमें उसने कहा है कि 'दे आलसो सर्व, हू स्टैण्ड एण्ड वेट'। दोनों बच्चे फ़िज़ूलख़र्च होने के साथ-साथ दयालु भी बहुत हैं। कुली, मज़दूर व भिखारी तबके के लोगों को वे खुले हाथ देते हैं। यो न ददाति न भुक्ते, तस्य तृतीया गतिः भवति (भर्तृहरि)।

मेरे दोनों बच्चे जब भी आते हैं तभी उन्हें मेरे रहन-सहन में खामियाँ-ही-खामियाँ नज़र आती हैं। पिछले कुछ वर्षों में उन दोनों ने मेरे मकान में कपड़े धोने की मशीन, मकान के सारे पर्दे, क़ीमती किताबें, दो कूलर, एक एयर-कण्डीशनर, एक कॉर्ड-लैस, दो रंगीन टेलीविज़न, एक वीडियो, एक मोबाइल टेलीफ़ोन, एक इन्वर्टर और विदेशों से लायी विभिन्न वस्तुएँ इस प्रकार लगायी हैं, मेरा मकान एक अजायबघर लगता है जिसका कि मैं चपरासी लगता हूँ। अपने ही घर में अब मैं प्रवासी हो गया। (वह अपने घर में प्रवासिनी—पन्त) मेरा पुत्र और मेरा दामाद मेरी सुविधा के लिए एक-एक मोटर यहाँ भी छोड़ना चाहते हैं। अगर ऐसा हो गया तो मेरा घर एक गराज़ लगेगा और आयकर विभाग की एक टीम मेरे घर की तलाशी लेगी। पता नहीं कि मैं उन्हें कैसे सन्तुष्ट करूँगा कि छापे में डेढ़ लाख की अतिरिक्त सम्पत्ति जो मिली है, वह कहाँ से आयी और कब आयी। उन्होंने एक ड्राइवर भी लगा दिया है और मेरे जूतों की पालिश व हजामत बनाने का काम उस व्यक्ति को सौंप दिया है जो अब तक सिर्फ़ मेरा माली ही था। यह व्यक्ति एक कलाकार है जिसके लिखे और गाये हुए पहाड़ी गीत उत्तरांचल के रेडियो पर प्रसारित होते हैं। मैं हजामत बनवाते समय उसकी कला को किसी तरह दबाये रहता हूँ, ताकि मेरा गला सुरक्षित रहे।

आज सारे बच्चे हमें 'हाय' कहकर किसी बड़े होटल में खाना खाने गये हैं। मैं और मेरी निजी और एकमात्र पत्नी बरामदे में चाय पी रहे हैं और वर्षा का आनन्द ले रहे हैं। मैं सिगरेट सुलगाता हूँ और अपने प्रियतम कवि अकबर इलाहाबादी का एक शेर याद करता हूँ :

हम ऐसी सब किताबें क़ाबिले-ज़ब्ती समझते हैं
कि जिनको पढ़कर बच्चे बाप को ख़ब्ती समझते हैं।

(उ) कमल किशोर गोयनका का साहित्य

(क) प्रेमचन्द पर पुस्तकें

1. **प्रेमचन्द के उपन्यासों का शिल्प-विधान** : सरस्वती प्रेस, 2/43, अंसारी रोड, दरियागंज, नयी दिल्ली-110002, प्र.सं. 1974, मूल्य : 50.00 रुपये
2. **प्रेमचन्द : कुछ संस्मरण** : सरस्वती विहार, जी.टी. रोड, शाहदरा, दिल्ली, प्र.सं. 1980, मूल्य : 25.00 रुपये
3. **प्रेमचन्द (पाकेट बुक)** : हिन्द पॉकेट बुक्स प्रा.लि., जी.टी. रोड, शाहदरा,

दिल्ली, प्र.सं. 1980, मूल्य : 10.00 रुपये

4. **प्रेमचन्द और शतरंज के खिलाड़ी** : पूर्वोदय प्रकाशन, 7/8, दरियागंज, नयी दिल्ली-110002, प्र.सं. 1980, मूल्य 45.00 रुपये
5. **प्रेमचन्द : अध्ययन की नयी दिशाएँ** : साहित्य-निधि, सी-38, ईस्ट कृष्णा नगर, दिल्ली, प्र.सं. 1981, मूल्य : 50.00 रुपये
6. **रंगभूमि : नये आयाम** : नचिकेता प्रकाशन, 9187/4, मुल्तानी ढांडा, पहाड़गंज, नयी दिल्ली-110055, प्र.सं. 1981, मूल्य : 50.00 रुपये
7. **प्रेमचन्द-विश्वकोश (खण्ड एक एवं दो)** : प्रभात प्रकाशन, 205, चावड़ी बाज़ार, दिल्ली-110006, प्र.सं. 1981, मूल्य : 300.00 रुपये
8. **प्रेमचन्द–चित्रात्मक जीवनी** : पीताम्बर पब्लिशिंग कम्पनी प्रा.लि., 888, ईस्ट पार्क रोड, करोलबाग, नयी दिल्ली-110005, प्र.सं. 1986, मूल्य : 75.00 रुपये
9. **प्रेमचन्द का अप्राप्य साहित्य (खण्ड एक एवं दो)** : वाणी प्रकाशन, 21-ए, दरियागंज, नयी दिल्ली-110002, प्रथम संस्करण, 2016, मूल्य : प्रत्येक खण्ड 2000.00 रुपये
10. **प्रेमचन्द की हिन्दी-उर्दू कहानियाँ** : भारतीय ज्ञानपीठ, 18, इंस्टिट्यूशनल एरिया, लोदी रोड, नयी दिल्ली-110003, प्र.सं. 1990, मूल्य : 130.00 रुपये
11. **प्रेमचन्द-रचना संकलन** : साहित्य अकादेमी, 35, फ़िरोजशाह मार्ग, नयी दिल्ली-110001, प्र.सं. 1994, मूल्य : 300.00 रुपये
12. **प्रेमचन्द–देश-प्रेम की कहानियाँ** : निर्मल पब्लिकेशन्स, ए-139, कबीर नगर, गली नं.-3, शाहदरा, दिल्ली-110032, प्र.सं. 2002, मूल्य : 400.00 रुपये
13. **प्रेमचन्द के नाम पत्र** : अनिल प्रकाशन, 2619-20, न्यू मार्केट, नयी सड़क, दिल्ली-110006, प्र.सं. 2002, मूल्य : 250.00 रुपये
14. **प्रेमचन्द–बाल साहित्य समग्र** : मेधा बुक्स, एक्स-11, नवीन शाहदरा, दिल्ली- 110032, प्र.सं. 2002, मूल्य : 400.00 रुपये
15. **प्रेमचन्द की अप्राप्य कहानियाँ** : अनिल प्रकाशन, 2619-20, न्यू मार्केट, नयी सड़क, दिल्ली-110006, प्र.सं. 2005, मूल्य : 300.00 रुपये
16. **प्रेमचन्द और 'रगभूमि' उपन्यास** : अनिल प्रकाशन, 2619-20, न्यू मार्केट, नयी सड़क, दिल्ली-110006, प्र.सं. 2004, मूल्य : 200.00 रुपये
17. **प्रेमचन्द–पत्रकोश** : अमित प्रकाशन, के.बी.- 97, कविनगर, ग़ाज़ियाबाद-201002, प्र.सं. 2007, मूल्य : 600.00 रुपये
18. **प्रेमचन्द–नयी पहचान** : (प्रेस में)

19. **प्रेमचन्द : कहानी रचनावली** (6 खण्डों में) : साहित्य अकादेमी, 35, फ़िरोजशाह मार्ग, नयी दिल्ली-110001, 2010, मूल्य : 1500.00 रुपये (सम्पूर्ण)
20. **प्रेमचन्द : अनछुए प्रसंग** : मानसी पब्लिकेशंस, 1569, पहली मंज़िल, चर्च रोड, कश्मीरी गेट, दिल्ली-110006, प्र.सं. 2012
21. **प्रेमचन्द : वाद-प्रतिवाद-संवाद** : अयन प्रकाशन, महरौली, नयी दिल्ली, प्र. सं. 2012
22. **प्रेमचन्द (मोनोग्राफ)** : साहित्य अकादेमी, 35, फ़िरोजशाह मार्ग, नयी दिल्ली-110001, प्र.सं. 2013, मूल्य : 50 रुपये
23. **प्रेमचन्द : प्रतिनिधि संचयन** : सस्ता साहित्य मण्डल, नयी दिल्ली-110001, प्र.सं. 2013, मूल्य : 350.00 रुपये
24. **'गोदान' प्रथम संस्करण** (प्रेस में)
25. **'कफ़न' कहानी : आत्मा की तलाश** (प्रेस में)
26. **प्रेमचन्द : सम्पूर्ण दलित कहानियाँ** : सस्ता साहित्य मण्डल, नयी दिल्ली-110001, 2014
27. **प्रेमचन्द : राष्ट्र-प्रेम की कहानियाँ** : अनिल प्रकाशन, दिल्ली, 2014
28. **प्रेमचन्द का कहानी-दर्शन** : अनिल प्रकाशन, दिल्ली, 2014

(ख) अन्य साहित्यकारों पर पुस्तकें

1. **प्रभाकर माचवे–प्रतिनिधि रचनाएँ** : साहित्य-निधि, सी-38, ईस्ट कृष्णा नगर, दिल्ली, प्र.सं. 1984, मूल्य : 80.00 रुपये
2. **जगदीश चतुर्वेदी–एक विवादास्पद रचनाकार** : पल्लवी प्रकाशन, ए-35, निर्माण विहार, दिल्ली-110092; प्र.सं. 1985, मूल्य : 200.00 रुपये
3. **मन्मथनाथ गुप्त–प्रतिनिधि कहानियाँ** : जनप्रिय प्रकाशन, 29/60, गली नं. 11, विश्वास नगर, दिल्ली-110032, प्र.सं. 1985, मूल्य : 65.00 रुपये
4. **जिज्ञासाएँ मेरी–समाधान बच्चन के** : किताब घर, 24/4866, अंसारी रोड, दरियागंज, नयी दिल्ली-110002, प्र.सं. 1985, मूल्य : 60.00 रुपये
5. **रवीन्द्रनाथ त्यागी–प्रतिनिधि रचनाएँ** : पराग प्रकाशन, 3/114, कर्ण गली, विश्वास नगर, दिल्ली-110032, प्र.सं. 1987, मूल्य : 100.00 रुपये
6. **हज़ारीप्रसाद द्विवेदी–कुछ संस्मरण** : किताब घर, 24/4866, अंसारी रोड, दरियागंज, नयी दिल्ली-110002, प्र.सं. 1988, मूल्य : 100.00 रुपये
7. **विष्णु प्रभाकर–प्रतिनिधि रचनाएँ** : प्रभात प्रकाशन, 205, चावड़ी बाज़ार, दिल्ली-110006; प्र.सं. 1988, मूल्य : 150.00 रुपये

8. **यशपाल–कुछ संस्मरण** : पराग प्रकाशन, 3/114, कर्ण गली, विश्वास नगर, दिल्ली-110032, प्र.सं. 1990, मूल्य : 80.00 रुपये
9. **रामकुमार वर्मा नाटक रचनावली (तीन खण्डों में)** : किताब घर, 24/4866, अंसारी रोड, दरियागंज, नयी दिल्ली-110002, प्र.सं. 1990, मूल्य : 600.00 रुपये (सम्पूर्ण)
10. **लघुकथा का व्याकरण** : किताब घर, 24/4866, अंसारी रोड, दरियागंज, नयी दिल्ली-110002, प्र.सं. 1998, मूल्य : 200.00 रुपये
11. **दिनेशनंदिनी डालमिया से बातचीत** : हिन्दी बुक सेंटर, 4-5 बी, आसफ अली रोड, नयी दिल्ली-110002, प्र.सं. 2002, मूल्य : 160.00 रुपये
12. **मंजुल भगत–समग्र कथा-साहित्य (खण्ड एक एवं दो)** : किताब घर, 24/4866, अंसारी रोड, दरियागंज, नयी दिल्ली-110002, प्र.सं. 2004, मूल्य : 900.00 रुपये (सम्पूर्ण)
13. **ग़रीब होने के फ़ायदे एवं अन्य व्यंग्य रचनाएँ (रवीन्द्रनाथ त्यागी की व्यंग्य-रचनाओं का संकलन)** : प्रभात प्रकाशन, 4/19, आसफ अली रोड, नयी दिल्ली-110002, प्र.सं. 2008, मूल्य : 300.00 रुपये
14. **आपातकाल की प्रतिनिधि कविताएँ** : धारिका पब्लिकेशंस, 319, आर.जी. कॉम्प्लेक्स-1, सेक्टर-14, रोहिणी, दिल्ली-110085, प्र.सं. 2007, मूल्य : 400.00 रुपये
15. **गाँधी : पत्रकारिता के प्रतिमान** : नटराज प्रकाशन, ए-98, अशोक विहार, फेज-प्रथम, दिल्ली-110052, प्र.सं. 2008, मूल्य : 400.00 रुपये
16. **बालशौरि रेड्डी कथा-रचनावली** : मानसी पब्लिकेशंस, 1569, पहली मंज़िल, चर्च रोड, कश्मीरी गेट, दिल्ली-110006, प्र.सं. 2012
17. **रवीन्द्रनाथ त्यागी रचनावली (आठ खण्ड)** : वाणी प्रकाशन, 21-ए, दरियागंज, नयी दिल्ली-110002, प्र.सं. 2016

(ग) हिन्दी के प्रवासी साहित्य पर पुस्तकें

1. **अभिमन्यु अनत–एक बातचीत** : ज्ञान भारती, 4/14, रूपनगर, दिल्ली-110007, प्र.सं. 1985, मूल्य : 45.00 रुपये
2. **अभिमन्यु अनत–प्रतिनिधि रचनाएँ** : नटराज प्रकाशन, ए-98, अशोक विहार, फेज-प्रथम, दिल्ली-110052, प्र.सं. 1999, मूल्य : 350.00 रुपये
3. **मॉरिशस की हिन्दी कहानियाँ** : साहित्य अकादेमी, 35, फ़िरोजशाह मार्ग, नयी दिल्ली-110001, प्र.सं. 2000, मूल्य : 250.00 रुपये
4. **अभिमन्यु अनत : समग्र कविताएँ** : इरावती प्रकाशन, सी-487, विकासपुरी, नयी दिल्ली-110018, प्र.सं. 1998, मूल्य : 350.00 रुपये

5. **मॉरिशस के राष्ट्रकवि ब्रजेन्द्र कुमार भगत 'मधुकर' काव्य-रचनावली :** नटराज प्रकाशन, ए-98, अशोक विहार, फेज-प्रथम, दिल्ली-110052, प्र.सं. 2003, मूल्य : 600.00 रुपये
6. **हिन्दी का प्रवासी साहित्य :** अमित प्रकाशन, के.बी.-97, कविनगर, ग़ाज़ियाबाद- 201002, प्र.सं. 2011, मूल्य : 600.00 रुपये

(घ) कमल किशोर गोयनका पर प्रकाशित पुस्तकें

1. **'समीचीन' पत्रिका का 'डॉक्टर कमल किशोर गोयनका अंक' :** सम्पादक–देवेश ठाकुर, मुम्बई
2. **प्रेमचन्द-साहित्य के अध्येता–डॉ. कमल किशोर गोयनका :** सम्पादक–देवेश ठाकुर, संकल्प प्रकाशन, ए-34, बिल्वकुंज हाउसिंग सोसाइटी, लालबहादुर शास्त्री मार्ग, मुलुंड (पश्चिमी), मुम्बई-400082, प्र.सं. 1990, मूल्य : 55.00 रुपये
3. **डॉ. कमल किशोर गोयनका का साहित्य-संसार :** निर्मला सैनी, अनिल प्रकाशन, 2619-20, न्यू मार्केट, नयी सड़क, दिल्ली-110006, प्र.सं. 2006, मूल्य: 200.00 रुपये
4. **'कल्पांत', फ़रवरी 2009, कमल किशोर गोयनका विशेषांक :** सम्पादक–मुरारीलाल त्यागी, 1962/151, त्रिनगर, दिल्ली-110035
5. **'समावर्तन', नवम्बर 2009, कमल किशोर गोयनका अंक :** सम्पादक–प्रभात कुमार भट्टाचार्य, 129, दशहरा मैदान, उज्जैन-456010
6. **'अभिनव इमरोज', जुलाई 2013, प्रेमचन्द विशेषांक :** सम्पादक–कमल किशोर गोयनका
7. **'पाण्डुलिपि' प्रवासी विशेषांक, रायपुर :** सम्पादक–कमल किशोर गोयनका, 2013